5판

한방 재활의학

한방재활의학과학회 지음

Korean Rehabilitation Medicine

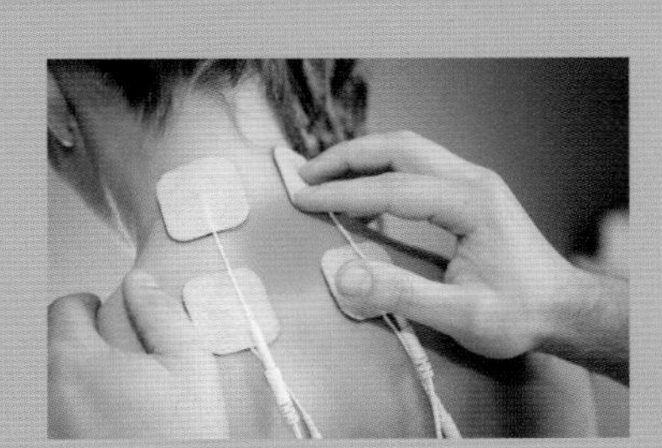
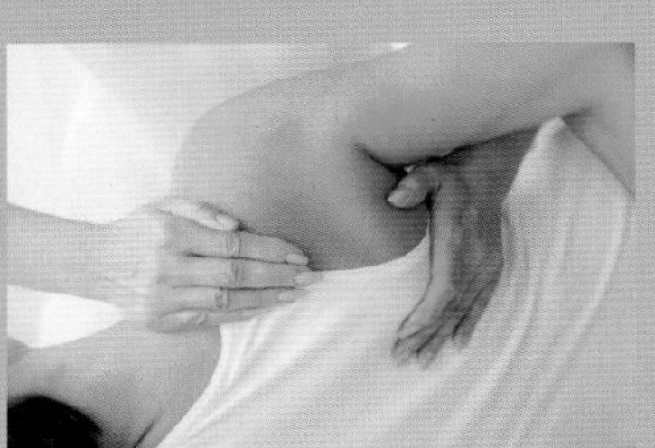
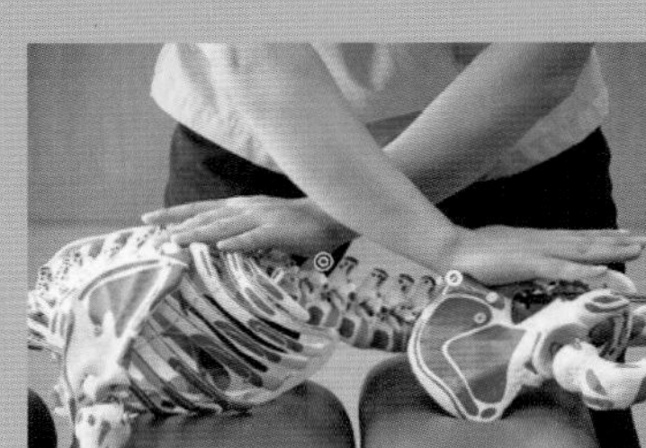

한방재활의학 제5판

첫째판 1쇄 인쇄 | 2020년 8월 14일
첫째판 1쇄 발행 | 2020년 8월 31일
첫째판 2쇄 발행 | 2022년 2월 11일
첫째판 3쇄 발행 | 2024년 9월 5일

지 은 이 한방재활의학과학회
발 행 처 글로북스
등록 제 25100-2008-10호(2013.10.24)
본사 (10881) **파주출판단지** 경기도 파주시 서패동 470번지

* 파본은 교환하여 드립니다.
* 검인은 저자와의 합의 하에 생략합니다.

ISBN 979-11-5955-597-8
정가 50,000원

발간사

한방재활의학은 근골격계 통증성 질환, 신경계 마비질환, 양생 및 식이요법을 필요로 하는 비만, 다양한 재활치료 그리고 자세의 불균형에 따른 질환을 주요 치료 대상으로 연구 개발하는 학문입니다. 아울러 근거중심의학에 입각하여 최신 의료 기술을 한의학과 접목시켜 점차 영역을 넓혀가고 있어 임상에서뿐만 아니라 학문적으로도 중요한 부분을 담당하고 있습니다.

최근 교육의 흐름이 '얼마나 많이 가르킬 것인가'라는 교수 중심적 사고에서 학생들이 '무엇을 얼마나 알고 있는가'로 변했고, 한의사 국가고시 평가 기준도 면허를 받은 뒤 실제 임상 상황에서 '무엇을 할 수 있는가'라는 임상 직무 능력을 중요시하고 있습니다.

이러한 교육 흐름의 변화와 더불어 재활 치료의 발전과 시대 변화에 따라 지속적으로 한방재활의학 교과서의 개정이 진행되어 오고 있습니다. 특히 이번 5판 개정판에서는 각종 수술 후 재활 치료, 한방물리요법의 급여화 확대, 추나치료의 보험화 등 한방재활의학에서 그동안 변화된 내용을 반영할 수 있도록 다양한 집필진을 보강하였습니다. 앞으로도 지속적으로 한방재활의학의 전문영역에 대한 보완 작업을 거쳐 보다 임상 현장에서 유용한 지침과 내용이 포함되도록 하겠습니다.

부족한 점은 많지만 넓은 아량으로 살펴주시고 교육 현장에서 한방재활의학이 고유한 전문 영역으로 자리 잡는데 기준이 되었으면 하는 바람입니다. 또한 학생들뿐 아니라 한의학을 사랑하는 선후배 한의사분들의 많은 관심과 사랑 부탁드립니다.

끝으로 한방재활의학과가 있기까지 초석을 마련해 주신 선배 교수님들과 본 교과서 개편을 위해 의견을 모아 방향을 정하고 감수를 해주신 교수협의회장 이명종 교수님, 집필에 직접 참여해주신 모든 교수님과 집필진들께 감사의 말씀을 드립니다. 또한 교과서 편찬 작업이 원만하게 진행될 수 있게 도와준 글로북스에 감사의 말씀을 드립니다.

2020년 8월
한방재활의학과 학회장
최 진 봉

머릿글

〈한방재활의학〉 4판이 출간된 지 5년 만에 5판을 내놓게 되었습니다. 2003년에 초판이 간행된 이래 4-5년마다 개정판을 거듭하여 이제는 어엿한 학문체계의 집대성을 이루었다고 자부심을 가질 만합니다. 이 분야는 전통 한의서적에 재활이라는 용어가 언급되지 않은 까닭에 학문체계를 새로이 만들어내야 하는 어려움이 있었고, 이는 한의 임상과목 중에 유례가 없는 것으로서 신생 학문이 경험하는 성장통이기도 합니다.

지난 5년 동안 임상에서는 자동차보험 비중이 상당히 증가하여 많은 교통사고 환자들이 한의진료의 우수성을 확인하게 되었고, 아울러 생활체육의 확산으로 인한 스포츠상해 환자들도 재활치료의 중요한 대상이 되었습니다. 초판에서 스포츠의학 부분을 처음으로 공통교재에 수록하였고 4판에서는 교통사고 증후군과 산업재해를 다루어 임상영역을 넓혔다면, 5판에서는 한의사 국가시험에 대비하여 보다 근거중심의 서술을 시도하였습니다.

한방물리요법의 새로운 행위 정의 및 분류를 적용하였고, 수술 후 재활 등에 관해 개발된 한의임상진료지침을 반영하였으며 그간 논문으로 발표된 국내외의 최신 연구흐름을 상당 부분 반영하였습니다. 또한 집필진을 대학교수로 국한시키지 않고 연구소 연구원을 포함시켜 주요 임상연구의 내용을 적극 수용하였습니다.

교재편찬 때마다 많은 시간을 공들여 집필해주시는 교수님들과 연구원들 그리고 각 대학 교실원 여러분들께 진심으로 감사의 뜻을 전하고, 구슬을 훌륭하게 꿰어주신 글로북스 관계자분들께도 고마운 말씀을 드리겠습니다.

2020년 8월
개정 5판 편찬위원장
이 명 종

집필진

고연석(우석대학교)
권영달(원광대학교)
금동호(동국대학교)
김고운(경희대학교)
김선종(동신대학교)
김순중(세명대학교)
김영준(대구한의대학교)
김형석(경희대학교)
김호준(동국대학교)
박서현(동국대학교)
박인화(상지대학교)
박정식(가천대학교)
박태용(가톨릭관동대학교)
송미연(경희대학교)
송용선(원광대학교)
송윤경(가천대학교)
신병철(부산대한의전)
안희덕(대구한의대학교)
양두화(대구한의대학교)
염승룡(원광대학교)
오민석(대전대학교)
오재근(한국체육대학교)
우창훈(대구한의대학교)
이명종(동국대학교)
이수경(원광대학교)
이은정(대전대학교)
이정한(원광대학교)
이준환(한국한의학연구원)
이진현(가톨릭관동대학교)
임형호(가천대학교)
정석희(경희대학교)
정수현(세명대학교)
정원석(경희대학교)
조동찬(우석대학교)
조성우(동의대학교)
조재흥(경희대학교)
차윤엽(상지대학교)
최진봉(동신대학교)
한경선(한국한의학연구원)
허 인(부산대한의전)
황만석(부산대한의전)
황의형(부산대한의전)

목차

KOREAN REHABILITATION MEDICINE

03 관절 질환 97

04 마비 질환 169

목차

KOREAN REHABILITATION MEDICINE

목차

목차

K O R E A N   R E H A B I L I T A T I O N   M E D I C I N E

CHAPTER

01 개요와 기초이론

정석희(경희대학교)

안희덕(대구한의대학교)

김영준(대구한의대학교)

김형석(경희대학교)

CHAPTER

01 개요와 기초이론

제1절 한방재활의학의 개관

1. 연구 및 임상분야

한방재활의학은 인체의 筋骨格 및 神經系統에 발생하는 각종 질환을 예방하고 치료 및 관리하는 것을 목표로 한다. 대표적으로는 척추와 관절에 나타나는 통증성 질환, 신경과 근육계통에 나타나는 통증 및 마비성 질환, 그리고 비만을 비롯한 다양한 원인에 따른 체형 및 자세 불균형 등을 바로잡아 건강을 향상시키고 각종 질환을 예방하고자 한다.

이러한 목표를 달성하기 위하여 약물요법, 침구요법, 推拿를 비롯한 각종 手技療法, 導引療法, 物理療法, 節食療法, 同種療法 등이 응용되며, 導引療法에는 운동치료와 養生 및 氣功治療法 등이 포함되고, 物理療法에는 전기자극요법, 광선요법, 水治療法, 부항요법 등이 포함된다. 이외에도 한방재활의학에서는 자연과학의 부산물인 각종 보조기구, 의료기기 등을 韓醫學的 治療觀으로 연구하고 임상에 응용한다.

2. 역사

韓醫學의 근골격계 질환에 관한 기본이론과 치료경험을 문헌적으로 살펴보면 그 시초는 동양의학의 기본이론이 형성되었던 춘추전국시대의 『五十二病方』, 『黃帝內經』, 『治百病方』, 『難經』 및 『傷寒雜病論』 등에 수록되어 있다.

중국의 三國, 兩晋, 南北朝時代(220-581년)에는 華陀가 痲醉法과 手術療法, 五禽戱 등을 시행하였고, 葛洪(216-314년)은 『肘後備急方』에서 骨折治療에 대하여 固定法, 外傷救急法, 開放創傷의 처치법을 소개함으로써 진일보하게 되었다. 이후 隋, 唐시대(6-10세기)에는 『諸病源候論』, 『備急千金要方』, 『先授理傷續斷秘方』, 『外臺秘要』 등의 한의학 저서에서 골절과 외상에 대한 언급을 하고 있으며, 이중 특히 藺道人의 『先授理傷續斷秘方』은 근골격계의 진단과 치료에 기본형식을 제시한 최초의 근골격계 질환 전문서적으로 볼 수 있다.

宋과 金, 元시대(10-14세기)에는 성리학의 발전과 역대 임상경험의 누적에 따라 이론과 임상 양 측면에서 급속한 성장을 이루게 되는데 예를 들면 宋代의 『太平聖惠方』, 『聖濟總錄』 등에서는 별도의 章卷을 만들어 언급하고 있으며, 元代 李仲南의 『永類鈴方』, 危亦林의 『世醫得效方』과 『回回藥方』에서는 새로운 치료방법을 제시하고 있다. 明, 淸시대에는 풍부한 임상경험의 축적과 함께 서양과의 교류로 인한 해부학의 발전에 힘입어 많은 근골격계 질환 전문서적들의 저술과 辨證施治의 기술이 확립되는 등의 현저한 발전이 있었다. 예를 들면 朱繡의 『普濟方• 折傷門』, 異猿眞人의 『跌損妙方』, 王肯堂의 『瘍醫淮鑒』, 薛己의 『正體類要』, 吳謙 등의 『醫宗金鑑·正骨心法要旨』, 胡廷光의 『傷科匯簒』, 錢秀昌의 『傷科補要』, 江考卿의 『傷科方書』, 趙廷海의 『救傷秘旨』 등이 있다. 특히 薛己를 중심으로 한 八綱辨證과 異猿眞人을 대표로 하는 經絡穴位 辨證施治는 양대 학파를 형성하여 整體觀과 辨證論治의 체계화를 이룩하고 內外兼治, 動靜結合治療가 자리잡는 계기가 되었으며, 『醫宗金鑑·正骨心法要旨』는 手法總論, 整骨總論, 器具總論으로 구성되어 있어 수기요법 분야의 발전을 보여준다.

국내의 경우 고려시대까지는 주로 중국에서 전해진 醫書에 의존하였고, 조선시대에는 『鄕藥集成方』, 『醫方類聚』 등을 거쳐 『東醫寶鑑』에서 한방재활의학 분야의 매우 유효한 임상적 발전이 있었으며, 특히 『活人心方』 등 導引法에 대한 전문서적들이 출간되었다.

현대적인 발전은 1971년 10월 경희대학교 부속한방병원이 개원하면서 <동서의학연구소>가 설치되고 이 연구소에 1975년 한방요법실이 설치되면서 시작되었다고 볼 수 있다. 이 한방요법실은 발전하여 1983년 한방물리요법과로 승격되고, 점차적으로 전국 한의과대학 부속한방병원에도 개설되었으며, 1995년 한방재활의학과로 명칭이 변경되었다. 이후 2000년 한의계에도 전문의 제도가 시행되면서 한방재활의학이 연구와 임상에서 비약적인 발전을 한 계기가 되었다.

제2절
기초의학 이론

1. 구조와 생리

한방재활의학의 주요 연구대상은 인체의 운동계통을 이루는 構造的 요소와 여기에 나타나는 질병이다. 이러한 구조적 요소에 대해서 동양의학에서는 구조자체 뿐만 아니라 기능적 측면을 강조하는 기본적인 인식체계를 가지고 있었으며, 이러한 構造의 인식을 토대로 病位를 인식하고 치료 방법과 치료 위치를 결정해왔다.

1) 구조의 인식

(1) 骨

골격계통의 형태와 구조에 관하여 『內經』에서 骨腔의 有無에 따라 長幹骨과 扁狀骨로 나누어 長幹骨의 骨腔에는 骨髓가 있다고 언급하였고,『靈樞·海論』에서는 腦와 脊髓의 관계를 설명하면서 脊髓는 腦로 통하며 腦의 統屬을 받는다고 하였다. 또한 『內經』은 骨의 생리기능에 대하여 "骨爲幹", "骨屬屈伸" 이라 하여 骨이 인체의 지지와 역학운동의 중심이 됨을 설명하였고, "骨者 髓之府"라 하여 骨이 骨髓를 貯臟하고 骨髓는 骨을 滋養하여 骨의 작용과 생장발육을 돕는다고 하였다. 『靈樞·五癃津液別』에서는 "五穀之精液 和合而爲高者 內滲入於骨腔 補益腦髓...... 陰陽不和 則使液溢而不流於陰 髓液皆減而下"이라 하여 骨髓가 인체가 흡수한 水穀의 精微로부터 얻은 津液에서 생기는 것을 설명하였다.

(2) 關節

『內經』에 이미 주요 관절의 구조에 대하여 "機"와 "楗", "關"과 "節" 등으로 구분하였고, 그 작용에 대해서는 『素問;五藏生成論』에 "諸筋者 皆屬於節"이라 하였고, 『素問;痺論』에서는 "痺...在於筋則屈不伸"이라 하였으며, 『素問• 長刺節論』에서는, "病在筋 筋攣節病 不可以行 名曰筋痺"라고 하여 관절운동은 骨格과 筋의 作用에 의하여 이루어짐을 설명하였다.

關節의 종류를 관절을 이루는 뼈 사이의 거리에 따라서 骨과 骨 사이의 거리가 넓은 경우를 "腔", 좁은 경우를 "縫"으로 분류하였다. 『理傷續斷方』에 外傷을 진찰할 때 주의하여 "相度骨縫"하라고 하여 위치변동의 여부를 살피라고 하였고, 『洗寃集錄』에서도 "手拿 脚板各有五縫"라고 하여 작은 관절을 칭하여 "縫"이라 함을 파악할 수 있다. 이상에서 뼈 사이의 간격이 좁은 관절인 骨縫은 운동이 미약한 관절에 해당한다고 할 수 있다.

관절의 변위에 대해서는 骨縫損傷이 가벼운 것을 "錯落", 비교적 심한 것은 "開錯"이라 하였다. 관절의 정상적인 생리기능은 주로 筋力에 의존하기 때문에 筋의 만성적인 손상이 있는 경우에 유지력이 약해져서 骨縫錯落이 될 수 있고, 외상에 의해서도 가벼운 骨縫의 변위부터 심한 脫位까지 다양한 정도의 변위가 생길 수 있다. 만약에 關節이 脫位되면 굴신기능을 상실하므로 肢體 또한 운동을 할 수 없고, 骨縫開錯과 錯落의 경우에는 일반적으로 국소부위에 腫痛이 있을 뿐 전체적인 운동력 상실은 일어나지 않는다.

關節과 骨縫 사이에는 津液이 化生되어 관절에 流注하여 생긴 관절액이 있어서 관절운동에 중요한 역할을 하므로 손상시 관절기능을 저해할 수 있다. 『素問;刺要論』에서는 "刺關節液出 不得屈伸"이라 하였다.

(3) 筋

筋은 筋腱과 經筋으로 나뉘는데 筋腱은 肌腱, 韌帶와 筋膜을 말하고, 經筋은 신경조직계통을 포함하고 있다.

『素問;痺論』에서는 "痺......在於筋, 則屈不伸"라 하였고 『素問;長刺節論』에서는 "病在筋, 筋攣節痛, 不可以行, 名曰筋痺"라 하였는데 여기에서 말하는 筋은 筋腱으로서 현대의학의 肌腱과 韌帶를 지칭함을 알 수 있다.

또한 『靈樞;經筋』에서는 "經筋之病 寒則反折筋急 熱則筋縱挺不收 陰痿不用"이라 하고, 『素問;痿論』에서는 "陽明虛 則宗筋縱 帶脈不引 故足痿不用也"라고 하여 經筋은 宗筋을 포함하며 감각전도 작용이 있음을 알 수 있다. 經筋이 손상되어 발생하는 병증에 대해서 『諸病源候論』에서는 經筋이 손상되면 營衛의 傳受作用이 곤란해지므로 麻痺不仁과 肢體의 기능상실이 나타난다고 인식하였고, 『回回藥方』에서는 背脊의 經筋이 손상으로 단절되면 하반신마비가 나타난다고 지적하였다. 이상에서 미루어볼 때, 經筋은 현대의학의 신경조직계통을 포함하고 있다고 할 수 있다.

그리고 『素問;痿論』의 "肝主身之筋膜", 『素問;陰陽應象大論』의 "肝生筋", 『素問;經脈別論』의 "食氣入胃散精於肝, 淫氣於筋" 등의 진술로 미루어 보건대 肝의 血液貯藏 및 造血作用을 통하여 인체의 크고 작은 筋의 활동을 돕는다는 것을 알 수 있다. 만약 肝陰血이 부족하면 筋을 濡養할 수 없고, 肝陰虛 陽亢하면 肝風을 유발하므로 筋은 麻木, 屈伸不利, 抽搐, 瘈瘲 등의 증상을 나타낸다.

筋과 骨은 關節의 구조적 기능적 측면에서 볼 때 매우 밀접한 관계를 지니고 있어서 모든 筋은 節에 속할 뿐 아니라, 筋은 關節의 지지작용과 운동기능을 유지시켜준다. 『靈樞;經脈』에 "筋爲剛"이라 하였고 『素問;五藏生成論』에 "諸筋者 皆屬於節"이라 함은 筋이 綱強한 힘이 있으면서 관절의 안정유지와 운동에 관여함을 말한다. 이것은 筋의 기능을 매우 간략하게 설명한 것이다. 『素問;痿論』에서 "宗筋主束骨而利機關也"라고 한 바와 같이 원리적으로도 筋이 손상되면 骨과 關節의 운동력 지지작용을 잃게 된다.

(4) 肌肉

肌肉의 주된 기능은 筋骨과 內臟을 호위하는 것과 동력을 전달 수행하는 것으로 肉痿가 발생하면 肢體의 운동기능이 상실된다. 肌肉의 기능에 대해 『靈樞;經脈』에서 "肉爲墻"이라 하였는데 이러한 肌肉의 생리기능은 津液의 溫養과 血液의 滋養을 통하여 유지되고, 이러한 津液과 血液은 모두 脾胃에서 水穀을 소화시켜 얻는 것이다. 그러므로 『素問;陰陽應象大論』에 "脾生肉"이라고 한 언급과 『素問;痿論』의 "脾主身之肌肉"에서 보듯이 만약 脾의 運化作用이 순조롭지 못하면 汁液虧耗, 血氣減弱이 생겨 결과적으로 肌肉失養이 나타난다. 또한 外感의 水濕에 의하여 脾胃의 運化作用이 손상되거나, 筋脈의 病變 때문에 營衛가 不通하면 肌肉이 麻痺不仁하고 肉痿가 발생하며, 外傷으로 失血, 血瘀 등이 생겨 국소적인 氣血, 津液의 순행장애가 발생하게 되면 肌肉이 失養하게 되고 심해지면 肉痿에 이른다.

(5) 脈

脈은 血脈과 經脈으로 나눌 수 있다. 血脈은 心이 주관하는데, 心은 血之府로서 주로 전신에 혈액을 수송한다. 血脈의 분지를 絡脈이라 하고 絡脈의 분지를 孫脈이라 하며, 脈中에는 혈액이 전신을 쉴 새 없이 흐르므로 『靈樞:血絡論』에 "脈者, 盛堅横以赤, 上下無常處, 少者如鍼, 大者如筯"이라 하였다. 經脈은 經絡을 말한다.

骨, 關節, 骨縫, 筋, 肌肉 등 모두가 脈이 수송하는 氣血과 津液의 영양작용에 의하여 비로소 정상적인 생리기능을 발휘하게 되는데 이를 『素問:五臟生成論』에서는 "足受血而能步, 掌受血而能握, 指受血而能攝"이라고 표현하였다.

이렇게 脈은 肌肉, 筋骨 등과 생리적으로 매우 밀접한 관계를 유지하므로 만약 외상으로 인하여 脈이 손상되고 出血瘀滯가 발생하면 肌肉과 筋骨에 심각한 장애가 유발된다. 따라서 肌肉과 筋骨의 질병을 치료할 때는 먼저 脈에 대하여 血脈通暢, 血氣運行하도록 하여 각 조직이 氣血의 충분한 영양작용을 받도록 해야 한다.

(6) 皮

『素問:皮部論』에서는 "凡十二經絡者 皮之部也. 視其部中浮絡 其色多靑則痛 多黑則痺 黃赤則爲熱 多白則寒 五色皆見則寒熱也. 絡盛則入客於經"이라 하여 모든 12經脈은 皮의 한 부분이며, 피부색의 변화를 통해 질병의 변화와 특징을 알 수 있다고 하였다. 즉 피부에서 浮絡의 색이 多靑하면 痛이고, 多黑하면 痺이며, 黃赤하면 熱이고, 多白하면 寒한 것이니, 五色으로 寒熱을 알 수 있고, 浮絡이 지나치게 많으면 經으로 邪氣가 客한다고 하였다. 또한 "皮者 脈之部也. 十二經皆有部分 不與而生大病也. 不與者 不與他脈同色也."라 하여 피부는 經脈의 부분이고, 12經脈은 모두 각각의 부분이 있는데 다른 부분의 피부색과 한결같지 않으면 병이 생긴다. 그리고 皮는 肺에 속하며 肺에 병이 들면 피부가 아픈 것이 나타나니 『靈樞:五邪篇』에서 "肺主皮毛, 在藏爲肺, 在體爲皮毛, 邪在肺則病皮膚痛"라고 말하였다. 『素問:皮部論』에는 "肺之合 皮也. 其榮毛也. 百病之始生也. 必先於皮毛 邪中之則腠理開 開則入客於絡脈 留而不去 傳入於經 留而不去 傳入於府 廩於腸胃 邪之始入於皮也."이라 하여 "肺와 合이 되는 것은 피부이고 肺의 상태가 겉에 나타나는 곳은 털이다. 또한 肺는 피부와 털을 주관한다. 피부는 腠理라고도 하고, 玄府라고도 하는데 玄府는 땀구멍이다. 外感病이 처음 생길 때는 반드시 皮毛에서부터 시작한다. 邪氣가 들어오면 腠理가 열리고 腠理가 열리면 邪氣가 絡脈으로 들어간다. 絡脈에 머물러 있을 때에 없애지 않으면 經脈으로 전해 들어가고 經脈에 머물러 있을 때에 없애지 않으면 六腑로 전해 들어가 자리 잡는다"고 하여 초기 치료의 중요성에 대해 설명하고 있다.

2) 精氣血津液과 臟腑

(1) 精氣血津液

精, 氣, 血, 津, 液은 모두 인체의 생명현상을 유지시키는 기본물질이다. 체내에서 精은 氣로 化하고, 氣는 動을 主하며, 血은 濡를 主한다. 또한 津과 液은 氣血之源이며 濡養을 主하는데 津은 주로 潤肌하고, 液은 主骨髓한다.

① 精化氣

精은 五臟六腑의 기능에 의해서 지속적으로 생성되고 腎에 저장되는데, 생명활동을 충실하게 하고 또한 精은 생명으로 하여금 발육과 번식을 가능하게 한다.

精은 氣에서 來源하지만 반면에 氣를 化生하므로 『素問:陰陽應象大論』에서는 "氣歸精 精歸化"라 하였다. 人體의 精氣에서 化生하는 元氣는 腎에 저장되고, 이는 모든 氣의 근본이 되므로 『難經:八難』에서는 "所謂 生氣之原者 謂十二經之根本也 謂腎間動氣也"라 했다.

② 氣主動

精이 비록 생명의 기본물질이지만 생명활동을 위해서는 반드시 氣가 있어야 한다. 氣는 精에서 化生되지만 다른 한편으로는 呼吸之氣와 飮食水穀에서 얻어진 營氣로부터 來源한다. 이렇게 생겨난 氣는 推動作用에 의하여 血의 生成과

輸布, 그리고 津液의 生成과 輸布에 관여하며 排泄作用을 함으로서 각 臟腑組織의 생리활동을 영위하는 動力이 된다.

한편 氣가 血, 津, 液 등의 물질을 전신에 輸布하여 일정한 체온을 유지하게 되니, 소위『難經;十二難』에서 말하는 "氣主煦之"의 작용이다.

이와 같이 氣가 체내에서 운동하는 것을 "氣機"라고 한다. 그 운동형식은 升, 降, 出, 入으로 나누어지며 상호간에 반드시 평형과 협조가 유지되어야 한다. 평형과 협조가 깨어진 상태를 氣機紊亂이라고 하며, 氣는 각 부위의 생리적 활동의 動力이 되므로 氣機가 紊亂해지면 각종 질병이 발생하게 된다. 예를 들면, 만약에 氣가 虛해지면 體內의 氣機가 紊亂해지고 外邪의 침범을 자초하게 되어 질병이 생기게 되니, 곧『素問;評熱病論』에서 말한 "邪之所溱 其氣必虛"의 상황과 같다. 그러므로 인체의 병리적 변화는 內因, 外因 상관없이 모두 氣의 병변이라고 말할 수도 있다.

③ 血主濡

음식물은 脾胃에서 소화되고 그중 精微로운 것이 흡수되는데, 흡수된 精微로운 것 중에서도 精華로운 부분을 營氣, 水液部分을 津液이라고 한다. 營氣와 津液은 肺氣의 氣化作用에 의하여 血液으로 변하며 氣의 推動作用에 의하여 전신에 輸布된다. 그러나 氣는 血의 濡養에 의지하므로 血虛하면 氣도 약해지고 血行도 원활치 못하게 된다. 즉,『難經;二十二難』에 "血主濡之"라고 한 것처럼 인체의 臟腑, 組織, 四肢 모두가 血의 濡養作用에 의해 정상적인 생리활동을 하게 되고 이러한 정상적인 생리활동이 있어야 정신이 충만해진다.

이와 같이 생명활동은 氣와 血이 함께 왕성해야 가능한데 이를『靈樞;營衛生會』에서는 "血者 神氣也, 故血之與氣, 異名同類焉"이라 하였다.

④ 津潤肌 液注髓

津液은 인체가 水穀으로부터 흡수한 영양 중에서 액체부분이다. 이들 중에서 氣血을 따라 전신을 운행하는 것을 津

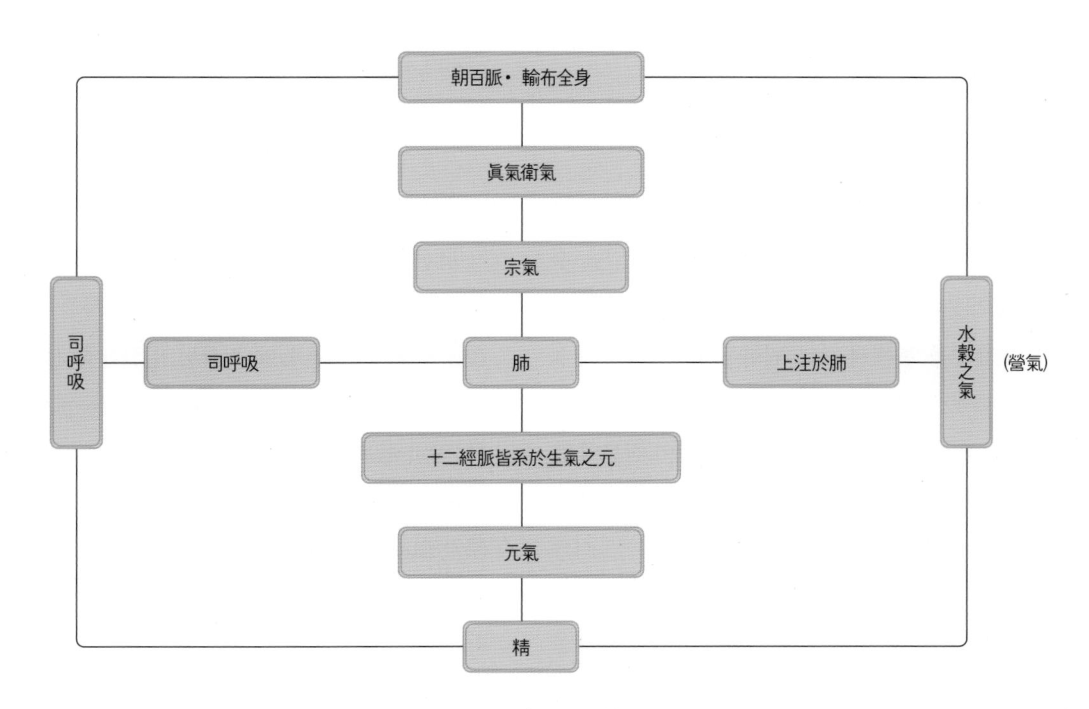

그림 1-1. 肺의 宣發, 肅降機能

이라 하고, 운행치 않고 骨髓, 關節, 臟腑, 孔竅之中에 注하는 것을 液이라 한다. 液은 關節間, 腦髓, 臟器에 注하여 營養, 潤澤, 補益作用을 하고, 대부분의 불필요한 나머지 부분은 二陰을 통하여 排泄되지만, 津은 衛氣를 따라서 體表를 운행하고 주로 肌肉, 腠理, 皮膚를 潤澤하게 한다.

이러한 津과 液의 輸布作用은 血과 마찬가지로 氣의 推動作用에 의하여 이루어진다. 氣化作用에 힘입어 津은 外邪를 방어하고, 주위 환경에 적응하기 위해 發汗을 통하여 체온을 조절하며, 液은 骨髓, 腦髓, 關節 그리고 臟腑와 五官의 液으로 轉化된다. 또한 이미 서술한 바와 같이 津液이 혈액으로 변하고, 液의 불필요한 부분이 체외로 배설되는 것도 모두 氣化作用에 의한 것이다.

이와 같이 津液이 인체를 滋養하는 기능은 氣의 조절작용에 의존하므로, 만약에 氣機가 문란하게 되면 津液의 조절기능도 문란해지므로 血液의 化生, 그리고 肌膚, 骨髓, 腦髓와 臟腑의 濡養作用이 제대로 이루어지기가 힘들다. 아울러 津液이 輸布되지 않으면 氣의 化生도 부족해지므로 연계된 병리적 변화가 나타난다.

(2) 氣血과 肺心肝脾, 筋骨

① 肺主氣

肺는 氣를 主하니 呼吸之氣 뿐만 아니라 全身之氣를 모두 主한다. 대자연의 氣는 水穀之氣와 함께 인체가 얻을 수 있는 後天의 氣 가운데 주요한 근원지이다. 水穀之氣, 즉 營氣는 肺의 氣化作用을 통해서 血로 변화된다. 또한 脾의 水穀精氣와 肺의 呼吸之氣는 합하여 宗氣가 되는데, 宗氣는 呼吸을 주관하고 血脈을 운행시킨다. 이상과 같이 전신의 眞氣는 肺의 호흡작용과 經脈의 작용에 의하여 부단히 발전되며 元氣도 이에 따라 충실해진다.

氣가 인체에서 활동하는 것은 모두 肺의 조절에 따르므로 肺主治節이라 하였다. 이는 肺의 宣發機能과 肅降機能을 통해 발현되는데, 이는 바로 氣의 出入, 升降을 유지하는 肺의 기능을 의미한다. 바꿔 말하면 첫째는 肺가 呼吸之氣를 통하여 체내의 氣를 滋養, 推動하는 기능이고, 둘째는 肺가 "朝百脈"을 통하여 인체 각 부분의 조직과 연계된 조절작용을 하는 것을 뜻한다(그림 1-1).

② 心主血

『素問;痿論』에는 "心主身之血脈"이라 했으니, 이것은 心의 血脈에 대한 통속과 조절작용을 의미하며 血脈은 血之府이다. 또한『素問;五臟生成篇』에 "諸血者 皆屬於心"이라 하였으니, 心主血이란 心臟의 搏動에 의하여 血이 脈을 따라 전신을 運行 輸布되고 滋養작용을 발휘하는 것이다. 바꿔 말하면 모든 血脈은 心에 연결되고, 血은 血脈안에서 心臟搏動을 통해 전신의 血脈과 絡脈에 전파되면서 쉬지 않고 전신을 순환하게 된다. 그러나 心臟搏動은 氣에 의존하므로 心氣가 충분해야 心力, 心率과 心津을 정상적으로 유지하게 된다. 心氣는 動力이니 心은 動力의 器官이다.

心主血의 또 다른 면은 "神"의 표현이다.『素問;靈蘭秘典論』에 의하면 "心者 君主之官 神明出焉"이라 했으니 血은 정신활동의 물질적인 기초가 된다. 그러므로 心血이 충분하면 전신의 영양이 왕성하며 생명활동의 표현인 神氣 또한 왕성해진다. 心血이 虧損되면 神氣도 역시 쇠약해지고 역으로 과도한 情志活動은 心血虧損을 일으켜서 병변을 유발한다.

③ 肝藏血

肝은 혈액을 저장, 조절하는 기능과 疏泄기능을 主한다. 疏라는 것은 氣機의 升降運動을 조절하는 것이고, 泄은 升發運動을 뜻한다. 肝에 저장된 일정한 陰血이 肝陽의 升騰을 억제함으로써 肝의 氣機調節 기능을 유지하도록 도와준다. 만약 肝藏血의 기능이 부족하면 肝陽이 亢盛하여 氣機의 升降運動이 문란해지고 혈액순환의 動力이 손상되어 血滯와 血凝을 일으킨다. 凝滯된 血을 惡血이라 하니 이는 肝氣의 不疏로 起因하며『醫學發明』에서는 "惡血必歸於肝"이라 했다.

肝藏血은 전신의 혈액에 대한 조절작용을 의미한다. 정상적인 생리활동 중에는 肝이 각 臟腑기관과 四肢활동에 필요한 혈액량을 조절할 수 있다. 활동이 정지되었을 때는 血이 다시 肝에 저장되므로 이를『素問:五臟生成篇』에 "故人臥血歸於肝"이라 하였다. 이와 같이 肝이 血을 조절하는 작용은 氣機의 疏泄作用에 의해 이루어지며, 肝藏血이란 실질적인 血의 조절작용을 의미한다.

④ 脾統血

血의 生化之源은 脾가 水穀을 吸收 運化하여 얻어지는 것이고, 따라서 脾氣가 왕성하면 血源 또한 왕성하고 脾氣가 약하면 血源 역시 약하다. 그러므로 血이 血脈 가운데를 운행하는 것은 氣의 推動과 固攝作用에 의한 것이며, 氣의 물질적 기초는 血이고, 血은 脾에 근원을 두고 있으므로 血脈中을 흐르는 血은 脾의 統制에 따른다.

이상을 요약하면 心主血이란 血液流動의 推動作用을 의미하고, 肝藏血은 血液輸布의 調節作用을 말하며, 脾統血은 혈액의 化生統攝, 즉 血液을 통제한다는 것이다.

⑤ 氣血과 筋骨

筋과 骨의 생리기능은 氣血의 滋養作用에 의지하므로, 氣血이 일단 쇠약해지거나, 鬱滯된 곳에는 氣血이 운행되지 않으므로 筋과 骨 모두 병변이 발생한다.

筋과 骨이 손상되면 氣血이 있어야 재생되므로『理傷續斷方』에서는 "便生血氣, 以接骨耳"라 하였다. 筋骨이 復舊될 때에는 전신의 氣血이 왕성하여야 할 뿐만 아니라 국소적인 血脈도 잘 소통되어야 氣血이 손상부위에 분명히 전달될 수 있으므로, 臨床에서는 우선적으로 瘀血을 제거해야 한다. 그래서『瘍醫大全』에서는 "瘀不去則骨不能接, 瘀去新骨生"이라 하였다. 筋骨의 생리는 氣血의 濡養作用에 의존하며 병리적인 변화는 氣血의 문란에 의한 경우가 많다. 따라서 筋骨의 외상성 질환을 치료할 때에는 調理氣血이 매우 중요하다.

3) 腎과 骨

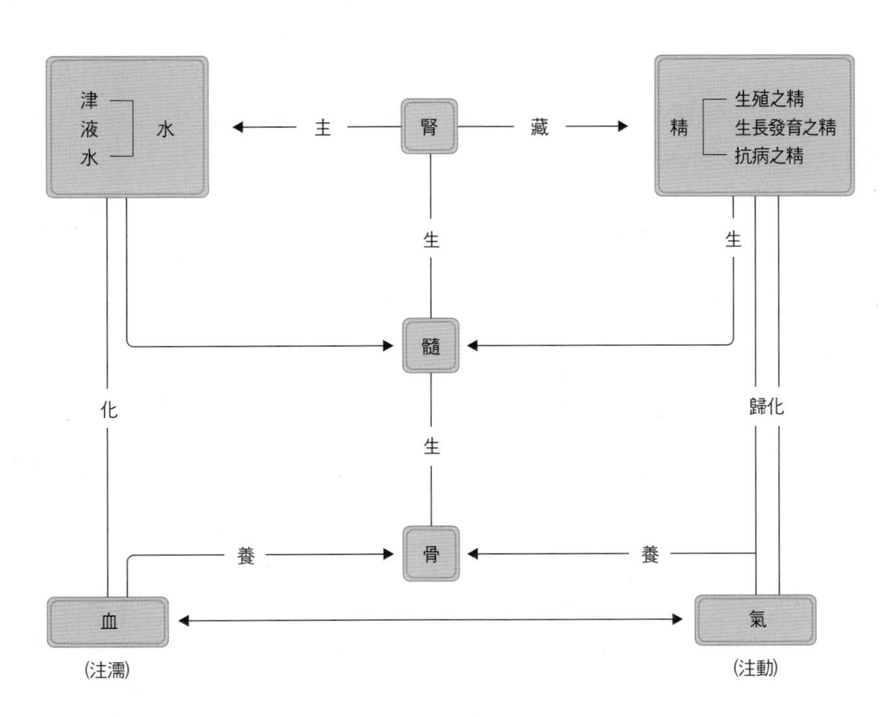

그림 1-2. 腎主骨

(1) 腎生髓長骨

腎이 인체 생명현상에 미치는 두 가지 큰 生化機能은 藏精과 主水이다. 인체생명의 가장 기본이 되는 물질인 精은 先天의 精과 後天의 精이 있고 모두 腎에 貯藏된다. 그리고 水分은 腎을 통해 生化하여 精微로운 부분은 津液을 형성하여 전신에 분포되고, 나머지 대부분은 腎에서 膀胱으로 보내어져 체외로 배출된다. 『內經』에는 腎이 藏精主水하는 것 이외에 生髓養骨한다는 이야기가 나오는데 "腎生髓...... 在體爲骨", "腎主身之骨髓", "腎主骨" 등이 이것이다.

① 精生髓長骨

『靈樞;經脈篇』에 "人始生, 先成精, 精成而腦髓生骨爲幹, 脈爲營, 筋爲剛, 肉爲墻, 皮膚堅而毛髮長, 穀入於胃, 脈道以通, 血氣乃行"이라고 하였는데, 이는 腎精이 人體生長과 生殖의 물질이며 또한 骨髓를 生長發育시키는 물질이라는 뜻이다. 骨髓가 충실해야만 능히 骨格을 生長시킬 수 있다. 이상과 같이 骨格의 생장발육과 쇠퇴노화는 腎精의 조절을 받으므로, 장년에 이르면 腎精의 발전은 최고에 이르고, 40세 이후에는 腎精이 점차 감퇴하여 骨髓는 점차 공허해지고 骨格도 쇠퇴한다.

또한 腎精에서 化生되는 氣는 인체의 질병에 대한 저항능력을 가지므로 骨의 抗病能力은 腎精에 의존한다. 腎精이 抗病의 능력을 발휘해야 骨格과 骨髓도 질병에 저항할 수 있는 능력을 얻게 된다. 이와 같은 이유로 腎에 병이 있으면 精이 失調하고 骨에 병이 든다. 逆으로 骨의 병변은 腎에 파급되어 腎精을 쇠약하게 하고 腎의 병변을 일으킨다.

腎의 生殖發育과 抗病能力을 命門, 즉 生命之門이라고도 부르며 腎陽을 命門火라고 하는 바, 이는 生長과 抗病能力에서 가장 밀접한 관계를 갖고 있다.

이러한 腎精이 비록 선천적으로 얻어진 것이기는 하지만 그것을 지속적으로 유지하기 위해서는 후천적으로 五臟六腑의 기능에 의존한다. 즉, 다른 臟腑에서 생성되는 精이 부단히 腎에 수송되어야 하는데 이를 後天之精이라 한다. 先天之精이 부족한 사람은 骨髓와 骨格이 쇠약하지만, 先天之精이 충분하고 後天之精의 부족함을 補養하면, 骨髓와 骨格의 발육생장과 抗病力이 증가되어 병변이 나타나지 않는다.

② 液養骨

腎이 骨을 主한다 함은 腎이 水液을 조절하고, 水液이 骨髓를 滋養함으로서 腎精이 骨髓를 생장시킨다는 뜻이다. 앞서 말한 바와 같이 津液이 骨髓를 養하고 骨格을 滋潤하는 것은 腎의 작용에 기인한다. 인체에 흡수된 水液은 腎의 生化作用에 의하여 精微로운 부분이 津液이 되는데, 만약 腎이 水液을 조절하는 작용이 원활하지 못하면 津液이 化生되지 못하므로 骨髓가 滋養되지 못하고 骨格에 병변이 발생한다.

腎은 腎陽과 腎陰으로 나뉘며, 水液調節은 腎陽의 작용이다. 즉 腎精이 化氣한 뒤 腎氣를 형성하고 腎氣의 氣化作用이 水液을 조절한다. 그러므로 水液調節이 문란한 것은 腎氣가 부족한 탓이며 이는 腎陽이 쇠약한 소치이다.

이와 같이 骨의 生長, 發育, 强弱, 退化는 腎의 기능과 밀접한 관계가 있어서 骨의 생리와 병리는 직접 腎의 主宰를 받는다. 精, 津液 그리고 氣血의 관계에서 보면 腎主骨은 腎이 氣血을 조절하는 기능을 내포하고 있다(그림 1-2).

③ 腎實則骨有生氣

腎은 髓를 生하고 骨을 長하는데 생장발육기 뿐만 아니라 인체가 성숙한 뒤에도 뼈가 손상을 받거나 병변이 발생될 경우 이들의 복구능력은 腎의 영향을 받는다. 『內經』의 腎主骨과 관련된 부분을 살펴보면 腎氣가 不足하면 骨髓가 失養하여 질병이 발생한다는 내용이 있고, 이 이론에 근거하여 후세 醫家들은 創傷과 骨病을 치료할 때 補腎하는 方藥을 쓰고 있다.

腎이 實해야 骨이 生氣를 갖는다는 것을 요약하면 骨의 재생과 회복이 腎氣에 의존한다는 것과 骨의 抗病能力이 腎에서 비롯됨을 말한 것이다.

(2) 腰爲腎之府와 腎主腰脚

腰部는 脊椎, 肌肉 그리고 腹腔內의 腎臟과 膀胱으로 구성되어 있고 女性의 경우에는 子宮도 여기에 부착되어 있다. 腰者腎之府라고 하는 것은 신체구조의 구성적 관계 뿐 아니라 생리 병리적 측면에서도 연관성을 두고 하는 말이다. 腎은 精을 藏하고 生髓養骨하므로 腎精이 不足하면 인체의 균형을 이루는 骨格이 약해지며, 특히 인체 중심이 되고 체중부하를 많이 받는 허리에 장애가 나타난다. 또한『內經』에 經絡의 순환과 經筋의 走行에서 腰部와 下肢部의 관계를 명료하게 서술하고 있으며, 腎精이 부족하면 腰部와 下肢部에 질병이 나타남을 말하였다. 다른 면으로 볼 때 腰部는 下肢運動의 중심이므로 腰部의 병변은 下肢運動에 쉽게 영향을 미칠 수 있다.

4) 經絡學說

經絡은 인체의 經脈과 絡脈을 총칭한 것이다. 經脈은 인체를 從으로 흐르고 絡脈은 經의 分枝로서 橫으로 흘러서 인체에 도달하지 않는 곳이 없다. 이와 같이 경락은 인체의 臟腑, 筋骨, 皮膚 등의 조직을 연결시켜서 하나의 통일된 整體를 이룬다. 經絡은 十二經脈, 奇經八脈, 十五絡脈, 十二經別, 十二經筋, 十二皮膚로 구성되어 있다(표 1-1).

十二經脈은 正經이라고 하는데, 奇經八脈 중의 任脈과 督脈은 특히 중요하므로 十二經과 더불어 十四經脈이라고 부른다. 經絡은 생리적인 면에서 볼 때 經氣運行의 통로가 되어 內外上下를 연결하고 氣血津液을 輸布시키며 개체의 內外平衡을 조절함으로써 외부에 대한 방어작용을 한다. 병리적으로 보면 이는 臟腑의 병변이 반응되는 경로이면서 상호 轉變되는 경로이다. 그러므로 통과하는 經絡의 변화를 살펴보면 연관된 臟腑의 병변을 알 수 있고, 통과하는 經絡을 조정함으로써 상응하는 臟腑의 평형과 협조를 이룰 수 있다. 經絡과 筋骨, 肌肉과 血脈은 서로 연관을 갖고 상통하므로 經氣는 氣血津液을 轉輸하고, 다른 한편으로는 상호 협조평형을 유지함으로써 정상적인 생리기능을 유지할 수 있게 한다. 그러므로 한 부위의 筋骨, 肌肉, 血脈에 병변이 발생하면 그에 상관되는 經絡穴位를 이용하여 평형을 유지할 수 있다.

2. 病因病理

1) 病因

근골격계 질환의 주요 원인은 外傷, 勞倦傷, 感受六淫, 七情內傷과 瘀血로 나눌 수 있다.

(1) 外傷

外傷이란 外力에 의하여 조직의 손상 및 생리기능의 이상이 유발되어 개체의 완전성이 파괴되는 징후이다. 外傷이 가

표 1-1 經絡系統

經絡系統							
經脈					絡脈		其他
十二經脈				奇經八脈			
手		足					
陰	陽	陰	陽				
手太陰肺經 手厥陰心包經 手少陰心經	手陽明大腸經 手少陽三焦經 手太陽小腸經	足太陰脾經 足厥陰肝經 足少陰腎經	足陽明胃經 足少陽膽經 足太陽膀胱經	督脈 任脈 陽蹻脈 陰蹻脈 衝脈 帶脈 陽維脈 陰維脈	別絡 (十五別絡)	孫絡 浮絡	十二經別 十二經筋 十二皮膚

벼우면 피부와 근육이 손상되고 腫痛이 나타나지만 심하면 출혈과 골절 등이 발생하고 더욱 심한 경우에는 內臟의 손상이나 출혈과다로 사망에 이를 수 있다.

① 傷皮肉

외부로부터 과격한 힘이 작용하면 皮肉이 먼저 충격을 받으므로 가장 쉽게 손상을 받게 되는데, 형태에 따라 7가지로 分類한다.

- 挫傷: 皮肉이 손상을 받았으나 표면이 파괴되지 않은 경우이며 손상부위에 疼痛, 腫脹, 青紫皮下瘀血, 압통이 현저하고 심한 경우에는 근섬유 파열과 심부에 血腫이 발생할 수도 있다.
- 擦傷: 피부가 거친 면에 닿으면서 문질러져 皮膚淺層이 파손된 것으로 손상부위에 찰흔과 작은 출혈점이 있다.
- 裂傷: 둔탁한 힘에 의한 자극으로 피부가 찢어진 경우이며 대개는 손상부의 피부가 깨끗하게 정리되어 있지 않다.
- 割傷: 칼날과 같이 예리한 도구로 손상된 까닭에 損傷口가 비교적 깨끗하게 정리되어 있고 직선상을 띠고 있다. 깊이의 정도에 따라서 심부의 혈관, 신경, 腱 등이 절단될 수 있으며 비교적 출혈이 많다.
- 刺傷: 송곳같이 가늘고 뾰족한 물건 등에 의한 손상이므로 損傷口는 크지 않지만 손상깊이는 대개 깊다. 이 때문에 심부의 臟器나 조직이 손상될 수 있다.
- 穿入傷: 고속의 총탄이나 파편 등에 의한 경우이며 대개 조직손상이 크다. 가해물체가 체내에 남아 있으며 오물이 조직에 들어간 경우도 있다.
- 貫通傷: 손상된 상황은 穿入傷과 유사하지만 입구와 출구 두 군데의 損傷口가 있으며 역시 오물이 들어갈 수 있다.

② 傷筋

外傷에 의하여 근육, 근막, 건, 인대 등의 연조직과 연골 주위신경이 손상된 것은 傷筋의 범주에 속한다. 역대문헌에는 筋斷, 筋走, 筋弛, 筋强, 筋攣, 筋翻, 筋錯位 등으로 분류하였지만 임상적으로는 筋의 파열여부에 따라 破裂傷과 非破裂傷으로 나눌 수 있으며 破裂傷은 임상적으로 외과수술이 전제되는 경우가 많다.

③ 傷骨

과격한 힘에 의하여 골격이 손상된 경우이며 골절과 탈구로 나눈다.

- 骨折: 뼈의 연속성이 완전 혹은 불완전하게 소실되어 변형을 일으킨 상태를 말한다.
- 脫臼: 관절의 파열이나 붕괴가 일어나 인접하는 관절 연골면의 접촉이 완전히 소실된 상태를 말한다. 亞脫臼는 관절의 불완전한 붕괴이며 인접 관절 연골면의 접촉이 약간 남아 있는 상태이다.

전체적으로 살펴볼 때 외상의 정도는 외력의 크기, 성질, 방향, 외상 시 신체의 자세, 손상부위 등을 알아야 진료에 도움이 되는 진단을 내릴 수 있다.

(2) 勞倦傷

인간의 생명활동에서 운동과 노동은 생리적인 기능이면서 생존하기 위한 본능이다. 그러나 정상적인 생리능력을 벗어나는 활동은 組織과 氣血의 급·만성 손상을 유발할 수 있다. 이것이 勞倦傷이다. 이 외에 장기간 활동을 하지 않는 것도 생리기능에 위배되어 만성적 손상을 유발할 수 있으니 이것 또한 勞倦傷이다. 즉, 勞倦傷은 "積勞成疾"과 "積逸成病"으로 나눌 수 있다.

장기적인 과로는 肌肉과 筋骨을 장시간 피로상태로 만들어 일정한 곳의 氣血이 耗散되어 失養하거나 氣虛血滯하게 하므로 질병이 나타난다. 또한 장기간 활동을 하지 않고 안일하게 지내면, 肌肉과 筋骨의 力量이 감소되며 氣血의 運行도 減少되거나 鬱滯된다. 두 가지 경우 모두 正氣가 쇠약해지면 쉽게 風·寒·濕의 外邪가 침범하여 痺, 痿症 등을 유발할 수 있다.

勞倦傷의 특징은 대부분 輕에서 重으로, 表에서 裏로, 筋

에서 骨, 關節로, 氣血에서 臟腑로 전이된다는 것이다. 일시적인 외상에 의한 급성손상이 있어도 외상은 誘因일 뿐이며, 內因은 勞倦傷이라 할 수 있고 內因이 치료되지 않으면 계속 재발될 것이다. 또한 勞倦傷은 일정한 부위의 氣血不足과 瘀血內停을 이루어 經脈의 운행이 순조롭지 못하도록 하여 失養케 하므로 邪氣가 침범하여 痺症을 비롯한 骨, 關節의 질병을 일으키기 쉽다. 勞倦傷은 臟腑에 피해를 줄 수 있으며 특히 腎臟에 많은 영향을 미친다. 腎主腰脚이며 腰는 腎之府이므로 腰部의 勞倦傷은 氣血을 상하게 하고, 氣虛精虧하면 腎은 더욱 虛해질 수 있으니『靈樞;邪氣臟腑病形篇』에 "有所用力擧重, 若入房過度, 汗出浴水, 則傷腎"이라 하였다.

그리고 勞倦傷은 筋骨뿐만 아니라 氣血을 손상시킬 수 있으며 출혈로 인하여 瘀血을 형성하기도 하니『靈樞;百病始生篇』에 "用力過度 則絡脈傷, 陽絡傷則血外溢……陰絡傷則血內溢"이라고 설명하였다. 또한『素問;宣明五氣篇』에 "五勞所傷, 久視傷血, 久臥傷氣, 久坐傷肉, 久立傷骨, 久行傷筋, 是爲五勞所傷"이라고 하였으니 모두 勞倦傷이 氣血과 筋骨에 손상을 일으킨다는 말이다.

(3) 感受六淫

風·寒·暑·濕·燥·火는 서로 다른 여섯 가지의 기후변화이며 이것은 만물이 생장하는 조건이기도 하다. 인간 역시 생존하기 위해서는 이러한 여섯 가지 기후에 적응해야 하며 만약 인체의 변화가 여기에 적응하지 못하거나 기후가 지나치면 질병을 일으키게 되니 이를 "六淫"이라고 한다.

① 일반 사항

- 계절 관계 : 春季에는 風邪, 夏季에는 暑邪, 長夏에는 濕邪, 秋季에는 燥邪, 冬季에는 寒邪가 많지만 기후변화는 복잡하고 사람의 감수성도 일정하지 못하므로 어느 계절이든 六淫의 邪氣가 복합적으로 감염될 수 있다.
- 지리적 환경 : 예를 들어 북쪽 지방은 燥하거나 寒하기 쉽고, 남쪽 지방은 濕과 熱이 많다.
- 복합 감염 : 예를 들면 風寒濕邪가 함께 감염되면 痺症이 나타나고, 濕熱에 感染되면 膿腫이 생기기 쉽다.
- 상호 변화 : 六淫에 감염된 후 正氣와의 투쟁 결과로 寒邪가 熱邪로 변하기도 하고, 熱邪가 寒邪로 변하기도 하며, 濕邪는 熱邪로, 風邪는 燥邪로 변하기도 한다.
- 從表入裏 : 대부분의 六淫은 皮膚腠理로부터 經絡으로, 肌肉으로부터 筋骨로 그리고 經絡으로부터 臟腑로 옮겨간다.
- 內生六氣 : 인체 氣血이 失調하거나 陰陽의 균형이 맞지 않으면 風·寒·暑·濕·燥·火에 감염된 것과 유사한 질병이 발생한다. 예를 들어 肝血이 부족하면 陰虛陽亢하여 肝風이 內動하므로 風邪로 인한 抽搐이 일어난다. 또한 肢體에 瘀血이 積滯되면 熱로 변화하는데, 熱은 發赤과 膿腫이 되므로 국소적인 火熱證을 나타낸다.

② 개별 특징

六淫은 각각의 특징을 지니면서 병을 유발하고 변화시킨다.

- 風邪性動 凝血痲痺:風邪는 外邪중에서 가장 변화가 심한 邪氣이며 많은 질병의 원인이 되므로『素問;風論』에 "風者, 善行而數變……百病之長也"라 하였다. 風으로 인한 병은 血行이 순조롭지 못하여 발생하는 국소적인 血液缺乏으로 인하여 나타나는 것들이다. 즉 皮膚의 血液缺乏이 있으며 감각이상이 있고 血脈이 凝滯되면 冷厥이 되니, 이는 모두 風邪로 인한 것이며 이 이외에도 많은 질병이 血凝으로 인하여 나타나므로 "百病之長"이라 하였다.
- 寒邪傷腎, 疼痛收引 : 寒邪는 陰邪이고『素問;陰陽應象大論』에 "陰勝則陽病"이라 했으니 寒邪는 陽氣를 傷하게 한다. 또한, 陽氣는 인체의 생장발육과 생리기능의 원동력이므로『素問;生氣通天論』에 "陽氣者, 若天與日, 失其所則折壽而不彰"이라 했다. 이로 미루어 볼 때 腎은 陽氣의 원천이므로 寒邪가 傷陽한다 함은 곧 腎

의 陽氣를 傷하는 것이다. 氣血에서 氣는 陽이고 血은 陰이므로 寒邪는 氣를 傷하게 한다. 衛氣는 皮膚의 分肉之間을 운행하면서 寒邪에 대하여 방어하지만 衛氣가 약하거나 寒邪가 심하면 寒邪는 인체 내로 침범하여 일련의 증상을 일으킨다. 대표적인 증상은 통증으로, 疼痛은 寒氣로 인하여 氣가 不通하게 되어 발생한다. 寒邪가 陽氣를 손상시키는 것은 疼痛의 중요한 원인이 된다. 寒邪에 氣가 손상되면 血行이 순조롭지 못하므로 氣滯 뿐만 아니라 血滯가 나타나고 심하면 瘀血을 일으켜서 肌肉과 筋脈이 收引하게 된다.

- 濕邪傷肉 腫脹不仁 : 濕邪는 濕한 기후에 접촉되거나 濕한 장소에 거처할 때 인체에 침범하여 병을 일으키며, 脾氣가 虛하여 水로 化하지 못하여도 안으로 水濕이 발생한다. 또한 脾虛하여 水濕을 化하지 못하면 水分이 과다해지므로 腫脹, 泄瀉가 나타난다. 그리고 濕邪가 寒邪와 함께 침범하거나 陽虛할 때 침범되면 인체의 陽虛는 더욱 심해지면서 氣滯血凝하여 筋脈이 收引하는 질병이 나타난다.
- 火熱怯血 腐肉爲膿 : 寒邪에 침습되면 傷氣凝血하여 통증이 나타나고 오래되면 熱로 변하여 血熱이 相搏하고 陰血이 內耗하여 肉이 血의 영양을 받지 못하므로 腐膿이 생긴다. 이러한 병리적 과정은 心이 주관하는 血脈에서 일어나는 것을 주목할 필요가 있으며, 이 때문에 『素問·至眞要大論』에는 "諸病胕腫 疼酸驚駭 皆屬於火" "諸痛痒瘡 皆屬於心"이라 하였다.

③ 六淫의 轉移

六淫病邪의 인체침범은 보통 表에서 裏로 진행하는데 六淫이 우선 皮膚筋脈部를 침범한 다음 臟腑에 침범한다. 이와 같이 邪氣가 表에서 裏로 옮겨가는 장소는 體表조직과 연관된 臟腑이며 그 힘은 邪氣와 正氣의 盛衰에 좌우된다. 즉, 邪氣가 盛하고 正氣가 衰하면 邪氣는 內傳되지만 正氣가 盛하고 臟腑에 있던 邪氣가 衰하면 臟腑에 있던 邪氣는 밖으로 轉變된다.

이상과 같이 六淫의 발병경로를 살펴보았다. 임상적으로는 邪氣의 성질과 體表조직의 강약에 따라 증상이 일정하지 않으며 臟腑에 전이된 경우에도 마찬가지이므로 주의 깊은 관찰이 요구된다.

(4) 七情內傷

인간의 精神과 情緖活動은 喜怒憂思悲恐驚의 7種으로 관찰되고 이들 가운데 어느 하나가 지나치게 되면 질병이 발생한다.

七情이 질병을 일으키는 것은 情緖가 鬱滯되고 舒暢하지 못한 탓이며 情志의 변화에 따라 손상되는 臟腑의 기능도 다르다. 예를 들어 喜는 心을, 怒는 肝을, 思는 脾를, 悲憂는 肺를, 驚恐은 腎을 傷하게 한다. 반대로 병 때문에 情志가 鬱滯되기도 하며, 이때에도 각각의 臟腑와 관련된 七情이 鬱滯되는데 이것은 氣機의 升·降·出·入하는 작용이 원활치 못하게 되어 나타난다.

筋骨格系 疾病은 內傷과 七情變化가 밀접한 관계가 있어서, 骨關節部에 痺痛이 있는 경우 情志가 鬱滯되면 증상은 더욱 악화된다. 外傷, 骨折患者라도 의지가 강인하면 회복되는 속도가 빠르지만, 나약한 경우에는 빠른 회복을 기대하기가 곤란하다.

또한 장기적인 精神抑鬱은 누적되면 腫瘍을 일으키는 하나의 원인이 되므로 정신을 調治하는 것은 질병의 예방과 치료에 매우 중요한 요소 중의 하나이다.

(5) 瘀血

瘀血이란 체내의 血液이 정상적으로 흐르지 않고 停滯된 것을 말하며, 惡血, 敗血, 積血, 乾血이라고도 부른다. 瘀血은 잠재적인 발병인자이며 크기와 위치에 따라서 발병의 정도가 다를 수 있다. 원인은 外傷, 出血, 氣虛, 氣滯, 血寒, 血熱 그리고 七情內傷 등이 있으며, 飮食과 起居가 좋지 못하여도 氣機가 不暢하므로 瘀血이 생길 수 있다.

이러한 瘀血이 질병을 일으키는 주요한 기전은 經脈을 阻滯하기 때문이며, 이로 인해 일정부위에서 氣血이 不暢하고

失養하게 되면 이어서 經脈, 筋骨 그리고 臟腑에 병리적 변화를 초래하게 된다.

이와 같이 瘀血이 있으면 經絡과 氣血의 운행이 순조롭지 못하게 되므로 조직에 병변이 발생하여 腫痛, 癰疽 그리고 痺, 痿症 등이 나타난다. 또한 瘀血의 積滯가 오래되면 寒證 혹은 熱證의 변화가 나타날 수 있고, 임상적으로는 疼痛이 主가 되며 심하면 內出血 등을 수반하기도 한다.

2) 病理

발병하면 발병인자와 인체는 邪氣와 正氣의 抗爭狀態가 되며, 이에 따라 陰陽과 升降出入의 불균형으로 氣血, 經絡, 臟腑의 기능에 변화를 가져온다. 筋骨格系 환자의 병리적 변화상의 특징으로는 亡血耗氣, 氣傷痛 形傷腫, 外有所傷 內有所損, 惡血歸于肝, 瘀去新骨生, 瘀熱化膿積微成瘤, 腎虛骨病 등이 있다.

(1) 亡血耗氣

亡血耗氣의 가장 큰 원인은 외상이다. 외상은 개방성 외상과 비개방성 외상으로 나눌 수 있다. 개방성 외상은 出血이 수반되며 비개방성이라도 內出血이 일어날 수 있다. 만약 皮肉筋骨부위라면 血腫을 형성할 것이고, 腹部인 경우라면 腹腔內로, 胸部인 경우에는 胸腔內로 內出血이 될 것이다. 개방성 유무에 관계없이 출혈은 瘀血을 형성하고 마침내 생명을 위협할 수도 있다.

이러한 亡血은 氣와 血이 상호의존하기 때문에 혈액의 손실뿐만 아니라 元氣의 손상도 가져온다. 氣血이 流失되면 血脈의 흐름이 약해져서 血凝血滯가 나타나고 동시에 氣滯가 나타난다. 氣滯는 氣의 升降을 방해하므로 臟腑의 정상적 기능을 악화시켜 후천적으로 化生되는 氣血이 다시 虛弱해지게 하는 악순환이 반복된다.

만약 失血하고도 元氣가 아직 건재하면 臟腑機能이 또한 건재하므로 血液이 다시 보충된다. 그러므로 外傷으로 인한 亡血耗氣와 氣血兩虛를 치료할 때는 元氣를 보존함이 매우 중요하며 補血理氣 뿐만 아니라 補氣에도 관심을 두어야 원하는 목적에 이를 수 있다.

(2) 氣傷痛 形傷腫

外傷後에 나타나는 疼痛과 浮腫은 氣와 形의 손상으로 인한 병리적 현상이다. 외상과 타박상으로 經絡과 血脈이 손상되면 氣의 순행이 어려워져서 經絡과 筋脈이 阻滯된다. 인체의 감각기능은 筋脈의 傳輸作用에 의존하기 때문에 經·筋·脈의 氣機가 阻滯되면 不通하게 되므로 痛症이 나타난다. 또한 氣가 손상되어 營衛가 不行하면 瘀血이 형성되고 瘀血은 有形之物이므로 반드시 국소조직에 腫脹이 생긴다. 이것을 소위 "先痛而後腫者, 爲氣傷形"이라고 한다.

만약 형체를 이루는 조직이 손상될 경우, 특히 혈관이 손상되면 出血로 인하여 瘀血이 형성되고 腫脹이 나타나는데, 이것이 소위 말하는 "形傷腫"이다. 뿐만 아니라 出血性 瘀血로 인한 氣滯를 수반하게 되므로 통증을 유발한다. 바꿔 말하면 內出血은 瘀血로 인한 腫脹뿐만 아니라 필연적으로 氣機의 부조화 때문에 疼痛이 생긴다는 것이니 소위 말하는 "先腫而後痛者, 形傷氣"이다.

(3) 外有所傷 內有所損

『內經』의 整體觀과 系統論에 의하면 인체의 외부에 손상이 있을 경우 내부에도 손상이 나타난다. 왜냐하면 經絡은 體表와 臟腑를 연결하며, 이를 통해 氣血이 운행하기 때문이다. 氣血이 손상되면 臟腑의 정상적 기능이 상실되고 질병이 나타날 뿐만 아니라 瘀血이 생기게 된다.

환언하면 外傷의 병리적 특징은 瘀血이라고 할 수 있고, 瘀血은 氣의 운행과 臟腑기능에 병리적 현상을 유발시킨다.

(4) 惡血歸于肝

앞서 말한 바와 같이 惡血은 瘀血이고, 外傷을 비롯하여 勞倦, 外感六淫, 內傷七情 등 모두가 瘀血의 원인이 될 수 있다.

『內經:經脈別論』의 "有所墮恐, 喘出于肝, 淫氣害脾"라고 하여 外傷跌墮와 內傷情志의 두려움은 모두 肝의 질병

을 유발한다고 지적하고 있다. 跌墮는 外傷瘀血이며, 恐驚하는 마음도 氣機紊亂으로 인하여 氣滯血瘀를 일으키므로 "惡血必歸于肝, 不論何經之傷, 必留于脇下"라 하였다. 肝은 藏血하기 때문에 人體의 血液을 조절하는 능력이 있어, 일정한 부위에 瘀血이 있게 되면 肝은 이를 정상적으로 조절하고자 하니 瘀血은 반드시 肝에 영향을 미친다. 또한 어느 經絡에 瘀血이 있든지 12經의 流注에 의하여 마침내 肝臟에 영향을 주고, 肝經은 脇下를 지나므로 "留于脇下"한다는 것이다.

임상적으로 볼 때 氣機의 升降이 조화롭지 못하여 惡血이 안에서 발생하든지, 또는 惡血 때문에 氣機가 紊亂해지든지 간에, 즉 원발성이든 속발성이든지 간에 惡血은 모두 肝과 관련이 깊다. 瘀血을 치료할 때는 우선 理氣를 하여야 하는데 理氣란 곧 理肝을 의미하며 이는 肝의 升發 疏泄 기능을 돕는 것이다.

(5) 瘀留骨不接

심각한 외상으로 인한 골절이 있게 되면 골격의 연속성이 중단되고 骨髓, 筋脈, 肌肉 그리고 皮膚 등의 조직이 손상된다. 또한 氣血이 外溢하여 流失될 뿐만 아니라 瘀血을 형성함으로써 氣血의 운행을 방해하고 따라서 국소조직의 滋養作用도 곤란하게 된다.

골격의 생장과 복구는 氣血이 骨髓를 滋養하고 형성하는 작용에 의해 이루어진다. 그리고 精이 骨髓의 생장을 맡고 있지만, 精은 氣血에서 나는 것이므로 결국 氣血이 骨髓의 생장을 맡고 있다고 할 수 있다. 이러한 이유 때문에 골절의 회복은 氣血의 滋養作用을 촉진시키는 것이 중요하다.

그러나 골절부위에 瘀血이 있게 되면 血脈의 수송기능을 방해하여 氣血津液이 골절부에 도달하기가 곤란해진다. 그러므로 골절을 치료할 때는 調補氣血 뿐만 아니라 血脈의 수송을 방해하는 瘀血을 제거할 필요가 있다. 그래서 藺道人은 "生氣血, 通經絡"하는 藥物이 壯筋骨할 수 있고, 固定方法을 사용한 뒤에도 가끔 활동을 하는 것이 活血化瘀와 經脈疏通에 도움이 된다고 하였다. 이러한 치료관점은 골절치료에 있어서 중요한 방법을 알려주고 있다.

만약에 瘀血이 제거되지 않으면 血脈이 不通되므로 골절이 잘 낫지 않을 뿐만 아니라『理傷續斷方』에서 말한 바와 같이 "瘀血留滯, 外腫內痛, 肢節痛倦"이 있게 된다. 그러나 瘀血이 제거되면 신선한 血脈이 골절부에 원활하게 공급되고, 氣血津液의 공급도 순조로워지므로 新骨이 생장하게 되니 이를 두고 "瘀不去則骨不能接", "瘀去新骨生"이라 한 것이다.

(6) 瘀熱化膿積癥成瘤

『靈樞;癰疽』에서는 腫瘍과 癰疽의 병리적 기전에 대해서 血瘀와 火熱의 邪氣가 결합되어 나타난다고 하였다. 血瘀는 外傷뿐만 아니라 六淫의 邪氣에 의해서도 일어날 수 있다. 『素問;擧痛論』에서는 "寒氣入經而稽遲, 泣而不行, 客于脈外則血少, 客于脈中則氣不通, 故卒然而痛"이라 하여 外邪로 인한 血凝氣滯와 疼痛의 병리적 과정을 설명하였다. 또한 六氣는 內生할 수 있어서 寒邪가 久積하면 凝血을 일으켜 熱로 변할 수 있으며, 瘀熱이 相搏하면 瘀滯가 가중됨에 따라 肌肉筋脈의 滋養이 원활치 못하게 되어 腐壞成膿이 일어난다. 간략하게 표현하면 瘀熱이 內結하여 化膿成癰하게 된다.

(7) 腎虛骨病

腎은 藏精, 生髓 및 養骨作用이 있으므로 腎虛하면 腎精이 부족해짐에 따라 骨과 髓가 失養하여 마침내 骨病과 骨痿가 발생한다. 腎虛하게 되면 骨은 精氣의 滋養을 원활하게 받지 못하게 되어 抗病능력이 저하되므로 쉽게 外邪가 침범하고, 침범된 外邪가 氣血과 相搏하여 瘀結을 이루면 骨疽와 骨瘤가 발생한다.

또한 腎精은 人體의 生長發育에 관여하는 기본물질로 나이가 들어감에 따라서 腎精이 허약해지거나 감소하여 노인일수록 骨病이 많이 나타난다. 퇴행성골관절염, 골다공증 등의 노인성 골질환의 원인이 비록 다양하다고 하여도 핵심은 腎虛하여 養骨할 精이 부족한 것이다.

제3절 진단과 평가

한방재활의학 관련 질환을 예방하고 치료 및 관리하기 위해서는 다른 분야의 질환들과 마찬가지로 四診을 통한 辨證이 필요하면서도 辨病도 함께 이루어져야 한다. 辨證은 四診과 八綱을 통해 얻어진 각종 증상과 정보들을 整體觀과 유기적인 관계를 근거로 取捨선택하여 발병의 원인, 부위, 병리적인 변화 등을 분석하고 귀납 진단하는 과정을 말한다. 이때 구분해야 할 것은 辨證의 '證'과 症狀의 '症'은 다른 개념으로 '症'은 '요통', '두통'처럼 개별적인 사항을 말하고, 證은 '腎虛腰痛證'처럼 하나의 유기적인 무리를 이루는 증상을 말한다. 반면에 辨病은 각종 理化學的 검사방법과 解剖學的 지식을 통해 얻어진 정보를 서양의학의 이론을 운용하여 진단하는 것이다. 辨證이 질병의 본질을 파악하여 근본적인 치료에 바로 연결되는 장점이 있는 반면, 辨病은 병리적인 변화와 예후를 예측하는데 도움을 주므로 서로간의 장점을 결합시켜 신속하고 정확한 진료를 통해 질병을 예방하고 치료할 필요가 있다. 또한 각종 평가척도는 환자의 현재 상태, 특히 실생활 가운데 나타나는 사회적·심리적·기능적 적응 상태 등을 파악하거나 치료과정이 변화되어 가는 모습을 측정하는 도구들을 말한다.

이런 각종 진단방법과 평가도구들은 반복하여 시행해도 오차가 적고(신뢰도, Reliability), 전문가 집단에서 정확도를 인정하면서(타당성, Validity), 질병이 있으면 나타날 가능성이 높고(민감도, Sensitivity), 특정질환을 지목할 가능성(특이도, Specificity)과 증상의 호전 정도(반응도, Responsibility)를 잘 반영하는 항목을 선택하여 적용해야 한다.

1. 四診

四診이란 韓醫學의 전통적인 望聞問切에 의한 진단방법이며, 진찰과정이 환자와 처음 대면하는 望診부터 시작되지만 의무기록의 임상 편의상 問診부터 살펴보고자 한다.

1) 問診

問診을 할 때는 "예, 아니오"와 같은 답변을 유도하는 폐쇄형의 질문보다는 개방형의 질문이 바람직하며, 전문용어가 아닌 통상적이고 평이한 용어를 사용하고 환자가 긴장하여 중요한 사항이 누락되지 않도록 유의해야 한다. 또한 問診과 동시에 望診과 聞診에서 얻을 수 있는 일부사항도 놓치지 않도록 한다.

(1) 일반사항

① 성별과 나이

성별과 나이는 근골격계 질환에서 중요한 정보를 제공할 수 있다. 예를 들면, 30세 전후 남성에서 腰薦椎部의 모호하고 지속적인 통증은 강직성척추염을, 70세 이상 여성의 腰背部의 은은한 통증은 골다공증을, 그리고 심한 脇背痛은 腰胸椎骨折을 암시할 수 있다.

② 주거지와 직업

중년 이후에 주거지가 계단이 많다면 퇴행성슬관절염 등을 유발할 수 있고, 過濕한 지역에 거주한다면 濕痺를 유발하기 쉽다. 그리고 직장에서 작업환경상 무거운 것을 자주 들어 올린다든가 오랜 시간동안 고개를 숙이고 작업을 하는 경우라면 척추질환이 유발될 수 있으며, 화학약품을 다루는 경우에는 痿證이 발생할 수 있으니 이와 같은 거주 및 직장 환경을 확인하여 개선하도록 유도하는 것도 치료 및 질병관리에 중요한 사항이 될 수 있다.

(2) 主訴症(Chief Complain, C/C)

환자가 주로 호소하는 주관적인 증상을 중요하고 심한 것부터 차례로 적어나가되, 가능하면 환자가 표현하는 용어로 기록한다.

(3) 發病日(On Set, O/S)

주소증의 종류별로 발병일을 열거하여 기록하되 처음 증상이 나타났을 때와 심해진 최근 시기를 구분해준다. 특히 사고의 경우에는 정확한 날짜를 기록할 필요가 있다.

(4) 現病歷(Present Illness, PI)

발병 당시의 정황 혹은 외상의 경우에는 발병시 환자의 자세 또는 충격이 가해진 신체부위를 기록한다. 무릎통증의 경우 스키활강하면서 내회전하다가 발생하면 내측반월상연골 손상을 암시할 수 있고, 축구 경기 중 태클로 넘어질 때 경골조면이 심하게 바닥에 부딪히면 후방십자인대손상을 가져올 수 있다. 또한 증상이 발현되는 시간과 간격, 악화되는 誘因과 완화되는 상황 등을 기록하고, 동일질환으로 다른 의료기관에서 먼저 진료를 받은 경우에는 진단명과 검사 내용 그리고 진료의 유형 등을 기록한다. 예를 들면 요추관협착증의 경우 보행 시 하지부 방산통이 악화되지만 허리를 웅크리고 쪼그려 앉으면 증상이 완화될 수 있다.

(5) 過去歷(Past History, PH)

현재 主訴症과의 관련성에 주목하여 질문하고 약물을 계속 복용하고 있는 경우에는 약물의 종류도 기록한다. 지연성 흉요추 골절은 사고 발생 1-3개월 후에 서서히 나타나기도 한다.

(6) 家族歷(Family History, FH)

혈연관계를 중심으로 관련성이 있는 질환이 없는지 확인해본다. 예를 들어 류마티스질환은 가족력과 연관성이 있는 경우가 많다.

(7) 기타 증상

기타 증상을 脈診 소견 등과 함께 살펴보면 辨證의 중요한 단서가 나타나므로 유의깊게 관찰한다. 이러한 辨證方法을『景岳全書; 傳忠錄』의 '十問篇'에 말하길 "一問寒熱 二問汗 三問頭身 四問便 五問飮食 六問胸 七聾 八渴 俱當辨. 九因脈色察陰陽 十從氣味章神見"이라 하였다. 아래 내용은 주로 살펴볼 항목을 열거한 것이고, 각 항목에 따른 辨證은 診斷學 또는 內科學 서적을 참조하기 바란다.

① 寒熱

惡風, 惡寒, 畏寒, 高熱, 微熱, 潮熱, 五心煩熱, 寒熱往來 등을 구분한다.

② 汗

無汗, 自汗, 盜汗 그리고 일정부위에만 나타나는 頭汗, 胸汗, 半身汗, 手足心汗 등을 구분한다.

③ 飮食

식욕과 소화능력 그리고 알레르기반응 음식을 확인한다. 식욕은 食慾減退, 多食易飢, 飢不欲食 등으로 구분하고, 소화장애는 痞滿, 飽滿倒飽, 空腹痛, 呑酸, 嘈雜, 噯氣 등으로 구분한다.『醫宗金鑑; 四診心法』에 음식의 선호도를 가지고 寒熱虛實을 구분하니 "喜冷者中必有熱 喜熱者中必有寒 虛熱則飮冷少 實熱則飮冷多 虛寒則飮熱少 實寒則飮熱多"라고 하였다.

④ 口渴과 口味

口乾하여도 口渴과 口不渴로 나누어 裏證의 寒熱을 구분하며, 口味는 口甘, 口苦, 口酸, 口鹹, 口淡無味 등으로 나눈다.

⑤ 睡眠

不眠은 不易入睡, 睡而易醒, 睡不安寧, 心煩失眠 등으로 구분하고, 嗜眠은 陰盛陽虛와 痰濕困脾한 경우가 많다.

⑥ 大便

大便의 形態에 따라 便秘와 泄瀉로 나누고, 便質의 이상에 따라 完穀不化, 溏結不調, 血便 등으로 나누며, 排便時 異常感覺에 의하여 肛門灼熱, 裏急後重, 排便不快, 肛門下垂 感覺 등으로 나눈다. 그리고 排便시간의 간격을 확인한다.

⑦ 小便

배뇨 횟수에 따라서 小便頻數과 急迫, 小便不通 등으로, 배뇨 감각이상은 小便澁痛, 小便不禁, 遺尿 등으로 나누고 小便의 色도 구분한다.

⑧ 身重과 麻木

신체에 沈重한 느낌이 있는 것을 身重이라 하며, 대개는 氣虛하거나 濕邪 때문이다. 麻木은 감각이 둔해진 경우를 말하며, 특정한 신경의 손상이 없다면 氣血이 허약하거나 風痰이 經氣의 운행을 방해하는 경우가 많다.

⑨ 痛症

통증이 나타나는 부위, 양상, 시간 그리고 악화 및 완화되는 상황 등에 관해 묻는다. 서양의학과 달리 한의학에서는 통증의 양상이 중요한 의미를 갖고 있는 경우가 많고, 아래와 같은 병리적인 소견을 나타내는 경우가 많으므로 다른 진단 항목들을 함께 참작하여 辨證하도록 한다.

- 脹痛: 부풀어 오르듯 빠근한 통증. 대부분 氣滯로 인한 경우이다.
- 刺痛: 바늘로 찌르는 듯 한 통증. 瘀血 탓인 경우가 많다.
- 冷痛: 서늘하거나 차가운 느낌이 있는 통증. 대부분 外感寒邪 또는 陽虛하여 溫養이 안 된 경우이다.
- 灼痛: 화끈거리는 느낌이 있는 통증. 火熱邪가 經絡을 침범하거나 陰虛火旺한 경우이다.
- 絞痛: 쥐어 잡는 듯한 통증. 대개는 有形實邪가 氣機를 방해한 경우이다.
- 流走痛: 부위가 일정하지 않고 옮겨 다니는 통증. 四肢關節部는 風邪로, 胸腹部는 氣滯로 인한 경우가 대부분이다.
- 牽引痛: 잡아당기는 듯 한 통증. 經脈이 失養하거나 阻滯不通한 탓이 많다.
- 空痛: 공허한 느낌이 있는 통증. 대부분 陰精不足, 氣血兩虛인 경우가 많다.
- 隱痛: 견딜 수 있을 정도의 은근하고 지속적인 통증. 氣血不足 또는 陽氣虛로 인한 경우가 많다.
- 重痛: 가라앉는 듯 묵직한 느낌이 있는 통증. 濕邪로 인하여 氣機不行한 경우이다.
- 酸痛: 시리고 약해진 느낌이 드는 통증. 대부분 寒濕邪 때문이지만 腰酸痛의 경우는 腎虛한 탓이다.

(8) 여성과 소아

여성의 경우는 별도로 月經과 관련된 週期, 月經痛의 유무와 양상, 不定出血 여부 등을 묻고 임신 및 출산여부 등을 확인한다. 소아는 보호자의 협조를 얻어 問診을 하도록 한다.

2) 望診

환자의 질병과 손상을 치료하기에 앞서 望診을 통해 환자의 질병 진행 상황을 관찰한다. 望診의 범위는 神色, 舌象, 耳, 目, 鼻, 口, 咽喉, 大小便 등이지만, 특히 神色의 狀態 및 舌象의 변화 관찰이 중요하다.

(1) 顔色과 目神

『醫宗金鑑:四診心法』에 의하면 "神은 心에 있지만 外候는 눈에 있다. 눈의 광채가 어두우면 精神이 不足하고 明瞭하면 精神이 豊足하다" 그리고 "色이 沈鬱하면서 濁하고 어두우면 內傷이 오래되고 위중한 것이다. 色이 浮하면서 윤택하고 명료한 것은 外感으로 新病이며 가벼운 것이다. 病이 심하지 않으면 윤택하면서 분명하고, 色이 흩어져 보이는 것은 쉽게 치료되지만 모여 있는 것은 치료하기 어렵다"고 하였다.

(2) 形態望診

환자를 처음 만나는 순간부터 전체적인 骨格의 형태와 肥瘦를 살펴보고, 서있는 자세, 걷는 모습, 앉는 자세를 분석한다. 정면에서 볼 때 머리부터 척추를 지나 하지부에 이르는 정렬 상태 그리고 하지부와 상지부가 좌우로 치우침이 없는지를 살핀다. 측면에서 관찰할 때는 척추의 전후 만곡 상태를, 후면에서는 頭頸部의 정렬 상태, 척추의 측만 여부, 골반, 고관절 그리고 슬관절의 정렬 상태를 주로 관찰한다. 보다 실질적이고 구체적인 내용은 이 책의 해당 부분을 참조하도록 한다. 또한 四象醫學的 관점에서 體質에 따른 체형과 외관상 특징을 살펴본다.

(3) 舌診

일반적으로 舌質은 血病을, 舌苔는 氣病을 반영하는 경우가 많고, 정상적인 舌色은 淡紅色이다.

① 舌質

舌色이 정상보다 淡白하여 紅色이 적고 白色이 많으면 血虛 또는 陽虛를 반영하고, 紅色은 熱症이거나 혹은 陰虛이다. 그리고 靑紫하면 瘀血, 熱毒內蘊, 寒邪直中을 의미한다.

② 舌苔

舌苔色은 白色, 黃色, 灰黑色 등으로 구분되며, 白色은 정상이거나 寒症에서 나타날 수 있다. 黃色은 熱症이 있음을 반영하고, 灰黑色은 熱症이 심하여 津液이 손상된 징후이다. 질병상태에서 舌苔의 두께가 얇으면 危重하지 않을 때가 많고, 두꺼워지면 濕邪가 있거나 脾胃障碍가 있음을 암시한다. 그리고 潤滑하면 寒症, 乾燥하면 熱症인 경우가 많다.

3) 聞診

聞診은 聽覺과 嗅覺을 이용한 진단방법이며, 재활의학과 질환에서는 주로 환자의 음성과 호흡을 관찰한다.

(1) 音聲

『東醫寶鑑』에 "心爲聲音之主 肺爲聲音之門 腎爲聲音之根"이라 하여, 음성은 心, 腎, 肺의 기능에 주로 의존하고 있으며, 또한 음성을 통하여 心, 腎, 肺의 상태를 확인할 수 있다. 예를 들어 中風같은 風痰之邪로 인한 언어장애는 心에서, 外感 등 風寒之邪로 인한 發聲困難은 肺에서, 音聲이 微底한 경우는 腎虛와 肺氣虛에 기인하는 경우가 많다. 中風으로 인한 언어장애의 경우에는 완전실어증, 운동실어증, 감각실어증, 전도실어증 가운데 어디에 해당하는지 구분하도록 한다.

(2) 呼吸

호흡 상태를 관찰할 때 哮喘과 咳嗽 등도 살피지만 재활의학과 질환과 관련이 깊은 것은 短氣, 少氣, 太息이다. 호흡이 끊어질듯이 짧은 것을 短氣라 하며 주로 痰飮과 食積에 기인하고, 호흡이 미약하고 힘이 없는 것을 少氣라 하여 腎虛 또는 肺虛證이며, 太息은 소위 歎息이며 肝氣鬱結의 모습이다.

4) 切診

切診은 손을 이용한 진단법으로 按診, 脈診 등이 있으며 按診에는 이학적 검사(Physical Examination)가 포함된다. 특히 이학적 수기검사는 근골격계 질환과 신경계 질환을 다루는 재활의학 임상 현장에서 매우 빠르고 유용한 진단방법이다.

표 1-2. 6種 脈象 관련 내용 비교

診脈의 觀點	脈의 특징	脈象	主病
深淺	脈動이 皮下의 표층부에서 느껴짐	浮	주로 表證, 간혹 虛證
	脈動이 皮下의 심층부에서 느껴짐	沈	裏證
回數	脈動數가 호흡당 3회 이하	遲	주로 寒證, 간혹 熱證
	脈動數가 호흡당 6회 이상	數	주로 熱證, 간혹 虛證
强弱	脈動이 전달될 때 무력하게 느껴짐	虛	虛證
	脈動이 전달될 때 힘차게 느껴짐	實	주로 實證, 간혹 熱證

(1) 按診

환자의 특정 신체부위에 손을 접촉하여 이루어지는 切診의 한 방법이며 필요에 따라서 간단한 도구, 예를 들면 의료용 해머(hammer)와 측각기(goniometer) 등을 이용한다. 우선 피부의 감각, 寒熱, 변형상태 등을 살펴본 다음, 해부학적 기준에 의하여 골격의 정렬상태를 확인한다. 또한 근육의 연축, 압통 등을 살피고 筋力의 정상 여부를 측정하며, 관절을 관찰할 때는 능동적·수동적 관절운동범위와 저항운동검사 등을 시행한다. 또한 신경의 압박 여부를 살펴보고 심부건반사와 병적반사검사 등을 시행하며, 자세한 내용은 신체부위별로 이 책의 해당 부분을 참조한다.

(2) 脈診

일반적으로 『瀕湖脈學』의 27種 脈象이 제시되어 있으나, 表裏, 寒熱, 虛實의 辨證을 위하여 浮, 沈, 遲, 數, 虛, 實이상 6種의 脈象을 중점적으로 확인하고 이 脈象들을 상호 조합하여 복합적 상태를 辨證한다(표 1-2). 예를 들어 脈象이 沈數實하다면 裏熱證이면서 實證인 상태를 우선적으로 고려하여 다른 증상과 비교 판단한다. 이외에도 痰飮이나 瘀血과 같은 有形之邪의 존재 여부를 판단하기 위하여 滑脈과 澁脈을 구분하면 진단과 치료에 도움이 된다. 『醫宗金鑑:四診心法』에 의하면 滑脈은 氣壅과 痰病이며, 澁脈은 血滯와 濕痺를 나타낸다 하였다.

2. 영상의학 검사

영상의학 검사를 의뢰할 때는 영상의학과 의료진에게 적절한 검사와 정확한 판독에 도움이 되도록 환자의 증상, 의심되는 질환명 등 필요한 정보를 함께 제공하고, 경우에 따라서는 어떤 영상진단 방법이 가장 쉽게 적절한 정보를 얻을 수 있는지를 상의할 필요가 있다. 그리고 디지털기술이 발달하면서 의료영상저장운송시스템(picture archiving communication system, PACS)을 사용하여 필름이 없어지고 디지털로 자료가 처리되어 전산으로 영상전송이 가능하고 원하는 컴퓨터에 영상자료의 저장이 가능하다.

1) 단순 방사선 촬영(X-ray)

단순 방사선 촬영은 X선 照射장치와 필름 사이에 인체를 두고 X선을 통과시킬 때 인체조직별로 흡수 및 통과되는 비율의 차이로 흰색부터 검은색을 나타내는 음영도를 이용하는 것이다. 흡수가 많이 되어 통과되는 비율이 낮으면 흰색으로 나타나고, 통과되는 비율이 높으면 검은색으로 나타난다. 흰색부터 검은색으로 나타나는 순서를 살펴보면 금속, 골, 연부조직, 물, 지방조직, 공기의 순이다. 재활의학과 분야에서는 특히 골의 모양과 정렬상태를 살피고 뚜렷하지는 않지만 인대나 연골 손상을 살펴볼 때 참고가 된다. 자세히 살펴보면 골다공증, 종양, 감염 여부 등도 확인할 수 있다. 장점은 비용이 저렴하고 손쉽게 자료를 얻을 수 있다는 점이고, 단점은 환자가 방사선에 노출되는 것과 연부조직 손상의 감별진단에는 구별이 쉽지 않다는 점이다.

2) 전산화단층촬영 (Computed Tomography, CT)

CT는 X선에 인체를 노출시킨 후 컴퓨터를 이용해서 X선의 흡수계수를 계산하여 흡수계수가 높은 조직은 고음영(흰색)으로, 낮은 조직은 저음영(검은색)으로 나타나도록 단면영상을 재구성하는데 단순방사선촬영에 비하여 X선 흡수의 미세한 차이가 구별된다. 촬영할 때는 맨 처음 정찰영상(scout view)을 얻어서 검사할 부위의 시작과 끝을 결정한 다음, 보통 1-10 mm 사이의 절편 두께로 검사한다. 의료공학 기술의 발달로 최근의 CT는 관상면(coronal plane), 시상면(sagittal plane), 경사면(oblique plane) 등으로 재구성할 수 있으며 3차원 입체영상도 얻을 수 있다. CT 스캔을 볼 때 기억해야 할 것은 관찰자가 화면의 오른쪽에 보이는 것은 환자의 왼쪽 구조물이라는 점이다. 단점으로는 환자에게 인공적인 장애물(artifact), 예를 들어 금속 이식물, 수술용 클립, 금속 스텐트, 치아충전재 등이 있으면 화면에 방사모양의 줄무늬가 나타나고 영상의 저하를 가져올 수 있다는 점이다. MRI와 비교할 때 연부조직의 영상정보는 떨어지지만 비용적인 측면에서는 경제적이면서 상대적으로 빠른 시간 내에 검사가 가능하다. 또한 척추 또는 관절질환의 경우 척수강이나 관절강내에 조영제를 투여하여 보다 뚜렷한 영상을 얻을 수도 있고 혈관질환의 경우에는 혈관조영술(CT Angiography)도 가능하다.

3) 자기공명영상 (Magnetic Resonance Imaging, MRI)

MRI는 방사선을 사용하지 않고 강력한 자석통(magnetic bore) 안에 환자를 둔 상태에서 파동 형태의 자기파를 인체에 통과시키면 투사된 파동이 조직에 따라서 다르게 상응하는 파동을 유발하게 되므로 이를 검출기로 기록하고 전산으로 처리하여 영상을 얻는다. 영상에서 흰색으로 보이는 구조물은 고신호강도(high signal intensity)를 검은색으로 보이는 구조물은 저신호 강도(low signal intensity)를 가졌다고 표현하며, 영상에는 T1, T2 강조영상과 확산강조영상(Diffusion Weighted Image, DWI. 속칭 Diffusion) 등이 있다. T1은 양자가 자기장 축으로 되돌아오는 시간이고, T2는 양자가 탈위상하는데 걸리는 시간이라서 T1 강조영상은 T1 이완특성에 주로 영향을 받는 조직 사이의 차이를 보여주며, T2 강조영상은 T2의 이완특성에 의해 영향을 받는 조직 사이의 차이를 보여준다. 뇌척수액의 경우 T1 강조영상에서는 검게, T2 강조영상에서는 흰색으로 보이며, 대부분의 염증성 종양은 T1 강조영상에서 밝게 나타난다. 확산강조영상(diffusion)은 물분자의 확산을 영상에 반영하는 방법이며 확산이 심할수록 검은색, 약하면 흰색으로 나타나므로, 특히 급성뇌경색의 경우 물이 움직임이 없어서 흰색으로 나타나 조기진단에 유용하다.

MRI는 중추신경계뿐 아니라 근골격계 질환에서도 가장 활용도가 높은 검사로, 관절, 인대, 힘줄, 근육의 손상, 종양, 감염, 외상 등을 진단하는 데에 많이 쓰인다. 특히 척추질환의 경우 디스크, 척수 등의 연부조직 감별에 있어 CT보다 우수하여 이용 빈도가 증가하고 있다.

MRI의 장점은 CT에 비하여 연부조직간의 차이를 뚜렷하게 보여주며 어떤 평면으로든지 바로 영상화가 가능하여 보다 많은 정보를 제공한다는 것이다. 그러나 단점은 환자가 CT보다 오랜 시간 원형의 자석통 안에 들어가야 하므로 폐쇄공포증을 느낄 수 있고, 경제적으로 고비용이라는 점이다. 또한 강한 자기장의 영향을 받을 수 있는 심장박동조율기 또는 뇌동맥류 클립 적용 환자, 임신 초기 환자 등은 금기사항이다. MRI 조영술(Magnetic Resonance Angiography, MRA)도 CT 조영술과 함께 임상에서 응용도가 높아지고 있다.

4) 초음파검사(Ultrasound, Sonogram, US)

사람이 들을 수 있는 음파의 주파수 범위는 약 20-2만HZ 이지만 초음파검사에서 이용되는 주파수는 2-20MHZ(1MHz=100만Hz)이며, 체내를 향한 초음파가 인체의 여러 조직에 부딪혀 되돌아오는 성질을 이용한다. 초음파단자(probe)에서 나온 초음파를 공기, 뼈, 석회화조직은 거의 모두 흡수하기 때문에 뼈질환의 진단에는 도움이 되지 못하지만 근육, 인대, 활액낭, 삼출액 등 연부조직의 다른 경계면에서 반사되거나 굴절되는 모습을 이용하여 근골격계 질환의 진단에 이용된다. 장점은 실시간으로, 즉 환자로 하여금 움직이게 하면서 동영상을 얻을 수 있을 뿐만 아니라, 관상면 시상면 등에 관계없이 어떠한 경사면으로도 관찰이 가능하다는 점이다. 또한 방사선 피폭 우려뿐만 아니라 보고된 유의한 부작용이 없어서 부담없이 여러번 검사할 수 있다 . 단점은 검사 소요시간이 길어서 보통 20-30분 정도 또는 그 이상 걸리고, CT와 MRI에 비하여 검사자의 능력에 의해 영상의 질과 진단 정확도가 달라질 가능성이 높다.

5) 방사성 동위원소 스캔 (Radionuclide Scanning)

인체에서 골의 형성과 재흡수는 항상 일어나지만 골의 교체 비율은 병리적 과정이 존재할 때 대부분 증가하므로 Technetium-99m, Gallium-67, Indium-111 등의 방사선 동위원소를 정맥주사 한 후 흡수되는 정도를 영상으로 처리하여 골의 대사증가, 골절, 종양, 염증 부위가 나타나도록 한 것이다. 골스캔(bone scan)은 전신의 뼈를 동시에 평가할 수 있으며, 뼈의 대사 및 국소 혈류 상태가 활발한 곳은 방사능의 세기가 달라져 다른 곳보다 어둡게 나타난다. 그러나 골스캔은 민감도(sensitivity)는 높지만 골대사가 증가된 원인을 특정하게 찾아낼 수 있는 특이도(specificity)가 떨어지는 검사법이다. 임상에서는 류마토이드관절염처럼 전신 분포적인 다발성 관절염증 등을 확인하는데 유용하고, 단순 X선 영상에서는 뼈의 30-50%가 없어질 때까지 뼈 질환이나 스트레스 골절이 잘 나타나지 않을 수 있으나, 골스캔에서는 뼈의 4-7%만 소실되는 뼈 질환이나 스트레스 골절 등도 잘 보여준다.

3. 임상병리의학 검사

임상병리의학 검사 항목 가운데 한방재활의학과 관련 질환의 진료와 연구에 도움이 되는 주요 항목만을 선별하고 임상현장에서 필요한 내용을 중심으로 알아본다. 아래 항목에 해당하는 검체의 경우 적혈구침강속도와 사람백혈구 B27 검사는 全血이고, 나머지 대부분은 血淸이다.

1) 알칼리 인산분해효소 (Alkaline Phosphatase, ALP)

본 검사는 골과 간질환이 있을 때 증가하며, 골 형성의 대표적인 지표로서 골 성장이 활발한 청소년기에는 성인의 3-4배의 높은 수치를 보여준다. 임상적으로 파젯병(Paget's disease)이 있으면 상한치의 10-25배, 골 성장 시기, 골절 치유기, 골육종, 암의 골 전이가 있으면 상한치의 2-4배 높게 나타난다.

2) 항아세틸콜린 수용체 항체(anti-Acetylcholine Receptor Antibody, anti-AChR Ab)

이 항체는 근신경 접합부에서 아세틸콜린이 수용체에 결합하는 것을 억제함으로써 결과적으로 근수축력을 약화시키며 중증근무력증의 85-90%에서 검출되므로 항체가 증가하면 중증근무력증이나 흉선종을 의심할 수 있다. 중증근무력증의 증상이 호전되면 역가도 감소하고, 음성으로 나타나더라도 중증근무력증을 배제하지는 못한다.

3) 항중심절 항체 (anti-Centromere Antibody, ACA)

이 항체는 경피증 환자에게서 검출되는 대표적인 자가항체이며 특히 경피증의 분류 유형 가운데 하나인 국소형 피부경피증(CREST 증후군)에서 57-82%가 양성으로 나타난다.

4) 항CCP 항체(anti-Cyclic Citrullinated Peptide Antibody, 異名:ACPA)

과거에는 류마티스인자(RF)가 류마티스관절염의 진단에 주로 이용되었지만 최근 검사 기술의 발달로 발병 4-5년 전부터 항CCP항체가 류마티스인자보다 더 일찍 양성 반응을 나타내고 특이도도 높다는 것이 밝혀졌다. 류마티스인자가 음성으로 나타나는 류마티스관절염 환자의 약 40%에서도 항CCP항체가 양성반응을 보이며, 증상의 악화 및 호전도에 따라서 항CCP항체의 농도도 상관성을 갖기 때문에 질병의 경과 관찰에 도움이 된다. 본 항체는 시트룰린을 포함하는 펩티드에 대한 항체이며 ACPA (Anti-Citrullinated Protein Antibody)라고도 부른다.

5) 항이중가닥DNA항체 (anti-double strained Deoxyribonucleic Acid Antibody, 항dsDNA항체)

본 검사는 루푸스의 병인에 결정적인 역할을 하기 때문에 진단에 있어 매우 중요하다. 활성화된 루푸스 환자의 40-90%에서 양성을 나타낸다.

6) 항핵항체(anti-Nuclear Antibody, ANA / autoimmune target test, AIT)

본 검사는 전신성홍반성루푸스, 류마티스관절염, 피부근육염, 결절성다발성동맥염, 쇼그렌증후군, 경피증, 레이노현상 등 교원성 혈관질환들에 대한 대표적인 선별검사(screening test)이다. 전신성홍반성루푸스 환자의 95% 이상이 양성반응을 보이지만 40세 이상 정상인 여성의 15-20%에서도 양성반응이 나타나므로 주의를 요한다.

7) C-반응성단백(C-Reactive Protein, CRP)

본 검사는 급성염증성질환, 조직의 손상 및 경색, 세균감염, 수술, 교원성 혈관질환 등이 있을 때 수치가 증가한다. 류마티스 관절염 환자에서 3 mg/dL 이상으로 올라갈 경우 활동성으로 판단할 수 있는 근거가 되며, 루푸스와 감별하는 데에 사용될 수 있다. 특히 염증이나 수술 등으로 조직손상이 오면 최대 1000배까지 급격히 증가하고, 치료시에는 가장 빠르게 정상치로 돌아오기 때문에 대표적인 급성기 반응 물질이다. 또한 염증이나 조직손상이 없는 정상인의 CRP가 상승하면 관상동맥질환의 발생을 의심해야 한다.

8) 크레아틴(Creatine)

주로 신장과 간을 통해 합성된 크레아틴은 95-98%가 근육에 존재하고, 근수축의 에너지원이어서 근육질환을 진단하는데 도움이 된다. 진행성 근위축의 경우 크레아티닌(creatinine, Cr)의 수치는 감소하고 크레아틴(creatine)의 수치는 증가하지만 근육질환에 대한 특이도가 높다고 할 수는 없다.

9) 크레아틴활성효소(Creatine Kinase, CK)

CK는 크레아틴의 인산화를 촉매하는 효소이며, 3가지의 동종효소로 구성되어 CK-MM은 주로 골격근, CK-MB는 심근, CK-BB는 주로 뇌에 존재한다. CK-MM은 피부근육염이나 다발성근육염의 95%에서 증가하지만 이미 위축이 심해졌거나 진행이 많이 된 상태에서는 정상으로 나올 수 있다. 또한 중증근무력증, 파킨슨병, 다발성경화증의 경우에서도 정상이며, CK의 감소는 근육량의 감소를 의미한다. 그리고 CK-MB는 급성심근경색의 특이적인 표지자이고, CK-BB는 뇌손상이나 정상 신생아 등에서 증가한다. CK가 정상치의 20배 이상 증가하고 마이오글로빈뇨(myoglobinuria)가 나타나면 횡문근융해증을 의심할 수 있다.

10) 적혈구침강속도(Erythrocyte Sedimentation Rate, ESR)

염증성질환, 만성신장병, 괴사, 악성질환 등의 경과관찰에 이용되는 ESR은 全血을 수직으로 세워진 규격화 된 튜브에 넣고 적혈구의 상층부가 일정시간 동안 아래로 이동한 거리를 측정한 것이다. ESR은 특이도는 낮지만 민감도가 높아서 종합적인 정보를 제공하며 비교적 검사가 간단한 편이다. 염증성질환의 경우 ESR은 CRP와 같은 급성반응성물질에 비하여 늦게 증가하고, 회복기에도 더 오랜 기간 동안 증가 상태를 유지한다. 따라서 CRP와 함께 검사하면 염증성질환의 진척상황을 파악하는데 도움이 된다. 활동성 류마티스 관절염에서 증가 소견을 나타내기 때문에 퇴행성 관절염과의 감별에도 이용되며, 추적 검사로 이용하여 류마티스 관절염의 활성 정도를 파악하는 데에도 사용될 수 있다.

11) 사람백혈구항원 B27 (Human Leukocyte Antigen B27, HLA-B27)

HLA는 유전에 의해서 높은 다양성을 보여주는 당단백 항원이며, HLA-B27은 정상인에서 양성률이 5-10%이지만 강직성척추염 환자의 경우에는 90%이상이기 때문에 강직성척추염의 진단에 매우 유용하다. 이외에도 라이터증후군, 건선성관절염, 전방포도막염, 염증성장질환 등에서 양성으로 나타난다.

12) 류마티스인자(Rheumatoid Factor, RF)

류마티스인자는 정상인의 10%정도에서 양성이고 나이가 들수록 양성률이 높아지지만 주로 다양한 자가면역성 질환에서 검출된다. 류마티스관절염에서 대표적으로 양성반응을 보이지만 특이적이지 못하기 때문에, 근래에는 특이도와 민감도가 높은 항CCP항체검사와 병행하여 검사한다. 이외에 쇼그렌증후군, 피부근육염, 만성바이러스 감염 등의 경우에도 높게 나타난다.

13) 요산(Uric Acid, UA)

검체는 혈청과 소변 모두 이용되며 요산은 DNA를 구성하는 퓨린의 최종 분해산물이다. 퓨린이 많이 함유된 음식을 섭취하거나 전이암, 백혈병, 암화학요법 등이 있으면 증가하고, 이뇨제 복용, 신부전, 뇨세관장애, 갑상선저하증 등이 있으면 감소한다. 고요산혈증은 요산 농도가 여성 6.0 mg/dL, 남성은 7.0 mg/dL이상인 경우이며, 고요산혈증이 있으면 요산결정(MSUM, monosodium urate monohydrate crystal)이 관절주위에 침착하여 통풍이 발생하고, 소변에서 농축되면 요로결석이 된다. 고요산혈증의 약 5%에서 통풍이 발생한다.

4. 기타 검사

영상의학 및 임상병리검사 이외에 한방재활의학과에서 자주 이용되는 검사에는 다음과 같은 것들이 있다.

1) 근전도(Electromyography, EMG)

EMG는 근섬유의 개별적이고 집단적인 전기적 활성도를 측정하는 임상적인 검사로 근섬유에 바늘 전극을 삽입해 시행한다. 운동 단위(Motor Unit)는 운동신경 섬유와 근섬유들로 구성되어 있으며 근섬유들의 전기적 활성이 합쳐져서 운동단위 활동전위(Motor Unit Action Potential, MUAP)를 일으킨다. EMG는 MUAP를 측정해 분석하는 검사법으로 MUAP 파형의 특징(진폭, 지속시간 등)은 운동 단위의 상태를 평가할 때 중요한 역할을 한다.

EMG는 네 단계로 나눠 진행되며, 각 단계에서 측정하는 측정치로 전극을 삽입할 때 발생하는 활동전위, 근육이 완전히 휴식하고 있을 때의 자발전위, 근육이 최소한의 힘으로 자발적인 수축할 때의 MUAP 파형, 근육이 자발적으로 수축하는 힘을 최대까지 증가시키는 동안 발생하는 MUAP와 MUAP들이 겹쳐져서 생기는 간섭패턴이 있다. 일반적으로 神經因性 질환에서 MUAP는 진폭과 지속시간이 증가되는 특징을 보이며, 筋肉病症에서는 진폭과 지속시간이 감소되는 특징을 보인다.

EMG는 痿證과 같은 증상의 진단 검사 도구로 염증성, 탈수초성, 다발성 신경병증 등의 神經因性 질환과 염증성 혹은 근이영양증 등의 筋病症 질환의 진단과 예후 판단에 임상적인 가치를 가지고 있으며 신경전도 검사와 함께 시행할 때가 많다.

2) 표면근전도(Surface electromyography)

표면근전도기는 표면전극으로부터 근육이 활동할 때 발생하는 활동전위를 증폭하여 기록하는 진단기기이다. 각각의 근육 및 운동 단위별로 기록하여 도출된 결과를 보고, 十二經筋 중 해당하는 經筋에 귀속시켜 병소를 파악하면서 치료 경과를 확인할 수 있고, 또한 결과를 한의학적인 經絡 및 經筋理論으로 해석하여 나타낼 수 있다.

표면근전도는 RMS (root mean square)와 MEF (mean frequency)값을 중심으로 하여 해석한다. RMS는 근육의 수축기능을 정량화하여 표시하기 위해 사용되는 값으로 근수축력 또는 근긴장 정도를 반영하여 나타낸다. 따라서 근육이 수축하는 동안 증가하는 양상을 보이고, 근육의 통증으로 근육을 제대로 수축하지 못하는 경우 좌우 양쪽의 차이가 나게 되며, 이로써 정상 근육과 비정상 근육의 근전도 특징을 더욱 정확하게 파악할 수 있다.

그리고 MEF는 근육의 피로도를 정량화하여 나타낸 값으로 근육이 피로해지면 신경전도속도의 저하와 함께 속근(fast twitch)운동단위의 신경반사는 없어지고, 지근(slow twitch)운동단위의 신경반사만이 나타나면서 주파수가 고주파에서 저주파로 이동하는 것을 이용한다. 따라서 MEF 값이 낮다는 것은 근피로도가 크다는 것을 의미한다.

3) 적외선 체열영상(Digital Infrared Thermal Imaging, DITI)

적외선 체열영상은 經皮溫熱검사라고도 부르며 體表에서 복사되는 적외선 에너지를 감지하여 온도로 환산한 것을 시각화하는 기법으로 높은 온도는 밝게, 낮은 온도는 어둡게 나타난다. 임상에서는 염증성 관절염, 척추 신경근 압박, 근경련, 섬유근통, 복합부위통증증후군 등의 진단과 호전 여부 판단에 참고가 되고 레이노현상과 같은 말초 혈액 순환의 문제도 확인할 수 있다. 그러나 본 검사는 특정 질환에 대해 높은 특이도(specificity)를 기대할 수 있는 검사는 아니다. 韓醫學에서는 상술한 용도 이외에 체표 온도를 통한 기능적 상태 평가를 위해 활용하고 있다.

5. 평가도구

통증과 기능장애는 해당하는 질환들의 단순한 진단명에 의해 그 정도를 판별하기 어렵고, 특히 일상생활과 사회적 활동에 대한 제한의 정도를 판단하는 것은 더욱 어렵다. 이러한 이유로 환자 증상의 정도와 변화를 파악하여 재활프로그램을 적용하고, 한편으로는 복지정책 수립 등을 위하여 의료계뿐만 아니라 사회복지학 및 공공정책 분야에서도 각종 평가도구와 척도를 지속적으로 개발하고 또한 활용하고 있다.

1) 통증질환의 평가

(1) 통증 평가 척도

① Visual Analogue Scale (VAS) & Numerical Rating Scale (NRS)

VAS와 NRS는 일차원적 측정법으로 통증에 대한 단순하고 신속한 주관적 평가도구로서 유용하다. 두 평가 척도는 급성 통증의 평가에서 민감도의 차이가 없다고 밝혀져 있고, 현재 느껴지는 급성과 만성통증을 평가할 때 가장 유용하다.

VAS는 환자가 0과 10이 양 끝 단에 기록된 10 cm 직선상에 본인의 통증 강도가 해당하는 곳을 표시하고 검사자는 해당 지점까지의 거리를 가지고 통증 정도를 평가한다.

NRS중 가장 많이 사용되는 NRS-11은 0에서부터 10까지 통증의 정도를 표시하는 글이나 그림 또는 숫자가 나열된 척도 상에 본인의 통증 강도가 해당하는 곳을 표시한다.

② Mcgill Pain Questionnaire (MPQ)

Melzack과 Torgerson에 의해 만들어진 설문으로 관문조절이론(gate control theory)에서 제시하는 감각구분영역, 동기유발정의영역, 인지평가영역에 따라 통증어휘를 선택 분류하여 서열 척도를 만들었다. 대표적인 다차원적 척도로서 통증의 양상을 세분화하기 때문에 각 영역의 평가에 효과적이지만 시간이 오래 걸리고 용어가 어렵다는 단점이 있다. Short Form of the McGill Pain Questionnaire (SF-MPQ-2)와 같이 짧은 서식으로 개정된 척도를 사용하기도 한다.

③ Pain drawing test

만성 통증 환자들을 평가하는 일반적인 평가 척도 중 하나로 통증의 위치 평가에 있어서 높은 신뢰도를 보여주는 검사이다. 환자에게 손가락으로 자신의 몸에서 통증이 나타나는 부위를 가리키도록 하며 검사자는 그 부위를 인체 그림에 표시한다. 검사자는 자신이 그린 부위가 환자가 호소하는 부위와 일치하는지 환자에게 확인하도록 하되, 섬유근통과 같이 통증 부위가 다발성일 경우에는 환자에게 직접 그리게 하는 것이 보다 수월하다.

④ Brief Pain Inventory (BPI)

암 환자들의 통증을 평가하기 위해 개발된 척도로 통증의 위치, 강도와 통증이 환자의 삶의 질에 미치는 영향을 평가한다. 본래 암 환자들의 통증 평가를 위해 개발되었으나 암으로 인한 통증이 아닌 관절염이나 요통의 통증평가에도 유용하게 활용되고 있다.

(2) 기능 평가 척도

① Neck Disability Index (NDI)

경항통을 평가하는 척도로서 통증의 강도, 개인위생, 물건 들기, 읽기, 두통, 집중도, 업무, 운전, 수면 그리고 여가에 관한 총 10개의 문항으로 6단계(0점-5점)로 기술하며, 합산 점수로 기능의 제한 정도를 평가한다. 통증이 심할수록 합산 점수가 높으며 0-4점은 '장애 없음(no disability)', 5-14점은 '경미한 장애(mild)', 15-24점은 '중등도의 장애(moderate)', 25-34점은 '중증 장애(severe)', 35점 이상은 '완전한 장애(complete)'로 분류된다.

② Shoulder Pain And Disability Index (SPADI)

어깨 통증으로 인한 임상 증후와 관련된 장애를 반영하는 평가 척도로서 통증과 관련된 영역 5개의 문항과 실제 생활에서 어깨관절 사용에 관련된 장애영역 8개의 문항으로 이루어져 있다. 총 13개의 문항에 대해 11단계(0점-10점)로 기술하며, 합산점수를 통해 통증 및 기능의 제한 정도를 평가한다. 총점은 통증과 장애 2가지 영역의 점수를 평균낸 것으로 결정된다.

③ Oswestry Disability Index (ODI)

요통을 평가하는 척도로서 통증강도, 개인위생, 물건 들기, 보행, 앉기, 서기, 수면, 성생활, 사회생활 그리고 여행에 관한 총 10개의 문항으로 통증 정도를 6단계(0점-5점)로 기술하며, 합산점수를 통해 기능의 제한 정도를 평가한다. 통증이 심할수록 점수는 높으며, 합산점수를 응답한 항목수*5점으로 나누고 100을 곱한 백분율로 계산한다.

$$\frac{\text{합산점수}}{\text{응답항목수}\times 5}\times 100(\%)$$

④ Western Ontario and McMaster Universities (WOMAC) index

WOMAC index는 슬관절 및 고관절의 질환을 가진 환자에게 적용할 수 있는 신뢰도 및 타당도가 검증된 평가지표이다. 5개의 통증 문항, 2개의 경직 문항, 17개의 신체활동 문항으로 구성되어 총 24개 문항으로 이루어져 있으며, 각 문항에 대해 5단계(0점-4점)로 기술하고, 통증과 장애가 심할수록 점수가 높다.

⑤ Foot and Ankle Outcome Score (FAOS)

발 및 발목 질환에 특화된 설문지로, 발목 외측 불안정성, 아킬레스건염, 족저근막염 등의 각종 발, 발목의 증상과 기능을 측정하기 위한 설문지이다. 최근 일주일 간의 발, 발목 상태에 대해 통증, 기타 증상, 일상생활에서의 기능, 스포츠/여가활동에서의 기능, 삶의 질의 다섯 가지 측면에서 5점 리커트 척도로 답변하게 된다. 표준화된 점수에서 100점은 증상 없음, 0점은 극심한 증상을 나타낸다.

⑥ Pain Disability Index (PDI)

주로 관절질환을 지닌 환자들의 통증을 평가하는 척도로 사용되며 총 7개의 문항으로 집안일, 여가선용, 사회활동, 직업, 성생활, 개인생활, 생존을 위한 기본동작에 대해 11단계(0점-10점)로 기술하며 합산점수를 통해 기능의 제한 정도를 평가한다. 최고점수는 70점, 최저점수는 0점에 해당된다.

(3) 심리 및 사회적 평가척도

① Fear-Avoidance Beliefs Questionnaire (FABQ)

통증 발생의 우려 때문에 나타나는 공포-회피 반응은 정상적인 반응이며, 적절한 기간이 지나면 사라져야 하지만 지속되는 경우 신체증상의 악화 및 만성화 등의 문제가 나타나게 되는데 FABQ는 이러한 공포-회피 반응을 측정할 수 있다.

총 16개 항목으로 신체적 활동 시 느끼는 항목 5개와 직업적 업무 시 느끼는 항목 11개로 구분된다. 16개 항목 중에서 5개 문항(2, 8, 13, 14, 16번)은 설문 평가 후 합산 시에 이용되지 않는다. 나머지 11개의 각 항목에 대하여 7단계로 점수를 계산하고, 합산된 점수가 높을수록 강한 공포-회피 반응이 나타남을 의미한다.

② Short Form (SF) health survey

SF-36은 36개의 문항과 8개의 척도로 구성된 건강관련 삶의 질 측정도구로서 간결함과 동시에 포괄성으로 인해 현재 많은 나라에서 널리 사용되고 있다.

8개의 척도는 1) 신체적 기능, 2) 신체적 역할, 3) 신체 통증, 4)일반적 건강, 5) 활력, 6)사회적 기능, 7) 정서적 역할, 8) 정신적 건강으로 구성되어 있다. 이들 8개 척도의 자료값을 변환시켜 0부터 100 사이의 값을 얻게 된다. 앞부분 4개의 척도를 묶어서 신체적 요소 요약(physical component summary, PCS)이라 하고, 뒷부분 4개의 척도를 묶어서 정신적 요소 요약(mental componentsummary, MCS)이라고 한다. 그리고 2가지 신체적 정신적 요소 요약을 묶어서 전반적 건강값(global health, GH)이라고 한다.

③ Sickness Impact Profile (SIP)

Bergner에 의해 개발된 SIP는 질병으로 인해 개인의 삶의 질에 나타난 변화를 수치화하기 위해 개발되었으며, 주로 행동의 변화를 관찰함으로써 신체적 및 심리사회적 기능손상 정도를 측정할 수 있다.

SIP136은 삶의 영역을 크게 일상생활기능과 신체기능, 심리사회적기능으로 나누어 평가를 하며, 총 136개 문항이 12개의 활동영역으로 나누어져 있으며, SIP68은 SIP136을 간소화시켜 총 68개의 문항으로 6개 활동영역으로 나누어져 있다.

SIP는 질환의 심각성과 개인의 행동 변화를 자세히 살펴보기에 적합하여 건강에 대한 연구, 계획 및 정책 수립, 환자의 변화 관찰에 유용한 것으로 알려져 있다.

2) 마비질환의 평가

(1) 뇌졸중의 평가 척도

대표적인 뇌졸중 평가척도인 미국 국립보건원 뇌졸중척도(National Institutes of Health Stroke Scale, NIHSS)는 뇌졸중 환자의 신경학적 결손의 정도, 치료의 결정, 예후의 판단 등에 유용하게 사용될 수 있다. 의식 수준, 최적의 응시, 시야, 안면 마비, 상하지의 운동, 사지 운동 실조, 감각, 언어 능력, 발성 장애, 무시 등 11개 항목이 있고, 한국어로 번역된 한국판 NIHSS (NIHSS-K)도 신뢰도와 타당도가 검증되어 있다. 문항당 점수는 0점에서 문항에 따라 최대 4점까지 되어 있어서 총점은 0점에서 42점까지 이다. NIHSS 점수는 손상된 뇌 부피와 상관관계가 있어서 초기 점수가 16점 이상인 경우 사망 또는 심각한 장애의 가능성이 높으며, 6점 이하인 경우 양호한 예후를 기대할 수 있다.

(2) 일상생활 평가 척도

① Barthel Index (BI)

BI는 마비질환 환자의 일상생활 수행능력을 평가할 수 있도록 만들어진 척도이다. 식사하기, 목욕하기, 개인위생, 옷입기, 대변조절, 소변조절, 용변처리, 의자-침대이동, 보행, 계단 오르기의 10개 항목으로 구성되어 있으며 5점 단위로 점수가 매겨진다. 총점이 낮을수록 일상생활 수행능력이 떨어지고 의존도가 높다는 것을 의미하지만, 변화에 대한 민감도가 떨어지는 단점 때문에 수정판인 Modified Barthel Index가 개발되었다. 국내에서는 제5판 Modified Barthel Index를 번역하고 일부 문항을 수정 번안한 한국판 바델지수(K-MBI)가 이용되며, 장애인복지법에 따른 장애등급 판정시 뇌병변 장애 정도의 판정에도 사용되고 있다.

② Functional Independence Measure (FIM)

FIM은 총 18개 항목으로 13개의 항목은 운동 기능의 장애 정도를 평가하고, 5개의 항목은 인지 기능의 장애 정도를 평가한다. 각각의 항목은 1에서 7점 사이의 점수가 부여되며 합산된 점수는 뇌졸중, 척수 손상 등에서 기능의 정도를 평가하고 장기적인 예후를 예측하는 데 도움을 주는 것으로 나타나, 재활 프로그램의 효과 평가에 많이 이용된다.

참고문헌

1. 대한진단검사의학회. 진단검사의학. 범문에듀케이션. 2014.
2. 박경. 入門診斷學譯釋. 서울: 대성문화사; 1996.
3. 보건복지부. 보건복지부고시 제2013-56호. 장애등급판정기준. 2013년 4월 3일 개정
4. 보건복지부, 국민연금공단. 국민기초생활보장수급자 근로능력평가를 위한 의학적 평가기준. 2012년 12월 1일 시행.
5. 안영민 譯. 傳忠錄. 서울: 한미의학, 2013.
6. 정석희, 김기택 共譯. 척추질환의 이해. 서울: 군자출판사; 2008.
7. 한국장애인개발원. 장애인백서 2012. 서울: 한국장애인개발원. 2012.
8. 한만청. 영상의학. 일조각. 2010.
9. 허준. 東醫寶鑑. 서울: 동의보감출판사; 2005.
10. 吳謙. 醫宗金鑑. 서울: 대성문화사; 1991.
11. 李梴. 醫學入門. 서울: 의성당; 1994
12. 張介賓. 景岳全書, 서울: 정담; 1999.
13. 庄澤澄. 中醫診斷學, 北京: 科學出版社; 1999.
14. American Medical Association. Guides to the Evaluation of Permanent Impairment. 6th ed. Chicago:American Medical Association. 2007.
15. Andreoli et al, Cecil essentials of medicine 7th ed. Saunders,2007.
16. Buchthal F. Handbook of Electroencephalography and Clinical Neurophysiology: Electromyography, Elsevier, Amsterdam 1973.
17. Carl A. burtis et al. Tietz textbook of clinical chemistry and molecular diagnostics 4th ed. Elsevier Saunders, 2006.
18. Dorland's illustrated medical dictionary 31st ed. Saunders Elsevier, 2007.
19. Fauci et al., Harrision's principles of internal medicine, 17th ed. McGraw Hill, 2008.
20. Joyce Lefever Kee, Laboratory and diagnosis tests 7thed. PranticeHall, 2005.
21. Kenneth D McClatchy, Clinical laboratory medicine 2nd ed. Lippincott Williams&Wilkins, 2002.
22. Kimura, J. Electrodiagnosis in Diseases of Nerve and Muscle, 3rd ed, Oxford Univ Press, Oxford 2001.
23. McBride ED. Disability evaluation and principles of treatment of compensable injuries 6th Ed. Philadelphia:Lippincott Company. 1963.
24. Peter A, Martin W, Andrea R. Diagnostic Imaging(5th), Oxford: Blackwell Publishing: 2003.
25. Richard A. McPherson, Henry's clinical diagnosis and management by laboratory methods 21sted,SaundersElsevier,2006.
26. Robert A. Novelline. Squire's Fundamentals of Radiology(6th), Cambridge MA: Havard University Press; 2004.
27. Stephen J. McPhee et al., Current Medical Diagnosis & Treatment, 46thed,McGrawHill,2007.
28. Ware JE, Snow KK, Kosinski M, Gandek B. SF-36 Health Survey: Manual and Interpretation Guide. New England Medical Center, Boston MA, 1993.
29. William J. Koopman, Arthritis and allied conditions a textbook of Rheumatology 15thed,LWW,2005.
30. 강윤구. 근골격계 만성 통증의 평가와 치료. 대한가정의학회 학회지. 2003;24(2):103-11.
31. 고성규, 고창남, 조기호, 김영석, 배형섭, 이경섭, 금영석. 뇌졸중 환자의 기능평가방법에 대한 연구. 대한한의학회지. 1996;17(1):48-83.
32. 고태성, 김성렬, 이종수. 퇴행성 슬관절염 환자에 대한 한글판 WOMAC Index의 신뢰도와 타당성에 관한 연구. 한방재활의학과학회지. 2009;19(2):251-60.
33. 김동열, 이종수, 김성수, 신현대, 정석희. 뇌졸중 환자의 신경학적 손상 평가방법에 관한 고찰. 한방재활의학과학회지. 1999;9(2):36-54.
34. 김종철, 김현배, 김미정, 이상건. 요통환자에서 경막외 주사 효과의 평가-Modified Dallas Pain Questionnaire를 중심으로-. 대한재활의학회지. 2000;24(1):108-16.
35. 김지혜, 남동우, 강중원, 김은정, 김갑성, 강성길, 이재동. 만성 요통에 대한 한의학적 평가척도 개발을 위한 임상연구 실태조사. 대한침구학회지. 2009;26(6):215-24.
36. 김창호. 우리나라 장해평가제도의 개선방안에 관한 연구. 건국대: 박사논문. 2005.

37. 남기봉, 정석희, 김성수. 점진적 근육이완법이 건강인의 경근전도와 자율신경계• 스트레스에 미치는 영향. 한방재활의학과학회지. 2008;18(1):125-140

38. 박동식, 이상구. 미국의학협회 장애평가 기준. J Korean Med Assoc. 2009;52(6):567-72.

39. 박영재, 박영배. Thermography의 연구현황과 전망. 대한한의진단학회지. 1999;3(2):18-26.

40. 송경진, 최병완, 김설전, 윤선중. 한국어판 Neck Disability Index의 문화적 개작과 타당도. 대한정형외과학회지. 2009;44(3):350-9.

41. 유선애, 김보경. 뇌성마비의 기능성평가도구에 대한 고찰 : GMFCS, GMFM과 PEDI중심으로. 동의신경정신과학회지. 2010;21(2):13-42.

42. 윤현숙. Sickness Impact Profile을 이용한 신체질환자의 삶의 질에 관한 연구. 한국사회복지학. 1995;25:105-128.

43. 이경무, 장요한, 김연희, 문승국, 박주현, 박시운, 유희정, 이삼규, 전민호, 한태륜. 한글판 미국 국립 보건원 뇌졸중 척도의 신뢰도 및 타당도. 대한재활의학회지. 2004;28(5):422-35.

44. 이상호, 박지환. Oswestry Disability Index(ODI) 평가 도구를 이용한 요통환자의 기능장애에 영향을 미치는 요인 연구. 대한정형도수치료학회지. 2007;13(1):18-25.

45. 이은우, 신원섭, 정경심, 정이정. 경통 환자 평가를 위한 Neck Disability Index의 신뢰도와 타당도. 한국전문물리치료학회지. 2007;14(3):97-103.

46. 전창훈, 김동재, 김동준, 이환모, 박희전. 한국어판 Oswestry disability index(장애지수)의 문화적 개작. 대한척추외과학회지. 2005;12(2):146-52.

47. 정한영, 박병규, 신희석, 강윤규, 편성범, 백남종, 김세현, 김태현, 한태륜. 한글판 수정바델지수(K-MBI)의 개발: 뇌졸중 환자 대상의 다기관 연구. 대한재활의학회지. 2007;31(3):283-297.

48. 조은희, 권정남, 김영균. 중풍의 예후 인자 및 기능 평가방법에 관한 문헌적 고찰. 대한한의학회지. 2000;21(4):138-47.

49. 주명규, 김택연, 김진택, 김선엽. 한국판 공포-회피 반응 설문지의 신뢰도와 타당도. 한국전문물리치료학회지. 2009;16(2):24-30.

50. 최유임, 김원호, 박은영, 김은주. 한국판 수정바델지수(K-MBI)의 타당도, 신뢰도, 문항변별도 검증: 뇌졸중 환자를 대상으로. 한국산학기술학회논문지. 2012;13(9):4119-4125.

51. 최진서, 안재민, 박동수, 정수현, 김순중. 일반인에서의 근에너지기법 시술 전과 후의 척추기립근 경근전도 변화. 척추신경추나의학회지. 2012;7(2):101-108

52. So Young Kang, Woo-In Lee. Clinical Significance of Dense Fine Speckled Pattern in Anti-nuclear Antibody Test using Indirect Immunofluorescence Method. 대한진단검사의학회지 2009;29(2):145-51.

53. Yang JY, Oh EJ, Kim Y, Park YJ. Evaluation of Anti-dsDNA Antibody Tests: Crithidia luciliae Immunofluorescence Test, Immunoblot, Enzyme-linked Immunosorbent Assay, Chemiluminescence Immunoassay. 대한진단검사의학회지 2010;30(6):675-684.

54. Adams HP, Jr. Davis PH, Leira EC, Chang KC, Bendixen BH, Clarke WR, Woolson RF, Hansen MD. Baseline NIH Stroke Scale score strongly predicts outcome after stroke: A report of the Trial of Org 10172 in Acute Stroke Treatment (TOAST). Neurology. 1999;53(1):126-31.

55. Aletaha D, Neogi T, Silman AJ, Funovits J, Felson DT, Bingham CO, Birnbaum NS, Burmester GR, Bykerk VP, Cohen MD, et al. 2010 rheumatoid arthritis classification criteria: an American College of Rheumatology/European League Against Rheumatism collaborative initiative. Ann Rheum Dis. 2010;69:1580-1588.

56. Avouac J1, Gossec L, Dougados M. Diagnostic and predictive value of anti-cyclic citrullinated protein antibodies in rheumatoid arthritis: a systematic literature review. Ann Rheum Dis. 2006;65(7):845-51. Epub 2006 Apr 10.

57. Berg KO, Maki BE, Williams JI, Holliday PJ, Wood-Dauphinee SL. Clinical and laboratory measures of postural balance in an elderly population. Arch Phys Med Rehabil. 1992:73(11):1073.

58. Bergner M, Bobbitt RA, Carter WB, Gilson BS. The Sickness Impact profile: development and final revision of a health status measure. Med Care. 1981;19(8):787-805.

59. Beverley Cole. Physical Rehabilitation Outcome Measures. Canadian Physiotherapy Association; 1994.

60. Bijur PE, Silver W, Gallagher EJ. Reliability of the Visual Analog Scale for measurement of Acute Pain. Acad Emerg Med. 2001;8(12):1153-7.

61. Brazier JE, Harper R, Munro J, Walters SJ, Snaith ML. Generic and condition-specific outcome measures for people with osteoarthritis of the knee. Rheumatology(Oxford). 1999;38(9):870-7.

62. Breivik H, Borchgrevink PC, Allen SM, Rosseland LA, Romundstad L, Breivik Hals EK, et al. Assessment of pain. British Journal of Anaesthesia. 2008;101(1):17-24.

63. Brott T, Adams HP Jr, Olinger CP, Marler JR, Barsan WG, Biller J, Spiker J, Holleran R, Eberle R, Hertzberg V. Measurements of acute cerebral infarction: a clinical examination scale. Stroke. 1989;20(7):864-70.

64. Busija L, Pausenberger E, Haines TP, Haymes S, Buchbinder R, Osborne RH. Adult measures of general health and health-related quality of life: Medical Outcomes Study Short Form 36-Item (SF-36) and Short Form 12-Item (SF-12) Health Surveys, Nottingham Health Profile (NHP), Sickness Impact Profile (SIP), Medical Outcomes Study Short Form 6D (SF-6D), Health Utilities Index Mark 3 (HUI3), Quality of Well-Being Scale (QWB), and Assessment of Quality of Life (AQoL). Arthritis Care Res (Hoboken). 2011;63(11):S383-412.

65. Chumney D, Nollinger K, Shesko K, Skop K, Spencer M, Newton RA. Ability of Functional Independence Measure to accurately predict functional outcome of stroke-specific population: systematic review. J Rehabil Res Dev. 2010;47(1):17-30.

66. Cleeland CS, Ryan KM. Pain assessment: global use of the Brief Pain Inventory. Annals of the Academy of Medicine, Singapore. 1994;23(2):129-38.

67. Cohen JT, Marino RJ, Sacco P, Terrin N. Association between the functional independence measure following spinal cord injury and long-term outcomes. Spinal Cord. 2012;50(10):728-33.

68. Daube JR, Rubin DI. Needle electromyography. Muscle Nerve. 2009; 39:244.

69. Dumitru D. Physiologic basis of potentials recorded in electromyography. Muscle Nerve. 2000; 23:1667.

70. Dusse LM, Dias e Silva F, Freitas LG, Rios DR, Armond SC, Marcolino MS. Antiphospholipid syndrome: a clinical and laboratorial challenge. Rev Assoc Med Bras. 2014;60(2):181-6.

71. Dworkin RH, Turk DC, Revicki DA, Harding G, Coyne KS, Peirce-Sandner S, et al. Development and initial validation of an expanded and revised version of the Short-form McGill Pain Questionnaire (SF-MPQ-2). Pain. 2009;144(1-2):35-42.

72. E F J Ring, K Ammer. Infrared Thermal Imaging in Medicine. Physiological Measurement. 2012;33(3):R33-R46.

73. Farrar JT, Young JP, LaMoreaux L, Werth JL, Poole RM. Clinical importance of changes in chronic pain intensity measured on an 11-point numerical pain rating scale. Pain. 2001;94(2):149-58.

74. George Spencer-Green, David Alter, H. Gilbert Welch. Test Performance in Systemic Sclerosis: Anti-Centromere and Anti-Scl-70 Antibodies. The American Journal of Medicine. 1997;103(3):242-8.

75. Hantson L, Weerdt WD, Keyser JD, Diener HC, Franke C, Palm R, Prshoven MV, Schoonderwalt H, Klippel ND, Herroelen L. The European Stroke Scale. Stroke. 1994;25:2215-9.

76. Harris RC, Söderlund K, Hultman E. Elevation of creatine in resting and exercised muscle of normal subjects by creatine supplementation. Clin Sci. 1992;83(3):367-74.

77. Harrison JK, McArthur KS, Quinn TJ. Assessment scales in stroke: clinimetric and clinical considerations. Clinical Interventions in Aging. 2013;8:201-11.

78. Hertzman A, Evans TI, Sanders KM, Mullinax F. Effects of blood storage on the erythrocyte sedimentation rate. J Rheumatol. 1993;20(12):2178-9.

79. Horn SD, DeJong G, Smout RJ, Gassaway J, James R, Conroy B. Stroke rehabilitation patients, practice, and outcomes: Is earlier and more aggressive therapy better? Arch Phys Med Rehabil. 2005:86:S101-14.

80. Keller S, Bann CM, Dodd SL, Schein J, Mendoza TR, Cleeland CS. Validity of the brief pain inventory for use in documenting the outcomes of patients with noncancer pain. The Clinical journal of pain. 2004;20(5):309-18.

81. Lee KM, Chung CY, Kwon SS, Sung KH, Lee SY, Won SH, Lee DJ, Lee SC, Park MS. Transcultural adaptation and testing psychometric properties of the Korean version of the foot and ankle outcome score (FAOS). Clinical Rheumatology. 2013;32(10):1443-50.

82. Linacre JM, Heinemann AW, Wright BD, Granger CV, Hamilton BB. The structure and stability of the Functional Independence Measure. Arch Phys Med Rehabil. 1994;75(2):127-32.

83. Lindstrom, Jon M., et al. Antibody to acetylcholine receptor in myasthenia gravis Prevalence, clinical correlates, and diagnostic value. Neurology. 1998;51(4): 933.

84. Mahoney RI, Barthel DW. Functional evaluation: The Barthel Index. Md State Med J. 1965;14:61-5.

85. Malliou P, Gioftsidou A, Beneka A, Godolias G. Measurements and evaluations in low back pain patients. Scand J Med Sci Sports. 2006;16(4):219-30.

86. Margolis RB, Chibnall JT, Tait RC. Test-retest reliability of the pain drawing instrument. Pain. 1988;33(1):49-51.

87. Martins J, Napoles BV, Hoffman CB et al. The Brazilian version of Shoulder Pain and Disability Index: translation, cultural adaptation and reliability. Rev Bras Fisioter. 2010;14(6):527-36.

88. Misailidou V, Malliou P, Beneka A, Karagiannidis A, Godolias G. Assessment of patients with neck pain: a review of definitions, selection criteria, and measurement tools. J Chiropr Med. 2010;9(2):49-59.

89. Nardin RA, Rutkove SB, Raynor EM. Diagnostic accuracy of electrodiagnostic testing in the evaluation of weakness. Muscle Nerve 2002; 26:201.

90. Oh MS, Yu KH, Lee JH, Jung S, Ko IS, Shin JH, Cho SJ, Choi HC, Kim HH, Lee BC. Validity and reliability of a korean version of the national institutes of health stroke scale. Journal of clinical neurology (Seoul, Korea). 2012;8(3):177-83.

91. Quinn TJ, Langhorne P, Stott DJ. Barthel index for stroke trials: development, properties, and application. Stroke. 2011;42:1146-51.

92. Roach KE, Budiman-Mak E, Songsiridej N et al. Development of a shoulder pain and disability index. Arthritis Care Res. 1991;4(4):143-9.

93. Roland M, Fairbank J. The Roland-Morris Disability Questionnaire and the Oswestry Disability Questionnaire. Spine. 2000;25(24):3115-24.

94. Rondinelli RD. Changes for the New AMA Guides to Impairment Ratings, 6th Edition: Implications and Applications for Physician Disability Evaluations. PM R. 2009;1(7):643-56.

95. Saji N, Kimura K, Ohsaka G, Higashi Y, Teramoto Y, Usui M, Kita Y. Functional independence measure scores predict level of long-term care required by patients after stroke: a multicenter retrospective cohort study. Disabil Rehabil. 2014 May 15:1-7. [Epub ahead of print]

96. Salter K, Jutai J, Foley N, Hellings C, Teasell R. Identification of aphasia post stroke: a review of screening assessment tools. Brain Inj. 2006;20(6):559-68.

97. Schellekens GA, Visser H, de Jong BA, van den Hoogen FH, Hazes JM, Breedveld FC, et al. The diagnostic properties of rheumatoid arthritis antibodies recognizing a cyclic citrullinated peptide. Arthritis Rheum. 2000;43:155-63.

98. Shah S, Vanclay F, Cooper B. Improving the sensitivity of the Barthel Index for stroke rehabilitation. J Clin Epidemiology. 1989;42:703-9.

99. Sunderland A, Tinson D, Bradley L, Hewer RL. Arm function after stroke. An evaluation of grip strength as a measure of recovery and a prognostic indicator. J Neurol Neurosurg Psychiatry. 1989;52(11):1267-72.

100. Syddall HE, Martin HJ, Harwood RH, Cooper C, Aihie Sayer A. The SF-36: a simple, effective measure of mobility-disability for epidemiological studies. J Nutr Health Aging. 2009;13(1):57-62.

101. Vernon H, Mior S. The Neck Disability Index: A study of reliability and validity. J Manipulative Physiol Ther. 1991;14(7):409-15.

102. Vincent, A., and J. Newsom Davis. Anti-acetylcholine receptor antibodies. Journal of Neurology, Neurosurgery & Psychiatry. 1980;43(7): 590-600.

103. Wallimann T, Wyss M, Brdiczka D, Nicolay K, Eppenberger HM. Intracellular compartmentation, structure and function of creatine kinase isoenzymes in tissues with high and fluctuating energy demands: the 'phosphocreatine circuit' for cellular energy homeostasis. Biochem J. 1992;281:21-40.

104. Zintzaras E, Papathanasiou AA, Ziogas DC, Voulgarelis M. The reporting quality of studies investigating the diagnostic accuracy of anti-CCP antibody in rheumatoid arthritis and its impact on diagnostic estimates. BMC Musculoskelet Disord. 2012 Jun 25;13:113.

CHAPTER

02 척추 질환

김선종(동신대학교)
권영달(원광대학교)
조재흥(경희대학교)
황만석(부산대한의전)
양두화(대구한의대학교)
김순중(세명대학교)
송윤경(가천대학교)

CHAPTER

02 척추 질환

제1절 개요

1. 척추 질환 : 경추에서 골반에 이르는 근골격계의 구성요소인 각각의 추체, 근육, 신경, 인대, 추간판, 관절 및 척수 등에 다양한 내·외적 요인이 작용하여 국소 또는 전신적으로 병리적인 변화가 일어나거나, 선천적 또는 생활습관 등으로 인하여 척주 만곡에 이상 상태가 나타나거나, 내장기성 요인 및 선천적으로 타고난 기능저하 등에 의하여 痺症 및 痿症 등의 병리적 현상을 나타내는 모든 질환
2. 척추질환의 정확한 진단과 치료를 위해서는 우선적으로 척추관절의 구조와 기능에 대하여 살펴볼 필요가 있음
3. 오늘날의 해부학적인 관점에서도 인체의 척추관절에는 지지 기능과 운동 기능이라는 두가지 목적이 원활하게 수행될 수 있도록 부위별 또는 기능별로 여러 가지 형태의 관절이 존재함
4. 척추관절의 구조 : 부위에 따라 섬유성 관절, 활막성 관절과 연골성 관절이 함께 존재하는 복합적 관절구조
5. 이 장에서는 척추관절의 구조 해부학, 기능 해부학, 척추관절 질환의 진단 및 치료, 예후와 관리 등에 대하여 기술하고자 한다.

제2절 척추관절의 구조해부학

1. 척추의 발생학

1) 척추의 발생(4단계)

척삭기(Notochodal stage), 중간엽기(Mesenchymal stage), 연골화기(Stage of chondrification), 골화기(Stage of ossification)의 연속된 단계

(1) 척삭기

발생 제 4주차에 중간엽주(mesenchymal column)는 골분절 덩어리(sclerotomic blocks)를 형성하며 발생이 진행하면서 전연골척추체(precartilage vertebral body)를 형성

(2) 중간엽기

전연골척추체가 형성되면서 골분절의 두부, 미부에 존재하는 중간엽 세포(mesenchymal cells)가 전연골척추체 사이를 채우게 되고, 이후 분화하여 추간판(intervertebral disc)을 형성

(3) 연골화기

① 연골화 과정은 3쌍의 연골화 중심(chondrification

center)이 척추에 형성되면서 시작추체의 중심에 형성된 1쌍의 연골화 중심은 곧 유합하여 하나의 중심을 형성하며, 늑골돌기(costal process)내에 1쌍이 형성

② 신경궁(neural arch) 내에 형성된 1쌍은 횡돌기와 관절돌기로 확장

(4) 골화기

① 1차 골화 단계는 제 8주차에 시작하는데 연골원기의 안에서 나타나며, 대부분 신경궁으로부터 유래된 추체의 중심안에 골화중심이 있고 신경궁의 각 면에도 골화중심이 하나씩 나타남.

② 1차 골화 단계는 유년기까지 지속

③ 2차 골화 단계는 8세 정도에서 시작되는데, 머리와 꼬리쪽의 윤상골단이 중심이 되며 각각의 횡돌기와 극돌기를 위한 종말 골화중심이 분리

④ 골화중심의 유합은 20-25세에서 완성

2. 척추골

척추는 각각의 부위, 기능에 따라 구성요소와 모양이 다양함

1) 환추, 축추를 제외한 전형적인 척추의 구성요소

앞쪽의 척추체와 뒤쪽의 극돌기(spinous process), 둘 사이를 연결하는 척추경(pedicle), 상관절돌기(superior articular facet)와 하관절돌기(inferior articular facet), 두 관절돌기를 연결하는 협부(pars interarticularis)와 횡돌기(transverse process)로 구성

2) 추체

(1) 모양 : 원주의 형태로 폭이 높이보다 크며 후방에 편평한 면을 가짐

(2) 추체의 피질: 치밀골(compact bone)로 구성되며 추체의 상하면은 연골판과 결합

(3) 추체의 내부: 해면골(cancellous bone)로 구성되며 골소주(bone trabecula)가 역선을 따라 배열되어 있고

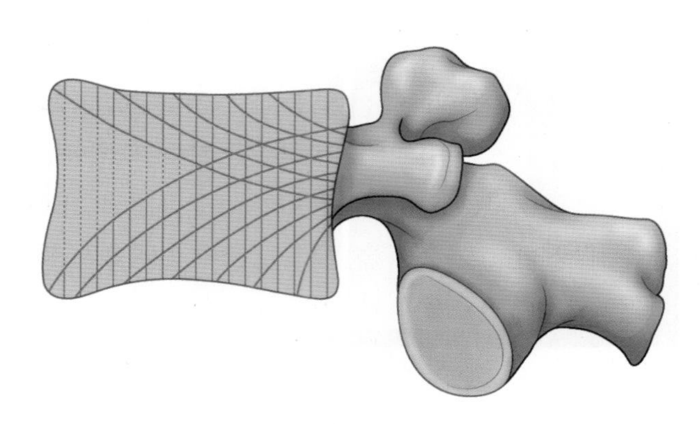

그림 2-1. 추체의 골소주

이들 역선은 추체의 상하면에서는 수직, 측면에서는 수평, 측면 아래위에서는 비스듬히 형성

(4) 압박골절이 추체의 앞부분에서 잘 나타나는 이유 : 3개의 골소주계가 교차하는 영역은 최대 항력을 가지며 수직 골소주 만으로 이루어진 삼각영역에서는 최소 항력을 가지게 되기에, 누적된 압력으로 발생하는 압박골절이 추체의 앞부분에 주로 나타남(그림 2-1).

(5) 추체는 압축력(compression) 보다 장력(tension)에 대한 저항력이 강하며 장력이 과부하 될 경우 추체보다 추간판, 척추종판에서 주로 손상이 발생

(6) 수평 골소주는 연령의 증가에 따라 점차 소실되고 수직 골소주는 점차 두꺼워지며, 수평 골소주의 50%정도가 감소되면 뼈의 수축 강도는 원래 강도의 1/4로 감소

3) 추궁

(1) 형태 : 말발굽 형태를 하고 있으며 2개의 관절돌기가 추궁의 양 끝에 나와 있고, 이것에 의해 전방의 추궁근(vertebral pedicle)과 후방의 극돌기를 포함하는 추궁판(vertebral lamina)으로 나누어지며 극돌기는 후방에서 추궁의 정중선에 위치

(2) 추궁은 추궁근에 의해 추체에 부착되어 있으며, 전형적인 추골은 관절돌기 가까이의 추궁부분에서 돌출하는 횡돌기를 가짐(그림 2-2).

(3) 척추관의 넓이는 척추 전체로 볼 때 변하지 않고 추체 및 후방돌기는 척주의 하부로 갈수록 점점 더 커지고

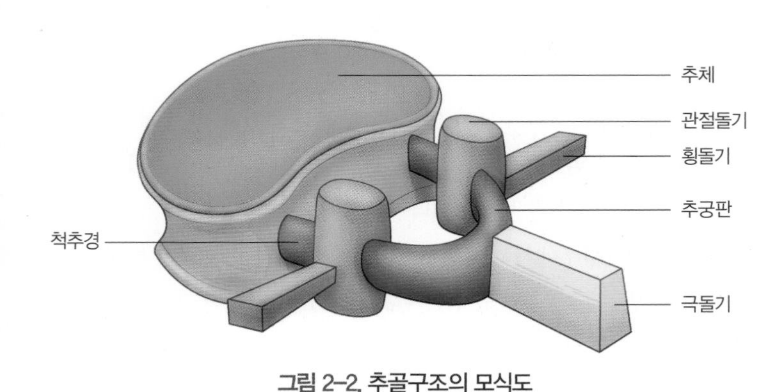

그림 2-2. 추골구조의 모식도

무거워지며 특히 체중부하가 많은 하위 요추부에서 가장 발달되어 있는데, 각각의 추체 구조는 다음과 같음.

4) 경추

- 7개의 추체로 구성되어 있으며 전만(lordosis)을 형성하며 후두골과 연결되어 머리자세를 유지하면서도 가장 운동량이 많음.
- 상부 경추는 제 1, 2 경추가 포함되고, 제 3-7경추는 하부 경추에 해당.
- 경추는 가장 복잡한 축성 골격영역으로 환추-후두 관절과 환추-축추 관절로 이루어져 있는데, 이들 두 관절 모두 추간판을 갖고 있지 않음.
- 축추 관절은 정중환축 관절, 좌우 외측 환축 관절의 3개의 활막 관절로 구성.

(1) 환추 제 1경추

① 모양

가. 전후경보다 횡경이 큰 고리모양

나. 전내측 방향으로 후두와 연결되는 2개의 외측과와 오목한 상 관절면이 있고 축추의 상 관절면과 연결되는 원형의 하 관절면이 있음.

다. 전궁의 후면에는 치돌기와 대응하는 연골성의 난원형 관절면이 있음

라. 후궁은 전방부가 상하로 평탄하고 점점 후방이 두꺼워지며 정중부에서 후결절을 형성.

마. 횡돌기에는 추골동맥이 통과하는 횡돌기공이 있고, 극돌기와 추체가 없음.

② 경추의 생체역학적 운동과 후두골 및 악관절과의 연계성 (그림 2-3).

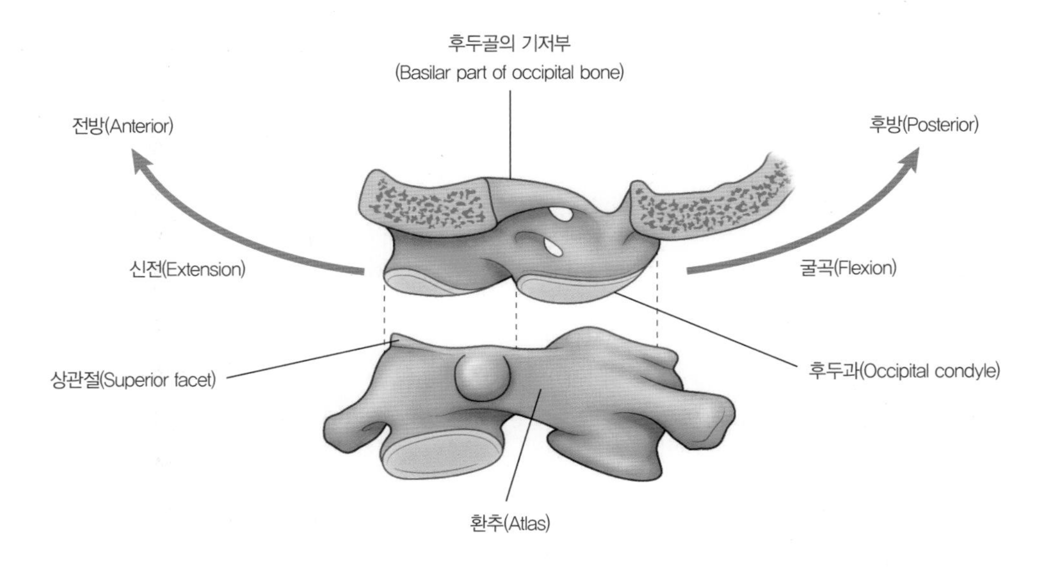

그림 2-3. 후두환추 관절

(2) 축추 제 2경추

① 모양: 상외측을 향해 전후방향으로는 볼록하고 횡방향으로는 편평하며 극돌기는 매우 크게 형성되어 있고 이분되어 있음.

② 치돌기: 후두골 밑으로 척추의 중심선을 따라 촉진할 때 제일 먼저 만져지는 곳이 축추로 치돌기가 있다는 것이 다른 경추와 비교됨.

(3) 환추 치돌기 관절

① 환추의 전궁과 축추의 치돌기 그리고 횡인대 사이에 형성된 윤활관절

② 추축작용을 담당하며 상부 경추 회전운동의 대부분이 환추 치돌기 관절에서 발생.

③ 치돌기의 전방은 축추의 전궁에 완전히 둘러싸여 있고, 외측은 외측과에 의해서, 그리고 후방은 횡인대에 의해서 완전히 둘러싸여 있음(그림 2–4).

(4) 제 3-7경추

① 일반적인 척추의 모양을 갖고 있지만 다른 부위의 척추보다 가늘고 길면서 머리의 무게를 떠받치며 넓은 가동범위의 운동성을 가지고 있으므로 외부의 충격에 손상되기 쉬움.

② 앞쪽으로는 추체가 있으며, 앞에서 보았을 때 추체 양쪽에 위로 구상돌기가 있고, 추체의 좌우로 횡돌기가 있으며 추골동맥이 지나가는 횡돌기공이 있음.

③ 제 2경추에서 제 6경추까지는 극돌기가 이분되어 있지만, 제 7경추인 융추는 이분되어 있지 않으며, 제 7경추에서의 추골동맥은 횡돌기공을 통과하지 않고 전방으로 지나감(그림 2–5).

5) 흉추

(1) 12개의 흉추는 경추보다는 크고 전형적인 추골의 형태를 갖추고 있음.

(2) 척추관의 크기는 경추 및 요추부에 비해 좁음.

(3) 늑골과 관절을 이루기 위해 추체의 후측 양방에 상, 하 늑골와(costal facet)가 있고, 횡돌기 끝부분에는 횡돌늑골와(costal facet on transverse process)가 있으며, 늑골의 전면에서는 흉골과 연결되어 흉곽을 구성함.

(4) 평균 35도 정도의 후만각을 이루고 있음(그림 2–6).

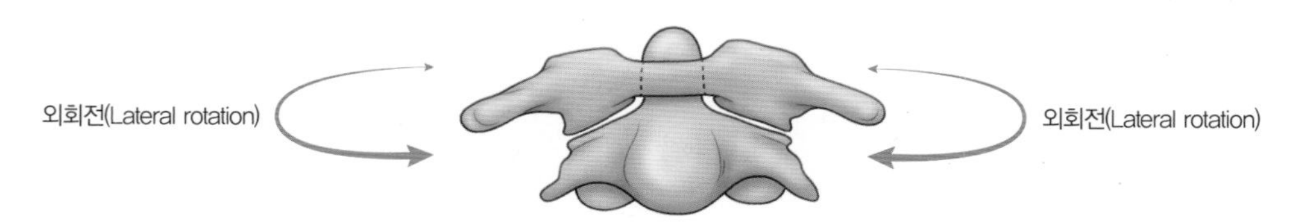

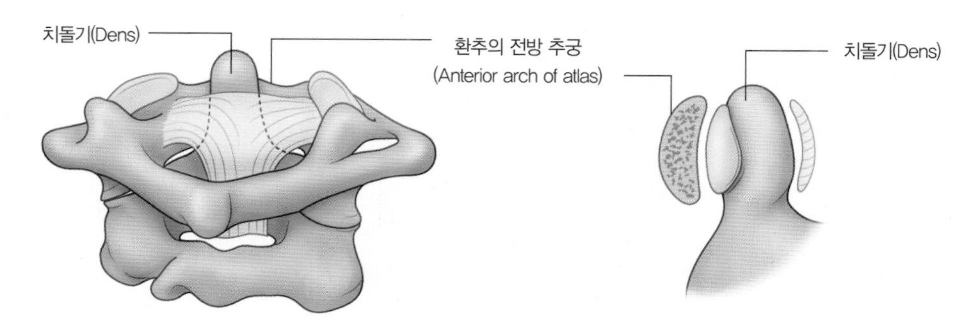

그림 2–4. 환축추 관절

6) 요추

(1) 5개의 요추는 전반적으로 전만을 형성함.

(2) 요추체는 전형적인 추골 구조로 흉추보다는 크며, 외측면과 전면은 오목하게 파여 있음.

(3) 척추경은 짧고 크며 척추 협부가 비교적 분명하고, 부돌기로 유두돌기가 있다는 특징이 있음.

(4) 극돌기는 사각형으로 끝이 뭉툭하고 수평으로 돌출되어 있음.

(5) 상 관절 돌기의 관절면은 내측으로, 하 관절 돌기의 관절면은 외측으로 방향을 하고 있어 축회전 운동이 제한됨(그림 2–7).

7) 천미추

(1) 천골의 형태

① 5개의 천골 마디가 서로 융합되어 성인에서는 1개로 이루어짐

② 전면은 시상면과 관상면 모두에서 오목하게 되어 있으며 2개의 장골 사이에 마치 쐐기처럼 위치함.

③ 위쪽으로 넓어 천골갑각(sacral promontory)을 형성하여 요추와 연결되어 있고, 아래쪽으로 미골과 관절을 이루는 천골첨은 좁게 되어 있음.

④ 천골의 후방 상단 부위에는 2개의 상 관절 돌기가 있어 제 5요추의 하 관절 돌기와 연결되고. 4개의 천골공이 있으며 후면에서 더욱 작아짐.

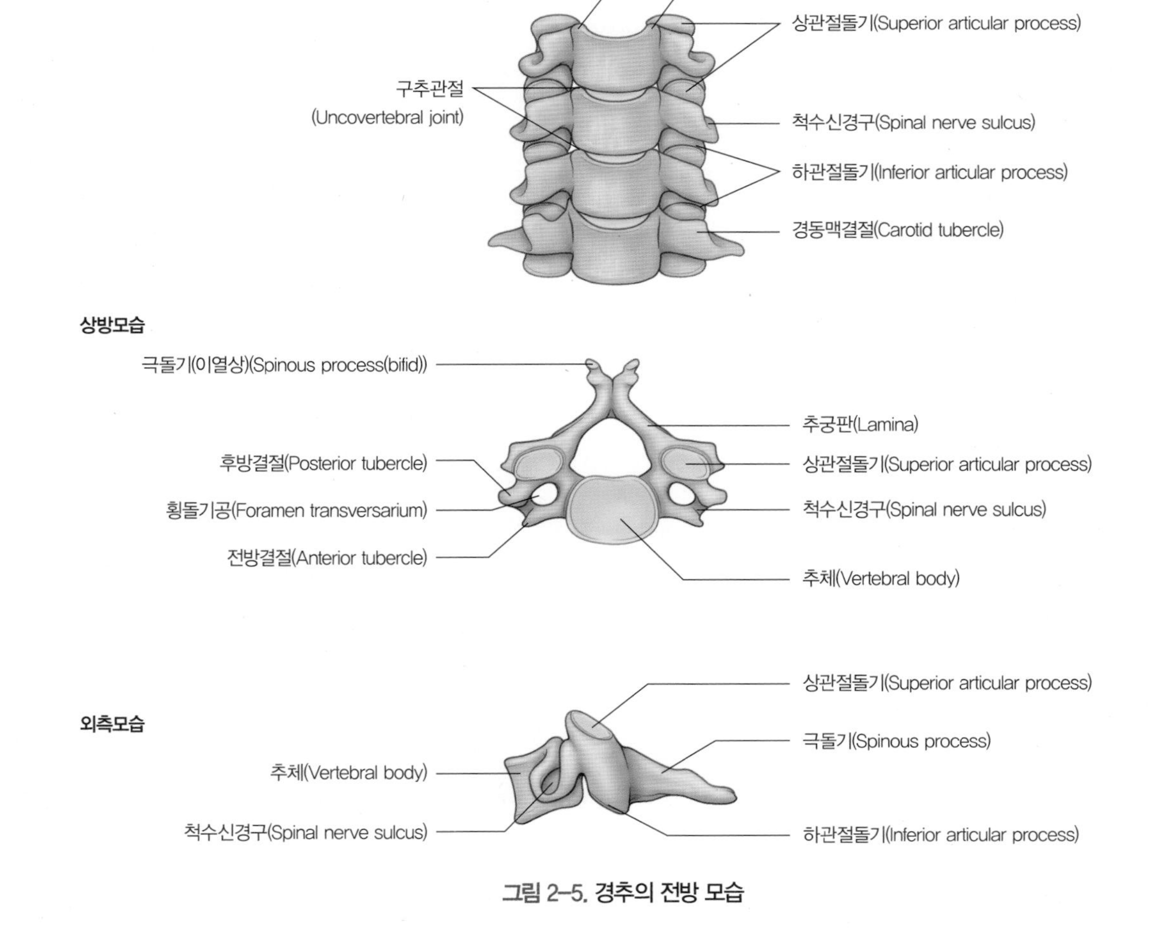

그림 2–5. 경추의 전방 모습

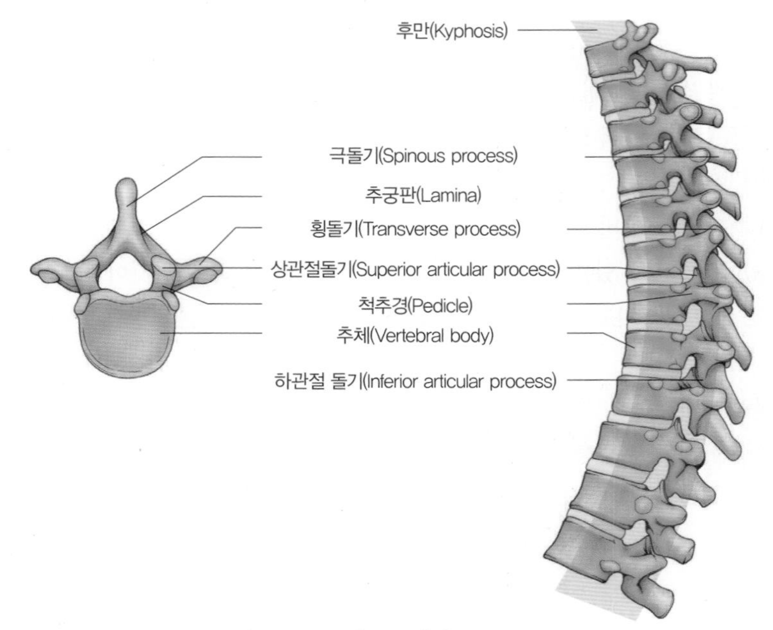

그림 2-6. 흉추

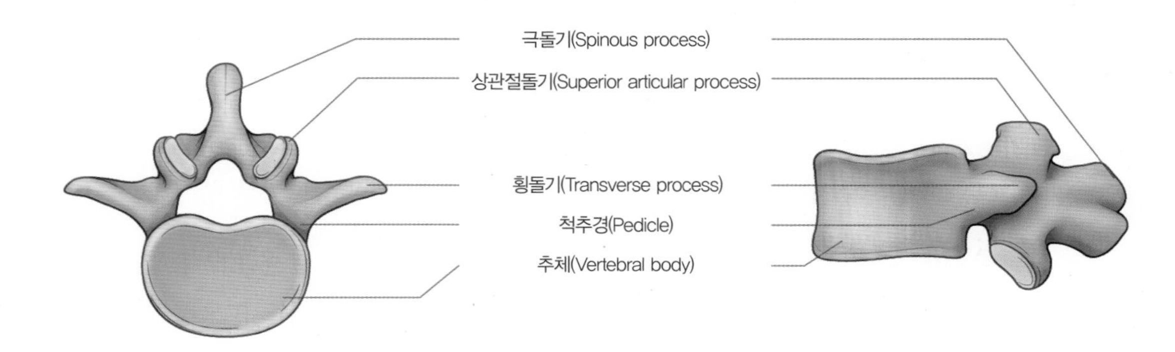

그림 2-7. 요추

(2) 천골의 역할 : 골반에 힘과 안정성을 부여하고 체중을 천장관절(sacroiliac joint)을 통해 척주에서 골반으로 전달함.

(3) 미추 : 4개의 척추가 융합되어 형성되었고 상부에 돌출부가 있는데, 상방으로는 두 개의 미골뿔(coccygeal cornu)이 있으며, 천추와 관절을 이루고 측방으로는 두 개의 횡돌기가 있음.

8) 관골

(1) 구성 : 장골(ilium), 좌골(ischium), 치골(pubis)의 3개의 뼈로 구성되어 있으며 관골구에서 서로 융합.

(2) 천골을 중심으로 양쪽에 각각 1개씩의 장골이 결합하며, 좌우치골은 전면에서 치골결합으로 연결되어 골반을 형성.

3. 척추관절의 구성

- 일반적으로 척추는 보통 경추 7개, 흉추 12개, 요추 5개의 가동성 관절과 천추 5개, 미추 4개의 비가동성 관절로 척주를 구성함

• 성인에 있어서는 천추와 미골이 하나로 고정
• 제 1경추와 제 2경추간의 관절을 제외한 23개의 추간판이 추체 사이에 존재하여 운동성을 유지하며, 중력의 작용에 대한 충격을 최대한 흡수하는 역할을 함.
• 각 추체의 후외측에는 좌우 한 쌍의 상 관절 돌기와 하 관절 돌기가 존재해서 상하의 척추와 관절하여 후관절을 형성(그림 2-8).

1) 추간판

• 일반적으로 상·하 추체 사이의 연결은 섬유연골 결합으로 이루어지는데, 이것은 추간판에 의해 연결되어 있는 2개의 추체면 편평부로 형성됨.
• 추간판의 형태 : 중심부의 연한 수핵을 주변의 굳은 섬유륜이 감싸고 있는 형태로, 충격을 흡수하고 마찰을 감소시키며, 굴곡 신전 측굴의 경사, 회전, 활주의 3종류 운동작용을 하는데, 경추와 요추에서는 전방이 후방보다 두껍고 흉추에서는 거의 비슷함.
• 추간판의 특성 : 장력을 받을 때보다 압박을 받을 때 더욱 단단해짐.

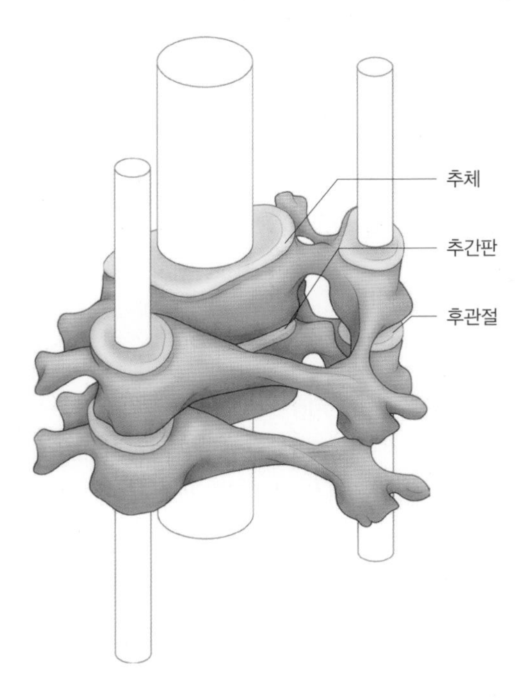

그림 2-8. 척추의 관절 및 지지구조

• 일반적으로 척추관절에서 장축방향의 압력은 수핵이 75%, 섬유륜이 25%를 받으며, 추간판에 가해지는 압력은 천골에 가까울수록 커져 경추는 3 kg, 흉추는 14 kg, 요추는 30 kg의 힘을 받음. L5-S1에서 전 체중의 1/2에 해당하는 힘을 받고, 체간의 2/3를 지탱함.
• 추간판의 두께 : 요추 9 mm, 흉추 5 mm, 경추 3 mm로 구성되며, 추체의 높이에 대한 추간판 높이의 비율이 경추에서는 2/5, 요추에서는 1/3, 흉추에서는 1/5정도로 경추가 가동성이 우수함.

(1) 수핵

① 발생학적으로 축삭에서 유래한 것으로 추간판의 50-60%의 범위를 차지하고 있으며, 추간판 단면의 중심부에서 약간 후방으로 치우쳐 있음.
② 타원형의 교질양 물질로, 추간판에 영양공급을 하는 상하추체의 연골단판과 섬유륜으로 싸여져 밀폐되어 있으며 압박이 가해질 때 전후로 이동을 하면서 탄력이 강한 섬유륜과 함께 충격을 흡수하며 힘을 균등히 분배하는 역할을 함.
③ 수핵의 구성: 연골세포와 단백다당질로 둘러 싸인 교원섬유로 구성되어 있으며, 다당질은 일반적으로 chondroitin sulfate로 수분흡수력이 큼.
④ 수핵내에는 보통 69-88%의 수분을 함유하고 있지만, 나이, 추간판의 건강상태 및 골구조 등에 따라 수분의 함유량은 다름. 이러한 수분은 초자연골인 연골단판이나 섬유륜을 통해 확산작용에 의해 교환되어 수핵내 수분의 평형을 유지하는데, 성장이 끝나는 20대가 지나면 퇴행성 변화를 일으켜 수분함유량이 점차 감소되어 점성탄력체로서의 기능과 충격흡수체로서의 기능이 점차 저하됨.
⑤ 성인의 수핵에는 혈액의 공급이나 신경분포가 없음.

(2) 섬유륜

① 형태 : 추간판의 벽을 이루며 탄력섬유들이 꼬여져 망을 이룬 듯한 구조로 수핵을 싸고 있는데, 얇은 층판 사

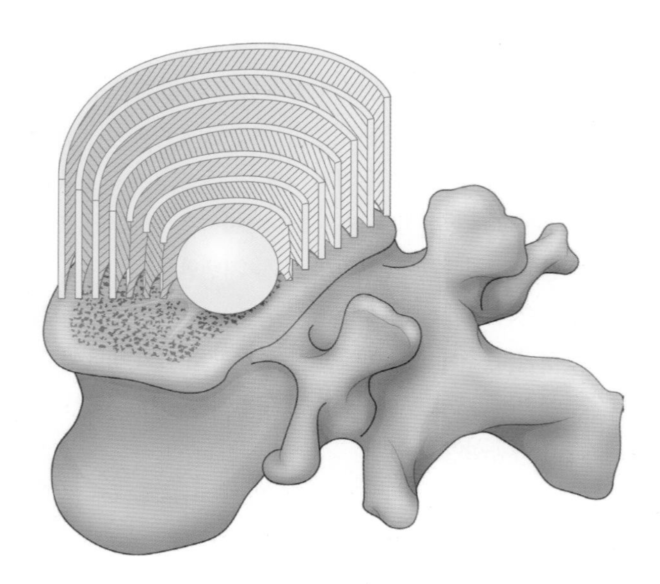

그림 2-9. 추간판의 구조

이에 교원섬유가 배열된 형태.

② 섬유륜의 교원 섬유 : 각각의 층판 사이에 있는 교원섬유는 수평면을 기준으로 수핵부근은 20도, 바깥부분은 28-30도로 경사지게 배열되어 있으며, 연접한 층에서는 다시 반대방향으로 배열됨. 이러한 경사는 평면보다는 3배의 장력을 갖는데, 중력의 작용이 클 때 강하게 나타남. 또한 축회전시는 불균등성에 의하여 장력에 저항하는 힘이 가장 약함(그림 2-9).

2) 척추 관절돌기간 관절(후관절)

(1) 개요 : 척추 관절돌기간 관절은 후관절이라고도 하며, 추체와 함께 기능적 척추운동분절을 구성하며, 연골성 관절면, 활막, 관절낭 인대로 구성됨.

(2) 후관절면의 형태 : 부위 및 관절의 건강상태에 따라 달라지고, 특히 경추에서는 큰 가동범위를 가질 수 있도록 자루모양의 관절낭 인대로 지지됨. 관절낭의 정중앙 가장자리는 추간공의 후방부위를 이룸.

(3) 척추의 후관절은 관절막과 활막으로 싸여 있는 활막관절로 활주운동을 함.

(4) 추간판에서는 모든 방향으로 운동이 일어나는 반면 후관절은 관절면의 모양과 관절을 이루는 방향에 따라 운동이 달라짐.

① 서있는 위치에서 상관절면을 보면, 경추는 수평면, 흉추는 경사면, 요추는 시상면, 요천추는 관상면을 이루고 있으며 척추의 전후굴 운동시에는 관상면보다는 시상면이 안정.

② 상 관절 돌기의 기울기 각도는 경추에서는 45도의 평행, 흉추에서는 60도의 평행과 외측 회전, 요추에서는 90도의 평행과 내측 회전을 이루고 있음.

③ 후관절의 기울기 각도와 형태에 따라 각 척추 가동범위의 특징이 결정되며, 이를 토대로 추나요법 시술시에 치료평면이 결정됨(그림 2-10).

④ 흉요추 변환부위에서는 후관절의 방향 변화가 급격해 탈구가 잘 발생.

(5) 축성 압박력의 20% 이상, 신전력과 뒤틀림(torsion)의 50% 이상이 후관절에 전달됨.

① 일반적으로 기립자세에서는 하중의 약 16%가 후관절에 부하되고 앉은 자세에서는 하중이 부하되지 않으며, 요추 전만의 증가는 후관절 하중을 증가시키고 추간판 하중은 감소시킴.

(6) 향성관절(trophism)

① 양측 후방관절면의 각도가 비대칭인 경우

② 요통의 원인이 되기도 하며 조기에 추간판 변성을 일으킬 수 있음.

(7) 제5요추-천골간 관절: 장요인대와 요천인대가 추가적으로 안정성을 유지함.

4. 척수

- 중추 신경계는 뇌와 척수로 구성.
- 뇌와 연결된 척수는 제 1요추의 높이까지 내려옴.
- 척수의 아래쪽 부위를 척수원추라고 하며, 그 하부에서는 척수종사가 되어 밑으로는 미골분절에 고정됨.
- 척수종사의 주위로 마미라고 불리우는 척수신경근이 존재하며 뇌척수액에 둘러싸여 있음.
- 척수의 유연성 : 척추의 움직임에 따른 척추관의 길이변화와 생리적 동작에 대응할 수 있도록 수직 자세에서 길

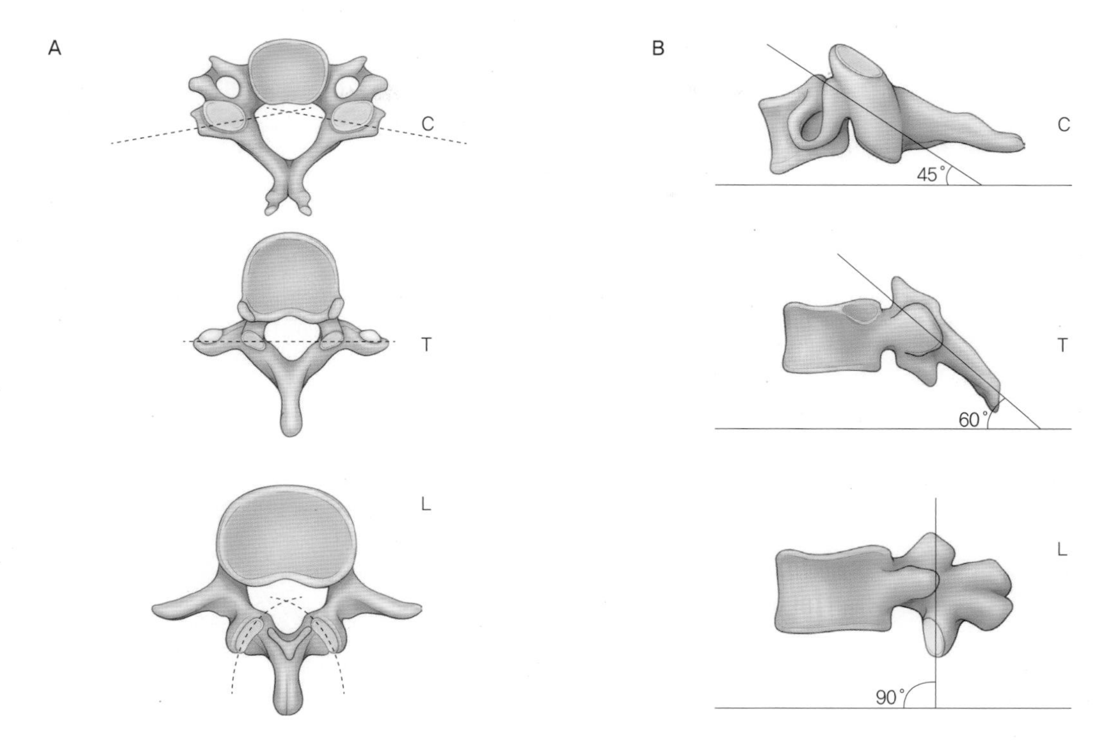

그림 2-10. 후관절의 횡단면(A), 시상면(B)

이의 10%정도에 해당하는 유연성이 있음.

- 척수는 뇌와 동일하게 경막, 지주막, 연막의 세 층의 수막으로 둘러싸여 있음.
- 경막 : 질긴 섬유성 막으로 가장 바깥층에 위치하며 제 2 천추높이까지 이어져 척수종사와 함께 끝남. 경막은 각각의 신경근을 둘러싸고 있으며, 척수신경의 신경외막이 됨 (그림 2-11).
- 연막 : 신경조직의 가장 안쪽을 싸고 있는 얇은 막
- 지주막 : 경막과 연막 사이층에 있는 투명한 성긴 막
- 지주막하 공간(subarachnoid space) : 뇌척수액으로 채워져 제2 천추부까지 연장되어 있음.
- 척수에서 비슷한 기능을 가진 신경세포체와 신경섬유가 모여 척수 신경로(spinal tract)를 형성.

1) 하행 신경로 : 수의적 운동 신호를 전달하는 피라밋로(pyramidal tract)와 신전근의 근긴장 조절 및 반사에 관여하는 피라밋외로(extrapyramidal tract)로 구성.
2) 상행 신경로 : 통증 및 온도를 포함한 외부감각을 전달하는 외측척수시상로(lateral spinothalamic tract)와 촉각, 진동 고유감각을 전달하며 연수 하부에서 교차하는 후백주(posterior white column), 근육과 인대가 운동할 때 발생하는 운동감각(kinesthetic sense)을 전달하는 후척수소뇌로(posterior spinocerebellar tract)로 구성.

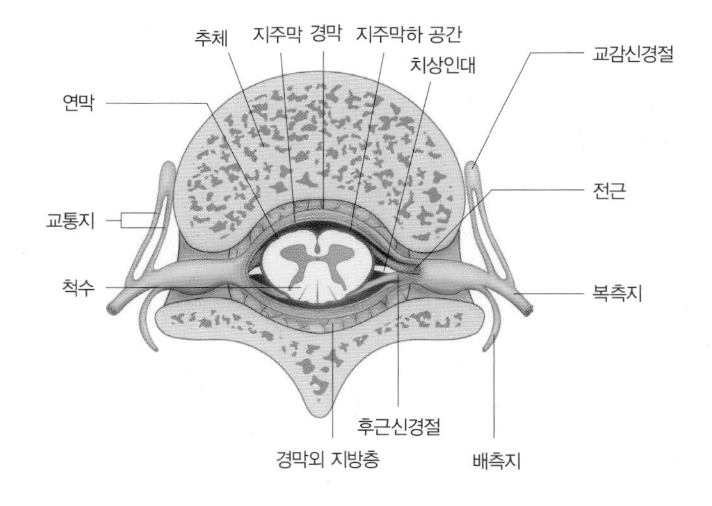

그림 2-11. 척수 주위 구조

5. 척수 신경

1) 31쌍의 척수 신경: 경추 8쌍, 흉추 12쌍, 요추 5쌍, 천추 5쌍, 미추 1쌍의 신경이 척수로부터 나오며, 각각의 척수 신경은 운동 섬유와 감각 섬유를 함께 가짐.
2) 복측 신경근: 운동신경의 집단이며 척수 회백질이 전각에서 기시.
3) 배측 신경근: 감각신경의 집단이며, 후각에 종지하지만, 감각신경의 세포체는 후근 신경절에 모여 있음(그림 2-12).

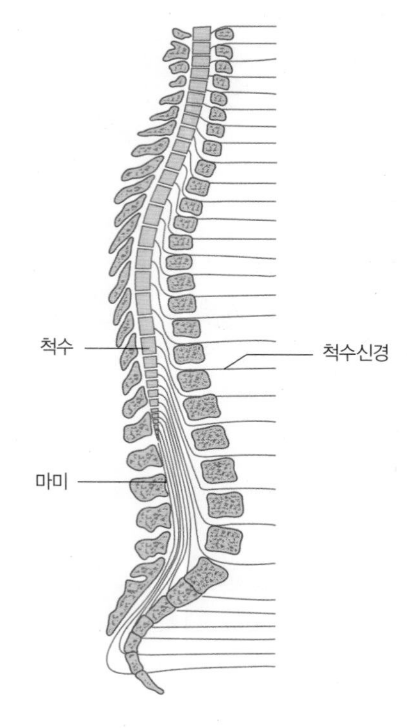

그림 2-12. 척수신경

6. 척추 인대

1) 개요 : 척추 인대는 엘라스틴과 콜라겐으로 구성되어 신축성과 장력을 가지며 척추관절을 유지하고 움직임을 제한함.
2) 인대는 단축(uniaxial)구조로 되어 있어 섬유방향으로만 최대 저항력을 가지며 척추는 여러 단축 구조의 인대가 척추체를 각 방향에서 연결하여 지지하고 있어 안정성을 유지.
3) 생리적 범위에서는 미량의 힘도 인대를 신장시킬 수 있고 저항력도 적어 최소한의 저항과 에너지 소비를 통해 유연한 운동을 유지하게 함.
4) 생리적 범위 이상의 운동에서 힘이 가해지면 파열이 일어나기 전까지 저항력이 크게 증가하여 척추를 보호하게 됨.
5) 연령이 증가함에 따라 인대 구성성분 중 섬유조직(fibrous tissue)이 증가하여 신축성이 감소하며 신축성이 강한 인대일수록 변화는 크게 나타남.
6) 외력으로 인한 인대의 염좌 뿐 아니라, 인대의 만성적 이완으로 야기된 불안정성도 통증 및 연관통을 유발할 수 있음.
7) 전종 인대와 후종 인대
(1) 척추체의 전후방에 각각 종으로 부착
(2) 척추체 및 추간판의 전면 대부분에 전종 인대가 비교적 넓게 부착되어 있으며 후종 인대가 부착되지 않은 후외측방으로 추간판의 탈출이 쉽게 나타남.
(3) 전종 인대: 제 1경추에서 시작하여 천추의 전면까지 주행하며 아래로 갈수록 넓어지고 추간판 부위에서 가장 두터움. 척추의 과신전을 제어하며 전면에서 추간판의 섬유륜을 보조함.
(4) 후종 인대: 제 2경추에서 시작하여 천추의 후면까지 주행하며 추체 부위에서는 좁고 추간판 부위에서 측면으로 확장된 양상을 보임. 확장부위는 얇으며 이곳을 통해서 혈관과 신경이 통과함. 후종 인대는 척추의 과굴곡을 제어하며 척추의 후면을 보조함.
8) 황색 인대
(1) 척추관의 후면에 위치하여 상하 추궁판을 연결하며 외측으로 관절돌기간 관절낭까지 연결되어 추간공의 후방 경계를 이룸.
(2) 구성성분 중 elastin이 80%를 차지해 신체에서 가장 신축력이 좋은 조직 중 하나.
(3) 탄력이 좋고 두꺼운 분절성 인대로서 척추의 후궁을 연결하여 척수를 보호하며 허리를 앞으로 굽힐 때 완

만한 운동이 일어나도록 해주고 다시 펴질 때 척추를 재배열시키며 척추관의 후면을 매끈하게 유지.

(4) 황색 인대는 노화에 따라 탄력이 감소하며 비후되고, 이완되면 척추관내로 함입되어 척추관 협착증을 유발할 수 있음(그림 2-13).

9) 척추의 후방부에는 전단력이나 축회전보다는 굴곡에 잘 견뎌내는 극간 인대, 극상 인대가 극돌기를 연결하고 있으며, 요추의 전방 굴곡시에 긴장상태를 유지하고 과굴곡을 제어. 그 외에 측굴시 긴장을 유지하는 횡돌기간 인대 등이 있음.

10) 일반적으로 추간판, 후관절 연골, 황색 인대, 극간 인대는 통증을 감수하지 않고, 후종 인대와 전종 인대, 횡돌기간 인대, 극상 인대, 근육, 신경근, 활액막, 관절낭, 추체 등은 통증을 잘 느끼는 조직인데 그 중에서도 후종 인대가 가장 민감함.

7. 척추 근육

- 척추의 근육군은 후방 근육군과 전방 근육군으로 크게 나눌 수 있음.

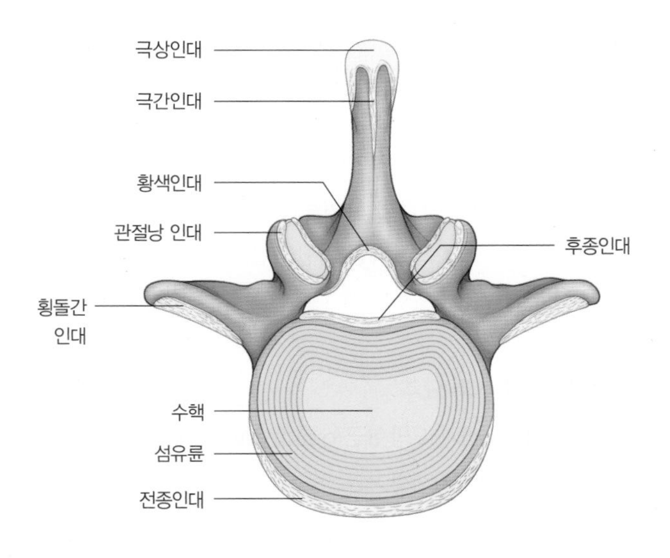

그림 2-13. 척추 주위 인대

- 척추 근육들은 경항통, 요통 등의 척추 부위의 통증뿐 아니라, 체성 연관통의 주된 원인이 되기도 함.
- 척추는 중력부하를 견디고, 체간의 균형을 유지하면서, 굴곡·신전·측굴·회전·활주의 여러가지 운동을 수행해야 하므로 관절 기능부전 및 국소 근육의 과긴장이 쉽게 발생.
- 국소적으로 과수축된 근육의 근-건 접합부, 건-골막 접합부는 손상이 발생하기 쉽고, 손상으로 인한 염증 치유 과정에서 통증이 유발.
- 한 근육 수축이 지속될 경우 압박으로 인해 근육 내 혈류의 저류가 발생하고 대사산물이 축적되어 통증이 유발될 수 있음.
- 통증은 근육의 경직에 의해서도 발생할 수 있는데, 비정상적인 자세, 장기간의 고정된 자세, 후관절에서 발생하는 관절통의 결과로서 척추 주위 근육은 만성적 피로 상태가 되어 통증이 유발되는 것.
- 근육의 불균형도 통증을 유발할 수 있는데, 위상성 근육과 자세성 근육사이의 불균형, 굴곡근과 신전근 사이의 불균형으로 통증이 발생한다는 개념으로 요부에서 체간 신전근과 장요근의 불균형, 체간 굴곡근과 고관절 신전근의 불균형으로 요통이 발생하는 하부 요추 교차 증후군이 대표적인 예.
- 아시혈과 유사한 개념인 근근막 발통점도 통증을 유발할 수 있음.
- 근육에 대한 임상적 접근은 통증에 대한 치료 뿐 아니라, 척추 관절 기능부전의 해소, 척추 가동 범위의 정상화, 척추의 구조적 질환에 대한 운동 치료, 과다한 에너지 소모의 방지 및 스포츠 의학적 응용 등 다각적으로 이루어져야 함.

1) 척추의 후방 근육군

- 후방 근육군은 천층, 중간층, 심층으로 나눌 수 있음.

(1) 천층의 후방 근육군을 총칭하여 척추 기립근(erector spinae)이라고 함.

① 구성 : 장늑근(iliocostal), 최장근(longissimus), 극근(spinalis)

② 장늑근군은 척추기립근 중 가장 외측에 있으며 요장늑근(iliocostalis lumborum), 흉장늑근(iliocostalis thoracis), 경장늑근(iliocostalis cervicis)의 세 분절로 나누어짐.
③ 최장근군은 장늑근군의 안쪽에 위치하며 흉최장근(longissimus thoracis), 경최장근(longissimus cervics), 두최장근(longissimus capitis)의 세 분절로 나누어 짐.
④ 극근은 척추 기립근 중 가장 안쪽에 있으며 장골능과 천골, 하부 추체의 극돌기에서 기시하여 정중선을 따라 위로 올라가 상부 극돌기에 종지.

(2) 중간층의 후방 근육군 : 반극근(semispinalis)
① 반극근 군은 흉반극근(semispinalis thoracis), 경반극근(semispinalis cervics), 두반극근(semispinalis capitis)의 세 부분으로 구분.
② 횡돌기에서 기시하여 상방 내측으로 경사지게 주행하여 5-6분절 위의 극돌기에 종지.
③ 흉반극근은 흉요추 횡돌기에서 기시하여 제 6경추부터 제 4흉추 정도까지의 극돌기에 종지하며, 경반극근은 흉추의 횡돌기에서 기시하여 상부 경추 극돌기에 종지하며, 두반극근은 후두골에 종지.

(3) 심층의 후방 근육군 : 다열근(multifidus), 횡돌기간근(intertransversarii), 회선근(rotators), 늑골거근(levatores costarum)
① 이 중 다열근과 회선근은 횡돌기에서 기시하여 극돌기에 종지하는 가장 심층에 위치한 짧은 근육군으로, 단축시 추체의 회전변위나 척추 분절의 고착을 유발할 수 있으며, 고유감각 수용기가 다수 분포하여 척추의 분절적 운동의 조절기능에 중요한 역할을 하므로 임상적으로 중요한 의미를 가짐.

2) 척추의 전방 근육군

- 후두 경추부의 전방으로는 두장근(longus capitis)과 경장근(longus colli) 2개의 근육군이 있음.
- 상부와 중간 부위의 흉추 전방에는 근육의 기시나 종지가 없음.
- 이외에 경추의 동작에 관여하는 근육으로 흉쇄유돌근(sternocleidomastoid)과 사각근(scalene)이 있음.

(1) 흉쇄유돌근

① 흉골부와 쇄골부로 나누어짐.
② 흉쇄유돌근의 편측 수축은 대측으로의 머리회전, 동측으로의 측굴과 신전이라는 복합된 운동을 일으키는데, 편측 흉쇄유돌근의 단축에 의해 유발되는 전형적인 사경에서도 볼 수 있음.
③ 경추가 유연할 때 양측의 수축은 머리를 신전시키면서 경추 전만을 증가시키며 흉추에 대한 경추의 만곡도 증가시킴.
④ 흉쇄유돌근 단독으로는 경추를 안정시킬 수 없고, 두장근, 전두직근(rectus capitis anterior), 경장근 등과 협력근이나 길항근으로 작용하여 목을 안정시키는 역할을 함. 또한 경추가 고정된 경우 흉곽을 거상시키는 작용을 하므로 호흡 보조근의 기능도 있음.

(2) 사각근

① 전사각근(scalenus anterior), 중사각근(scalenus medius), 후사각근(scalenus posterior)으로 구성
② 수축시 경추를 굴곡시키며, 호흡 보조근으로 기능.
③ 전사각근과 중사각근 사이로 상완 신경총, 쇄골하 동정맥이 지나가므로 사각근의 단축은 흉곽 출구 증후군을 유발할 수 있음.

(3) 하부 흉추와 요추

① 요근(psoas)과 요방형근(quadratus lumborum)의 2개의 근육이 존재함.
② 요근 : T12부터 L5까지의 횡돌기와 추체의 후외측부에서 기시하여 장골근(iliacus)과 합쳐진 후 대퇴골의 소

전자에 종지.

③ 요방형근 : 제 12늑골 상부과 상부 4개의 요추 횡돌기에서 기시하여 장골능과 장요인대에 종지.

제3절 척추관절의 기능해부학

1. 개요

1) 척주의 기능

- 근육, 인대 및 추간판으로 추체를 지지하는 견고한 지지기능과 유연한 탄력기능
- 척수, 수막 및 신경근을 보호하는 역할

2) 척추 : 일반적으로 추체 한 마디가 하나의 기능적 단위로 작용할 때

3) 척주(vertebral column) : 척추전체가 하나의 기능적 단위로 작용할 때

4) 척주의 위치 : 경부에서 머리를 지탱하도록 중심에 가깝게 위치하고 있고, 흉부에서는 흉강내의 장기보호를 위하여 후방에 위치하며 요부에서는 복강쪽으로 돌출되어 있음.

5) 보통 경추에서부터 미추까지 전만-후만-전만-후만의 S자형으로 만곡을 유지.

2. 척추 만곡

- 척주는 경추 전만(lordosis), 흉추 후만(kyphosis), 요추 전만, 천추 후만의 4개의 만곡을 가짐.
- 일차성 만곡(primary curves) : 흉추 후만과 천추 후만으로 태아에서부터 형성되어 내부장기를 보호함.
- 이차성 만곡(secondary curves) : 경추 전만과 요추 전만

1) 경추 전만 : 목을 가누기 시작하는 생후 4개월 경 머리의 무게를 지탱하면서 형성

2) 요추 전만 : 걸음마를 시작하는 12개월 경부터 형성되어 직립자세 유지를 위한 보상 조절적 만곡을 유지.

- 척주는 체간의 중심적 지주로의 역할을 함.
- 각 척추 만곡의 시상면상 정점 : 경추 전만에서는 C4-5, 흉추 후만에서는 T6-7, 요추 전만에서는 L3부위
- 제 12흉추 : 흉추 만곡과 요추 만곡의 중간지점에 위치하여 척주 회전축으로 작용
- 제 3요추 : 천장골에서 기시하는 근육군에 의해 후방으로 끌리고 흉부 근육군의 기시로서의 역할을 하는 곳이며 요부 만곡의 정점과 일치하여 가장 가동성이 있는 요추(그림 2-14).
- 계통 발생의 과정에서 직립 자세는 골반의 후방 기울기뿐만 아니라 요추 만곡에 영향.
- 요추의 만곡 : 출생시는 C자형의 후만, 13개월에는 만곡 소실, 생후 3년부터는 전만 형성, 8-10년에는 성인과 같은 전만을 형성.

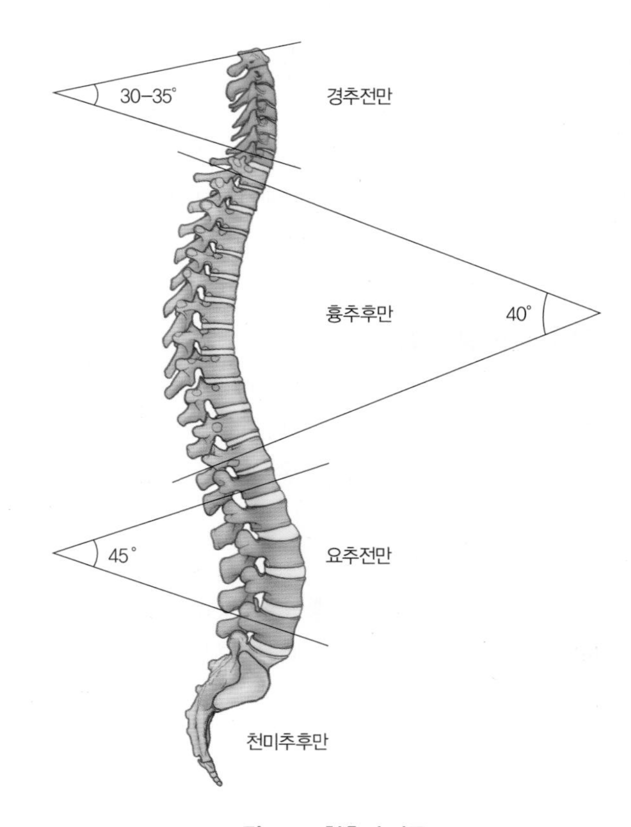

그림 2-14. 척추의 만곡

- 만곡된 척주의 항력 : 만곡수의 제곱+1에 비례
- 만곡을 정량화한 Delmas 지수 : (제1 천추에서 환추까지의 척주의 길이)/(제 1천추에서 환추까지 완전신전 때의 척주의 길이)×100, 보통은 94-96의 범위인데, 평균은 95이고, 과잉 만곡의 동적형(dynamic type)은 94이하, 과소 만곡의 정적형(static type)은 96이상.

3. 척주의 가동범위 및 기능

- 천골에서 두개까지의 척주 전체의 운동은 각 추체간에 동반운동을 통하여 굴곡, 신전, 좌우측굴, 회전 등의 운동이 중립 영역에서 탄성 영역까지 가능하며, 이 범위를 넘어서면 변성 영역으로 나타남.
- 정상적인 인체가 최대로 굴곡과 신전을 할 수 있는 범위 : 250도 정도.
- 일반적으로 요추 : 굴곡 60도, 신전 35도
- 흉요추부 : 굴곡 105도, 신전 60도
- 경추 : 굴곡 40도, 신전 75도.
- 측굴 : 요추 20도, 흉추 20도, 경추 35-45도 정도, 전체적으로 75-85도가 가능.
- 회전 : 요추 5도, 흉추는 35도, 경추의 축회전은 45-50도, 환추의 천골에 대한 회전은 전체적으로 90-95도 정도가 가능.

1) 경추관절 운동

경추는 전체적으로 상위 경추와 하위 경추의 2개 부분이 합해져 회전, 굴곡, 신전, 측굴 운동을 하며 환추후두관절 운동, 환축추관절 운동, 경추간관절 운동으로 이루어짐.

(1) 환추후두 관절

구상의 관절면을 갖고 있는 활막 관절(condyloid synovial joint)로서, 축회전, 굴곡신전, 측굴을 할 수 있는 자유도 3도의 관절.

(2) 환축추 관절

① 환추와 축추의 기계적 연결 : 환추의 전궁(anterior arch)과 축추 치돌기(odontoid process)사이의 관절, 2개의 환추하 관절면과 축추상 관절면에 의한 3개 관절로 구성. 환축추 사이에는 추간판이 없으며, 실제적인 중심축은 치돌기의 중심

② 환추 : 축추의 움직임을 제한하며 여러 인대의 부착부.

③ 횡인대 : 환축추 관절에서 가장 중요한 인대로 elastin이 거의 없어 매우 강하며 치돌기를 환추 내에 단단히 고정시켜 안정성을 유지하며, 환축추간 탈구가 발생하려면 반드시 횡인대의 손상이 동반됨.

(3) 경추간 관절

① 경추에서의 과도한 굴곡 : 추체 손상이 올 수도 있고 과도한 신전은 전종 인대가 늘어나거나, 척추 경막(dura)을 늘릴 수도 있으며, 연조직도 손상될 수 있음.

② 굴곡과 신전 : 상위 경추에서의 굴곡과 신전은 약 20도이고, 하위 경추에서의 신전과 굴곡은 100-110도인데 치아를 기준으로 하면 최대는 130도.

③ 측굴 : 45도 정도인데 주로 하위 경추에서 일어나며 상위 경추에서의 측굴은 약 8도.

④ 회전 :두 부회전은 80-90도인데, 환추후두 관절과 환축추 관절에서의 회전은 각각 12도.

⑤ 연계운동(coupling motion) : 제 2경추 이하의 경추에서는 측굴 운동과 회전운동이 동시에 일어남(예를 들면 우측굴시 극돌기는 반대방향으로 회전운동을 하게 되는 것)

2) 흉추관절 운동

(1) 전형적인 흉추는 요추와 비슷한 형태이지만, 전후경과 좌우경이 거의 비슷하며 추체의 후외측에 늑골 관절면이 있음.

(2) 관절돌기와 극돌기가 후하방으로 커지는 형태이므로 신전 때는 서로 접촉하게 되어 움직임이 제한되며 후종인대, 황색 인대, 극간 인대가 이완되고 전종 인대는 신장됨.

(3) 척추의 굴곡시 수핵은 후방으로 밀리고 극간 인대, 황색 인대, 관절낭 인대의 긴장은 높아지고 전종 인대는 이완.
(4) 척추의 측굴시 반대쪽은 위쪽으로 열리고 같은 쪽에서는 아래쪽으로 미끄러지며, 관절돌기의 접촉 또는 반대쪽의 황색 인대나 횡돌기간 인대에 의하여 제한.
(5) 흉추부에서는 늑골이 부착되어 있으며 추간판이 얇고 척추궁이 발달하여 위아래의 척추궁이 겹쳐지며, 극돌기도 밀접해 있어 굴곡, 신전, 측굴이 제한.
(6) 늑골이 평행으로 있어 회전은 비교적 자유로워 흉요추 회전의 약 70%가 흉추부에서 일어나며, 흉추의 축회전은 후관절의 형태상으로는 요추보다 3배 이상 가능하지만, 늑골에 의하여 다소 제한.
(7) 흉곽은 측굴 때 측굴 반대쪽이 거상, 확대되고 신전때는 전체가 밖으로 열려 확대.
(8) 일반적으로 제 7흉추는 흉추 회전의 축지점으로 알려져 있음.
(9) 흉추도 연령의 증가에 따라 관절면이 골화되어 탄력성이 감소되므로 흉곽은 고정되고 운동력도 감소.

3) 요추관절 운동

(1) 요추부에서는 흉추와는 달리 척추궁이 얇아서 겹쳐져 있지 않으며 극돌기 역시 보다 수평이어서 겹쳐져 있지 않고, 추간판이 두꺼우며 후관절면이 시상면과 평행하므로 골곡과 신전 운동범위가 매우 크지만, 축회전은 제한.
(2) 굴곡
① 척추 굴곡 전체의 75%가 요추에서 일어남.
② 요추의 굴곡운동 중 처음 60도의 각도는 요추에서 일어나며 다음 30도는 요천추부에서 이루어짐.
③ 굴곡·신전의 가동범위는 제 4요추와 제 5요추사이에서 최대이고 상위로 갈수록 그 굴신 범위는 줄어듦.
(3) 요추의 축회전은 후관절이 시상면과 평행하므로 제한을 받음.
(4) 회전 가동범위는 각 요추관절에서 약 1도이며, 측굴은 양쪽으로 약 6도
(5) 요추의 전체적인 가동범위는 굴곡이 40-60도, 신전이 20-55도, 측굴이 15-25도, 회전이 5-18도.
(6) 요추부는 전방에서 보면 극돌기간 선을 기준으로 좌우 대칭이고 측면에서는 천골과는 약 140도에 이르는 전만을 형성.
(7) 제 5요추와 천골사이의 요천 관절은 척주 중에서 가장 약한 부위. 이는 천골 상면의 경사 때문에 제 5요추가 전방으로 활주하는 경향이 있기 때문.
(8) 요추의 후관절은 정상적으로 몸무게의 10-15%를 지탱하지만, 신전자세에서는 33%, 퇴행성 변화가 발생하여 추간판의 높이가 낮아진 경우에는 더욱 많은 부하를 받게 되며 요추가 뒤틀리는 상태에서는 45%까지 담당.
(9) 요추부의 근육
① 체간 굴곡근 : 복직근(rectus abdominis)
② 척추 기립근 : 장늑근, 최장근, 극근
③ 체간 회전근 : 내복사근(obliquus internus abdominis), 외복사근(obliquus externus abdominis)
④ 골반 거상근 : 요방형근와 요장늑근
(10) 요추의 굴곡
① 요근(psoas)과 복근(abdominalis)의 동심성 수축 현상과 기립근의 편심성 수축 현상에 의하여 이루어짐. 중립자세로 돌아올 때는 반대의 현상이 나타남.
② 요추의 굴곡은 황색 인대, 후종 인대, 극간 인대, 관절낭 인대에 의하여 제한.
(11) 요추의 신전 : 전종 인대, 극돌기, 후관절에 의해 제한.
(12) 요추의 측굴 : 동측의 요방형근에 의해 이루어지고 반대쪽의 편심성 수축에 의해 이루어지며, 후관절, 황색 인대, 횡돌기간 인대에 의해 제한.

4) 골반관절 운동

(1) 골반 : 천골, 미골, 좌우의 관골로 구성되며, 2개의 천장관절과 치골결합으로 구성된 3개의 관절을 갖고 있어서 폐쇄된 환형태를 취함으로서 복부를 지지하고 척주와 하지를 연결.
(2) 여성의 골반은 좌우로 넓고 상하의 폭이 좁으며 남자

는 반대의 형태.

(3) 제 5요추에 의해 지지되는 체중은 천골익을 따라 좌골 조면을 거쳐 관골구에 미쳐 하지에서 올라오는 힘과 치골결합에서 균형을 이룸.

(4) 천장 관절에는 약간의 움직임이 있지만, 중력에 대항하기 위해 인대에 의하여 단단하게 유지되며, 치골결합이 이탈되면 중력의 중심선에 변화가 옴.

(5) 천장 관절

① 천골과 장골의 이상면 사이의 활막성 관절로 상부 1/3은 섬유연골성 미동관절(fibrocartilaginous amphiarthrosis)로 이루어졌고 하부 1/3은 활액 관절.

② 이 관절은 전후의 천장 인대, 장요 인대, 천극 인대, 천결절 인대 등으로 보강되어 있으며, 특히 후 천장 인대는 천골과 장골을 강력하게 부착시킴.

③ 천장 관절의 가동범위는 매우 작으나 움직이는 것으로 알려져 있는데 이는 미세한 운동으로 관찰하기 어려움. 천골이 이상면 가운데의 축을 기준으로 숙이고 들어 올려지는 운동을 한다는 설명과 전체적인 직선 운동을 복합으로 설명하는 이론 등이 있음.

④ 천장 관절의 움직임 : 보행시 굴곡과 신전 운동으로 고관절과 함께 움직임

가. 장골이 굴곡이 될 때 후상장골극(PSIS)은 후하방으로 움직이며 같은 쪽의 천골저는 전하방으로 보상되며, 반대쪽 장골은 신전되고 PSIS는 전상방으로 움직임. 장골이 신전된 쪽의 천골저는 후상방으로 보상됨.

나. 신전때는 PSIS는 전상방으로, 천골저는 후상방으로 움직임.

5) 악관절 운동

(1) 악관절은 하악골, 상악골, 측두골 및 설골 간에 관절을 형성, 경추와의 상호관련이 깊은 관절.

(2) 경부 통증, 두통, 악안면통 등이, 저작과 연하의 비정상적인 운동으로 악관절과 관련하여 의하여 발병하기도 하는데, 이는 자세, 근육 긴장도, 부정교합 그리고 관절기능부전 등과 임상적으로 관련성을 갖고 있음.

(3) 하악골 체(體)는 수평이고 후측에 두 개의 분지를 갖고 있으며, 하악골의 지(枝)는 체에 대하여 수직으로 아래에 만져지는 각이 있음. 각각의 지는 두 개의 돌기를 갖고 있는데, 근돌기는 근육의 접합부의 역할을 하고 과상돌기는 관절 내 추간판을 통하여 측두골과 관절을 형성.

(4) 측두골은 하악골을 안정시키기 위한 와가 있으며, 기능적으로 하악골와는 관절이 최대 밀착 위치에 있을 때 과가 위치하는 곳.

제4절
척추 질환의 진단

1. 진단 원칙

• 척추 질환은 척추 자체의 만곡이나 척추 부위의 골관절 변위, 근육, 신경, 인대, 추간판, 후관절 및 척수 등에 다양한 원인으로 인하여 비증, 통증 및 위증 등의 이상현상을 나타내는 모든 질환을 의미.

• 척추 질환의 진단은 일반적인 근골격계 질환과 같이 인체 구조의 전체적인 유형 감별이나 증후에 따른 변증을 전일적이고 유기체적 특징을 갖는 종합적인 정체관에 따라 우선적으로 실시하고, 각각의 증상을 추적할 수 있는 기능 반응 검사, 구조 이상 검사, 임상병리 검사, 방사선 검사 등을 통해 이상 현상을 종합적으로 면밀하게 살펴 각각의 질병에 따른 치료 원칙을 구체화하는 것이 중요하며 다음의 원칙에 따라 실시.

1) 기능과 구조의 변화를 상호 관련성을 중심으로 종합적으로 관찰

• 인체는 하나의 유기적인 整體로서 상호연관하며, 기능과 구조간에도 유기성을 갖고 있으므로 상호 관련성을 종합

적으로 검토하여 치료나 진단에 반영.

2) 세밀하고 정확한 검사로 질병의 본질을 파악해야 함

- 질병에 따른 증상변화는 매우 다양해서 정확한 질병인식을 하려면 體質, 病位, 轉經過程, 病因 등에 대한 정확한 이해를 통해서 질병의 본질을 찾아내야 함.

3) 四診八綱을 응용하여 정확한 진단을 해야 함

- 望診時에는 구조상의 전체와 부분의 균형여부에 聞診時에는 관절의 마찰음, 건의 염발음 등을 問診時에는 물리적인 자극인자, 손상 시의 자세 변화, 환자의 생활습관 등을, 切診에서는 맥을, 觸診時에는 기능상태를 세밀하게 검사해야 함. 《醫宗金鑑·手法總論》에 "以手摸之 自悉其情"이라고 한 것처럼 운동상태 등을 세밀하게 검사함.

4) 특이한 증상 혹은 증후군에 주의

- 특이한 증상 및 진단 가치가 있는 증후군의 발현을 감별진단해야 함.

2. 의료기기를 통한 검사

- 척추 질환의 진단에 있어 의료기기를 통한 검사는 임상적으로 유용하지만, 검사상 이상 소견이 증상의 원인이 아닌 경우도 있고, 이상 소견이 없어도 증상이 나타나는 경우가 있으므로 항상 검사 결과와 임상 증상을 비교, 분석하여 진단하는 것이 중요함.

1) 단순 방사선 촬영(Simple X-ray)

(1) 척추 질환에 가장 광범위하게 사용되는 영상 검사
(2) 외상과 변형을 평가할 때 중요함.
(3) 특히 골절, 종양, 감염, 염증성 질환 및 잠재적 병리적 실체를 선별하는 검사로 유용
(4) 단점 : 방사선의 비정상 소견과 환자의 증상이 일치한다고 볼 수 없으며, 환자의 치료에 영향을 줄 만한 감별점이 되는 정보를 거의 얻을 수 없으며, 방사선 조사가 신체에 영향을 줄 수 있음. 그리고 단순 방사선 촬영의 대조도는 공기, 지방, 물, 뼈의 4단계만을 구별할 수 있으므로 척주의 구성 성분 중 연부 조직을 볼 수 없다는 한계점이 있음.

2) 전산화 단층 촬영(CT)

(1) X-ray를 물체 주위로 360도 회전시켜서 얻은 데이타를 컴퓨터가 전산 처리하여 회색음영으로 단계가 나누어진 영상으로 구성한 것. 주로 횡단면(축상단면)의 영상을 얻을 수 있음.
(2) 최근 컴퓨터의 발전으로 데이터를 재합성하여 원하는 단면으로 보여 주거나 3차원 영상이 가능.
(3) 전산화 단층 촬영은 단순 방사선 촬영으로 얻어진 소견을 더 뚜렷하게 보는데 유용하고, 추간판과 같은 연부 조직을 관찰하는데 도움을 줄 수 있으며, 석회화의 평가에는 가장 우수함.

3) MRI

(1) 비침습적이며, 연부 조직의 대비분해능이 높아서 척수와 뇌척수액의 식별 및 골수나 추간판의 변화를 관찰할 수 있음.
(2) 특히 임의의 단면 촬영상(횡단면, 관상면, 시상면)이 가능하며, T1 강조영상, T2 강조영상 등을 비교하여 조직 특이성 및 질환별 특이성을 더욱 선명하게 표현할 수 있음.
(3) T1 강조영상은 수분이 많을수록 검게(low density) 나타나고, 수분이 적을수록 희게(high density) 나타나므로 골과 골수를 민감하게 보여줌.
(4) T2 강조영상은 그 반대의 특성을 지니므로 수분, 뇌척수액, 추간판, 척수를 민감하게 보여줌.

4) 방사성 동위원소 검사(Bone scan)

(1) 단순 방사선 촬영에서 이상소견이 보이지 않는 초기단

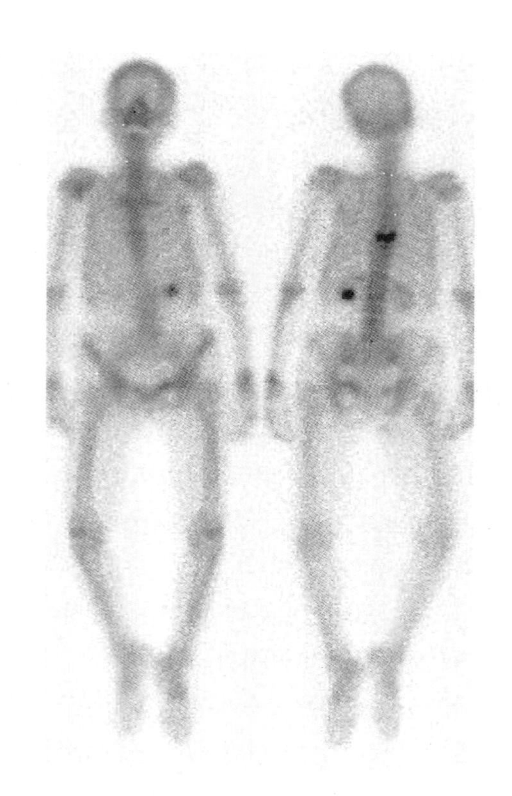

그림 2-15. 흉추부 압박골절의 방사선 동위원소 소견

계의 골병변을 알고자 할 때 사용.

(2) 골종양, 골절의 진단, 골전이 병소의 검색, 골병변의 범위, 경과 관찰 방사선병기 판정, 진행정도의 판정 등을 할 수 있음(그림 2-15).

5) 경피온열검사(DITI)

• 경피(經皮)의 온도 변화를 측정하고 평가하는 비침습적인 진단으로 주로 혈관성 질환, 근골격계 및 신경질환의 병변에 민감한 검사방법.

6) 초음파 검사

(1) 관절, 연골, 인대, 건, 점액낭, 근육, 신경 등의 근골격계의 구조물들의 파열, 부종 및 염증 등의 이상 유무를 진단하는 초음파 검사로 주로, 뼈를 제외한 연부조직 질환의 진단에 유용.

(2) 방사선을 이용하지 않아 인체에 무해.

(3) 골구조의 외측을 볼 수 있으나 내측을 시각화하지는 못함.

(4) 목의 편타손상이나 요통의 원인을 찾는데는 민감도가 떨어짐.

7) 경근무늬측정 검사(Moire topography)

(1) 경근무늬측정 검사는 모아레 무늬의 영상을 통해 척추와 골반, 사지의 구조적 정렬 상태와 경근의 기능적 불균형 상태를 확인하기 위한 검사.

(2) X-ray 검사에 비해 골격의 해부학적 구조에 대한 정보는 부족하나 방사선 조사의 위험성이 전혀 없고 X-ray로는 불가능한 근육의 기능적 변화를 관찰할 수 있음.

3. 척추 부위별 신체검사 (physical examination)

• 목적 : 환자의 병력 청취 및 문진을 통해 얻은 정보를 기초로, 정확한 임상적 평가를 하기 위해서 실시.

• 신체검사는 환자의 협력이 절대적으로 필요하며, 가능한 단시간 내에 반복없이 일괄적으로 실시해야 함.

• 감별진단을 하기 위해서는 필요한 검사방법을 적절히 선별하고, 정확하게 실시하며, 검사결과를 종합적으로 분석할 수 있어야 하므로 신체검사를 시행하기 전에 통증의 부위, 특성, 발현 시간, 지속 시간, 자세, 유발 원인에 대한 상세한 문진이 필요하며, 원위부 혹은 상하지의 통증이 동반되는 경우 방사통인지, 연관통인지에 대한 감별이 선행되어야 함.

가. 방사통 : 척수신경 또는 신경근이 자극되거나 압박되면 척추분절적으로 피부분절의 감각이상, 근육분절의 통증 및 근력약화가 나타나는 증상, 환자는 화끈거리거나 바늘로 찌르는 것 같다고 표현.

나. 연관통 : 피부, 인대, 관절, 근육, 뼈 등으로 인한 체성 연관통과 내부 장기로 인한 내장인성 연관통이 있는데 대개 통증부위가 국한되지 않고 방사통보다는 둔하며, 미만성이며, 표재성이며, 쥐가 나는 것 같거나 조이는 듯하다고 표현.

다. 그러나 임상에서 방사통과 연관통을 정확히 구분하기는 어려우며, 방사통과 연관통이 동시에 나타나는 경우도 많음.

1) 경추부

(1) 운동범위 검사

- 굴곡, 신전, 좌우 회전 및 측굴을 실시하며, 양측의 운동범위를 비교 평가하는 것이 일반적.
- 굴곡은 40도 신전은 75도이며, 측굴은 35-45도이고, 각 방향의 회전 시 운동범위는 90도.
- 굴곡과 신전은 환추관절(occiptoatlantal joint)을 포함한 모든 경추에서 같이 일어나며, 회전운동은 환축추 관절에서 약 47도 정도를 담당하는데 이에 이상이 있으면 회전운동의 현저한 감소가 발생할 수도 있음.

(2) Soto-Hall test

- 방법 : 환자를 앙와위로 눕히고 목을 전굴시키며 흉골을 눌러 줌(그림 2-16).
- 의의 : 국소 통증은 경추부 후방 인대의 손상을 의심하며, 무릎을 굽힌다면 수막자극 증상을 의심할 수 있음.

(3) 흉곽출구 증후군(Thoracic Outlet Syndrome)

① Adson's test

- 방법 : 환자를 앉히고 요골 동맥의 맥박을 촉지한 후 팔을 외전, 외회전시키면서 동측으로 머리를 돌리며 턱을 들게 함. 양측을 모두 시행(그림 2-17).
- 의의 : 맥박이 약해지거나 사라지는 것은 흉곽출구에서 쇄골하 동맥(subclavian artery)이 전사각근(scalenus anterior muscle)이나 경늑골(cervical rib)에 의해 압박받는 현상이며, 팔의 감각이상은 상완 신경총(brachial plexus)의 압박을 의심할 수 있음.

② Roos test (EAST, elevated arm stress test)

- 방법 : 양측 견관절을 90도 외전, 외회전하고 주관절을 90도 굴곡한 자세에서 주먹을 폈다 오므렸다 하는 동작을 3분 동안 반복하도록 지시함.
- 의의 : 3분을 채우지 못하거나 동작 중에 상지쪽으로 통증이나 감각 이상이 재현되면 흉곽출구 증후군을 의심할 수 있음.

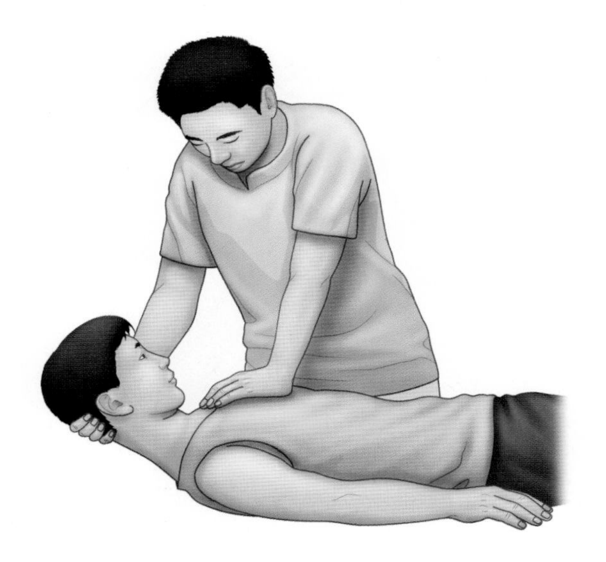

그림 2-16. Soto-Hall test

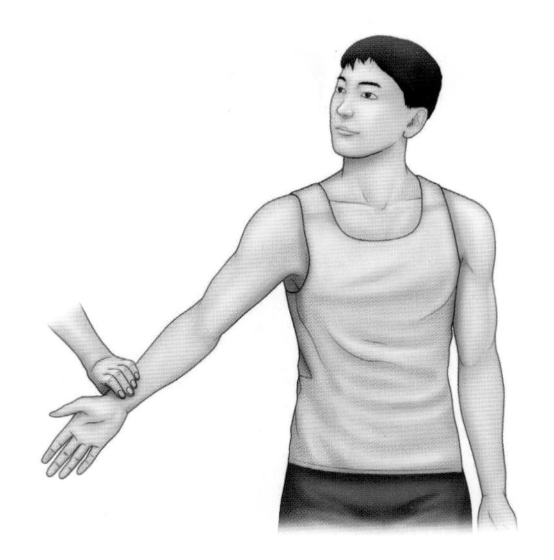

그림 2-17. Adson's test

③ 늑골쇄골 검사(Costoclavicular test)
- 방법 : 의자에 앉히고 요골 동맥 맥박을 잡고 환자에게 가슴을 펴고 목을 전굴하도록 함.
- 의의 : 요골 동맥 박동이 약해지거나 사라지면 쇄골과 제 1 늑골 사이가 좁아져서 신경혈관 속의 혈관구성부의 압박이 일어나는 것을 의미. 또한 팔의 감각이상이나 신경근증은 신경혈관속의 신경구성부가 압박된 것을 의미.

④ 과외전 검사(Wright test)
- 방법 : 의자에 앉히고 요골 동맥을 촉진한 채로 팔을 멀리 외전시켰을 때 박동의 변화와 재현성으로 살펴 봄.
- 의의 : 요골 동맥 박동이 약해지거나 사라지는 것은 소흉근이나 오구돌기로 인해 액와 동맥이 압박된 것을 의미.

(4) 신경근 압박과 자극 검사

① 추간공 압박검사(Foraminal compression test)
- 방법 : 환자를 의자에 앉히고 머리를 두정부에서 아래로 누르며 천천히 돌리고 다시 정면을 향하게 함(그림 2-18).
- 의의 : 두정부를 압박하여 머리를 돌리게 되면 추간공이 좁아져서 신경근을 압박하게 됨. 상지의 방사통은 신경근의 압박을 의미하며, 방사통의 부위를 참고로 해당 신경근을 추정할 수 있음. 국소 부위의 경항통은 후관절의 병변을 의심.

② 신연검사(Distraction test)
- 방법 : 의자에 앉히고 환자의 머리를 견인시켜 목에 걸리는 무게를 해소시킴(그림 2-19).
- 의의 : 신경근 압박을 초래할 수 있는 추간공을 넓히는 동작으로, 전반적으로 통증이 감소하면 추간공 압박을 의심하며, 통증이 증가하면 경부의 근육 경련이나 인대 손상을 의심.

③ Spurling test
- 방법 : 고개를 젖히고 환측으로 머리를 돌리게 함(그림 2-20).
- 의의 : 국소 통증은 추간공의 압박, 방사통은 신경근의 압박으로 인한 경추 추간판 탈출증을 의심해 볼 수 있음.

④ 상지 긴장 검사
(Upper limb tension test: ULTT, Elvey's test)
- 방법 : 앙와위에서 환측 상지를 침대의 가장자리로 오게 한 후 한 손은 시술자의 쇄골과 견갑골을 고정하고 다른

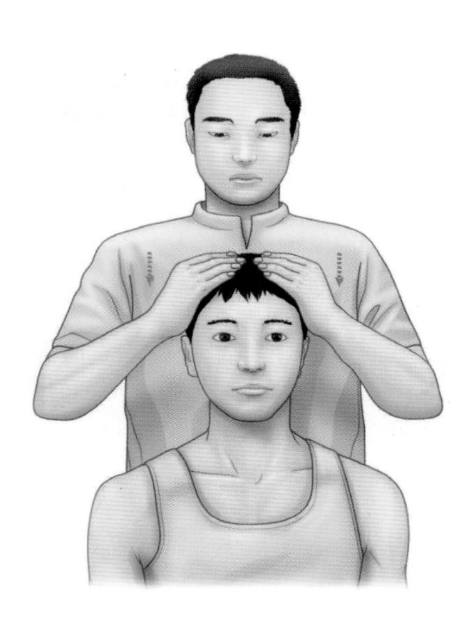
그림 2-18. Foraminal compression test

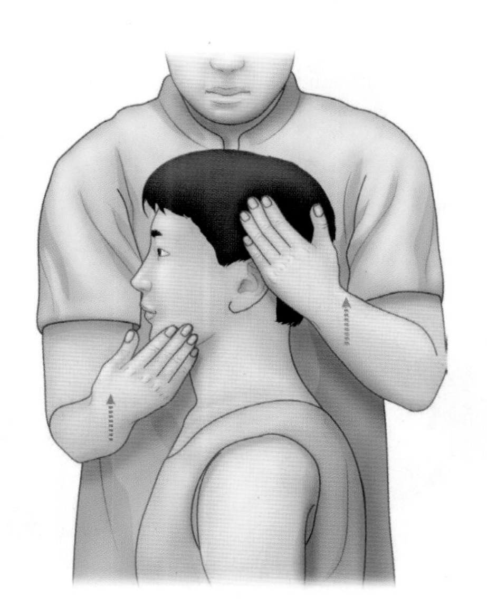
그림 2-19. Distraction test

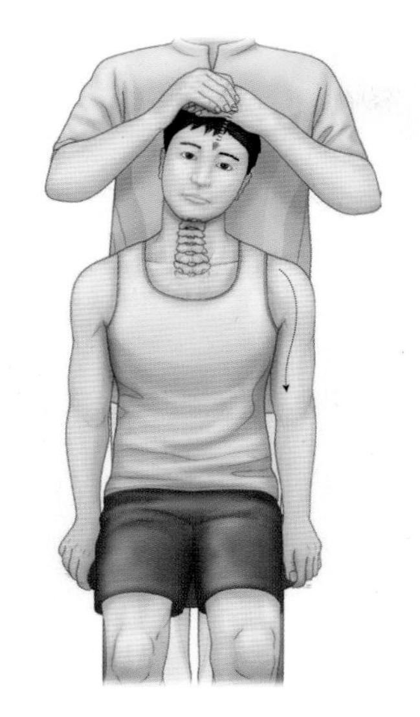
그림 2-20. Spurling test

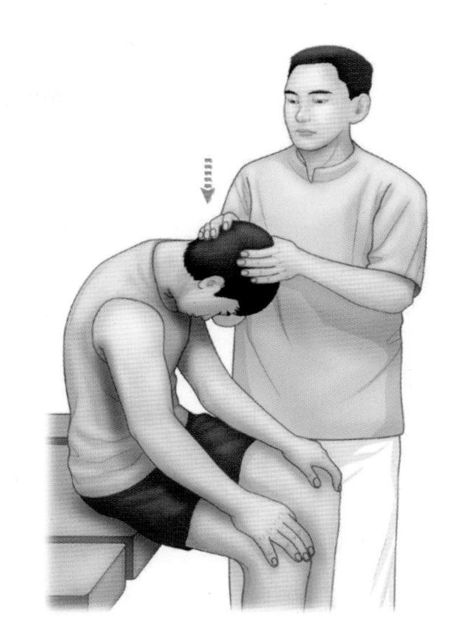
그림 2-21. L'Hermitte sign

한 손은 환자의 손을 잡은 후 1) 견관절 90도 외전, 외회전, 주관절 신전, 완관절 신전, 전완부 회외(정중신경 긴장 유발), 2) 견관절 10도 외전, 내회전, 주관절 신전, 완관절 굴곡(요골신경 긴장 유발), 3) 견관절 90도 외전, 완관절 신전, 전완부 회외한 상태에서 주관절을 최대한 굴곡하고 견관절을 외회전 시킴(척골신경 긴장 유발).

- 의의 : 각 자세에서 환측으로 상지의 통증이나 신경학적 증상이 나타나는 경우에는 상완신경총이나 경추의 신경근 병증을 의심. 상지 신경의 최대 긴장 자세를 만들어 신경근 병증에 대한 평가 목적 외에도 긴장을 감소시켜 증상을 완화시키는데도 유용함.

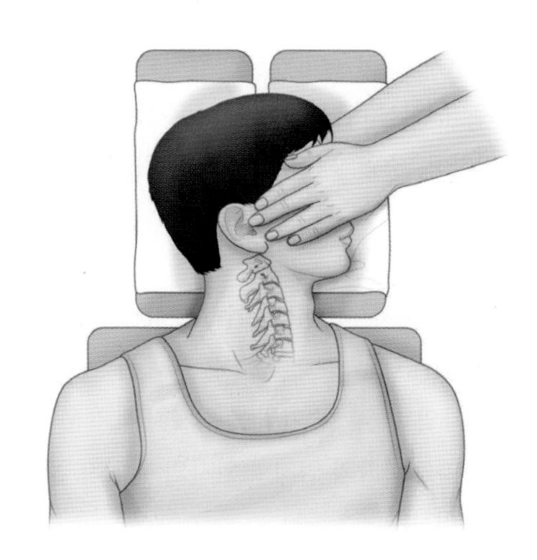
그림 2-22. Vertebral artery patency test

(5) 척수강내 공간점유성 병변의 검사

① L'Hermittee sign

- 방법 : 경추를 강하게 굴곡시킬 때 상지나 하지로 방사되는 통증이나 이상 감각이 발생하는 지 관찰(그림 2-21).
- 의의 : 양성인 경우 척수 전방의 종괴로 인한 척수의 압박을 의미하며, 드물게 탈수초 질환을 의미하기도 함.

② Valsalva test

- 방법 : 의자에 앉히고 환자에게 배변할 때처럼 힘을 주게 함.
- 의의 : 국소통증은 점거성 병변 즉, 추간판 헤르니아, 종양, 골극 등을 의심.

(6) 추골기저동맥 검사

① Vertebral artery patency test

- 방법 : 환자의 목을 신전, 외회전시킨 뒤 20-30초간 그대로 있도록 함(그림 2-22).
- 의의 : 현훈, 구역, 이명 등의 증상이 일어나는 경우는 경추의 횡돌기공을 지나난 추골 동맥(vertebral artery)에 문제가 생겨 혈액공급이 원활하지 않은 것.

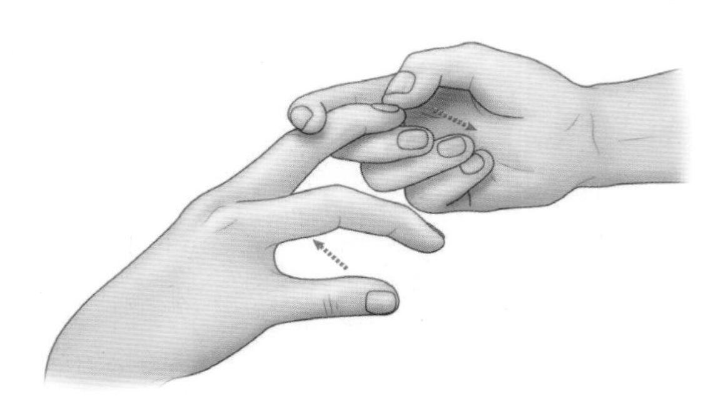

그림 2-23. Hoffmann's sign

② 추골뇌저 동맥 청진 및 촉진

• 방법 : 의자에 앉히고 환자의 총경 동맥과 쇄골하 동맥을 촉진과 청진을 하여 박동과 이상잡음이 있는지를 알아봄. 양쪽 모두 확실치 않을 때는 목을 좌우로 돌리고 젖혀 늘여서 다시 한 번 검사.
• 의의 : 박동이나 잡음이 있으면 검사는 양성. 돌려젖혀서 안혼, 구역, 실신, 안구진탕 등의 증상이 동반되면 양성을 의미하고, 추골, 뇌저, 총경 동맥의 압박이나 협착을 시사하는 것.

(7) 척수병증 검사(Myelopathy test)

① Hoffmann's sign

• 방법 : 환자의 가운뎃손가락을 검사자의 가운뎃손가락으로 받힌 후 검사자의 엄지로 환자의 원위지 골관절을 굴곡시킴(그림2-23).
• 의의 : 환자의 엄지가 굴곡, 내전되면 양성으로 경추부의 척수병증(myelopathy)이 있거나 두개강 내의 중추 신경계 장애를 의심.

② 손가락 이탈 징후(Finger escape sign)

• 방법 : 환자에게 손목을 신전시킨 상태에서 팔을 앞으로 뻗으라고 지시(그림 2-24).
• 의의 : 경추 척수병증(cervical myelopathy)이 있으면 5번째 손가락이 다른 손가락으로부터 떨어지게 됨.

(8) 심부 건반사(Deep tendon reflexes)

• 정상적인 심부 건반사의 정도는 개인차가 심하므로 항상 양측을 비교해 보는 것이 필수적

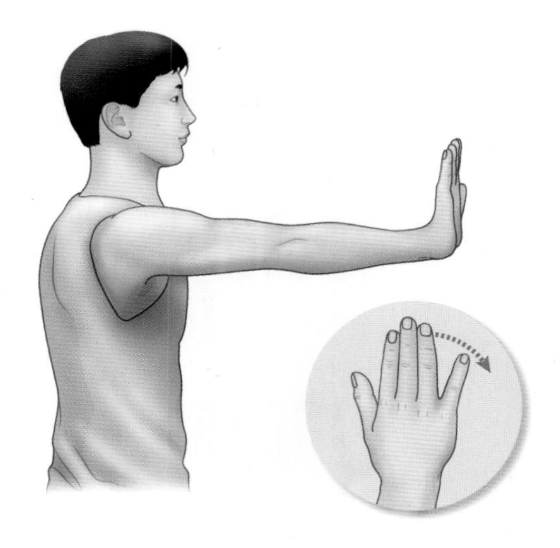

그림 2-24. 손가락 이탈 징후

• 이두근(biceps muscle)은 C5 및 C6에 의해, 상완요골근(brachioradialis muscle)는 C5, C6 및 C7에 의해, 삼두근(triceps muscle)은 C7 및 C8에 의해서 지배.
• 심부 건반사의 등급은 0은 소실, +는 저하, ++는 정상, +++는 항진, ++++는 현저한 항진으로 분류
• 상위 운동신경원 질환에서는 항진되고, 하위 운동신경원 질환에서 저하

2) 흉추부

• 흉추부의 시진 : 똑바로 선 자세에서 시행
  - 전방, 측면, 후방에서 살펴보아야 함.
  - 전방에서는 양 유두 및 흉곽의 대칭여부를 살펴보고, 후방에서는 어깨, 견갑골, 허리, 장골능, 양쪽 옆구리의 피부주름, 양쪽 옆구리와 양팔과의 거리 등을 살펴보아야 하며, 측면에서는 후만의 증가 여부, 머리와 다른 척추와의 사이에서 직립 자세의 균형여부를 살펴보아야 함.
• 흉추의 운동은 굴곡, 신전, 측굴이 약 5도 정도 이루어지며, 상부 흉추에서 각 추체의 회전은 9도 정도 이루어짐. 굴곡과 측굴 시에 엄지와 검지를 상하 흉추의 두 극돌기 사이에 접촉하여 두 손가락 사이의 거리 증가 여부로 흉추의 운동을 평가 할 수 있음.

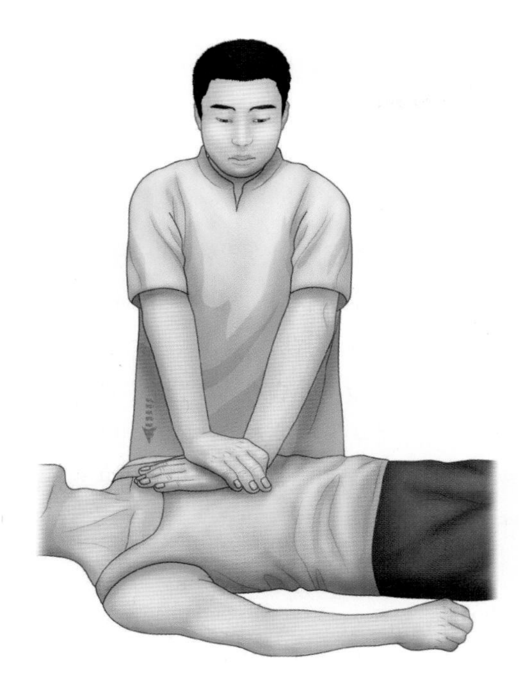

그림 2-25. 흉골 압박 검사

(1) 척추 타진 검사(Spinal percussion test)

- 방법 : 환자를 의자에 앉히고 목을 약간 숙이게 한 뒤 극돌기와 척추 측면의 근육을 타진기로 타진.
- 의의 : 국소통증은 추체손상의 가능성이, 방사통은 추간판 손상의 가능성.

(2) 흉골 압박 검사(Sternal compression test)

- 방법 : 앙와위로 눕히고 흉골 위에 양손을 얹고 아래로 압박(그림 2-25).
- 의의 : 늑골 부위의 국소 통증은 늑골 골절을 의심.

(3) 흉곽 확장 검사(Chest expansion test)

- 방법 : 환자의 4번째 늑간 부위나 여성 유방 바로 아래에서 줄자로 호기시와 최대 흡기시의 흉곽 둘레를 각각 잼.
- 의의 : 호기시와 흡기시의 흉곽 둘레의 차이가 3 cm 미만이면, 강직성 척추염의 흉늑관절 침습으로 인한 흉곽 운동의 제한을 의심할 수 있음.

(4) 신경근 장애

① Beevor's sign

- 방법 : 바로 눕히고 양손을 머리 뒤에 깍지 끼고 상체를 절반쯤 들어올림. 복근운동 때의 움직임과 비슷하게 함
- 의의 : 배꼽이 가슴쪽으로 움직이면 흉추 10-12의 신경근 장애를 말하고, 배꼽이 아래로 움직이면 흉추 7-10사이의 신경근 장애가 있는 것.

② Schepelmann's test

- 방법 : 의자에 앉히고 환자의 상체를 허리에서 왼쪽으로 기울게 함. 같은 동작을 반대측에도 시행.
- 의의 : 기울어진 쪽에 통증이 나타나면 늑간 신경염이고, 늘어난 쪽이 아프면 늑막에 섬유성 염증이 있는 것으로 볼 수 있음.

(5) 표재반사(Superficail reflex)

① 상복부의 표재반사(Upper abdominal superficial reflex)

- 방법 : 흉곽 아래쪽의 피부를 바깥쪽에서 안쪽으로 부드럽게 긁음.
- 의의 : 제 5-8번째 흉추신경을 검사하는 것으로 정상적인 반응은 긁은 쪽의 상복부 근육이 수축하는 것으로 배꼽이 긁은 쪽으로 이동.

② 중복부의 표재반사(Mid-abdominal superficial reflex)

- 방법 : 배꼽높이의 피부를 바깥쪽에서 안쪽으로 부드럽게 긁음.
- 의의 : 제 9-11번째 흉추신경을 검사하는 것으로 정상적인 반응은 긁은 쪽의 배꼽주위 근육이 수축하는 것으로 배꼽이 긁은 쪽으로 이동.

③ 하복부의 표재반사(Lower abdominal superficial reflex)

- 방법 : 하복부의 피부를 장골능에서 안쪽으로 부드럽게 긁음.
- 의의 : 제 11, 12번째 흉추신경을 검사하는 것으로 정상적인 반응은 긁은 쪽의 하복부 근육이 수축하는 것으로

배꼽이 굵은 쪽으로 이동.

3) 요천추부

- 시진에서는 먼저 요추의 정렬과 자세 평가를 하고 피부의 색소침착과 털이 있는 반점(hairy patch)과 같은 피부 변화가 있는지 여부를 살펴봄.
- 흉추와 마찬가지로 후방에서 직립 상태의 환자를 전방굴곡, 측굴시키면서 평가.
- 또한 골반의 경사나 불균형, 둔근의 위축, 다리길이 차이, 대퇴부 후방 근육의 긴장과 피부 주름 등을 잘 관찰.
- 측면에서는 요추 전만의 정도와 배의 돌출여부, 고관절, 슬관절과 족관절의 위치도 같이 평가를 해야 함.
- 시상면에서 운동은 L4-5와 요천추 수준에서 발생하며, 운동범위를 검사 시에는 이로 인하여 유발되는 증상에 주의 깊게 관찰해야 함.
- 척추와 고관절의 전체적인 운동범위는 환자의 손이 바닥에 얼마나 가깝게 닿는지를 측정하며, 측방 굴곡 시 측정된 검사치는 유일하게 척추의 운동으로 인한 것임을 명심해야 함.

(1) 신경근 긴장 검사

① 하지 직거상 검사(Straight leg raising test: SLRT, Lasègue's sign)

- 방법 : 환자를 바로 눕히고, 검사자는 환자의 종골을 잡고 환자의 다리를 들어올림. 환자의 무릎이 구부러지는 것을 방지하기 위해 검사자의 다른 한손으로 무릎을 고정해줌. 통증이나 경직없이 80도 이상 하지를 신전할 수 있으면 정상이며, 하지 방사통이 나타나는 높이까지 신전하여 양측을 비교.
- 의의 : 30도에서 60-75도 사이에서 나타나는 하지 방사통은 하부요추의 신경근 병증을 의심할 수 있고, 대퇴 후면에 국한된 뻐근한 통증이 나타나는 경우에는 슬괵근 긴장과의 감별이 필요함.

② 건측 하지 직거상 검사(Well leg SLR test)

- 방법 : 건측 하지에서 하지 직거상 검사를 실시해서 환측 하지의 방사통 유무를 확인.
- 의의 : 양성인 경우 큰 중심성 추간판 탈출증을 의심.

③ Bragard test

- 방법 : 하지 직거상 검사와 동일하게 다리를 곧게 편 채로 통증이 나타날 때까지 들어올린 상태에서 5도 정도 낮춘 다음에 발목을 배굴시킴.
- 의의 : 5도 정도 낮추어 슬괵근의 긴장을 배제하며, 발목을 배굴시켜 하부 요추의 신경근을 끌어당기는 검사로, 좌골신경통이 재현되면 하부 요추의 신경근 병증을 감별할 수 있음.

④ Flip test

- 방법 : 환자를 침상 위에 걸터 앉게 한 후 슬관절을 신전.
- 의의 : 상체가 뒤로 젖혀지면서 허리의 통증이나 하지의 방사통을 호소하면, 하부 요추의 추간판 탈출증을 의심.

⑤ 대퇴신경 신장 검사(Femoral stretch test)

- 방법 : 환자를 복와위로 자세를 취하게 한 뒤, 무릎을 굴곡시킨 상태로 고관절을 신전시킴(그림 2-26).
- 의의 : 대퇴부 방사통이 나타나면 상위 요추(L2, L3, L4)의 추간판 탈출증을 의심.

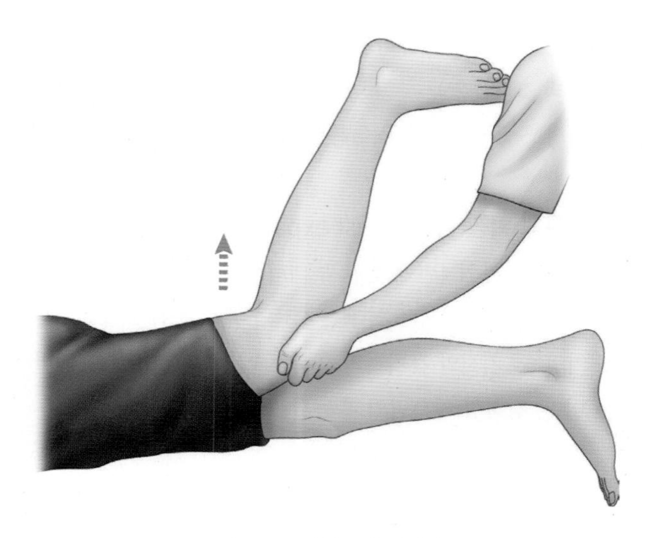

그림 2-26. 대퇴신경 신장검사

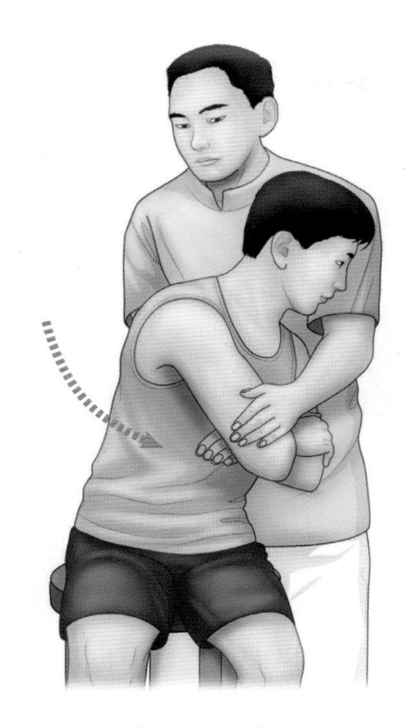

그림 2-27. Kemp's test

⑥ Kemp's test
- 방법 : 의자에 앉거나 선 자세로 뒤틀어 허리를 굽히게 함 (그림 2-27).
- 의의 : 허리를 환측으로 굽혔을 때 신경근 병증을 동반한 통증이 나타나면 추간판 외측의 손상이고, 건측으로 굽혔을 때 통증이 나타나면 추간판 내측의 손상을 의심.

(2) 공간 점유성 병변의 검사

① Milgram's test
- 방법 : 앙와위로 눕히고 무릎을 편 채 다리를 진찰대에서 5-7 cm 들어올려 그 상태를 유지하도록 함.
- 의의 : 정상의 경우 30초 정도는 버틸 수 있음. 통증이 나타나면 공간 점유성 병변을 의심하며, 보통 추간판 탈출증의 경우 양성을 나타냄.

② Valsalva test
(p.55 참조)

③ Dejerene's triad
- 방법 : 바로 눕히고 3가지 동작을 하게 함. Valsalva 검사 때처럼 힘을 주게 하고 재채기, 기침 등을 하게 함.
- 의의 : 허리에 국소 통증이 있으면 점거성 병변(추간판돌출, 종양, 골극 등) 때문에 척수 내압이 상승되어 있음을 말해 줌.

(3) 수막 자극 증상의 검사

① Brudzinski's test
- 방법 : 바로 눕히고 환자의 머리를 들어올리듯 하고 흉골을 누르면서 경추를 굴곡시킴.
- 의의 : 검사 중에 환자가 무릎을 굽히면 양성 소견으로 뇌척수막 자극 증상으로 생각할 수 있음.

(4) 비기질적 병변검사

① Hoover test
- 방법 : 검사자의 양손으로 환자의 양쪽 발뒤꿈치를 받치고, 환자에게 한 쪽씩 발을 들어올리게 함.
- 의의 : 기질적 요통이 있는 환자에서는 발을 들어 올릴 때 보상적으로 반대쪽 발을 내리려는 경향이 있는데, 비기질적 요통에서는 이런 보상적 움직임이 관찰되지 않음.

② Seated Laseque test
- 방법 : 앉은 자세에서 한 쪽씩 앞으로 종아리를 들어 올리게 함.
- 의의 : 신경근 병증이 있는 환자는 아픈 쪽 다리를 들어 올릴 때는 몸통이 뒤로 쏠림. 몸통이 그대로 있으면서 다리를 들어 올릴 때는 꾀병으로 생각됨.

(5) 운동범위 검사(Tests for ROM)

① Schöber test
- 방법 : 후상장골극위의 움푹 들어간 곳을 이은 선과 척추가 수직으로 만나는 부분에 줄자의 10 cm부위를 대고, 0 cm 부위를 손으로 잡아 고정. 환자를 전방으로 굴곡시킨 후 움푹들어간 부분을 이은 선에서 수치를 확인.
- 의의 : 체간 굴곡 시 고관절의 움직임을 배제한 채 요추만

의 순수한 굴곡의 정도를 판단하는 검사로 50% 증가(15 cm)된 수치이하일 경우 요추 굴곡의 감소 또는 강직성 척추염을 의심.

(6) 반사(Reflexes)

① 표재성 거고근 반사(Superficial cremasteric reflex)

• 방법 : 대퇴 상부의 내측 면을 긁었을 때 나타나는 거고근의 수축으로 동측 고환이 수축하면서 위로 올라감.
• 의의 : L1과 L2신경의 손상 시에 이 반사는 나타나지 않음.

② 표재성 항문 반사(Superficial anal reflex)

• 방법 : 항문 주변부의 피부를 쓰다듬거나 긁었을 때 생기는 괄약근의 수축.
• 의의 : S1, S2, S3 신경근을 통해서 이 반사는 중개되므로, 위 신경이 손상 시에는 나타나지 않음.

③ 심부건 반사(Deep tendon reflex)

대퇴 내전근은 L3, L4에 의해서, 사두근은 L2,L3,L4에 의해서, 슬건근은 L4, L5, S1, S3에 의해서, 아킬레스건은 S1,S2에 의해서 지배를 받음. 상부 운동신경 질환에서는 항진되고, 하부 운동신경원 질환에서 저하.

4) 천장관절

• 천장관절 검사는 후상장골극의 1 cm 안쪽에서 복와위와 바로 선 자세에서 시진 및 촉지를 하며, 또한 환자를 앞으로 굴곡시키거나 고관절을 최대한 굴곡시키면서 천장관절을 촉진.
• 천장관절의 운동은 환자의 후방에서 고관절을 최대한 굴곡시키면서 후상장골극의 움직임을 관찰하는데, 이 움직임이 감소하거나 없다면, 강직성 척추염과 같은 염증성 천장관절염, 퇴행성 관절질환이나 다른 대사성 질환의 가능성을 의미.

(1) Goldthwaith's test

• 방법 : 바로 눕히고 한 손을 허리 밑에 댄 다음, 손가락을

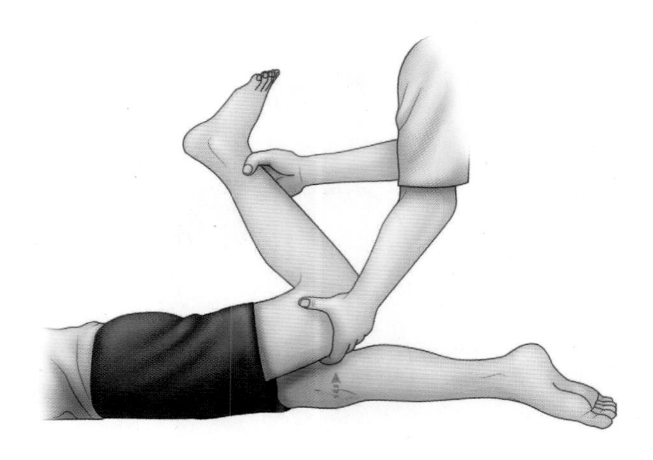

그림 2-28. Yeoman's test

따로따로 극돌기 사이에 끼워 넣고. 다른 손으로 SLR 검사를 실시. 이 때 끼워 넣은 손가락으로 통증이 시작하는 것이 극돌기가 열리기 시작하기 전인지 후인지를 느껴 보도록 함.
• 의의 : 극돌기가 벌어지기 전에 통증을 느끼면 이는 천장관절 손상을 의미하고, 열린 다음 통증을 느끼는 것은 요추 손상. 방사통은 신경근 병증이 있는 것.
• SLR 검사와 손상 부위와의 관계 : 0-30도는 천장관절 부위, 30-60도는 요천골 부위, 60-90도 는 L1-L4추간판 손상을 의미.

(2) Nachlas test

• 방법 : 환자를 엎드리게 하고 환자의 발꿈치를 같은 쪽 둔부에 닿게 함.
• 의의 : 둔부의 통증은 천장관절의 손상을, 요추부위의 통증은 요추추간 손상을 의미. 대퇴 앞쪽의 통증은 대퇴사두근의 긴장 때문에 생김.

(3) Yeoman's test

• 방법 : 엎드린 자세에서 무릎을 굽힌 채 대퇴를 들어 올림(그림 2-28).
• 의의 : 천장관절부의 깊은 곳으로부터 통증이 있으면 전방 천장인대의 염좌를 의미.

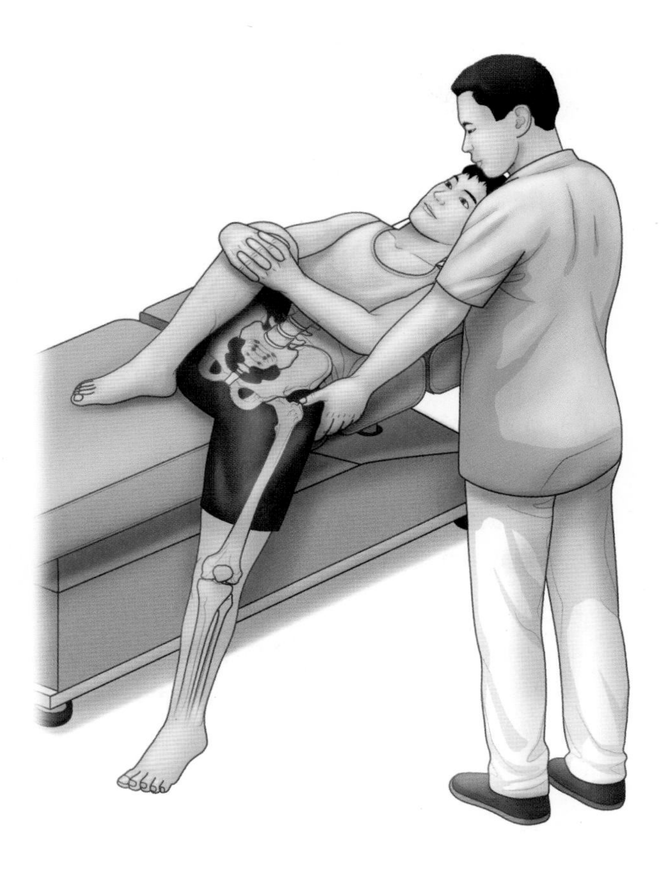

그림 2-29. Gaenslen's test

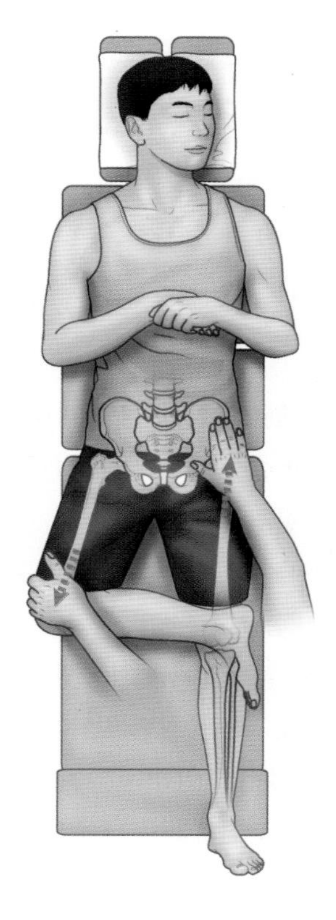

그림 2-30. Patrick test

(4) Gaenslen's test

• 방법 : 환측 다리가 진찰대의 가장자리로 오도록 눕힌 후 환자에게 건측 무릎이 가슴에 닿도록 당기게 한 후 아픈 쪽 대퇴를 진찰대에 눌러줌(그림 2-29).
• 의의 : 천장관절이 아프면 관절과 주위에 장애가 있는 것.

(5) Patrick test

• 방법 : 환자의 건측 무릎 위에 환측 발이 오게 하기 위해, 환측 무릎을 굴곡시킨 후 고관절을 굴곡, 외전, 외회전시킴. 이때 환측의 무릎을 눌러 대퇴골을 골반에 고정하면서(다리의 모양은 4자가 된다) 고관절의 통증 여부를 확인하고, 이어서 건측의 전상장골극(ASIS)을 동시에 눌러주면서 천장관절의 통증 여부를 관찰(그림 2-30).
• 의의 : 고관절이 아프면 고관절의 퇴행성 관절염, 대퇴골두 무혈성 괴사 등을 의심하며, 천장관절이 아프면 천장관절의 질환을 의심.

(6) 다리 길이 측정(The measurement of leg length)

① 실제의 다리 길이
• 전상장골극(ASIS)에서 내과까지를 줄자로 따로따로 계측.
• 실제의 다리 길이를 좌우 따로 계측하여 비교하면 해부학적 다리 길이 차이(structural leg length discrepancy)를 알 수 있음.

② 외형상의 다리 길이
• 바로 눕히고 배꼽에서 발목과 내과까지를 따로따로 계측.
• 좌우의 길이 차이는 근육조직이나 인대의 구축에 의한 변형 때문에 기능적인 다리기능부전(functional leg length discrepancy)을 초래.

제5절
척추 질환의 각론

1. 척추 염좌

1) 개요

- 일반적으로 經筋에 이상현상을 나타내는 질환은 외력의 작용에 의한 손상 정도에 따라 挫傷(strain)과 捻傷(sprain)으로 분류함.
- 挫傷은 筋脈이 손상을 받음으로써 閉合性損傷을 나타내는 것을 의미함.
- 捻傷은 어떤 관절에 생리적 가동범위를 넘어서 관절낭, 건, 인대 등이 당기는 증상이 있거나 피하심부에 조직손상을 나타내는 것을 의미함.
- 내적인 요인이나 관절의 錯位 등에 의하여 경결점을 나타내는 筋結, 증상에 의한 筋痺 등으로 분류하기도 하였으며, 시간의 경과에 따라서는 급성과 만성으로 분류하기도 하였다

2) 경추 염좌

- 頸項部는 목의 전부를 頸, 후부를 項, 측부를 頂이라 함.
- 대부분이 각종 외력이 頸部에 과도하게 작용하여 頸部의 연조직에 손상을 나타내는 것임.
- 근육자체의 통증과 근막, 골막의 접합부 손상에 의한 통증이 있음.
- 증상의 발현양상은 항강, 견배부 통증, 痲木感, 痺症, 안정시 동통이나 활동시 통증 등으로 나타남.
- 목에서 상지, 상지에서 목으로 등과 같이 상향성, 하향성으로 나타나며 분포범위가 넓고 수지 말단, 흉배부, 흉부로까지 방산되기도 함.
- 이러한 증상들을 나타내는 질환에는 斜頸, 경척수 종양, 경척수염증, 골절, 결핵, 견관절주위염, 경척추증, 경추변위증, 경늑골증, 경추간판 탈출증, 늑쇄 증후군, 사각근 증후군, 흉쇄유돌근 증후군 등과 감별 진단을 필요로 함.
- 《醫宗金鑑·正骨心法要旨》에는 從高墜下, 打傷, 墜傷, 撲傷으로 분류하여 面仰頭不能垂, 筋長骨錯, 筋聚, 筋强, 骨髓頭抵의 증상과 원인에 대한 기록이 있으며 청장년층에 다발하는 落枕도 이 범주로 분류함

(1) 원인

과도한 외력, 계속되는 자세불량, 내인성(스트레스 및 정신적 요인, 피로), 외감성 등에 인함.

- 외감성은 風濕과 寒濕으로 분류함.
- 風濕外感은 머리를 환측으로 돌리면 목이 아프고 움직임이 편치 않고 움직이면 통증이 심해지며, 脉弦緊, 좌우회전, 전후측굴이 힘듦.
- 寒濕外感은 項强, 轉側不利, 身痛, 無汗, 苔薄白, 惡寒, 發熱, 頭痛, 追風, 畏寒, 脈浮緊하면서 항부가 빠지는 듯함.

(2) 분류

① 頸部 挫傷

- 瘀血積滯, 筋膜撕裂로 腫瘡과 瘀班이 뚜렷하지 않고 頸部筋肉의 一側偏痛, 活動不利, 痙攣이나 硬結, 脈洪大, 苔撕口苦, 大便秘結을 볼 수 있음.
- 청장년층에 項强을 호소하는 낙침과 교통사고 후 회초리 손상도 여기에 속함.
- 初期에는 發熱畏寒, 頭痛, 眩暈 등이 함께 나타나기도 함.

② 頸椎 錯縫

여러 가지 원인에 의한 극돌기의 偏歪로 극돌기 양측 또는 편측과 관련된 근육층을 자극하면 뚜렷한 압통점이 있음.

3) 요추 염좌

- 주로 근육, 인대, 건조직의 과신전 또는 파열이나 추간관절의 활액조직의 과자극성 염증 등에 의하여 통증을 나타내는 것으로 급성과 만성으로 나눔.
- 천장관절, 요천관절, 천극인대에 다발함.

• 연부조직 손상 중에서도 근육, 전종인대, 추간관절, 다른 인대들에 의한 요통은 척추강 외의 병변이고, 후종 인대 신장(추간판의 팽윤이나 골극 형성으로 발생), 경막초, 신경근 등에 의한 요통은 척추강 내의 병변임.

(1) 원인과 증상

① 급성

• 요추 관절 운동과 관련이 있는 筋의 직접적인 外傷이나 정상범위를 초과하는 굴곡 신전 운동, 좋지 않은 자세에 기인함.
• 부종, 심한 고정된 동통, 근육경련, 둔부, 서혜부, 대퇴부의 후방이나 외측에 관련통이 있음.
• 굴곡 신전 운동의 제한을 받으며 재채기나 심호흡으로 통증이 증가함.
• 슬관절 이하로의 방산통이나 하지근육의 약화나 감각둔화 등의 신경증상은 거의 나타나지 않음.

② 만성

• 좋지 않은 자세의 장시간 유지로 생리적 만곡을 유지할 수 없는 경우, 과도한 체중, 척추의 선천적 이상으로 주위 조직의 변화가 있을 때 발생함.
• 통증은 급성기보다 심하지 않고 불규칙적으로 자주 재발되고, 오래 지속되는 경우가 있음.
• 때로는 통증은 요추부의 피로감이나 자세의 변화에 따라 악화됨.

(2) 진단

① 척추 측만이 근육 경련에 의해 나타날 수 있음. 환자는 동통을 피하기 위한 보상작용으로 동통의 역방향으로 자세를 잡음.

② 급성기에는 굴곡, 신전, 회전, 측굴 등의 운동이 심하게 제한됨. 다열근, 반극근, 회전근으로 구성된 횡돌극근의 무리에 의하여 교차되면서 당겨서 척추의 측면 안정성을 유지하므로 이 근육들의 이상도 함께 검사하여야 함.

③ 요추부의 연부조직, 근육 및 슬괵근의 경련으로 하지거상검사에 제한을 받을 수 있으므로, 좌골신경의 자극에 기인한 것과 감별을 요함.

2. 추간판 탈출증

• 정상적인 추간판 섬유륜의 콜라겐 섬유들은 연속되어 있고, 수핵을 내포하고 있음.
• 만일 섬유륜이 파열되면 수핵의 변위가 일어날 수 있으며, 이 상황을 추간판 탈출증(herniated intervertebral disc, HlVD) 또는 수핵 탈출증(herniated nucleus pulposus, HNP)이라고 함(그림 2-32).

1) 정도에 따른 분류

추간판 탈출증은 그 정도에 따라 팽륜(bulging), 돌출(protrusion), 탈출(extrusion), 부골화(sequestration)로 나누어짐.

(1) 팽륜 추간판

섬유륜이 퇴행성 변화 때문에 추간판의 정상범위 바깥쪽으로 3 mm 이상 밀려나는 것을 말하며, 섬유륜의 파열은 없음.

(2) 돌출 추간판

수핵이 제자리를 벗어나 파열된 내측 섬유륜 사이를 뚫고 외부로 탈출하려 하나, 외측 섬유륜은 파열되지 않아 수핵이 외부로 빠져나오지 않는 상태임.

(3) 탈출 추간판

섬유륜의 파열이 내측에서 외측에 이르기까지 전층에 걸쳐 일어난 것으로 수핵의 일부가 파열된 부위를 따라 빠져나온 상태이나 빠져나온 수핵이 아직 모체와 연결되어 있는 경우임.

(4) 부골화 추간판

• 탈출된 수핵이 모체와 완전히 단절된 상태임.
• 부골화된 추간판 조각이 척추관 내에서 상하 또는 외측으

로 이동하여 다른 신경근을 압박할 수도 있어서 일반적인 추간판 탈출증과는 다른 유형의 증상을 나타낼 수 있음.

2) 부위에 따른 분류

(1) 경추 추간판 탈출증

- 경추 추간판 탈출증은 경항부, 경견부, 견배부, 상지에 통증 및 신경학적 증상을 나타내는 질환.
- 경추부 신경근이 변위된 추간판에 의하여 압박 또는 자극됨으로써 생김.
- 흔히 경추 추간판의 퇴행성 변화가 있어서 추간의 간격이 좁아지고 추체 후연에 골극이 증식하는 해부병리적 변화를 동반하거나, 외상으로 인한 급성 연부조직 손상을 동반할 수 있음.
- 경추는 운동성이 크므로, 추간판은 심각한 압력을 받으며, 탈출된 추간판이 척수나 신경근을 압박할 수 있음.
- 대부분의 경추 추간판 탈출증은 심각한 퇴행성 변화 이후에 일어나기 때문에 많은 환자들이 오래된 목의 통증에 대한 과거력을 갖고 있는 경우가 많으며, 교통사고 등 편타성 손상(whiplash injury)으로 인해 급성 손상으로 발생할 수도 있음
- 주원인은 外傷, 勞損(肝腎虛症), 復感風寒濕의 후유증, 선천적 기형, 스트레스로 인하여 척추간의 간격이 좁아짐으로써 脈絡不通, 氣血運行不暢으로 발생함.
- 외상의 경우는 증상이 즉시 나타나지만, 대부분 중년 이후에 발생하며 남자에게 다발함.
- 상지의 해당 척추분절에 이상감각, 감각저하를 유발하기도 하며, 근력의 약화가 발생할 수 있음.
- 이러한 증상은 국소에 압력을 줄 수 있는 조건으로 악화되기도 함(표 2-1).

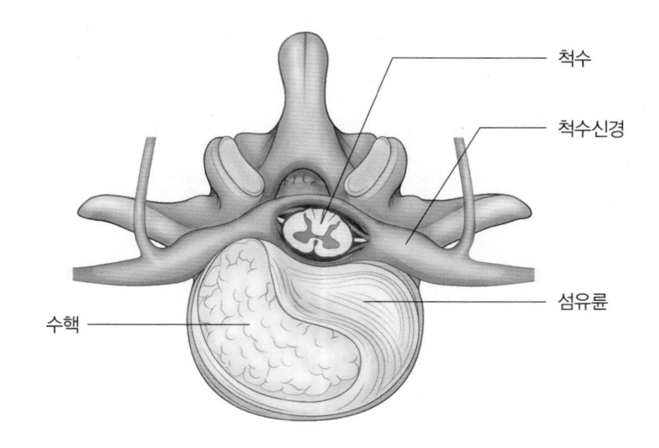

그림 2-31. 추간판 탈출증의 모식도

- 탈출된 추간판이 척수를 압박하는 경우 보행실조, 하지의 근력약화 등의 척수병증(myelopathy)이 나타나기도 함

(2) 흉추 추간판 탈출증

- 흉추는 움직임이 적어서 섬유륜이 손상될 확률이 적기 때문에 경추나 요추에 비해 추간판 탈출증이 드물게 발생함.
- 흉추 추간판 탈출증이 가장 흔한 부위는 T9-T12로 다른 흉추보다 좀 더 가동성이 있기 때문임.
- 환자는 쑤시는 듯한 등의 통증을 호소하며, 흉추부 신경근이 자극받는 경우 가슴주변에 피부분절을 따라 길게 민감대(band of tenderness)가 나타날 수 있음.
- 흉추부근에서는 척추관이 좁기 때문에 척수를 압박하는 경우 하지의 근력약화, 운동실조, 대장이나 방광의 기능이상 등의 척수병증이 나타날 수도 있음.

표 2-1. 경추 신경근 압박의 이학적 소견

추간	신경근	심부건반사저하	근력약화	감각이상
C4 - C5	C5	상완이두근 건반사	삼각근, 상완이두근	상완 외측
C5 - C6	C6	완요골근 건반사	수근관절 신근, 상완이두근	전완 외측
C6 - C7	C7	상완삼두근 건반사	수근관절 굴근, 수지신근, 상완삼두근	가운데 손가락
C7 - T1	C8		수지굴근, 손의 내재근	전완 내측
T1 - T2	T1		손의 내재근	상완 내측

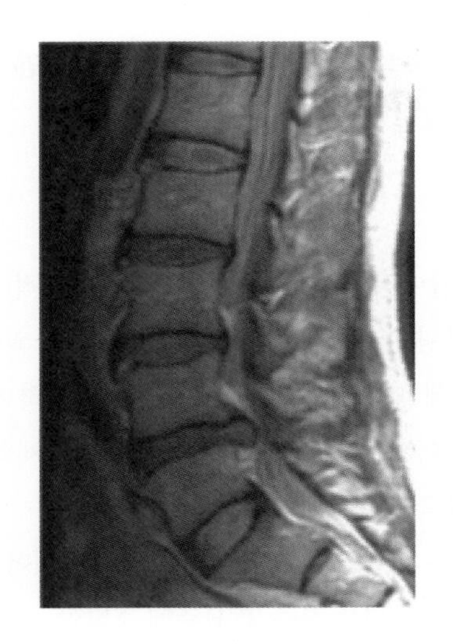

그림 2-32. 요추 추간판 탈출증의 MRI

(3) 요추 추간판 탈출증

- 수핵의 일부 또는 전부가 탈출을 일으켜 경막이나 신경근을 압박하여 신경증상을 유발하는 질환.
- 주로 하위 요추부의 추간판의 퇴행성 변화나 외력에 의해서 섬유륜의 중앙, 내측 또는 외측섬유의 파열로 인해 발생함.
- 일반적으로 20-40대에 호발하며 남자에게 많고 노인들은 연령증가에 따라 추간판에서 탈수가 되어 잘 일어나지 않음.
- L5 신경근 - S1 신경근 - L4 신경근의 순서로 다발하며, 대개는 후외측 탈출이고 간혹 전방 탈출이나 중앙 탈출도 발생함.
- 중앙 탈출은 좌골신경통뿐만 아니라 마미를 압박하여 비가역적인 장과 방광 기능의 손상을 가져오기도 함.
- 인체는 20대 후반부터 수핵의 수분 함유량은 많지만 섬유륜의 후섬유는 단열이 되어 수핵의 수분 함량이 점차 감소하고 수핵은 농후화되고 섬유륜은 노화, 연골 종판의 파열로 안정성이 상실되어 작은 외상에도 손상되기 쉬우며 퇴행성의 진행에 따라 추간판 협소, 후관절 만성 염증, 신경자극으로 진행됨(그림 2-33).
- 초기 증상은 통증이 요천추부를 중심으로 생기지만, 미만성인 경우가 많고 심할 때는 자세를 변경시키기도 힘듦.
- 이환 부위를 압박하거나 두들기면 국소 동통이 나타나고 이환된 하지로 방사통이 나타나며, 신경근의 자극을 줄이기 위해 무의식적으로 일으키는 기능적 척추 측만이 나타날 수 있음.
- 천장관절부, 서혜부, 둔부, 대퇴부에 나타나는 통증으로 국한되는 경우도 있으나, 전형적인 경우는 신경근이 자극을 받게 되어 척추 분절성으로 무릎 밑에서 발가락까지 방사통이 있을 수 있으며 이는 전방 굴곡으로 심해짐.
- 손상된 신경근의 분포를 따라 근력, 감각과 반사는 저하되며 근육의 압통도 상응하는 근육군에서 나타나며, 그 부위별 소견은 다음과 같음(표 2-2).
- 요추부 추간판 탈출증에서 수술 치료의 대상은 신경학적 결손이 진행되는 경우, 수차례에 걸쳐 참을 수 없는 통증이 재발되는 경우, 3개월 정도의 보존적 치료로 호전이 없는 경우, 마미 증후군이나 족하수(foot drop)가 발생되는 경우임.

3. 추간판 내장증

- 만성요통을 가진 환자의 30-50%는 추간판 내장증(internal disc disruption)을 가지고 있음.
- 섬유륜의 바깥쪽 1/3에 방사상 균열의 정도와 통증은 상관관계가 있으며, 이때 기계적이면서 화학적 인자들이 통증을 유발함.

표 2-2. 요추 신경근 압박의 이학적 소견

추간	신경근	심부건반사 저하	근력약화	감각이상
L3 - L4	L4	슬개건 반사	전경골근	하퇴 내측과 발의 내측
L4 - L5	L5	없음	장모지신근	하퇴 외측과 발등
L5 - S1	S1	아킬레스건 반사	장, 단비골근	발의 외측

- 증상은 미만성의 둔한 요통이나 심부의 타는 듯하고 찌르는 듯한 요통을 가지며 때로는 허리가 약하고 불안정하다고 호소함.
- 객관적인 증거를 찾기가 어려워 기능적 이상이나 꾀병으로 간주되기도 하지만, 일반적으로 둔부나 하지로 방사하는 통증을 가지고 있어, 환자가 호소하는 증상이나 징후만을 가지고 추간판 내장증과 다른 질환을 감별하는 것은 결코 쉬운 일이 아님. 따라서 환자의 병력이나 이학적 검사에만 의존해서 임상적인 진단을 내린다는 것은 대단히 어려운 일임.
- 국제통증연구회(IASP)에서는 진단시 추간판을 자극하여 환자의 통증을 유발하는 것이 필수적이라 했으며, 추간판 조영술(discography)은 침습적인 시술로 추간판 자극에 대한 환자의 반응을 살피는 것이 중요함.
- 단순 방사선 사진, CT 및 MRI의 이상이 없다는 결과는 추간판 내장증을 배제할 수 없으며, 추간판 조영술은 4개월 이상 하지의 통증 유무와 무관하게 지속되는 척추의 통증을 호소하는 환자에게 적용됨.
- 임상적으로 추간판 조영술에서 통증의 재현은 해당 추간판의 비정상을 의미함. 이 방법으로 인해 0.1-0.2%의 부작용이 나타나는데, 그 증상은 추간판염, 지주막하 천자, 신경자극, 화학적 수막염, 통증악화 및 조영제에 대한 알레르기 반응 등이 있음.

4. 척추증

- 척추증(spondylosis)은 추간판의 퇴행성 변화에 따른 척추 불안정성에 의해 관절 주위에 형성되는 골극 및 주변 인대의 변성에 의해 발현되는 임상 증후군을 뜻함.
- 일반적으로 방사선학적 변화가 이러한 퇴행성 과정과 연관되어 나타날 때 척추의 퇴행성 질환이 있다고 말하지만 생화학적, 조직학적 변화는 방사선학적 지표가 나타나기 전에 일어남.
- 척추에서 추간판과 척추 후관절이 퇴행성 과정이 가장 심한 두 부분으로, 이러한 변화들이 골관절염과 유사하기 때문에 퇴행성 상태는 척추의 골관절염 혹은 척추증이라고 표현함.

1) 원인

- 일상생활에서의 끊임없이 반복되는 기계적 자극과 수면 중의 불량한 자세 등에 의한 비정상적인 외력은 연령이 증가함에 따라 더욱 퇴행성 변화를 초래하여 추간판 간격은 좁아지고 척추는 불안정해지며, 추체와 후방 관절에는 골극을 형성하게 됨.
- 척추증은 관절의 운동범위와도 관련이 있어 흉추보다는 운동범위가 넓은 경추 및 요추에 호발함.
- 이 외에 직업, 운동, 외상, 선천적 요인 등도 척추증의 발생과 관계가 있으며 융합된 척추가 있는 경우 운동의 제한성과 보상성 과운동성으로 그 주변 부위에서 척추증이 많이 발생함.

2) 증상

- 척추증은 운동성이 많은 경추와 요추에서 호발하나, 해부학적 구조의 차이로 인하여 경추부에 생기는 척추증은 요추부와 많은 차이가 있음.
- 요추 척추증은 척수를 압박할 수 없으며, 주로 국소적 요통 및 신경근 압박 증상이 나타남.
- 경추의 경우 요추에도 공통으로 존재하는 후관절 외에 구추 관절(uncovertebral joint, joint of Luschka)과 추골 동맥이 통과하는 횡돌기공이 있어 척추증으로 인한 증상이 신경근병증 외에도 척수병증, 추골 동맥 허혈증 및 자율신경 장애 등의 다양한 형태로 나타나게 됨.
- 경추의 척추증성 척수병증(cervical spondylotic myelopathy)은 초기에는 경항부의 경직과 상지로 자통이 출현함.
- 압박의 정도가 심해지면 저리고 무딘 손, 글씨 쓰기가 힘들어지고, 비특이적 미만성 위약감, 비정상적인 감각 및 강직감이 나타나지만, 대소변 장애가 나타나는 경우는 드묾.
- 척추증으로 인한 통증은 극렬하지는 않으며 활동시 악화되고, 안정시 감소되며, 악화와 완화가 장기간 반복됨.

- 동일한 자세를 계속 유지하면 통증이 강해지고, 강직, 피로감 등을 호소함. 그리고 척추증으로 신경근병증이 동반된 경우 상하지에 척추 분절성 증상이 나타날 수 있음.

3) 감별진단

- 척추증은 추간판의 퇴행성 변화와 연관된 이차성 비특이적 골 변형이며 방사선 소견으로 진단이 내려지지만, 임상 증상은 방사선 소견과 반드시 일치하지는 않음.
- 척추증과 추간판 탈출증은 모두 추간판의 변화를 동반하지만, 그 기전상 차이점을 살펴보면 척추증은 추간판의 변성에 의해 초기에는 역학적 불안정성에 의한 증상만을 나타내다가 후기에서는 골증식 현상이 발생하면서 척수 신경근 및 척수를 압박하는 만성 임상 증상을 나타내는 질환이며, 추간판 탈출증은 수핵 및 섬유륜의 탈출로 인해 신경근 및 경막 압박에 의한 신경 증상이 나타나는 질환임.

4) 진단

- 이학적 검사상 경추 및 요추의 운동범위가 제한될 수도 있으며, 건반사는 가끔 저하되기도 함.
- 관련 신경근이나 척수가 손상을 받으면 감각의 장애나 위약 등이 나타날 수도 있음.
- 경추나 요추의 단순 방사선 검사, CT나 MRI의 시행이 필요함.

5. 척추관 협착증

- 척추 중앙의 척추관(spinal canal), 외측 함요부(lateral recess), 추간공(intervertebral foramen)이 다양한 원인에 의하여 관경이 좁아져서 마미 혹은 신경근에 허혈상태를 일으켜 신경근의 대사를 방해하고 신경근을 압박해서 요부나 상하지에 여러 가지 복합된 신경 증상을 일으키는 질환임.
- 척주의 어디에서나 발생할 수 있지만, 대부분 운동량이 많은 제 5-6 경추간, 제 3-4 요추간, 제 4-5 요추간, 제 5 요추-제 1 천추간에서 일어나며 제 4-5 요추간에서 가장 많이 발생함.

1) 원인

- 척추관 협착증의 발생원인으로는 추간판 후면의 비대, 척추의 퇴행성 골관절염, 척추후관절의 골극형성, 황색인대의 함입(infolding), 추간판 탈출증, 퇴행성 척추 전방전위증(degenerative spondylolisthesis), 후종인대 골화증, 파젯병(Paget's disease), 선천성 척추관협소, 연골발육부전, Klippel-Feil syndrome 등이 있음.
- 이로 인해 척추관, 외측 함요부 또는 추간공이 좁아지면서 경막낭(dural sac)과 신경근(nerve root)에 대한 직접적인 기계적 압박 및 혈류장애를 유발하여 사지의 통증과 기능약화를 보임.
- 신경의 기능장애도 영양공급의 장애 또는 혈관벽 변화의 결과로 나타날 수 있음.
- 협착증의 양상은 중심부의 경막낭만을 누르기도 하지만, 외측으로 발생해 신경근을 자극하는 원인이 될 수도 있음.

2) 증상

- 요추부 척추관협착증의 임상증상은 신경인성 간헐적 파행(neurogenic intermittent claudication), 요통, 하지 방사통, 하지 이상감각, 하지 근력약화의 순으로 빈도를 보이는데, 간헐적 파행이 가장 특징적인 증상임.
- 간헐적 파행은 걷거나 서 있을 때 하지에 조이는 듯한 통증과 근력약화를 느낀다. 허리를 굴곡시키거나 쪼그려 앉거나 누움으로써 사라짐. 이는 요추의 신전 시 척추관이 좁아져 증상이 발현되다가, 굴곡 시 척추관이 어느 정도 넓어져 혈류상태가 좋아지기 때문임.
- 언덕을 오를 때보다 언덕을 내려올 때 통증이 심하다는 호소를 하게 됨.
- 병의 진행을 의미하는 가장 중요한 척도는 점점 짧은 거리에서 나타나는 파행의 정도임.
- 신경학적 검사 상 아무 이상이 없을 수 있으며 하지 직거상 검사는 심한 요통, 방사통에도 불구하고 음성인 경우가 많으며 심부 건반사는 일반적으로 저하되어 있음.

- 보통 경추의 척추관 협착증은 증상을 잘 나타내지 않지만, 심한 경우에 척수병증의 증상이 나타날 수 있음.

3) 감별 진단

- 신경인성 파행(neurogenic claudication)은 하지를 조이는 듯한 통증으로 잠시 구부리고 앉으면 증상이 경감되어 혈관성 파행(vascular claudication)과 구분이 됨.
- 혈관성 파행은 보행하는 동안 하지에 통증이 생기는데 이는 하지로의 불충분한 혈류량 때문임.
- 신경인성 파행과 혈관성 파행을 감별하는 특징은 다음과 같으며(표 2-3), 요추 추간판 탈출증과 요추 척추관협착증을 구분하는 특징은 다음과 같음(표 2-4).

4) 진단

- 척추관 협착증은 환자의 병력, 신체 검진 등 임상 소견을 바탕으로 영상 검사 소견을 참고하여 진단 가능함.
- 일반적으로 CT나 MRI에 의하여 척추관의 단면적, 황색인대의 직경, 외측 함요부의 직경, 경막낭 및 신경근의 압박정도를 확인하는 경우가 대부분임.
- Steurer 등의 연구에 따르면 중심성 협착증(central stenosis)의 진단 기준으로는 척추 영상의 횡단면상 척추관 전후 직경이 10 mm 미만, 경막낭(dural sac)의 공간이 100 mm^2 미만으로 조사되었음. 외측 협착증(lateral stenosis)의 진단 기준으로는 외측 함요(lateral recess) 높이가 2 mm 이하 및/또는 외측 함요 깊이가 3 mm 이하 또는 외측 함요 각도가 <30° 인 경우로, 추간공 협착증(foraminal stenosis)은 추간공의 직경이 2-3 mm 경우에 협착증으로 진단할 수 있다고 보고하였음.

6. 척추분리증과 척추전방전위증

- 척추분리증(spondylolysis) : 척추궁 관절돌기간 협부(pars interarticularis, isthmus)에 편측 혹은 양측성 결손이 있는 것.

표 2-3. 신경인성 파행과 혈관성 파행의 감별

	신경인성 파행	혈관성 파행
통증 양상	다리가 모호하게 조이고 쑤시고 예리하게 타는 듯함	꽉 조이는 느낌, 근경련, 경련은 원위부에서 근위부 방향으로
동통이 발생하기까지의 보행 거리	다양함	일정한 거리
통증 위치	등, 엉덩이, 다리	다리
통증의 악화	똑바로 서거나 보행 시	걷거나 하지를 사용하는 모든 행위 시
통증의 완화	앉거나 허리를 굽히거나 쪼그리고 앉을 때	근육활동이 적어지는 서 있는 자세만으로 증상의 빠른 소실
경사길을 걸을 때	내리막길에서 통증	오르막길에서 통증
자전거를 탈 때	오래 동안 불편 없이 잘 탄다.	다리의 통증으로 잘 탈 수가 없다.
감각 상실	피부분절 분포에 따름	스타킹-글로브 분포

표 2-4. 요추 추간판 탈출증과 요추 척추관협착증 비교

	요추 추간판탈출증	요추 척추관협착증
요추부 굴곡	굴곡이 힘들다	굴곡하면 편하거나 통증이 없다. 심한 경우 앞으로 숙이고 구부린 채 걷는 것이 편하다.
하지 직거상 검사	30-70도 사이에서 요통과 하지 방사통, 견인통이 발생한다.	대부분 정상이다.
신경학적 증상	뚜렷한 신경증상이 있다.	뚜렷한 신경증상이 없고, 다리가 시리며 저리다. 둔부나 항문 부위로 요통이 전이된다.

• 척추전방전위증(spondylolisthesis) : 상위추체가 하위 추체에 대해 전방으로 전위된 것.

1) 원인 및 분류

척추전방전위증은 협부 결손 없이 척추 후관절의 퇴행성 변화에 의한 것과 협부 결손(pars defect)에 의한 것으로 크게 분류하며, 척추전방전위증의 원인에 따른 분류는 다음 표와 같음(표 2–5).

2) 증상 및 이학적 검사

• 전방으로 전위된 추체의 극돌기를 촉진하면 함몰된 부분을 확인할 수 있는데, 이를 계단 변형(step deformity)이라 함. 촉진하면 압통이 있을 수 있음.
• 슬괵근의 경직으로 인해 고관절의 굴곡이 제한됨. 경직이 심해진 경우에는 하지 직거상 검사에 제한이 발생함.
• 검사자는 좌골 신경의 견인에 의한 것인지, 슬괵근의 긴장에 의한 것인지를 감별해야 함. 경직된 슬괵근이 골반의 후방경사를 일으키고 고관절의 굴곡을 제한함으로써 골반을 좌우로 흔들면서 걷는 특이한 보행(pelvic waddle gait)이 유발됨.
• 비특이적으로 기립위에서는 요추의 전만이 증가되어 하복부가 전방으로 돌출된 모습으로 보이기도 함.
• 신경근의 압박으로 인해 분절성으로 감각이상, 근력약화, 심부 건반사의 저하가 동반됨. 전위가 심한 경우 척추관협착증을 동반하며, 마미 증후군(cauda equina syndrome)이 발생할 수도 있음.
• 퇴행형 척추전방전위증은 일반적으로 제 4-5 요추간에서 호발하며, 만성 요통을 호소하는 50대 이후의 연령대에서 많이 관찰됨.

3) 진단

• 척추전방전위증이 의심되면 단순 방사선 검사로 전후, 측면, 양측 사위 촬영을 시행함.
• Obl view상 특징적 소견
  - 협부신장형 : greyhound dog
  - 협부결손형 : scotty dog

Meyerding's scale은 측면 촬영 상에서 전위된 척추의 아래 척추 상위면을 4등분으로 나눈다. 평가는 4등분면에 대해 전위된 추체의 후연이 놓여 있는 위치에 따라 등급 I -V로 판정한다(그림 2–34, 2–35)

4) 치료

• 퇴행형 척추전방전위증의 경우 통증의 치료가 우선이며, 보존적 치료를 3-4개월의 시행하는 것이 필요하다. 전위가 심하여도 신경학적 증상과 통증이 없으면 경과를 관찰하며, 요추 전만을 방지하기 위한 복근의 강화운동이 필요함.
• 정형외과적 고정술이 필요한 경우는 불안정성으로 인해 보존적 치료에 반응하지 않거나, 미끄러짐(slippage)이 33% 이상이면서 점점 진행하고 신경학적 결손이 있는 경우임.

표 2–5. 척추전방전위증의 분류

유형			원인 및 병리
I	선천형, 이형성형		요천관절에서 흔히 발생하며 천추 상부의 결함이나 제 5 요추 후궁의 이형성
II	협부형(isthmic)	A. 분리성(lytic)	피로골절
		B. 협부의 연장(enlongated pars)	반복적인 협부의 피로골절과 유합
		C. 협부의 급성골절(acute pars fracture)	
III	퇴행형(degenerative)		장기간의 퇴행성 분절간 불안정성
IV	외상형(traumatic)		협부 이외의 급성골절
V	병적형(pathologic)		국소적 혹은 전신적 골질환
VI	의인성(iatrogenic)		수술후 척추의 후방구조물의 과도한 제거

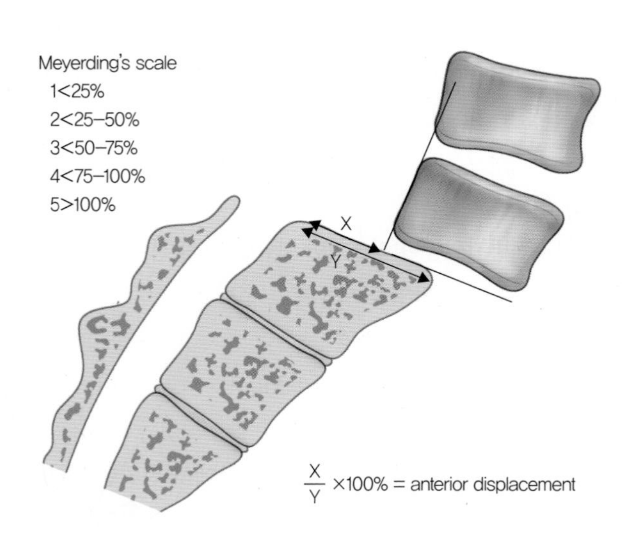

그림 2-33. 척추전방전위증의 Meyerding's scale

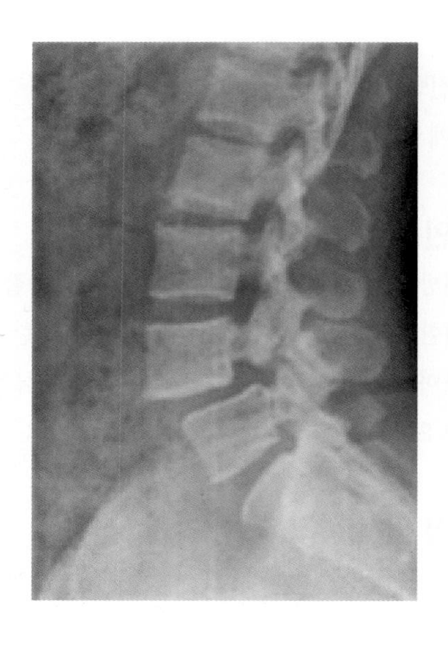

그림 2-34. 척추전방전위증의 단순 방사선 소견

7. 후관절 증후군

- 후관절 증후군(facet syndrome)은 척추 후관절과 관련된 통증을 의미하며, 후관절은 척추의 운동성을 조절하며 회전을 제한하고 중력의 수직부하에 대항하는 기능을 갖고 있음.
- 추간판의 높이가 정상적인 상황에서 기립 자세에서는 추체와 추간판에 수직부하의 약 90%가 걸리며, 약 10% 정도는 후관절에 걸리지만, 추간판에 퇴행성 변화가 일어나면 후관절도 비정상적인 운동에 노출되고 더 많은 수직부하가 걸리게 되어 후관절에 병리적 변화가 발생하여 통증을 유발함.
- 후관절은 실제적인 활막 관절(synovial joint)로 후방 일차분지(posterior primary ramus)의 내측 지(medial branch)에 의해 신경지배를 받으며, 오래 서 있는 자세가 지속될 때 혹은 추간판의 퇴행성 변화가 진행되어 후관절에 부담을 많이 줄 경우에는 후관절에 비정상적인 힘이 가해져서 변형을 일으키거나 염증성 반응이 발생함.
- 요추의 과신전, 회전 등에 의해 급성 손상으로 통증이 발생할 수 있음. 그러면 후관절을 지배하는 신경에 전달되어 만성적인 요통이 발생하며, 이 신경이 동시에 지배하는 요추부 근육의 경직을 일으키고, 연관통(referred pain)인 가성 방사통(pseudoradicular pain)을 둔부 및 대퇴 후방으로 발생시키게 됨.
- 후관절 증후군으로 인한 방사통은 무릎 이하로는 내려가지 않는다.
- 후관절을 자극하는 자세인 요추부 신전, 환측으로 측굴, 회전 등에 제한과 통증이 발생.
- 후관절 증후군의 특징은 후관절 주변 부위의 압통이 있는 것이 특징이며, 아침이나 고정된 자세를 취하고 난 후에 생기는 허리의 뻣뻣함, 대퇴부의 경련성 통증이 동반될 수도 있지만, 신경학적 결손이나 신경근 압박 증후는 없어야 함.

8. 척추의 근막 동통 증후군

- 근막동통 증후군(myofascial pain syndrome)은 골격근내의 경직된 띠(taut band)내의 경결점(tender spots) 및 방아쇠점(trigger points)이라고 불리는 극히 예민한 부위를 특징으로 하는 만성 통증 증후군으로 병발된 근육의 연관통 양상(referred pain pattern)을 나타냄(관절질환 근막동통 증후군 참고).

- 근막동통 증후군은 기능적으로 근육을 약화, 경직시켜 관련 척추의 운동범위를 감소시킨다. 따라서 임상적으로 근막동통 증후군을 진단하기 위해서는 먼저 환자의 자세, 근력, 보행, 근육의 긴장도, 운동범위를 먼저 관찰해야하며, 근육의 약화 및 제한된 운동범위는 침범된 근육의 근막통증 방아쇠점을 암시하기도 함.
- 예를 들면 사각근(scalene muscles)의 근막동통은 가장 흔히 나타나며, 주로 경추, 전흉부 및 견배부의 통증, 통증으로 인한 목의 운동장애 및 상지로 방사통을 유발하여 때로 경추 추간판 탈출증, 경추 협착증, 흉곽출구 증후군 및 손목터널증후군으로 오인되기도 하므로 주소증에 대한 정확한 진단이 필요함.
- 경부와 상배부의 근막통증을 유발하는 근육은 사각근(scalenus muscles), 승모근(trapezius muscle), 흉쇄유돌근(sternocleidomastoid muscle), 두판상근(splenius capitis muscle)과 경판상근(splenius cervicis muscle), 후경근(posterior cervical muscle), 후두하근(suboccipital muscle), 견갑거근(levator scapulae muscle) 및 능형근(rhomboideus muscle) 등이 있음.
- 요부에서 근막동통 방아쇠점은 주로 자세 유지를 위해서 사용되는 근육인 대둔근(gluteus maximus muscle), 중둔근(gluteus medius muscle), 흉최장근(longissimus thoracis muscle), 흉요장늑근(thoracis & lumborum iliocostalis muscle), 하복직근(lower rectus abdominis muscle), 다열근(multifidus muscle), 회전근(rotator muscle), 장요근(iliopsoas muscle), 이상근(piriformis muscle), 요방형근(quadratus lumborum muscle), 항문거근 및 내폐쇄근(levator ani & obturator internus muscle) 등이 해당됨.

9. 천장관절 염좌

- 천장관절은 관절면은 매끄럽지 않으며, 천골측의 연골은 초자연골(hyaline cartilage)이나 장골측 상방 관절면은 섬유연골(fibrous cartilage)이고 상부의 후방은 강한 인대로 고정되어 있는 진성 활막 관절로 안정성은 매우 높으나 운동성은 시상면과 횡단면에서의 최대 관절가동영역이 2-3도 정도인 움직임이 적은 관절임.
- 천장관절 염좌(sacroiliac sprain)는 높은 곳에서 낙상, 강한 충격 및 교통사고 등의 직접적 혹은 간접적인 외상 등으로 관절에 무거운 하중이 가해지면 발생함.
- 통증은 편측으로 요부의 불편감이 있으면서 고관절, 둔부 및 대퇴부 후면 상부에서 나타남. 때로 상부 대퇴부의 밑으로 방산되는 특정 피부분절 양상과는 관련이 없으며 다소 미만성(diffuse)의 통증이 나타나며, 말초로 내려갈수록 통증의 세기는 약함.
- 천장관절 부위 통증 및 치골결합 부위의 불편감은 일반적이며, 장골하복신경(iliohypogastric)이나 장골서혜신경(ilioinguinal) 신경염(neuritis) 및 복강내 질환으로 오인될 수 있음.
- 침상 안정보다 걷기, 서있기, 앉기가 훨씬 불편하며, 병측 다리를 건측 다리위로 꼬고 앉을 때와 병측을 밑으로 측와위를 취할 때 통증이 유발됨.
- 천장관절 염좌와 고관절 질환에 모두 통증을 유발하므로, 몇 개의 이학적 검사를 통해 관련 질환을 배제시키는 것이 중요함.
- 위로 하여 옆으로 눕히고, 위에서 장골능에 압력을 주어 누르면 천장관절의 통증이 유발되며, 또한 치골결합에 압력을 가하면 치골결합과 천장관절에 모두 국소적인 통증이 나타남.
- 단순 방사선 사진으로 천장관절의 염증을 유발하는 강직성 척추염 초기와 감별하기는 쉽지 않지만, 타 질환을 배제하기 위해서는 꼭 필요하다. 급성인 경우에는 침상안정이 요구되며 증상이 완화되면 점차 운동을 증가시키는 것이 좋음.

10. 치골염

- 원인은 명확하지 않으나, 보통 달리기 및 뛰뛰기 등의 반복적인 동작으로 유발되는 치골염(osteitis pubis)은 치골결합의 통증과 염증을 나타내며, 또한 분만 후 소변 검

사(urologic procedures)나 감염으로 인해서도 나타날 수 있음.

- 발병은 외상 후 수일부터 점진적으로 시작되고, 통증은 전형적으로 서혜부 전방과 내측에 통증이 있으며, 치골결합(pubic symphysis), 내전근(adductor musculature), 복부근육, 회음부(perineal region)와 음낭(scrotum)에 영향을 미칠 수 있음.
- 일측성 혹은 양측으로 발생할 수 있으며, 달리기, 발차기, 고관절 내전 또는 굴곡 그리고 복근에 편심성 하중(eccentric load)이 주어질 때 악화됨.
- 이학적 검사는 치골결합과 주위 조직에서의 압통을 발견할 수 있음. 임상평가를 위하여 내전근의 등척성 수축을 이용한 치골결합 간격 검사, 측방 압박 검사 등의 다양한 Test가 제시되지만, 표준화된 검사는 없음.
- 초기 혹은 경증에서 치골결합의 방사선 검사는 정상일 수 있지만, 진행되면 뼈조직의 경화와 침식, 결합이 벌어져 있거나 좁아져 있음이 관찰되며, 만성화가 되면 더욱 두드러짐.
- 치골염은 자발적으로 증상이 호전되고 보존적 치료가 유의한 효과를 나타내지만, 장기간 지속될 수 있음.

11. 이상근 증후근

- 이상근 증후군(piriformis syndrome)은 대퇴골의 대전자(greater trochanter) 뒤쪽, 대퇴부 후면 및 하지에서 통증과 저림(numbness)을 특징으로 하는 질환으로 둔부의 좌골신경이 주행하는 부위에서 이상근에 의해 자극 혹은 압박을 받아서 발생함.
- 좌골신경통의 5-6% 정도는 이상근 증후군이 원인으로 추정되며, 발병 연령은 평균 38세이고, 여성과 남성의 비율은 6:1 정도이며, 종종 관절병변(arthropathy), 천장관절염(sacroilitis), 요추 추간판 질환(lumbar disc disease) 및 신경근 병변(radiculopathy) 등으로 잘못 진단될 수 있음.
- 천골신경 S1 및 S2의 앞쪽 가지(ventral rami)에 의해 지배를 받는 이상근은 편평하고, 배모양(flat, pear-shaped)의 근육으로 2-4번째의 천골분절(sacral segments)의 앞쪽에서 기시하여 하외측(inferolaterally)으로 주행하여 대전자의 상부가장자리(superior margin)에 종지하며, 대퇴골을 신전 시 고관절의 외회전근(external rotator)으로, 굴곡 시에는 외전근(abductor)으로서 작용을 함.
- 증상은 둔부의 통증과 동측의 대퇴부 후면으로 방사통이 있을 수 있으며, 활동 시 또는 오랫동안 앉아 있는 자세에서 통증이 악화되고, 보행 시 환자는 절룩거리며(limp), 누워 있는 자세 시 하지는 단축된 외회전(externally rotated position)을 한 모양을 유지하려고 함.
- 진단 시에는 후관절 증후군, 요추 추간판 탈출증, 척추관 협착증 및 요추 염좌와 감별이 필요하며, 이러한 질환과 동시에 발생했는지, 다른 질환에 이환 후 보상적으로 일어났는지에 대한 검사가 요구됨.
- 이학적 검사는 이환된 고관절과 무릎을 굴곡(flexion), 내전(adduction) 후 내회전(internal rotation) 시키면 통증이 유발되며, 대좌골 절흔(greater sciatic notch)이나 이상근 근복(muscle belly)에 압통을 찾을 수 있음.
- CT, MRI, ultrasound 및 EMG는 다른 질환을 배제하는데 사용하며, 특히, MRI는 이상근의 해부학적인 이상(anatomical abnomalies)여부를 밝혀내는데 유용함.
- 통증부위에 먼저 혈위 온습포나 초음파 치료를 한 후에 이상근의 스트레칭, 요천추부 안정화 운동(lumbosacral stabilization) 및 둔부 강화 운동(hip strengthening exercises), 근막이완(myofascial release) 등을 시행할 수 있음.

12. 미골통

- 미골은 3개에서 5개의 분절로 보통 전방을 향하여 다양한 각도로 구부러져 있으며, 대퇴에 힘을 주고 앉는 정상적인 직립 자세에서는 미골에 압력을 주지 않지만, 요추의 전만이 감소되거나 구부러진 자세는 미골을 의자에 닿게 만들어 미골단의 통증 즉 미골통(coccygodynia)이 증가될 수 있음.

- 미골 손상은 분만 동안 흔히 발생되며, 섬유화(fibrosis)와 경직(stiffness)을 초래함.
- 반복적인 외상으로도 만성 염좌와 골관절염이 발생될 수 있으며, 보통 관절의 움직임은 제한되고 미골을 자극하는 활동들이 통증을 유발함.
- 천골단이나 미골의 골절은 흔하지는 않지만, 통증을 유발하는 가관절(pseudarthrosis)이나 외상성 관절염(traumatic arthritis)이 없다면 장기간 증상은 유발되지 않음.
- 천골이나 미골은 내장이나 요추의 추간판 변성에 의해 관련통(referred pain)이 나타나는 곳이기도 함.
- 앉아있는 자세에서 통증은 가장 흔한 주소증이며, 구부러진 자세, 딱딱한 의자에 앉아 있을 때 또는 활동 시에 악화됨.
- 많은 증상들은 손상과 더불어 시작되며, 여성은 흔히 변비나 직장 질환에 의해 악화되기도 함.
- 천미골 관절과 주변 조직의 국소적인 통증 및 압통(tenderness)은 흔히 발견되며, 직장검사(rectal examination)시 천미골 움직임에 의해 통증이 나타나 둔부로 통증이 방산될 수 있음.
- 환자의 병력에 기반하여 방사선 검사를 하면 최근의 손상이나 퇴행성 관절염을 밝혀낼 수 있으며, 골절은 보통 천골의 하단부나 천미골 첫 번째 분절에서 발생할 수 있음.
- 미골의 전방 경사(anterior angulation)를 포함한 급성 손상은 적어도 6개월 정도의 보존적인 치료를 받아야만 함.

13. 척추 골절

척추 골절은 산업재해 및 교통사고로 인해 척추 손상의 빈도가 많은 활동기 연령층에서는 증가 추세이며, 노인층에서는 평균 수명의 연장으로 인한 고령 인구의 증가와 함께 심화된 골다공증을 동반한 척추 골절이 증가하고 있음.

1) 외상성 척추 골절

- 외상성 척추 골절은 흉요추 이행 부위(T11에서 L2)에서 가장 호발함.
  - 흉요추 이행부는 비교적 운동 범위가 적은 흉요추부에서 운동이 많은 요추부로 이행하며, 흉추 후만과 요추 전만이 교차하는 부위로 손상 시 외력이 집중되어 골절 및 탈구의 빈도가 높음.
  - 전체 척추 골절의 약 50%, 척수 손상의 약 40%가 흉요추부에서 발생하며, 흉요추부 골절 환자의 약 20%에서 신경 손상이 동반됨.
- 척추에 가해지는 변형력은 축성 부하, 신전, 굴곡, 회전, 전단 등으로 나눌 수 있는데, 변형력이 일정한 한계를 넘어서면 척추 손상이 발생함.
- Denis는 척추 골절을 분석하여 척추의 삼주설을 제시하였음.
  - 전주 : 전종 인대, 추체의 전반부, 섬유륜의 전반부
  - 중주 : 후종 인대, 추체의 후반부, 섬유륜의 후반부
  - 후주 : 척추궁, 황색 인대, 후관절 관절낭, 극간 인대, 극상 인대
  - 척추 골절의 안정성 판정에 중주의 손상 여부가 중요한데, 중주의 손상 여부와 후방 인대군의 손상 여부 등에 따라 안정성 골절과 불안정성 골절로 분류할 수 있음.
- 또한 척추 골절은 손상 기전과 삼주의 손상 정도를 기준으로 주척추 골절(major fracture)과 부척추 골절(minor fracture)로 분류함.
- 주척추 골절 : 큰 쐐기형 압박 골절, 굴곡-신연 손상, 방출성 골절, 골절-탈구
- 부척추 골절 : 작은 쐐기형 압박골절, 관절돌기 골절, 횡돌기 골절, 극돌기 골절, 협부 골절
- 추락이나 척추부의 외상력이 있으면서, 척추부의 국소 통증과 하지의 감각 및 운동장애를 호소하면 우선 척추의 손상을 의심해야 하며, 검진시에도 척추부의 변형, 외부 상처, 출혈반 등을 찾아보고, 극돌기를 촉진하여 계단 변형(step deformity)의 유무, 극돌기 간격, 상하 극돌기 배열 등을 검진해야 하고, 검진 결과 극돌기 간격이 벌어져 있으면 일단 불안정성 골절로 간주하고 환자를 처치해야 함.

- 신경 손상은 크게 상위 운동 신경원 손상과 하위 운동 신경원 손상으로 나눌 수 있음.
  - 상위 운동 신경원 손상 : 뇌 또는 척수 원추보다 상부의 척수 손상으로 경련성 마비, 심부건반사 항진, 병적 반사를 보이며, 근위축은 심하지 않음.
  - 하위 운동 신경원 손상 : 척수의 회백질 전각, 마미, 신경근 또는 말초 신경의 손상으로 이완성 마비, 심부 건 반사의 소실, 근위축 등의 소견을 보임.
- 척추 골절 환자의 치료 목적은 신경 손상의 발생 및 진행을 예방하고, 이미 초래된 신경 손상의 회복을 도모하며, 골절된 척추 부위를 안정시켜 변형을 예방하고, 조기 재활을 통해 합병증을 최소화하는 데 있음.
- 보존적 치료의 적응증은 부척추 손상의 대부분과 압박 골절일 때, 중주와 후방인대 복합체의 손상이 없고, 신경학적 증상이 없으면서 후만변형이 20도 이하, 측만 변형이 10도 이하일 때, 골절로 인한 외상성 디스크 손상이 없으며, 통증 조절이 양호할 때이며, 보존적 치료는 수술적 치료와 비교하여 합병증과 인접 척추의 골절 위험성이 적다는 이점이 있음.
- 3-4주간의 침상안정으로 통증의 완화 및 연부조직의 손상이 회복되면 8-12주간의 보조기를 착용해야 함.
- 기본적으로 급성기에는 안정을 취하되, 장기간의 안정과 고정, 보조기에 의한 외부적인 지지는 관절의 구축, 근위축, 척추 기능의 소실 등을 나타나게 되므로, 따라서 이상적인 처치는 손상받은 척추만을 가능한 짧은 시간동안만 고정시키고, 다른 손상받지 않은 부분들에 대해서는 전 가동범위에서 움직이도록 해야 하며, 안정기 이후에는 물리치료 및 신전운동을 병행하여 척추의 기능을 회복할 수 있도록 재활치료를 시행해야 함.

2) 비 외상성(골다공증성) 척추 골절

- 고령층에서 다발하는 골다골증성 척추 압박 골절은 주로 폐경기 이후 여성에게 호르몬 대사의 이상으로 골밀도가 저하되고, 이에 골이 약화됨에 따라 가벼운 충격에도 골절이 오는데 동통으로 운동제한이 있고 이환 부위에 압통이 있으며, 앉거나 일어설 때, 재채기를 할 때 통증이 더욱 심해짐.
- 골다공증성 척추 압박 골절은 일상 생활 능력을 감소시켜 인지 기능에 영향을 주어, 치매와도 연관되기 때문에 치료와 관리가 매우 중요함

(1) 급성 골절

- 경도의 이상이나 굴곡, 재채기 등의 사건들과 관련이 되기도 하며, 환자는 급작스런 흉추나 흉요추의 통증을 호소하는데, 경도의 통증을 호소하는 경우도 있지만, 대부분의 환자들은 심하고 참기 힘든 통증을 나타냄.
- 하지만 약 1/3의 압박 골절이 무증상성이기 때문에 많은 경우 진단이 안된 채로 넘어갈 수 있음.

(2) 흉추의 다발성 압박 골절

- 일반적으로 심한 후천적인 과후만이 동반되고 종종 급성 골절과는 구별되는 운동을 제한하는 만성적인 통증이 동반됨.

(3) 진단

- 일반적으로 골절은 단순 방사선 사진으로 진단함.
- 급성 골절과 기왕력의 구분이 필요하거나, 미세 골절의 경우 척추 실질의 압박이 없어도 심한 통증을 나타낼 수 있기 때문에 방사선 동위원소 검사(bone scan)를 시행하여 구분할 수 있으며, 다발성 압박골절이 의심되는 경우 MRI검사가 필요함.
- 2-3주가 지나서 다시 단순 방사선 사진을 찍으면 추체의 붕괴(collapse) 소견이 나올 수 있으며, 이는 골다공증성 압박골절의 경우 몇 주 또는 몇 달에 걸쳐 점진적으로 척추 붕괴가 진행될 수 있다는 증거가 됨.
- 일반적으로 신경학적 손상이 동반되는 경우는 드물지만, 척추 붕괴의 진행에 따라 신경근 압박 소견을 나타낼 수도 있음.

14. 척수 손상

- 분류

- 외상성 손상 : 교통사고, 추락, 미끄러짐, 직접 손상 등
- 비외상성 손상 : 원인으로는 혈관기능장애, 감염, 이차적인 척추 아탈구 등
- 외상에 기인하는 경우가 대부분이며, 20-40대의 남성에서 빈발하고, 경추(54%), 흉추(35%), 요추(10%)의 순서로 호발함.
- American Spinal Injury Association (ASIA) Impairment scale은 다음과 같음(표 2-6).

1) 중심척수 증후군(Central cord syndrome)

- 대개 경추의 과신전으로 발생하며, 선천적 또는 후천적으로 좁아진 척수관과 관련되어 퇴행성 경추증이 있는 노인에게 다발함.
- 경추의 신경로는 중심부에 위치하므로 상지의 신경학적 증상이 하지보다 심하게 나타남.
- 운동장애가 감각장애보다 심하게 나타나며, 보통 천추부 감각은 보존되어 정상적인 배뇨 및 배변 기능이 유지될 수 있다.

2) 브라운 씨쿼드 증후군 (Brown Sequard syndrome)

- 척수의 한쪽 절반이 손상된 것으로, 총기, 칼 등에 의한 손상, 한쪽 척추경, 후궁의 골절 등에 의해 발생함.
- 손상된 척수레벨 동측의 근력 약화, 운동기능 장애가 나타나고, 척수시상로의 손상으로 대측의 온도감각, 통각, 촉각의 소실이 나타남.

3) 전방척수 증후군(Anterior cord syndrome)

- 추간판의 후방 전위나 골절탈구 등에 의해 척수 앞부분의 손상 또는 전방 척수동맥의 압박으로 발생함.
- 피질척수로 손상으로 손상된 척수레벨 이하의 운동기능 장애가 생기며, 척수시상로 손상으로 온도감각, 통각의 소실이 나타나나, 후주의 기능은 남아있어 고유수용감각은 유지됨.

4) 후방척수 증후군 (Posterior cord syndrome)

- 경추부 과신전에 의한 척수 후방 부분의 손상으로 발생함.
- 손상된 척수레벨 이하의 고유수용감각, 심부감각, 진동감각의 소실이 생길 수 있으나, 발병이 드물고 예후가 좋음.

15. 척추 측만증

- 측만증(scoliosis)은 해부학적인 정중앙의 축으로부터 척추가 측방으로 만곡 또는 편위되어 있는 관상면상의 변형일 뿐만 아니라, 추체의 회전도 동반되어 시상면상에서도 정상적인 만곡상태가 소실되는 3차원적인 척추의 변형을 의미함.
- 일반적으로 측만증은 Cobb's angle상 10도 이상의 만곡을 가진 경우로 정의.

표 2-6. American Spinal Injury Association(ASIA) Impairment scale

ASIA Scale	Clinical state (below level of injury)
A	Complete: No preservation of function below level of injury, and no sacral sparing(S4-S5)
B	Incomplete: Sensory but not motor function is preserved below the neurologic level and includes sacral segments S4-S5.
C	Incomplete: Motor function is preserved below the neurologic level, and more than half of the key muscles below the neurologic level have a muscle grade less than 3.
D	Incomplete: Motor function is preserved below the neurologic level, and at least half of key muscles below the neurologic level have a muscle grade of 3 or more.
E	Normal: Sensory and motor function are normal.

- angle은 단순 방사선 사진에서 만곡의 크기를 측정하는 방법으로 가장 널리 사용되며, 측만증의 유무와 정도를 확인하기 위해서는 척추 전장을 포함하는 기립위 전후방 척추 전장촬영이 필요함(그림 2-36, 2-37).
- 검진상으로는 기립위에서 견갑 높이의 차이, 견갑골의 돌출, 유방의 크기 차이, 흉배부 돌출고 등을 확인할 수 있으며, 전방굴곡검사(Adam's forward bend test)로 환자의 체간을 전방으로 굴곡시켜 양측 늑골의 차이를 관찰하여 진단할 수 있는 유용한 검사법임.
- 좌우로 측굴시킨 상태에서의 전후방 촬영은 만곡의 유연성을 알아볼 수 있음.
- 임상적으로 만곡은 대개 서서히 진행하므로 잘 모르고 지내다가 변형이 상당히 진행되어 등이 옆으로 구부러지거나 어깨나 골반의 높이가 달라진 것을 우연히 발견하게 되는 경우가 많음.
- 측만증은 크게 구조적 측만증과 기능적 측만증으로 구분할 수 있음. 기능적 측만증은 다리길이의 차이, 근육의 비대칭 및 경결, 염증 등으로 출현하며 가역적임.

1) 구조적 측만증

(1) 분류

구조적 측만증의 원인에 따라 특발성, 선천성, 신경근육성 측만증 등으로 나눌 수 있음.

① 특발성 측만 : 원인 미상의 측만으로 측만증의 약 80%를 차지함. 특발성 측만증은 발병 연령에 따라 3세 이전의 유아기, 3세-10세 사이의 소년기, 10세 이상의 청소년기 세가지 유형으로 구분되며, 연령 별로 다른 특성을 지니지만, 대부분 청소년기에 해당함. 환자의 성별, 골격의 미성숙도, 만곡의 심한 정도, 만곡의 유형이 청소년기 특발성 측만증의 진행 여부를 판단하는 데 도움이 되는 지표가 됨.

② 선천성 측만증 : 척추의 형성 과정에서 초기 발생학적 이상으로 인하여 척추의 분절부전, 척추이분증, 반척추증 등으로 나타나는 척추 기형임.

③ 신경근육성 측만증 : 뇌성마비, 유아기 척수근위축증, 척수공동증 등과 같은 질병을 가진 환자들에게서 흔히 나타남.

- 남성보다 여성에서, 만곡의 정도가 클수록, 측만증 진단

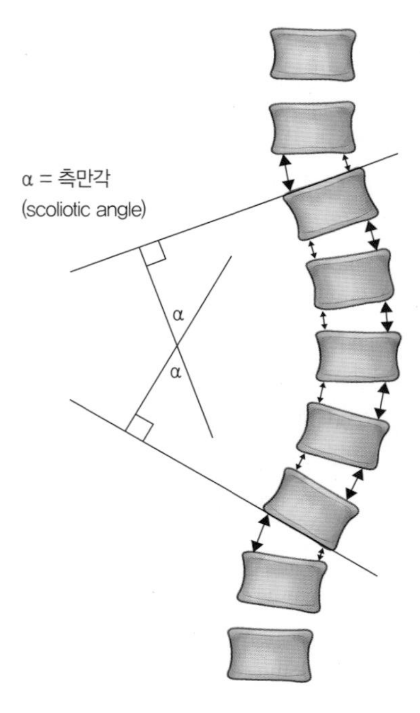

그림 2-35. 측만증의 Cobb's angle 측정법

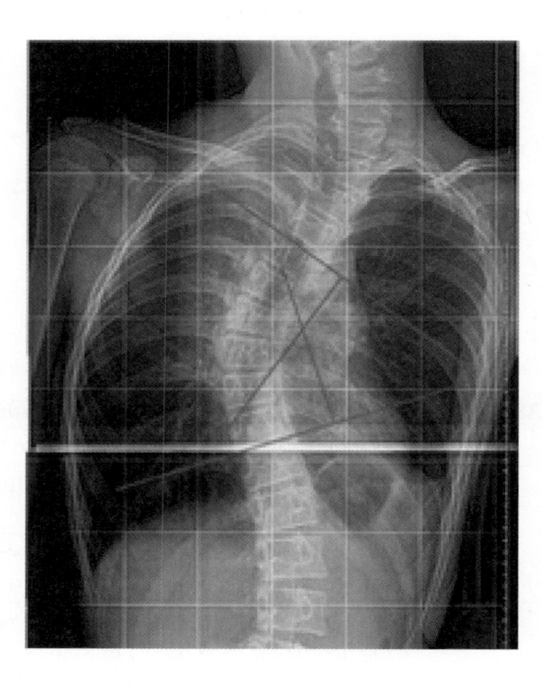

그림 2-36. 척추전장촬영에서 Cobb's angle 측정

당시 성장이 남아있는 기간이 길수록, 이중 만곡일수록 진행하는 경향성을 보임.
- 대개의 만곡의 진행이 멈추는 시기는 척추의 성장이 끝나는 시기인 남자 17세, 여자 15세 정도이므로, 척추가 얼마나 더 성장을 계속할 것인가의 여부는 측만증의 예후와 밀접한 관련이 있음.

(2) 치료

① 치료목적
- 경도 만곡 : 더 이상 진행되지 않도록 함.
- 중등도 이상의 만곡 : 변형의 교정 및 진행을 방지하여 기능 및 미용을 호전
- 현재 특발성 측만증의 치료에 보조기, 전기자극치료, 테이핑, 추나치료, 운동요법 등 다양한 방법이 시도되고 있으나, 아직 유의한 효과를 보인다고 인정되는 것은 없으므로, 치료에 대한 접근 방식은 환자 개개인에 대한 정확한 평가와 분석을 통하여 개별화된 방법을 취해야 함.

② 수술 치료
- 수술치료 적응증 : 외관상 기형이 심하고, 보존적 치료로 교정이 안되거나 교정이 되어도 유지되지 못하는 경우.
- 만곡이 위치하는 부위와 척추의 회전 변형의 정도에 따라 다를 수 있기 때문에, 외관상 기형 정도와 실제 만곡의 정도는 일치하지 않을 수도 있음.
- 또한 보존적 치료를 하였음에도 불구하고 계속 진행 되는 만곡으로 40도 이상의 만곡이 있을 때는 일반적으로 수술요법이 추천됨.

2) 퇴행성 측만증

- 성인에서 퇴행성으로 측만증이 새로이 발생하는 경우를 의미하며, 퇴행성 디스크, 후관절 질환, 황색인대의 비대 등과 관련되어 있음.
- 환자는 대부분 요통과 하지방사통을 호소하지만 만곡의 방향과 방사통의 방향과는 관계가 없으며, 만곡의 크기와 요통의 정도도 상관관계가 없음. 하부 요추에서는 척추관협착증을 동반하는 경우가 많음.

3) 요추 추간판 탈출증에 의한 요추 측만증

- 추간판 탈출증으로 요통이나 하지 방사통이 있을 때 환자의 체간이 기울어질 수 있으며 이는 결과적으로 척추의 측만곡을 유발함.
- 측만의 방향
- 병변과 대측 : 추간판 탈출이 신경근의 외측에 있는 경우.
- 병변과 동측 : 추간판 탈출이 신경근의 내측에 있는 경우.

16. 척추 후만증

1) 개요

흉추의 비정상적인 후만은 자세, 외상, 발달 이상, 퇴행성 디스크 질환, 염증성 질환, 감염성 질환, 척추 압박골절, 강직성 척추염 등에 의해 유발됨.

(1) 자세에 의한 후만증

- 주로 청소년기와 젊은 사람에게 나타남.
- 구부러진 등과 앞으로 돌출된 복부를 특징으로 함.
- 흉추 후만, 요추 전만 및 골반 경사의 증가, 견갑골은 가끔 뒤로 돌출되어 보임.
- 이는 Scheuermann 후만증과 다르게 잘못된 자세를 교정하고 치료하여 바로 잡을 수 있음.
- 방사선 사진에서 특이한 점은 발견할 수 없으며, 근육의 구축과 요추 전만을 감소시키는 운동을 시작하는 것이 치료에 도움이 됨.

(2) 노인성 후만(Senile hyperkyphosis)

- 골다공증, 압박골절과 과후만은 밀접한 관련이 있으며, 골다공증이 있는 척추에 가해지는 힘이 쐐기 압박골절을 일으킬 수 있고, 골밀도가 감소함에 따라 쐐기가 더 심해질 수 있음.
- 치료는 좋은 자세를 유지토록 해야 하며, 척추 폄 근육 강화 운동과 초기에 가벼운 척추보조기는 환자의 증상을 감소시켜줄 수 있음.

(3) Scheuermann 후만증

- 주로 사춘기, 10대에서 발견되고, 일반적으로 성별에는 큰 차이가 없음.
- 고정형 척추 후만증(fixed kyphosis)으로 3개의 인접한 척추가 적어도 5도의 쐐기모양과 더불어 흉추 후만의 증가, 척추 추간판 공간의 협소화 및 불규칙한 종판 등의 소견을 보임.
- 하부 요추의 Scheuermann 질환은 감염 및 다른 질환으로 혼동될 수 있고 이는 심한 Schmorl's node와 endplate irregularity(불규칙 종판) 때문.
- 환자들은 의식적으로 자세를 바로 잡을 수 없고 흉추에 위치한 후만의 첨부에서 통증과 경직을 호소하며, 이는 육체적 활동이나 장시간의 기립이나 좌위에 의해서 악화되는 경우도 있음.
- 각이 진 흉추의 후만(angular thoracic kyphosis)과 더불어 보상적으로 증가된 경추와 요추의 전만이 동반되어 두부는 앞으로 돌출(forward protrusion, gooseneck)되고, 어깨도 가끔 전방에 위치되어 더욱 후만 변형을 악화시키는 악순환이 반복.
- 후방으로 심하게 구부러지면 호흡장애 및 미용상의 문제를 일으킴.
- 신경학적 검사는 보통 정상이나, 변형된 척추 주변 근육의 과도한 긴장으로 인한 피로감과 슬괵근, 흉근 및 장요근의 긴장이 흔히 출현됨.
- 후만의 각도는 변형된 코브 방법(modified Cobb method)에 의해서 측면 방사선 사진에서 측정되며, 보통 제 2흉추부터 제 12흉추사이에 척추의 쐐기모양, Schmorl's node, endplate irregularity를 발견할 수 있음.
- 치료는 우선 변형의 각도와 통증, 환자의 삶의 질 등에 대한 평가가 행해져야 하며, 상태에 따라 물리치료, 체간 및 하지 근육(슬괵근 등)의 강화 운동, Milwaukee 보조기 등이 사용됨.
- 수술을 고려하는 경우는 통증과 신경학적 결함을 가진 심한 변형이 있을 경우에 시행.

(4) 선천적인 후만증

- 척추 발달 과정 중 연골화 및 골화기 단계의 이상으로 나타나며, 여아에게 더 많이 발생하고, 주로 T10과 L1 사이에 만곡의 정점이 관찰됨.
- 반척추, 나비 척추, 쐐기 척추 등 척추의 형성실패로 인한 후만이, 분할 실패로 인한 후만보다 만곡이 더 뚜렷이 나타남.

17. 척수공동증(Syringomyelia)

척수공동증은 척수에 뇌척수액, 세포외액과 비슷한 액체로 채워진 공동(syrinx)이 형성되고 신경교질증식(gliosis)을 일으키는 질병.

1) 임상증상

- 어깨, 등, 사지에 통증, 위약감, 뻣뻣함 등이 나타날 수 있고 통각, 온도각 소실이 종종 나타나며, 가벼운 접촉각과 고유운동 감각은 유지되는 해리성 감각소실이 나타나기도 함. 대부분의 병변은 C2와 T9 사이에 위치하나, 척수원추나 뇌간으로 확장될 수 있음.
- 척수공동증은 무증상일 수 있으며, 우연한 척추 영상에서 발견되기도 함.
- 근위축은 상지에 현저하고 하지에는 추체로 장애증상(pyramidaltract symptoms)이 나타남. 이는 척수공동증이 척수의 중심부로부터 점차 주변부로 확산되고, 대부분의 경우 처음 손상되는 구조는 전백색질교련(anterior white column)이며 이곳은 척수시상로 (spinothalamic tract)가 교차되는 부분이기 때문.
- 척수공동증은 크게 교통성 척수공동증(communicating syringomyelia)과 비교통성 척수공동증(noncommunicating syringomyelia)으로 분류할 수 있고 현재까지 발생기전은 정확히 밝혀지지 않았음.
- 교통성 척수공동증은 Chiari 기형과 기저부 거미막 염과 관련.
- 비교통성 척수공동증은 잠재성 척추유합부전, 척수 외

상, 척수종양, 척추지주막염 등과 연관.

18. 후종인대골화증

1) 개요

- 후종인대골화증(ossification of the posterior longitudinal ligament, OPLL)은 경추체 후연에 위치한 후종인대를 따라 발생하는 비정상적인 골화 현상.
- 전종인대, 황색인대 등 다른 인대의 골화를 동반하는 경향이 있음.
- 일본인에게서 많이 발생(2-4%)하며, 비아시아인에게는 드묾(0.01-2%).
- 50-60세 사이에서 많이 진단되며 남성과 여성의 비율은 2:1 정도임.

2) 분류

- 방사선 검사상 척추체와 다분절의 추간판을 포함하는 연속형(continuous)
- 척추체 후방에만 국한되는 분절형(segmental)
- 연속형과 분절형이 혼합되어 있는 혼합형(mixed)
- 추간판 부위에만 발생하는 국소형(localized)

3) 원인

- 미만성 특발성 골격 과골증(diffuse idiopathic skeletal hyperostosis, DISH)의 변형, 혹은 환경적, 유전적 요인으로 발생된다는 것이 제안되었으나 명확히 밝혀진 바가 없음.

4) 증상

- 초기에는 경미한 경부 통증 및 수부(手部)의 감각 이상만을 호소.
- 시간이 경과하면서 해당 신경부위의 감각 저하, 저림, 근력 저하 등이 나타남.
- 압박이 심해지면 보행장애, 배변 및 배뇨장애, 하지쇠약 등의 증상이 나타남.
- 40세 이하에서 진단되었을 때는 척수병증으로 진행할 수 있고, 그 이후 진단되었을 경우 척수병증으로의 진행은 상대적으로 낮음.

19. 척추의 감염성 질환

- 척추 결핵은 결핵의 유병률이 감소함에 따라 감소 추세.
- 척추 감염은 인구의 노화, 후천성 면역결핍증, 면역저하를 유발하는 여러 조건, 정맥내 약물 남용, 척추 수술의 증가 등으로 인해 증가 추세.
- 척추 감염의 초기 단계에서는, 다른 증상은 거의 없이 요통으로 발현될 수 있음.
- 대부분의 척추 감염은 조기에 진단받는 경우 보존적 방법으로 치료가 가능.
- 진단이 늦어지면 영구적인 신경학적 손상과 사망을 유발할 수 있음.

1) 척추의 세균성 골수염(Osteomyelitis)

- 피부에 널리 분포해 있는 황색 포도상구균이 가장 흔한 원인임.
- 척추 골수염의 대부분은 요로, 피부와 연조직 등에서 감염 후 혈행성 파종으로 발생됨.
- 운동에 의해 악화되는 요통이 가장 공통적인 증상이며, 발열, 발한, 식욕부진, 체중감소, 하지통 등의 증상 및 CRP, ESR, WBC의 증가가 있을 수 있음.

2) 척추 결핵(Spinal tuberculosis)

- 1차 감염 부위는 폐, 종격동 림프절, 장간막, 위장관, 비뇨생식기 등이며, 혈행성 파종에 의해 척추감염이 발생함.
- 발열, 도한(盜汗), 체중감소를 포함한 전신적인 증상이 있을 수 있으며, 그 외에 폐결핵 관련 증상인 기침, 흉막성 동통 등이 있을 수 있음.
- 척추 결핵과 관련된 골 파괴는 보통 두드러진 척추 후만과 같은 척추 변형을 수반하며, 이것이 척수 압박과 연관될 때, Pott's disease라 함.

• 흉요추 연접부에서 가장 호발하며, 경추 및 흉추의 결핵은 신경학적 결손이 흔하지만, 요추의 결핵은 신경학적 결손보다는 척추 파괴 및 요근 농양(psoas abscess)으로 인한 통증이 나타남.

3) 성인 추간강 감염(Disc space infecton)

• 성인이 되면 추간판은 무혈관성이 되기 때문에 세균이 혈행성으로 추간판에 전파되는 경우는 흔하지 않음.
• 척추 골수염으로부터의 접촉성 전파나 수술 또는 관혈적 처치 시에 직접 접종되는 경우 성인 추간강 감염이 발생.
• 임상 증상으로 지속적인 요통이 발생하게 되며, 촉진 시 압통이 있거나 근육의 방어적인 수축에 의한 운동 범위의 감소가 나타날 수 있음.

4) 추간판염(Discitis)

• 추간판염은 유년기의 질병으로, 언제나 감염성(infective)인 성인에 비해, 유년기에는 염증성일 수도 있고 감염성일 수도 있음.
• 증상이 비특이적이기 때문에 진단이 늦어지는 경우가 많음.
• 대부분 환자의 평균 연령은 약 7세 정도로 외상이나 감염의 기왕력이 있는 경우가 많음.
• 환아는 일어나거나 걷지 않으려고 하고 복통을 호소하거나 짜증을 부리거나 전신적 권태 징후를 보임.

5) 경막외 감염(Epidural space infection)

• 경막외 감염은 주변 척추, 추간판, 연부 조직으로부터 직접 확산, 관혈적 처치 후, 혈행성 전파의 세 가지 경로 중 하나로 발생.
• 경막외 공간은 두개골저부터 천골까지 이어지므로 감염이 발생하면 쉽게 확장될 수 있음.

6) 경막내 감염(Intradural infection)

• 수막염(meningitis)은 지주막하 공간 내의 구조물인 뇌척수액, 연막, 척수, 뇌, 신경근의 염증으로 화농성, 바이러스성, 육아종성으로 분류.
• 심한 두통, 경련, 의식의 변화 등이 일반적인 증상이며, 요추 천자는 수막염이 의심될 때 가장 중요한 진단적 검사이고 원인과 임상적인 양상에 의해 내과적 치료가 결정됨.

7) 척수염(Myelitis)

• 척수염이라는 용어는 척수를 침범하는 염증성 또는 감염성 과정으로, 특정 종류의 수막염과 척수염은 다소 중복됨.
• 전술한 바와는 달리 횡단성 척수염(transverse myelitis)과 다발성 경화증(multiple sclerosis)은 척수의 일차적인 염증성 상태임.

20. 척추의 염증성 질환

• 다양한 병리적 염증 과정이 척추에 영향을 주는데 강직성 척추염과 같은 질환은 주로 척추를 침범하며, 류마토이드 관절염과 같은 질환은 여러 기관을 침범하지만 척추에도 다양한 장애를 초래함.
• 척추의 염증성 질환은 크게 혈청양성(seropositive)과 혈청음성(seronegative)으로 분류.
• 류마토이드 관절염, 전신성 홍반성 루푸스 등 혈청양성 질환은 임상적으로 척추에 중대한 후유증을 남김.
• 혈청음성 질환에는 강직성 척추염, 라이터 증후군(Reiter's syndrome), 건선성 관절염 등이 있음.

1) 혈청양성 질환

(1) 류마티스 관절염(Rheumatoid arthritis)

• 주로 상하지의 관절에 양측성이면서, 대칭적인 다발성 관절염.
• 흉요추 부위에서는 매우 드물게 나타나지만 경추를 침범하는 경우는 흔해서, 그 발생률은 30-80%.
• 류마티스 관절염 환자를 검진할 때 두통, 경항통, 상지와 하지의 감각이상 또는 위약, 대마비(paraparesis) 등에 대한 이학적 검진을 세밀하게 해야 하며, 특히 목과 관련된 증상을 확인하는 것이 중요함. 특히 환축추 관절의 불

안정성은 중대한 신경학적 결손을 야기할 수 있으므로 주의해야 함.
- 단순 방사선 검사상 상부 경추에서 치돌기의 미란, 환축추의 아탈구, 기저부 함입(basilar impression) 등의 변화가, 하부 경추에서 아탈구, 골극의 형성이 거의 없는 추간강의 좁아짐, 척추 종판의 미란 등의 변화가 있음.

(2) 전신성 홍반성 루푸스(Systemic lupus erythematous)
- 전신성 홍반성 루푸스는 많은 기관에 영향을 미치지만, 가장 흔한 임상적 특징은 관절병변으로 손, 손목, 무릎에 주로 이환.
- 척수내 혈관성 영양로(vascular nutrient pathway)에서의 침착물에 의해 척수의 혈액공급이 장애를 받아 횡단성 척수염(transverse myelitis)이 발생할 수 있으며, 척추의 기계적인 이상을 유발하는 경우는 드묾.

2) 혈청음성 질환

(1) 강직성 척추염(Ankylosing spondylitis)
- HLA-B27과 관련된 자가면역적 염증 질환으로 분류되나 정확한 원인은 아직 알려져 있지 않으며, 20-30대 남자에서 다발.
- 주로 척추 주위 인대의 골화가 발생하는 척추관절(천장관절, 늑추관절, 후관절)의 만성적 염증질환을 말하는데, 추간판은 변연부터 골화가 진행되고 추체는 골다공증을 보이며 척추모양의 변화는 적음.
- 초기에는 허리에서 모호한 뻣뻣함과 요통을 호소하며, 특히 아침에 심하게 나타나고, 점차 통증이 고관절, 둔부, 천장관절 부위에서 상행성으로 나타나며, 천장관절의 침범으로 그 부위에 압통과 고관절의 회전운동에 동통을 느끼고, 척추 운동범위의 감소, 늑추 관절의 침범으로 호흡 시 흉막팽창이 저하되는 소견이 있음.
- 후기에는 척추후만증, 고·슬관절의 굴곡 강직이 발생.
- 포도막염, 전립선염, 심장, 폐 질환과 관련될 수 있으며, 류마토이드 관절염과는 달리 사지 관절의 증상은 드묾.
- 이학적 검진으로 척추의 운동범위, Schöber test, 흉곽확장 검사(chest expansion test), 천장 관절에 대한 검사를 실시하며, 천장 관절 주위의 미란과 골밀도 증가, 후관절의 미란과 관절 협소, 천장 관절면과 후관절의 폐쇄, 섬유륜 골화, 극돌기에 가교형성 등의 방사선 소견이 나타남.
- 90%에서 HLA-B27이 양성이며, 적혈구 침강 속도(ESR), C-반응성 단백질(CRP)의 증가, 류마티스 인자(rheumatic factor) 음성, 저색소성 빈혈 소견.

(2) 라이터 증후군(Reiter's syndrome)
- 반응성 관절병증(reactive arthropathy)이라고 부르기도 하며, 위장관이나 요로 감염성 질환 후에 나타나는 관절염.
- HLA-B27 일배체형(haplotype)에서 발병률이 높으며, 여자보다 남자에서 호발.
- 어떤 환자들은 재발의 경향성이 있으며, 재발 시에는 천장 관절과 척추에 가장 이환되기 쉬움.
- 라이터 증후군은 천장 관절과 척추를 침범할 수 있다는 점에서 강직성 척추염과 유사하지만, 라이터 증후군의 경우 천장 관절의 병변은 대부분 비대칭적이며, 현저한 척추의 변형을 일으키지는 않음.

(3) 건선성 관절염(Psoriatic arthritis)
- 건선으로 고통받는 환자 중 약 6%는 혈청 음성의 다발성 관절염을 갖고 있음.
- 건선성 관절염 환자의 약 40%는 척추의 병변을 가지며, 그 중 약 1/4는 천장 관절이 침범 되고 척추 주위의 골화와 인대증식체(syndesmophyte)의 형성이 있음.

21. 내장기성 요통

- 내부 장기의 병변으로 인한 연관통으로 요통이 발생할 수 있음.
- 요통의 약 1% 정도는 내부 장기의 연관통으로 추정되고 있으며, 정확한 통증 부위를 지적할 수 없는 막연한 요통

이 특징적.

- 척추 운동이나 활동 후에 통증이 심해지지 않고 휴식 등으로 통증이 소실되지 않으며, 요통 뿐만 아니라 다른 증상도 함께 나타날 수 있음.
- 소화기 질환으로는 만성 위염, 위하수, 간암, 위궤양, 췌장염, 급만성 담낭염, 궤양성 대장염, 게실염, 간담 결석, 급성 충수염과 연관성이 있으며, 비뇨기 질환으로는 급만성 신우신염, 신결핵, 신우염, 다낭신, 수뇨관 결석, 전립선염, 부고환염, 고환 낭종과 관련이 있으며, 골반강 질환으로는 자궁 후굴, 자궁 내막증, 종양, 자궁암, 난소암, 생리통, 임신, 산후 요통 등과 관련성이 있고 드물게는 복막강내 종양이 관련되기도 함.

제6절 척추 질환의 치료

1) 辨證施治

- 척추관절 질환의 치료는 한의학의 특징인 辨證施治를 잘 적용하여야 함.
- 辨證施治의 기본이론인 장상학적, 경락학적 관점에서 우선 인체의 환경조건을 검토하여야 하는데, 인체 자체의 형상감별이나 증후에 따른 변증 평가를 종합적이면서도 유기체적 특징을 갖는 전일관에 따라 실시해야 함.
- 望聞問切에 따른 기본진찰을 하고, 각각의 발현증상을 추적할 수 있는 기능반응 검사, 구조이상 검사, 이화학적 검사, 체열 검사 및 방사선 검사 등을 통해 각각의 질병에 따른 치료원칙을 구체화 시키는 것이 중요함.
- 치료에는 침구요법, 약물요법, 추나요법, 한방물리요법, 운동요법 및 섭생론적 관리 등이 있음.

2) 침상안정

- 침상안정은 누운 자세가 척추에 가해지는 압력을 감소시키며, 운동으로 악화될 수 있는 요인을 제거할 수 있어 급성기에 권유하는 경우가 있음.
- 하지만 침상 안정기가 길어지면 근육 위축, 근력 약화, 관절 구축, 정맥혈전증 등의 위험요인이 될 수 있어 침상안정 기간을 적절하게 조절해야 함.
- 장기간 침상안정을 필요로 하는 질환에는 침상에서 사지관절 운동을 병행하여, 사지관절에 2차적 장애가 발생하지 않도록 해야 함.

3) 한방물리요법

- 한방물리요법은 급성기의 침상 안정 상태에서는 냉습포, 전기자극을 阿是穴부위나 장부 및 경락의 치료원칙에 따라 선정된 경피 및 경근부위에 실시함.
- 만성기에는 온습포를 치료부위에 사용할 수 있으며, 장시간 사용 시에는 근육의 약화를 초래하므로 주의를 요함.

4) 도인요법

- 도인요법은 환자의 체중과 증상의 경중에 따라 도인력을 달리해야 하며, 척추 질환의 급성기에는 안정과 휴식이 중요하며, 누운 자세에서 시행할 수 있는 도인요법을 비교적 초기부터 실시할 수 있음.
- 도인은 척추구조물을 늘어나게 해서 근육의 경직을 감소시키고, 관절낭이나 인대에서 오는 유해 자극을 감소시키고, 후종 인대를 긴장시켜 추간판을 정상위치로 오게 하여 신경근의 압박과 자극을 감소시키고, 부종을 흡수시키고, 국부 혈액 순환을 개선시킴.
- 도인요법은 골절이 의심되거나, 척추의 불안정성으로 인한 통증이 있는 경우에는 시행해서는 안됨.

5) 운동요법

- 운동요법의 주목적은 추간판에 영양공급을 원활하게 해주며, 굴곡신전에 의한 근력강화로 척주에 부담을 적게 주는 것으로, 각각의 환자의 특성에 따라 적합한 운동을 하게 되는데, 능동운동, 수동 운동, 저항 운동이 있음.
- 경추부는 굴곡, 신전 및 회전 등의 능동적인 운동과 수동적인 저항 운동을 실시.
- 만성 요통의 경우에 요부근의 강화 및 안정화 운동을 실시하고 체중을 줄임.

- 운동 시에는 항상 올바른 자세를 유지하고 단단한 침상을 사용하며, 특히, Williams 및 McKenzi 운동은 환자의 상태, 병정 및 질환에 따라 달리 처방되어야 함.

6) 추나요법

- 추나요법의 치료원칙은 舒筋通絡, 活血祛瘀, 疎利關節하여 痺症이나 疼痛 除去에 목표를 둠.
- 급성기에는 주로 一指禪推法, 滾法, 摩法, 擦法의 經筋手法을 활용하여 舒筋通絡, 活血止痛하고, 만성기에는 伸展手法과 斜扳矯正手法을 사용.
- 근육의 경결부위를 一指禪推法 등을 활용하여 풀어줌으로써 신경반사의 문란을 조정하고, 순환을 촉진시켜 出血이나 水腫을 신속히 흡수하고, 嵌頓이나 錯位를 제거하여 유착형성을 방지함으로써, 통증이 소실되도록 함.
- 자세는 측와위, 복와위, 앙와위, 좌위 등에서 실시.
- 근육성인 경우는 해당되는 근육의 압통점이나 반대측에 軟組織推拿手法을 사용하고 椎骨의 偏歪인 경우는 척추부 전체를 신전시킨 후 부위별로 正形推拿法을 사용.
- 다른 부위와의 계통적 관련성을 검사하여 기본이 되는 변위를 먼저 교정하고 보상되어 있는 변위를 함께 치료.

1. 경부 질환

1) 개요

- 경항통은 흔히 후두부에서 상배부까지의 견인감, 통증, 운동제한을 주증상으로 하여 두부, 견갑부, 상배부, 견갑내연, 상지부로 방산되는 통증을 나타내는 증상군을 의미함.
- 경부 질환은 주로 外傷, 勞損(肝腎虧虛), 外感, 復感 風寒濕의 후유증, 선천적 기형, 스트레스 등으로 인하여 脈絡不通, 氣血運行不暢으로 발생.
- 한의학에서 頸椎病, 項强, 項痛, 落枕의 범주에 속하는 질환

2) 병인 및 치료

- 項痛의 病因으로는 風, 寒, 濕, 痰, 熱邪가 經絡에 침범하거나 打撲이나 外傷 등의 瘀血로 인해 氣血이 凝滯되고 經絡이 壅塞하면 筋脈拘急이 발생.
- 外感性은 頭部偏向病側, 頸項疼痛, 活動不利, 活動時疼痛增加, 脈弦緊한데, 특히 寒濕外感인 경우 項强, 轉側不利, 身痛, 無汗, 苔薄白, 惡寒發熱, 頭痛, 迫風, 畏寒, 脈浮緊하면서 項部가 빠지는 듯함.

(1) 침구치료

① 東醫寶鑑

項强 取承漿 風府<綱目>
頸項痛强 取通天 百會 風池 完骨 瘂門 大杼<甲乙>
頸項痛 取後谿<綱目>
頸腫 取足陽明 手陽明兩經<綱目>

② 許任 鍼灸經驗方

項强 取風門 肩井 風池 崑崙 天柱 風府 絶骨 兼鍼阿是穴
項强目瞑 取風門 委中 太衝 內庭 下三里 三陰交

③ 舍庵鍼法

頸項痛 肝弱 取陰谷 曲泉 補, 經渠 中封 瀉

④ 鍼灸診療要鑑

- 項强 取後谿 申脈 或 加 中渚(巨刺)
- 頸項腫痛 및 强者 加 合谷 列缺
- 咳則痛甚 加 陽陵泉
- 不加以顧者 手太陽經, 不加以俛仰者 足太陽經
- 경추부 추간판탈출증 取後谿(兩側刺) 申脈 合谷 中渚 絶骨(或 陽陵泉)(巨刺), 手太陰經形 加 太衝, 手陽明經形 加 陽陵泉, 手少陰經形 加 三陰交, 手厥陰經形 加 照海
- 腎虛 加 太谿(兩側取), 氣虛 加 足三里(兩側取)

(2) 약물치료

경부질환에 다용되는 처방으로 급성기에는 身痛逐瘀湯, 加味活血湯 등의 活血祛瘀劑와 烏藥順氣散, 回首散, 舒經湯 등의 理氣順氣劑가 많이 활용되고, 만성기에는 雙和湯, 大補陰丸, 六味地黃湯, 補中益氣湯 등의 補氣血之劑가 다

용됨.

① 身痛逐瘀湯(醫林改錯)

當歸, 桃仁, 紅花, 牛膝 各 12 g, 川芎, 地龍(去土), 五靈脂, 沒藥, 甘草 各 8 g, 香附子, 羌活, 秦艽 各 4 g

② 烏藥順氣散(和劑局方)

麻黃, 陳皮, 烏藥 各 6 g, 川芎, 白芷, 白殭蠶, 枳殼, 桔梗 各 4 g, 乾薑 2 g, 甘草 1.2 g

③ 回首散(古今醫鑑)

麻黃, 陳皮, 烏藥 各 6 g, 川芎, 白芷, 白殭蠶, 枳殼, 桔梗 各 4 g, 乾薑, 甘草 각 1.2 g, 羌活, 獨活, 木瓜 各 4 g

④ 舒經湯(醫學正傳)

薑黃 8 g, 當歸, 海桐皮, 白朮, 赤芍藥 各 4 g, 羌活, 甘草 各 2 g

⑤ 雙和湯(和劑局方)

白芍藥 10 g, 熟地黃, 黃芪, 當歸, 川芎 各 4 g, 桂皮, 甘草 各 3 g

⑥ 六味地黃湯(東醫寶鑑)

熟地黃 16 g, 山藥, 山茱萸 各 8 g, 白茯苓, 牧丹皮, 澤瀉 各 6 g

⑦ 補中益氣湯(東醫寶鑑)

黃芪 6 g, 人蔘, 白朮, 甘草 各 4 g, 當歸身, 陳皮 各 2 g, 升麻, 柴胡(並酒洗) 各 1.2 g

2. 흉배부 질환

1) 개요

- 흉배부에 어떠한 원인에 의하여 자각적인 痛症이나 寒症, 熱症 등의 감각이상을 나타내는 질환
- 背痛은 《素問 陰陽別論》에서 風厥, 《金匱要略》에서 胸痺에 귀속시켰으며, 背冷은 《傷寒論》에서 背惡寒, 《金匱要略》에서 背寒冷, 《河間 六書》에서 背怯冷으로 표현하였으며, 背熱은 《素問》에서 肩背熱, 《醫學入門》에서 背熱로 표현하였음.
- 감각이상 증상은 근육층에 경결점을 나타내거나 골구조의 錯縫에서 주로 그 원인을 찾을 수 있음.
- 임상에서 나타나는 것은 背痛이 대부분이며, 환자가 스스로 느끼는 자각증상이나 척추 질환, 비뇨생식기 질환 및 내장기 질환과의 연관반응으로 背寒, 背熱을 동반하는 경우도 있음.

2) 병인

(1) 外感風寒

허약상태에 太陽經이나 督脈經에 風寒의 침습으로 경락이 閉阻하고 氣血運行不暢하여 주로 痺, 痛의 증상을 나타내는 것으로 項背强痛, 肩胛不舒, 惡寒, 頭身痛, 苔薄白, 脈浮緊 或 弦細緊한데, 項强肩背痛은 手太陽經에 침범하고 項强腰折肩背痛은 足太陽經에 침범한 것으로 간주함.

(2) 氣血兩虛

氣虛로 血行이 원활하지 못하고, 氣血이 停滯하여 經虛함으로써 氣血凝滯되어 나타나며, 起床時背部痠痛, 活動時痛減, 背冷喜暖, 口淡不渴, 手足厥冷, 小便淸長, 大便稀溏, 舌質淡, 苔薄白, 脈沈遲, 夜間疼痛尤甚.

(3) 痰飮內伏

脾陽이 虛해져 運化가 저하되기 때문에 陽氣가 散布되지 못하고 內伏함으로써 발생하는데 주로 寒症으로 나타나며, 腰脊脇部流注疼痛, 背惡寒, 冷如氷, 咳嗽, 呼吸困難, 頭目眩暈, 喜熱少飮, 腹部膨滿感, 食欲不振, 全身倦怠感, 四肢浮腫, 苔白滑, 脈沈滑.

(4) 肺火逆氣

肺의 火가 內在하여 발생하는데 주로 背熱로 나타나며, 背部熱感, 午後加重, 咽乾, 黃痰, 胸背脹滿, 便秘, 面赤, 舌質紅, 苔黃, 脈數.

(5) 陰虛

주로 腎陰虛의 內熱에 수반하여 虛熱證으로 나타나며, 背部熱感, 夜間增强, 腰背痠痛, 背部一點痛, 手足心熱, 盜汗, 舌質紅, 脈細數.

(6) 기타

내장기성 연관통으로 나타나거나 경추 추간판 탈출증에 의하여 肺兪, 心兪에 방사통으로 나타나거나 견갑관절 고착, 자세불량 등에 의한 추체의 측만이나 아탈구로 통증을 유발하게 되며, 대부분 국소적인 경결점에 의한 통증이나 불쾌감이 주증상.

3) 치료

(1) 침구치료

① 東醫寶鑑

- 脊膂强痛 取人中<綱目>
- 肩背疼 取手三里<綱目>
- 背痛連胛 取五樞 崑崙 懸鐘 肩井 及胛縫穴 在背端骨下直腋縫尖及臂 取二寸半瀉六吸<綱目> 背疼乃作勞所致 惟膏肓爲要穴 或背上先疼遂牽引肩上而疼者 乃膏肓爲患 當灸膏肓兪 及肩井加愈<資生>

② 許任 鍼灸經驗方

- 腰背痛者 膀胱經及肝膽經主之 宜用缸灸 每處鍼刺 每處缸灸七次
- 肩背痛 連胛胛縫二穴 鍼三分
- 腰背傴僂 肺兪 期門 各三七壯 風池七壯 [又方] 脊骨傍左右突起浮骨處 以鍼深刺 灸五百壯至七八百壯

③ 舍庵鍼法

- 六癸之年 伏明之紀 歲火不及 寒乃盛行, 人病 胸痛脇滿 膺背肩胛兩臂內痛 鬱冒心痛等症, 大敦 少衝 補 尺澤 復溜 瀉.

④ 鍼灸診療要鑑

- 肩背 頸項疼痛 모두 兩刺 (편측통이면 巨刺), 내장병변 및 흉추관절병변은 제외
- 太陽經에 濕邪가 침범하여 氣가 鬱結된 경우 後谿 申脈 合谷
- 肺에 사기가 침범했을 경우 合谷 曲池 後谿 申脈
- 病邪가 腎에 있을 때 中渚 後谿 申脈
- 痰飮과 寒濕에 의해 발생했을 경우 足三里(혹 代 豊隆) 中脘 後谿 申脈
- 背後脊間痛 中渚 後谿
- 項背脊强痛 後谿 足三里 太谿(照海) 中渚 絶骨 申脈(兩刺)

(2) 약물치료

- 外感風寒으로 인한 風寒背痛에는 羌活勝濕湯, 氣血兩虛 背痛에는 補中益氣湯, 歸脾湯加減, 痰飮內伏에는 導痰除濕湯, 肺火氣逆에는 瀉白散이나 知栢地黃湯을 사용.
- 背部一點痛에는 三合湯, 氣血凝滯에는 蠲痺湯을 다용하며, 背寒症에는 導痰湯合蘇子降氣湯을 응용.

① 羌活勝濕湯(東醫寶鑑)

羌活, 獨活 各 8 g, 藁本, 防風, 甘草 各 4 g, 川芎, 蔓荊子 各 2 g

② 補中益氣湯(東醫寶鑑)

黃芪 6 g, 人蔘, 白朮, 甘草 各 4 g, 當歸身, 陳皮 各 2 g, 升麻, 柴胡(並酒洗) 各 1.2 g

③ 歸脾湯加減(濟生方)

當歸, 龍眼肉, 酸棗仁(炒), 遠志, 人蔘, 黃芪, 白朮, 白茯神 各 4 g, 木香 2 g, 甘草 1.2 g

④ 瀉白散(醫學入門)

桑白皮, 地骨皮 各 8 g, 甘草 4 g

⑤ 知柏地黃湯(東醫寶鑑)

熟地黃 8 g, 山藥, 山茱萸 各 8 g, 白茯苓, 牧丹皮, 澤瀉 各 4.5 g, 知母, 黃栢 各

⑥ 三合湯(古今醫鑑)

羌活, 香附子, 蘇葉 各 8 g, 半夏, 蒼朮, 麻黃, 陳皮, 烏藥 各 6 g, 川芎, 白芷, 白殭蠶, 枳殼, 桔梗, 赤茯苓 各 4 g, 乾薑, 甘草 各 2 g

⑦ 蠲痺湯(東醫寶鑑)

當歸, 赤芍藥, 黃芪, 防風, 薑黃, 羌活 各 6 g, 甘草 2 g, 生薑 5片, 大棗 2枚

⑧ 導痰湯 合 蘇子降氣湯(東醫寶鑑)

蘇子 8 g, 半夏, 當歸 各 6 g, 南星, 陳皮 各 4 g, 前胡, 厚朴, 赤茯苓, 枳實 各 2.8 g, 甘草 2 g

3. 요천골반부 질환

1) 개요

- 腰, 薦骨盤部 疾患은 일상생활에서 다발하는 질환으로, 대부분 引, 痺, 重, 痛, 酸症 등의 감각이상을 主訴로 하며, 요골반부의 일측 혹은 양측에 발생하는데, 이러한 병증은 다양한 원인에 의하여 조성되며 증상도 다양한 형태로 나타남.
- 腰薦部는 신체활동의 축추로서 위로 背膂와 이어져 있으며 아래로는 尻尾, 가운데는 척주와 연결되어 신체를 지탱시켜주는데, 腰는 腎之府로, 腎邪氣는 兩膕으로 入하며, 腎의 작용에 의하여 轉搖運動을 주관함.
- 腰痛에 대한 문헌적 기록을 살펴보면《內經 脈解篇》에서는 腰脊痛,《內經 刺腰痛論》에서는 腰痛으로 기록되어 있으며, 그 외에 腰脊强, 背腰痛, 腰尻痛, 腰低痛, 腰腿痛, 腰痛引項脊腰背, 腰痛痛引脊內廉, 腰痛痛引肩, 腰痛俠脊而痛之頭几几然, 腰痛引小腹, 腰背痛而脛酸 등이 있고, 정도에 따라서 折腰, 折脊, 脊痛腰似折, 腰痛不可俯仰, 腰痛不可以轉搖, 腰痛不可以顧, 腰痛腰中如張弓緊弦, 脊痛腰似折不可以曲但如裂 등으로 표현하였는데, 시대에 따라 분류방법이나 치료방법 등에서도 많은 변화를 보임.
- 腰, 薦骨盤部 疾患은 腰와 頸項, 背, 股關節 및 骨盤이 상호관련성을 갖고 동시에 발생하는 경우가 많으며, 원인에 따른 분류방법과 증상에 따른 분류방법 등으로 나누기도 하고, 급성과 만성으로 분류하기도 함.

2) 요천골반부 질환의 분류

- 복잡한 양태나 다양한 원인에 의하여 나타나므로 계통적이고 통일된 분류원칙을 설정하기는 어려우며, 다만 편의상 일반적으로 활용되는 구조적인 상태변화나 기능적 상태변화, 병인적 요인, 방사통의 유무, 다빈도 등에 따라 분류함.
- "脈皆沈弦 沈弦而緊者爲寒 沈弦而浮者爲風 沈弦而濡細者爲濕 沈弦而實者爲挫閃 沈爲滯 弦爲虛 澁是瘀血 緩者是濕 滑者伏者是痰 大者是腎虛也"라 하였듯이 脈에 따라 분류함.
- 한의학에서는 外感, 外傷, 內傷의 三種과 腎虛腰痛, 痰飮腰痛, 食積腰痛, 挫閃腰痛, 瘀血腰痛, 風腰痛, 寒腰痛, 濕腰痛, 濕熱腰痛, 氣腰痛의 十種腰痛으로 분류함.
- 현재는 구조적 요인과 병인적 요인 등에 의하여 분류하는 국제질병사인분류에 따르기도 함.

3) 십종요통에 의한 분류

(1) 腎虛腰痛

- 脈大者 腎虛腰痛也<丹心> 腎虛者 疼之不已者 是也<丹心 > 房慾傷腎 精血不足養筋 陰虛悠 悠痛 不能擧者 六味地黃元 或八味元 加鹿茸 當歸 木瓜 續斷<東垣> 腎虛腰痛 宜靑娥元 加味靑娥元 壯本丹 局方安腎丸 補髓丹 陽虛腰軟不能運用 宜九味安腎丸 百倍丸 杜冲丸 補腎湯 腰軟者 肝腎伏熱 治用黃栢 防己<醫鑑>

① 六味地黃元(東醫寶鑑)

熟地黃 320 g, 山藥, 山茱萸 各 160 g, 白茯苓, 牧丹皮, 澤瀉 各 120 g

② 青蛾元(太平惠民和劑局)

杜冲(薑汁炒), 破故紙(炒) 各 4兩, 胡桃肉 30箇

(2) 痰飮腰痛

脈滑者伏者 是痰飮痛也<丹溪心法> 上下痰飮流注經絡 腰背疼痛, 二陳湯 或 芎夏湯 加南星 蒼朮 黃栢. 痰飮腰痛 宜 南星 半夏 加快氣藥佐之<丹溪心法>.

① 二陳湯(東醫寶鑑)

半夏(製) 8 g, 橘皮, 赤茯苓 各 4 g, 甘草(灸) 2 g, 生薑 3片

② 芎夏湯(東醫寶鑑)

川芎, 半夏(製), 赤茯苓 各 4 g, 陳皮, 靑皮, 枳殼 各 2 g, 白朮, 甘草(灸) 各 1 g, 生薑 5

(3) 食積腰痛

因醉飽入房 濕熱乘虛入腎 腰痛難以俛仰 四物湯合二陳湯 加麥芽 神麴 葛花 縮砂密 杜冲 黃栢 官桂 枳殼 桔梗 煎服 痛甚者 宜速效散

① 四物湯合二陳湯

熟地黃, 白芍藥, 川芎, 當歸 各 5 g 半夏(製) 8 g, 橘皮, 赤茯苓 各 4 g, 甘草(灸) 2 g, 生薑 3片

(4) 挫閃腰痛

擧重勞傷 或挫閃墜落而作痛 亦謂之挫閃腰痛 宜獨活湯 如神湯 立效散

① 獨活湯(李東垣)

當歸, 連翹 各 6 g, 羌活, 獨活, 防風, 澤瀉, 肉桂 各 4 g, 防己, 黃栢, 大黃, 甘草 各 2 g, 桃仁(留尖) 九粒

② 如神湯(雲岐)

玄胡索, 當歸, 桂心, 杜冲(薑汁炒) 各等分

(5) 瘀血腰痛

跌撲墜墮 以致血瘀腰痛<入門> 晝輕夜重者 是瘀血痛也 <丹溪心法> 血瘀則腰痛 轉側如錐之所刺<直指方> 瘀血腰痛 宜破血散瘀湯 川芎肉桂湯 久者 五積散 去麻黃 加桃仁 紅花 木香 檳榔 茴香炒 或 四物湯 加桃仁 蘇木 紅花

① 川芎肉桂湯(李東垣)

羌活 6 g, 肉桂, 川芎, 柴胡, 當歸, 蒼朮, 甘草(炙) 各 4 g, 神曲, 獨活 各 2 g, 酒防己, 防風 各 1.5 g, 桃仁 5箇.

(6) 風腰痛

風傷腎而腰痛者 或左或右 痛無常所 流注疼痛 項連脊背 引兩足强急 脈浮緊 五積散 加防風 全蝎 或 烏藥順氣散 加 五加皮<入門> 或 加馬錢子 蜈蚣

(7) 寒腰痛

寒傷腎經 腰痛不能轉側 腰部冷痛重着 見熱則減 遇寒則發 脈沈弦急 五積散 加吳茱萸 杜冲 桃仁 痛甚 加黑丑頭末 一錢調服<入門>

(8) 濕腰痛

久處卑濕 雨露浸淫 腰重痛如石 沈重麻木感 冷如氷 五積散 加桃仁 吳茱萸 最妙<得效方>. 濕腰痛 宜朮附湯 通經散. 川芎桂枝湯 治露宿寒濕之地 腰痛不能轉側

① 朮附湯(濟生方)

白朮, 附子(炮) 各 2錢, 杜冲(炒) 1錢, 生薑 3片

② 通經散(張子和)

陳皮, 當歸, 甘遂 各等分

(9) 濕熱腰痛

平日膏梁厚味之人 腰痛皆是濕熱陰虛. 濕熱腰痛者 遇天陰或久坐而發者是也. 脈緩或沈是濕熱腰痛<丹溪心法>. 濕熱腰痛 實者二炒蒼栢散 虛者七味蒼栢散 或當歸拈痛湯<入門>.

① 二炒蒼栢散(醫學入門)

蒼朮(泔浸一日夜鹽炒), 黃栢(酒浸一日夜焦炒)

② 七味蒼栢散(醫學入門)

蒼朮, 黃栢, 杜冲, 破古紙, 川芎, 當歸, 白朮 各 1錢

(10) 氣腰痛

凡人失志則心血不旺 不養筋脈 氣滯腰痛 不能久立遠行 七氣湯倍加茯苓 加沈香 乳香許煎服<入門>. 憂思傷脾則腰痛 忿怒傷肝 亦作腰痛 俱宜沈香降氣湯合調氣散<直指方>

(11) 기타(腎着證)

病人身體重 腰中冷如坐水 形如水狀 反不渴 小便自利 飮食如故 腰以下冷痛 腰重如帶五千錢 腎着湯主之<仲景> 大抵如濕同治

① 腎着湯<丹心>

白朮 二錢半, 乾薑炮, 赤茯苓 各 一錢半, 甘草炙 五分. 右剉作一貼, 水煎服. 流濕兼用溫煖之藥以散之

(12) 腰痛通治

六氣皆能爲痛 大抵寒濕多而風熱少 又有房室勞傷腎虛腰痛者居多是陽氣虛弱不能運動故也<入門> 久腰痛 必用官桂以開之腹脇痛皆然<丹溪心法> 諸腰痛 不可用補氣藥 亦不宜峻用寒凉藥 補腎湯 治一切腰痛<丹溪心法>

① 補腎湯(醫鑑)

破古紙(炒), 茴香(鹽水炒), 玄胡索, 牛膝(酒洗), 當歸(酒洗), 杜冲(酒炒), 黃栢知母(鹽酒炒) 各 1錢, 生薑 3片

4) 침구치료

(1) 東醫寶鑑

- 腰痛 灸腎兪三七壯 卽差<綱目>
- 腰曲不能伸 鍼委中出血立愈<丹心>
- 腰背痛 以鍼決膝腰句畵中靑赤絡脈出血便差<得效>
- 腰痛不得俛仰 令患人正立以竹拄地度至臍斷竹 乃以度背脊灸竹上頭盡處隨年壯灸訖藏竹勿令人知<資生>
- 神仙灸法 治腰痛 灸曲▩兩文頭左右脚四處各三壯每灸一脚二火齊下艾炷纔燒至肉初覺痛便用二人兩邊齊吹至火滅午時着灸至人定已來藏府自動一二行或轉動如雷聲其疾立愈此法神效<綱目>
- 腎虛腰痛 取腎兪人中委中肩井<綱目>
- 挫閃腰痛 取尺澤 勿灸委中 人中 陽陵泉 束骨 崑崙 下髎 氣海<綱目>
- 腰痛 崑崙 委中出血 又取腎兪 中膂兪 腰兪<綱目>
- 腰强痛 命門 崑崙 志室 行間 復溜<綱目>

(2) 許任 鍼灸經驗方

- 腰背 膀胱經及肝膽經 主之 宜用缸灸 每處鍼刺 每處缸灸七次
- 腰痛不能屈伸 腎兪 委中 尾窮骨上一寸七壯 自處左右各一寸七壯
- 腰脊疼痛溺濁 章門百壯 膀胱兪 腎兪 委中 次髎 氣海百壯
- 腰痛腹鳴 胃兪年壯 大腸兪 三陰交 太谿 太衝 神闕百壯
- 老人腰痛 命門三壯 腎兪年壯
- 腰背傴僂 肺兪 期門各三七壯 風池七壯 [又方] 脊骨傍左右突起浮骨處 以鍼深刺 灸五百壯至七八百壯
- 腰腫痛 崑崙 委中 太衝 通里 章門

(3) 舍庵鍼法

- 項脊如錘 膽傷 通谷 俠谿補, 商陽 竅陰瀉
- 筋骨如折 大腸傷 三里 曲池補, 陽谷 陽谿瀉
- 屈伸刺痛 腎傷 經渠 復溜補, 太白 太谿瀉
- 張弓弩弦 肺傷 太白 太淵補, 少府 魚際瀉

(4) 鍼灸診療要鑑

- 腎虛腰痛 委中 後谿 崑崙 太谿 中渚 腎兪(兩刺), 痛處寒者 加 崑崙 足三里, 痛處熱者 加 太衝(行間), 痛不加以俛仰 加 臨泣, 寒濕 加 後谿, 脊强 加 人中, 脊椎退行性 加 懸鐘(少陽 主骨痛), 虛甚 加 足三里

- 痰飮腰痛 後谿 申脈 豊隆(足三里) 中脘 後谿 申脈 豊隆(兩刺)
- 食積腰痛 合谷 內關 足三里 臨泣 後谿 申脈(兩刺)
- 濕熱腰痛 合谷 內關 足三里 公孫 後谿 申脈(兩刺)
- 氣腰痛 合谷 足三里 太衝 後谿 申脈 中渚 懸鐘(兩刺) 或 加 氣海
- 挫閃腰痛 養老 攢竹(或 後谿 攢竹)(巨刺)
- 瘀血腰痛 養老 申脈 然谷(或點刺出血) 三陰交 或加太衝(巨刺 혹은 兩刺)
- 瘀血이 三焦에 있는 경우(接經에 의해 足太陽經: 養老. 足少陰經: 內關, 足少陽經: 支溝)
- 打撲 瘀血은 然谷 太衝(素問 繆刺論)
- 風腰痛 後谿 申脈 足臨泣(兩刺)
- 濕腰痛 後谿 申脈 足臨泣
- 腰脚痛(추간판 병변에 의한 것)
- 外因 및 實證 後谿 申脈 中渚 足臨泣
- 腎虛 및 退行甚者 委中 太谿 崑崙 腎兪 後谿 中渚
- 足太陽經形 加 後谿, 足陽明經形 加 曲池, 足少陽經形 加 中渚, 足太陰經形 加 神門 三陰交 照海, 足少陰經形 加 大陵, 咳嗽痛甚者 加 陽陵泉, 脊强 加 人中, 不加以俛仰 加 臨泣, 邪在腎中 取足少陰 足太陽(崑崙), 退行性 加 懸鐘(少陽主骨痛:內徑), 痛處寒冷 加 足三里(取 足太陽 足陽明 靈樞 雜病), 痛處熱 加 太衝(靈樞 雜病), 腰椎 薦椎 腸骨을 정골법 시행후 자침할 경우가 있다.
- 坐骨神經痛 合谷 中渚(巨刺), 後谿 申脈 太衝 足三里 혹 加 合谷(兩刺)

5) 요통흉증과 도인법

(1) 腰痛凶證

腰痛 面上忽見紅點 人中黑者 死<入門>.

(2) 導引法

理腰背痛 病人正東坐 收手抱心 一人於前據躡其兩膝 一人後捧其頭 徐牽令偃臥 頭到地 三起三臥 便差<得效>.

제7절 요추 수술후 한의치료

요통은 근골격계의 다빈도 질환에 속하며 통증이 지속되고 보존적 치료에 반응하지 않는 경우 척추 수술을 고려하게 된다. 국내 건강보험심사평가원 자료를 통해 요추추간판탈출증 재수술률을 분석한 결과 3개월내 재수술률 5.4%, 1년내 7.4%, 2년내 9%, 3년내 10.5%, 4년내 12.1%, 5년내 13.4%로 확인되었다 . 또한 척추관협착증 재수술률을 분석한 결과 3개월내 재수술률 4.7%, 1년내 재수술률 7.2%, 2년내 재수술률 9.4%, 3년내 재수술률 11.2%, 4년내 12.5%, 5년내 재수술률은 14.2%이었다.

성공적인 요추 수술후 환자는 수술후 삶의 질이 개선되는 임상연구가 다수 있으나, 요추 수술후 하지 통증 지속 환자 또는 수술후 실패 증후군 환자의 삶의 질은 뇌졸중, 심부전, 당뇨 등 주요 만성 질환의 삶의 질보다 낮은 것으로 알려져 있다 . 이러한 수술후 지속되는 통증과 기능회복을 위하여 효과적인 재활치료로서의 한의치료가 필요하다.

이에 「요추 수술후 한의표준임상진료지침」(한의표준임상진료지침 개발사업단, 보건복지부)이 2017년 1차 개발되었으며, 진료지침을 중심으로 요추 수술후 한의치료에 대한 내용을 살펴보고자 한다.

1) 요추 수술후 환자의 정의

요추 수술후 한의치료 대상이 되는 환자는 수술 자체로 인한 통증 환자뿐만 아니라 수술후 만성통증 환자와 요추 수술후 요통 재발 환자 등 모든 환자를 포괄한다.

2) 치료목표 설정을 위한 평가

요추 수술후 환자의 통증, 기능회복, 신경인성 증상 잔존여부 등을 파악하기 위한 세밀한 진찰이 요구된다. 추간판 탈출증의 경우는 신경인성 증상 혹은 척수증상의 잔존여부를 확인하며, 척추관 협착증의 경우 가장 특징적인 증상인 신경인성 파행 잔존여부 등을 확인한다. 수술후 환자에 대한 진단 및 평가시 수술방법, 통증의 정도, 환자의 기대, 치료에 대한 반응,

근골격계의 건강상태, 정신사회적 문제 등 다양한 조건을 가지고 있으므로 치료 프로토콜을 그대로 적용하기 전에 환자의 상태에 따라 개별적으로 접근하는 것이 필요하다.

질환으로서의 요통 환자에 대한 접근 방법은 기능해부 및 생체역학적인 모델을 통하여 이루어지는 것이 보편적이나 수술후 환자들의 경우 수술에 대한 공포와 통증에 대한 회피 반응으로 인하여 일반적인 생체역학적 접근 방법과 다른 접근이 필요한 경우가 있다.

3) 한의치료

(1) 한약

요추 수술후 한약치료는 수술 시기 및 환자의 상태에 따라 다양한 처방을 고려할 수 있다. 수술후 급성기 瘀血을 제거하고 鎭痛의 목적으로 하는 처방과 회복기 强筋骨을 목적으로 혹은 전신적인 기능저하에 대하여 補氣血하는 한약 등을 고려할 수 있다(표 2-7).

(2) 침 및 전침

요추 수술후 통증 및 기능 개선을 위해 침치료를 시행할 수 있다. 수술 부위에 인접한 경혈은 주의하여 시술하여 감염 등에 유의하여야 한다.

- 혈위 : 대장수, 요양관, 삼초수, 신수, 기해수, 상료, 차료, 환도혈, 양릉천, 족삼리, 승산, 현종, 태계, 곤륜, 신맥 등, 아시혈, 요방형근, 척추기립근, 다열근, 중둔근, 대퇴근막장근 등의 압통점, 사암침법 등의 원위취혈

(3) 추나

수술 초기 환자나 수술의 종류에 따라 직접적 교정기법은 적용하지 않는 것이 바람직하다. 근막기법, 요추신연법 등을 활용할 수 있으며, 환자 상태에 따라 경추, 흉추, 골반부 추나 치료를 병행할 수 있다.

(4) 도인운동

운동요법의 시행은 수술후 4주 이후부터 고려하는 것이 좋다. 환자의 통증이 증가하지 않는 범위에서 요추부 및 하지부 근력강화를 위한 도인운동을 시행하거나, 회복기에 둔부와 대퇴부의 근육을 이완시키기 위한 스트레칭 운동 등을 활용한다.

(5) 약침

환자의 증상에 따라 요추부 경혈과 하지부 경혈에 봉약침 및 活血去瘀, 消炎, 鎭痛 목적의 약침을 활용할 수 있다. 수술 부위에 인접한 경혈은 주의하여 시술하여 감염 등에 유의한다. 봉약침 시술을 위해서는 처치 전 과민반응 검사가 사전에 꼭 필요하며, 용량 및 시술 주기 등에 대해 신중한 결정이 필요하다.

(6) 부항, 뜸 및 한방물리치료

요배부 및 복부에 뜸 및 부항요법을 활용할 수 있으며, 한방물리치료를 병행하여 회복을 도모할 수 있다.

4) 예후 및 관리

(1) 진료 시 주의사항

수술후 시기에 따른 치료 목표를 설정하고 치료 뿐만 아니라 운동, 보행, 일상생활 등에 대한 프로그램을 제시하는 것이

표 2-7. 요추 수술후 한약치료

수술후 초기 환자 또는 통증 호소 환자	活血化瘀, 舒筋活絡, 鎭痛하거나 빠른 회복을 도모하는 처방 활용 (예) 활락탕, 회수산, 만령단, 거통환, 영선제통음, 보양환오탕, 오적산
수술후 전신적인 기능 저하	補氣血할 수 있는 한약 처방 (예) 보익양위탕, 십전대보탕, 쌍화탕
수술후 회복기 또는 중기 이후 환자	强筋骨하는 처방 고려 (예) 양근탕, 보골환

필요하다. 수술 부위에 지나치게 강한 침자극이나 전기적 자극이 가해질 경우 통증 악화 가능성이 있으므로 주의가 필요하며, 수술부위에 인접한 경혈은 주의하여 시술하여 감염 등에 유의한다. 수술부위가 손상되지 않도록 추나요법이나 운동요법 시행시 수술부위에 대한 직접적 교정과 운동은 주의하여야 한다. 수술후 새롭게 나타나는 통증, 조절이 안되는 심한 통증, 감염이나 염증이 있는 경우 의과로의 협진 의뢰가 필요할 수 있다.

(2) 환자 관리 및 생활지도

일반적으로, 수술 환자들에 대한 재활 프로그램은 환자에 대한 교육, 운동, 보행프로그램, 치료로 나누어 볼 수 있다. 수술 직후에는 수술부위 안정화를 위한 침상안정이 필요하며, 침상 안정 중에는 근력 약화 방지를 위한 등척성 운동을 시행하되 상처 부위 악화 방지를 위해 운동범위가 증가되는 운동은 제한하는 것이 바람직하다. 점차적으로 활동량을 늘리고, 일상 생활 동작의 훈련, 정상적인 생활 환경으로 복귀하는 단계로 진행한다. 척추수술의 경우 다른 하지 관절의 수술과는 다르게 비교적 초기부터 보조기를 착용한 상태에서 보행 운동이 권장된다. 일상생활에서는 수술 부위에 무리가 될 수 있는 무리한 사용이나 무거운 것을 들지 않도록 하는 등 주의가 필요하며, 좋지 않은 생활 습관이나 자세가 통증을 유발할 수 있음을 교육한다. 만성적인 경과를 보이는 환자는 심리적인 장애나 우울이 동반되는 경우가 많은 만큼 정서적 지지와 격려가 필요하다.

참고문헌

1. O'Rahilly R. Human embryology and teratology. New York: John Wiley & Sons, 1996.
2. Early development of the vertebral column. Semin Cell Dev Biol. 2016 Jan;49:83-91.
3. Anatomy and examination of the spine. Neurol Clin. 2007 May;25(2):331-51.
4. Brain, Lord, and Marcia Wilkinson, eds. Cervical spondylosis and other disorders of the cervical spine. Butterworth-Heinemann, 2013.
5. Bogduk N, Mercer SR. Biomechanics of the cer- vical spine. I: Normal Kinematics. Clin Biomech 2000;15: 633–648.
6. Bogduk, Nikolai. Clinical anatomy of the lumbar spine and sacrum. Elsevier Health Sciences, 2005.
7. Panjabi MM, Goel V, Oxland T, Takata K, Duranceau J, Krag M, Price M: Human lumbar vertebrae: quantitative three-dimensional anatomy. Spine 1992, 17:299–306.
8. Cheng JS, Song JK. Anatomy of the sacrum. Neurosurg Focus 2003; 15: E3
9. Bogduk, Nikolai. Clinical and Radiological Anatomy of the Lumbar Spine E-Book. Elsevier Health Sciences, 2012.
10. Classification of age-related changes in lumbar intervertebral discs: 2002 Volvo Award in basic science. Spine (Phila Pa 1976). 2002 Dec 1;27(23):2631-44.
11. Developmental mechanisms of intervertebral disc and vertebral column formation. Wiley Interdiscip Rev Dev Biol. 2017 Nov;6(6).
12. Bican O, Minagar A & Pruitt AA (2013). The spinal cord: a review of functional neuroanatomy. Neurol Clin 31, 1– 18.
13. Wall EJ, Cohen MS, Massie JB, Rydevik B, Garfin SR. Cauda equina anatomy. I: Intrathecal nerve root organization. Spine 1990; 15: 1244–1247
14. Olszewski AD, Yaszemski MJ, White AA. The anatomy of the human lumbar ligamentum flavum. New observations and their surgical importance. Spine 1996; 21: 2307–2312
15. Ivancic PC, Coe MP, Ndu AB et al. Dynamic mechanical properties of intact human cervical spine ligaments. Spine J 2007; 7: 659–665

16. KURIHARA, A., TANAKA, Y., TSUMURA, N., & IWASAKI, Y. (1988). Hyperostotic Lumbar Spinal Stenosis. Spine, 13(11), 1308–1316.

17. Janda, V., 1987. Muscles and motor control in low back pain: assessment and management. In: Twomey, L. (Ed.), Physical Therapy of the Low Back. Churchill Livingstone, New York.

18. Adson AW, Coffey JR. Cervical rib: a method of anterior approach for relief of symptoms by division of the scalenus anticus. Ann Surg 1927; 85:839-57.

19. Been, Ella, and Leonid Kalichman. "Lumbar lordosis." The Spine Journal 14.1 (2014): 87-97

20. Alison Middleditch, M. C. S. P., and M. C. S. P. Jean Oliver. Functional anatomy of the spine. Elsevier Health Sciences, 2005.

21. Takeuchi T, Abumi K. shone Y, Oda I, Kaneda K. Biomechanical role of the intervetrebral disc and costovertebral joint in stability of the thoracic spine. Spine 1999; 24: 1414–1420

22. Bogduk N. Functional anatomy of the spine. Handb Clin Neurol. 2016;136:675-88.

23. Shepherd DET, Leahy JC, Mathias KJ, Wilkinson SJ, Hukins DWL. Spinous process strength. Spine 2000; 25: 319–323

24. Phillips S, Mercer S, Bogduk N. Anatomy and biomechanics of quadratus lumborum. J Eng Med 2008;222: 151–159.

25. Vleeming A, Schuenke MD, Masi AT, et al. (2012) The sacroiliac joint: an overview of its anatomy, function and potential clinical implications. J Anat 221, 537– 567.

26. Alomar, X., et al. "Anatomy of the temporomandibular joint." Seminars in Ultrasound, CT and MRI. Vol. 28. No. 3. WB Saunders, 2007.

27. 류홍선, 송애진, 정명수. 근골격계 질환에 대한 경근무늬측정검사(모아레)의 한의약적 임상응용 고찰. 대한예방한의학회지.2016;20(1):75-87.

28. Hippensteel KJ, Brophy R, Smith MV, Wright RW. A Comprehensive Review of Physical Examination Tests of the Cervical Spine, Scapula, and Rotator Cuff. J Am Acad Orthop Surg. 2019 Jun 1;27(11):385-394.

29. Surendra K, Shaila K. Lasègue's Sign. J Clin Diagn Res. 2017 May; 11(5): RG01–RG02.

30. Devillé WL, van der Windt DA, Dzaferagić A, Bezemer PD, Bouter LM. The test of Lasègue: systematic review of the accuracy in diagnosing herniated discs. Spine (Phila Pa 1976). 2000 May 1;25(9):1140-7.

31. 동의재활의학과학, 전국 한의대 재활의학과학교실편, 서울:서원당, 1995.

32. Barbara Finneson, Low Back Pain. 2nd ed. Philadephia:J.B. Lippincott Company. 1980.

33. Panagos A. Spine. New York: Demos Medical; 2010.

34. Donnally IC, Hanna A, Varacallo M. Lumbar Degenerative Disk Disease. StatPearls. Treasure Island (FL): StatPearls Publishing

35. 정석희, 김기택. 척추질환의 이해. 서울:군자출판사. 2008

36. Oyinkan Marquis B, Capone PM. Myelopathy. Handb Clin Neurol. 2016;136:1015-26.

37. Ludwig Ombregt. A System of Orthopaedic Medicine, 3rd Ed. Elsevier. 2013

38. Frank H. Netter. The netter collection of medical illustrations, vol6, 2nd Ed. Elsevier. 2016

39. Court C, Mansour E, Bouthors C. Thoracic disc herniation: Surgical treatment. Orthop Traumatol Surg Res. 2018;104(1s):S31-s40.

40. Patel EA, Perloff MD. Radicular Pain Syndromes: Cervical, Lumbar, and Spinal Stenosis. Semin Neurol. 2018;38(6):634-9.

41. Ombregt L.A System of Orthopaedic Medicine (Third Edition): Churchill Livingstone; 2013.

42. Albert TJ, Vaccaro AR. Physical Examination of the Spine. Vol Second edition. New York: Thieme; 2017.

43. Schwarzer AC, Aprill CN, Derby R, Fortin J, Kine G, Bogduk N. The prevalence and clinical features of internal disc disruption in patients with chronic low back pain. Spine (Phila Pa 1976). 1995;20(17):1878-83

44. Yu Y, Liu W, Song D, Guo Q, Jia L. Diagnosis of discogenic low back pain in patients with probable symptoms but negative discography. Arch Orthop Trauma Surg. 2012;132(5):627-32.

45. Elder BD, Witham TF. Low Back Pain and Spondylosis. Semin Neurol. 2016;36(5):456-61.

46. Frank H. Netter. The netter collection of medical illustrations, vol6, 2nd Ed. Elsevier. 2016

47. Steurer J, Roner S, Gnannt R, Hodler J. Quantitative radiologic criteria for the diagnosis of lumbar spinal stenosis: a systematic literature review. BMC Musculoskeletal Disorders. 2011;12(1):175.

48. Wiltse LL, Winter RB. Terminology and measurement of spondylolisthesis. J Bone Joint Surg Am. 1983;65(6):768-72.

49. Adams MA. The biomechanics of back pain. 3rd ed. Edinburgh :Elsevier, 2013.

50. Manchikanti L, Singh V, Pampati V, et al. Evaluation of the relative contributions of various structures in chronic low back pain. Pain Physician. 2001;4(4):308–316.

51. Perolat R, Kastler A, Nicot B, Pellat J-M, Tahon F, Attye A, et al. Facet joint syndrome: from diagnosis to interventional management. Insights Imaging. 2018;9(5):773-89.

52. Travell JG, Simons DG, Simons LS, Travell JG. Travell & Simons' myofascial pain and dysfunction :the trigger point manual. 2nd ed. Baltimore :Williams & Wilkins , 1999.

53. Goodwin P. Sacroiliac sprain. Am Fam Physician. 1993;48(8):1388-90.

54. Laslett M, Williams M. The reliability of selected pain provocation tests for sacroiliac joint pathology. Spine. 1994;19(11):1243-9.

55. Dreyfuss P, Michaelsen M, Pauza K, McLarty J, Bogduk N. The value of medical history and physical examination in diagnosing sacroiliac joint pain. Spine. 1996;21(22):2594-602.

56. Visser LH, Nijssen PG, Tijssen CC, van Middendorp JJ, Schieving J. Sciatica-like symptoms and the sacroiliac joint: clinical features and differential diagnosis. Eur Spine J. 2013 Mar 2. [Epub ahead of print]

57. Angoules AG. Osteitis pubis in elite athletes: Diagnostic and therapeutic approach. World J Orthop. 2015 Oct 18;6(9):672-9.

58. Fricker PA, Taunton JE, Ammann W. Osteitis pubis in athletes: infection. inflammation or injury? Sports Med. 1991;12(4):266–79.

59. Braun P, Jensen S. Hip pain – a focus on the sporting population. Aust Fam Physician. 2007;36(6):410–3.

60. Via AG, Frizziero A, Finotti P, Oliva F, Randelli F, Maffulli N. Management of osteitis pubis in athletes: rehabilitation and return to training - a review of the most recent literature. Open Access J Sports Med. 2018 Dec 24;10:1-10.

61. Harris NH, Murray RO. Lesions of the symphysis in athletes. Br Med J. 1974;4(5938):211–4.

62. Morelli V, Smith V. Groin injuries in athletes. Am Fam Physician. 2001;64:1405-14.

63. Jankovic D, Peng P, van Zundert A. Brief review: Piriformis syndrome: etiology, diagnosis, and management. Can J Anaesth. 2013 Oct;60(10):1003-12.

64. Cassidy L, Walters A, Bubb K, Shoja MM, Tubbs RS, Loukas M. Piriformis syndrome: implications of anatomical variations, diagnostic techniques, and treatment options. Surg Radiol Anat. 2012;34:479-86.

65. Foster MR. Piriformis syndrome. Orthopedics. 2002;25:821-5.

66. Papadopoulos EC, Khan SN. Piriformis syndrome and low back pain: a new classification and review of the literature. Orthop Clin North Am. 2004;35:65-71.

67. Durrani Z, Winnie AP. Piriformis muscle syndrome: an underdiagnosed cause of sciatica. J Pain and Symptom Manage. 1991;6:374-9.

68. Jankiewicz JJ, Hennrikus WL, Houkom JA. The appearance of the piriformis muscle syndrome in computed tomography and magnetic resonance imaging. A case report and review of the literature. Clin Orthop Relat Res. 1991;262:205-9.

69. Fishman LM, Zybert PA. Electrophysiologic evidence of piriformis syndrome. Arch Phys Med Rehabil. 1992;73:359-64.

70. Kirschner JS, Foye PM, Cole JL. Piriformis syndrome, diagnosis and treatment. Muscle & nerve. 2009;40(1):10-8.

71. Lirette LS, Chaiban G, Tolba R, Eissa H. Coccydynia: an overview of the anatomy, etiology, and treatment of coccyx pain. Ochsner J. 2014 Spring;14(1):84-7.

72. De Andrés J1, Chaves S. Coccygodynia: a proposal for an algorithm for treatment. J Pain. 2003 Jun;4(5):257-66.

73. Dalbayrak S, Yaman O, Yilmaz T, Yilmaz M. Treatment principles for coccygodynia. Turk Neurosurg.

2014;24(4):532-7.

74. Pennekamp PH, Kraft CN, St¨utz A, Wallny T, Schmitt O, Diedrich O. Coccygectomy for coccygodynia: does pathogenesis matter? J Trauma. 2005 Dec;59(6):1414-9.

75. Gertzbein SD. Scoliosis Research Society. Multicenter spine fracture study. Spine(Phila Pa 1976). 1992;17:528–40.

76. Denis F. The three column spine and its significance in the classification of acute thoracolumbar spinal injuries. Spine(Phila Pa 1976). 1983 Nov-Dec;8(8):817-31.

77. Doherty JG, Burns AS, O'Ferrall DM, Ditunno JF Jr.. Prevalence of upper motor neuron vs lower motor neuron lesions in complete lower thoracic and lumbar spinal cord injuries. J Spinal Cord Med. 2002 Winter;25(4):289-92.

78. Longo UG, Loppini M, Denaro L, Maffulli N, Denaro V. Osteoporotic vertebral fractures: current concepts of conservative care. Br Med Bull. 2012;102:171–89.

79. Spiegl UJ, Fischer K, Schmidt J, Schnoor J, Delank S, Josten C, Schulte T, Heyde CE. The conservative treatment of traumatic thoracolumbar vertebral fractures. Dtsch Arztebl Int. 2018 Oct 19;115(42):697-704.

80. Blasco J, Martinez-Ferrer A, Macho J, San Roman L, Pomés J, Carrasco J, Monegal A, Guañabens N, Peris P. Effect of vertebroplasty on pain relief, quality of life, and the incidence of new vertebral fractures: a 12-month randomized follow-up, controlled trial. J Bone Miner Res. 2012 May;27(5):1159-66.

81. Kendler DL, Bauer DC, Davison KS, Dian L, Hanley DA, Harris ST, McClung MR, Miller PD, Schousboe JT, Yuen CK, Lewiecki EM. Vertebral Fractures: Clinical Importance and Management. Am J Med. 2016 Feb;129(2):221.e1-10.

82. Takahashi S, Hoshino M, Tsujio T, Terai H, Suzuki A, Namikawa T, Kato M, Matsumura A, Takayama K, Nakamura H. Risk factors for cognitive decline following osteoporotic vertebral fractures: A multicenter cohort study. J Orthop Sci. 2017 Sep;22(5):834-9.

83. Newman M, Minns Lowe C, Barker K. Spinal Orthoses for Vertebral Osteoporosis and Osteoporotic Vertebral Fracture: A Systematic Review. Arch Phys Med Rehabil. 2016 Jun;97(6):1013-25.

84. Dugonjić S, Ajdinović B, Ćirković M, Ristić G. Bone scintigraphy can diagnose osteoporotic vertebral compression fractures better than conventional radiography. Hell J Nucl Med. 2017 Sep-Dec;20 Suppl:155.

85. Lin HH, Chou PH, Wang ST, Yu JK, Chang MC, Liu CL. Determination of the painful level in osteoporotic vertebral fractures--Retrospective comparison between plain film, bone scan, and magnetic resonance imaging. J Chin Med Assoc. 2015 Dec;78(12):714-8.

86. The national spinal cord injury statistical center. 2017 annual statistical report for the spinal cord injury model systems. Birmingham: The national spinal cord injuty statistical center, 2018.

87. Roberts TT, Leonard GR, Cepela DJ. Classifications In Brief: American Spinal Injury Association (ASIA) Impairment Scale. Clin Orthop Relat Res. 2017 May;475(5):1499-504.

88. Brooks NP. Central Cord Syndrome. Neurosurg Clin N Am. 2017 Jan;28(1):41-7.

89. Moskowitz E, Schroeppel T. Brown-Sequard syndrome. Trauma Surg Acute Care Open. 2018 Feb 20;3(1):e000169.

90. Schneider GS. Anterior spinal cord syndrome after initiation of treatment with atenolol. J Emerg Med. 2010;38:e49–52.

91. McKinley W, Hills A, Sima A. Posterior cord syndrome: Demographics and rehabilitation outcomes. J Spinal Cord Med. 2019 Apr 2:1-6.

92. Altaf F, Gibson A, Dannawi Z, Noordeen H. Adolescent idiopathic scoliosis. BMJ. 2013 Apr 30;346:f2508.

93. Yaman O, Dalbayrak S. Idiopathic scoliosis. Turk Neurosurg. 2014;24(5):646-57.

94. Burnei G, Gavriliu S, Vlad C, Georgescu I, Ghita RA, Dughilă C, Japie EM, Onilă A. Congenital scoliosis: an up-to-date. J Med Life. 2015 Jul-Sep;8(3):388-97.

95. Vialle R, Thévenin-Lemoine C, Mary P. Neuromuscular scoliosis. Orthop Traumatol Surg Res. 2013 Feb;99(1 Suppl):S124-39.

96. Van Goethem J, Van Campenhout A, van den Hauwe L, Parizel PM. Scoliosis. Neuroimaging Clin N Am. 2007 Feb;17(1):105-15.

97. Yaman O, Dalbayrak S. Kyphosis and review of the literature. Turk Neurosurg. 2014;24(4):455-65.

98. Feng Q, Wang M, Zhang Y, Zhou Y. The effect of a corrective functional exercise program on postural thoracic kyphosis in teenagers: a randomized controlled trial. Clin Rehabil. 2018 Jan;32(1):48-56.

99. Ailon T, Shaffrey CI, Lenke LG, Harrop JS, Smith JS. Progressive Spinal Kyphosis in the Aging Population. Neurosurgery. 2015 Oct;77 Suppl 4:S164-72.

100. Palazzo C, Sailhan F, Revel M. Scheuermann's disease: an update. Joint Bone Spine. 2014 May;81(3):209-14.

101. Bezalel T, Carmeli E, Been E, Kalichman L. Scheuermann's disease: current diagnosis and treatment approach. J Back Musculoskelet Rehabil. 2014;27(4):383-90.

102. Vandertop WP. Syringomyelia. Neuropediatrics. 2014 Feb;45(1):3-9.

103. Abiola R, Rubery P, Mesfin A. Ossification of the Posterior Longitudinal Ligament: Etiology, Diagnosis, and Outcomes of Nonoperative and Operative Management. Global Spine J. 2016 Mar;6(2):195–204.

104. Nickerson EK, Sinha R. Vertebral osteomyelitis in adults: an update. Br Med Bull. 2016 Mar;117(1):121-38.

105. Dunn RN, Ben Husien M. Spinal tuberculosis: review of current management. Bone Joint J. 2018 Apr 1;100-B(4):425-31.

106. Rajasekaran S, Soundararajan DCR, Shetty AP, Kanna RM. Spinal Tuberculosis: Current Concepts. Global Spine J. 2018 Dec;8(4 Suppl):96S–108S.

107. Joaquim AF, Appenzeller S. Cervical spine involvement in rheumatoid arthritis--a systematic review. Autoimmun Rev. 2014 Dec;13(12):1195-202.

108. Li XY, Xiao HB, Pai P. Myelitis in systemic lupus erythematosus. J Clin Neurosci. 2017 Oct;44:18-22.

109. Raychaudhuri SP, Deodhar A. The classification and diagnostic criteria of ankylosing spondylitis. J Autoimmun. 2014 Feb-Mar;48-49:128-33.

110. Selmi C, Gershwin ME. Diagnosis and classification of reactive arthritis. Autoimmun Rev. 2014 Apr-May;13(4-5):546-9.

111. Ritchlin CT, Colbert RA, Gladman DD. Psoriatic Arthritis. N Engl J Med. 2017 Mar 9;376(10):957-70.

112. Golob AL, Wipf JE. Low back pain. Med Clin North Am. 2014 May;98(3):405-28.

113. 임동춘, 오재근, 전경규. 만성 요통환자의 추나요법과 척추안정화운동에 따른 요추부 근육면적과 신체안정성 변화. 한국체육과학회지, 2012:21(4):1215-1225.

114. 척추신경추나의학회 편저. 추나의학(제2.5판). 서울:척추신경추나의학회. 2017.

115. Manchikanti L, Singh V, Datta S, Cohen SP, Hirsch JA, Comprehensive review of epidemiology, scope, and impact of spinal pain. Pain Physicians: official journal of the Association of Pain Management Anesthesiologists. 2009;12(4): 35-70.

116. Kim KS. Clinical Guideline for Oriental Medicine. Seoul:-Daesungbook. 1998:167.

117. 韋緖性. 中醫痛症診療大全. 北京:中國中醫藥出版社. 1992.

118. 東醫寶鑑, 허준, 서울:남산당, 1979.

119. 허임, 김달래역, 침구경험방, 서울:정담, 2003.

120. 김달호, 도해교감 사암도인침법, 서울:소강출판사, 2001.

121. 김경식, 침구치료요감, 서울:의성당, 2008.

122. Kim CH, Chung CK, Park CS, Choi B, Kim MJ, Park BJ: Reoperation rate after surgery for lumbar herniated intervertebral disc disease: nationwide cohort study. Spine 2013, 38(7):581-590

123. Kim CH, Chung CK, Park CS, Choi B, Hahn S, Kim MJ, Lee KS, Park BJ: Reoperation rate after surgery for lumbar spinal stenosis without spondylolisthesis: a nationwide cohort study. The Spine Journal 2013, 13(10):1230-1237.

124. Doth AH, Hansson PT, Jensen MP, Taylor RS: The burden of neuropathic pain: a systematic review and meta-analysis of health utilities. PAIN® 2010, 149(2):338-344.

125. Lisa Maxey, Jim Magnusson. Rehabilitation for the post-surgical orthopedic patient, 3th. Mosby an impront of Elsevier Inc. 2013.

126. JeMe Cioppa-Mosca, Janet B Cahill, John T Cavanaugh, Deborah Corradi-Scalise, Holly Rudnick, Aviva L Wolff. Postsurgical rehabilitation guidelines for the orthopedic

clinician. Mosby, Inc., an affiliate of Elsevier Inc. 2006.

127. David A. Wong, Ensor Transfeldt. 맥냅의 요통. 서울:가본의학. 2008:89,272-306.

128. Low back pain and sciatica in over 16s: assessment and management: NICE guideline [NG59] Published date: November 2016

129. Wang RR, Tronnier V. Effect of acupuncture on pain management in patients before and after lumbar disc protrusion surgery-a randomized control study. The American journal of Chinese medicine. 2000;28(01):25-33.

130. Melchart D, Weidenhammer W, Streng A, Reitmayr S, Hoppe A, Ernst E, et al. Prospective investigation of adverse effects of acupuncture in 97 733 patients. Archives of Internal Medicine. 2004;164(1):104-5.

131. Witt CM, Pach D, Brinkhaus B, Wruck K, Tag B, Mank S, et al. Safety of acupuncture: results of a prospective observational study with 229,230 patients and introduction of a medical information and consent form. Forschende Komplementärmedizin/Research in Complementary Medicine. 2009;16(2):91-7

132. 李永津, 陈博来, 林定坤, 孔畅. 腹针疗法治疗腰椎间盘突出症术后残余症45例疗效观察. 新中医. 2008;40(5):73-4.

133. 忻志平, 曹贺, 何永淮, 裘敏蕾, 郑晓, 邵萍. 电针夹脊穴治疗腰椎手术失败综合征的临床疗效观察. 辽宁中医杂志. 2009(5):813-5.

134. 王诚宏, 慈鸿飞, 高谦, 陈华, 王福根. 银质针治疗腰椎手术失败综合征的疗效观察. 中国临床康复. 2004;8(11):2082-3.

135. Hwang M-S, Heo K-H, Cho H-W, Shin B-C, Lee H-Y, Heo I, et al. Electroacupuncture as a complement to usual care for patients with non-acute pain after back surgery: a study protocol for a pilot randomised controlled trial. BMJ open. 2015;5(2):e007031.

136. 刘艳伟, 孟爱霞. C 形臂引导下脊神经后内侧支阻滞联合密集型银质针治疗腰椎术后综合征临床观察. 河北医学. 2016;22(7):1157-9.

137. 马友盟, 吴山, 林应强. 推拿治疗腰椎手术失败综合征37例的疗效观察. 中医正骨. 2001;13(12):19-20.

138. Kim BJ, Ahn J, Cho H, Kim D, Kim T, Yoon B. Early individualised manipulative rehabilitation following lumbar open laser microdiscectomy improves early post-operative functional disability: A randomized, controlled pilot study. Journal of back and musculoskeletal rehabilitation. 2016;29(1):23-9.

139. EBM 기반 요추 추간판 탈출증 한의임상진료지침 개발위원회(한국한의학연구원, 한방재활의학과학회), 요추 추간판 탈출증 한의임상진료지침(개정판), 대전, 대한민국, 2015

140. 조은, 강재희, 최주영, 윤광식, 이현. 척추수술후 증후군(Failed Back Surgery Syndrome) 환자 30례에 대한 봉약침 병행치료 효과의 임상적 연구. 대한침구의학회지. 2011;28(5):77-86.

141. JeMe Cioppa-Mosca, Janet B Cahill, John T Cavanaugh, Deborah Corradi-Scalise, Holly Rudnick, Aviva L Wolff. Postsurgical rehabilitation guidelines for the orthopedic clinician. Mosby, Inc., an affiliate of Elsevier Inc. 2006.

CHAPTER

03 관절 질환

김고운(경희대학교)
박인화(상지대학교)
송윤경(가천대학교)
이은정(대전대학교)
정수현(세명대학교)
차윤엽(상지대학교)
최진봉(동신대학교)
허인(부산대한의전)

CHAPTER 03

관절 질환

제1절 개요

1. 도입

관절은 뼈와 뼈 사이를 연결해주는 구조물로써, 근골격계에서 가장 약한 부위이지만 골격의 정렬 상태를 해칠 수 있는 다양한 외력에 저항하는 기능을 한다. 인체의 각 관절은 구조 및 기능에 따라 분류할 수 있다. 구조적으로는 뼈들에 부착된 물질과 관절강(joint cavity)의 존재 유무에 따라 섬유관절(fibrous joint), 윤활관절(synovial joint), 연골관절(cartilaginous joint)의 세 종류로 구분이 가능하다.

관절의 기능적 분류는 관절에 허용되는 움직임의 범위에 기반하여 이루어진다. 이같은 관점에 따라 관절은 각각 움직이는 것이 불가능한 부동관절(immovable joint), 약간 움직일 수 있는 부전동관절(slightly movable joint), 자유로운 움직임을 갖는 가동관절(freely movable joint) 등으로 나누어볼 수 있다. 이들 중 가동관절은 주로 사지에 분포하며, 부동관절은 대체로 체간 골격(axial skeleton)에 국한되는데 이러한 기능적 관절 유형들의 위치는 더 적게 움직이는 관절이 더 안정적이라는 사실을 고려하면 충분히 이해할 수 있다.

다양한 관절질환에서 가장 중요한 관절은 가동관절, 즉 활막 관절이다. 활막 관절은 중심부에 활액으로 찬 관절강(joint cavity)이 있고 양쪽 골의 관절면은 초자 연골로 덮여 있으며 그 주위를 관절낭이 감싸고 있는 구조로 되어 있다. 관절낭의 바깥층은 결합조직으로 구성되고 인대에 의해 안정감을 느끼도록 되어 있다. 한편 관절낭의 내면은 활막(synovium)으로 덮여 있으며 이 활막은 활액(synovial fluid)을 생산한다. 활액은 관절이 마찰 없이 운동을 할 수 있도록 윤활제의 역할을 하면서 관절면을 이루는 연골에 영양을 공급하는 기능을 한다. 섬유 관절은 소아의 두개봉합 등에서 볼 수 있고 연골 관절은 추간판이나 치골결합 등에서 볼 수 있다.

관절통이나 관절의 기능 부전은 외상으로 인한 손상 이외에도 다양한 위험요소와 관련지어 발생하는데, 이들 중 대부분은 관절의 염증상태 또는 퇴행성 변화에 기인한다. 예컨대 점액낭염(bursitis), 건염(tendonitis), 여러 가지 형태의 관절염(arthritis) 등이 이러한 관절 상태와 관련지을 수 있다. 본 단원에서는 관절의 염증성 및 퇴행성 상태에 의하여 발생한 질환에 중점을 두어 살펴볼 것이다.

2. 진단적 접근 방법

관절 증상을 호소하는 환자의 진료시에 병력청취 및 이학적 검진만을 통해서도 기본적으로 질환의 윤곽을 가늠할 수 있기 때문에 초기 내원 시의 정확한 진찰은 매우 중요하다. 관절 증상을 진찰하고 식별할 때는 염증성인지 아닌지, 기원이 관절로 인한 것인가 아니면 관절 외적인 원인에 의한 것인가, 그리고 급성인가 만성인가, 단일 관절의 문제인지 아니면 여러 관절의 문제인지 등에 초점을 맞추어 진행해야 한다. 이상의 네 가지 사항을 평가할 수 있다면 급성 염증성 단일 관절염 혹은 만성 비염증성 다발성 관절염과 같이 관절질환의 범주를 구분할 수 있고, 이에 근거하여 (표 3-1)과 같이 개략적인 감별을 시행할 수 있다. 예를 들어 가장 흔한 염증성 관절 질환 중 하나인 류마티스 관절염(Rheumatoid arthritis)의 경우 만성의 경과를 보이지만 관절 파괴(joint destruction) 등 심각한 임상 소견과 함께 신체기능의 저하 및 사망률 증가 등 양상이 진행성으로 나타나므로 질병의 정확한 초기 진단을 통한 조기 치료가 중요하다. 근래의 메타분석에서는 조기에 치료를 시작한 류마티스 관절염 환자들을 5년간 영상진단으로 경과를 추적한 결과 치료의 이점이 유지되고 있음을 확인하기도 하였다. 이와는 달리 패혈성 관절염, 점액낭염 또는 결정 유발성(crystal-induced) 관절염 등의 질환은 증상의 발생과 진행 자체가 급성이어서 신속한 대처가 필요하므로 역시 유의하여 식별하여야 한다. 상기의 예들을 살펴볼때, 초기에 환자를 대면했을때의 정확한 진찰은 질환의 급, 만성 여부와 관계없이 매우 중요함을 알 수 있다.

1) 염증성과 비염증성의 구별

관절 질환을 다룰 때 염증성인지 아닌지를 판별하는 것은 매우 의미있는 일이다. 염증성의 감별은 (표 3-2)를 참조하면 도움이 된다. 원인에 따라 염증성 관절 질환은 감염성(예; 결핵성), 결정 유발성(예; 통풍), 면역성(예; 전신성 홍반성 루푸스), 반응성(예; Reiter 증후군)으로 구분할 수 있으며, 비염증성 관절질환은 외상성(예; 골절), 퇴행성(예; 골관절염), 신생물성(예; 유골골종), 기능성(예; 신경병증성)으로 구분할 수 있다.

염증성과 비염증성 관절 질환의 감별은 병력과 이학적 검사 그리고 실험실 검사를 통하여 도움을 받을 수 있다. 염증성 관절 질환의 경우 먼저 이학적 검사 시 염증의 4대 증상인

표 3-1. 증상에 따른 관절 질환의 개략적인 감별 진단

	관절성		관절주위, 국소성	
	염증성	비염증성	염증성	비염증성
급성	패혈성 관절염, 통풍 Reiter 증후군 급성 류마티스 열 출혈성 관절증	골절 외상	점액낭염, 패혈성 점액낭염 건초염, 건활액막염 늑연골염, 삽입물 염증 골막염	수근관 증후군 반사성 교감신경성 이영양증
만성	결핵성 관절염, 건선성 관절염 가성통풍, 유년성 관절염 류마토이드 관절염 결정유발성 관절염 전신성 홍반성 루프스 경피증	골관절염 골괴사 신경병증성 관절염 출혈성 관절증 색소 융모결절성 활액막염 이물성 활액막염	건초염 늑연골염 삽입물 염증 골막염 다발성 근염	수근관 증후군 근막통증 증후군 레이노 현상 유골골종 섬유근육통

표 3-2. 염증성과 비염증성의 감별

항목	염증성	비염증성
통증 여부(악화 시기)	있음(아침)	있음(야간)
종창	연부조직	골성
발적	때때로 나타남	없음
열감	때때로 나타남	없음
아침강직	뚜렷함(1시간 이상)	경미함(45분 이내)
전신증상(미열, 식욕부진, 빈혈, 체중감소)	때때로 나타남	없음
ESR, CRP상승	자주 나타남	잘 안 나타남
활액내 WBC	WBC $>2000/mm^3$	WBC $<2000/mm^3$
질병 예	패혈성 관절염, RA, 통풍, 류마토이드 다발성 근육통 등	골관절염, 유착성 활액막염, 골괴사 등

발적, 종창, 열감, 통증을 찾아내야 한다. 염증성인 경우 통증은 휴식을 취한 뒤인 아침에 심한 경우가 많고 활동으로 다소 악화되며 전신적인 증상이 있는 경우가 많다. 또한 실험실 검사에서는 적혈구 침강 속도(Erythrocyte Sedimentation Rate, ESR)와 C반응 단백(C-Reactive Protein, CRP)이 상승하지만, 이 수치들은 관절 이외의 염증성 질환에서도 상승하므로 감별이 필요하다.

비염증성 관절질환인 경우에는 활동으로 증상이 악화하는 특징이 많기 때문에 저녁과 야간에 더욱 심한 통증을 호소한다. 그리고 골성 종창이 있으면서 전신적인 증상이 없으면 비염증성 관절질환인 경우가 많다.

2) 관절성과 관절 주위성 기원

환자를 살필 때 병의 기원이 관절성인지 아니면 관절주위 질환으로 인한 것인지를 감별해야 하는데 때로는 혼합되어 나타나기도 한다. 병력을 잘 청취하고 해부학적 지식을 기반으로 하여 몇 가지 이학적 검사를 해보면 감별이 가능하다. 관절의 구조는 특히 활막관절의 경우 활액막, 활액, 관절연골 그리고 관절낭으로 구성되어 있으며 증상을 일으키는 관절이 1곳인가, 2-4개 정도인가 아니면 그 이상 전신적인 분포를 하는 가를 살피도록 한다.

관절주위 조직에는 건, 점액낭, 인대, 근육, 골, 근막, 신경 그리고 피부가 덮고 있어서 관절과 인접하여 있어서 혼동하기가 쉽다. 관절의 통증을 호소할 때는 원인이 관절 자체에 기인하기도 하지만 관절주위의 문제로 나타나기도 하므로 주의하여 살펴야 한다.

3. 이학적 검사

관절 질환의 정확한 초기 진단 및 영상검사 시행의 필요성 등을 확인하기 위하여 이학적 검사를 신속하게 시행하여야 한다. 많은 이학적 검사가 환자의 각 관절별 특정 질병이나 상태 및 손상을 확인하는데 유용하다. 이때 환자가 호소하는 내용이 관절의 문제인지 주위의 연부 조직의 문제인지, 염증성인지 비염증성인지, 단일 관절성인지 다관절성인지, 그 외에 관련된 전신적인 증상은 없는지를 함께 살피도록 한다. 관절 질환의 진찰 시에 먼저 일반적으로 살펴보아야 할 항목은 (표 3-3)과 같다.

일반적인 사항들에 대한 검진 후 관절에 대한 시진, 촉진 및 다양한 이학적 검사를 통하여 진단의 범위를 축소할 수 있다. 시진을 할 때는 증상을 호소하는 관절 주위의 윤곽선, 피부색, 종창 여부, 상처 등을 대칭이 되는 관절과 비교하여 살펴보도록 한다. 촉진할 때는 검사자의 손 아래에 있는 해부학적 구조물을 연상하면서 비정상적인 구조물이나 압통점, 피부온도 등을 확인하고 증상을 악화시키는 환경(예; 자세, 기후, 특정시간 등)에는 어떠한 것이 있는지 환자에게 물어보아야 한다.

관절의 염발음(crepitus)은 관절을 움직일 때 흔히 들리거나 느낄 수가 있다. 일부 관절의 거친 염발음은 건(tendon)이 골성 융기 부분을 스칠 때 나오는 소리이거나 느낌이고 병리적으로 중요하지 않은 경우가 많지만, 예리한 염발음의 경우는 일반적으로 임상적인 중요성을 지닌다. 이렇게 예리한 염발음은 거칠어진 연골이 반대편 연골에 문질러질 때 또는 악화된 골관절염에서 관절면이 반대편 골부분에 스치면서 나는 소리이다.

관절의 운동 범위에 대해서는 능동 운동(active movements)과 수동 운동(passive movements)의 양 측면에서 각 관절에 따른 모든 방향으로 측각기(goniometer)를 사용하여 측정하도록 한다. 정상적인 관절 운동 범위는 (표 3-4)에 표시하였다. 관절의 운동은 삼출액, 동통, 변형 및 구축에 의해 제한받을 수 있는데, 특히 종종 환자가 호소하는 관절의 문제가 통증과 제한 중 어느 쪽이 더 심각한지를 주의깊게 살필 필요가 있다. 통증이 더 심각한 경우에는 환자의 상태는 급성일 가능성이 높으며, 통증보다 제한이 더 문제라면 아급

표 3-3. 관절 질환의 일반적인 점검 항목

- 발열, 홍반, 종창의 여부
- 관절과 관절주위 구조물
- 관절 운동 범위(ROM)
- 염발음
- 위축이나 변형
- 관절의 불안정성, 아탈구, 탈구
- 근력평가
- 관절 이외의 증상

표 3-4. 관절 운동 범위

관절	굴곡/신전	외전/내전	내회전/외회전
C-spine	Flexion: 45° Extension: 45°	Lateral flexion: 45°	Rotation: 60°
L-spine	Flexion: 90° Extension: 30°	Lateral flexion: 35°	Rotation: 45°
Shoulder	Flexion: 180° Extension: 45°	Abduction: 180° Adduction: 45°	Internal rotation: 55°(견관절 90도 외전상태에서) External rotation: 40-55°(견관절 90도 외전상태에서)
Elbow	Flexion: 135° Extension: 0-5°		Pronation: 90° Supination: 90°
Wrist	Flexion: 80° Extension: 70°	Ulnar deviation: 30° Radial deviation: 20°	
MCP	Flexion: 90° Extension: 30-45°	Finger Abduction: 20° Finger Adduction: 0°	
PIP	Flexion: 100° Extension: 0°		
DIP	Flexion: 90° Extension: 20°		
Hip	Flexion: 120° Extension: 30°	Abduction: 45-50° Adduction: 20-30°	Internal rotation: 35° External rotation: 45°
Knee	Flexion: 135° Extension: 0°		Internal rotation: 10° External rotation: 10°
Ankle	Plantar flexion: 50° Dorsi flexsion: 20°	Abduction: 10° Adduction: 20°	Inversion: 5° Eversion: 5°
MTP	Flexion: 45° Extension: 70-90°		

성이나 만성인 상태로 볼 여지가 있다.

근육에 대해 검사를 할 때는 근력의 강도와 위축의 정도를 기록하고, 통증 부위와 경결 부위를 찾아내도록 한다. 근력에 대한 일반적인 평가 방법은 (표 3-5)에 나타나 있다. 일반적인 이학적 검사 후에는 의심되는 질환 및 손상에 따른 특수검사를 시행한다.

표 3-5. 근력 평가 기준

5 등급	중력과 일반적 저항을 이겨낼 수 있음
4 등급	중력과 약간의 저항을 이겨낼 수 있음
3 등급	중력을 이겨낼 수 있음
2 등급	중력이 제거된 상태에서 움직일 수 있음 (중력을 이겨내지 못함)
1 등급	약간의 근수축 및 관절 움직임만 있음
0 등급	근육 기능의 증거가 없음

4. 영상의학적 검사

관절의 영상 검사는 일차적으로 관찰된 임상 소견들과 함께 전체적인 환자 진단을 확인하려는 목적으로 사용되며, 관절 질환의 진행 정도나 치료 경과 등의 정보를 파악하는 데에도 유용하다. 관절 질환의 영상 검사 종류에는 단순 방사선 촬영(Simple X-ray)(표 3-6), 전산화 단층촬영(Computerized Tomography, CT), 자기 공명 영상(Magnetic Resonance Imaging, MRI), 초음파 촬영(Ultrasonography, US), 뼈 스캔(Bone scan) 등이 있고, 특수한 영상 검사로는 관절조영술(Arthrography), 척수강 조영술(Myelography), 혈관조영술(Angiography) 등이 있다. 골밀도를 측정하기 위해서는 DXA (Dual Energy X-ray Absorptiometry)가 많이 이용된다. 실제 질환 판단을 위한 영상검사 사용의 사례를 들어보면 관절의 단순 방사선 촬영(Simple X-ray)상 관절강 협착(joint space narrowing) 소견과 더불어 골

표 3-6. 관절질환에서 흔히 사용되는 단순 방사선 촬영 영상

Joint	Optimum views
Spine	
Intervertebral disc	Lateral, AP
Apophyseal	
Cervical	Lateral, oblique, pillar
Thoracic	Oblique (70°)
Lumbar	Obilque, lateral
Cervical dislocation	Lateral (flexion, extension), open mouth AP
Costovertebral	AP
sacroiliac	AP cephalad angulation (25-30°) or PA caudad angulation (20-25°) Oblique
Symphysis pubis	AP
Hip	AP (hip or pelvic), frog leg
Knee	
Femorotibial	AP (supine, erect, flexion)
Patellofemoral	Lateral, skyline
Ankle	
Tibiotalar	AP, oblique, mortis
Subtalar	Oblique
Foot	AP (dorsiplantar), lateral, oblique
Shoulder	
Acromioclavicular	AP cephalad angulation 10도
Glenohumeral	AP (internal, external rotation), Axillary
Sternoclavicular	PA (recommendation : tomography, bone scan)
Elbow	AP, oblique, lateral
Wrist	PA, PA ulnar flexion, oblique, lateral
Fingers	
Metacarpophalangeal	PA, oblique
Interphalangeal	PA, oblique, lateral

감소증(osteopenia)과 연부조직부종 소견이 보인다면 염증성 관절염으로 진단할 수 있으며, 골극(osteophyte), 뼈 경화(bone sclerosis), 연골하낭종(subchondral cyst)과 더불어 비대칭적 관절강의 협착(asymmetric joint space narrowing) 소견을 보인다면 퇴행성 관절염일 가능성이 높다.

5. 기타 검사실 검사

관절 질환의 종류에 따른 혈액학, 생화학, 면역학 및 병리학적 검사를 통하여 임상 진단을 보강할 수 있다. 관절 질환의 상세한 감별진단을 위하여 임상 증상과 진찰 소견, 영상의학적 검사 및 검사실 검사 등이 모두 고려되어야 하나, 특히 검사실 검사 소견은 관절 질환의 진단에서 특별히 중요한 의의가 있다. 검사실 검사를 통해 다른 근골격계 질환의 감별 뿐만 아니라 관절 질환의 예후 및 활성 정도에 대한 평가도 어느 정도 가능하다. 따라서, 임상 현장에서 의심되는 질환들을 감별하기 위해 꼭 필요한 검사 항목을 정확하게 숙지하여 두는 것은 시간과 환자의 고통을 줄이고 의료비용을 절감하는데 도움이 된다. 예컨대 급성 관절염의 감별진단이 필요한 상황이라면 병변부위 및 대칭부위의 방사선 사진과 함께, CBC, Urinalysis, ESR, Biochemical screening, RF, ANA, HBsAg, HLA-B27, Synovial fluid culture, Synovial fluid analysis, Antispirochetal (Lyme) antibodies 등의 검사를 즉시 고려하여야 한다. 질환별로 필요한 검사실 검사의 상세 내역은 각론에서 계속 살펴보기로 한다.

제2절 痺病證

1. 개요

痺란 閉, 즉 막혀서 잘 통하지 않는다는 뜻이다. 이를《景岳全書》에서는 "蓋痺者閉也, 以血氣爲邪所閉不得通行而痛也"라고 설명하였다. 骨 關節의 痺症은 風寒濕熱의 邪氣가 인체의 營衛失調, 腠理空疎 혹은 正氣虛弱한 틈을 타고 經絡으로 침입하거나 關節에 응체됨으로써 血氣運行을 저해하여 肌肉, 筋骨, 關節에 麻木, 重着, 酸楚, 疼痛, 腫脹, 屈伸不利, 심하면 관절의 강직성 변형을 초래하는 병증의 하나이다. 痺病에 대하여 언급한 가장 오래된 문헌은《素問·痺論》이다. 痺病은 후세에 歷節風, 白虎歷節風, 痛風 등으로 혼용되어 불렸다.

痺病은 병변의 부위에 따라 五體痺(肌痺, 骨痺, 筋痺, 皮痺, 脈痺), 五臟痺(心痺, 腎痺, 肝痺, 肺痺, 脾痺)로 나누기도 하고 병리적인 원인에 따라 行痺 痛痺 着痺 等으로 나누는 등 다양하게 분류되었지만, 기본적인 내용은 內經의 범주를 벗어나지 못하였다. 지금도 實證인 경우에는 주로 內經의 病因 분류방법인 行痺(風痺), 痛痺(寒痺), 着痺(濕痺), 熱痺, 瘀血痺 등으로 나누고, 虛症인 경우에는 氣血虛痺, 陽虛痺, 陰虛痺 등으로 분류한다. 그러나 이러한 분류 방법들은 학습을 위한 기초적인 것이고 임상에서는 복합되어 나타나는 것이 대부분이다.

痺病의 병인병리와 임상 증상은 서양의학에서 말하는 각종 관절염과 근육과 골격에 통증을 나타내는 질환, 예를 들면 류마토이드 關節炎, 痛風, 退行性關節炎, 閉塞性 血栓血管炎, 硬皮症, 全身性紅斑性狼瘡, 筋炎 등의 증상과 유사하다. 따라서 이러한 질병들은 痺病의 범주에서 접근할 수 있다.

痺症의 치료원칙을 살펴보면 寒者는 溫之하고, 熱者는 淸之하며, 濕痰瘀 등의 有形之邪가 있으면 去之하고, 虛者는 補之하는 것이다. 熱證의 경우 實熱이면 甘寒, 苦寒한 약으로 淸熱시키고, 濕熱이면 淸熱利水하며, 虛熱이면 滋陰淸熱시켜야 한다. 虛實의 경우 實證을 치료할 때는 正氣의 盛衰를 주의깊게 살피고, 虛證을 치료할 때는 더욱 虛하게 하거나 邪氣를 實하게 하는 일이 없도록 주의한다. 하지만 痺病의 辨證施治시 반드시 병의 新久虛實을 구분하여야 한다. 예를 들어 初期이면서 전신상태가 양호하면 마땅히 溫性藥을 위주로 하여 溫散溫通하여야 하며, 久病이면서 正氣가 虛한 경우에는 주로 虛寒한 경우이므로 溫補를 위주로 하여야 한다.

또한 痺症의 주요한 임상증상은 痛症이며 이는 병리적으로 氣血不通하여 나타나는 것이므로 宣通은 각종 痺症의 공통된 치법이 된다. 氣血과 營衛가 順行하면 痺痛은 자연스럽게 소실된다. 宣通시키는 방법을 구체적으로 살펴보면 風寒濕痺는 辛溫한 약으로 陽氣를 고조시켜 邪氣를 축출하고, 風熱濕痺는 散風淸熱祛濕시키며, 虛한 사람의 久痺는 溫通溫散시키거나 滋陰시키도록 한다.

때로는 痺症이 불규칙적이고 발작적으로 나타나는 경우가 있다. 이러한 경우에는 일반적으로 發作期에는 祛邪를 위주로 하고, 靜止期에는 調營衛, 養氣血, 補肝腎을 위주로 한다.

1) 行痺

風寒濕邪가 함께 인체에 침입하였지만 이중 風邪가 偏勝한 痺症을 行痺, 또는 風痺라고 한다. 風은 善行數變하는 性質이 있어서 風邪로 인한 痺證은 疼痛이 肢體關節을 遊走하면서 痛處不定한다. 이에 대해《聖濟總錄》에서는 "風爲陽氣, 善行數變, 故風氣勝則爲行痺, 其證上下左右, 無所留止, 隨其所至, 氣血不通是也."라 하였고,《醫宗必讀》에서는 "筋痺, 卽風痺也, 遊行不定, 上下左右, 隨其虛邪與血氣相搏, 聚於關節, 或赤或腫, 筋脈弛縱, 故稱走注."라 하였다.

여러 가지 원인으로 肝腎陰虛, 脾胃不健, 營衛不和, 腠理開泄失常 등이 유발되면 衛陽을 不固하게 한다. 이러한 틈을 타서 風邪가 皮毛, 肌肉, 經絡을 따라서 침범하여 筋脈을 閉阻한다. 風邪는 陽邪이므로 그 성질이 輕揚, 善行하며 數變하기 때문에 환자는 關節 또는 腰背部에 일정하지 않은 遊走性 疼痛을 호소하며, 보통 惡風, 發熱, 汗出, 脈浮 等의 衛分에서 正邪가 抗爭하는 表證이 수반된다.

2) 痛痺

風寒濕邪가 함께 인체에 침입하였지만 寒邪가 더욱 심한 痺症을 痛痺 또는 寒痺라 한다. 주요 특징은 통증이 비교적 심하고 통증부위가 일정하며, 따뜻한 기운을 만나면 완화되고 찬 기운을 만나면 심하여지는 것이다.

寒邪에는 外感六淫의 寒邪 이외에도 內生의 寒邪가 있다. 內生寒邪는 선천적으로 허약한데 후천적으로 양생을 잘못하거나, 손상을 입은 경우, 또는 陽虛한데 脾胃不健, 肝腎虛損한 경우에 발생한다. 이외에 외부의 자극으로 인한 經絡, 肌肉, 筋骨, 關節의 손상에서 손상부위로 寒邪가 直中하여도 臟腑機能과 활동에 영향을 주어 氣血의 順行을 저해하고 陽氣를 부진하게 하여 痛痺가 될 수 있다.

寒邪는 氣血의 順行을 凝滯시키므로 통증을 유발한다. 寒邪는 陰邪이며 쉽게 陽氣를 손상시키므로 氣血이 溫煦鼓動할 수가 없고 血이 澁하여져 不暢하므로 肌表에 가서 經絡, 筋骨, 關節, 肌肉에 凝滯된다. 따라서 腫脹, 疼痛이 생기며 屈伸不利와 같은 기능적 활동의 제한이 발생한다. 熱을 얻어서 陽을 도와주면 寒邪는 흩어지고 氣血의 順行이 다소 순조롭게 되어 통증이 감소하며, 冷을 만나서 陰을 도와주면 寒邪가 氣血의 順行을 더욱 凝滯시켜 통증이 심해진다. 이를《素問·擧痛論》에서는 "寒氣入經而稽遲, 泣而不行, 客於脈外則血少, 客於脈中則氣不通, 故卒然而痛."이라 하였다. 따라서 寒痺는 肢體關節肌肉의 疼痛이 劇烈하고 屈伸不便의 증상이 나타난다. 氣血이 順行하지 못하여 凝滯되면 血瘀를 유발하여 麻木 停著不移 등의 증상도 나타날 수 있으니,《張氏醫通·卷六》에서는 "皮痺者, 寒痺者, 邪在皮毛, ...搔之不痛, 初起皮中如蟲行狀."이라 하였다.

3) 着痺

風寒濕邪가 함께 인체에 침입하였지만 濕邪가 偏勝한 痺症을 着痺 또는 濕痺라 한다. 특징은 肢節疼痛하면서 통증부위가 일정한데, 痛痺와 비교하면 그 증세는 심하지 않지만 重滯感이 두드러지게 나타나는 것이다.

着痺는 濕한 곳에 거처하거나, 빗속이나 물속을 무리하게 걷거나, 밤이슬을 맞으며 路宿하거나, 장마가 계속되거나, 무더위 때문에 찬물에 오래 들어가 있으면 水濕之邪가 피부로 침범하여 筋骨關節에 머물게 되어 발생한다. 이는《儒門事親·痺論》에서 "此疫之作, 多在四時陰雨之時, 及三月九月, 太陽寒水用事之月......或凝水之地, 勞力之人辛苦過度, 觸冒風雨, 寢處浸濕, 痺從外入."라고 말한 것과 같다.

勞役過多하거나 외부의 손상이 가해지면 氣滯와 內部出血로 인하여 血瘀의 병리적 증상이 나타난다. 氣滯와 瘀血이 不去하고 新血이 생성되지 못하면 손실된 氣血이 보충되지 못하여 氣血兩虛가 된다. 이에 대해《雜病源流犀燭·跌撲閃挫源流》에서는 "跌撲閃挫, 卒然身受, 由外及內, 氣血俱傷病也."라 하였다. 요약하면 氣血不足으로 心身이 衰竭하거나 脾胃가 허약하여져서 運化가 失常하면, 正氣가 下降하여 쉽게 外濕이 침범하므로 着痺가 된다.

4) 熱痺

熱邪가 침범하거나 외상 후에 瘀阻化熱하여 肢節이 發赤, 發熱, 疼痛한 것을 熱痺라 한다. 痛痺와는 반대로 찬 기운을 만나면 완화되고 따뜻한 기운을 만나면 심해지는 특징이 있다.

熱痺는 본래 건강하여 陽氣가 왕성한데 손상으로 인하여 惡血瘀積이 鬱滯되어 熱로 변화되거나, 濕邪가 鬱滯하여 熱로 변화하여 濕熱이 相搏하거나, 혹은 六淫外邪에 재차 감염되어 熱이 되거나, 陰虛陽亢으로 陰陽이 不調하여 熱邪가 內生하는 경우에 발생한다. 또한 外感 熱邪가 經絡을 따라 침범하여 관절에 머물러 經絡의 順行을 방해하고 오랫동안 낫지 않아서 熱로 변화하는 경우, 혹은 치료가 적절하지 못하여 辛熱한 약물을 과다하게 사용하여 熱邪가 內生하여 발생하기도 한다. 熱邪는 陰을 傷하여 津液을 손상시키고 筋骨의 濡潤, 關節의 滑利, 脈絡의 順行을 방해하여 局部를 發赤 腫痛하게 한다.

임상적으로 살펴보면 肢體關節이 發熱腫痛하며 關節의 屈伸活動이 곤란하고, 만지면 통증이 심하며 서늘한 곳에서는 통증이 완화되고 得溫하면 심해진다. 대부분의 경우 咽喉腫痛, 身熱, 汗出, 口渴, 煩燥, 皮膚發赤의 증상이 나타나고 때로는 홍반, 피하결절이 나타나며 舌質은 紅하고 舌苔는 黃하며 脈은 數하다.

5) 瘀血痺

外傷이나 痺症이 오래도록 낫지 않아 氣血이 凝滯되므로서 瘀斑, 皮下結節, 關節腫痛, 屈伸不利의 증상이 나타나는 것을 瘀血痺라 한다. 瘀血痺는 환부가 腫脹하고 피부가 暗紫色이며 통증이 극심하고 부위가 일정한 특징이 있다. 瘀血痺

의 주된 원인은 외부의 폭력에 의하여 인체의 皮肉筋骨에 손상을 입어서 氣機가 不暢하여 국소부위에 발생하는 瘀血이다.《正體精要·序》에 "肢體損于外, 則氣血傷于內, 營衛有所不濆, 臟腑由之不和"라 한 것은 外傷後에 四肢와 內臟, 局所와 整體間의 상호 영향을 명확하게 설명한 것이다.

또한 六淫邪氣가 侵襲하여 經絡에 阻하고 筋骨에 客하고 肌肉에 留하면 氣機가 不暢하고 血運이 閉阻하여 氣滯血瘀가 될 수 있다. 血은 有形하므로 瘀血로 인한 瘀斑과 結節이 나타날 수 있고 氣는 無形한데 氣滯하면 不通則痛하게 된다. 瘀血痺는 氣滯와 더불어 여러 가지 유형의 瘀血이 經絡을 阻滯하므로 통증이 비교적 심한 편이다. 손상으로 失血이나 瘀血이 과다하면 氣血이 衰弱하여지고 血流가 완만하여져서 瘀血부위가 腫脹하게 된다. 만약 六淫이 겸하여 侵襲하면 병의 변화상태는 매우 복잡해진다.

6) 虛痺

질병이 오래도록 낫지 않고 邪氣가 入深하면 氣血이 손상되고 肝腎이 虛損하여져서 筋骨이 失養케 되어 나타나는 痺症을 말한다.

(1) 氣血虛型

痺病이 오래되면 氣血이 衰少하고 正虛邪戀, 筋骨失養하므로 酸痛이 낫지 않고 筋惕肉瞤하게 된다. 이때 關節과 肌肉의 疼痛은 비록 심하지 않지만 酸痛은 잘 낫지 않는다. 또한 氣血俱虛로 말미암아 쉽게 風寒濕의 外邪가 침습하여 正虛邪實한 痺症이 재발하기 쉬워진다. 평소 氣血이 부족하거나 큰 출혈, 오랜 병후의 脾腎陽虛 혹은 實證의 痺症이 오래된 경우에 잘 나타난다. 面黃不華, 心跳乏力, 短氣, 自汗, 筋肉瘦削, 食少便溏 등의 증상이 주로 나타나며 舌苔는 淡白하고 脈은 濡弱하거나 細微하다.

(2) 陽虛型

陽氣가 부족하면 表衛가 不固하므로 外邪가 쉽게 침습하게 되어 관절이 간헐적으로 아프게 된다. 또한 邪氣가 오래도록 머무르면 氣血이 失榮하여 屈伸不利, 關節彊硬, 筋肉萎縮이 나타나며 肝腎虧虛한 상태가 된다. 또한 脾陽이 虛해지면 食少便溏, 乏力短氣하며 形寒肢冷, 關節冷感, 面色不華, 自汗惡風 등 陽虛外寒한 증상이 나타난다.

(3) 陰虛型

久病과 溫燥之劑의 과용은 肝腎의 陰을 쉽게 손상시켜 陰虛와 肝腎不足의 상황을 초래한다. 따라서 筋骨은 失養하게 되고 血虛生風하여 筋脈拘急, 筋骨疼痛의 증상이 나타나는데, 이는 특히 운동시 심하게 나타난다. 形疲無力, 煩燥, 盜汗, 頭暈耳鳴, 面赤火升, 혹은 日晡潮熱의 陰虛한 증상과 함께 關節紅腫하면서 屈伸이 곤란한 관절증상이 나타나며 陰虧陽亢하면 頭暈耳鳴, 盜汗面赤, 微熱, 口乾心煩한 증상이 나타나며 肝腎의 精血不足으로 腰膝酸軟하게 된다.

2. 病證 類型

과거 문헌에서는 痹病證에 대하여 비교적 단순하게 설명하고 있지만, 실제 임상에서는 痹病이 한가지 病因에 의해 나타나는 경우는 드물고 대부분 복합적인 病因에 의해 나타난다. 이들의 임상적 유형과 병증체계의 분류는 아직 부족한 점이 많지만, 2010년 1월부터 사용되는 한국표준질병사인분류(Korean standard Classification of Diseases)에서 한국 한의학이 고유하게 사용하는 한의병명과 병증 및 사상체질 병증을 위하여 특수목적코드(U code)를 설정해두었으므로, 痹病證의 발전적인 연구를 위하여 病證 분류를 한국표준질병 사인분류 체계에 부합되도록 하여 소개하니 임상활용에 참조하도록 하였다.

1) 風寒證(U50.0)

증상: 發熱, 頭痛, 惡風寒, 或有汗, 或無汗, 或鼻塞流涕, 或咳嗽, 或關節痛, 苔薄白, 脈浮

처방: 九味羌活湯, 烏藥順氣散, 附子湯, 防風湯, 烏頭湯 等

- 九味羌活湯<醫學入門>: 羌活·防風 各 6 g, 蒼朮·川芎·白芷·黃芩·生地黃 各 4.8 g, 細辛·甘草 各 2 g
- 烏藥順氣散<和劑局方>: 麻黃·陳皮·烏藥 各 6 g, 川芎·白芷·白殭蠶·枳殼·桔梗 各 4 g, 乾薑 2 g, 甘草 1.2 g

• 附子湯<三因極一病證方論>: 附子生 · 白芍藥 · 桂皮 · 人參 · 白茯苓 · 甘草 各 4 g, 白朮 6 g, 生薑 7片

• 防風湯<宣明論方>: 防風 6 g, 當歸 · 赤茯苓 · 獨活 · 杏仁 · 桂心 · 甘草 各4 g, 麻黃 2 g, 黃芩 · 秦艽 · 葛根 各1.2 g.

• 烏頭湯<金匱要略>: 烏頭 6 g, 麻黃 · 白芍 · 黃芪 各 9 g, 白蜜

2) 風濕證(U50.2)

증상: 頭痛而重, 關節疼痛, 微腫, 汗出惡風, 發熱, 苔白滑, 脈濡緩

처방: 行濕流氣散, 防風天麻散, 甘草附子湯, 防己黃芪湯, 除濕羌活湯, 活絡湯, 不換金正氣散 加 赤茯苓 · 生薑, 蠲痺湯, 除濕蠲痺湯, 防風湯, 附子湯, 蘇薑達表湯 等

• 行濕流氣散<醫學入門>: 薏苡仁 80 g, 白茯苓 60 g, 蒼朮 · 羌活 · 防風 · 川烏炮 各 40 g

• 防風天麻散<醫學正傳>: 滑石 80 g, 防風 · 天麻 · 川芎 · 羌活 · 白芷 · 草烏炮 · 白附子 · 荊芥穗 · 當歸 · 甘草 各 20 g

• 甘草附子湯<醫學入門>: 桂枝 16 g, 甘草 · 附子炮 · 白朮 各 4 g

• 防己黃芪湯<醫學正傳>: 防己 · 黃芪 各 12 g, 白朮 8 g, 甘草 6 g

• 除濕羌活湯<古今醫鑑>: 蒼朮 · 藁本 各 8 g, 羌活 6 g, 防風 · 升麻 · 柴胡 各 4 g

• 活絡湯<世醫得效方>: 羌活 · 獨活 · 川芎 · 當歸 · 甘草 各 4 g, 白朮 8 g, 生薑 5片

• 不換金正氣散<醫學入門>: 蒼朮 8 g, 厚朴 · 陳皮 · 藿香 · 半夏 · 甘草 各 4 g, 生薑 3片, 大棗 2枚

• 蠲痺湯<百一選方>: 羌活 · 防風 · 赤芍 · 薑黃 · 當歸 · 黃芪 各 6 g, 甘草 2 g, 生薑 5片, 大棗 2枚

• 除濕蠲痺湯<類證治裁>: 蒼朮 8 g, 白朮 · 茯苓 · 羌活 · 澤瀉 · 陳皮 各 4 g, 甘草 2 g, 薑汁 · 竹瀝 各3匙

• 防風湯<宣明論方>: 防風 6 g, 當歸 · 赤茯苓 · 獨活 · 杏仁 · 桂心 · 甘草 各 4 g, 麻黃 2 g, 黃芩 · 秦艽 · 葛根 各 1.2 g.

• 附子湯<三因極一病證方論>: 附子生 · 白芍藥 · 桂皮 · 人參 · 白茯苓 · 甘草 各4 g, 白朮 6 g, 生薑 7片

• 蘇薑達表湯<重訂傷寒論>: 蘇葉 4.5-9 g, 防風 3-4.5 g, 羌活 3-4.5 g, 白芷 3-4.5 g, 杏仁 6-9 g, 茯苓皮 6-9 g, 橘紅 2.4-3 g, 生薑 2.4-3 g

3) 寒濕證(U50.3)

증상: 頭身困重, 關節疼痛幷屈伸不利, 無汗, 神疲畏寒, 或面浮身腫, 腰以下尤甚, 胃脘疼痛, 大便多溏, 或下利白多赤少, 小便不利, 舌淡, 苔白潤, 脈濡弱

처방: 香蘇散 加 蒼朮 · 麻黃 · 桂枝 · 羌活 · 白芷 · 木瓜, 五積散, 勝濕湯, 滲濕湯, 加劑除濕湯, 生附除濕湯, 治濕中和湯, 蒼朮復煎散, 腎着湯, 活絡丹, 五靈脂散, 勝駿丸, 捉虎丹, 烏頭湯, 附子湯 等

• 香蘇散<醫學入門>: 香附子 · 紫蘇葉 各 8 g, 蒼朮 6 g, 陳皮 4 g, 甘草炙 2 g, 生薑 3片, 葱白 2莖

• 五積散<醫學入門>: 蒼朮 8 g, 麻黃 · 陳皮 各4 g, 厚朴 · 桔梗 · 枳殼 · 當歸 · 乾薑 · 白芍藥 · 白茯苓 各3.2 g, 白芷 · 川芎 · 半夏 · 桂皮 各 2.8 g, 甘草 2.4 g, 生薑 3片, 葱白 3莖

• 勝濕湯<濟生方>: 白朮 12 g, 人參 · 乾薑 · 白芍藥 · 附子炮 · 桂枝 · 白茯苓 · 甘草 各3 g, 生薑 5片, 大棗 2枚

• 滲濕湯<和劑局方>: 赤茯苓 · 乾薑炮 各 8 g, 蒼朮 · 白朮 · 甘草 各 4 g, 橘紅 · 丁香 各 2 g, 生薑 3片, 大棗 2枚

• 加劑除濕湯<仁齊直指方論>: 赤茯苓 · 乾薑 各 8 g, 蒼朮 · 白朮 · 甘草 各 4 g, 橘紅 · 桂皮 · 厚朴 各 2 g, 生薑 3片, 大棗 2枚

• 生附除濕湯<仁齊直指方論>: 蒼朮 8 g, 附子 · 生白朮 · 厚朴 · 木瓜 · 甘草 各 4 g, 生薑 10片

• 治濕中和湯<醫林類證集要>: 蒼朮炒 8 g, 白朮 · 陳皮 · 赤茯苓 · 厚朴 · 乾薑炮 · 甘草炙 各 4 g, 生薑 3片, 燈心 1撮

• 蒼朮復煎散<東垣十書>: 蒼朮 160 g, 羌活 4 g, 柴胡 · 藁本 · 白朮 · 澤瀉 · 升麻 各2 g, 黃栢 1.2 g, 紅花 0.4 g

• 腎着湯<丹溪心法>: 白朮 10 g, 乾薑炮 · 赤茯苓 各6 g, 甘草炙 2 g

• 活絡丹<和劑局方>: 川烏炮 · 草烏炮 · 南星炮 · 地龍焙 各 40 g, 乳香 · 沒藥 各 8.8 g

• 五靈脂散<世醫得效方>: 五靈脂 · 荊芥穗 · 防風 · 羌活 · 獨活 · 穿山甲 · 骨碎補 · 草烏製 · 甘草節 各 20 g, 麝香 2 g

- 勝駿丸<三因極一病證方論>: 木瓜 160 g, 當歸酒浸·天麻酒浸·牛膝酒浸·酸棗仁炒·熟地黃酒浸·防風 各 80 g, 全蝎去毒 40 g, 附子(炮去皮臍) 1枚, 乳香·沒藥·羌活·木香·甘草 各 20 g, 麝香 8 g, 生地黃 2斤
- 捉虎丹<醫學入門>: 五靈脂·白膠·香草烏·黑豆同煮去豆·木鱉子·地龍 各 60 g, 乳香·沒藥·當歸 各30 g, 麝香·松烟墨煆 各 10 g
- 烏頭湯<金匱要略>: 烏頭 6 g, 麻黃·白芍·黃芪 各 9 g, 白蜜
- 附子湯<三因極一病證方論>: 附子生·白芍藥·桂皮·人參·白茯苓·甘草 各 4 g, 白朮 6 g, 生薑 7片

4) 濕熱證(U50.4)

증상: 身熱不暢, 頭身困重, 口乾不欲飮, 胸悶腹脹, 不思飮食, 或面目周身發黃, 皮膚發痒, 小便赤而不利, 女子帶下黃稠, 穢濁有味, 舌苔膩, 脈濡緩或濡數

처방: 靈仙除痛飮, 淸熱瀉濕湯, 卷栢散, 二炒蒼白散, 神秘左經湯, 麻黃左經湯, 半夏左經湯, 大黃左經湯, 檳蘇散, 羌活導滯湯, 除濕丹, 三花神祐丸, 搜風丸, 枳實大黃湯, 開結導引丸, 白虎加蒼朮湯, 宣痺湯, 三妙散, 加減木防己湯, 當歸拈痛湯, 八正散, 龍膽瀉肝湯 等

- 靈仙除痛飮<古今醫鑑>: 麻黃·赤芍藥 各 4 g, 防風·芥·羌活·獨活·威靈仙·白芷·蒼朮·片芩酒炒·枳實·桔梗·葛根·川芎 各 2 g, 當歸梢·升麻·甘草 各 1.2 g
- 淸熱瀉濕湯<醫學正傳>: 蒼朮·黃栢鹽酒炒 各 4 g, 紫蘇葉·赤芍藥·木瓜·澤瀉·木通·防己·檳榔·枳殼·香附子·羌活·甘草 各 2.8 g
- 卷栢散<世醫得效方>: 卷栢·黑牽牛子·甘遂 各4 g, 檳榔 8 g
- 二炒蒼白散<醫學入門>: 蒼朮(泔浸一日夜鹽炒)·黃栢(酒浸一日夜焦炒) 各 160 g
- 神秘左經湯<世醫得效方>: 麻黃·桂心·黃芩·枳殼·柴胡·赤茯苓·半夏·羌活·防風·厚朴·白薑·小草·防己·麥門冬·乾葛·細辛·甘草 各 2 g, 生薑 3片, 大棗 2枚
- 麻黃左經湯<三因極一病證方論>: 羌活 4 g, 麻黃·乾葛·白朮·細辛·赤茯苓·防己·桂心·防風·甘草 各 2.8 g
- 半夏左經湯<三因極一病證方論>: 柴胡 6 g, 乾葛·半夏·赤茯苓·白朮·細辛·麥門冬·桂心·防風·白薑·黃芩·小草·甘草 各 2 g
- 大黃左經湯<三因極一病證方論>: 大黃 4 g, 羌活·茯苓·細辛·前胡·枳殼·厚朴·黃芩·杏仁·甘草 各2.8 g
- 檳蘇散<醫家秘傳隨身備用加減十三方>: 蒼朮 8 g, 香附子·紫蘇葉·陳皮·木瓜·檳榔·羌活·牛膝 各4 g, 甘草 2 g, 生薑 3片, 葱白 3莖
- 羌活導滯湯<東垣十書>: 大黃(酒煨) 9.6 g, 羌活·獨活 各 4.8 g, 防己·當歸尾 各 2.8 g, 枳實 2 g
- 三花神祐丸<宣明論方>: 黑丑頭末 80 g, 大黃 40 g, 芫花·甘遂·大戟 各 20 g, 輕粉 4 g
- 搜風丸<丹溪心法>: 黑牽牛子(生取頭末) 80 g, 大黃·檳榔·枳實 各20 g
- 枳實大黃湯<衛生寶鑑>: 大黃(酒煨) 12 g, 羌活 6 g, 當歸 4 g, 枳實 2 g
- 開結導引丸<衛生寶鑑>: 陳皮·白朮·澤瀉·茯苓·神麴·麥芽·半夏薑製 各 40 g, 枳實·靑皮·乾薑 各20 g, 巴豆霜 6 g
- 白虎加蒼朮湯<類證活人書>: 石膏 500 g, 知母 180 g, 甘草 60 g, 粳米·蒼朮 各 90 g
- 宣痺湯<溫病條辨>: 防己·杏仁·滑石·苡米 各 20 g, 連翹·梔子·半夏·蠶沙·赤小豆 各 12 g
- 三妙散<醫學正傳>: 黃柏 120 g, 蒼朮 180 g, 牛膝 60 g
- 加減木防己湯<溫病條辨>: 木防己·石膏 各 18 g, 桂枝·薏苡仁 各 9 g, 滑石 12 g, 通草 6 g, 杏仁 12 g
- 當歸拈痛湯<醫學啓源>: 當歸·知母·猪苓·澤瀉·防風 各 9 g, 茵陳·黃芩·羌活·甘草 各 15 g, 葛根·蒼朮·人蔘(一方無人蔘)·升麻·苦參 各6 g, 白朮 4.5 g
- 八正散<和劑局方>: 大黃·木通·瞿麥·萹蓄·滑石·梔子·車前子·甘草·燈心 各 4 g
- 龍膽瀉肝湯<醫學入門>: 龍膽草·柴胡·澤瀉 各4 g, 木通·車前子·赤茯苓·生地黃·當歸(竝酒拌)·山梔仁·黃

芩·甘草 各 2 g

5) 熱毒熾盛證(U50.7)

증상: 高熱, 頭痛如劈, 身如被杖, 躁擾不安, 神昏譫語, 吐衄便血, 舌質焦紫起刺, 斑疹密布, 色紫黑而亮 等症

처방: 升麻湯, 白虎加桂枝湯, 仙方活命飮, 四妙勇安湯, 犀角散, 清瘟敗毒飮, 犀角地黃湯, 犀角湯 等

- 升麻湯<宣明論方>: 升麻 8 g, 茯神·人參·防風·犀角·羚羊角·羌活 各 4 g, 桂皮 2 g, 生薑 5片
- 白虎加桂枝湯<傷寒論>: 知母 180 g, 石膏 500 g, 甘草·粳米 各 60 g, 桂枝 90 g
- 仙方活命飮<外科發揮>: 穿山甲(炙)·天花粉·甘草·乳香·白芷·赤芍·貝母·防風·沒藥·皂角刺·歸尾 各4 g, 陳皮·金銀花 各 12 g
- 四妙勇安湯<驗方新編>: 金銀花·玄參 各 90 g, 當歸 60 g, 甘草 30 g
- 犀角散<奇效良方>: 犀角, 黃連, 升麻, 梔子, 茵陳
- 清瘟敗毒飮<疫疹一得>: 石膏, 生地黃, 犀角, 黃連, 梔子, 桔梗, 黃芩, 知母, 赤芍, 玄參, 連翹, 甘草, 丹皮
- 犀角地黃湯<千金方>: 犀角 1.5-4 g, 生地 20-40 g, 赤芍·丹皮 各 8-16 g. 1劑 2分服
- 犀角湯<聖濟總錄>: 犀角鎊, 梔子仁, 羚羊角, 前胡, 黃芩, 射干, 大黃, 豆豉

6) 寒熱錯雜證(해당 코드 없음)

증상: 寒熱症이 동시에 혹은 연계되어 나타나며 上熱下寒證, 表寒裏熱證, 表熱裏寒 證 등의 다양한 症候가 있다. 肌肉關節紅腫熱痛 或 觸之不熱, 脈弦數

처방: 桂枝芍藥知母湯

- 桂枝芍藥知母湯<金匱要略>: 白朮 4 g, 桂枝·知母·防風·生薑·白芍藥·麻黃 各 3 g, 甘草 1.5 g, 附子 1 g

7) 濕阻氣分證(U58.2)

증상: 身熱不暢, 肢體痠重, 頭重如裹, 胸脘痞悶, 腹脹納呆, 惡心嘔逆, 尿赤便溏, 舌質紅或滑膩, 脈滑或濡緩 等

처방: 勝濕湯, 除濕湯, 加味朮附湯, 半夏芩朮湯 等

- 勝濕湯<濟生方>: 白朮 12 g, 人參·乾薑·白芍藥·附子炮·桂枝·白茯苓·甘草 各 3 g, 生薑 5片, 大棗 2枚
- 除濕湯<世醫得效方>: 蒼朮·厚朴·半夏 各 6 g, 藿香·陳皮 各 3 g, 甘草 2 g, 生薑 7片, 大棗 2枚
- 加味朮附湯<世醫得效方>: 附子炮 8 g, 白朮·赤茯苓·甘草炒 各 6 g, 生薑 7片, 大棗 2枚
- 半夏芩朮湯<醫學正傳>: 半夏·蒼朮 各 6 g, 片芩酒炒·白朮·南星炮·香附子 各 2.8 g, 陳皮·赤茯苓 各 2 g, 威靈仙·甘草 各 1.2 g, 生薑 5片

8) 氣滯證(U60.3)

증상: 局部的脹, 悶, 痞, 痛 其脹悶, 疼痛時輕時重, 部位多不固定, 常見攻痛或竄痛; 痞脹時沒時現, 時聚時散; 脹悶而滿, 可隨噯氣或失氣而減輕; 且與精神因素有關, 苔薄, 脈弦 等

처방: 開結舒經湯, 舒經湯, 白芥子散 等

- 開結舒經湯<古今醫鑑>: 紫蘇葉·陳皮·香附子·烏藥·川芎·蒼朮·羌活·南星·半夏·當歸 各 3.2 g, 桂枝·甘草 各 1.6 g, 生薑 3片
- 舒經湯<醫學正傳>: 薑黃 8 g, 當歸·海東皮·白朮·赤芍藥 各 4 g, 羌活·甘草 各 2 g
- 白芥子散<世醫得效方>: 白芥子·木鱉子 各 40 g, 沒藥·木香·桂心 各 10 g

9) 血瘀證(U61.2)

증상: 瘀血病證雖然繁多, 但其臨床表現有共同特證, 如刺痛, 癥積包塊, 出血發班, 面色如黑, 青筋顯露, 蟹爪縷紋, 脣舌青紫, 脈細澁或結代 女子痛經, 經色紫黑有塊

처방: 疎風活血湯, 四物湯 加 蒼·白朮·陳皮·茯苓·羌活·蘇木·紅花, 身痛逐瘀湯, 桃紅飮, 桃紅四物湯, 活

絡效靈丹, 大黃蟅蟲丸 等

- 疎風活血湯<古今醫鑑> : 當歸·川芎·威靈仙·白芷·防己·黃栢·南星·蒼朮·羌活·桂枝 各 4 g, 紅花 1.2 g, 生薑 5片
- 四物湯<和劑局方> : 熟地黃·白芍藥·川芎·當歸 各 5 g
- 身痛逐瘀湯<醫林改錯> : 當歸 16 g, 桃仁·紅花·牛膝 各 12 g, 五靈脂·川芎·甘草·沒藥·地龍 各 8 g, 香附·秦艽·羌活 各 4 g
- 桃紅飮<類證治裁> : 桃仁, 紅花, 當歸尾, 川芎, 威靈仙, 麝香
- 桃紅四物湯<醫宗金鑒> : 桃仁, 紅花, 熟地, 川芎, 赤芍, 當歸
- 活絡效靈丹<醫學衷中參書錄> : 當歸, 丹參, 生乳香, 生沒藥 各 20 g
- 大黃蟅蟲丸<金匱要略> : 大黃 75 g, 黃芩 60 g, 甘草 90 g, 桃仁·杏仁 各 200 g, 虻蟲·蠐螬 各 200 g, 赤芍 120 g, 乾地黃 300 g, 乾漆 30 g, 水蛭 100枚, 蟅蟲 100 g

10) 氣血兩虛證(U62.4)

증상: 神疲乏力, 呼吸氣短, 頭暈眼花, 心悸失眠, 面色蒼白無華, 手足麻木, 指甲色淡, 或月經量少, 色淡質稀, 血崩漏下, 舌淡而嫩, 脈細弱無力 等症

처방: 八珍湯, 黃芪桂枝五物湯 加 當歸, 三痺湯, 獨活寄生湯, 羌活續斷湯 等

- 八珍湯<正體類要>: 當歸·白芍·白朮·茯苓·熟地 各12 g, 黨蔘·川芎·炙甘草 各 8 g
- 黃芪桂枝五物湯<醫宗金鑒>: 黃芪·白芍·桂枝 各 120 g, 生薑 240 g, 大棗 12個
- 三痺湯<醫學入門>: 杜冲·牛膝·桂皮·細辛·人參·赤茯苓·白芍藥·防風·當歸·川芎·黃芪·續斷·甘草 各 2.8 g, 獨活·秦艽·生地黃 各 1.2 g, 生薑 5片, 大棗 2枚
- 獨活寄生湯<萬病回春>: 獨活·當歸·白芍藥·桑寄生 各 2.8 g, 熟地黃·川芎·人參·白茯苓·牛膝·杜冲·秦艽·細辛·防風·肉桂 各 2 g, 甘草 1.2 g, 生薑 3片
- 羌活續斷湯<傷寒辨疑>: 羌活·防風·白芷·細辛·杜冲·牛膝·秦艽·續斷·熟地黃·當歸·人參·白芍藥·赤茯苓·桂心·川芎 各 2 g, 生薑 3片

11) 水飮內停證(U63.1)

증상: 胃中有振水音, 腸間漉漉有聲, 四肢重腫, 胸悶肋痛, 咳嗽引痛, 喘息氣短, 嘔吐涎沫, 背部冷如掌大, 頭暈目眩, 顔面略浮, 苔白膩, 脈弦或沈弦 等症

처방: 半夏白朮天麻湯, 苓桂朮甘湯, 導痰湯 等

- 半夏白朮天麻湯<東垣十書>: 半夏製·陳皮·麥芽炒 各6 g, 白朮·神麴炒 各 4 g, 蒼朮·人參·黃芪·天麻·白茯苓·澤瀉 各 2 g, 乾薑 1.2 g, 黃栢(酒洗) 0.8 g, 生薑 5片
- 苓桂朮甘湯<仲景全書>: 赤茯苓 8 g, 桂枝·白朮 各 6 g, 甘草 2 g
- 導痰湯<世醫得效方>: 半夏薑製 8 g, 南星炮·橘紅·枳殼·赤茯苓·甘草 各 4 g, 生薑 5片

12) 濕痰證(U63.7)

증상: 咳嗽痰多, 色白質稀, 或吐涎沫, 胸部痞悶, 或痰鳴喘促, 或嘔惡納呆, 肢體困重, 面色萎黃或虛浮, 舌淡胖, 舌苔膩, 脈滑或緩

처방: 雙合湯, 疎風活血湯, 二陳湯 加 蒼·白朮·桃仁·紅花·附子, 消痰茯苓丸, 半夏芩朮湯 等

- 雙合湯<古今醫鑑>: 當歸·川芎·白芍藥·生乾地黃·陳皮·半夏·白茯苓·白芥子 各4 g, 桃仁 3.2 g, 酒紅花·甘草 各 1.2 g
- 疎風活血湯<古今醫鑑>: 當歸·川芎·威靈仙·白芷·防己·黃栢·南星·蒼朮·羌活·桂枝 各 4 g, 紅花 1.2 g, 生薑 5片
- 二陳湯<醫學正傳>: 半夏製 8 g, 橘皮·赤茯苓 各 4 g, 甘草炙 2 g, 生薑 3片
- 消痰茯苓丸<世醫得效方>: 半夏 80 g, 赤茯苓 40 g, 枳殼 20 g, 朴硝 10 g

• 半夏芩朮湯<醫學正傳>: 半夏·蒼朮 各 6 g, 片芩酒炒·白朮·南星炮·香附子 各 2.8 g, 陳皮·赤茯苓 各 2 g, 威靈仙·甘草 各 1.2 g, 生薑 5片

13) 心脈痺阻證(U67.1)

증상: 胸悶不舒, 心痛或心前區, 胸骨後悶痛, 或引肩背, 重則不可忍, 時作時止, 心悸氣短, 口脣, 面色, 指甲 青紫, 舌質紫黯, 舌邊有瘀斑, 脈澁或結代或沈弦

처방: 補陽還五湯, 血府逐瘀湯 等

• 補陽還五湯<醫林改錯>: 生黃芪 160 g, 當歸尾·赤芍 各 8 g, 地龍·川芎·桃仁·紅花 各 4 g
• 血府逐瘀湯<醫林改錯>: 當歸·生地黃·紅花·牛膝 各12 g, 桃仁 16 g, 枳殼·赤芍 各 8 g, 柴胡 4 g, 川芎·桔梗 各 6 g, 甘草 4 g

14) 脾氣虛證(U68.0)

증상: 食慾不振, 食入卽飽或食後脘腹脹滿, 口不知味, 甚者全不思食, 大便溏薄, 精神不振, 少氣懶言, 四肢不收, 倦怠嗜臥, 面色萎黃不華, 消瘦, 舌質淡或淡胖有齒痕, 舌苔薄白, 脈弱無力

처방: 補中益氣湯 加 木香·烏藥·香附·靑皮·防風·川芎 少加桂枝, 人蔘益氣湯, 神效黃芪湯, 黃芪桂枝五物湯, 升陽益胃湯 等

• 補中益氣湯<東垣十書>: 黃芪 6 g, 人參·白朮·甘草 各 4 g, 當歸身·陳皮 各 2 g, 升麻·柴胡 各 1.2 g
• 人參益氣湯<東垣十書>: 黃芪 8 g, 人參·生甘草 各 6 g, 白芍藥 2.8 g, 柴胡 2.4 g, 升麻·炙甘草 各 2 g, 五味子 30粒
• 神效黃芪湯<東垣十書>: 黃芪 8 g, 白芍藥·炙甘草 各6 g, 人參 4 g, 陳皮 2.8 g, 蔓荊子 2 g
• 黃芪桂枝五物湯<醫宗金鑒>: 黃芪·白芍·桂枝 各 120 g, 生薑 240 g, 大棗 12個
• 升陽益胃湯<東垣十書>: 黃芪 8 g, 人參·半夏·甘草 各4 g, 羌活·獨活·防風·白芍藥 各 2.8 g, 陳皮 2 g, 柴胡·白朮·茯苓·澤瀉 各 1.2 g, 黃連 0.8 g

15) 腎陽虛證(U71.5)

증상: 畏寒, 面色蒼白, 腰膝酸冷, 小便淸長或遺尿, 浮腫 以腰以下爲甚, 陽萎滑精, 女子帶下淸冷, 宮寒不 妊, 舌淡苔白, 尺脈沈細或沈遲 等

처방: 右歸丸, 陽和湯 加 附子·草烏, 附子湯 等

• 右歸丸<景岳全書>: 附子·肉桂 各 60 g, 熟地 250 g, 山茱萸 90, 山藥·鹿膠·枸杞·菟絲子·杜仲 各 120 g, 當歸 90 g
• 陽和湯<外科全生集>: 熟地 40 g, 鹿角膠 12 g, 白芥子 8 g, 肉桂·甘草 各 4 g, 薑(炮)·麻黃 各 2 g
• 附子湯<三因極一病證方論>: 附子生·白芍藥·桂皮·人參·白茯苓·甘草 各 4 g, 白朮 6 g, 生薑 7片

16) 腎陰陽兩虛證(U71.6)

증상: 畏寒倦臥, 手足心熱, 口乾咽燥, 但喜熱飮, 眩暈耳鳴, 腰膝酸軟, 小便淸長或餘瀝不盡, 男子陽萎遺精, 女子不妊, 帶下, 舌根苔白, 舌體胖, 舌質稍紅, 尺脈細弱

처방: 八味丸, 腎氣丸, 右歸丸合大補陰丸, 龜鹿滋腎丸 等

• 八味丸<仲景全書>: 熟地黃 320 g, 山藥·山茱萸 各160 g, 牡丹皮·白茯苓·澤瀉 各 120 g, 肉桂·附子炮 各 40 g
• 腎氣丸<易老保命集>: 六味地黃元 1劑, 五味子 160 g
• 右歸丸<景岳全書>: 附子·肉桂 各 60 g, 熟地 250 g, 山茱萸·當歸 各 90 g, 山藥·鹿膠·枸杞·菟絲子·杜仲 各 120 g
• 大補陰丸<丹溪心法>: 黃柏·知母 各 120 g, 熟地·龜板 各 180 g, 猪脊髓
• 龜鹿滋腎丸<實用中成藥水冊>: 人蔘, 白朮, 茯苓, 甘草, 熟地, 當歸, 川芎, 黨蔘, 山藥, 黃芪, 蓮鬚, 芡實, 附子, 肉桂, 鹿茸, 鹿膠, 補骨脂, 巴戟天, 杜仲, 菟絲子, 龜膠, 天

冬, 麥冬, 枸杞, 五味子, 陳皮, 枳實, 小茴, 牛膝, 沈香, 鎖陽, 覆盆子

17) 肝腎陰虛證(U78.4)

증상: 視物昏花或雀盲, 筋脈拘急, 麻木, 抽搐, 爪甲枯脆, 肋痛, 眩暈耳鳴, 腰膝酸軟, 齒搖發脫, 遺精, 形體消瘦, 咽乾口燥, 五心煩熱, 午後潮熱, 顴紅盜汗, 虛煩不寐, 尿黃便乾, 舌紅少苔或無苔, 脈沈弦細數

처방: 左歸丸, 六味地黃丸, 大造丸, 滋陰降火湯 等

- 左歸丸<景岳全書>: 熟地黃 250 g, 山藥·山茱萸·鹿角膠·龜板膠·枸杞子·菟絲子 各 120 g, 懷牛膝 90 g
- 六味地黃丸<小兒藥證直訣>: 熟地黃 320 g, 山茱萸·山藥 各 160 g, 茯苓·牡丹皮·澤瀉 各 120 g
- 大造丸<景岳全書>: 紫河車 1具, 龜板·黃柏·杜仲·牛膝·天冬·麥冬·熟地·五味子
- 滋陰降火湯<萬病回春>: 白芍藥 5.2 g, 當歸 4.8 g, 熟地黃·天門冬·麥門冬·白朮 各 4 g, 生地黃 3.2 g, 陳皮 2.8 g, 知母·黃栢(並蜜水炒)·甘草灸 各 2 g

3. 동의보감에 수록된 관련 내용

1) 雜病編 卷二 風

【風痺之始】

內經曰, 汗出而風吹之, 血凝於膚者, 則爲痺.○風之爲病, 當半身不遂, 或但臂不遂者, 此爲痺.<內經>○邪之所湊, 其氣必虛. 留而不去, 其病則實.<內經>○虛邪中人, 留而不去則爲痺, 衛氣不行則爲不仁.<內經>○不仁者, 何以明之. 仁者柔也. 不仁謂不柔和也. 痛痒不知, 寒熱不知, 灸刺不知, 是謂不仁也.<類聚>

【三痺】

內經曰, 皇帝曰, 痺之安生. 岐伯對曰, 風寒濕三氣雜至, 合而爲痺也. 其風氣勝者爲行痺. 寒氣勝者爲痛痺. 濕氣勝者爲着痺.○行痺宜防風湯, 痛痺宜茯苓湯, 着痺宜川芎茯苓湯·三痺湯.

【五痺】

帝曰, 其有五者何也. 岐伯曰, 以冬遇此者爲骨痺, 以春遇此者爲筋痺, 以夏遇此者爲脉痺, 以至陰遇此者爲肌痺, 以秋遇此者爲皮痺.<內經>○帝曰, 內舍五藏六府, 何其使然. 岐伯曰, 五臟 皆有合, 病久而不去者, 內舍於其合也. 故骨痺不已, 復感於邪, 內舍於腎, 筋痺不已, 復感於邪, 內舍於肝, 脉痺不已, 復感於邪, 內舍於心, 肌痺不已, 復感於邪, 內舍

於脾, 皮痺不已, 復感於邪, 內舍於肺, 所謂痹者, 各以其時, 重感於風寒濕之氣也.<內經>○帝曰, 其客於六府者何也. 岐伯曰, 此亦其飮食居處爲其病本也. 六府亦各有兪, 兪卽穴也. 而食飮應之, 循兪而入, 各舍其府也.<內經>○淫氣喘息, 痺聚在肺. 淫氣憂思, 痺聚在心. 淫氣遺尿, 痺聚在腎. 淫氣乏竭, 痺聚在肝. 淫氣肌絶, 痺聚在脾. 諸痺不已, 亦益內也. 註曰, 淫氣, 謂氣之妄行者也. 從外不去, 則益深而至於身內.<內經>○宜用五痺湯·增味五痺湯·行濕流氣散.

【痺脉】

脉澁而緊爲痺痛.<脉經>○脉大而澁爲痺, 脉來急亦爲痺.<玉機>○風寒濕氣, 合而爲痺, 浮澁而緊, 三脉乃備.<脉訣>

【痺病形證】

內經曰, 帝曰, 痺, 或痛, 或不痛, 或不仁, 或寒, 或熱, 或燥, 或濕, 其故何也. 岐伯曰, 痛者, 寒氣多也, 有寒, 故痛也. 其不痛, 不仁者, 病久入深, 榮衛之行澁, 經絡時疎, 故不痛, 皮膚不營, 故爲不仁, 其寒者, 陽氣少, 陰氣多, 與病相益, 故寒也. 其熱者, 陽氣多, 陰氣少, 病氣勝, 陽乘陰, 故爲痺熱. 其多汗而濡者, 此其逢濕甚也, 陽氣少, 陰氣盛, 兩氣相感, 故汗出而濡也.○病在筋, 筋攣節痛, 不可以行, 名曰筋痺, 病在肌膚, 肌膚盡痛, 名曰肌痺. 病在骨, 骨重不可擧, 骨髓痠疼, 寒氣至, 名曰骨痺.<內經>○帝曰, 痺之爲病, 不痛何也. 岐伯曰, 痺在骨則重, 在於脉則血凝而不流, 在於筋則屈而不伸, 在於肉則不仁, 在皮則寒. 故具此五者, 則不痛也. 凡痺之類, 逢寒則急, 逢熱則縱.<內經>

【痺病吉凶】

內經曰, 帝曰, 痺, 其時有死者, 或疼久者, 或易已者, 其故何也. 岐伯曰, 其入藏者死, 其留筋骨間者疼久, 其留皮膚間者易已.

【痺病多兼麻木】

麻是氣虛, 木是濕痰死血. 盖麻猶痺也, 雖不知痛痒, 尙覺氣微流行, 在手多兼風濕, 在足多兼寒濕, 木則非惟不知痛痒, 氣亦不覺流行.<入門>

【風痺與痿相類】

靈樞曰, 病在陽者命曰風, 病在陰者命曰痺. 陰陽俱病, 命曰風痺. 陽者表與上也, 陰者裏與下也.○痺者, 氣閉塞不痛流也. 或痛痒, 或麻痺, 或手足緩弱, 與痿相類. 但痿因血虛火盛肺焦而成, 痺因風寒濕氣侵入而成. 又痺爲中風之一, 但純乎中風則陽受之, 痺兼風寒濕三氣則陰受之, 所以爲病更重.<入門>

【痺病難治】

痺之爲證, 有筋攣不伸, 肌肉不仁, 與風絶相似. 故世俗與風痿通治, 此千古之弊也. 大抵固當分其所因, 風則陽受之, 痺則陰受之, 爲病多重痛沈着, 患者難易得去. 如錢仲陽爲宋之一代名醫, 自患周痺, 止能移於手足, 爲之偏廢, 不能盡去, 可見其爲難治也.<玉機>

【痺病治法】

痺之初起, 驟用參·芪·歸·地, 則氣血滯而邪鬱不散. 只以行濕流氣散主之.<入門>○三氣襲人經絡, 久而不已, 則入五藏, 或入六府, 隨其臧府之兪合以施針灸, 仍服逐三氣發散等藥, 則病自愈矣.<玉機>○痺證因虛而感風寒濕之邪, 旣着體不去, 則須製對證藥, 日夜飮之, 雖留連不愈, 能守病禁, 不令入藏, 庶可扶持也. 如錢仲陽, 取茯苓其大逾斗者, 以法啖之, 閱月乃盡, 由此雖偏廢, 而氣骨堅悍如無疾者, 壽八十二而終. 惜乎其方無傳.<玉機>

【痺證病名及用藥】

風痺·濕痺·寒痺, 俱宜附子湯. 冷痺, 宜蠲痺湯. 周痺, 宜大豆蘗散. 骨痺·筋痺·脉痺·肌痺·皮痺·行痺·痛痺·着痺, 俱宜三痺湯·五痺湯·增味五痺湯·行濕流氣散·防風湯·茯苓湯·川芎茯苓湯. 七. 熱痺, 宜升麻湯. 血痺, 宜五物湯. ○筋痺, 宜用羚羊角湯.○風寒痺, 宜用 烏藥順氣散, 疎通氣道. 方見上.

[附子湯] 治風寒濕合而爲痺, 骨節疼痛, 皮膚不仁, 肌肉重着, 四肢緩縱. 附子生·白芍藥·桂皮·人參·白茯苓·甘草各一錢, 白朮一錢半. 右剉, 作 一貼, 入薑七片, 水煎服.<三因>

[蠲痺湯] 治手冷痺. 一云, 冷痺者, 身寒不熱, 腰脚沈重, 卽寒痺之甚者. 當歸·赤芍藥·黃芪·防風·薑黃·羌活各一錢半, 甘草五分. 右剉作一貼, 入薑五片, 棗二枚, 水煎服.<入門>

[大豆蘗散] 治周痺, 周痺者, 在於血脉之中, 隨脉以上, 隨脉以下, 不能左右, 各當其所. 大豆蘗一升炒熟爲末. 每一錢, 溫酒調下, 日三.<河間>

[升麻湯] 治熱痺, 肌肉熱極, 體上如鼠走, 脣口反縱, 皮色變. 升麻二錢, 茯神·人參·防風·犀角·羚羊角·羌活各一錢, 桂皮五分. 右剉, 作一貼, 薑五片同煎, 入竹瀝五 調服.<宣明>

[五物湯] 治血痺, 夫尊榮人, 骨弱肌膚盛, 疲勞汗出而臥, 加被微風, 遂得之. 形如風狀, 但以脉自微澁, 在寸口關上小緊. 宜鍼引陽氣, 令脉和緊去則愈. 黃芪·桂枝·白芍藥各三錢. 右剉, 作一貼, 入生薑七片, 大棗三枚, 水煎, 日三服. 一方, 有人參.<仲景>

[羚羊角湯] 治筋痺, 肢節束痛. 羚羊角·桂皮·附子·獨活各一錢三分半, 白芍藥·防風·川芎各一錢, 右剉, 作一貼, 入薑三片, 水煎服.<河間>

【歷節風病因】

歷節之痛, 皆由汗出入水, 或飮酒汗出當風所致.<仲景>○歷節風, 古方謂之痛痺, 今人謂之痛風也.<綱目>○痛風者, 大率因血受熱, 已自沸騰, 其後或涉冷水, 或立濕地, 或坐臥當風取涼, 熱血得寒, 汚濁凝澁, 所以作痛, 夜則痛甚, 行於陰也. 治宜辛溫之劑, 流散寒濕, 開發腠理, 血行氣和, 其病自安.<丹心>○古之痛痺, 卽今之痛風也, 諸書又謂之白虎歷節風, 以其走痛於四肢骨節, 如虎咬之狀而名之也.<正傳>○痛風之證, 以其循歷遍身, 曰歷節風, 甚如虎咬, 曰白虎風, 痛必夜甚, 行於陰也.<入門>○白虎歷節, 亦是風寒濕三氣乘之, 或飮酒當風, 汗出入水, 亦成斯疾, 久而不已, 令人骨節蹉跌.<醫鑑>

【歷節風證狀】

歷節風之狀, 短氣自汗, 頭眩欲吐, 手指攣曲, 身體瘣㿜, 其腫如脫, 漸至摧落, 其痛如掣, 不能屈伸. 盖由飮酒當風, 汗出入水, 或體虛膚空, 掩護不謹, 以致風寒濕之邪遍歷關節, 與血氣搏而有斯疾也. 其痛如掣者爲寒多, 其腫如脫者爲濕多, 肢節間黃汗出者爲風多, 遍身走注, 徹骨疼痛, 晝靜夜劇, 狀如虎咬者, 謂之白虎歷節, 久不治, 令人骨節蹉跌. 須當大作湯丸, 不可拘以尋常淺近之劑.<得效>

【歷節風治法】

痛風多屬血虛, 血虛然後寒熱得以侵之. 多用芎·歸, 佐以桃仁·紅花·薄桂·威靈仙, 或用趂痛散.<東垣>○丹溪治痛風, 法主血熱·血虛·血汚, 或挾痰, 皆不離四物·潛行, 黃栢·牛膝·生甘草·桃仁·陳皮·蒼朮·薑汁, 隨證加減, 可謂發前人之所未發也.<綱目>○治痛風大法. 蒼朮·南星·川芎·白芷·當歸·酒芩, 在上加羌活·威靈仙·桂枝·桔梗, 在下加牛膝·防己·木通·黃栢.<丹心>○薄桂治痛風, 無味而薄者, 能橫行手臂, 領南星·蒼朮等至痛處.<丹心>○風寒濕入於經絡, 以致氣血凝滯, 津液稽留. 久則沸鬱堅牢, 阻碍榮衛難行, 正邪交戰, 故作痛也. 須氣味辛烈暴悍之藥, 開鬱行氣, 破血豁痰, 則沸鬱開, 榮衛行而病方已也.<方廣>○痛風 宜用大羌活湯·蒼朮復煎散·防風天麻散·踈風活血湯·四妙散·麻黃散·潛行散·二妙散·龍虎丹·活絡丹·五靈丸.○歷節風, 宜用神通飮·定痛散·虎骨散·加減虎骨散·麝香元·乳香黑虎丹·乳香定痛丸·捉虎丹.○肢節腫痛, 宜用靈仙除痛飮.○痰飮注痛, 宜用芎夏湯控涎丹 方見痰飮·消痰茯苓丸 方見手部·半夏芩朮湯.○痛風熨烙, 宜用拈痛散當歸散.

[大羌活湯] 治風濕相搏, 肢節腫痛, 不可屈伸. 羌活·升麻各一錢半, 獨活一錢, 蒼朮·防己·威靈仙·白朮·當歸·赤茯苓·澤瀉·甘草各七分. 右剉, 作一貼, 水煎服.<正傳>

[防風天麻散] 治風濕麻痺, 走注疼痛, 或偏枯, 或暴瘖. 滑石二兩, 防風·天麻·川芎·羌活·白芷·草烏炮·白附子·荊芥·穗當歸·甘草各五錢, 右爲末, 蜜丸彈子大. 每取半丸或一丸, 熱酒化下, 覺藥力運行, 微麻爲度. 此散鬱開結, 宣風通氣之妙劑也.<正傳>○或爲末, 蜜酒調下一錢.<正傳>

[踈風活血湯] 治四肢百節流注刺痛, 皆是風濕痰死血所致, 其痛處 或腫 或紅. 當歸·川芎·威靈仙·白芷·防己·黃栢·南星·蒼朮·羌活·桂枝各一錢, 紅花三分. 右剉, 作一貼, 入薑五片, 水煎服.<醫鑑>

[活絡丹] 治一切痛風, 筋脉拘攣沈痛, 時或上衝. 川烏炮·草烏炮·南星炮·地龍焙各一兩, 乳香·沒藥各二錢二分. 右爲末, 酒糊和丸梧子大. 空心, 溫酒下二三十丸.<局方>

[定痛散] 治風毒攻注皮膚骨髓之間, 痛無常處, 晝靜夜劇, 筋脉拘攣, 不得屈伸. 蒼耳子·骨碎補·自然銅·血竭·白附子·赤芍藥·當歸·肉桂·白芷·沒藥·防風·牛膝各七錢半, 虎脛骨·龜板·各五錢·天麻·檳榔·羌活·五加皮各二錢半. 右爲末, 每一錢, 溫酒調下.<入門>

[靈仙除痛飮] 治肢節腫痛, 痛屬火, 腫屬濕, 兼受風寒而發動於經絡之中, 濕熱流注於肢節之間. 麻黃·赤芍藥各一錢, 防風·荊芥·羌活·獨活·威靈仙·白芷·蒼朮·片芩酒炒·枳實·桔梗·葛根·川芎各五分, 當歸梢·升麻·甘草各三分. 右剉, 作一貼, 水煎服.<醫鑑>○一名麻黃芍藥湯.

[半夏芩朮湯] 治濕痰流注, 肩臂痛. 蒼朮二錢, 白朮一錢半, 半夏·南星·香附子·片芩酒炒各一錢, 陳皮·赤茯苓各五分, 威靈仙三分, 甘草二分. 右剉, 作一貼, 入薑三片, 水煎服. 一方, 有羌活.<丹心>

[禁忌法] 凡味酸傷筋則緩, 味鹹傷骨則痿, 令人發熱變爲痛痺麻木等證. 愼疾者, 須戒魚腥麪醬酒醋. 肉屬陽, 大能助火, 亦可量喫. 痛風諸痺皆然.<入門>

2) 雜病篇 卷三 濕

【霧露淸濁之邪中人】

寸口陰脉緊者, 霧露濁邪, 中於下焦少陰之分, 名曰渾, 陰氣爲慄, 令人足脛逆冷, 便尿妄出, 或腹痛下利, 宜理中湯·四逆湯. 方見寒門.○寸口陽脉緊或帶濇者, 霧露淸邪, 中於上焦太陽之分, 名曰 潔, 陽中霧露之氣也, 令人發熱頭痛, 項强頸攣, 腰痛脛痠, 宜九味羌活湯·藿香正氣散. 方見寒門.

【濕病類傷寒】

中濕·風濕·濕溫, 皆類傷寒. 中濕之由, 風雨襲虛, 山澤蒸氣, 濕流關節, 一身盡痛. 風濕者, 其人先中濕, 又傷風, 故謂之風濕. 其人中濕, 因而中暑, 名曰濕溫.<活人>○傷寒有五, 其一爲中濕. 盖風濕之氣中人爲病, 發熱與溫病相類, 故曰濕溫也. 難經曰, 濕溫之脉, 陽濡而弱, 陰小而急.<活人>

【中濕】

面色浮澤, 是爲中濕. 內經註○中濕之脉, 沈而微緩. 濕喜歸脾, 流於關節. 中之多使人腹䐜脹倦怠, 四肢關節疼痛而煩, 或一身重着, 久則浮腫喘滿, 昏不知人. 挾風則眩暈嘔噦, 挾寒則攣拳掣痛.<得效>○外中濕者, 或感山嵐瘴氣, 或被雨濕蒸氣, 或遠行涉水, 或久臥濕地而得.○方[內]中濕者, 因生冷過多, 或厚味醇酒停滯, 脾虛不能運化而得.<回春>○中濕, 宜勝濕湯·除濕湯·加味朮附湯·白朮酒, 或五苓散加羌活·川芎·蒼朮. 方見寒門.

[勝濕湯] 治坐臥濕地, 或雨露所襲, 身重脚弱, 大便泄瀉. 白朮三錢, 人參·乾薑·白芍藥·附子炮·桂枝·白茯苓·甘草各七分半. 右剉, 作一貼, 入薑五棗二, 水煎服.<濟生>

[除濕湯] 治中濕, 滿身重着. 蒼朮·厚朴·半夏各一錢半, 藿香·陳皮各七分半, 甘草五分. 右剉, 作一貼, 薑七片, 棗二枚, 水煎服.<得效>

[加味朮附湯] 治中濕諸證. 附子炮二錢, 白朮·赤茯苓·甘草炒各一錢半. 右剉, 作一貼, 入薑七棗二, 水煎服, 日再. 纔見身痺, 三服後則當如冒狀, 勿怪. 盖朮·附並行皮中, 逐水氣故爾.<得效>

【風濕】

太陽經感風濕相搏, 其骨節煩疼者, 濕氣也. 濕則關節不利, 故痛. 其掣而不能屈伸者, 風也. 汗出身寒, 脉沈微, 短氣, 小便淸而不利者, 寒閉也. 惡風者, 表虛也, 或微腫者, 陽氣不行也. 宜甘草附子湯·朮附湯·白朮附子湯·麻杏薏甘湯.<活人>○風濕之證, 風勝則衛虛, 汗出短氣惡風, 不欲去衣. 濕勝則小便不利, 或身微腫. 宜防己黃芪湯·羌附湯·除濕羌活湯.<入門>○風濕相搏, 一身盡痛, 法當汗出而解, 値天陰雨不止, 醫云可發汗, 汗之而病不愈者, 何也. 答曰, 發其汗, 汗太出者, 但風氣去, 濕氣在, 故不愈也. 若治濕風者, 發其汗, 但微微自欲汗出者, 風濕俱去也.<仲景>○風濕相搏, 骨節煩疼掣痛, 近之則痛劇.<入門>

[甘草附子湯] 治風濕. 桂枝四錢, 甘草·附子炮·白朮各一錢. 右剉, 作一貼, 水煎服, 微汗卽解.<入門>

[防己黃芪湯] 治風濕, 身重痛, 自汗. 防己·黃芪各三錢, 白朮二錢, 甘草一錢半. 右剉, 作一貼, 入薑三片, 棗二枚, 水煎服.<正傳>

[除濕羌活湯] 治風濕相搏, 一身盡痛. 蒼朮·藁本各二錢, 羌活一錢半, 防風·升麻·柴胡各一錢. 右剉, 作一貼, 水煎服.<醫鑑>○一名除風濕羌活湯.<東垣>

【寒濕】

凡濕, 以尿赤有渴爲熱濕, 以尿淸不渴爲寒濕.<入門>○寒濕交攻, 身體冷痛, 宜滲濕湯·加劑除濕湯·生附除濕湯·治濕中和湯·五積散 方見寒門·蒼朮復煎散.○腰下冷重或痛, 是爲腎着, 宜用 腎着湯. 方見腰部.

[滲濕湯] 治寒濕所傷, 身體重着, 如坐水中, 小便澁, 大便利. 赤茯苓·乾薑炮各二錢, 蒼朮·白朮·甘草各一錢, 橘紅·丁香各五分. 右剉, 作一貼, 入薑三棗二, 水煎服.<局方>○一方, 蒼朮·半夏麴各二錢, 厚朴·藿香·陳皮·白朮·白茯苓各一錢, 甘草五分, 劑法, 服法, 如上.<丹心>

[加劑除濕湯] 治傷濕, 身重腰痛, 四肢微冷, 嘔逆溏泄. 赤茯苓·乾薑各二錢, 蒼朮·白朮·甘草各一錢, 橘紅·桂皮·厚朴各五分. 右 , 作一貼, 入薑三棗二, 水煎服.<直指>

4. 침구 요법

관절질환에 대한 鍼灸 치료는 다양한 치료방법들이 개발되어 있다. 본서에서는 침구를 주제로 한 시가운문(詩歌韻文)과 관절질환 관련 임상 침구치료 경험을 바탕으로 활용빈도가 높은 주요한 치료법만을 소개하고자 한다. 의학사적으로 보면 가부는 원나라, 명나라, 청나라에서 주로 발달했으며, 이는 금원사대가 이후 한의학이 분야별로 폭넓게 발달하면서 기억해야 할 내용이 많아져 학습과 임상에서 효율성을 도모하기 위한 하나의 방식이었다. 내용에 따라 경락가부, 수혈가부, 자구법가부, 치료가부 등으로 분류를 하고 있는데, 여기서는 치료가부 위주로 소개를 하니 참고 바란다.

치료 효과의 우월성은 시술자가 각각의 방법을 얼마나 능숙하게 활용하는가에 달려 있으며 특정한 치료법만이 탁월하다고 보기는 곤란하다.

<針灸歌賦>

〔行痺〕 大杼, 曲泉.
〔痛痺〕 足三里, 小海, 靈道.
〔着痺〕 環跳, 陽陵泉, 足三里.
〔肩背痛〕 手三里, 中渚.
〔肩關節周圍炎〕 條口, 陽陵泉, 豊隆, 後谿, 外關, 中渚, 肩髃.
〔肩關節痛〕 肩髃, 肩井, 天井, 曲池, 關衝, 陽谷.
〔肩背酸疼〕 支溝, 風門, 肩井, 中渚, 後谿, 腕骨, 委中.
〔肩背肘疼〕 曲池, 合谷, 尺澤, 三間.
〔肘攣痛〕 尺澤, 曲池, 經渠, 合谷.
〔兩臂難任〕 肩井, 中渚.
〔肘臂痛,手痠疼〕 肩髃, 曲池, 通里, 手三里, 合谷.
〔腕中無力痛艱難〕 陽谷, 腕骨.
〔手連肩脊痛〕 合谷, 太衝.
〔手指痛〕 曲池, 手三里, 外關, 中渚, 尺澤.
〔脇肋痛〕 陽陵泉, 支溝, 後谿.
〔脇痛〕 陽陵泉, 丘墟, 支溝, 曲池, 內關.
〔髀疼脚氣〕 肩井, 環跳, 足三里, 陽陵泉, 丘墟.
〔腿風濕痛〕 居髎, 環跳, 委中, 風府.
〔腿痛〕 後谿, 環跳, 膝關.
〔腰脚痛〕 環跳, 風市, 陰市, 足三里, 陰交, 絶骨, 行間.
〔股膝痛〕 陰市, 風市, 崑崙, 太谿.
〔腿脚重疼〕 環跳, 膝關, 膝眼, 交信.
〔膝痠痛〕 環跳, 陽陵泉, 丘墟.
〔膝關節痛〕 人迎, 手三里, 曲池, 髀關, 陽陵泉.
〔膝關節腫痛〕 行間, 尺澤, 曲池, 至陰, 風府.
〔膝蓋紅腫〕 陽陵泉, 陰陵泉, 太衝.
〔下腿筋轉而痛〕 承山, 崑崙, 然谷, 內踝.
〔足關節痛〕 崑崙, 太谿, 申脈.
〔足跟痛〕 1) 崑崙, 丘墟, 絶骨, 委中.
2) 百會, 天柱, 下關, 大陵.
〔後跟痛〕 僕參, 京骨, 跗陽.
〔足背痛〕 丘墟, 解谿, 商丘.
〔足底痛〕 崑崙.

제3절
전신성 관절 질환

1. 關節痺證

관절은 體幹部와 四肢部를 연결하는 중요한 운동기관이다.《靈樞》에 관절은 氣血運行의 중요한 부위이지만 쉽게 外邪가 침범할 수 있는 곳이라 하였다. 인체에 風·寒·濕의 邪氣가 침범하면 關節酸楚, 疼痛, 重着, 腫大 그리고 활동장애를 주요 특징으로 하는 痺病의 病證이 나타난다. 이러한 痺病의 병리적 변화는 관절을 중심으로 나타나므로 關節痺證이라고 하는데, 이를《靈樞·九鍼論》에서는 "深痺"라 하였다.

關節痺證에 속하는 질병에는 골관절염, 류마티스 관절염, 연소성 류마티스 관절염, 라이터 증후군, 임균성 관절염 등이 있다.

1) 골관절염(Osteoarthritis)

골관절염은 퇴행성 관절염(degenerative arthritis), 퇴행

성 관절질환(degenerative joint disease) 또는 변형성 관절증(osteoarthrosis)으로 불리는 성인에서 가장 흔한 관절 질환이다. 관절을 보호하는 연골의 손상과 국소적인 퇴행성 변화, 연골하골의 비대, 주변 골연골부의 과잉 골형성, 관절의 변형 등을 특징으로 하며 주 증상은 관절통, 압통, 경직, 잠김감, 부종 등이며 이 외에 관절 염발음이나 근육경련이 동반되기도 한다. 주 침범 관절은 손, 발, 척추 그리고 체중부하를 많이 받는 무릎과 고관절이다. 세계 인구의 약 3.6%가 퇴행성 슬관절염을 앓고 있으며, 65세의 약 80%에서 방사선 소견상 퇴행성 관절의 증후가 보이지만, 그 중 약 60% 정도가 임상 증상을 가지고 있다. 골관절염의 주요 원인은 노화, 선천적 또는 병리적 관절의 정렬 이상, 외상, 과체중, 관절지지 근육의 약화, 말초신경의 손상 등 관절에 대한 기계적 스트레스 때문이라고 추정되는데 확실한 원인을 알 수 없는 원발성(1차성)과 다른 유인에 의해 발생하는 속발성(2차성)으로 분류된다. 원발성에는 나이, 성별, 비만, 유전 등이 그 요인으로 추정되며 속발성에는 외상, 선천적 질환, 대사성 질환(당뇨, 윌슨씨병, 알캅톤 뇨증 등), 염증성 질환(Perthes', Lyme disease 등), 만성적인 관절염(류마티스 관절염, 통풍, 늑연골염 등), 신경병증성 관절 질환 등이 해당된다. 병리기전은 초기에 관절 표면의 분열이 일어나면서 연골이 갈라지게 되는데, 원섬유형성(fibrillation) 이후 침식과정을 거치면서 연골하골이 노출된다. 병의 시작은 일반적으로 서서히 일어난다. 초기에는 관절의 경미한 통증이나 강직을 호소하나 진행되면서 관절 운동의 장애와 염발음, 종창 등이 동반되기도 하며, 통증이 휴식 시 경감되었다가 활동 시 증가하는 경향을 보인다. 관절을 고정하거나 온열요법으로 통증이 완화되고, 춥고 습기가 많은 날씨에 악화되기도 한다. 류마티스 관절염에 비해 염증으로 인한 부종이나 삼출은 흔하지 않지만 연골하골의 경화와 관절 주변의 뼈가 비후해지면서 관절의 운동이 제한된다. 골성 비대는 주로 수지 및 슬관절에 현저한데 수지 중 원위지절간 관절은 헤베르덴(Heberden) 결절, 근위지절간관절은 보우차드(Bouchard) 결절이라고 한다. 손 이외에 무릎, 고관절, 중족지절관절, 척추 등에 발생하는데 체중부하가 적은 어깨나 팔꿈치 등은 외상이나 직업적인 요인이 아니면 발생빈도가 낮다. 골관절염의 일반적인 증상과 류마티스 관절염과의 차이는 아래 표(표 3-7, 8, 9)와 같다.

침범된 관절에 따른 특징적인 소견들을 보면 수지의 골관절염에서는 관절의 내측 또는 외측에 골극이 형성되고 굴곡 또는 측방 형태의 변형을 볼 수 있다. 슬관절의 경우에는 외측보다는 내측에 퇴행성 변화가 더 많고 내반슬 형태의 변형이 종종 동반된다. 퇴행성 슬관절은 방사선 상 골극의 유무와 관절강의 협착에 따라 Kellgren-Lawrence grading scale 1-4단계로 나누기도 한다. 타 관절보다 삼출이 흔하며 대퇴사두근의 위축도 볼 수 있다. 퇴행성 고관절은 서서히 진행되는 동통이 있고 걸음걸이가 파행을 보이는 것이 특징이다. 척추에 나타나는 골관절염의 특징은 요배통과 척추의 강직감이다.

진단은 증상 및 병력, 임상 검사를 통해 이루어진다. 방사선 소견상 관절 간격의 협소, 연골하골의 경화, 관절주위의 골 증식(osteophyte), 연부조직의 종창 등이 보이며, 활액이나 임상병리 소견은 대부분 정상이다. NICE (National institute for Health and Care Excellence)에서는 다른 검사 없이 임상적으로 45세 이상에, 활동과 관련된 관절통을 가지고 있으며 30분 이상 지속되지 않는 조조강직 또는 관절과 관련된 조조강직이 없는 경우 퇴행성 관절염으로 진단할 수 있다고 하였다.

치료는 보존적 치료와 수술적 치료가 있으며, 보존적 치료에는 약물요법, 이학요법, 운동요법, 주사요법 등이 있으며, 한방적으로 한약과 봉독, 약침, 침, 뜸 및 태극권 등의 치료 방법이 사용되고 있다. 수술적 치료는 더 이상 보존적 치료에 대한 효과가 없거나 기능장애가 심한 환자에게 적용되는데 주로 관절 치환술(인공관절)을 시행한다. 적절한 운동은 관절의 기능향상과 통증 감소에 효과적이라고 알려져 있으며, 환자에 따라 체중감량 및 보조기 착용 등이 도움이 될 수 있다.

2) 류마티스 관절염(Rheumatoid Arthritis)

류마티스 관절염은 대표적인 자가면역성 질환으로, 여러 조직 및 기관을 침범하는 만성적 염증 질환 중의 하나이다. 특히 관절을 싸고 있는 활액막의 염증과 비후, 판누스(pannus) 형성을 특징으로 한다. 류마티스 관절염의 유병률은 0.5-1.0%로서 전 세계적으로 비교적 고른 분포를 보이지만 미북부 지방이 비교적 높은 편이다. 국내의 경우 2012 국민건강통계에 따르면 30세 이상 4,972명을 대상으로 한 조사에서 전체 유병률이 1.6%, 남자는 0.7% 여성은 2.5%로 나타났으며, 65세 이상(1,445명)은 전체 3.8%, 남자 1.0% 여자 5.8%의 유병률을 보였다. 류마티스 관절염은 주로 25세-50세 사이에서 많이 호발하나 어느 연령대라도 발생할 수 있으며, 여성이 남성보다 3-4배 정도 흔하다.

류마티스 관절염의 직접적인 원인에 대해 규명된 바는 없으나 유전적 원인과 여러 가지 환경적 요인이 상호작용하여 발병하는 것으로 추정되며 최근에는 흡연이나 비타민D 결핍이 류마티스 관절염의 발생 위험을 높인다는 보고도 있다. 류마티스 관절염 환자의 형제는 일반인보다 발병률이 2-4배 정도 높고, 특히 일란성 쌍생아(12-34%)는 이란성 쌍생아(2-4%) 보다 발병 일치율이 높게 나타났고, 비교 위험도도 3.5배 높았다. 유전적 요인이 류마티스 관절염 발병에 기여하는 정도는 약 70% 정도로 추정된다. 그 외 주요 환경적 요인에는 흡연, 감염, 식이인자 등이 있다. 류마티스 관절염은 주로 관절에 침범하지만, 15-25% 정도는 다른 기관에도 침범한다. 하지만 타 기관 증상이 류마티스 진행 과정에 의한 것인지, 아니면 류마티스 관련 약물 복용에 의한 것인지 감별하기가 쉽지 않다. 류마티스 관절염은 임상 양상이 매우 다양하지만, 초기부터 관절 증상을 나타내는 경우가 많다. 활액막의 염증으로 부종, 발적, 강직, 통증 등을 호소하고, 침범 관절이 여러 군데이며, 1시간 이상 지속되는 조조 강직이 특징이며 이로 인해 운동제한을 동반한다. 만성적인 경우에는 염증 소견이 심하지 않거나 없을 수도 있다. 활막염 이전에 피로, 전신 허약감, 미열, 체중감소 등의 전신 증상이 나타나기도 하며. 만성화가 될 경우 관절의 변형과 운동 장애, 기타 합병증이 발생하기도 한다. 류마티스 관절염의 특징은 (표 3-8)과 같다.

활액막의 염증은 초기에는 부종 및 울혈, 활막 세포의 증식을 보이다가 진행되면서 임파구, 형질 세포 침윤과 융모 돌

표 3-7. 골관절염의 일반적 증상

- 관절연골의 손상과 퇴행성 변화
- 관절의 운동 시 심해지는 통증
- 30분 이내의 조조 강직
- 관절운동 범위의 감소
- 무릎, 손 등에 다발
- 관절과 관절주위의 압통
- 골성 비대, 관절강의 협착, 골극
- 관절의 염발음
- 주로 고령층

표 3-8. 류마티스 관절염의 특징

- 전신적인 만성 염증성 질환
- 주로 활막 관절에 침범
- 1시간 이상의 조조강직, 부종 및 발적
- 판누스(pannus), 골미란
- 다양한 조직 및 기관에 침범
- 약 1-2%의 유병율
- 전세계적인 분포
- 여성이 남성에 비해 약 3-4배 발병률이 높음
- 주로 25-50세

표 3-9. 골관절염과 류마티스 관절염의 감별

	골관절염	류마티스 관절염
발병연령	주로 고령(60대 이후), 나이 증가에 따른 발병 증가	25-50대, 소아
경직(관절)	30분 이내, 활동 이후에 악화	1시간 이상, 휴식 시 악화
손가락관절의 침범 양상	원위지절간관절, Heberden 결절, Bouchard 결절	근위지절간관절 및 중수수지관절, 백조목, 보우토니어, 엄지의 Z변형
관절 소견	골성 비대, 관절 및 관절 주위 통증	연부조직의 종창, 열감, 발열 등
관절 외 소견	없음	피로, 식욕부진, 체중감소, 미열 등
혈청학적 소견	류마티스 인자 음성, 항-CCP항체 음성, CRP, ESR 정상	류마티스 인자 양성, 항-CCP항체 양성, CRP, ESR 주로 증가 (때때로 음성인 경우도 존재함)
방사선학적 소견	관절강의 협착, 골극	골미란, 골낭종

기의 증식이 이루어지고 섬유성 조직인 판누스(pannus)가 형성된다. 관절 연골은 판누스에 의해 침식당하면서 미란되고 섬유성 관절 강직이 발생한다.

관절의 증상 중에서는 특히 손 및 수근 관절의 증상이 대표적이다. 일반적으로 활액막이 적은 원위지절간관절의 침범은 상대적으로 적고, 근위지절간관절 및 중수수지관절에 부종, 압통 등이 나타난다. 병이 진행되면서 수지 및 수근관절의 척측 변위나 근위지절간관절의 과신전과 원위지절간관절의 굴곡으로 인한 백조목(swan-neck) 변형과 근위지절간관절의 굴곡과 원위지절간관절의 과신전으로 인한 보우토니어(Boutonniere) 변형 및 엄지의 지절간관절의 신전과 중수수지관절의 굴곡, 아탈구로 인한 Z-변형 등이 나타난다. 이 외에도 주관절, 견관절, 슬관절, 고관절, 족관절, 경추 등에도 침범하여 변형이나 관절 불안정, 강직 등을 유발한다. 관절염이 주된 증상이지만 그 외에도 피부, 안구, 심혈관계, 신경계, 호흡기계 증상이 나타날 수 있다. 피부 증상으로 대표적인 것이 류마티스 결절이다. 주로 주두, 견봉, 중수수지관절, 종골 결절 등에서 보이는데 이는 양성 류마티스 인자와 심한 미란성 관절염과 관계가 있다. 이 외에도 폐섬유화나 흉막삼출, 혈관염, 흉막염, 비장 및 임파 비대증 및 동맥경화나 심근경색의 발생률 증가가 나타나기도 한다.

류마티스 관절염은 임상 증상과 혈청학적 검사 등에 의해 진단되는데, 지금까지 1987년 미국 류마티스 학회에서 제시한 기준(7가지 대표적인 임상증상 중에서 4가지 이상을 만족할 때)이 주로 사용되었다. 하지만 임상 증상들을 위주로 구성되어 있고 이러한 증상은 질환 이환 이후 상당시간이 경과한 이후에 발견되므로 진단이 확실시 될 때는 이미 관절의 파괴가 상당 부분 진행된 경우가 많아 RA 초기 진단의 민감도가 낮은 편이다. 따라서 ACR (American College of rheumatology)과 EULAR (European League Against Rheumatism)은 2010년에 새로운 류마티스 분류 기준을 발표하였다(표 3-10). 기존의 기준에서 수면 후 강직이나 대칭성, 류마티스 결절 및 인자, 방사선학적 변화 등이 삭제되었고, 평가 당시 각 항목의 점수를 합하여 6점 이상일 때를 RA로 분류하였다. 새 분류 기준에서는 비록 점수가 6점 이하라고 하더라도 증상이 진행되면서 RA 기준을 만족할 수도 있기 때문

표 3-10. 2010년 류마티스 관절염의 분류기준(The 2010 American College of Rheumatology/European League Against Rheumatism classification criteria for rheumatoid arthritis)

대상자: 1) 적어도 1개 관절의 활막염 소견(부종)이 있고, 2) 활막염이 다른 질환으로 진단되지 않은 환자 중에서 점수 합이 6점 이상일시 RA로 분류		B. 혈청학적 검사소견(serological parameters)[//]	
		Negative RF and negative ACPA[¶]	0점
		Low-positive RF or low-positive ACPA	2점
		High-positive RF or high-positive ACPA	3점
A. 침범관절(joint involvement)*		C. 급성기 반응(acute phase reactants)**	
1개의 큰 관절[†]	0점	ESR 정상 and CRP 정상	0점
2-10개의 큰 관절	1점	ESR 비정상 or CRP 비정상	1점
1-3개의 작은 관절[‡] (큰 관절 상관없이)	2점		
4-10개의 작은 관절(큰 관절 상관없이)	3점	D. 증상 지속 기간(duration of arthritis)[††]	
10개 초과되는 관절[§]	5점	6주 미만	0점
(적어도 작은 관절 1개 이상 포함)		6주 이상	1점

* 부종 또는 압통, DIP/first CMC/first MTP 제외
† 큰 관절: 양측 견관절, 주관절, 고관절, 슬관절, 족근관절
‡ 작은 관절: MCP/PIP/2-5 MTP/엄지 IP/손목
§ RA시 침범 가능한 관절 모두 가능 (예. 턱관절/흉쇄관절/견쇄관절 등)
// 최소 1개 검사 필요, IU values
Negative: 정상범위의 상한치(ULN)이하; Low-positive: ULN 초과~ULN의 3배 이하; High-positive: ULN의 3배 초과
¶ ACPA: anticitrullinated protein antibody
** 최소 1개 검사 필요, ESR/CRP 둘 중 하나라도 비정상이면 1점
†† 치료에 관계없이 평가 당시 환자가 호소하는 활막염 증상(통증, 부종, 압통)의 지속 기간

에 경과 관찰이 필요하다고 하였다.

따라서 류마티스 관절염은 이러한 진단 기준을 토대로 병력 및 임상 증상, 신체 진찰 소견, 검사실 소견, 영상 소견 등을 종합적으로 검토하여 진단해야 한다.

혈청학적 검사로는 류마티스 인자(rheumatoid factor)가 대표적이다. 하지만 류마티스 관절염 환자의 약 15%는 음성(혈청음성)이며, 일반 인구의 약 5%와 건강한 노인의 약 20%에서는 양성이다. 또한 쇼그렌 증후군, C형 간염 그리고 만성 감염 등의 다른 질환에서도 양성 반응을 보여 류마티스 관절염에 대한 낮은 민감도와 중등도의 특이도를 가지고 있다.

따라서 최근에는 ACPA (anticitrullinated protein antibody) 중의 하나인 항-CCP (anti-cyclic citrullinated peptide)를 이용하는데 류마티스 관절염의 진단에 있어 항-CCP 항체의 민감도는 39-94%, 특이도는 81-100%까지 보고되고 있고(표 3-11), 발병 24개월 미만의 조기 류마티스 관절염에서도 진단적 가치가 있는 것으로 발표되고 있다. 그 외 진단에 도움이 되는 검사는 활액분석, ESR, CRP 그리고 CBC가 있다. ESR과 CRP는 활동성 염증을 측정하는 수치이며 진단과 예후 판단 그리고 치료에 대한 반응을 보는데 활용되고, CBC 검사에서 저색소성 정상구성 빈혈(hypochromic normocytic anemia)이나 다형핵 중성구(polymorphonuclear neutrophil)의 증가 소견이 나타나기도 한다. 영상학적 소견에는 x-ray가 주로 사용되었으나 류마티스 관절염 초기의 활막염이나 건초염 등을 발견하기 어렵고, 골미란도 조기에 관

표 3-11. 류마티스 관절염의 류마티스 인자(Rheumatoid factor) 항-CCP항체의 민감도와 특이도

자가 항체	비교	민감도(Sensitivity)	특이도(Specificity)
항-CCP항체	RA vs NRA	0.767	0.951
RF	RA vs NRA	0.782	0.805
항-CCP항체 or RF	RA vs NRA	0.852	0.745
항-CCP항체 and RF	RA vs NRA	0.794	0.965

RF: rheumatoid factor, RA: rheumatoid arthritis, NRA: non-RA rheumatic diseases

표 3-12. 2011년 류마티스 관절염 관해 기준 (2011 RA Remission Criteria)

Boolean-based definition
어느 시점에서라도 아래의 모든 항목을 만족해야 함 압통 관절의 수Tender joint count(TJC) ≤1 * 부종 관절의 수Swollen joint count(SJC) ≤1 * C-reactive protein(CRP) ≤1 mg/dL 환자의 전반적인 평가 (PtGA) ≤1 (on a 0 - 10 scale) †
* 압통과 부종 관절의 수를 셀 때 28개의 관절을 이용하는데 발과 발목 관절을 제외하지 않도록 해야 함 † 전반적인 평가는 다음과 같은 포맷을 추천한다. 10 cm의 수평선에 시각상사척도(VAS)나 리커트(Likert) 척도를 이용하여 가장 낮은 숫자(가장 좋은)를 왼쪽, 가장 높은 숫자(가장 나쁜)를 오른쪽에 기입한다. 환자의 전반적인 평가의 경우: 환자에게 관절염의 증상이 오늘 어떻습니까? (가장 좋음 - 가장 나쁨) 평가자의 전반적인 평가의 경우: 환자의 현재 질병 활성도에 대한 당신의 평가는 무엇입니까? (없음 - 극심한 활성상태)
Index-based definition
단순화된 질병 활동 지수 점수Simplified Disease Activity Index score (SDAI) ≤3.3‡
‡ 압통 관절의 수(using 28 joints) + 부종 관절의 수(using 28 joints) + 환자의 전반적인 평가(0 - 10 scale), + 평가자의 전반적인 평가(0 - 10 scale) + C-reactive protein level (mg/dL).

찰하기 쉽지 않다. 따라서 CT나 MRI, 초음파 검사가 조기 류마티스 관절염 진단에 도움이 될 수 있다. 류마티스 관절염에 대한 평가는 전반적인 기능 상태 및 관절염의 활성 정도와 관해(remission) 기준(표 3-12)을 토대로 이루어진다.

류마티스의 치료는 통증 및 염증 완화, 관절의 파괴 방지와 기능 유지를 위해 조기 치료가 무엇보다 중요하며 약물, 영양, 휴식, 물리, 운동 치료 및 질환에 대한 충분한 인식이 이루어져야 한다.

한의학적으로 류마티스는 痺證, 歷節風 등에 속하며 봉독 또는 단미(單味)제를 이용한 약물이나 약침, 痺證에 사용되는 처방을 중심으로 염증 및 면역과 관련된 여러 연구가 진행되고 있다.

3) 소아기 류마티스 관절염 (Juvenile Rheumatoid Arthritis)

소아기 류마티스 관절염은 소아기 특발성 관절염(Juvenile idiopathic arthritis, JIA), 소아기 만성 관절염(juvenile chronic arthritis, JCA)이라고도 하는데, 소아기란 16세 미만을, 특발성이란 특정 원인을 알 수 없음을, 관절염은 활액막의 염증을 가리킨다. 즉, 16세 미만의 소아에서 6주 이상 지속되는 관절염을 의미하며 유년기에서 가장 흔한 만성 질환 중의 하나이다. 아직 명확한 원인은 알 수 없으며 자가 면역 이상으로 추정된다. 7-12세에 주로 발병하며 매년 1,000명 중에서 1명 정도는 가벼운 증상을 보이나 10,000명 중 1명은 좀 더 심한 관절염의 형태를 보인다. JIA의 초기에는 무기

표 3-13. 국제류마티스학회의 소아기 특발성 관절염의 분류 (International League of Associations for Rheumatology(ILAR) Classification of Juvenile Idiopathic Arthritis(JIA))

범주(Category) 및 비율		진단 기준(Diagnostic criteria)	제외 (Exclusion)
전신형 (Systemic arthritis)	5%	발열(적어도 2주, 최소 3일 동안 매일)과 관절염인 관절 1개 이상 + 발진, 임파선 종대, 간이나 비종대, 장막염 중 1가지 이상 존재	a,b,c,d
소수관절염 (Oligoarthritis)	30%	증상 발현 후 6개월까지 침범된 관절 수가 4개 이하 지속형(persistent): 4개 이하 침범 (질환 기간 동안) 확장형(extended): 4개 이상 침범 (발병 6개월 이후)	a,b,c,d,e
다수관절염 (Polyarthritis) RF(-)	20%	증상 발현 후 6개월까지 침범된 관절 수가 5개 이상 RF(-): 류마티스 인자 음성	a,b,c,d,e
다수관절염 (Polyarthritis) RF(+)	5%	증상 발현 후 6개월까지 침범된 관절 수가 5개 이상 RF(+): 최소 3개월 이상의 간격으로 2번 이상 검사에서 양성이 나온 경우	a,b,c,e
건선관절염 (Psoriatic arthritis)	5%	관절염과 건선 또는 관절염과 아래 중 최소 2가지 이상 존재 지염(dactylitis), 조갑함몰 또는 조갑박리증, 건선의 가족력	b,c,d,e
힘줄부착부위염 관련관절염 (Enthesitis related arthritis)	25%	관절염과 힘줄부착부위염 또는 (관절염 혹은 힘줄부착부위염)과 아래 중 최소 2가지 이상 존재 엉치엉덩관절의 압통과(또는) 척추의 염증성 통증, HLA-B27 양성, 6세 이상 남아에서 관절염 발병, 급성 전방 포도막염(Acute anterior uveitis)이 있는 경우, 부모 중 강직 척추염, 부착부염 관련 관절염, 염증성 장질환을 동반한 엉치엉덩관절염, 반응관절염 또는 급성 전방 포도막염 관련 가족력이 있는 경우	a,d,e
기타(미분류)관절염 (Unclassified arthritis)	10%	이상의 분류 중 어느 한 진단 기준도 만족하지 않거나 2가지 이상 만족하는 경우	

a. 환자나 부모 중 건선 또는 건선의 과거력
b. 6세 이후 시작된 HLA-B27 양성 남자에서의 관절염
c. 부모 중 강직 척추염, 부착부염 관련 관절염, 염증성 장질환을 동반한 엉치엉덩관절염, 반응관절염 또는 급성 전방 포도막염 또는 부모 중 이러한 질병 가운데 하나에 대한 과거력이 있을 때
d. 최소 3개월 간격의 2회 이상의 검사에서 IgM 류마티스인자의 존재
e. 전신형 소아기특발성관절염의 존재

력, 활동감소, 식욕감퇴 등의 감기 증 상과 유사한 형태를 보이기도 하며, 주요 임상 증상은 침범된 관절(주로 손, 발 등의 작은 관절)의 부종이며 그 외 통증, 미열, 조조 강직 등이 있으나 환자에 따라 매우 다양한 증상이 나타난다. 국제 류마티스 학회(International League of Associations for Rheumatology, ILAR)는 발병 양상에 따라 7가지로 분류하였다(표 3-13). JIA의 진단은 증상, 혈액검사(CBC, ESR, CRP, ANA, RF 등), 방사선 검사 등을 토대로 종합적으로 이루어져야 한다. 보존적 치료는 통증 및 염증의 진행 방지 및 관절 기능의 회복에 중점을 두어야 한다.

4) 라이터 증후군(Reiter's Syndrome)

라이터 증후군이란 반응성 관절염(Reactive arthritis)이라고 불리며, 신체 다른 부위 감염 이후(하부 요도 생식계 또는 장내 감염)에 반응하는 비화농성 비대칭성 염증성 관절염으로, 주로 무릎이나 천장관절을 포함하는 5개 미만 관절의 관절염 형태를 보인다. 증상은 감염 후 약 1주에서 3주 사이에 발생하며, 대표적으로 관절염(큰 관절), 눈의 감염(결막염 또는 포도막염), 요도염(남성) 또는 자궁 경관염(여성)이며 그 외에 건선 형태의 피부, 환상 귀두염(circinate balanitis), 농루성 각화증(keratoderma blennorrhagicum)이다. 주로 하지의 큰 관절에 비대칭적으로 발생하는데, 관절염이 처음 발병된 곳 이외에 추가(additive)되거나 이주(migratory)하는 형태를 보인다. 여성들의 경우에서는 반응성 관절염이 진단되지 않는 경우가 많아 정확한 발병률은 나와 있지 않지만, 유럽의 경우 Chlamydia로 유발된 반응성 관절염이 100,000명 중 4.6명이라는 연구가 있다. 유전자 중 HLA-B27, HLA-B51, HLA-DRB1 등이 반응성 관절염과 연관이 있다고 알려져 있으며 증상을 일으키는 균으로는 세균성 장관 감염과 관련된 Salmonella, Shigella, Yersinia, Campylobacter와 비뇨생식기 감염과 관련된 Ureaplasma urealyticum, Chlamydia trachomatis 등이 있다.

20-40세 때 주로 호발하며 여성보다는 남성이, 흑인보다는 백인의 발병률이 높다. 관절염은 대부분의 환자에서 보이며, 주로 체중을 지지하는 하지의 큰 관절(무릎, 발목 등)에 침범하며 비대칭성, 다발성 등의 특징을 보인다. 관절에 통증 및 부종을 동반하며 증상이 나타난 뒤 4-6주 후에 자연적으로 소멸되기도 하지만 심하면 관절 운동 제한을 초래하기도 한다. 발 뒤꿈치 통증이 특징적으로 나타나거나 손가락 관절이 소세지 모양으로 붓기도 한다. 약 50% 정도에서 피부 점막 병변이 나타나는데 농루성 각화증, 구강 궤양, 환상 귀두염, 건선양 판과 조갑 과각화증, 조갑 박리 등이다. 남성에서 나타나는 요도염은 농성 분비물과 배뇨곤란을 보이고, 여성의 경우는 자궁 경관염이 발생한다.

진단은 상기 증상과 혈액검사(CRP 및 ESR 증가), 활액 검사를 통해 이루어지며 소, 대변을 통한 균배양 검사를 하기도 한다. HLA-B27은 75%의 환자에서 양성 반응을 보인다. 설사 또는 배뇨 곤란 이후에 발생하는 급성 비대칭성 관절염과 피부, 조갑, 생식기 등의 증상이 보이면 진단할 수 있다.

대부분의 환자들이 수주에서 약 6개월에 걸친 증상을 호소하며, 15-50% 정도는 관절염의 재발을 보이며, 15-30%는 만성관절염이나 천골장골염이 된다.

5) 임균성 관절염(Gonococcal Arthritis)

그람 음성 쌍구균인 임균(Neisseria gonorrhoeae)의 감염 이후 관절과 조직의 염증 및 통증을 유발하는 질환으로 주로 성적 접촉에 의해 발생된다. 여성이 남성보다 3-4배 정도 많으며, 임균에 감염된 환자의 약 1-3%에서 임균성 관절염의 증상을 보인다. 비뇨기 증상으로 요도와 질의 분비물, 배뇨통, 하복통이며, 관절 증상은 발목, 무릎, 팔꿈치, 손목 등에 침범하며 발적과 부종, 통증이 있다.

크게 균혈증(Bacteremic form)과 패혈성 관절증(Septic arthritis form)으로 구별할 수 있는데 균혈증은 관절염-피부염 증후군(arthritis-dermatitis syndrome)으로 진단 3-5일 전에 증상이 나타난다. 이주성 관절통(migratory arthralgias)이 가장 흔한 증상인데 비대칭이며 하지보다 상지에 주로 발생하는 경향이 있다. 일반적으로 손목, 팔꿈치, 발목 그리고 무릎에 침범한다. 환자의 30-40%는 치료를 하지 않아도 전신증상이나 피부염 증상이 좋아지지만, 일부는 단일 또는 다관절의 패혈증성 관절증으로 진행하기도 한다. 건초염에 의해서 통증이 유발될 수도 있는데 비대칭적이며 손목과 손의 등 쪽 부위뿐만 아니라 중수수지관절, 발목, 무릎 등에도 발생한다. 피부증상은 40-70% 환자에서 보이며 구진, 농포, 수포성 병변, 발열과 근육통이 동반되기도 한다.

패혈성 관절증은 관절 증상이 임균 감염 후 수일에서 수 주사이에 시작되며, 1개 또는 때때로 다관절에서 동통, 발적과 부종을 보인다. 무릎, 손목, 발목 그리고 팔꿈치에 흔하게 침범된다.

혈액 검사에서는 백혈구와 ESR의 경미한 증가를 하며, 활액은 화농형태를 보이며, 배양 검사 시 환자의 약 50% 정도가 양성으로 나타난다. 또한 자궁 경부, 요도, 인두부, 항문 등에서 세균 검출이 가능하다. 단순 방사선 검사는 정상인 경우가 많다.

항생제 치료와 관절 배농 등을 통해 대부분 회복되나 좀 더 심각한 증상의 환자는 합병증이나 동반질환에 따라 예후가 다양하다. 하지만 합병증의 발생률은 1-3% 정도로 드문 편이다.

6) 건선성 관절염(Psoriatic arthritis)

건선과 동반되어 발생하는 염증성 관절염의 한 종류로서 건선 환자의 약 5-8%에서 관절염이 나타난다. 건선 관절염의 남녀 비는 거의 동일하며, 남성에서는 척추염과의 관련이 높고, 여성은 미란성 질환과 연관성이 있다. 원인은 정확히 알 수 없으나 환경적 요인(박테리아, 바이러스, 외상, 약물 등), 면역학적 요인, 유전적 요인(HLA-B27 등)이 관여하는 것으로 알려져 있다. 대부분 피부 병변이 먼저 나타나지만 약 15-30% 환자에서 피부질환과 동시에 또는 관절염이 먼저 발생하기도 한다. 주 증상은 한 개 또는 그 이상 관절의 통증과 부종 또는 강직감이며 발적과 발열이 동반되기도 한다. 아킬레스건염과 발바닥 근막염 등의 증상과 조갑의 병변도 보이며, 환자의 약 30%에서는 손가락, 발가락의 지염(dactylitis)이 발생한다. 관절 이외에는 안구 염증(홍채염, 각막염)이 동반되고, 구강 궤양, 요도염, 대장염 등이 드물게 나타난다. 류마티스 관절염과 비교해서는 비대칭적이고 침범관절수가 적은 경향을 보이며 주로 말단관절이 침범된다. 임상 양상에 따라 5가지(대칭적 다발성 관절염, 비대칭성 소수 관절염, 원위지관절염, 척추관절염, 단절성 관절염)로 분류하기도 한다. 피부 건선 환자 중 염증성 관절염을 보이면 진단할 수 있다. 방사선학적 검사상에서는 비대칭성 관절염, 골미란 및 신생골 형성, 원위지절간관절 침범, 천장골염과 척추염 소견, 지골 끝부분이 연필처럼 뾰족해지는 변형(Pencil-in-cup) 등이 특징적이다. 염증성 관절염, 골부착염, 염증성 요통이 있는 상태에서 피부 건선, 조갑이상, 엑스선상 관절주위 신생골 형성, 손·발가락염, 류마티스 인자 음성의 5가지 중 3가지가 있으면 진단이 가능하다(표 3-14). 류마티스 관절염에 비해 비교적 좋은 예후를 보이나 악화와 호전을 반복하는데, 여성이나 발병 연

표 3-14. 건선성 관절염의 분류 기준(The ClASsification for Psoriatic ARthritis (CASPAR) criteria)

건선성 관절염의 기준을 만족하기 위해서는 염증성 관절질환(관절, 척추, 골부착부)이 반드시 존재하고 아래 항목의 점수가 3점 이상이어야 한다.

기준(Criterion)	점수(Score)
1. 건선의 증거(evidence of psoriasis) - a, b, c 중 하나 (a) 현재 건선의 존재 (b) 건선의 과거력 (c) 건선의 가족력	현재 건선의 존재 2점 나머지는 1점
2. 건선성 손발톱 이상증(psoriatic nail dystrophy) 현재 이학적 검사 상 손발톱오목증(nail pitting), 손발톱박리증(onycholysis), 손발톱밑각화과다증(hyperkeratosis)을 포함하는 전형적인 건선성 손발톱 이상증이 관찰됨	1점
3. 류마티스 인자 음성(negative test result for RF)	1점
4. 손가락염 - a, b 중 하나 (a) 현재(current) : 하나의 손발가락 전체가 부어 있음(swelling of an entire digit) (b) 과거력(history) : 류마티스 의사에 의해 증명된 과거력	1점
5. 방사선학적 증거(radiological evidence) 손 또는 발의 단순 x-선 사진상에서 관절주위 신생골(골극) 형성	1점

령이 어리고 급성 관절염 발병인 경우 심한 관절염이 될 확률이 훨씬 높다.

2. 肌痺證, 筋痺證

동양의학의 '肌'의 개념은 근육의 개념과 유사하고 '筋'은 근육의 개념이라기 보다는 오히려 筋膜과 筋腱의 개념이라고 볼 수 있다. 해부학상 筋腱과 筋膜 그리고 肌肉은 하나로 이루어져 있고 기능상 움직임이 같아서 筋과 肌肉은 밀접한 관계가 있다.

'肌痺'와 '筋痺'에 대해 언급한 최초의 문헌은《內經》이다. 素問·長刺節論》에서는 肌痺와 筋痺에 대해 "病在筋, 筋攣節痛, 不可以行, 名曰筋痺", "病在肌膚, 肌膚盡痛, 名曰肌痺, 傷于寒濕."이라 하여 힘줄과 살, 피부가 아픈 증상을 지칭한다고 하였다.

肌痺와 筋痺의 원인은 虛, 邪, 瘀의 세 종류로 집약되는데, 선천적으로 氣血이 허약하거나 風·寒·濕의 外邪가 침범하였거나 오랜 손상으로 瘀血이 발생하여 氣血의 운행이 순조롭지 못하게 되고 閉阻하여 肌肉筋脈이 失養하게 되어 肌痺와 筋痺가 발생한다. 또한 肌痺와 筋痺는 肝, 脾, 腎과 일정한 관계가 있다. 따라서 치료 시에는 整體的인 관점에서 肝, 脾, 腎의 機能失調를 고려해야 하며 아울러 益氣養血, 驅除外邪, 活血祛瘀 등의 방법을 다양하게 응용할 수 있다.

肌痺와 筋痺에 속하는 질병에는 칼슘 피로 인산염 결정 침착성 질환, 통풍, 족저근막염, 화골성 근염, 섬유근통 증후군, 근막 통증 증후군 등이 있다.

1) 칼슘 피로인산염 결정 침착성 질환 (Calcium PyroPhosphate crystal Deposition Disease, CPPD)

칼슘 피로인산염 결정 침착성 질환(CPPD)은 calcium pyrophosphate dihydrate의 결정이 관절이나 관절주위 조직에 침착되어 발생하는 염증성 관절병증을 말하는 것으로 급성 관절염 증상을 보일 때 가성 통풍(pseudogout), 방사선 상 관절섬유연골의 석회화 소견이 보일 때 연골석회화증(chondrocalcinosis)으로 구별하기도 한다.

CPPD의 발생 기전은 정확히 밝혀지지 않았으나 내분비 질환, 특히 부갑상선 기능항진증, 갑상선 기능저하증, 저인산혈증, 혈색소증 등과의 연관성이 알려져 있다. 그 외에 관절 구조물 내의 피로인산 생성의 증가, 연골과 활막의 정상적인 CPPD 침착의 이화작용 및 제거율 감소, 과도한 칼슘의 증가 등이 발생기전으로 추측되고 있다. 초기에는 단일 관절에서 증상이 시작하는 경우가 많으나, 최종적으로는 다발성 관절염의 증상을 일으킨다. CPPD의 침착은 거의 모든 관절에 침범할 수 있으나 특히 무릎에 가장 많고 그 외 손목이나 어깨, 엉덩이 관절 등에도 침범한다. 드물게는 척추에 침범하여 척수를 손상시키는 경우도 있다. CPPD는 주로 노인에 많고 여성은 남성보다 약 1.4배 정도 발병률이 높은데 85세 이상에서는 약 50%에 달한다. CPPD의 진단은 관절액 흡입검사를 통한 CPPD 결정 확인이 가장 확실한 방법이며 그 외 단순 방사선 소견을 이용한다. CPPD 결정은 길이가 2-20 μm인 막대 또는 장방형의 형태이며, 편광 현미경하에서 약한 양성 이중굴절성을 보인다.

CPPD 환자의 약 25%는 가성통풍의 증상을 보인다. 실제 통풍과 비교하면 증상의 강도가 최대치에 이르는 기간이 더 길거나, 치료에도 불구하고 3개월 이상 지속되기도 한다. 주 증상은 동통, 발적, 발열, 부종 등이며, 수일에서 수주에 걸쳐 증상이 지속되기도 하지만 대부분은 1-3주 이내에 치료 없이 소실된다. 무릎이 가장 흔하고 손목, 발목, 팔꿈치, 발가락, 어깨와 엉덩이 관절 등에도 침범된다. 통풍과 마찬가지로 자연적으로 발생하거나 외상, 수술 또는 심각한 질환이 있는 경우에 유발되는 경향이 있다.

연골석회화증은 초자연골과 섬유연골상에 석회의 소견이 방사선 검사로 발견되는데 대부분은 증상이 없다. 급성 염증 반응 증상의 경우는 증상에 따른 치료를 하고(염증 및 통증 억제) 증상이 없는 경우는 치료가 불필요하다.

2) 통풍성 관절염(Gouty Arthritis)

통풍은 고요산혈증에 의해 생성된 요산염(monosodium urate, MSU) 결정이 조직에 침착되어 발생하는 관절염을 말한다. 요산은 핵산(nucleic acid)의 기본 구성 단위 중 하나인 퓨린 뉴클레오티드(purine nucleotide)의 대사과정에서 발생하는 화합물인데, 인체 내에서 직접 만들어지거나 음식을 통해 섭취한 퓨린에 의해 생성된다. 요산은 대부분 신장과 신장 이외의 경로(타액, 위액, 소장, 대장 등)를 통해서 배설되고 생체 내 분해되는 것은 2%에 불과하다. 혈중에 요산이 증가하는 원인은 식이 및 유전적 소인, 요산의 배출 저하 등이 있는데, 결국 요산의 배설량 감소 또는 생성량 증가 혹은 퓨린의 과도한 섭취 등에 의해 발생된다고 할 수 있다. 고요산혈증은 신장의 배설 감소로 인한 것이 90%이며 과생산은 10% 이하이다. 만성신부전, 납중독성 신증, 당뇨와 기아로 인한 케토산증, 갑상선 기능 저하증, 비만, 약물 등의 다양한 원인은 요산의 신장 배설 감소를 일으킨다. 요산의 과다생성은 퓨린 대사 과정의 유전적 결함이나 ATP 대사 과정의 문제, 세포 전환 속도가 증가하게 되는 질환 등이 원인이다.

통풍은 고혈압, 당뇨, 비만, 고지혈증 등과 같은 대사증후군 및 수명의 증가에 따라 그 유병률이 지속해서 증가하고 있는데, 국내의 경우 2008년 기준 0.4%의 유병률을 보여 선진국(미국 3.9%)보다 아직 낮은 편이나 2001년에 비해 2배 이상 증가되었고, 최대 유병 연령이 점차 젊어지고 있다.

통풍은 고요산혈증과 임상 증상을 통해 진단하나 확진은 침범된 관절 활액에서 요산 결정을 확인하는 것이다. 요산 결정은 편광현미경 상에서 5-25㎛의 바늘모양을 보이며, 음성 복굴절 현상을 보인다. 임상증상만으로는 무증상 기간이나 불규칙한 약물 복용 등으로 진단이 쉽지 않을 수 있다. (표 3-15)는 2010년도에 발표된 통풍의 진단 기준으로 활액의 분석 없이 환자의 성별과 증상, 기간, 혈청 요산의 농도 등을 수치화 하여 통풍 진단을 용이하게 하였다. 하지만 표의 변수 이 외에 통풍의 위험인자나 복용중인 약물, 가족력 등도 면밀히 살펴야 한다.

(1) 무증상 고요산혈증(Asymptomatic hyperuricemia)

혈중에 요산이 7.0 mg/dL(남성), 6.0 mg/dL(여성) 이상 이지만 임상증상이 없는 경우를 말한다. 고요산혈증을 가지고 있는 사람의 약 10%는 일생 중에 한번은 통풍으로 발전한다. 하지만 통풍의 발생정도는 고요산혈증의 정도에 따라 다르다. 7-8.9 mg/dL는 연중 통풍 발생률이 0.5% 정도이지만, 9 mg/dL 이상일 경우에는 4.9% 정도로 상승한다.

(2) 급성 통풍성 관절염(Acute gouty arthritis)

관절의 염증 상태인 압통, 발적, 부종, 열감 뿐만 아니라 극심한 관절통을 동반하므로 급성 통풍 발작(acute gouty attack)이라고 표현한다. 남성에서는 30-50대에서 다발하며 약 80%의 경우 단일 관절에서 발생하고, 가장 흔한 부위는 제 1 중족지절관절이며 이를 podagra라고 한다. 여성은 주로 폐경 이후인 50-70대에 발병하며 남성보다 다발성 관절염으로 발현하는 경우가 많다. 제 1 중족지절관절의 발작은 전체 통풍 환자의 약 50%에서 발생하며 그 외 발뒤꿈치, 무릎, 손목, 손가락 등에서도 발생할 수 있다. 통증은 주로 밤에 시작

표 3-15. 임상 점수를 이용한 통풍 진단(Clinical Scores of the Final Diagnostic Rule (Gout))

Score ≤4 : 통풍 배제 (ruled out gout)
Score ≥8 : 80% 이상이 통풍
Score >4 to <8 : 침범된 관절의 활액에서 MSU 결정 확인 필요

변수(Predefined Variable)	점수(Score)
남자(male Sex)	2.0
과거통풍발작병력(previous patient-reported arthritis attack)	2.0
1일 이내(onset within 1day)	0.5
관절 발적(joint redness)	1.0
제 1 중족족지관절 침범(MTP1 involvement)	2.5
고혈압 또는 1개 이상의 심혈관 질환(hypertension or ≥1 cardiovascular disease*)	1.5
혈청 요산 수치 5.88 이상(serum uric acid level >5.88 mg/dL)	3.5

* 협심증, 심근경색, 심부전, 뇌혈관 장애, 일과성 허혈 발작 또는 말초 혈관 질환

되는데 그 이유는 밤 동안 체온이 낮아지기 때문이다. 왜냐하면 요산의 포화 농도는 37°C에서 7 mg/dL이지만 온도가 내려가면 포화농도도 떨어지게 되기 때문이며, 신체 중심에서 먼 부위에서 호발하는 것도 중심부 체온보다 떨어지기 때문이다. 관절 증상 이외에 피로나 고열이 동반되기도 하지만 드문 편이다. 급성 통풍의 경과는 매우 다양한데, 몇 시간 내에 사라지기도 하고 치료 하지 않더라도 7-10일 이내에 저절로 사라진다. 하지만 60% 정도는 1년 이내에 다시 재발한다. 초기 발작을 지나고 나면 일 년에 1-2회 정도로 간헐적이다가 그 이후 더 자주, 오래, 많은 관절에 침범하여 결국은 지속성 관절염이 되기도 한다. 급성 통풍 발작은 주로 특별한 유인 없이 시작되나 외상, 알코올, 약물, 수술, 기아, 과식 등에 의해 조장되는 경우도 있다.

(3) 간헐기 통풍(Intercritical gout)

급성 통풍 발작 이후에 무증상의 기간을 관해기 또는 간헐기(intercritical period)라고 한다. 무증상 기간은 다양하지만, 첫 발작 이후에 환자의 대부분은 6개월에서 2년 이내에 재발작을 경험한다. 발작이 반복될수록 무증상 기간이 점차 짧아지고 단일 관절에서 다관절로 진행하며, 통풍 결절이 발생하게 된다.

(4) 만성 결절성 통풍(Chronic tophaceous gout)

잦은 급성 통풍 발작으로 통풍이 장기화 되면 만성 통풍인 다발성 관절염이 되는데 대개 통풍 결절을 동반하게 된다. 통풍 결절은 조직(관절연골, 활액막, 건막, 피부의 피하층 등)에 요산이 침착되는 것으로 이를 tophi (tophus)라고 한다. 주로 이륜(helix), 팔꿈치머리, 무릎, 손가락, 발가락, 아킬레스 건 부위에 발생하며, 백색 또는 노란색의 결절 형태를 보이는데, 일부 터져서 궤양을 형성하기도 한다. 통풍에 대한 적절한 치료가 없다면 초기 발작 이후 평균 약 10년 이상 경과 후 발생한다. 통풍 결절은 관절의 기능을 제한하고 파괴하여 기능 장애를 유발하기도 한다. 발작시의 통증은 급성 통풍의 경우보다는 덜하지만, 호전 속도가 더디고, 여러 군데의 관절을 침범하는 특징이 있다. 결절성 통풍은 고요산혈증 및 통풍의 잦은 재발이나 치료하지 않는 것과 밀접한 관계가 있다. 방사선 소견 상 연골이나 골 조직의 파괴로 'punched-out' 같은 투명한 음영이 보이며, 골피질 손상으로 'overhanging margin'이 형성된다.

통풍 환자는 비만, 고지혈증, 신장 질환, 당뇨, 고혈압 및 관상 동맥 질환 등 대사성 질환과 심혈관계 질환을 동반하는 경우가 많다. 신결석은 통풍 환자의 약 20%에서 발견되는데 그 중에 80%가 요산결석이다. 만성통풍 환자에서는 요산 결정이 신장에 침착되어 신부전을 일으키기도 한다.

통풍의 예방을 위해서는 생활 양식의 변화 및 약물 등을 통해 요산의 수치를 적정 수준으로 유지하는 것이다. 퓨린 함유량이 높은 육류와 생선 같은 음식 섭취를 줄이고 알코올 및 당의 섭취를 제한하여 비만이 되지 않도록 해야 한다. 하루 1,500 mg의 비타민 C 섭취는 통풍의 위험을 45% 낮춘다는 연구도 있다. 통풍 치료는 통풍 발작으로 인한 통증 및 재발 방지, 관절의 변형과 기능 상실 방지, 고요산혈증과 요산 결정으로 인한 합병증 방지와 삶의 질 향상이다. 한의학에서는 통풍은 行痺, 痛痺와 유사하며 白虎歷節風, 白虎風 등의 범주에 속한다고 하였고 그 원인에 대해서 古代는 外感六淫으로, 後代에서는 飮酒, 膏粱厚味, 攝生失調로 보았다. 辨證에 따라 去風除濕, 淸熱散寒, 逐痰祛瘀, 調補肝腎 등의 치법을 사용한다.

3) 족저근막염(Plantar Fasciitis)

족저근막염은 후족부 통증의 가장 흔한 원인 중의 하나로 발바닥근막의 염증으로 인해 발생하는데, 급성기 염증으로 인한 족저근막염과 반복되는 손상 및 치유 과정에서 발생하는 조직의 퇴행성 변화인 족저근막증(plantar fasciosis)으로 나눌 수 있다. 발바닥근막은 여러 층으로 나누어진 섬유조직의 강한 구조물로 종골 결절의 내측 돌기에서 시작되며 가운데 부분과 양측 부분으로 이루어져 있는데, 종아치의 지지와 충격흡수의 역할을 한다. 원인에는 여러 가지 인자들이 있는데 달리기 같이 족저, 족배 굴곡이 반복되는 동작이나 육체 활동의 증가, 다리 길이 차이, 편평족, 요족(높은 아치), 체질량지수의 증가, 족관절 배굴 관절가동범위의 감소, 종골의 골극 존재 등이다. 이학적 검사 상 종골의 내측 돌기 부분의 압통과 발바닥 근막의 안쪽 경계를 따라 퍼지는 통증, 발바닥

스트레칭시의 통증 등이 나타나기도 하는데 특징적인 임상 증상은 아침 기상 시나 오래 앉아 있고 난 이후 걸을 때 통증이 증가하고 활동함에 따라 감소하는 것이다. 하지만 상태가 악화되면 활동 시에도 통증이 발생한다. 진단은 임상 증상만으로도 가능하며, 초음파를 통해 족저근막의 부종을 확인하기도 한다. 방사선 검사는 골절이나 종양을 배제하기 위한 감별진단으로 활용되며, 종골의 골극이나 요족, 편평족 등을 관찰할 수도 있다. 치료는 종아리 근육에 대한 자침이나 부항치료, 활동의 제한, 족저근막이나 비복근의 스트레칭, 마사지, 뒤꿈치 패드, 이학요법 등을 시행한다.

4) 화골성 근염(Myositis ossificans)

화골성 근염은 근육의 간질내의 이소성 골화(heterotopic ossification)를 특징으로 하는 연부조직의 반응성 질환이다. 가장 흔한 것이 외상으로 인한 근육 내의 석회침착(calcification)이며, 그 외에 외상없이 발생하는 진행성 골화성 섬유이형성증(fibrodysplasia ossificans progressiva)이 있다. 발병 기전은 아직 불분명하나 국소적 인자와 전신적 인자 사이의 상호 작용에 의해 발생된다고 볼 수 있다. 기본적인 메커니즘은 골아 세포 내 섬유아세포의 부적절한 분화이다. 외상 후 연부조직내로 이동된 골조직의 자가분해가 골형성단백질을 분비하게 되고 여기에 혈종이 중요한 전구체 역할을 하는 것으로 추정된다. 대부분은 골화 이후 근육 내에 고정되지만 드물게는 완전히 흡수되는 경우도 있다.

가장 흔한 부위는 팔 근육과 대퇴 사두근, 가자미근으로 외상 이후에 충분한 휴식 없이 이른 활동 복귀로 인한 경우가 많다. 축구나 럭비, 아이스하키 등의 신체 접촉이 많은 스포츠 경기에서 발생할 확률이 높으며, 강한 타박이나 탈구, 골절 등에 의해 혈종이 발생된 이후 골막 아래 또는 근육 사이에서 골화되어 종괴를 형성하거나 통증, 관절 운동 장애를 유발한다. 그 외 늑간근, 척추 기립근, 흉근, 둔근 등에서도 발생할 수 있다. 진단은 주로 방사선 검사를 통해 이루어지는데 손상 후 이르면 4주, 일반적으로 8주 이후에 관찰할 수 있다. 화골성 근염의 초기 치료는 통증과 염증이 가라앉을 때까지 휴식과 부드러운 관절 운동이며, 강한 수동 스트레칭은 적어도 4달 동안 피하는 것이 좋다. 외과적 치료는 이소성 골의 부피를 감소시키기 위한 것으로 Bone scan상 활동이 정지되기 전에 시행해서는 안 된다.

표 3-16. 2016년 미국류마티스학회의 섬유근통 진단기준 (The 2016 American college of rheumatology fibromyalgia diagnostic criteria)

아래의 3가지 조건을 충족할 때 섬유근통으로 진단(다른 진단에 관계없이 유효하고, 다른 임상적으로 중요한 질병의 존재를 배제하지 않음)

1. WPI≥7 + SSS≥5 또는 WPI 4-6 + SSS≥9
2. WPI 내 ①②③④⑤ 부위 중 4개 이상의 부위의 통증(단, 턱과 가슴 부위는 제외)
3. 3개월 이상 지속된 증상

확인사항

1. WPI (Widespread Pain Index) : 지난 한 주간 통증이 있었던 부위당 1점(점수 범위 0-19점)
   ① 좌측 상부 : 좌측 턱, 어깨, 위팔, 아래팔
   ② 우측 상부 : 우측 턱, 어깨, 위팔, 아래팔
   ③ 체간 : 목, 등, 허리, 가슴, 복부
   ④ 좌측 하부 : 좌측 엉덩이, 허벅지, 종아리
   ⑤ 우측 하부 : 우측 엉덩이, 허벅지, 종아리
2. SSS (Symptoms Severity Score) : 증상 정도에 따라 점수 (①②③[1) + ④⑤⑥[2), 점수범위 0-12점)
   ① 피로감 (fatigue)
   ② 기상시 불쾌감 (waking unrefreshed)
   ③ 인식 장애 증상 (cognitive symptoms)
   ④ 두통
   ⑤ 하복부 통증
   ⑥ 우울

[1) 0 = 문제없음 ; 1 = 경증 또는 간헐적 ; 2 = 중등도, 신경이 쓰일 만큼 ; 3 = 중증, 지속적, 생활에 불편함을 줄만큼

[2) 0 = 증상이 없음 ; 1 = 증상이 있음

5) 섬유근통 증후군(Fibromyalgia syndrome)

섬유근통 증후군(FM or FMS)이란 문자 그대로 "muscle and connective tissue pain"을 의미하는 것으로, 만성적으로 전신에 걸쳐 넓게 나타나는 통증과 피로, 압진에 의해 증가하는 통증(allodynia) 등을 특징으로 한다. 아직 정확한 원인은 알려지지 않았지만, 정신적, 유전적, 신경생물학적(neurobiological), 환경적 인자 등의 요인에 의한 것으로 추정하고 있다. 전체 인구의 약 2-4%가 앓고 있으며, 여성과 남성의 비율이 9:1로 여성이 압도적이며 어느 연령층에서나 나타나지만 주로 30-50세 사이에 호발한다. 만성적인 수면장애, 우울증, 불안, 두통, 근육경련, 만성적인 근막 동통 증상, 사지의 위약감, 턱관절의 기능 장애, 피부지각장애, 심계항진 등을 호소하며 이외에도 기립성 현훈, 배변 장애, 과민성 장 및 방광 증상, 집중력 감소 등의 다양한 증상이 나타난다. 또한 류마티스 관절염 및 전신성 홍반성 낭창 환자의 20-30%는 섬유근통 증상을 가지고 있다. 섬유근통의 진단은 기존 1990년의 진단 기준 내용 중에서 18군데 압통점 검사에 대한 논란으로 인해 설문만으로 진단이 가능한 2016년 진단기준(표 3-16)을 따르고 있지만, 1990년 기준에 비해 질환의 특성을 충분히 반영했다고 보기 어렵고 4배 이상 유병률이 올라가는 단점이 있어 진단기준에 대한 개정은 계속 진행 중이다.

아직 섬유근통의 보편적인 치료 방법은 없는 상태이며 증상에 대한 관리가 치료의 주를 이루는데, 질환에 대한 이해를 바탕으로 약물, 인지행동치료(cognitive behavioural therapy), 운동치료 등을 병행하는데 그 예후는 불분명하다. 한의학적으로는 침, 약침, 추나, 한약 치료 등을 적용해 볼 수 있으며 섬유근통에 대한 침 치료 연구가 진행 중이다.

6) 근막 통증 증후군 (Myofascial Pain Syndrome)

근막 통증 증후군이란 만성 근막통(chronic myofascial pain, CMP)로 알려진 근육과 근육을 싸고 있는 근막의 병소에서 유발되는 통증 증후군의 하나로 통증 유발점(trigger point)이라고 하는 자극에 대한 과민 부위가 있고 이로 인해 특정부위로 전이되는 연관통(referred pain)을 특징으로 한다. 통증 유발점이란 과도한 스트레스나 운동 등에 의해 세포막이 손상된 후 근육세포가 이완되지 못하고 지속적인 수축형태를 나타내는 것으로, 대부분 골격근의 단단한 띠(taut band)안에 있는 과민점을 의미한다.

결합조직질환과 같은 전신적 질환이나 근육의 과다 사용, 나쁜 자세, 영양 부족, 정신적 스트레스 등이 그 원인으로 추정되고 있다. 주요 증상은 통증 유발점을 압박했을 때 국소적인 압통이나 딱딱함, 침범된 근육과 관련된 고유의 연관통과 근육의 위약 및 연축 반응, 관절 범위의 제한 등이며, 이 외에도 우울증이나 자율신경이상, 수면장애 등을 동반하기도 한다.

진단을 위한 방사선이나 검사실 검사는 별 도움이 되지 못하고 임상증상을 기준으로 진단한다. 아직 진단에 대한 논란이 많지만, 아래 5개의 주요 기준 모두와 3개의 2차 기준 중 1개를 만족할 때 진단할 수 있다(표 3-17).

일부 연구에서는 통증으로 병원을 찾는 환자의 약 30-85% 정도는 근막 통증 증후군을 가지고 있다고 하였고 긴장성 두통이나 경항통, 어깨통증, 요통, 골반통, 채찍질 손상 등과도 밀접한 관련이 있다고 하였다.

근막 통증 증후군의 치료는 통증 유발점의 비활성화를 통한 통증 제거와 근육의 기능회복에 중점을 두어야 한다. 치료방법으로 통증 유발점 주사 또는 자침, 뜸, 부항, 추나요법, 마사지, 허혈성 압박, 열치료, 전기자극, 운동요법, 간헐냉각, 근

표 3-17. 근막 통증 증후군의 진단 기준(Simons 1991)

주요 기준(Major criteria)	2차 기준(Minor criteria)
1. 국소적인 통증 2. 통증 유발점의 촉진 시 각 근육의 특징적인 연관통 발현 3. 근육 내의 단단한 띠(taut band) 확인 4. 단단한 띠의 길이를 따라 촉진되는 예민한 통증 지점 5. 침범된 근육의 운동범위 제한	1. 통증 유발점 촉진 시 통증의 재현 2. 통증 유발점의 횡 마찰(snapping)이나 바늘 자극 시의 국소 연축 반응 3. 통증 유발점의 비활성화에 의한 통증의 감소

막이완요법 등이 있다. 대부분의 치료는 통증 유발점의 직접적인 자극을 통해 이루어지는데 이러한 방법이 근막 통증 증후군 치료에 효과적임이 밝혀지고 있으나 각각의 치료법에 대해서는 다양한 의견이 있으며, 그 치료기전에 대해서는 연구중이다.

3. 皮痺證

皮痺는 皮膚에 麻木不仁, 如有蟲行하거나 癮疹風瘡하며 搔之不痛한 증상이 나타나는 病證이다.《素問·痺論》에서 "以秋遇此者爲皮痺" 라 하고《素問·四時刺逆從論》에는 "少陰有餘病皮痺隱疹不足病肺痺" 라고 한 것처럼 秋季는 肺金에 해당하며 肺는 皮毛를 주관하는데, 만약 外邪가 침범하여 肺金이 손상되면, 血이 燥하여지고 外邪인 風이 勝하게 되어 皮膚에 鬱滯되고, 따라서 氣血의 운행이 순조롭지 못하여 肌膚가 失營하게 되기 때문에 皮痺가 발생한다. 만약 邪氣가 肺로 轉移되면 肺氣가 鬱滯되어 胸悶氣短, 惡寒發熱 등의 증상이 겸하여 나타날 수 있다. 서양의학의 경피증, 전신성 홍반성 루푸스 등이 여기에 해당한다고 볼 수 있다.

1) 전신성 홍반성 루푸스 (Systemic Lupus Erythematous)

전신성 홍반성 루푸스는 주로 가임기 여성을 포함한 젊은 나이에 발병하는 만성 자가면역질환이다. 이로 인해 피부, 관절, 신장, 폐, 신경 등 전신에서 염증반응이 일어나게 되는데, 만성적인 경과를 거치며 시간에 따라 증상의 악화와 완화가 반복된다.

원인은 몇 가지 유전자와 호르몬, 환경적 요인이 복합적으로 작용하여 발생하는 것으로 알려져 있지만, 구체적인 관계는 아직 확실하지 않다. 일부 바이러스 감염은 면역체계를 자극하여 루푸스와 유사한 질환을 일으킬 수 있으며, 자외선 노출, 이산화규소 먼지, 흡연, 약물도 루푸스 발생의 위험도를 증가시킨다.

전신증상으로 발열, 관절통, 체중감소, 식욕감퇴 등이 나타난다. 환자의 80-90%에서 피부증상이 있는데 뺨의 발진과 원판성 발진, 광과민성, 구강궤양 등이다.

환자의 75% 이상에서는 관절증상이 나타나는데, 전형적인 관절염 증상 없이 관절통만 생기기도 한다. 주로 수지관절, 완관절 등의 손에 대칭적으로 나타나는 경우가 가장 흔하며 주관절, 슬관절, 족관절 등에 나타나는 경우도 많다.

신장 증상은 25-75%의 환자에서 발견되며, 신부전이나 신증후군이 발생하기 전까지는 특별한 자각증상이 없어 정기적인 신기능 검사가 필요하다.

2/3의 환자에서는 뇌신경 증상이 나타나는데, 우울증, 불안, 정신병, 주의력 결핍, 집중력 저하, 기억력 장애, 두통, 발작 등이 나타날 수 있다.

그 외, 흉막염, 심낭염, 복막염, 동맥경화, 심근경색 등이 발생하는 경우도 있으며, 이는 사망의 중요한 원인이 될 수 있다.

전신성 홍반성 루푸스를 진단하기 위한 미국 류마티스학회의 기준은(표 3-18)에 나와 있으며 이들 11개 항목 중에서 언제든지 4가지 이상이 나타나면 진단할 수 있으나, 임상적인 판단이 중요하다.

2) 쇼그렌 증후군(Sjogren's syndrome)

쇼그렌증후군은 인체 밖으로 액체를 분비하는 외분비샘에 림프구가 스며들어 침과 눈물 분비가 감소하여 구강 건조 및 안구 건조 증상이 특징적으로 나타나는 만성 자가 면역 질환이다. 원인은 유전적인 이유, 감염에 대한 이상 면역반응,

표 3-18. 미국 류마티스 학회의 전신성 홍반성 루푸스 진단 기준

1. 협골부 발진	2. 원반양 발진
3. 광과민성	4. 구내궤양
5. 관절염	6. 장막염
7. 신장병변 (0.5 g/일 이상의 지속적인 단백뇨 또는 세포주)	8. 신경학적 이상(경련, 정신병)
9. 혈액학적 이상(백혈구, 임파구 및 혈소판 과소증, 용혈성 빈혈)	10. 면역학적 이상(항DNA항체, 항Sm항체, 양성LE세포검사)
11. ANA (Anti-nuclear positive Antibody) 양성	

이상 11개 항목 중 언제든지 4가지 이상 나타나면 SLE로 분류할 수 있다.

자율신경계 장애, 호르몬 이상 등이 발병 원인으로 생각되고 있지만 명확한 원인은 아직 밝혀지지 않았다. 증상으로는 눈물샘의 파괴 및 그로 인한 눈물생성의 부족, 림프구의 침윤과 염증성 매개 물질에 의한 안구표면 및 눈물분비를 담당하는 신경의 파괴를 야기하고, 침샘의 침범으로 볼 점막이 건조해져 연하곤란, 말을 오래 못하며, 입 안의 작열감, 치아 우식이 증가한다. 그 외 호흡기의 점액 분비 감소로 코, 인후, 기도가 건조해지고, 소화액의 분비량이 감소하여 위염 등의 문제, 생식기의 분비량 감소로 성교 시의 통증과 피부 건조증 등이 생길 수 있다.

분비샘 이외의 증상으로는 관절염 증상과, 10% 정도에서의 피부 광과민성, 홍반성 결절, 편평태선, 백반증, 건조증, 피부위축증, 탈모 등의 증상이 나타나며, 기타 폐, 위, 신장, 신경 등의 침범으로 인한 증상들이 병발할 수 있다.

3) 경피증(Scleroderma)

경피증은 진피에 교원질이 과도하게 침착되어 피부가 두꺼워지며, 단단한 상아색의 반 혹은 반점이 국소적 혹은 전신적으로 발생하여 만성적인 경과를 취하는 결합 조직 질환이다. 국소형 경피증은 내부 장기의 침범없이 피부에만 경화성 변화가 발생하며, 전신적으로 발생하는 경우에는 폐, 위장관, 신장, 심장 등의 내부 장기를 침범하여 심각한 합병증을 초래할 수 있다. 발병은 대개 30-40대에 시작되고 연령이 증가할수록 발생 빈도는 높다. 남성보다 여성이 3배 이상 발생률이 높고 특히 가임 기간 중 발생 빈도가 높으며 유전적 소인이 있는 것으로 추정하고 있다. 최근에는 혈관 내피세포의 손상, 자가면역 기전, 그리고 섬유 모세포 이상 등의 가설이 제시되고 있는데, 이외에 bleomycin, docetaxel 등의 항암제, pentazocin과 같은 진통제 등의 다양한 약제들, 직업적으로 노출되는 vinyl chloride, silica, epoxy resin, hydrocarbon resin, trichloroethylene, 규소 분진 등의 화학물질에 의해서도 경피증양 병변을 보일 수 있다. 초기 증상은 대개 비특이적이며 레이노 현상, 피로, 활력 감소, 그리고 근골격계 증상들이 나타나는데, 이는 다른 증상들이 나타나기 전까지 수주일 내지 수개월 동안 지속될 수 있다. 첫 번째로 나타나는 특이적 증상은 손에 나타나는 붓기와 피부가 두꺼워지는 것이고, 그 후의 임상 경과는 매우 다양하다. 임상적으로는 다시 제한 피부형과 전신 피부형으로 분류된다. 제한 피부형의 경우, 레이노 현상이 나타난 후 다른 증상이 나타나기 전까지 수년간의 간격이 있지만, 전신 피부형은 그 간격이 짧은 편이다(표 3-19).

여러 기관에 나타나는 경피증의 증상에 대한 설명은 다음과 같다.

① 레이노 현상

손가락 피부의 색 변화와 함께 손발의 차가움을 호소한다. 이 증상은 한랭 또는 심리적 변화에 의해 촉발되며, 갑자기 나타난다. 온도와 신경 신호에 의해 혈관이 좁아져 피부가 흰색으로 변하며, 이어서 푸른색으로 변하게 된다. 10-15분 정도 경과하면 손가락은 정상 색조로 돌아오면서 붉어지고 얼룩덜룩 해진다. 색 변화와 함께 손발 저림, 가려움증, 통증 등이 함께 나타난다.

표 3-19. 전신성 경화증(경피증)에 대한 미국 류마티스 학회의 분류 기준

A. 주 기준
근위부 경피증 : MCP 또는 MTP 관절의 근위부 피부의 대칭적 비후, 그리고 경화. 이 변화는 전체 사지, 얼굴, 목 그리고 체간(흉부와 복부)을 침범할 수 있다.

B. 부 기준
1. 손발가락 경화증(scleodactyly) : 위에서 언급한 피부변화가 손가락에 국한된 경우
2. 수지 오목 흉터(digital pitting scar) 또는 손가락 패드(finger pad)로부터 물질 손실(loss of substance) : 손가락 끝에 함몰된 지역이 생기거나 허혈의 결과로 수지 패드의 조직이 손실된 경우
3. 양 기저부 폐섬유증(bibasilar pulmonary fibrosis) : 표준 흉부방사선 소견에서 폐의 기저부에 두드러지게 나타나는 선형 또는 선결절성 음영이 양측성으로 그물형태로 나타난다. 미만성 반상형 또는 벌집모양을 띠기도 한다. 이와 같은 변화들은 일차성 폐질환에 기인한 것이 아니어야 한다.

위의 기준 중 주 기준에 해당되거나, 부 기준 중 2개 이상을 만족할 때 진단을 내린다.

② 피부 질환

질병의 초기에는 부종 등만 보이나, 점차 콜라겐 성분이 침착되어 피부가 두꺼워져 점점 피부가 조이는 느낌과 유연성 감소를 느끼게 된다.

③ 근골격계 질환

관절통, 근육통 등의 비특이적 증상이 초기 증상으로 나타날 수 있다. 가끔은 류마티스 관절염과 유사한 다발성 관절염이 나타나기도 하지만 강직과 같은 염증성 징후는 나타나지 않는다.

④ 폐 질환

전신성 경화증의 가장 주요한 사망 원인이다. 가장 흔한 초기 증상은 기침이나 운동 시 나타나는 흉통을 동반하지 않는 호흡곤란이며, 말기에는 기침이 나타난다.

⑤ 위장관 질환

구강이 작아지고 점막이 건조해지며, 치주 질환으로 인해 음식을 씹는데 문제가 발생하여 영양실조를 일으키게 된다. 음식을 삼키기 어려워지고 가슴의 통증이 생기는 것이 그 증상이다. 이와 같은 식도의 침범 외에도 소장, 대장 등 위장관 전체를 침범할 수 있다.

⑥ 기타 장기 침범

심장을 침범하면 호흡곤란, 두근거림, 흉부 불쾌감 등의 증상이 나타나며, 경과가 나쁘다. 신장 침범 시 급성 신부전 등의 발생으로 매우 위험하다.

⑦ 기타 우울증, 성기능 장애, 건조증 등의 문제가 생길 수 있다.

4. 脈痺證

脈痺는 脈의 疏通不全으로 肢體疼痛, 皮膚不仁 등의 증상이 있으며 심하면 맥박이 약해지거나 소실되는 病證이다. 《素問·痺論》에서 "以夏遇此者爲脈痺"라 하고 《素問·四時刺逆從論》에는 "陽明有餘病脈痺身時熱不足病心痺"라고 한 것처럼 夏季는 心火에 해당하며 心은 血脈을 주관한다. 만약 邪氣가 脈에 留滯되면 凝澁不通하므로 脈痺가 된다. 血脈이 瘀阻하므로 肌膚와 舌色이 暗紫하고 脈은 澁하며 皮膚가 失營하므로 萎黃하고 毛髮이 乾枯해진다. 脈痺는 서양의학의 폐색성 혈관질환에 해당한다고 볼 수 있다.

1) 타카야수 동맥염(Takayasu's arteritis)

타카야수 동맥염(Takayasu's arteritis)은 대혈관 또는 중간크기의 혈관에 염증 변화와 협착을 특징으로 하는 질환으로 주로 대동맥이나 대동맥의 일차 분지혈관을 침범한다. 쇄골하 동맥, 총경동맥, 복부 대동맥, 신장 동맥 등을 주로 침범하며, 하장간막 동맥을 침범하는 경우는 드물다. 증상은 침범 혈관에 따라 다양하게 나타날 수 있으며, 팔의 저린감, 실신, 일과 허혈, 복통, 오심 등이 나타날 수 있고, 복부 대동맥이나, 상장간막 동맥을 침범하는 경우는 무증상인 경우가 많다. 주로 동양의 청소년기 여성에서 발병하며, 정확한 원인은 알려지지 않았다. 진단은 청소년기나 젊은 여성에서 말초 맥박이 없거나 사지 혈압이 차이가 나는 경우, 복부에 잡음(bruit)이 있는 경우에는 이 질환을 의심하여야 하며, 동맥혈관촬영술로 확진한다. 타카야수 동맥염의 서의학적 치료는 침범한 혈관에 대한 혈관성형술이나 수술 등의 중재 치료와 스테로이드 등의 내과 치료로 구성된다. 생존율과 유병률은 진단 당시 혈관 침범부위와 심부전, 뇌혈관질환, 심근경색, 고혈압, 신부전 등 합병증의 발생과 연관이 있다.

2) 레이노 현상(Raynaud's phenomenon)

레이노 현상은 한랭 노출과 감정적 스트레스 등의 다양한 자극에 과장된 혈관 수축의 반응이다. 초기에는 몇 개의 손가락에 발생하다가, 시간이 지나면 대부분 손가락에서 발생하기도 한다. 발가락은 손가락보다는 덜 하지만 역시 혈관 수축이 발생하기도 한다. 또한, 혀, 코, 귀, 유두에도 드물게 생길 수 있다. 피가 잘 흐르지 않아 피부가 창백해지며 곧 청색증이 나타난다. 혈관 수축은 자극이 시작된 지 약 10-15분 정도 지속 후 풀린다. 그러면 손가락이나 발가락의 색깔은 정상으로 돌아오고, 붉어지면서 얼룩덜룩해진다. 이때 손발 저림, 통증 등의 증상이 동반될 수도 있다.

통상적으로 다른 질환과 연계가 된 경우는 레이노 현상이라 부르고, 관련이 없는 경우는 레이노 병 또는 원발성 레이노 증후군이라고 부른다. 유병률은 일반 인구의 약 10% 정도로 알려져 있으며, 여성이 약 80%를 차지한다.

레이노 현상을 유발할 수 있는 기저질환이나 기타의 원인으로는 전신성 경화증, 루푸스, 류마티스 관절염, 피부근염, 다발성 근염과 같은 교원섬유 질환, 죽상동맥 경화증과 같은 동맥 폐쇄성 질환, 폐동맥 고혈압, 신경학적 질환, 혈액질환, 진동 등에 의한 외상, 베타 차단제 등의 약물 등이 있다. 대개의 레이노 현상은 일차성이지만 병원에 의뢰된 환자의 50% 이상은 기저질환이 동반된다고 알려져 있다. 이 질환은 寒痺, 瘀血痺, 脾陽虛痺證에 속하는 경우가 많다.

3) 복합부위 통증 증후군 (Complex Regional Pain Syndrome)

복합부위 통증 증후군은 외상, 신경 손상, 수술 등에 의해 발생하거나 아무 이유 없이 발생하기도 하는 신경병증적인 만성통증 질환이다. 통증은 손상의 정도에서 기대되는 것보다 훨씬 더 강하게 발생하며 해당 손상이 해결되거나 사라졌음에도 지속하는 특징이 있다. 유병률은 미국의 경우는 인구 10만 명당 5.5명이었으며, 여성이 남성보다 2-4배 더 많았고 평균적으로 40대에 발병하였으며 발병부위는 하지보다 상지가 더 많았다. 국내에서는 아직 전체 유병률에 대한 연구는 없으며, 통증센터 환자를 대상으로 한 연구에 따르면, 남성 환자가 여성 환자보다 많고 평균 발병연령은 45세였다. 남성은 20대와 40대에, 여성은 40대에 가장 많이 진단받았는데, 주목할 점은 20대 남성 환자의 73%가 군인이라는 점이었다. 발병부위도 하지가 상지보다 2배 이상 많았다.

주로 팔과 다리에 잘 발생하지만 드물게는 다른 신체 부위에도 발생할 수 있다. 해당 부위가 주로 화끈거리거나 아리는 듯한 양상의 극심한 통증을 호소하며 이러한 통증은 미세한 자극에 의해서도 유발되는 경향이 있고 흔히 해당 부위 조직의 부종이나 피부 색깔의 변성을 동반하게 된다. 해당 부위는 다른 부위와 체온이 다르다거나 비정상적으로 땀이 나서 감각이 예민해지는 등의 자율신경계 이상 증상이 주로 동반된다.

명백한 신경손상의 증거가 없는 경우를 1형으로 분류하는데, 이는 과거 분류상 반사성 교감신경 위축증에 해당되며, 증명할 수 있는 신경손상이 있는 경우를 2형으로 분류하는데 이는 과거 분류상 작열통에 해당한다. 복합부위 통증 증후군의 원인은 대부분 팔이나 다리에 강력한 충격으로 인해 손상을 입은 후 발생하지만, 발목 염좌와 같은 크지 않은 손상으로도 발생될 수 있다. 이러한 손상을 입은 경우 중 어떨 때 이 증후군이 발생하는지는 아직 밝혀지지 않았다.

가장 주요한 증상은 주로 화끈거리는 극심한 통증이다. 그 외 증상들로는 피부의 과민성, 피부 체온, 색깔, 질감의 변화, 머리카락이나 손발톱 성장의 변화, 관절 경직도 증가 및 부종, 근육 경련, 약화 및 위축, 통증 부위의 운동성 감소 등이 있다. 진단기준은 (표 3-20)과 같다.

4) 혈전성 정맥염(Thrombophlebitis)

혈전성 정맥염은 혈액응고에 의한 정맥의 염증 및 부종의 상태를 말한다. 원인은 정맥 내피세포에 가해진 손상으로 내피세포막하의 조직이 혈소판에 노출되어 혈전형성 과정이 시작되는데, 큰 수술이나 외상 등으로 입원 시, 혈전을 더 키울 수 있는 장애 요인들(임신중이거나 출산후의 여성이나 폐쇄성 혈전혈관염이 있는 사람 등), 항공여행 등의 장시간 앉아 있는 등의 경우에 많이 생긴다. 침습된 혈관의 위치에 따라 심재성과 표재성으로 나누는데 주로 하지부에 나타나며 흉복강에 나타나기도 한다.

표 3-20. 복합부위 통증 증후군의 1994년 세계 통증 연구학회 제안 진단기준

1) 외상, 감염, 수술 등의 유해한 사건 발생
2) 자극을 유발하는 사건과 어울리지 않는 통증이 지속되고, 이질통이나 감각과민이 동반됨
3) 통증 부위의 부종, 피부혈관의 변화나 비정상적인 발한 활동
4) 증상을 설명할 수 있는 대안의 부재

주의: 복합부위 통증 증후군의 1형은 신경 부위 없이 나타날 수 있는 반면, 2형은 알려진 신경 부위가 존재해야 한다.

증상은 신체의 일부분에 염증으로 인한 부종, 통증, 피부 발적 등이 나타나고, 염증이 있는 정맥 부위의 열감 등이 있다. 검사 방법으로는 자주 합병증 등을 확인하기 위한 혈압, 맥박, 체온, 피부 상태 등을 통하여 혈액순환의 정도를 체크하고, Homan's sign에 양성이지만 신뢰도가 높은 검사는 혈액응고검사, 도플러초음파, 정맥조영술 등을 통해 알 수가 있다. 표재성의 경우는 합병증이 거의 없으나, 심재성의 경우는 폐색전증 또는 종아리부위의 심부 압통이나 부종 등이 발생한다.

5) 폐쇄성 혈전혈관염(Thromboangiitis obliterans (Buerger's disease))

폐쇄성혈전혈관염(thromboangiitis obliterans)은 脫疽에 해당하며, 중소 동맥이나 정맥 혈관의 염증성 폐쇄성 질환이다. 발병기전은 규명되지 않았으나 일부에서는 흡연에 대한 자가면역 현상이라는 가설을 주장하고 있다. 임상적으로는 하지 궤양, 하지말단부가 비대칭적으로 차갑고, 말초 동맥의 맥박이 감소 또는 소실되는 것이 특징이다. 혈관 조영술에서 특징적으로 혈관 주행이 단절되고, 코르크 따개 모양의 곁혈관(collateral vessels)들이 관찰된다. 진단 기준으로는 흡연력, 50세 이하의 나이, 흡연을 제외하고는 죽상 경화를 일으킬 만한 다른 위험요소가 없고, 무릎 이하의 혈관이 폐쇄되고, 상지의 혈관도 폐쇄되어 병의 이완을 보이는 것과 이동성 혈전정맥염이 발생하는 것 등이 있다. 염증 반응은 간헐적이며 수주에서 수년에 이르는 휴지기를 갖기도 한다. 가장 흔히 침범되는 동맥은 하지의 발바닥과 발가락의 동맥이고 손과 손목에도 나타나는데, 주로 동맥혈관과 연관되어 발생하는 궤양들은 병변이 창백, 건조하며 조직의 괴사가 동반되고, 섬유성의 찍혀져 나간 듯한 병변이 발가락, 발목, 경골의 앞부분 등에 호발한다. 유대인, 동양인, 동유럽 등지에서 상대적으로 높은 유병률을 보이며 한국, 일본 등에서도 비교적 많이 발생한다. 국내의 보고에 따르면 모든 환자가 남성이었으며 30대가 53.4%, 40대 이하가 전예의 67.2%로 젊은 남성 환자가 대부분이다.

6) 베체트병(Behcet's disease)

베체트병은 반복적인 구강과 성기의 궤양을 특징으로 하면서 다발성 장기를 침범하는 만성 전신성 염증질환이다. 베체트병 진단은 International Study Group for Behcet's Disease 의 분류기준(표 3-21)을 따르는데 반복되는 구강과 성기 궤양뿐만 아니라 포도막염, 모낭염, 결절성 홍반, pathergy 반응 등이 포함되어 있다. 국제 분류기준에는 포함되어 있지 않지만, 표재성 혈관염, 심부정맥혈전증, 동맥폐색 및 동맥류, 중추신경계 침범, 관절염, 소화기계 궤양 등의 증상도 흔히 동반된다. 혈관계의 침범은 8-60%의 베체트병 환자에서 발생하는 것으로 알려져 있으며 그 중 정맥의 병변은 18-24%에서 발생하는 것으로 보고되어 있다. 심부정맥염은 다리의 정맥을 침범하면서 위쪽으로는 하대정맥까

표 3-21. 베체트병의 진단 기준(International Study Group, 1990)

1. 재발성 구강궤양	- 소아프타성, 대아프타성, 또는 포진성 궤양 - 12개월 사이 최소 3번 이상 재발하는 경우
2. 위의 구강궤양과 함께 아래 4개 기준 중 2개 이상	
재발성 외음부궤양	- 재발하는 외음부 궤양 또는 반흔, 특히 남성의 경우
안구 병변	- 전포도막염, 후포도막염 - 세극등 검사 시 초자체에 세포가 발견될 때 또는 안과의사가 관찰한 망막 혈관염
피부 병변	- 결절성 홍반 - 가성 모낭염, 구진농포성 병변 또는 여드름양 병변 - 코르티코스테로이드제 치료를 받지 않는 사춘기 이후의 환자
양성피부 과민반응	20-22게이지의 소독된 바늘로 비스듬히 5 mm 깊이로 혈관이 없는 피부를 긁히고 48시간 후 의사가 판독하여 크기가 2 mm 이상의 홍반성 구진이 관찰될 때

지 침범할 수 있다. 발생부위는 하지의 정맥이 가장 흔한 것으로 보고되어 있다. 베체트병에서 혈전형성의 기전은 아직 밝혀지지 않았지만, 혈관 내막의 장애로 인한 혈소판과 혈액응고계의 활성이 과응고를 일으키고 prostacyclin감소와 혈액 점액도의 증가가 혈전 형성에 중요한 인자로 작용한다고 생각되고 있다. von Willebrand factor 증가가 혈관 내피 손상을 일으킬 수 있으며 혈관염이 동반된 베체트병 환자에서 이 인자가 증가되어 있음이 보고되었고, antineutrophil cytoplasmic antibodies (ANCA)도 베체트병 환자의 소수에서 증가되어 있어 혈전형성에 관여하리라고 추정되고 있다.

5. 骨痺證

風寒濕邪가 함께 虛한 틈을 타서 침범하여 留而不去하고 오래도록 낫지 않으면 骨痺가 된다.《內經》에 骨은 腎의 外合이며, 骨痺는 곧 腎痺를 말한다고 하였다. 宋代의 陳言은《三因極一病證方論》에 骨痺의 주요 증상으로 “重而不擧” 라 하였다. 明代의 李仲梓는《醫宗必讀》에서 “骨痺卽寒痺, 痛痺” 이며 “痛苦切心, 四肢攣急, 關節浮腫, 脈沈細弦” 의 증상이 나타난다고 하였다. 서양의학의 강직성척추염, 장골치밀화골염, 골괴사 등이 骨痺의 범주에 속한다고 볼 수 있다.

1) 강직성 척추염(Ankylosing spondylitis)

강직성 척추염은 천장관절과 척추를 침범하는 만성염증질환으로 혈청음성 척추관절염의 가장 흔한 형태이다. 강직성 척추염의 병인은 아직 정확하게 규명되어 있지 않으나 HLA B27과 관련된 병인이 가장 중요한 것으로 알려져 있고, 종족의 HLA B27 유전자 양성률에 따라 차이를 보이지만 일반적으로 0.1-0.8%의 유병률을 보인다. 진단은 1984년 개정된 New York 진단 기준을 사용하였으나, 이 진단기준은 천장관절염이 어느 정도 진행되어 관절변형이 발생한 경우 진단할 수 있었다. 그러나 관절변형이 없는 초기 염증상태가 MRI에서 잘 나타나고, 2000년대 들어 많이 사용되는 TNF억제제의 등장으로 진단기준도 바뀌어 조기에 진단하고 치료하는 방향으로 추세가 바뀌고 있다. 강직성 척추염은 항상 요추를 침범하는데, 처음에는 섬유륜의 섬유들이 추체의 전면 골막으로 이행되는 부위인 enthesis의 병변 때문에 단순 방사선 영상에서 요추 추체가 사각형이 된다. 병이 진행됨에 따라 추간판, 전종 인대, 후종 인대의 골화를 볼 수 있고 황색인대도 골화된다. 후관절은 연골 공간이 소실되고 견고한 융합으로 진행한다. 이와 같은 추체간의 융합이 단순 방사선 사진 상에서 볼 때, 마치 대나무와 같이 보인다고 하여 이를 bamboo spine 이라고 부른다. 이학적으로는 Schöber 검사법과 occiput-to-wall test 등을 사용한다. Schöber 검사법은 바로 선 상태에서 후상장골극을 이은 가로선과 수직이 되게 정중선을 긋고 10 cm 지점에 표시를 한 후 천장관절의 움직임은 없이 허리를 최대한 구부리게 하였을 때 15 cm 이하로 선의 길이가 측정되면 강직성 척추염을 의심할 수 있다. occiput-to-wall test는 벽에 기대고 섰을 때, 등과 둔부, 종아리 등은 벽에 닿지만, 머리의 후두부가 벽에 닿지 않으면 양성반응으로 판단할 수 있는 검사법이다. 검사실 소견으로는 약 75%에서 ESR이 증가하지만, 병의 활성도와 더 밀접한 관계가 있다. 대개 류마티스 인자와 항핵항체는 음성이거나 양성이라도 그 역가가 낮다. 16세 이하에서 증상이 발생하는 소아 강직성척추염(Juvenile Ankylosing spondylitis, JAS)은 처음 증상이 나타날 때 척추와 천장골염 증상이 많이 나타나는 성인 강직성척추염(Adult Ankylosing spondylitis, AAS)과 달리 말초관절염, 지염, 건초염, 골부착부염 등으로 나타난다. 일반적으로 처음 1년 동안에 비대칭적인 소수 관절염, 골부착부염이 있는 경우에는 JAS로 진행 될 수도 있고, 자연적으로 완전히 관해가 될 수도 있어 예후를 예상하기가 힘들지만 5개 이상 관절염이 지속되는 경우 JAS로 발전될 가능성이 크다. 또한, JAS의 약 90%, AAS의 37.5%에서 말초관절염이 있고 JAS의 2/3, AAS의 1/3에서 골부착부염이 있다고 한다. 강직성척추염에서 운동요법은 환자의 유연성을 유지하며 척추의 변형방지를 위한 기본적인 치료 방법이다. 규칙적으로 매일 하는 것이 중요하며 몸통, 목, 어깨, 허리 등을 최대한 뒤로 펴는 운동이나 회전 시키는 운동, 목 굴곡운동, 흉근을 충분히 이용한 숨쉬기 등이 중요하다. 수영이나 수치료(hydrotherapy) 등도 좋은 운동방법이다.

2) 골다공증(Osteoporosis)

세계보건기구(WHO)는 골다공증을 '골량의 감소와 미세 구조의 이상을 특징으로 하는 전신적인 골격계 질환으로, 결과적으로 뼈가 약해져서 부러지기 쉬운 상태가 되는 질환'으로 정의하고 있으며, 최근 미국 국립보건원(NIH)에서는 '골강도의 약화로 골절의 위험성이 증가하게 되는 골격계 질환'으로 규정하고 있다. 골강도는 골량(quantity)과 골질(quality)로 결정된다. 골질은 골교체율, 구조, 무기질화, 미세손상 축적 등으로 표현된다. 하지만, 골강도의 약 80%까지 골밀도에 의존하므로 골밀도의 측정이 현재 임상적으로 골다공증의 진단에 가장 유용한 기준으로 사용되고 있다.

임상적으로 골다공증은 골절이나 이차적인 구조적 변화가 동반되기 전에는 아무런 증상이 없기 때문에 '조용한 도둑'이라는 표현을 사용하기도 하며, 그전에 이미 신체적인 변형과 척추골격의 미세한 해부학적 변화로 급성 및 만성 통증이 나타날 수 있다.

방사선 사진상에서 골다공증은 초기에는 흔히 정상소견을 보이나 진행된 경우에는 골결핍, 골절, 골의 피질골이 얇아지고 골 소주의 모양이 거칠어지는 소견을 보이며, 척추와 대퇴골 근위에서 가장 흔히 관찰된다. 하지만 골다공증의 진단은 골밀도에 기초하여 내려지며, 골밀도의 측정 방법은 다양하게 있지만, 이 중 이중에너지 방사선흡수법(DXA)이 WHO 진단 기준을 적용할 수 있는 가장 적합한 골밀도 측정 방법으로 인정되고 있다. 골밀도의 해석은 소아와 폐경전 여성, 50세 이하의 남성은 Z-score를 사용하며, 나머지는 T-score를 이용하는데, T-score가 -2.5이하의 경우 골다공증이라고 한다. 참고로 T-score가 -1 이상이면 정상, -1에서 -2.5까지는 골감소증이라고 진단한다.

3) 장골 치밀화 골염(Osteitis condensans illi)

장골 치밀화 골염은 엉덩엉치 관절에 인접한 양측 장골에서 대칭적으로 골경화가 보이는 질환이다. 주로 다산 과거력이 있는 젊은 여성에서 발생하나, 드물게 출산력이 없는 여성이나 남성에서 발생하는 경우가 있다. 아직 정확한 원인은 밝혀지지 않았지만, 출산 시 엉덩엉치 관절의 부하, 임신에 의한 혈류량의 증가, 요로감염, 외상 등이 원인으로 생각되고 있다. 그러나 이 질환은 강직척추염 등과 비슷한 형태의 엉덩엉치 관절의 염증성 질환의 한 부류가 아닌, 고유의 특성을 가진 별개의 질환으로 생각되고 있다. 또한 장골뿐 아니라 내측 쇄골에서 드물게 발생되며, 그 외 상악골이나 치골에서 발생한 경우가 보고되고 있다. 방사선적 검사로 진단을 하게 되는데, 단순 방사선 촬영상 엉덩엉치 관절에 근접한 장골 하방의 삼각형 모양의 대칭적인 골경화가 특징적으로 나타난다. 전신 골스캔의 경우 엉덩엉치 관절의 방사선 섭취의 증가 소견으로 엉덩엉치 관절염과 유사한 소견을 보이며, 전산화 단층 촬영술(CT)이 확진에 도움이 된다. 대개 증상이 심하지 않아 특별한 치료 없이 증상이 호전되는 경우가 많으며 단순 방사선 촬영상의 골경화 소견 역시 자연히 사라지기도 한다. 치료는 대증요법으로 침, 부항 등의 치료가 도움이 되며, 허리엉치각을 감소시키기 위해 체위 운동 등의 물리치료를 시행한다. 체중을 줄이고 보조기를 사용하기도 한다.

4) 골괴사(Osteonecrosis)

골세포 또는 골조직이 죽어 있는 상태를 골괴사라고 하며 퇴행성 병변의 하나이다. 골과 골수 세포의 허혈성 괴사로 인해 연골하 골절, 관절 부정렬 및 관절증을 유발하는 질환이며 무혈성 괴사(avascular necrosis), 무균성 괴사(aseptic necrosis), 골허혈(osseus ischemia) 등으로도 불린다. 골괴사는 모든 가동관절을 침범할 수 있다. 특히 큰 가동관절의 돌출부에 호발하여 대퇴골두에 가장 빈발하고 다음으로 상완골두에 자주 발생한다. 임상적으로는 대퇴골두 무혈성괴사가 가장 발생 빈도가 높다. 대퇴골두는 표면에 혈관이 지나지 않는 관절연골로 덮여 있어 혈액이 극히 제한된 부분을 통해서만 공급되고 측부순환(collateral circulation)이 제한되어 있어 기본 혈관의 혈행에 이상이 있으면 원위부가 괴사에 빠지게 되어 무혈성 괴사에 노출이 가장 흔한 곳으로 알려져 있다. 30대에서 50대의 중장년층에서 주로 많이 발생하며, 1926년 Freund에 의해 처음으로 발표된 이래 많은 연구가 시행되었으나 병태 생리에 대하여 아직 정확히 알려진 바는 없다. 여러 가설 중 대표적인 것은 혈관내피 세포의 기능저하로 인한 혈액의 응고작용으로 원위부의 국소 허혈이 생기면서 골세포들의 괴사와 작용저하로 골구조가 유지되지 않게 된다는 것이다. 이런 상황을 유발하는 원인들로 외부충격으로 인한 골절 과거력, 알코올 중독, 스테로이드 치료, 전신성 홍반성 낭창, 백혈병, 항암화학요법, 외부 방사선 조사 등이 연관된다고 알려져 있다. 임상 증상은 활동에 의해 악화되는 서혜부의 통증과 때로는 둔부, 대퇴부 혹은 슬관절부의 동통을 호소하며 파행을 보인다. Patrick 검사에서 양성이며 관절운동의 제한이 있는데 특히 외전과 내회전의 제한이 심하고, 골두의 함몰이 심하면 하지 단축 소견이 나타난다. 특징적인 혈액 검사 방법은 없으며 진단에 있어 단순 방사선 소견(frog leg view)으로 병의 진행 단계 및 정도를 알아내기는 쉽지 않아 방사능 동위원소 검사가 효과적이고 MRI가 확진에 도움이 된다. MRI의 경우 괴사부위가 특징적으로 주변과 경계를 보이는 T1 강조 영상에서 저신호 강도를 보이며, T2 강조 영상에서 반응성 경계로 설명되는 동심원상의 저신호와 고신호 영상의 경계면이 보여 조기 진단에 도움이 되며 병변의 형태, 대퇴골두의 모양, 활액막의 변화, 그리고 괴사 범위를 정량하는 등의 많은 유용한 정보를 줄 수 있다. 골괴사의 병기는 (표 3-22)와 같다.

제4절
상지부 질환

1. 어깨 통증(Shoulder Pain)

어깨는 견갑골, 쇄골 및 상완골의 세 개 뼈와 그 주위를 둘러싸는 근육, 인대로 구성되어 있으며, 어깨관절은 상완와관절(glenohumeral joint), 흉쇄관절(sternoclavicular joint), 견쇄관절(acromioclavicular joint) 및 견갑흉곽관절(scapulothoracic articulation)의 4개의 관절 복합체로 이루어져 있다. 어깨를 구성하는 근육 중 심부에는 극상근, 극하근, 소원근, 견갑하근으로 구성된 회전근개(rotator cuff) 및 상완이두근의 장두가 위치해 있으며, 그 바깥층에는 승모근, 삼각근, 광배근, 대원근, 대흉근이 있다.

어깨 부위에 발생하는 통증은 국소적으로는 상완와관절을 비롯한 어깨의 관절 및 회전근개 등을 비롯한 근육, 건의 문제이며, 원위부위로는 경추문제로 기인한 통증이 가장 흔하다. 어깨관절 주위의 대부분의 구조물은 C5 레벨로부터 유래되므로, 어깨관절의 국소문제로 인한 연관통은 대부분 C5 피부분절로 나타나지만, 견쇄관절 부위의 통증은 C4 피부분절과 관련이 있다. 만약 목의 움직임으로 통증이 유발되거나, 팔꿈치 아래로 연관통이 생기는 경우 (C6-8 피부분절)에는 경추 추간판 탈출증 등 경추의 병변을 우선 감별해야 한다.

견관절의 움직임 평가는 어깨관절의 검사에서 가장 기본이 되는데, 외전, 내전, 굴곡, 신전, 외회전, 내회전 및 수평외전, 수평내전의 움직임을 확인한다. 팔을 몸 옆에 붙인 위치에서 관상면상에서 외측, 내측으로 움직임을 외전(abdunction), 내전(adduction)이라 하며, 시상면상에서 전후의 움직임을 굴곡(flexion), 신전(extension)이라고 한다. 또한 팔을 몸 옆에 붙이고 주관절을 90도 굴곡한 위치에서 손을 외측으로 움직이면 외회전(external rotation), 내측으로 움직이면 내회전(internal rotation)이며, 수평외전, 수평내전은 팔을 어깨 높이와 수평으로 올린 상태에서의 외전, 내전의 움직임을 말한다. 어깨관절의 가동범위(range of motion) 검사 시 능동운동, 수동운동 및 저항운동 검사를 모두 시행하는 것이 바람직하다. 수동 움직임 검사 시에는 가동범위, 통증, 끝느낌, 동통호 등을 평가하는데, 인대, 점액낭, 신경 및 관절낭의 문제 시 가동범위의 제한이나 통증 등이 나타난다. 또한, 저

표 3-22. 골괴사의 병기

병기	소견
0 병기	임상 소견이 없음. MRI 상 정상 소견
I 병기	임상 소견이 있음. MRI 상 정상 소견
II 병기	방사선 사진 상 골감소증과 골경화증의 부위가 관찰됨
III 병기	초승달 모양의 초기 골 붕괴 소견이 보임(골이 죽은 부위가 투명한 피질 아래 뼈 부위가 나타남)

항 검사시에는 통증, 근력의 평가를 통해 근육, 힘줄의 병변을 보다 민감하게 평가할 수 있다.

어깨의 주요 특수 검사는 다음과 같다.

1) 특수 검사

(1) 극상근건염 검사(Supraspinatus test)

- 방법 : 의자에 앉히고 저항을 이겨낼 수 있도록 외전 시킨다.
- 의의 : 극상근건의 부착부의 통증 혹은 근력약화는 건염 혹은 파열일 가능성이 많다.

(2) 요르가손 검사(Yergason test)

- 방법 : 환자의 팔을 체간에 붙인 상태에서 팔꿈치를 90° 로 굴곡시킨다. 환자의 팔을 회외(supination) 시키게 하고 이때 검사자는 저항의 힘을 가한다.
- 의의 : 국소 통증은 상완이두근건의 불안정성과 상완이두근 장두의 건염이 있는 것을 의미한다.

(3) 스피드 검사(Speed test)

- 방법 : 환자가 손바닥이 위로 향하도록 팔꿈치를 펴고 어깨관절을 90도 굴곡시킨 상태에서 검사자가 팔을 아래로 누르는 힘에 대해서 환자가 저항하는 힘을 주게 한다.
- 의의 : 국소 통증은 상완이두근건의 불안정성과 상완 이두근 장두의 건염이 있는 것을 의미한다

(4) 호킨 검사(Hawkin's test)

- 방법 : 어깨관절을 90도 굴곡시키고 팔꿈치를 90도 굽힌 상태에서 검사자가 환자의 팔을 내회전시킨다.
- 의의 : 통증은 충돌 증후군, 회전근개 병변의 가능성을 의미한다.

(5) 니어 검사(Neer test)

- 방법 : 검사자의 한 손으로 어깨관절을 고정시킨 후 다른 손으로 환자의 팔을 내회전시킨 채 거상시킨다.
- 의의 : 통증은 충돌 증후군, 회전근개 병변의 가능성을 의미한다.

(6) 팔거상 스트레스 검사(Elevated arm stress test)

- 방법 : 양쪽 견관절을 90도 외전, 주관절을 90도 굴곡하고 손바닥이 앞쪽을 향하도록 한 상태에서 1초에 한번씩 주먹을 쥐었다 폈다 한다.
- 의의 : 정상이면 3분이상 지속할 수 있지만, 흉곽출구증후군이 있으면 지속할 수 없다.

2) 회전근개 건염(Rotator cuff tendinitis)

회전근개는 극상근, 극하근, 소원근, 견갑하근으로 이루어져 상완골두를 안정시켜주는 역할을 하며, 어깨 운동의 기본축이 되는 근육이다. 회전근개 질환은 성인의 어깨 병변 중 가장 흔한 질환으로 스포츠 손상 뿐만 아니라 40세 이상의 경우 운동과 관련 없이도 흔하게 발생한다.

통증 부위는 삼각근 부위를 많이 지적하며, 국소화되지 않은 둔통의 양상이다. 연관통이 C5 부위(간혹 팔꿈치 아래로 내려가기도 한다)와 겹치므로 경추 병변과의 감별이 중요하다. 심할 경우 야간 통증으로 수면이 방해될 정도이고 환측으로 돌아누워 잘 수 없다고 하기도 한다. 증상이 심해질수록 관절 운동의 제한이 뚜렷하게 나타나며, 외전, 내회전 등의 동작 제한이 나타나는데, 저항 운동 검사를 통해서 병변 근육을 보다 명확하게 찾을 수 있다.

회전근개 질환 중 극상근 건염이 가장 흔하다. 이때에는 견관절의 저항 외전 검사 시 통증이나 근력약화가 나타나며, 동통호(painful arc)가 있을 수 있는데, 수동, 능동 외전 시 80-110도 정도의 각도에서 통증이 발생한다. 또한 극하근, 소원근은 저항 외회전 동작에서, 견갑하근은 저항 내회전 동작에서 통증이나 근력약화가 두드러지게 나타난다.

간혹 회전근개의 파열인 경우도 있는데. 증상은 건염과 유사하나 근력약화가 보다 두드러져, 팔 떨어뜨리기 검사(drop arm test)에서 양성반응이면 일단 파열을 의심해야 한다. 부분 파열인 경우에는 임상증상만으로 진단하기는 어렵다. 급성으로 극심한 통증이 생긴 경우에는 석회화 건염일 수도 있으며, 극상근이 다발부위이다.

회전근개 질환의 치료 시, 예후는 비교적 좋으며, 심부건 마사지, 운동요법 등을 같이 시행한다.

3) 상완이두근 건염(Biceps brachii tendinitis)

상완이두근 질환은 단독으로는 잘 생기지 않으며, 회전근개 질환과 병발하는 경우가 많다. 병변 부위는 근위와 원위부로 나눌 수 있는데, 근위부 병변이 더 흔하다. 근위부 병변 부위는 상완이두근구(bicipital groove, intertubercular groove) 내의 이두근건 상부 또는 관절와 기시부인데, 상완의 전방부의 통증이 주로 나타나며, 상완이두근구 부위의 국소통을 지적하는 경우도 많다. 그러나 삼각근 부착부위 또는 요측을 따라 아래팔로 내려가는 통증을 호소하는 경우도 있어 회전근개 질환 혹은 경추 질환과의 감별이 필요하다. 상완이두근구의 병변인 경우 손으로 상완이두근건을 좌우로 튕기듯이 이동시키거나 팔을 회전시키고 있는 동안 상완이두근구 안에 있는 건을 누를 때 강한 압통을 확인할 수 있다. Yergason, Speed test 시 통증이 재현된다. 한편, 원위의 병변은 팔꿈치 근처 상완이두근의 종지부 주위이며, 주관절의 저항 굴곡 동작 시 통증이 재현된다.

상완이두근건 파열은 상완이두근 장두의 근위부에서 파열이 더욱 흔하며, 회전근개 파열과 동반될 수 있다. 파열로 인한 변형이 나타날 수도 있으며, 부분 파열인 경우 임상 증상만으로 진단하기 어렵다.

상완이두근 건염의 치료의 예후는 비교적 좋으며, 회전근개 및 어깨 주위의 주요 근육을 같이 치료하는 것이 중요하다.

4) 유착성 관절낭염(Adhesive capsulitis)

유착성 관절낭염은 상완과 관절을 둘러싸는 낭(glenohumeral joint capsule)이 염증으로 인해 수축이 생기고 상완골두가 유착되어 생긴 통증 및 움직임 제한이 특징인 질환이다. 움직임 제한이 두드러지므로 "동결견(frozen shoulder)"이라고 부르기도 한다. 40-70대에 주로 발병하며, 여성에서 좀 더 많은 유병률을 보인다. 단독으로 발생하거나, 회전근개 건증, 점액낭염과 같은 다른 어깨 문제들과 병발하기도 하며, 당뇨병이나 당뇨 전 단계로 당불내성을 가진 사람에게서 유병률이 더욱 증가하는 것으로 알려져 있다.

특정한 이유나 계기 없이 통증과 움직임 제한이 나타나며, 삼각근, 이두근 부위에 생기는 국소화되지 않은 깊은 부위의 통증을 호소한다. 심해지면 환측으로 눕기 힘들 정도이며, 야간통증이 심해진다. 모든 방향으로의 움직임 제한이 나타나지만, 시리악스 정형의학에서는 관절 운동 검사시 수동 외회전, 외전, 내회전의 순으로 움직임 제한이 두드러진다고 하였다. 통증 또는 동반된 회전근개 건증으로 인해 근력 약화도 빈번하게 나타난다. 통증과 움직임 제한은 대개 1-2년 안에 해결되지만, 간혹 수년이 지나도 움직임 제한이 남아 있는 경우도 있다.

유착성 관절낭염의 대부분은 수술 없이 보존적인 치료만으로 완치가 가능하며, 유착을 완화시키기 위한 적극적인 운동요법을 함께 실시해야 한다.

5) 충돌 증후군(Impingement syndrome)

견관절에서 견봉의 아래와 상완골두 윗면 사이의 공간은 해부학적으로 원래 공간이 넓지 않아 충돌간격(impingement interval)이라고도 부르는데, 팔을 외전했을때 공간이 더욱 좁아지게 된다. 충돌증후군은 여러 가지 원인에 의해 이 공간이 더욱 좁아지면서 충돌이 발생하여, 어깨의 통증, 움직임 제한, 근력약화 등이 발생한 경우이다. 선천적인 고리 모양의 견봉, 견봉하 골극, 견봉쇄골관절의 퇴행성 변화, 견봉하 점액낭의 비후 및 회전근개 기능의 장애(회전근개 건염, 파열 등으로 인한 회전근개 기능의 손실로 팔을 거상시 상완골두가 위쪽으로 더 올라가게 되면서 마찰을 일으킴)가 원인이 된다.

통증은 주로 팔을 머리위, 어깨위로 올릴 때 심해지며, 환측으로 누울 때 통증이 심해지며, 야간통증이 생기기도 한다. 손을 위로 올려서 많이 사용하는 운동 선수나 근로자에게서 자주 볼 수 있지만, 노년층에서는 기억할만한 유발 요인 없이 나타난다. 이학적 검사 방법으로는 Hawkin 검사와 Neer 검사가 있다.

비교적 보존적인 치료로 해결이 잘 되며, 회전근개를 같이 치료하는 것이 중요하다.

6) 견쇄관절, 흉쇄관절 병변(Disorders of acromioclavicular or sternoclavicular joint)

견쇄관절에서는 관절염 혹은 염좌가 발생할 수 있다. 견쇄관절은 C4 피부분절의 지배를 받으므로 관련통이 발생하는 경우는 드물고 견쇄관절 부위의 국소통을 지적하는 경우가 많다. 촉진 시 압통이 있고, 관절움직임 중 수평내전검사 시 통증이 나타나며, 다른 움직임에서는 가동범위의 제한이 없거나 수동 관절 가동역의 끝부분에서 통증이 나타난다.

흉쇄관절의 병변은 주로 관절부위에 국소통증이 나타나지만, 간혹 귀나 어깨 주위로 연관통이 생기기도 한다. 팔의 외전, 목의 굴곡, 저항 굴곡 등 목과 견갑골의 운동 시 흉쇄관절의 움직임이 동반되는 동작에서 통증이 발생하며, 병변부의 국소 압통을 확인할 수 있다.

7) 흉곽출구증후군(Thoracic outlet syndrome)

흉곽 출구는 1번 흉추, 1번 늑골와 흉골병으로 둘러싸인 공간을 말하는데, 전, 중 사각근도 이 공간에 위치해 있으며, 팔신경얽기와 쇄골하동정맥이 지나간다. 흉곽출구증후군은 여러 가지 원인에 의해 이 공간에서 신경이나 혈관이 압박을 받아 발생하는 질환을 말한다.

압박되는 병변에 따라 신경성, 정맥성, 동맥성으로 구분하는데 전체의 95%가 신경이 압박된 신경성 흉곽출구증후군이며, 정맥성이 3-5%, 동맥성이 1-2%의 빈도를 보인다. 공통적인 증상은 팔, 손, 손가락의 통증과 저림증이다. 신경 압박일 경우 특히 척골 신경이 분포부위(4, 5지 측)의 증상이 두드러지며, 혈관을 압박할 경우 간헐적인 팔의 종창, 색조변화 및 간혹 쇄골하정맥에 혈전증이 생길 수도 있다.

유발 원인에 따라서는 전사각근의 비후로 압박을 받는 전사각근 증후군(scalenus anticus syndrome)과 비정상적으로 자란 경늑골이 압박을 초래하는 경늑골증후군(gervical rib syndrome), 쇄골과 제1늑골 사이가 좁아져서 생긴 늑쇄증후군(costoclavicular syndrome) 및 과외전시 소흉근에 의해 압박이 생기는 과외전 증후군(hyperabduction sundrome)으로 구분한다.

혈관성의 경우 초음파 검사 상 이상을 발견할 수 있지만, 신경성의 경우 진단이 좀 더 어렵다. 이학적 검사가 진단에 있어 유용한데 앞에서 설명한 elevated arm stress test 외에도 Adson's test, costoclavicular maneuver 및 Wright test 등을 이용한다. 그러나 이들 검사의 양성 반응은 정상인에게서도 관찰될 수 있으므로 진단에 주의가 필요하다. 경추 추간판 질환, 회전근개 손상, 말초 신경 포착, 수근관 증후군, 주관 증후군 등 유사한 증상을 일으키는 질환들과 감별하는 것이 중요하다.

대부분 보존적인 치료로 해결이 잘 되며, 흉곽출구를 좁게 만들거나 압박하는 자세를 피해야 한다.

8) SLAP 병변

SLAP (superior labrum anterior to posterior) 병변은 상완이두근 장두 기시부의 상부 관절와순의 후방에서부터 견관절 전방 관절와 절흔의 바로 전 부위 및 주변 관절와순 복합체가 손상된 것을 의미한다. 임상적으로 중요한 SLAP 병변은 상부 관절와순의 해부학적 변화가 견관절 기능 장애의 원인이 되는 경우로 손상기전은 팔을 뻗은 상태로 떨어져 어깨에 압박력을 주거나, 견관절 탈구, 자동차 사고 시 seatbelt 손상 등의 급성외상과 수영선수의 overhead motion이나 야구선수의 투구동작처럼 상완이두근 장두에 반복적이고 비정상적으로 작용하는 견인력 등에 기인한 만성적인 반복손상이 있다. SLAP 병변은 Snyder에 의해 크게 네 가지 유형으로 분류되는데, 제 1형은 labral margin의 마모와 세동(fibrillation)이 심한 상태, 제 2형은 가장 흔한 경우로 상완 이두근 장두-관절와순 복합체가 관절와로부터 완전히 분리되어 불안정한 상태, 제 3형은 관절와순에 양동이 손잡이(bucket-handle)형 파열이 보이나 상완 이두근 장두-관절와순 복합체의 안전성은 유지되어 있는 상태, IV는 상완이두근 장두까지 진행된 양동이 손잡이형 파열로 매우 불안정한 상태이다.

환자는 어깨를 flexion, abduction 시 통증을 호소하고, 근력약화, 염발음, popping 등의 증상이 나타난다. SLAP을 진단하기 위한 이학적 방법으로 Crank Test, Active Compression Test, Biceps Load Test 등이 있으며 SLAP을 진단하기 위한 가장 좋은 방법은 MRI 검사이다. 해부학적 변형이 있어도 증상이 없다면 반드시 치료를 필요로 하는 것은 아니며, 보존적 치료에서는 후방관절낭 유연성, 회전근개와 견갑골 안정화 근육의 강화에 중점을 두어야한다. 3개월 이상 보존적 치료에도 기능적 장애가 지속되어 일상생활이 어렵다면 수술을 고려하기도 한다.

9) 점액낭염(Bursitis)

견관절 주변에는 관절의 움직임을 부드럽게 하고 조직간 마찰을 줄여주기 위해 8개의 점액낭이 존재하며, 이 중 견봉하 점액낭(sub-acromial bursa)과 삼각근하 점액낭(sub-deltoid bursa)이 임상적으로 중요한 의미가 있다. 점액낭염은 발생 원인에 따라 외상성, 급성감염성, 만성감염성으로 구분할 수 있으며 외상성은 직접적인 급성외상에 의하거나 견관절 과사용 혹은 충돌 증후군과 같이 반복되는 만성 외상에 의해 발생한다. 급성감염성 점액낭염은 화농성 염증으로 심한 통증 및 종창, 발열이 나타나며 만성점액낭 감염은 결핵, 류마티스 관절염, 통풍 등에 의해서도 나타난다. 이 중 특히 통증이 가장 심한 어깨질환 중 하나인 급성 삼각근하 점액낭염은 별무계기로 갑자기 발병하여 통증 때문에 팔을 전혀 움직이지 못하기도 하고 수면불리 증상을 보이기도 하지만 6주가 지나면 특별한 치료가 없이도 통증이 서서히 회복되는 경과를 보인다. 대개 외전, 굴곡 시에 통증을 호소하며, Neer test, Hawkin test와 같은 충돌증후군 검사에서 양성이 나타난다.

2. 팔꿈치 통증(Elbow pain)

팔꿈치는 상완요골관절, 상완척골관절, 요골척골관절의 3개의 관절로 이루어져 있으며, 굴곡, 신전, 회내, 회외의 움직임이 일어난다. 상완골의 원위부 내측과 외측에서는 손목의 굴곡, 신전 움직임을 만드는 총굴곡건(common flexor tendon), 총신근건(common extensor tendon)이 각각 위치해 있다. 통증 부위가 팔꿈치 외측일때에는 상완골 외상과염, 요골관 증후군, 통증부위가 내측일 때에는 상완골 내상과염, 주관 증후군이 가장 의심된다. 또한 팔꿈치 앞쪽의 통증은 상완이두근건 병변일 경우가 많으며, 뒤쪽의 통증은 주두 점액낭염 혹은 상완삼두근건 병변과 연관된 경우가 많다. 이들 질환 중 상완골 외상과염, 내상과염의 빈도가 가장 높다.

1) 특수검사

(1) 테니스 팔꿈치 검사(Tennis elbow test)

- 방법 : 주관절을 완전히 신전시키고 환자에게 손목을 신전하게 하면서, 검사자는 굴곡 방향으로 저항을 준다.
- 의의 : 외측 상과와 주위에 통증이 생기면 외측상과염 가능성이 많다.

(2) 골프 팔꿈치 검사(Golfer's elbow test)

- 방법 : 주관절을 완전히 신전시키고 환자에게 손목을 굴곡하게 하면서, 검사자는 신전 방향으로 저항을 준다.
- 의의 : 내측 상과에 통증이 있으면 내측상과염을 의심할 수 있다.

(3) 티넬 징후(Tinel's sign)

- 방법 : 의자에 앉히고 주두돌기와 내측상과 사이에 있는 패임(척골신경구)을 타진기로 타진한다.
- 의의 : 지각이 과민해져 있으면 척골신경의 신경염이나 신경종이다.

2) 상완골 외상과염(Lateral epicondylitis)

주관절 외측, 상완골 외측 상과에 통증이 나타나며 40-50대에 많이 발생한다. 과사용 또는 총지신근 부착부의 사소하지만 반복적이고 불명확한 외상으로 인한 총지신건의 건증 상태이다. 테니스 엘보(tennis elbow)라고도 부르지만, 테니스 운동으로 인한 경우는 소수이다. 총신근 기시부인 외상과부에 압통이 있으며 손목을 저항성 신전시키는 검사방법에 의해 외상과 부위의 통증이 유발된다. 보존적인 치료로 회복이 잘 되나, 4주 이상 통증이 지속되는 환자의 80% 가량이 일년 후에 회복되었다.

3) 상완골 내상과염(Medial epicondylitis)

주관절 내측, 상완골 내측 상과에 통증이 나타나는 총지굴건의 건증 상태이며, 호발 연령대와 병리는 상완골 외상과염과 유사하다. 골프 엘보(golf elbow)라고도 부르는데, 테니스 엘보보다는 발병률이 낮다. 총굴근 기시부인 내상과부에 압통이 있으며, 손목을 저항성 굴곡 시키는 검사 시 이 부위에서 통증이 발생한다.

4) 요골관 증후군(Radial tunnel syndrome)

요골관 증후군은 테니스 엘보와 착각하기 쉬운 증상으로 요골두와 회외근 사이에서 요골 신경이 압박되어 나타나는 신경병변이다. 압박은 주로 심부 요골 신경과 회외근이 통과하는 후로세 아케이드(arcade of Frohse)에서 이루어진다. 증상은 근위전완부의 신근과 회외근에 대한 심한 통증을 호소하고 주로 원위 상완부와 원위전완부로 통증이 방사된다. 표재성 요골 신경만 눌린 경우는 손의 요측 배면으로 통증이 방사되고 이상감각이 나타나며 심부가지가 눌리면 감각의 변화는 거의 없고 수지신근의 약화가 나타날 수 있다. 또한, 수근부를 굴곡시키고 전완부를 회내시켜 회외근을 긴장시키면 통증이 유발된다. 상완골 외상과염과 다른 점은 전완부의 배면과 측면에 발생하는 깊고 분산된 통증이 활동에 의해 심해지지만 휴식시에도 나타난다는 점이다.

5) 주관 증후군(Cubital tunnel syndrome)

주관(cubital tunnel)이란 팔꿈치에서 척골신경이 지나는 통로이다. 상완골 내상과와 주두 사이에 척측수근굴근 기시부 섬유의 일부분이 덮으면서 형성되어 있는데, 척골신경이 깊지 않게 위치해 있어서 급성 상해나 만성적인 압박 스트레스에 의해 척골 신경이 압박되기 쉽다. 척골 신경의 감각 영역인 4, 5로 내려가는 저림, 이상감각이 나타나며, 심해질 경우 지배근육의 약화가 동반될 수 있다. 주관절을 굴곡시키면 증상이 심해지기 때문에 굴곡자세가 되기 쉬운 수면 중에 증상이 악화되는 경향이 있다.

6) 주두 점액낭염(Olecranon bursitis)

팔꿈치 뒤편 주두의 상완 삼두근 부착 부위의 점액낭의 염증으로 인해 통증, 종창, 발적 등이 생긴 경우를 말한다. 주요 원인은 외상, 반복적인, 마찰, 감염 및 통풍 등이 있다. 감염성이 아니면 흡인술 후에 압박, 드레싱 하고 반복적인 자극을 피하면 예후가 좋은 편이다.

3. 손목과 손의 통증(Wrist and hand pain)

손목과 손의 통증은 주관절과 마찬가지로 국소 병변이 많지만, 우선 상위 경추, 견관절, 주관절에서 기인하는 연관통인지 감별하는 것이 중요하다. 해부학적인 구조를 잘 확인할 수 있는 부위이므로 촉진을 통해 병변 부위를 정확하게 찾는 것이 중요하다.

1) 특수검사

(1) 핀켈스타인 검사(Finkelstein's test)

- 방법 : 장무지 외전근건과 단무지 신근건이 통과하는 요골측 수근관의 협착성 건초염을 검사한다. 환자에게 엄지 손가락을 손 안에 넣고 주먹을 쥐게 한 후 손목을 척측으로 강하게 굴곡시킨다.
- 의의 : 이때 환자가 요골측 수근관에 예리한 통증을 느끼게 되면 양성으로 본다.

(2) 티넬징후(Tinel's sign)

- 방법 : 수근관 증후군을 검사한다. 검사자는 완관절의 손바닥쪽 수근인대 위를 손가락으로 반복하여 두드린다.
- 의의 : 정중 신경 지배영역 안에 저린감이나 통증이 유발되면 양성이다.

(3) 팔렌 검사(Phalen's test)

- 방법 : 양 손목을 굴곡시켜서 마주 대고 60초 동안 눌러준다.
- 의의 : 이상감각이 손가락으로 퍼져 나타나면 정중 신경이 압박되는 수근관 증후군을 의미한다.

2) 수근관 증후군(Carpal tunnel syndrome)

수근관 증후군은 가장 흔한 압박성 신경병증이며 수근관에서 정중 신경이 압박되어 나타나는 지연성 정중 신경 마비이다. 정확한 원인은 알 수 없지만, 손의 반복 사용 뿐만 아니라 당뇨병, 갑상선기능저하증, 류마티스 관절염 등의 전신 질환도 영향을 주는 것으로 생각되고 있다. 정중 신경 분포 부위를 따라 나타나는 통증과 감각이상 및 저림증이 주된 증상이다. 증상이 특히 야간에 심해지는데, 이는 수면 중 손목이 굴곡 방향으로 꺾이기 쉽고, 환측으로 누우면서 병변 부위가 더욱 압박되기 때문이라고 생각된다. 간혹 수근관 증후군이 치료되지 않고 방치되는 경우 무지구의 근육이 위축되거나 근력약화가 생길 수도 있다.

Tinel 징후나 Phalen 검사로 손목의 정중신경 부위를 압박하였을 때 증상이 재현되는지를 검사한다. 6주에서 3개월 가량의 보존적인 치료로 회복이 잘 되며, 손목이 중립위가 되도록 보조기 사용을 하는 것도 중요하다. 이상의 기간 동안의 보존적인 치료에도 극심한 통증이 해결되지 않는다면 수술요법을 고려할 수도 있다.

3) 척골관 증후군(Guyon's cannal syndrome)

손목의 척측 소지구 부위에 있는 척골관(Guyon's canal) 에서 척골신경이 압박되어 나타나는 척골 신경 마비이다. 척골 신경의 분포 부위인 4, 5지를 따라 나타나는 통증, 저림증, 감각저하가 나타나며, 심할 경우 척골신경이 담당하는 내재근의 근력 약화, 소지구의 위축이 나타날 수도 있다. 척골관 부위를 압박하였을 때 압통 및 통증, 저림증 등이 재현되는지를 확인한다.

4) 드퀘르벵 증후군(De Quervain syndrome)과 방아쇠 수지(Trigger finger)

두 질환은 각각 손목과 손가락에서 발생하는 협착성 건초염이다. 건이 지나가는 섬유성 관을 덮고 있는 활막의 염증을 건초염이라고 하는데, 협착성 건초염은 건초에 염증이 생겨 건초 내에서 건이 미끄러워지기 어려운 상태가 되어 통증이 나타난다. 류마토이드 관절염, 통풍 등에 의해서도 일어나지만 대개 특정 원인을 알 수 없는 경우가 많다.

드퀘르벵 증후군은 손목의 협착성 건초염으로 요골측 경상돌기에서 나타나는 장모지외전근과 단모지신근 단모지신근의 협착성 건초염을 말한다. 병변부위에서의 국소통과 움켜지는 힘이 약화되며, Finkelstein 검사로 쉽게 확인할 수 있다.

방아쇠 수지는 손가락 굴곡건의 협착성 건초염으로 굴곡건초의 염증, 결절, 종창 등에 의해 도르래(pulley) 운동 시 건의 정상적인 움직임이 이뤄지지 않아서 생기는 질환이다. 중수골두 근처에 있는 A1 pulley에서 병변이 가장 흔하다.

4. 동의보감에 수록된 관련 내용

1) 東醫寶鑑 外形篇 卷四 手

【四肢爲諸陽之本】

內經曰, 四肢者, 諸陽之本也, 陽盛則四肢實. 又曰, 諸陽受氣於四肢也.

【四肢熱】

黃帝曰, 人有四肢熱, 逢風寒如灸如火者, 何也. 岐伯曰, 是人者, 陰氣虛陽氣盛. 四肢者, 陽也. 兩陽相得, 而陰氣虛少, 少水不能滅盛火, 而陽獨治. 獨治者, 不能生長也, 獨勝而止耳. 逢風而 如灸如火者, 是人當肉爍也.<內經>

【四肢不用】

黃帝曰, 脾病而四肢不用, 何也. 岐伯對曰, 四肢皆稟氣於胃, 而不得至經, 必因於脾, 乃得稟也. 今脾病不能爲胃行其津液, 四肢不得稟水穀氣, 氣日以衰, 脉道不利, 筋骨肌肉皆無氣以生, 故不用焉.<內經>○四肢解墮者, 脾精之不行也.<內經>○帝曰, 人之嚲者, 何氣使然. 岐伯曰, 胃不實,則諸脉虛, 諸脉虛, 則筋脉解墮, 筋脉解墮, 則行陰用力, 氣不能復, 故爲嚲. 嚲謂手足嚲曳也.<靈樞>○帝曰, 脾與胃以膜相連, 而能爲之行其津液, 何也. 岐伯曰, 足太陰者脾也, 爲之行氣於三陰.陽明者胃也, 亦爲之行氣於三陽. 藏府各因其經而受氣於陽明, 故爲胃行其津液也.<內經>○脾實則四肢不擧. 內經曰, 脾太過則令人四肢不擧, 是也. 此謂膏粱之疾, 其治宜瀉. 三化湯 方見風門 ·調胃承氣湯 方見寒門 選而用之. 若脾虛則四肢不用, 盖脾病不能與胃行其津液, 其治宜補. 十全大補湯 方見虛勞 去邪留正.<保命>

【肩臂病因】

靈樞曰, 肺心有邪, 其氣流于兩肘.○手屈而不伸者, 其病在筋. 伸而不屈者, 其病在骨. 在骨守骨. 在筋守筋.<靈樞>○酒家之癖, 多爲項腫臂痛. 盖熱在上焦不能淸利, 故醞釀日久, 生痰涎, 聚飮氣, 流走於項臂之間, 不腫則痛耳.<直指>○臂爲風寒濕所搏, 或睡後手在被外, 爲寒邪所襲, 遂令臂痛. 或乳婦以臂枕兒, 傷於風寒, 亦致臂痛, 寒痛宜五積散, 方見寒門. 風痛宜烏藥順氣散, 濕痛宜 蠲痺湯 並見風門. 加蒼朮·酒防已.<醫鑑>○氣血凝滯臂痛, 宜薑黃散·舒經湯.○風濕臂痛, 宜活絡湯.○七情臂痛, 宜白芥子散.○臂胛痛, 宜五靈脂散.○折傷後手足痛, 宜應痛元.

[舒經湯] 治氣血凝滯, 子經絡臂痛不擧.

[五靈脂散] 治風寒濕氣血壅滯, 臂胛疼痛.

【痰飮多爲臂痛】

凡人忽患胸背手脚腰胯隱痛不可忍, 連筋骨牽引釣痛, 坐臥不寧, 時時走易不定, 意謂是風證, 或疑是癰疽, 皆非也. 此乃痰涎伏在心膈上下, 變爲此疾.<集要>○治臂痛不能擧, 或左右時復轉移, 由伏痰在中脘停滯, 脾氣不得流行, 上與氣搏. 四肢屬脾, 滯而氣不升, 故上行攻臂, 其脉沈細者是也. 氣實者控涎丹 方見痰門 最效, 宜用半硝丸·消痰茯苓丸.<入門>○痰飮臂痛, 宜加減茯苓丸·芎活湯·半夏芩朮湯.○臂痛或麻木或戰掉, 皆痰飮所作, 二陳湯 方見痰門 呑下靑州白元子. 方見痰門.

[消痰茯苓丸] 治痰飮流注, 臂痛不能擧, 時復轉移, 脉沈細.

[半夏芩朮湯] 治痰飮臂痛不能擧.

【臂痛有六道經絡】

當以兩手伸直, 其臂貼身垂下, 大指居前, 小指居後而定之. 則其臂臑之前廉痛屬陽明經, 後廉痛 屬太陽經, 外廉痛屬少陽經, 內廉痛屬厥陰經, 內前廉痛屬太陰經, 內後廉痛屬少陰經, 視其何經而用鍼藥治之也.<東垣>

제5절 하지부 질환

1. 고관절통(Hip Pain)

고관절은 볼-소케트형의 활막관절로 하지와 골반사이에 동시 움직임을 제공하며 기립, 보행, 달리기에 필요한 안정성을 가지고 있다. 또한 인체 내에서 견관절 다음으로 운동범위가 크다.

고관절통은 위치상 골반의 전상장골극과 대퇴골 대전자 사이에서 나타나는 통증을 말한다. 이곳에 통증을 일으키는 것으로는 척추질환의 연관통, 대퇴비구 충돌증후군, 고관절 주위의 점액낭염, 대퇴골두 무혈성 괴사 등이 있다. 척추질환의 연관통은 요추의 동작 시 또는 고관절의 과신전 시 통증이 유발되며 고관절의 과도한 굴곡과 내회전은 대퇴비구의 충돌에 의한 통증을 유발한다. 고관절주위에는 18개의 점액낭이 있는데 그중 일반적으로 대전자점액낭, 좌둔점액낭, 장요근 점액낭에 염증이 호발한다. 대퇴골두 무혈성 괴사는 Patrick 검사 등에 양성소견이 나타나는데 자세한 내용은 골비증 편의 골괴사에 서술되어 있다.

1) 특수 검사

(1) Allis 검사

- 방법 : 환자를 앙와위로 눕히고 검사자는 환자의 양쪽 무릎을 90도 정도 굴곡시키며, 이때 양발바닥은 바닥에 닿게 한 채로 모은 후, 양쪽 무릎의 높이를 관찰한다.
- 의의 : 한쪽 무릎의 높이가 짧으면 대퇴골두가 후방탈구되거나 경골이 짧음을 의미한다.

(2) Ortolani 딸각(Click) 검사

- 방법 : 환자를 앙와위로 눕히고 검사자는 환자의 대퇴골 소전자에 엄지손가락을 대고 대퇴부를 잡은후 고관절을 굴곡, 외전, 외회전 시켜본다.
- 의의 : 대퇴골두가 관골구에서 벗어나면 딸깍하는 소리가 나며 주로 신생아의 선천성 고관절탈구의 진단에 이용된다.

(3) 토마스 검사(Thomas test)

- 방법 : 환자를 앙와위로 눕혀 골반이 수평이 되게 한 후, 환자에게 한쪽 다리를 굴곡 시켜 양손으로 깍지 낀 채로

무릎아래를 잡아서 가슴 쪽으로 끌어당기며 반대쪽 다리는 자연스럽게 다리를 뻗는지 관찰한다.
- 의의 : 반대쪽 뻗은 다리가 저절로 굴곡하면 그쪽 고관절이 굴곡구축된 것을 의미한다.

(4) 트렌데렌버그 검사(Trendelenburg's test)

- 방법 : 환자에게 아픈 환측의 한 다리로만 서있게 한 후 반대쪽 다리를 굽히게 한다.
- 의의 : 중둔근의 근력이 정상일 때는 지지하고 서있는 쪽의 중둔근 긴장에 의하여 골반이 약간 내려오게 되며 반대쪽 골반은 약간 올라간다. 그러나 중둔근의 근력이 저하되면 오히려 반대쪽 골반이 아래로 내려오게 된다.

(5) 패트릭 검사(Patrick's test, Fabere test)

제2장 척추질환 참조

(6) 염려 검사(Apprehension test)

- 방법 : 환자를 앙와위로 눕히고, 검사자는 환자의 환측 고관절을 굴곡, 외회전, 외전한 상태에서 신전, 내회전, 내전하는 상태로 이동시킨다.
- 의의 : 이때 서혜부의 통증과 이와 동반되는 소리를 느끼게 되면 앞비구순(anterior labrum acetabulare)의 병변을 의심할 수 있고, 순서를 바꾸어 검사했을 때 통증이 유발되면 뒤비구순(posterior labrum acetabulare)의 병변을 의심할 수 있다.

2) 대전자 점액낭염(Trochanteric Bursitis)

대퇴골 대전자의 주위에는 점액낭이 위치하여 대퇴골 대전자를 가로지르는 근건 및 연부조직을 보호하는 윤활유의 역할을 한다. 골반에서 기시한 중둔근과 소둔근은 대퇴골 대전자에 정지하는데 이 근육의 반복된 긴장으로 점액낭에 염증이 호발하게 된다.

대전자 점액낭염의 원인은 대전자에 정지하는 근육의 과사용으로 인하여 미세손상(microtrauma)이 반복될 경우에 자주 나타나며, 외상에 의해서도 23-44% 정도 발병한다. 남자보다 여자에게서 호발한다.

증상은 대퇴부 측면위에 나타나는 간헐적인 통증이며, 통증이 둔부하부 및 대퇴측면의 아래로 방산되기도 한다. 드물게 대퇴후면이나 무릎으로 방산되기도 한다.

통증은 보행, 달리기, 계단오르기, 웅크리는 동작 등으로 악화되며, 야간통이 빈번하게 발생하기도 한다. 통증으로 다리를 절게 되는 환자가 15%까지 나타날 수 있다. 또한 고관절 외회전 및 외전 시에 통증이 유발된다.

X-RAY 소견상 대개는 정상이며 가끔 대전자 주변에 석회화 소견을 보일수도 있다. 따라서 진단은 주로 임상소견을 통하여 이루어지며 보행시의 통증, 수면장애(환측으로 누울 때 나타나는 통증으로 유발), 대전자 위에서 나타나는 압통으로 진단이 된다.

3) 좌둔 점액낭염(Ischiogluteal Bursitis)

좌둔점액낭은 좌골조면과 대둔근 사이에 위치한다. 좌둔점액낭염은 딱딱한 표면에 오래 앉아 있거나 오랫동안 한자세로 앉아 있은 후에 자주 발생하며, 자전거 타기로 인해서 유발되기도 한다. Tailor's bottom 또는 Weaver's bottom이라고도 한다. 전형적인 특징은 좌골조면위에서 나타나는 압통점이다.

4) 장요근 점액낭염(Iliopsoas bursitis)

장요근 점액낭은 고관절 주위의 18개의 점액낭중 가장 크다. 장요근건과 고관절막 사이에 위치하고 있으며, 대퇴골과 장요근건의 마찰을 감소시키는 역할을 한다. 장요근 점액낭염의 3가지 주요한 원인은 류마토이드 관절염, 고관절 골관절염, 과사용 손상에 의한 염증이다.

장요근 점액낭은 대퇴신경과 혈관에 인접해 있으므로 점액낭염으로 인하여 팽창 시에는 신경과 혈관에 압박을 유발한다.

증상은 서혜부와 골반에 나타나는 통증, 낭종, 신경혈관압박증상이며 점액낭 팽창시의 낭종은 림프종, 종양, 탈장, 대퇴동맥류 등과 감별을 요한다. 정맥 압박 시에는 하지부종 또는 심부혈전이 발생할 수 있고 신경 압박 시에는 대퇴신경장애가 나타난다. 이러한 증상은 양말신기처럼 단순히 고관절을 움직이는 활동 시에도 나타날 수 있으며, 고관절에서 소리가 나기도 한다. 젊은 여성에게서 호발하며 대퇴삼각지대(femoral triangle)에 압통이 있다.

5) 대퇴비구 충돌증후군(Femoroacetabular impingement, FAI)

고관절의 과도한 굴곡과 내회전은 대퇴골두와 비구가장자리의 비정상적인 기계적 충돌을 일으켜 손상을 유발하며 골관절염으로 진행될 수 있다. 바닥에 책상다리로 앉거나, 고관절이 굴곡, 내회전, 내전 상태로 오래 앉아있으면 서혜부의 통증을 호소한다. 방사선 검사 시 대퇴골경의 골변화와 비구가장자리의 골화소견을 관찰할 수 있다.

6) 대퇴골두 무혈성 괴사

골비증편 골괴사 참조

2. 슬관절통(Knee Pain)

슬관절은 슬개대퇴관절, 내측 경골대퇴관절, 외측 경골대퇴관절로 구성되어 있으며, 인체 내에서 가장 큰 관절이지만 불안정한 관절이므로 주위의 근육과 인대들로 안정성을 보조하고 있다. 무릎의 움직임은 시상면에서 굴곡, 신전과 수평면에서 내회전, 외회전의 운동을 한다. 위치상 외력을 받기 쉬우므로 구조적 손상이 많이 발생하며 따라서 이학적 검사, 방사선 검사, 관절경 검사, MRI 검사 등과 아울러 환자의 병력 등에 대한 문진도 중요 시 된다. 환자의 병력청취 등으로 슬관절의 손상이나 질병에 대한 정보를 어느 정도 유추할 수 있다.

슬관절에 통증을 유발하는 것으로는 관절염, 인대 손상, 점액낭염, 반월상 연골 손상, 슬개골 연골연화증, 오스굿 슐라터 병 등이 임상에서 자주 보인다.

1) 특수 검사

(1) 슬개골 압박 검사(Patella grinding test)

- 방법 : 환자를 앙와위로 눕히고 무릎은 신전 시킨 상태로 검사자는 슬개골을 압박하여 내외로 움직여본다.
- 의의 : 통증이 나타나면 슬개골 연골연화증 또는 슬개골 관절염을 의심할 수 있다.

(2) 슬개골 탈구와 아탈구의 불안 검사(Apprehension test for patellar dislocation and subluxation)

- 방법 : 환자를 앙와위로 눕히고 무릎은 신전 시킨 상태로 검사자의 엄지손가락으로 슬개골의 내측연을 외측 방향으로 민다.
- 의의 : 환자의 얼굴 표정이 불안해지면 습관성 슬개골(아)탈구를 의심할 수 있다.

(3) 슬관절 전후 견인 검사 (Anterior & Posterior draw test)

- 방법 : 환자를 앙와위로 눕히고 무릎을 90° 굴곡 시킨 자세에서 검사자는 환자의 발등을 깔고 앉아서 굴곡된 무릎의 오금부위를 양손으로 잡고 경골을 검사자 쪽으로 끌어당긴다. 같은 자세로 경골을 환자 쪽으로 밀어본다.
- 의의 : 검사자 쪽으로 끌어당길 때 전방으로 전위되면 전방십자인대의 단열을 의미하며(anterior draw sign 양성), 환자 쪽으로 밀 때 후방으로 전위되면 후방십자인대의 단열을 의미한다(posterior draw sign 양성).

(4) 라크만 검사(Lachman test)

- 방법 : 환자를 앙와위로 눕히고 무릎을 20-30도 정도 굴곡 시킨다. 검사자의 한 손은 환자의 대퇴를 고정시키고 다른 한 손으로 경골을 전방으로 들어올린다. 이때 들어올리는 손의 엄지손가락은 경골 조면에 위치하여야 한다.
- 의의 : 경골이 전방으로 전위되거나 끝점(end point)의 부드러운 느낌이 있으면 전방십자인대의 단열을 의미한다. drawer test 시행 시 반월판이 관절내에 끼게 되면 위음성이 나올 수 있으나 무릎을 20-30도 정도만 굴곡시키면 관절 내에 반월판이 끼지 않으므로 보다 정확한 결과를 얻을 수 있다.

(5) 추축 변위 검사(Pivot shift test)

- 방법 : 환자를 앙와위로 눕히고 무릎은 완전히 신전시킨다. 검사자의 한 손으로 환자의 발을 잡고 내회전 시키면서 다른 손은 무릎 외측에 외반 압력을 가하면 경골이

전외방으로 아탈구된다. 이후 검사자가 무릎을 40° 정도로 굴곡시키면 뚝하는 느낌이 들면서 정복된다.
- 의의 : 전방십자인대 단열 시 상기의 방법으로 경골의 아탈구가 일어난 후 무릎을 굴곡시키면 장경인대의 작용으로 인하여 정복된다.

(6) 맥머레이 검사(McMurray test)
- 방법 : 반월상 연골의 단열을 검사한다. 환자를 앙와위로 눕히고, 고관절과 슬관절을 굴곡시킨다. 외측 반월상 연골 검사 시에는 대퇴골에 대해 경골을 내회전, 내반 압력을 주면서 하지를 신전시킨다. 이때 검사자의 한 손은 내측 반월상 연골을 촉지한다.
- 의의 : 딸가닥하는 소리가 들리거나 느껴지고 관절내 통증이 유발되면 양성이다. 내측 반월상 연골 검사 시에는 외회전, 외반압력을 주면서 실시한다.

(7) 아플레이 압박-견인 검사 (Apley's compression & Distraction test)
- 방법 : 환자를 복와위로 눕히고 슬관절을 90°로 굴곡시킨다. 압박검사는 환자의 하퇴를 내회전 및 외회전 하면서 눌러서 반월상 연골을 압박하면서 시행한다. 견인검사는 환자의 하퇴를 내회전 및 외회전 하면서 위로 잡아당겨 측부 인대가 견인되도록 시행한다.
- 의의 : 압박 시의 통증은 각각 내,외측 반월상 연골의 손상을 의미하고, 견인시의 통증은 측부인대의 손상을 의미한다.

(8) 내선 스트레스 검사(Adduction stress test)
- 방법 : 환자를 앙와위로 눕히고 검사자의 한손으로 대퇴부 안쪽을 고정한 채 하퇴 외측을 내측 방향으로 민다.
- 의의 : 무릎 외측의 통증과 이완은 외측 측부 인대의 불안정을 의미한다.

(9) 외선 스트레스 검사(Abduction stress test)
- 방법 : 환자를 앙와위로 눕히고 검사자의 한손으로 대퇴부 외측을 고정한 채 하퇴 내측을 외측 방향으로 민다.
- 의의 : 무릎 내측의 통증과 이완은 내측 측부 인대의 불안을 의미한다.

(10) 오버 검사(Ober's test)
- 방법 : 환자를 측와위로 눕히고 검사자는 손으로 환자의 하지부를 잡고 외전시킨후 손을 놓아본다.
- 의의 : 손을 놓았을 때 환자의 하지부가 아래로 쉽게 떨어지지 않으면 대퇴근막장근이나 장경 인대의 구축을 의미한다.

2) 장경인대 증후군(Iliotibial tract syndrome)

장경 인대(ITB or iliotibial tract)란 대퇴의 측면에 위치한 두꺼운 근막을 말하며 이는 장골부터 경골의 상부까지 연결되어 있다. 무릎을 구부리면 장경인대가 대퇴골 외측상과의 뒤쪽으로 이동하므로써 무릎의 굴곡근의 역할을 제공하고 무릎을 펴면 앞으로 이동하여 무릎의 신전근으로써의 역할을 제공하므로써 안정성을 유지하는 작용을 한다.

무릎의 굴곡과 신전을 과도하게 반복하게 되면 장경인대는 대퇴골 외측상과와 마찰을 일으키게 되므로 과사용에 의한 염증 및 통증을 유발하게 된다. 이를 장경인대 증후군이라고 하며 무릎을 20-30° 정도 구부리면 장경인대는 대퇴골 외측상과와 맞닿게 되므로 이때 통증이 가장 심하다.

증상은 무릎 외측면의 관절면에서 근위부로 약간 떨어진 곳에 발생하며 육상이나 싸이클선수 등에게서 전형적으로 자주 발병한다.

Ober 검사에서 양성을 나타내는 경우가 많다. 보존적 치료에 잘 반응하며, 장경인대 스트레칭이 도움이 된다.

3) 점액낭염(Bursitis)

무릎의 점액낭은 액체로 채워진 패드와 같은 작은 낭으로 관절근처의 뼈와 건 그리고 근육 사이의 압력과 마찰을 감소시킨다. 환자는 국소부위 통증, 압통, 부종 등의 증상을 호소하고 대개 무릎을 굴곡 시키면 증상이 더 심해지기도 한다. 일반적으로 활동 시에 증상은 악화되며 간혹 야간통을 호소하기도 한다. 치료 시에는 증상을 발생시키거나 악화시키는 활동을 제한하는 것이 중요하다. 국소부위의 냉습포는 통증과 염증을 완화시키며 만성인 경우는 온습포가 적용되기도 한다. 무릎에는 각각 11개 정도의 점액낭이 있으며 임상적으로 슬개골 전점액낭염, 거위발 점액낭염, 내측 측부인대 점액낭염, 슬와 점액낭염(일명 베이커낭종) 등이 자주 보인다.

(1) 슬개골 전점액낭염(Prepatellar bursitis)

슬개골 전점액낭염은 carpet layer's knee, coal miner's knee, housemaid's knee 등으로 불리기도 하며 슬개골 전방으로의 외상이나 무릎을 꿇는 경우가 많은 직업을 가진 경우 호발한다. 여성보다는 남성에게서 호발한다. 주된 증상은 슬개골 전방에 나타나는 부종과 압통이며 해당부위를 너무 세게 누르지만 않는다면 통증이 심하지는 않다. 또한, 부종이 심하더라도 무릎의 ROM장애는 동반하지 않는다. 진단은 주로 이학적 검사와 병력청취를 통하여 이루어지며, 감염성일 경우에는 관절천자가 요구되기도 한다. 휴식이나 냉습포 등으로 증상의 호전이 가능하며 무릎전방에 패드를 대는 것도 도움이 된다.

감염성 점액낭염의 경우에는 해당부위의 발적, 발열 및 주변부의 봉와직염이 나타날 수 있으며, 경과가 급진적으로 나타나고 대개 무릎의 찰과상 이후에 호발한다.

(2) 거위발 점액낭염(Pes anserine bursitis)

거위발이란 봉공근, 박근, 반건양근의 건이 합쳐져 이루어지며, 거위발 건의 밑에 위치한 점액낭을 거위발 점액낭이라 한다. 이부위의 반복된 외상은 거위발 점액낭의 감염을 유발할 수 있다. 거위발 점액낭은 무릎 내측의 관절면에서 아래로 2인치 정도 떨어져 있으므로 무릎 관절 자체의 압통은 없으나 거위발 점액낭이 위치한 경골상부의 내측에 압통이 나타나며 중등도의 부종이 발생하기도 한다. 중년 이후의 여성, 특히 골관절염이 있는 과체중의 여성에게서 호발하며, 계단보행 시 특히 올라갈 때 통증을 많이 느끼며 평지에서 걸을 때는 통증을 덜 느끼게 된다. 측와위로 누워 무릎이 마주하면 통증이 악화되므로 환자는 수면 시에 무릎사이에 베개를 놓기 좋아한다.

(3) 내측 측부인대 점액낭염(Medial collateral ligamental bursitis)

내측 측부인대 점액낭은 내측 측부인대의 표면과 깊은층 사이에 위치하며 증상은 무릎 내측에 통증과 압통을 호소한다. 승마나 오토바이 타기 등으로 무릎 내측의 마찰이 많은 경우에 호발한다. 내측 반월상 연골손상과의 감별이 필요하다.

(4) 베이커 낭종(Baker's cyst)

베이커낭종은 슬와에 있는 대표적인 낭종으로, popliteal (popliteul) cyst라고도 불리며 반막양근과 비복근의 내측두 사이에 위치한다. 성인에서는 비복근, 반막양근의 점액낭이 팽창하여 발생한다.

증상은 슬와부에 나타나는 부종, 무릎의 통증, 무릎의 뻣뻣함이며 활동 시나 오래 서있을 때 악화되지만 증상이 없는 경우도 있다.

원인은 골관절염, 류마토이드 관절염 등의 염증이나 반월상 연골 손상 등이 연관되어 있으며 연관 질환의 개선이 요구된다.

이학적 검사시 슬와부에 부드러운 덩어리를 촉지할수 있으며 크기에 따라 무릎의 가동범위도 제한될 수 있다. 심부정맥 혈전증도 또한 슬와부의 통증과 부종을 유발하므로 베이커낭종과 감별이 필요하다.

4) 반월상 연골 손상(Injury of meniscus)

제 5장 손상과 상해, 장애 참조

5) 인대 손상(Injury of ligaments)

제 5장 손상과 상해, 장애 참조

6) 슬개골 연골연화증 (Chondromalacia patellae)

슬개골 연골연화증은 슬개골의 후면에서 연골부가 과도한 퇴행성 변화를 일으키는 것으로 , 그 발병기전은 무릎 굴곡시 슬개골의 연골층이 슬관절에 문질러지며 마찰을 일으켜 연골이 연화되므로써 발생한다고 알려져 있다. 주로 청소년기나 젊은 성인에게서 호발하며 남성보다 여성에게 호발한다. 발병 원인은 아직 명확하게 알려져 있지 않으나, 슬개골에 탈구, 골절 등의 손상을 입거나, 달리기나 점프 등으로 무릎관절을 반복적으로 과사용하거나, 또는 무릎주변이나 고관절주변 근육의 기능저하로 인하여 유발된다고 알려져 있다.

가장 일반적인 증상은 계단보행시 슬개골의 전방 또는 후면에서 나타나는 통증이며, 계단 오르내리기나 장시간 무릎을 구부리고 앉아 있기, 무릎을 꿇거나 쪼그려 앉은자세 등은 증상을 악화시키는 요인이 된다. 슬개골 압박 검사(patella grinding test)에서 양성소견을 보이며 보존적 치료방법이 권장된다.

7) 오스굿 슐라터병 (Osgood-Schlatter disease)

경골결절의 융기부가 경골근위부의 끝에서 분리가 되는 질병으로 견인골단염(traction apophysitis)이며, jumping sports에 참여하는 10-15세의 연령기에 활동이 많은 남자에게서 호발한다. 원인은 명확하게 밝혀지지는 않았으나, 대퇴사두근의 반복적인 견인력이 경골 결절의 이차 골화중심에 가해져서 나타나는 것으로 어린이에서 사춘기로 성장하면서 체격과 근육 등이 발달하는 것에 비하여 뼈조직은 상대적으로 튼튼하지 못한 것에 기인한 것으로 간주되고 있다. 경골결절의 융기부에 통증이 나타나며, 달리기, 무릎꿇기, 계단 오르내리기 등의 동작 시 악화되고 휴식에 의하여 완화된다. 방사선 검사 시 경골결절의 분리나 골편 또는 슬개건 내의 석회화 소견을 보이기도 한다. 보존적 치료를 주로 하게 되며, 성인이 되면 대부분 통증이 소실되나 경골결절부위는 돌출된 채로 남게 된다.

3. 발의 통증(Foot Pain)

발과 족관절의 기능은 인체의 하중을 지지하며 보행 시 충격흡수와 아울러 인체의 추진과 감속을 제공한다. 인간은 직립을 통하여 일생동안 무수히 많은 지면과 발의 접촉을 겪게 된다. 따라서 발은 견고함과 유연성을 필요로 하며 족저근막과 지방패드의 구조물은 이러한 기능을 도와준다.

발의 구조물 중 거골(talus)은 거퇴관절(talocrural joint), 거골하관절(subtalar joint), 횡족근관절(transverse tarsal joint)의 3가지 관절에 모두 관여하고 있으므로 역학적으로 중요하다.

전족부에 통증을 유발하는 것으로는 통풍, 무지 외반증, 강직성 무지증, Morton 신경종 등이 자주 보이며, 발의 뒷부분에 통증을 유발하는 것으로는 종골, 아킬레스건, 외재건 등의 손상 및 족저근막염 등이 있다. 발목주변의 통증은 족근관증후군, 발목 손상 등이 임상에서 자주 나타난다.

1) 특수 검사

(1) 족관절의 인대 불안정성 검사

① 족관절 전방 견인 검사(Anterior draw test)

- 방법 : 환자는 진찰대에 앉아서 양발이 약간 족저 굴곡된 채로 다리를 늘어뜨린다. 검사자의 한손으로 환측 경골 하부의 전면을 잡고 다른 손은 종골을 뒤로 감싸잡은 후 각각 종골은 전방으로 당기면서 경골을 후방으로 밀어본다.
- 의의 : 경골에 대해 거골이 앞으로 미끄러지는 느낌과 함께 통증이 느껴지면 전거비 인대의 단열로 인한 족관절의 전방 불안정성을 의미한다.

② 족관절 외측 불안정성 검사(Ankle joint lateral instability test)

- 방법 : 환자는 진찰대에 앉아서 양발이 약간 족저 굴곡된 채로 다리를 늘어뜨린다. 검사자의 한손으로 환측 종골을 감싸쥐고 종골을 내반시키면서 다른 손으로 비골과 종골 사이의 과간 관절와를 촉지한다.
- 의의 : 종골을 내반시킬 때 과간 관절와에 틈이 생기거나 거골이 흔들리면 전거비 인대와 종비 인대의 손상으로 인한 족관절의 외측 불안정성을 의미한다.

③ 족관절 내측 불안정성 검사(Ankle joint medial instability test)

- 방법 : 환자는 진찰대에 앉아서 양발이 약간 족저 굴곡된 채로 다리를 늘어뜨린다. 검사자의 한손으로 환측의 종골을 감싸 쥐고 다른 손으로는 발을 잡아서 외반시킨다.
- 의의 : 발을 외반시킬 때 느슨하게 이완되거나 틈이 크게

벌어지면 삼각 인대의 손상으로 인한 족관절의 내측 불안정성을 의미한다.

(2) 족근관 증후군의 검사

① 족관절의 티넬 증후(Tinel's sign)

- 방법 : 족내과 뒤쪽의 후경골신경 근처를 반복하여 두드린다.
- 의의 : 저린감이나 통증이 유발되면 양성이다.

② 지혈대 검사(Tourniquet test)

- 방법 : 혈압계의 커프를 환측발목에 감아 환자의 평소 수축기 혈압보다 약간 높은 정도로 공기를 주입한다.
- 의의 : 통증이 심해지면 양성이다.

(3) Achilles건 단열

① 톰슨 검사(Tomson's test, Simmonds' test)

- 방법 : 경골쪽으로 장딴지를 압축한다.
- 의의 : 아킬레스건이 파열시 족저 굴곡이 되지 않거나 움직임이 현저히 저하된다.

② 타진검사

- 방법 : 아킬레스건을 타진기로 타진한다.
- 의의 : 아킬레스건 파열 시 통증이 심해지거나 족저 굴곡이 되지 않는다.

2) 발목 손상(Ankle injury)

제 5장 손상과 상해, 장애 참조

3) 뒤꿈치 통증(Heel pain)

발뒤꿈치 주위에 나타나는 통증은 종골, 아킬레스건, 외재건 등의 손상(제 5장 손상과 상해, 장애 참조) 및 족저근막염(근비증편 족저근막염 참조) 등으로 나타날 수 있다.

4) 족근관 증후군(Tarsal tunnel syndrome)

족근관이란 족내과, 그 후하방의 종골내측벽, 족내과의 뒤쪽 아래 굴근 지대(flexor retinaculum)로 둘러싸인 타원통 모양의 구조로써, 이곳에서 후경골 신경의 압박으로 인하여 나타나는 증후군을 족근관 증후군이라 한다. 후경골 신경은 족근관 내에서 내측 종골 신경과 내, 외측 족저 신경으로 나뉘어지며 족근관 이전에는 근육의 보호에 의해 신경포착이 거의 일어나지 않는다.

족근관 증후군은 외상후에 나타나거나 종양 등의 족근관을 압박하는 공간점유성 병변에 의해 나타나며, 특발성으로 나타나기도 한다. 환자의 17-43%에서 발목근처의 골절 또는 발목의 내측 인대 염좌와 같은 외상의 병력이 있다.

증상은 대개 편측성으로 나타나며 발바닥과 발가락에 이상감각, 감각저하, 작열통 등을 호소한다. 오래걷거나 오래 서 있으면 증상이 악화되며 야간에 나타나는 감각이상으로 수면을 방해하기도 한다. 또한 발을 강제로 외반시키거나 배굴시키면 증상이 악화되기도 한다.

지혈대검사 및 Tinel 징후에 양성 소견을 보인다.

방사선 검사, CT, MRI, 신경근전도 검사 등을 통하여 후족부 주위에서의 변형이나 병변을 확인하며 치료 시에는 우선 보존적 치료를 시행한다. 보존적 치료에 반응하지 않는 공간점유성 병변이 확인되면 수술적 방법이 고려되나 수술 후에도 예후가 좋지 않을수 있다.

5) 무지 외반증(Hallux valgus)

무지 외반증은 제1중족지절관절에서 제1족지골은 외측으로 편향되고 제1중족골은 내측으로 편향된 것으로, 제1중족관절이 도드라지게 튀어나온다. 미국의 통계에 따르면 전 인구의 2-4%에서 발생한다. 발병은 여성에게 많으며 중년 이상에서 호발한다. 발병원인으로는 폭이 좁은 불편한 신발이나, 유전적인 원인, 중족골 내전증, 류마티스 관절염 등이 있다. 제 1중족지절관절부위의 변형과 아울러 통증, 부종, 굳은살 등의 증상을 일으킬 수 있다.

진단은 환자를 기립시켜 관찰하고, 방사선 검사 시에도 체중부하 상태에서 전후/측면의 검사가 이루어져야 한다. 정상인의 무지외반각은 15° 이하이며, 제 1,2 중족골간 각이 8-9° 이하이다. 따라서 이를 초과하면 무지외반증으로 진단한다. 보존적 치료를 주로 시행하며, 튀어나온 부분을 자극하지 않도록 특별히 발가락쪽이 넓고 부드러우면서 굽이 낮은 신발이 권장된다. 변형이나 통증 등의 증상이 심한 경우 수술적 방법이 고려되기도 한다.

6) 강직성 무지증(Hallux rigidus)

강직성 무지증은 족무지 중족지절관절의 ROM장애와 통증을 특징으로 하는 질환이며, 중족지절관절의 퇴행성 관절염을 포함한다. 정확한 원인에 대해서는 아직 논란이 되고 있으나 편측으로 발생하는 경우 가장 일반적인 원인은 외상(특정한 외상 또는 반복되는 미세손상으로 인한 외상)으로 생각되어져 왔으며 이로 인하여 연골이 손상되고 관절염이 진행된다고 여겨진다. 양측성으로 발생하는 환자에게는 80%에서 가족력이 나타난다.

증상으로는 보행시에 관절통이 나타나며, 시간이 지남에 따라 관절이 커지고 통증과 함께 중족지절관절의 배면에 뼈가 돌출되며 ROM장애가 발생한다. 특히 배굴의 장애가 나타난다.

일반적으로 관절연골의 파괴는 중족골두의 배측면에서 시작되며 뼈가 돌출되어 근위지절골에 충돌할수 있다. 이학적 검사상 중족지절관절에 통증, 압통, 부종과 함께 가동범위 제한이 나타나며 일반적으로 배굴시에 통증을 호소한다.

방사선 검사상 전형적으로 관절간격이 비대칭적으로 좁아지며, 평평해진 중족골두 소견을 보인다. 증상이 진행되면 관절표면이 침범되어 연골하낭종, 경화, 관절면에서의 뼈의 증식 등도 나타난다. 방사선 검사 시에는 체중부하 상태에서의 전후/측면 검사를 포함해야 한다. 치료는 보통 보존적 방법을 시행하며 신발의 조정과 단단한 깔창, 활동의 조정도 도움이 된다. 보존적 방법의 실패 시 수술적 방법이 고려되기도 한다.

7) Morton 신경종(Morton's neuroma)

Morton 신경종은 족지간 신경염으로도 불리며, 오랜기간 Morton 신경종으로 불리어 왔으나 사실 신경종이라기 보다는 족지간 신경이 포착(entrapment)되어 생기는 신경 주위 섬유증으로 말초신경 주위의 섬유화, 신경내막비대, 축삭변성, 국소혈관증식 등을 특징으로 한다.

주로 제 3-4 중족골두 사이에 호발하며 간혹 2-3 중족골두 사이에서도 발병한다. 남자보다 여자에게서 5배정도 호발하며, 쪼그리고 앉기를 지속하거나 과도한 발가락의 배굴자세 등은 악화요인이 된다.

증상은 전족부의 발바닥에 날카로운, 타는 듯한 통증이 나타나며 신발안에 자갈이 들어있는듯한 느낌이 들기도 한다. 중족부에서 발가락으로 진행하는 방산통 및 감각이상 등도 나타난다. 꽉조이는 신발이나, 보행, 오래 서 있기 및 발가락의 배굴이 반복되는 활동은 증상을 악화시키며 휴식은 일반적으로 증상을 경감시킨다.

compression/squeezing test로 딸깍소리가 나거나 통증이 유발되며, 발등의 3,4 지간을 직접 압박시에도 통증이 유발되므로 진단이 가능하다. 또한 초음파나 MRI로 진단이 가능하며, 특히 초음파는 95-98%의 정확성을 가지고 있다. 치료는 신발이나 자세의 교정 및 보존적 치료를 시행하며 실패 시 수술적 방법이 고려되기도 한다.

4. 동의보감에 수록된 관련 내용

1) 東醫寶鑑 外形篇 卷四 足

【厥有寒熱】

王太僕云, 厥者, 氣逆上也. 世謬傳爲脚氣. 內經曰, 寒厥者, 手足寒也. 熱厥者, 手足熱也. 盖陽衰於下則爲寒厥, 陰衰於下則爲熱厥. 陰陽之氣不相接續則爲厥.<綱目>○厥證, 多以不勝. 乘其所勝如腎移寒於脾, 則爲寒厥. 心移熱於腎, 則爲熱厥.<入門>○厥論寒熱, 皆由腎之精氣內竭而成也.<綱目>

【寒厥】

黃帝曰, 寒厥之爲寒也, 必從五指而上於膝者, 何也. 岐伯對曰, 陰氣起於五指之裏, 集於膝下, 而聚於膝上, 故陰氣勝, 則從五指至膝上寒, 其寒也, 不從外, 皆從內也.<內經>○帝曰, 寒厥何爲而然也. 岐伯曰, 前陰者, 宗筋之所聚, 太陰陽明之所合也. 春夏則陽氣多而陰氣少, 秋冬則陰氣盛而陽氣衰. 此人者, 以秋冬奪於所用, 下氣上爭不能復, 精氣溢下, 邪氣因從而上之也. 氣因於中, 陽氣衰, 不能滲營其經絡, 陽氣日損, 陰氣獨作, 故手足爲之寒也.<內經>○內經曰, 腎虛則淸厥, 意不樂. 又曰, 下虛則厥.○寒厥脉沈, 數實爲熱. 東垣治一人, 脚膝尻臀皆冷, 脉沈數有力, 用滋腎丸, 方見小便. 再服而愈. 又治一人, 上熱下寒, 用旣濟解毒湯, 良愈. 則寒厥用藥, 不可不審.<綱目>○寒厥, 宜 十全大補湯 方見虛勞 加附

子, 或當歸四逆湯. 方見寒門.<入門>

【熱厥】

黃帝曰, 熱厥之爲熱也, 必起於足下者, 何也. 岐伯曰, 陽氣起於足五指之表, 陰脉者集於足下, 而聚於足心, 故陽氣勝則足下熱也.<內經>○帝曰, 熱厥何如而然也. 岐伯曰, 酒入於胃, 則絡脉滿 而經脉虛, 脾主爲胃行其津液者也, 陰氣虛則陽氣入, 陽氣入則胃不和, 胃不和則精氣竭, 精氣竭則不營其四肢也. 此人必數醉若飽以入房, 氣聚於脾中不得散, 酒氣與穀氣相搏, 熱盛於中, 故熱遍於身, 內熱而尿赤也. 夫酒氣盛而慓悍, 腎氣有衰, 陽氣獨勝, 故手足爲之熱也.<內經>○熱厥, 宜升陽散火湯·火鬱湯. 方並見火門.○厥論寒熱, 皆由腎之精氣內竭而成也.<綱目>

【脚氣異名】

脚氣, 古謂之緩風, 又謂之厥者, 是古今之異名也. 有乾濕之分, 其脚腫者名濕脚氣, 不腫者名乾脚氣, 漸而至於足脛腫大如瓜瓠者, 有之.<醫鑑>

【脚氣病因】

脚氣之疾, 實水濕之所爲也. 其爲病, 有證無名. 脚氣之稱, 自蘇敬始. 關中河朔, 無有也. 惟南方, 地下水寒, 其清濕之氣中於人, 必自足始. 故經曰, 清濕襲虛, 則病起於下, 是也.<綱目>○南方者, 其地下水土弱, 霧露之所聚也. 江東嶺南, 春夏之交, 山林蒸鬱, 風濕毒氣爲甚, 足或感之, 遂成瘴毒脚氣.<東垣>○水性潤下, 氣不能呴, 故下疰於足經, 積久而作腫痛, 此飮食下流之所致也. 內經曰, 太陰之勝, 火氣內鬱, 流散於外, 足脛胕腫, 飮發於中, 胕腫於下. 加之房事不節, 陰盛陽虛, 遂成痼疾. 孫眞人云, 古人少有此疾, 自永嘉南渡, 衣冠士人多有之. 亦此意也.<東垣>○凡脚氣之病, 始起甚微, 多不令人識也. 食飮嬉戱, 氣力如故, 惟卒起, 脚屈伸不能動爲異耳.<千金>○內經曰, 傷於濕者, 下先受之. 盖足居于下, 而多受其濕. 濕鬱生熱, 濕熱相博, 其病乃作. 東南卑濕之地, 比比皆是, 西北高燥之地, 鮮有之. 古方名爲緩風, 宋元以來呼爲脚氣, 雖有外感內傷之殊, 其濕熱之患則一也.<正傳>

【脚氣病證】

靈樞曰, 脾有邪, 其氣流于兩股. 一作髀. 腎有邪, 其氣流于兩膕.○蹠跛, 寒風濕之病也.<內經>○脚氣外證, 全類傷寒, 但初起脚膝軟弱, 頑痺·轉筋·赤腫爲異耳.<入門>○脚氣爲病, 雖起於足, 實周乎身, 或壯熱頭痛, 或百節拘攣, 或十指走注, 或轉筋急痛, 或小腹不仁, 以至胸滿喘息, 煩悶 怔忪, 昏憒羞明, 腹痛下利, 嘔噦痰涎, 惡聞食氣, 大便小便多是秘澁, 自腿至膝, 自脛及踝, 屈弱頑痺, 攣急痠疼, 或焮不焮, 或腫不腫, 皆其候也. 其傳足六經, 外證與傷寒頗類, 但卒然脚痛爲異耳.<直指>○人黑瘦者易治, 肥大肉厚赤白者難愈. 黑人耐風濕, 赤白者不耐風濕. 瘦人肉硬, 肥人肉軟. 肉軟則受病難愈.<千金>

【脚氣治法】

脚氣是爲壅疾, 治以宣通之劑, 使氣不能成壅. 壅旣成而盛者, 砭惡血而去其重勢. 經曰, 蓄則腫熱. 砭射之後, 以藥治之.<綱目>○脚氣之疾, 自古皆尙疎下, 爲疾壅故也. 然不可太過, 太過則損傷脾胃. 又不可不及, 不及則使壅氣不能消散.<東垣>○脚氣之疾, 皆由氣實而死, 終無一人以服藥致虛而殂. 故其病皆不得大補, 亦不可大瀉, 縱甚虛羸, 亦順微微通泄, 亦宜時取汗也.<千金>○治法大要, 疎導大便, 使毒氣得泄而後愈. 其補湯淋洗, 皆醫家之大戒也.<直指>○脚痛患在風濕,風則用 烏藥順氣散, 方見風門. 濕則不換金正氣散 方見寒門 加赤茯苓·生乾薑.<直指>○治法, 用 蒼朮·白朮以治濕, 黃芩·黃柏·知母以治熱, 當歸·芍藥·地黃以調血, 木瓜·檳榔以調氣, 羌活·獨活以利關節而散風濕, 兼用木通·防己·牛膝, 引諸藥下行, 此爲治之大法. 淸熱瀉濕湯亦可.<醫鑑>○濕熱在三陽, 則宜神秘左經湯. 在太陽, 則宜麻黃左經湯. 在少陽, 則宜半夏左經湯. 在陽明, 則宜大黃左經湯 或加味敗毒散. 通宜檳蘇散.<入門>○濕熱在三陰, 則宜羌活導滯湯·除濕丹 方見入門·三花神祐丸 方見下門·捜風丸·枳實大黃湯·開結導引丸·當歸拈痛湯.<入門>

○氣血虛者, 宜獨活寄生湯·羌活續斷湯.<入門>○寒濕盛, 則宜勝駿丸·捉虎丹.○病久者, 宜卷栢散. 熱甚者, 宜二炒蒼栢散·加味蒼栢散. 腫甚, 宜勝濕餅子·桑白皮散.

【脚氣危證】

凡脚氣, 覺病候有異, 卽須急治之. 稍緩則氣上肩息, 胸脇逆滿. 急者死不旋踵, 寬者數日必死, 不可不急治也. 但見心下急, 氣喘不停, 或自汗出, 或乍熱乍寒, 其脉促短而數, 嘔吐不止者, 死.<千金>○上氣脉數, 不得臥者, 亦死.<千金>○脚氣之病, 其小腹頑痺不仁者, 多不腫. 小腹頑, 後不過三五日, 卽令人嘔吐, 名曰脚氣入心, 死在朝夕.<千金>○脚氣脉浮大而緊駃, 此最惡脉也. 若細而駃, 同是惡脉.<千金>○脚氣入心, 則恍惚譫妄, 嘔吐不食, 左寸脉乍大乍小, 乍有乍無者, 死.

宜杉節湯·三脘散, 或三和散 方見氣門 加烏藥救之.<綱目>○入腎則腰脚腫, 小便不通, 氣上喘急, 目與額皆黑, 左尺脉絶者, 死. 宜八味元, 去山藥救之. 盖少陰腎經, 脚氣入腹, 上氣喘急, 此證最急, 以腎乘心, 水剋火, 死不旋腫, 此藥救之. 又四物湯加炒黃柏煎服. 外以附子末, 津唾調付涌泉穴, 以艾灸之, 引熱下行.<丹心>○脚氣入服, 喘急欲死, 宜木萸湯·杉節湯·三將軍元·烏藥平氣湯救之.<入門>

【脚氣按摩法】

涌泉穴在足心, 濕氣皆從此入. 日夕之間, 常以兩足赤肉, 更次用一手握指, 一手摩擦, 數目多時, 覺足心熱, 卽將脚指略略動轉, 倦則少歇. 或令人擦之亦得, 終不若自擦爲佳. 脚力强健, 無痿弱痠痛之疾矣.<養老>

【鶴膝風】

患痢後, 脚痛痪弱, 不能行履, 名曰痢風. 或兩膝腫大痛, 髀脛枯腊, 但存皮骨, 如鶴膝之節, 拘攣跧臥, 不能屈伸. 大防風湯主之.<局方>○鶴膝風, 乃足三陰虛損, 風邪乘之, 痛者, 五積散 方見寒門 加松節. 久痢後, 或手足腫者, 或歷節痛者, 乃餘瘀不散, 宜大防風湯, 或獨活寄生湯. 方見上. 脚細者, 蒼龜丸.<入門>○鶴膝風腫痛, 宜經驗二防飮.<正傳>○又, 四物湯加人參·黃芪·白朮·附子·牛膝·杜冲·防風·羌活·甘草服.<醫鑑>

제6절 악관절 질환

1. 측두하악관절장애(Temporo-Mandybular joint Disorder, TMD)

측두하악관절은 관절낭에 둘러싸인 복합적인 활액관절로 관절면은 일반적인 관절의 초자연골이 아닌 섬유조직으로 덮여 있어서 관절의 퇴행성변화를 억제하는 역할을 한다.

측두하악관절 장애를 일으키는 원인은 아직 명확히 규명되지는 않았으나 여러 가지 원인이 단독 혹은 복합되어 발생한다고 알려져 있다(표 3-23).

측두하악관절장애의 유병률은 전 인구의 5% 이상으로 추정되고 있으며, 연령대별로는 청장년(30-40대)에서 유병률이 높고, 성별로는 여성이 남성의 3배 이상 많은 것으로 보고되고 있다. 증상은 주로 측두하악관절의 관절운동 제한과 비대칭 및 통증이 나타나며, 관절운동 시의 염발음, 두부의 통증, 안면부의 통증이 나타나며 기타 청각, 시각, 평형감각 등의 이상이 나타나기도 한다. 급성으로 비교적 가볍게 지나가기도 하고, 만성의 경우 측두하악관절의 지속적인 통증과 함께 신체적, 행동적, 정신적 증상을 동반하기도 한다.

측두하악관절의 정상 가동범위는 성인이 입을 벌렸을 때 손가락 3개를 세로로 세워서 입안에 들어갈 수 있어야 하며, 턱을 똑바로 앞으로 내밀어서 윗니보다 아랫니를 돌출시킬수 있어야 한다.

문진 시에 통증의 발현, 성상, 강도, 기간 등에 관해 질문하여 통증의 악화 및 완화 인자를 찾아야 하며 시진 시 국소적 부종, 변형, 턱의 편위, 치아의 마모 등을 잘 살펴야 한다. 능동적 개구, 함구, 좌우로의 능동적 편위 시 관절을 촉진한다. 측두하악관절장애 환자의 90% 이상에서 외측익돌근(lateral pterygoid muscle)이 수축된 소견을 보인다.

측두하악관절장애 진단 도구 중 RDC/TMD(Research diagnostic criteria for tempromandibular disorders)가 가장 널리 이용되고 있는데, 이는 턱관절 개구도, ROM, 통증

및 불편감 정도, 기타 증상 등을 통해 측두하악관절장애를 근육과 관절의 문제(Axis 1)와 정신심리학적 문제(Axis 2)로 분류한다. Axis 1은 다시 근막통(myofascial pain, Group I), 원판장애(disc displacements, Group II), 기타 관절 병태(other joint conditions, Group III)로 나뉘며, Axis 2에서는 통증의 정도 및 동반 신경정신 증상의 유무 및 정도를 파악한다. 측두하악관절 장애의 치료는 외측익상근 이완법, 추나요법, 약물요법, 물리요법, 교합장치 등이 있으며 환자의 식습관 및 생활습관 등에 대한 지도가 병행되어야 한다.

표 3-23. 측두하악관절 장애의 원인

원인	상세 내용
부정교합	치아의 부정교합
외상	타박, 하품 등의 갑작스런 외력 또는 장시간 입벌리기(치과치료 등)
인접구조물의 변위	경추, 두개골, 설골 등
생활습관이상	이갈기, 악물기, 혀내밀기, 편측저작, 앞니저작 등
근육이상	잘못된 저작, 입 크게 벌리기, 입 오래 벌리기 등
기타	골관절염, 류마티스관절염, 반흔조직 등

2. 하악관절 탈구

제 5장 손상과 상해, 장애 참조

제7절 관절수술 후 한의치료

각종 관절의 손상 및 질환의 증가로 관련수술 또한 증가되고 있는 상황이며, 질환에 대한 치료 뿐 아니라 수술 후 치료에 대한 관심도 증가되고 있다. 관절 수술 후 한의치료에 대해서는「회전근개 수술 후 한의표준임상진료지침」,「슬관절 전치환술후 한의표준임상진료지침」(한의표준임상진료지침 개발사업단, 보건복지부)이 2017년 1차 개발되었으며, 한의표준임상진료지침을 중심으로 다빈도 관절 수술인 회전근개 수술 후, 슬관절 전치환술 후 한의치료에 대한 내용을 살펴보고자 한다.

1. 회전근개 수술 후 한의치료

회전근개 손상은 각종 외상 및 퇴행성 변화 등의 증가로 인하여 지속적으로 증가하고 있는 상황이며, 건강보험심사평가원에 따르면 견봉성형술 및 회전근개 복원술을 시행한 환자 수는 2010년 22,591명에서 2019년 50,540명으로 2배 이상 증가하였으며, 지속적으로 증가되고 있는 것으로 보고된다. 건강보험심사평가원 청구 자료를 분석한 논문에 따르면, 회전근개 파열로 진단된 환자의 약 14.58%가 수술을 받은 것으로 추정된다.

회전근개 손상은 외상의 원인이 제기되지만 대부분은 퇴행성 변화와 관련되어 내부 변화가 선행되는 경우가 많다. 회전근개 수술은 회전근개 복원술과, 파열의 원인이 될 수 있는 뼈의 일부를 제거하기 위한 견봉성형술 등이 있으며, 수술적 치료를 하지 않을 경우 환자의 예후가 나빠질 것이 뚜렷하거나, 3-6개월 이상의 꾸준한 비수술적 치료로도 증상이 호전되지 않아 수술적 치료가 더 나은 결과를 보장할 수 있을 것으로 예상되는 경우 수술을 시행한다.

1) 회전근개 수술 후 환자의 정의

한의치료의 대상이 되는 회전근개 수술 후 환자는 회전근개 파열로 인해 회전근개 복원술 및 견봉성형술을 받은 후의 모든 환자군을 포괄한다. 수술 직후의 통증 환자부터 수술 이후 통증이 지속되거나 기능이 회복되지 않는 등 후유증이 있는 급성, 아급성, 만성의 모든 수술 후 환자를 포함한다.

2) 치료목표 설정을 위한 평가

회전근개 수술 후 환자의 치료시 수술방법, 통증의 정도, 환자의 기대, 치료에 대한 반응, 근골격계의 건강상태, 정신사회적 문제 등 다양한 조건을 가지고 있으므로 치료 프로토콜을 그대로 적용하기 전에 개별적인 환자에게 가장 필요한 치료법이 무엇인지 파악하고 접근하는 것이 필요하다. 일반적인 어깨 질환을 포함한 근골격계 질환은 기능해부 및 생체역학적인 모델을 통하여 이루어지는 것이 보편적이나 수술 후 환자들의 경우 수술에 대한 공포와 통증에 대한 회피 반응으로 인하여 일반적인 생체역학적 접근 방법과 다른 접근이 필요한 경우가 있다. 치료계획을 세울 때 통증, 수술부위의 유착, 감염 등의 여부를 관찰하고 주의하는 것이 필요하며, 견갑대의 움직임과 견관절의 굴곡, 신전, 외전, 내전 및 외회전, 내회전 등의 수동적, 능동적 관절운동범위 검사와 저항검사 등을 통하여 움직임의 범위, 근력 등을 관찰한다. 수술 후 단계에 따라 점진적으로 능동적 움직임이 가능하도록 치료목표를 설정한다.

[한약]

회전근개 수술 후 한약치료는 수술 시기 및 환자의 상태에 따라 다양한 처방을 고려할 수 있다. 수술 후 급성기 어혈을 제거하고 舒筋活絡, 鎭痛의 목적으로 처방이 될 수도 있으며, 심한 허증을 가지고 있는 경우에는 補氣血하는 관점에서 처방할 수 있다.

수술 후 초기	活血化瘀, 舒筋活絡, 鎭痛하는 처방 활용 (예) 소담제습탕, 활락탕, 견통환, 서경탕 등
수술 후 회복기 또는 중기 이후	補氣血, 補脾胃, 强筋骨하는 처방 고려

[침 및 전침]

회전근개 수술 후 통증 및 기능 개선을 위해 침치료를 시행할 수 있다. 절개로 인한 상처부위에 인접한 경혈은 주의하여 시술하여 감염 등에 유의해야 한다.

혈위: 견료, 견우, 견정, 노수, 천종, 견외수, 결분, 대추, 견중수, 풍지, 풍부 등, 합곡, 후계 등의 원위 취혈 또는 사암침법 등을 활용한 원위부 취혈, 극상근, 극하근, 삼각근, 상완이두근, 쇄골하근 등의 경결점이나 아시혈.

[추나]

근막기법, 관절가동기법 등을 활용할 수 있다. 환자 상태에 따라 경추, 흉추 추나 치료를 병행할 수 있다.

[도인운동]

수술 후 6주까지는 통증이 증가하지 않는 범위에서 수동 관절 운동을 수행할 수 있다. 시간이 지남에 따라 점차 운동 범위를 늘려나가며 능동적 관절 운동도 병행한다. 재활기에는 승모근, 흉쇄유돌근, 삼각근, 극하근, 견갑하근, 광배근, 대흉근, 소흉근 등의 스트레칭 운동을 사용할 수 있다.

[약침]

환자의 증상에 따라 약침 및 봉약침을 시술한다. 회전근개 수술 후 초기 환자에서는 수술 후 절개로 인한 상처부위에 인접한 경혈은 주의하여 시술하여 감염 등에 유의한다. 봉약침 시술을 위해서는 처치전 과민반응 검사가 사전에 꼭 필요하며, 용량 및 시술 주기 등에 대해 신중한 결정이 필요하다.

약침: 견우, 견료, 병풍, 노수등 경혈과 어깨 아시혈 및 경결점 등에 봉약침, 消炎, 活血去瘀, 鎭痛 목적의 약침 등

[부항, 뜸 및 한방물리치료]

뜸은 다양한 질환에서 사용되는 한의학적 치료방법 중 하나이며, 근골격계 질환에서도 임상에서 적용되고 있다. 뜸요법은 온경산한(溫經散寒), 부양고탈(扶陽固脫), 통경락(通經絡)의 효과로 만성질환, 한증, 허증에 주로 활용할 수 있으며, 수술후 환자의 만성통증에도 효과적이다. 부항치료 및 한방물리치료를 병행하여 회복을 도모할 수 있다.

3) 예후 및 관리

(1) 예후

예후가 좋지 않은 경우는 수술 초기의 극심한 통증, 수술 후 유착이 생긴 경우, 수술부위 감각이 저하된 경우일 수 있으며, 재활치료 과정에서 상지 부위로 급격한 부종이 발생하는 등 다른 질환이 발생한 경우도 주의가 필요하다.

재활치료기간 중 조절이 안되는 심한 통증이 나타나는 경우, 감염이나 염증으로 인한 항생제 처방 필요한 경우, 새로 나타난 증상에 대해 정밀 검사가 요구되는 경우 의과와의 진료협조가 필요하다.

(2) 수술 후 재활 및 회복에 영향을 미치는 인자

환자의 연령 및 파열의 크기, 파열 부위 외 다른 근육들의 상태 및 뼈의 상태, 보상과 관련된 이슈가 재활 및 회복에 영향을 미치는 것으로 알려져 있다. 또한 회전근개 손상에 대한 일반적인 위험인자(40세 이상, 비만과 당뇨 과거력, 반복적으로 무거운 물건을 들거나 어깨 위로 팔을 올리는 동작과 관련된 직업 등)에 대한 관리도 회복에 영향을 미칠 수 있다.

(3) 회전근개 수술 관련 부작용

일반적으로 회전근개 수술 후 발생할 수 있는 합병증은 삼각근의 유착, 이소성 골화, 견관절 불안정성, 쇄골 불안정성, 재파열 등이 보고되고 있으며, 수술 후 재활치료 기간에서 나타날 수 있는 후유증은 수술 후 뻣뻣함, 반사성 교감신경성 이영양증, 상처의 유합과 관련된 증상 등이 있다.

2. 슬관절 전치환술 후 한의치료

슬관절 전치환술은 동통의 완화 및 안정성 부여, 변형의 교정을 목적으로 골관절염 및 류마토이드 관절염, 외상성 관절염이 있는 환자에게 뼈와 인대를 제거하고 특수금속 및 플라스틱으로 치환하는 수술이다. 환측 슬관절의 한 쪽 구역에만 증상이 있는 경우 부분 치환술, 한 무릎에서 양측의 관절면이 손상된 경우 전치환술을 시행한다.

1) 슬관절 전치환술 후 환자의 정의

한의치료의 대상이 되는 슬관절 전치환술 후 환자는 수술 직후의 통증 환자부터 수술 이후 통증이 지속되거나 기능이 회복되지 않는 등 후유증이 있는 급성, 아급성, 만성의 모든 수술 후 환자를 포함한다. 일반적으로 수술 후 발생하는 급성 통증은 흔한 증상이기는 하나, 만성화 될 경우 몇 가지 기준에 의하여 수술 후 만성통증(chronic pain after surgery/chronic post surgical pain)이라는 용어를 활용하여 표현하게 된다. 수술 후 만성통증의 기준은 통증이 반드시 수술 과정 후 발생 한 것이어야 하고, 통증이 적어도 두 달 이상 지속되며, 통증의 원인이 될 만한 다른 요인이 없는 것 등이다.

2) 치료목표 설정을 위한 평가

일반적으로 슬관절전치환술 후 성공 판단은 인공관절 구조물의 방사선학적 평가, 이식 부위의 생존평가, 외과 전문의의 평가를 기본으로 한다. 또한 감염, 무릎의 굴곡/신전, 무릎의 안정성, 슬개골 위치, 무릎 구조물의 온전함 등과 같이 수술 후 무릎 관절의 기능적 평가를 시행하는 것 또한 수술 후 평가에 중요한 요소가 된다. 무릎 수술 후 환자에 대한 진단 및 평가 시 수술방법, 통증의 정도, 환자의 기대, 치료에 대한 반응, 근골격계의 건강상태, 정신사회적 문제 등 다양한 조건을 가지고 있으므로 환자에게 가장 필요한 치료법이 무엇인지 것이 골라서 접근하는 것이 필요하다.

일반적인 무릎 질환을 포함한 근골격계 질환은 기능해부 및 생체역학적인 모델을 통하여 이루어지는 것이 보편적이나 수술 후 환자들의 경우 수술에 대한 공포와 통증에 대한 회피 반응으로 인하여 일반적인 생체역학적 접근 방법과 다른 접근이 필요한 경우가 있다. 치료계획을 세우기 전 슬관절전치환술 후 평가의 첫번째 단계는 수술부위의 외관을 살피는 것으로 부종, 삼출, 발열 등을 확인하여 감염, 이차적 관절혈종 등을 살핀다. 또한 통증, 불안정성, 뻣뻣함, 부종과 같은 환자의 주 증상을 파악한다.

통증 부위가 수술전과 변동이 없는 경우라면, 고관절, 신경포착 등과 같은 무릎 관절의 외적인 문제(extrinsic problem)일 가능성을 시사한다. 수술 직후 발생한 통증은 급성 감염, 연부조직의 비정상적인 밸런스로 인한 불안정성, 인공관절 구조의 부정확한 정렬, 연부조직의 충돌증후 등을 암시하는 소견이다. 수술 이후 일정 시간이 경과한 이후 발생한 통증은 무릎 구조물들의 느슨함, 무릎 비구컵의 문제, 지연되어 나타난 인대 기원 불안정성, 지연되어 발생한 혈종 및 감염, 스트레스 골절 등을 암시한다. 그 외 통증의 지속 기간, 강도, 통증의 양상, 방산통, 휴식 및 활동에 따른 증감 등과 관련한 증상들의 양상들을 종합하여 정확한 수술 이외의 통증의 원인을 감별하도록 한다. 수술부위 주위의 불안정, 뻣뻣함 등은 관절 내부의 문제(instrinsic problem)일 가능성이 높다.

능동적 수동적 무릎 관절 가동 검사도 반드시 시행해야 한다. 무릎의 굴곡, 신전과 같은 기본적인 관절 가동 검사를 통해 인공관절 삽입부위의 위치를 확인하여 수술의 예후를 평가할 수 있고, 내외반 부하 검사를 통해 관절의 불안정성 등을 평가할 수 있다. 또한 환자의 보행 패턴 분석, 불안정성 징후에 대한 객관적인 평가 등도 매우 중요하다. 그 외 요추, 고관절, 발목, 발 등의 주변 관절 구조물에 대한 평가도 병행되어야 한다.

3) 한의치료

[한약]

슬관절전치환술 후 통증 및 기능개선을 위해 한약물치료를 고려할 수 있다.

수술 후 초기	活血化瘀, 舒筋活絡, 鎭痛, 淸熱消炎하는 처방 활용 (예) 청열사습탕, 소풍활혈탕, 대강활탕 등
수술 후 회복기 또는 중기 이후	補肝腎, 强筋骨하는 처방 고려 (예) 대방풍탕, 가미대보탕, 십전대보탕, 삼기음 등

[침 및 전침]

슬관절전치환술 후 초기 및 재활기 통증 감소와 기능회복을 위해 침 또는 전침 치료를 시행할 수 있다. 수술 후 절개로 인한 상처부위에 인접한 경혈은 주의하여 시술하여 감염 등에 유의해야 한다.

혈위 : 건측의 양릉천, 음릉천, 슬안, 독비, 삼리, 혈해, 양구 등과 합곡, 태충, 삼음교, 현종 등의 원위 취혈, 대퇴사두근이나 슬괵근, 전경골근, 비복근 등의 경결점이나 아시혈

[추나]

슬관절 전치환술 환자에서 기능개선을 위하여 추나치료를 시행할 수 있다. 하지부의 슬괵근, 대퇴사두근, 비복근에 대한 근막기법 및 관절가동술 등을 활용할 수 있다. 환자 상태에 따라 요추, 골반부 추나 치료를 병행할 수 있다.

[도인운동]

수술 후 초기에는 주로 수동적 슬관절 굴곡운동을 주로 시행하며, 시간이 지남에 따라 각도를 늘리면서 체중부하를 단계적으로 가하는 운동방법을 사용할 수 있다. 회복기에는 단축된 무릎 주위 근육 스트레칭 운동 및 관절운동을 시행할 수 있다.

[약침]

수술 후 통증 환자에게 봉약침, 活血去瘀 하는 효능을 가진 약침 등을 활용할 수 있다. 슬관절전치환술 후 초기 환자에서는 수술 후 절개로 인한 상처부위에 인접한 경혈은 주의하여 시술하여 감염 등에 유의해야 한다. 봉약침 시술을 위해서는 처치전 과민반응 검사가 사전에 꼭 필요하며, 용량 및 시술 주기 등에 대해 신중한 결정이 필요하다. 환자의 증상에 따라 약침 및 봉약침을 시술한다.

[부항, 뜸 및 한방물리치료]

뜸요법은 온경산한(溫經散寒), 부양고탈(扶陽固脫), 통경락(通經絡)의 효과가 있어 만성질환, 한증, 허증에 주로 활용할 수 있으며, 슬관절전치환술 환자의 상당수가 퇴행성 슬관절염으로 수술을 한 경우로서 수술환자의 시기와 상태를 고려하여 적용할 수 있다. 부항 및 한방물리치료를 병행하여 회복을 도모할 수 있다.

4) 예후

(1) 수술 후 만성통증의 위험 요소들

수술 후 만성통증의 위험 요소들은 수술전 통증, 연령, 정신과적 요소들, 수술 중 발생한 신경 손상, 수술 직후의 높은 통증 강도, 통증에 대한 민감도 등이다.

수술 전 환자의 통증은 수술 후 만성 통증과도 깊은 연관이 있으므로, 수술 전 환자의 통증 상태를 점검해야 하며, 수술 전 통증에 대한 기억 등이 현재의 통증을 왜곡시킬 수 있는 요소임을 인지하는 것이 필요하다. 일반적으로 연령이 어린 환자일수록 수술 후 만성통증에 노출될 확률이 높지만, 상충되는 연구결과도 있다. 연령이 어린 환자에게서 수술 후 만성통증이 더 발생하기 쉬운 이유는 말초신경의 구심성 기능이 연령 증가 시 감소하는 것과 연관이 있을 것으로 생각된다.

수술 전 환자의 정신과적 취약성, 불안, 우울 등의 정신과

적 문제는 수술 시행 후 높은 불안감, 수술 후 통증 강도, 진통제 사용량 증가, 병원 입원 기간의 증가 등을 유발할 수 있다.

(2) 슬관절전치환술 관련 부작용

일반적으로 무릎 수술 후 발생할 수 있는 부작용은 단순 통증, 신경인성 통증, 통증이 있는 신경종, 복합 부위 통증 증후군, 감염, 관절 불안정성, 무릎 신전과 관련한 문제들, 슬개 주변 구조물의 골절, 뻣뻣함, 무릎 주변 구조물의 충돌 증후군, 출혈성 관절증 등이다.

참고문헌

1. Al-Riyami S, Cunningham SJ, Moles DR. Orthognathic treatment and temporomandibular disorders: a systematic review. Part 2. Signs and symptoms and meta-analyses. Am J Orthod Dentofacial Orthop. 2009 Nov;136(5):626e1-16.
2. Cush JJ, Kavanaugh AF, Stein CM. Rheumatology: diagnosis and therapeutics. 2nd ed. Philadelphia: Lippincott William & Wilkins, 2004.
3. Esses SI. 척추질환의 이해. 정석희, 김기택. 서울:군자출판사, 2008.
4. Firestein GS, Budd RC, Harris ED, McInnes IB. Kelly's textbook of rheumatology. 8th ed. Philadelphia:Saunders, 2008.
5. Ingawale S, Goswami T. Temopromandibular joints: disorders, treatments, and biomechanics. Ann Biomed Eng. 2009 May;37(5):976-96.
6. Koopman WJ, Moreland LW. Arthritis and allied conditions. 15th ed. Philadelphia:Lippincott William & Wilkins, 2004.
7. Mendes D, Correia M, Marbedo M, Vaio T, Mota M, Gonçalves O, Valente J. Behcet's disease- a contemporary review, J Autoimmun. 2009 May-Jun 32(3-4): 178-88.
8. Ombregt L, Bissop P, ter Veer HJ. 근골격계 통증의학. 대한임상통증학회. 2판. 서울:한미의학. 2008:679-85.
9. Simons DG, Travell JG, Simons LS. Myofascial Pain and Dysfunction: The Trigger Point Manual(vol 1) 2nd ed. Baltimore, MD:Williams & Wilkins, 1999.
10. 권영달, 임양의, 송용선. 악관절장애와 경락과의 상관관계 연구. 한방재활의학과학회지 2000;10(1):1-10.
11. 김경식. 鍼灸治療要鑑. 2판. 서울:의성당. 2008:205-29, 293-8.
12. 김달호. 圖解校勘 舍岩道人鍼法. 부산:小康. 2005:28, 179, 183, 231.
13. 김현수. 한국표준질병사인분류(한의) 3차 개정. 서울:대한한의사협회. 2009.
14. 대한스포츠의학회. 스포츠의학 1판. 서울:의학출판사, 2001.
15. 오재근, 김상훈, 김영주, 김호성, 이정필. 스포츠의학. 서울:한솔의학서적, 2008.
16. 오재근, 이명종. 스포츠의학. 서울:정담, 2000.

17. 이인선. 校勘解說 舍岩針灸. 초락당. 2007:263-72.

18. 전국 한의대 병리학교실. 한방 병리학. 서울:일중사. 2002.

19. 전국 한의대 재활의학과학교실. 동의재활의학과학. 서울:서원당. 1995.

20. 全國中醫學會內科學會痺病學組. 痺病論治學. 北京:人民衛生出版社. 1989.

21. 許任: 鍼灸經驗方: 김신근. 韓國醫學大系 38권. 서울:여강출판사. 1992:536-43.

22. 허준. 東醫寶鑑.. 서울:남산당. 1979.

23. 임상활용에 능한 鍼灸歌賦: 정석희, 서울:청홍, 2014.

24. Brandt KD, Dieppe P, Radin E. Etiopathogenesis of osteoarthritis. Med. Clin. North Am. 2009;9(1):1–24.

25. 대한정형외과학회. 정형외과학(제6판). 서울:최신의학사. 2006.

26. 여상범, 설재욱, 신미숙. 퇴행성 슬관절염의 한의학적 치료에 관한 연구동향. 경락경혈학회. 2011;28(1):139-55.

27. Valdes AM, Spector TD. The contribution of genes to osteoarthritis. Rheum Dis Clin North Am. 2008;34(3):581–603.

28. Kellgren JH, Lawrence JS. Radiological assessment of osteoarthritis. Ann Rheum Dis 1957;16(4):494–502.

29. http://www.onhealth.com/osteoarthritis/article.htm (cited 2013. Jul 31)

30. Majithia V, Geraci SA. Rheumatoid arthritis: diagnosis and management. Am. J. Med. 2007;120(11):936–9.

31. Scott DL, Wolfe F, Huizinga TW. Rheumatoid arthritis. Lancet 2010;376(9746):1094–108.

32. Wen H, Baker JF. Vitamin D, immunoregulation, and rheumatoid arthritis. Journal of clinical rheumatology : practical reports on rheumatic & musculoskeletal diseases 2011;17(2):102–7.

33. Turesson C, O'Fallon WM, Crowson CS, Gabriel SE, Matteson EL. Extra-articular disease manifestations in rheumatoid arthritis: incidence trends and risk factors over 46 years. Ann. Rheum. Dis. 2003;62 (8): 722–7.

34. Aviña-Zubieta JA, Choi HK, Sadatsafavi M, Etminan M, Esdaile JM, Lacaille D. Risk of cardiovascular mortality in patients with rheumatoid arthritis: a meta-analysis of observational studies. Arthritis Rheum. 2008:59(12): 1690–7.

35. Baecklund E, Iliadou A, Askling J, Ekbom A, Backlin C, Granath F, Catrina AI, Rosenquist R, Feltelius N, Sundström C, Klareskog L. Association of chronic inflammation, not its treatment, with increased lymphoma risk in rheumatoid arthritis. Arthritis Rheum. 2006;54(3):692-701.

36. Aletaha D, Neogi T, Silman AJ, Funovits J, Felson DT, Bingham CO 3rd, Birnbaum NS, Burmester GR, Bykerk VP, Cohen MD, Combe B, Costenbader KH, Dougados M, Emery P, Ferraccioli G, Hazes JM, Hobbs K, Huizinga TW, Kavanaugh A, Kay J, Kvien TK, Laing T, Mease P, Ménard HA, Moreland LW, Naden RL, Pincus T, Smolen JS, Stanislawska-Biernat E, Symmons D, Tak PP, Upchurch KS, Vencovsky J, Wolfe F, Hawker G. 2010 rheumatoid arthritis classification criteria: an American College of Rheumatology/European League Against Rheumatism collaborative initiative. Ann Rheum Dis. 2010;69(9):1580-8.

37. 박성훈, 김지영, 김성규, 최정윤, 김상경, 신임희. 한국인 조기 류마티스관절염에서 항CCP항체의 진단적 의의. 대한류마티스학회지. 2007;14(3):227-34.

38. 최도영, 이재동, 백용현, 이송실, 유명철, 한정수, 양형인, 박상도, 유미현, 박은경, 박동석. 류마티스 관절염에 대한 한약의 면역학적 연구동향. 대한침구학회지. 2004;21(4):177-96.

39. http://www.medicinenet.com/juvenile_arthritis/article.htm (cited 2013. Jul 31)

40. Petty RE, Southwood TR, Manners P, Baum J, Glass DN, Goldenberg J, He X, Maldonado-Cocco J, Orozco-Alcala J, Prieur AM, Suarez-Almazor ME, Woo P; International League of Associations for Rheumatology.

41. International League of Associations for Rheumatology classification of juvenile idiopathic arthritis: second revision, Edmonton, 2001. J Rheumatol. 2004 ;31(2):390-2.

42. Hill Gaston JS, Lillicrap MS. Arthritis associated with enteric infection. Best Pract Res Clin Rheumatol. 2003;17(2):219-39.

43. Paget, Stephen. Manual of Rheumatology and Outpatient Orthopedic Disorders: Diagnosis and Therapy (4th ed.). Lippincott, Williams, & Wilkins. 2000.

44. Siala M, Mahfoudh N, Fourati H, Gdoura R, Younes M, Kammoun A, Chour I, Meddeb N, Gaddour L, Hakim F, Baklouti S, Bargaoui N, Sellami S, Hammami A, Makni H. MHC class I and class II genes in Tunisian patients with

reactive and undifferentiated arthritis. Clin Exp Rheumatol. 2009;27(2):208-13.

45. Cucurull E, Espinoza LR. Gonococcal arthritis. Rheum Dis Clin North Am. 1998 ;24(2):305-22.

46. García-De La Torre I. Advances in the management of septic arthritis. Rheum Dis Clin North Am. 2003;29(1):61-75.

47. D.L. Goldenberg. Bacterial arthritis. Kelley's textbook of rheumatology (6th edn.)W.B. Saunders Company, Philadelphia. 1999.

48. Dalla Vestra M, Rettore C, Sartore P, Velo E, Sasset L, Chiesa G, Marcon L, Scarano L, Simioni N, Bacelle L, Patrassi GM. Acute septic arthritis: remember gonorrhea. Rheumatol Int. 2008;29(1):81-5.

49. Marker-Hermann E. Septic arthritis, osteomyelitis, gonococcal and syphilitic arthritis. In: Hochberg MC, Silman AJ, Smolen JS, Weinblatt ME, Weisman MH, eds. Rheumatology. 4th ed. Philadelphia, PA: Mosby Elsevier; 2008:1013-28.

50. Shbeeb M, Uramoto KM, Gibson LE, O'Fallon WM, Gabriel SE. The epidemiology of psoriatic arthritis in Olmsted County, Minnesota, USA, 1982-1991. J Rheumatol. 2000;27(5):1247-50.

51. Queiro R, Sarasqueta C, Torre JC, Tinturé T, López-Lagunas I. Comparative analysis of psoriatic spondyloarthropathy between men and women. Rheumatol Int. 2001;21(2):66-8.

52. Amherd-Hoekstra A, Näher H, Lorenz HM, Enk AH. Psoriatic arthritis: a review. J Dtsch Dermatol Ges. 2010;8(5):332-9.

53. Moll JM, Wright V. Psoriatic arthritis. Semin Arthritis Rheum. 1973;3(1):55-78.

54. 김동욱, 김태환, 전재범, 정성수, 이인홍, 배상철, 유대현, 김성윤. 건선 관절염의 임상적 특징.

55. 대한류마티스학회지. 1995;2(2):157-63.

56. Psoriatic Arthritis. The Johns Hopkins University School of Medicine and the Johns Hopkins Arthritis Center. Retrieved 2011-05-04 cppd

57. Wright GD, Doherty M. Calcium pyrophosphate crystal deposition is not always 'wear and tear' or aging. Ann Rheum Dis. 1997;56(10):586-8.

58. Sanmartí R, Pañella D, Brancós MA, Canela J, Collado A, Brugués J. Prevalence of articular chondrocalcinosis in elderly subjects in a rural area of Catalonia. Ann Rheum Dis. 1993;52(6):418-22.

59. Jones AC, Chuck AJ, Arie EA, Green DJ, Doherty M. Diseases associated with calcium pyrophosphate deposition disease. Semin Arthritis Rheum. 1992;22(3):188-202.

60. Walid M S, Yelverton JC, Ajjan M, Grigorian AA. Pseudogout of the thoracic spine mimicking a tumor. Crazy. Russian Neurosurgery Online. 2008;1 (20).

61. Rothschild, Bruce M. Calcium Pyrophosphate Deposition Disease (rheumatology) at eMedicine

62. Jones AC, Chuck AJ, Arie EA, Green DJ, Doherty M. Diseases associated with calcium pyrophosphate deposition disease. Semin Arthritis Rheum. 1992;22(3):188-202.

63. Howell DS. Diseases due to the deposition of calcium pyrophosphate and hydroxyapatite. In: Kelley WN, Harris ED, Ruddy S, Sledge CB, eds. Textbook of rheumatology. Philadelphia: WB Saunders, 1981.

64. Masuda I, Ishikawa K. Clinical features of pseudogout attack. A survey of 50 cases. Clin Orthop Relat Res. 1988;(229):173-81.

65. Rosenthal A., Ryan L.M., McCarty D.J. Calcium pyrophosphate deposition disease, pseudogout, and articular chondrocalcinosis. In: Koopman W.J., Moreland L.W., editors. (eds), Arthritis and Allied Conditions. 15th ed. Philadelphia: Lippincott Wiliams & Wilkins, 2005.

66. Janssens HJ, Fransen J, van de Lisdonk EH, van Riel PL, van Weel C, Janssen M. A diagnostic rule for acute gouty arthritis in primary care without joint fluid analysis. Arch Intern Med. 2010;170(13):1120-6.

67. Marc CH, Alan JS, Josef SS, Michal EW, Michael HW. Rheumatology. 4th ed. London: Mosby, 2008.

68. Richette P, Bardin T. Gout. Lancet. 2010;375(9711):318-28.

69. Chen LX, Schumacher HR. Gout: an evidence-based review. J Clin Rheumatol 2008;14(5):S55–62.

70. 이찬희, 성나영. 국민건강보험공단 자료를 이용한 국내 거주 통풍 환자의 유병률과 특성에 관한 연구. 대한류마티스학회지. 2011;18(2):94-100.

71. Schlesinger N. Diagnosing and treating gout: a review to

aid primary care physicians. Postgrad Med. 2010;122(2):157-61.

72. 이은봉. 통풍의 증상과 진단. 대한내과학회지. 2011;80(3):255-9.

73. 이광훈, 이수곤. 통풍의 병태 생리. 대한내과학회지. 2011;80(3):251-4.

74. Zhu Y, Pandya BJ, Choi HK. Prevalence of gout and hyperuricemia in the US general population: the National Health and Nutrition Examination Survey 2007-2008. Arthritis Rheum. 2011;63(10):3136-41.

75. Sachs L, Batra KL, Zimmermann B. Medical implications of hyperuricemia. Med Health R I. 2009;92(11):353-5.

76. Choi HK, Gao X, Curhan G. Vitamin C intake and the risk of gout in men: a prospective study. Arch Intern Med. 2009;169(5):502-7.

77. 김동욱, 김갑성. 서양의학의 Gout 와 한의학의 통풍의 비교고찰. 대한침구학회지. 2000;17(4): 100-12.

78. Buchbinder R. Clinical practice. Plantar fasciitis. N Engl J Med. 2004;350(21):2159-66.

79. Onuba O, Ireland J. Plantar fasciitis. Ital J Orthop Traumatol. 1986;12(4):533-5.

80. Prichasuk S, Subhadrabandhu T. The relationship of pes planus and calcaneal spur to plantar heel pain. Clin Orthop Relat Res. 1994;(306):192-6.

81. Irving DB, Cook JL, Menz HB. Factors associated with chronic plantar heel pain: a systematic review. J Sci Med Sport. 2006;9(1-2):11-22.

82. Lemont H, Ammirati KM, Usen N. Plantar fasciitis: a degenerative process (fasciosis) without inflammation. J Am Podiatr Med Assoc. 2003;93(3):234-7.

83. Osher L. Diagnostic radiographic imaging of the adult calcaneus. Clin Podiatr Med Surg. 1990;7(2):333-68.

84. Frederick Wolfe, MD, Daniel J. Clauw, MD, Mary-Ann Fitzcharles, MD, Don L. Goldenberg, MD, Winfried Häuser, MD, Robert L. Katz, MD, Philip J. Mease, MD, Anthony S. Russell, MD, Irwin Jon Russell, MD, PhD, Brian Walitt, MD, MPH. 2016 Revisions to the 2010/2011 fibromyalgia diagnostic criteria. Seminars in Arthritis and Rheumatism. 46(2016):319–29.

85. 이신석. 섬유근통 증후군의 새로운 진단기준과 임상적 의의. 대한류마티스학회지. 2011;18(3); 153-60.

86. 이소영, 이윤호. 섬유근통 증후군에 대한 침치료의 연구동향. 한방척추관절학회지 2007;4(1):27-35.

87. Maletic V, Raison CL. Neurobiology of depression, fibromyalgia and neuropathic pain. Front Biosci (Landmark Ed). 2009;14:5291-338.

88. Wolfe F. Fibromyalgia: the clinical syndrome. Rheum Dis Clin North Am. 1989;15(1):1-18.

89. Häuser W, Eich W, Herrmann M, Nutzinger DO, Schiltenwolf M, Henningsen P. Fibromyalgia syndrome: classification, diagnosis, and treatment. Dtsch Arztebl Int. 2009;106(23):383-91.

90. Buskila D, Cohen H. Comorbidity of fibromyalgia and psychiatric disorders. Curr Pain Headache Rep. 2007;11#5#:333-8.

91. Bennett R. Myofascial pain syndromes and their evaluation. Best Pract Res Clin Rheumatol. 2007;21(3):427-45.

92. Simons DG, Travell JG, Simons LS. Myofascial pain and dysfunction, The trigger points mannual. vol 1, 2nd ed. Baltimore: Williams & Wilkins. 1992.

93. Gerwin, Robert. Differential Diagnosis of Trigger Points. J Musculoskeletal Pain 2005;12(3):23–8.

94. Simons DG. Symptomatology and clinical pathophysiology of myofascial pain. Schmerz. 1991;5(1):S29-37.

95. Tough EA, White AR, Cummings TM, Richards SH, Campbell JL. Acupuncture and dry needling in the management of myofascial trigger point pain: a systematic review and meta-analysis of randomised controlled trials. Eur J Pain. 2009 Jan;13(1):3-10.

96. 변임정, 남상수, 최도영. PubMed에서 myofascial pain syndrome(MPS)과 acupuncture로 검색한 최근 연구 경향. 대한침구학회지. 2002;19(6):171-83.

97. Young Ho Lee, M.D., Jin Hyun Woo, M.D., Seong Jae Choi, M.D., Jong Dae Ji, M.D., Gwan Gyu Song, M.D. Diagnostic Accuracies of Anti-cyclic Citrullinated Peptide Antibody and Rheumatoid Factor in Korean Patients with Rheumatoid Arthritis: A Meta-analysis. Journal of Rheumatic Diseases. 2008;15(1):27-38.

98. Taylor W1, Gladman D, Helliwell P, Marchesoni A, Mease

P. Mielants H; CASPAR Study Group. Classification criteria for psoriatic arthritis: development of new criteria from a large international study. Arthritis Rheum. 2006;54(8):2665-73.

99. Osteoarthritis. NICE. Available from: https://www.nice.org.uk/guidance/CG177

100. 대한류마티스학회. 류마티스학. 군자출판사. 서울. 2014:295, 682-3.

101. 2012 국민건강통계 - 국민건강영양조사 제5기 3차년도 2012.

102. Wallace DJ, Hahn BH. DUBOIS' LUPUS ERYTHEMATOSUS. 4th edition. Philadelphia:Lea & Febiger. 1992. 67-136.

103. Drzen JM, Gill GN, Griggs RC, Kokko JP, Mandell JL, Powell DW, Schafer AI. Cecil. Textbook of Medicine. 21st edition. Philadelphia:W.B.Saunders. 2000. 1509-1516.

104. Robson MG, Walport MJ. Pathogenesis of systemic lupus erythematosus(SLE). Clinical & Experimental Allergy. 2001;31(5):678-685.

105. Trager J, Ward MM. Mortality and causes of death in systemic lupus erythematosus. Current Opinion in Rheumatology. 2001;13(5):345-351.

106. Salmon JE, Roman MJ. Accelerated atherosclerosis in systemic lupus erythematosus:implications for patient management. Current Opinion in Rheumatology. 2001;13(5):341-344.

107. Morton SJ, Powell RJ. Management of systemic lupus erythematosus(SLE). Clinical & Experimental Allergy. 2001;31(5):686-693.

108. http://health.naver.com/medical/disease/detail.nhn?selectedTab=detail&diseaseSymptomTypeCode=AA&diseaseSymptomCode=AA000051&cpId=ja2#con. 2013. 07. 13.

109. Pflugfelder SC, Jones D, Ji Z, et al. Altered cytokine balance in the tear fluid and conjunctiva of patients with Sjogren's syndrome keratoconjunctivitis sicca. Curr Eye Res 1999;19:201-11.

110. Solomon A, Dursun D, Liu Z, et al. Pro- and anti-inflammatory forms of interleukin-1 in the tear fluid and conjunctiva of patients with dry-eye disease. Invest Ophthalmol Vis Sci 2001;42:2283-92.

111. http://health.naver.com/medical/disease/detail.nhn?selectedTab=detail&diseaseSymptomTypeCode=AA&diseaseSymptomCode=AA000055&cpId=ja2#con. 2013. 07. 13.

112. Chung L, Lin J, Furst DE, David Fiorentino. Systemic and localized scleroderma Clin Dermatol. 2006;24:374-392.

113. Haustein UF, Haupt B. Drug-induced scleroderma and sclerodermiform conditions. Clin Dermatol. 1998;16:353-366.

114. Peroni A, Zini A, Braga V, Colato C, Adami S, Girolomoni G. Drug-induced morphea: report of a case induced by balicatib and review of the literature. J Am Acad Dermatol. 2008;59:125-129

115. http://health.naver.com/medical/disease/detail.nhn?selectedTab=detail&diseaseSymptomTypeCode=AA&diseaseSymptomCode=AA000049&cpId=ja2#con. 2013. 07. 13.

116. Arend WP, Michel BA, Bloch DA, et al. The American College of Rheumatology 1990 criteria for the classification of Takayasu arteritis. Arthritis Rheum. 1990;33:1129-1134.

117. Moriwaki R, Noda M, Yajima M, Sharma BK, Numano F. Clinical manifestations of Takayasu arteritis in India and Japan-new classification of angiographic findings. Angiology. 1997;48:369-379.

118. Fava MP, Foradori GB, Garcia CB, et al. Percutaneous transluminal angioplasty in patients with Takayasu arteritis:five-year experience. J Vasc Interv Radiol. 1993;4:649-652.

119. Joseph S, Mandalam KR, Rao VR, et al. Percutaneous transluminal angioplasty of the subclavian artery in nonspecific aortoarteritis: results of long-term follow-up. J Vasc Interv Radiol. 1994;5:573-580.

120. http://terms.naver.com/entry.nhn?cid=865&docId=927027&mobile&categoryId=1746. 2013. 07. 13.

121. Block JA, Sequeira W. Raynaud's phenomenon. Lancet. 2001;357:2042-2048.

122. http://terms.naver.com/entry.nhn?cid=865&docId=926827&mobile&categoryId=1741. 2013. 07. 13.

123. Kim C. Complex regional pain syndrome: mechanism,

diagnosis and treatment. J. Korean Med Assoc. 2008. 51:553-568.

124. Sandroni P, Benrud-Larson LM, McClelland RL et al. Complex regional pain syndrome type I: Incidence and prevalence in olmsted county, a population-based study. Pain. 2003. 103:199-207.

125. Allen G, Galer BS, Schwartz L. Epidemiology of complex regional pain syndrome: a retrospective chart review of 134 patients. Pain. 1999. 80:539-544.

126. Choi YS, Lee MG, Lee HM et al. Epidemiology of complex regional pain syndrome: a retrospective chart review of 150 korean patients. J. Korean Med Sci. 2008. 23:772-775.

127. http://www.nlm.nih.gov/medlineplus/ency/article/001108.htm. 2013. 07. 14.

128. Lim W, Crowther MA, Ginsberg JS. Venous thromboembolism. In: Hoffman R, Benz EJ, Shattil SS, et al, eds. Hematology: Basic Principles and Practice. 5th ed. Philadelphia, Pa: Elsevier Churchill Livingstone; 2008:chap 135.

129. DeLoughery TG. Venous Thrombotic Emergencies. Emergency Medicine Clinics of North America. August 2009;27(3).

130. Lin P, Phillips T. Ulcers, In: Bolognia JL, Jorizzo JL, Rapini RP, Horn TD, Mascaro JM, Mancini A, et al, editors. Dermatology. 1st ed. London: Mosby, 2003:1631-1649.

131. Choucair MM, Fivenson DP. Leg ulcer diagnosis and management. Dermatol Clin 2001;19:659-678.

132. Hahn SB, Han DY, Kim NH, Park BM, Lee HK. A clinical study of Buerger's disease. J Korean Orthop Assoc 1987;22:545-551.

133. International Study Group for Behcet's Disease. Criteria for diagnosis of Behce t's Disease. Lancet. 1990;335:1078-80.

134. Kaklamani VG, Vaiopoulos G, Kaklamanis PG. Behcet's Disease. Semin Arthritis Rheum. 1998;27:197-217.

135. Koc Y, Gullu I, Akpek G, Akpolat T, Kansu E, Kiraz S et al. Vascular involvement in Behcet's disease. J Rheumatol. 1992;19:402-10.

136. Sagdic K, Ozer ZG, Saba D, Ture M, Cengiz M. Venous lesions in Behcet's disease. Eur J Vasc Endovasc Surg. 1996;11:437-40.

137. Hizli N, S, ahin G, S, ahin F, Kansu E, Duru S, Karacadag S et al. Plasma prostacyclin levels in Behcet's disease. Lancet. 1985;22:1454.

138. Yazici H, Hekim N, Ozbakir F, Yurdakul S, Tuzun Y, Pazarli H et al. Von Willebrand factor in Behce t's syndrome. J Rheumatol 1987;14:305-6.

139. Vaiopoulos G, Hatzinicolaou P, Tsiroyanni A, Mavropoulos S, Stamatelos G, Terzoglou K et al. Antineutrophil cytoplasmic antibodies in Adamantiades-Behcet's disease. Br J Rheumatol. 1994;33:406-7.

140. Gran JT, Husby G. Epidemiology of ankylosing spondylitis. In: Hochberg MC, Silman AJ, Smolen JS, Weinblatt ME, Weisman MH, eds. Rheumatology edition. 3rd ed. Toronto, Mosby. 2003;1153-59.

141. Braun J, Bollow M, Remlinger G, Eggens U, Rudwaleit M, Distler A, et al. Prevalence of spondylarthropathies in HLA-B27 positive and negative blood donors. Arthritis Rheum. 1998;41:58-67.

142. Haslock L. Ankylosing spondylitis:management. In:Hochberg MC, Silman AJ, Smolen JS, Weinblatt ME, Weisman MH, eds. Rheumatology edition. 3rd ed. Toronto, Mosby, 2003;1211-24.

143. Van Tubergen A, Boonen A, Landewe R, Rutten- Van Molken M, Van Der Heijde D, Hidding A, et al. Cost effectiveness of combined spa-exercise therapy in ankylosing spondylitis: a randomized controlled trial. Arthritis Rheum 2002;47:459-67.

144. Rudwaleit M, van der Heijde D, Landewé R, Listing J, Akkoc N, Brandt J, et al. The development of Assessment of SpondyloArthritis international Society classification criteria for axial spondyloarthritis (part II): validation and final selection. Ann Rheum Dis. 2009;68:777-83.

145. Khan MA. HLA-B27 and its subtypes in world populations. Curr Opin Rheumatol. 1995;7:263-9.

146. Burgos-Vargas R, Vázquez-Mellado J, Cassis N, Duarte C, Casarín J, Cifuentes M, et al. Genuine ankylosing spondylitis in children: a case-control study of patients with early definite disease according to adult onset criteria. J Rheumatol. 1996;23:2140-7.

147. Burgos-Vargas R, Naranjo A, Castillo J, Katona G. Ankylosing spondylitis in the Mexican mestizo: patterns of disease according to age at onset. J Rheumatol. 1989;16:186-91.

148. Anonymous. Consensus development conference: diagnosis, prophylaxis, and treatment of osteoporosis. Am J Med. 1993;94:646-50.

149. National Institute of Health. Osteoporosis prevention, diagnosis, and therapy. National Institute of Health Concensus Statement. 2000;17:1-45.

150. Lane NE. Epidemiology, etiology, and diagnosis of osteoporosis. Am J Obstet Gynecol. 2006;194 Suppl:S3-11.

151. Lee KH. Diagnosis of Osteoporosis. J Korean Hip Soc. 2007;19:260-5.

152. Kim N, Rowe BH, Raymond G, et al. Underreporting of vertebral fractures on routine chest radiography. AJR Am J Roentgenol. 2004;182:297-300.

153. Jae Gyoon Kim, Young-Wan Moon. Diagnosis of Osteoporosis. J Korean Hip Soc 23(2):108-115, 2011.

154. Kim TH, Jun JB, Jung SS, Lee IH, Bae SC, Yoo DH, et al. Is juvenile onset ankylosing spondylitis different from adult onset ankylosing spondylitis? J Korean Rheum. Assoc. 1999;6:143-8.

155. K. Jenks, G. Meikle, A. Gray and S. Stebbings, "Osteitis Condensans Ilii: A Significant Association with Sacr- oiliac Joint Tenderness in Women," International Journal of Rheumatic Diseases. 2009;12(1):39-43.

156. E. Berker, "Epidemiology and Risk Factors for Low Back Pain," Turkish Journal of Physical Medicine and Rehabili- tation, 1998;5(44):8-12.

157. J. D. Heckman and R. Sassard, "Muscoloskeletal Considerations in Pregnancy," Journal of Bone and Joint Surgery, 1994;76(11):1720-1730.

158. P. Kristiansson, K. Svärdsudd and B. von Schoultz, "Back Pain during Pregnancy," Spine, 1996;21(6):702-709.

159. M. M. LaBan, S. Viola, D. A. Williams and A. M. Wang, "Magnetic Resonance İmaging of the Lumbar Herniated Disc in Pregnancy," American Journal of Physical Medicine & Rehabilitation, 1995;74(1):59-61.

160. G. Berk, M. Hammar, J. M. Nielsen, U. Linden and J. Thorblad, "Low Back Pain during Pregnancy," Obstetrics & Gynecology, 1988;71(1):71-75.

161. F. L. Shipp, G. E. Haggart, "Further Experience in the Management of Osteitis Condensans Ilii," Journal of Bone and Joint Surgery, 1950;32(4):841- 847.

162. F. L. Shipp and G. E. Haggart, "Further Experience in the Management of Osteitis Condensans Ilii," Journal of Bone and Joint Surgery, 1950;32:841-847.

163. I. Olivieri, G. Gemignani, E. Camerini, et al., "Diffe- rential Diagnosis between Osteitis Condensans İlii and Sacroiliitis," The Journal of Rheumatology, 1990;17(11):1504-1512.

164. DiGiovanni CW, Patel A, Calfee R, Nickisch F. Osteonecrosis in the foot. J Am Acad Orthop Surg. 2007;15:208-217.

165. Kerachian MA, Harvey EJ, Cournoyer D, Chow TY, Seguin C. Avascular necrosis of the femoral head: vascular hypotheses. Endothelium. 2006;13:237-244.

166. Freund E. Zur Frage der aseptischen Knochennekrose Virchow. Arch Path Anat. 1926;261:287-314.

167. Bluemke DA, Zerhouni EA. MRI of avascular necrosis of bone. Top Magn Reson Imaging. 1996;8:231-246.

168. Bowlus RA, Armbrust LJ, Biller DS, Hoskinson JJ, Kuroki K, Mosier DA. Magnetic resonance imaging of the femoral head of normal dogs and dogs with avascular necrosis. Vet Radiol Ultrasound. 2008;49:7-12.

169. Michael Starr, Harbhajan Kang. Recognition and Management of Common Forms of Tendinitis and Bursitis. The Canadian Journal of CME. 2001:155-63.

170. Hip bursitis debunked. (n.d.). Available from: URL: http://www.mybursitis.com/hip-bursitis.html. 2014.9.25.

171. Labropoulos N, Shifrin DA, Paxinos O. New insights into the development of popliteal cysts. Br J Surg. 2004;91(10):1313-8.

172. Strauss EJ, Kim S, Calcei JG, Park D. Iliotibial Band Syndrome: Evaluation and Management. J Am Acad Orthop Surq. 2011;19(12): 728-36.

173. Fairclough J et al. The functional anatomy of the iliotibial band during flexion and extension of the knee: implications for understanding iliotibial band syndrome. J

Anat. 2006;208:309-16.

174. 김희천. 슬관절 주위 골격의 기초과학 및 스포츠 손상. 대한정형외과 스포츠의학회지. 2003;2(2):77-81.

175. Antich TJ, Brewster CE. Osgood-Schlatter Disease: Review of Literature and Physical Therapy Management. Journal of Orthopaedic & Sports Physical Therapy. 1985;7(1):5-10.

176. 임나라, 장은하, 박만용, 김성철. 침도시술을 시행한 족근관증후군 증례보고. 대한약침학회지. 2009;12(1):109-17.

177. Ahmad M, Tsang K, Mackenney PJ, Adedapo AO. Tarsal tunnel syndrome: A literature review. Foot and ankle surgery. 2012;18:149-52.

178. Ward PJ, Porter ML. Tarsal tunnel syndrome: a study of the clinical and neurophysiological results of decompression. J R Coll Surg Edinb. 1998;43(1):35-6.

179. 장규선, 김태완, 김학준. 무지외반증의 진단 및 병태생리. J Korean Foot Ankle Soc. 2014;8(2):43-7.

180. Lamonaca F, Vasile M, Nastro A. Hallux valgus: Measurements and characterization. Measurement. 2014;57:94-101.

181. Labib SA, Gould JS, Rodriguez-del-Rio FA, Lyman S. Heel Pain Triad (HPT): The Combination of Plantar Fasciitis, Posterior Tibial Tendon Dysfunction and Tarsal Tunnel Syndrome. Foot Ankle Int. 2002;23:212-20.

182. Marquez JA, Oliva XM. Hallux rigidus: aetiology, diagnosis, classification and treatment. Rev esp cir ortop traumatol. 2010;54(5):321-8.

183. 김학준, 허창룡, 김재균, 장규선. 모톤씨 신경종 크기에 따른 초음파 유도하 스테로이드 주사 효과의 비교분석. 대한정형외과초음파학회지. 2012;5(2):61-5

184. Pastides P, Sallakh SE, Charalambides C. Morton's neuroma: A clinical versus radiological diagnosis. Foot and ankle surgery. 2012;18:22-4.

185. Priyank S Chatra. Bursae around the knee joints. Indian J Radiol Imaging. 2012 Jan-Mar; 22(1): 27–30.

186. Wasserman AM. Diagnosis and management of rheumatoid arthritis. Am Fam Physician. 2011 Dec 1;84(11):1245-52.

187. Stanley Hoppenfeld. Physical examination of the spine and extremities. 서울:영문출판사, 2009.

188. Friedman, H. Harold. Problem-Oriented Medical Diagnosis. Lippincott Williams & Wilkins. 2001.

189. Jacobson JA, Girish G, Jiang Y, Sabb BJ. Radiographic evaluation of arthritis: degenerative joint disease and variations. Radiology. 2008 Sep;248(3):737-47.

190. 이영호, 우진현, 최성재, 지종대, 송관규. 한국인 류마티스관절염 환자에서 항CCP항체와 류마티스인자의 진단정확성에 대한 메타분석연구. 대한류마티스학회지. 2008;15(1):27-38.

191. 배상철. 류마티스 관절염의 역학 및 원인. J Korean Med Assoc. 2010;53(10):843-852.

192. 박성환. 류마티스 관절염의 새로운 진단법. 대한내과학회지. 2009;76(1):7-11.

193. 2011 RA Remission Criteria. ACR. Available from: http://www.rheumatology.org/ACR/practice/clinical/classification/ra/ra_remission_2011.asp

194. David J. Magee, Robert C. Manske, James E. Zachazewski, William S. Quillen. Athletic and Sport Issues in Musculoskeletal Rehabilitation. St.louis:ELSEVIER saunders. 2011.

195. 이한구, 이영인, 전대근. 화골성 근염에 대한 임상적 고찰. 대한정형외과학회지. 1991:26(1):138-144.

196. Myositis ossificans. Available from:http://en.wikipedia.org/wiki/Myositis_ossificans

197. Woodward TW, Best TM. The painful shoulder: part I. Clinical evaluation. Am Fam Physician. 2000;61(10):3079-88.

198. Examination of the shoulder. The GP education and training resource. Available from:http://www.gp-training.net/rheum/exam/shoulder/shoulder.html.

199. Ewald A. Adhesive capsulitis: a review. Am Fam Physician. 2011;83(4):417-22.

200. Tighe CB, Oakley WS Jr. The prevalence of a diabetic condition and adhesive capsulitis of the shoulder. South Med J. 2008;101(6):591-5.

201. Fongemie AE, Buss DD, Rolnick SJ. Management of shoulder impingement syndrome and rotator cuff tears. Am Fam Physician. 1998;57(4):667-74, 680-2.

202. Fugate, Mark W.; Rotellini-Coltvet, Lisa; Freischlag, Julie

A. Current management of thoracic outlet syndrome. Current Treatment Options in Cardiovascular Medicine. 2009;11(2):176–83.

203. Freischlag J. Orion K. Understanding thoracic outlet syndrome. Scientifica (Cairo). 2014;2014:248163.

204. Elbow (Olecranon) Bursitis. Amerian Academy of Orthopaedic surgeons. Available from:http://orthoinfo.aaos.org/topic.cfm?topic=a00028.

205. Cutts S. Cubital tunnel syndrome. Postgrad Med J. 2007;83(975):28-31.

206. D'Arcy CA. McGee S. Does This Patient Have Carpal Tunnel Syndrome? JAMA. 2000;283(23):3110-7.

207. Makkouk AH, Oetgen ME, Swigart CR, Dodds SD.Trigger finger: etiology, evaluation, and treatment. Curr Rev Musculoskelet Med. 2008;1(2):92–6.

208. Ilyas AM1, Ast M, Schaffer AA, Thoder J. De quervain tenosynovitis of the wrist. J Am Acad Orthop Surg. 2007;15(12):757-64.

209. LeBlanc KE, Cestia W. Carpal tunnel syndrome. Am Fam Physician. 2011;83(8):952-8.

210. D'Arcy CA. McGee S. Does This Patient Have Carpal Tunnel Syndrome? JAMA. 2000;283(23):3110-3117.

211. Cyriax. 시리악스 정형의학. 서울:영문출판사. 1998:33-62.

212. Walter R, Julie K. 근골격계의 질환. 서울:군자출판사, 2003:62-82.

213. Robert K. 근골격계 진단 및 치료의 핵심. 서울:한우리. 1999:139, 156.

214. 최수용. 한의사를 위한 통증치료 매뉴얼. 서울:신흥메드싸이언스. 2012:101, 120, 165-72.

215. Donald A. Neumann. Kinesiology of the musculoskeletal system. 서울:정담미디어. 2004.

216. Mulford, Kathy. The Journal for Nurse Practitioners3.5. 2007(May):328-32.

217. Pelvic pain. Available from: URL: http://pelvicpaindifferentiation.weebly.com/iliopsoas-bursitis.html. 2014. 12.21.

218. Mak-Ham Lam et al. Knee stability assessment on anterior cruciate ligament injury: Clinical and biomechanical approaches. Sports Medicine, Arthroscopy, Rehabilitation, Therapy & Technology. 2009;1:20.

219. S. Brent Brotzman, Kevin E. Wilk. Clinical Orthopaedic Rehabilitation. 서울:한미의학. 2005:251-62.

220. Knee bursitis. Available from: URL: http://orthoanswer.org/knee-leg/knee-bursitis/definition.html#sthash.OqrwQHoE.dpuf. 2014. 12.21.

221. Walter R. Frontera, Julie K. Silver, Thomas D. Rizzo Jr. Essentials of Physical Medicine and Rehabilitation, 2nd Edition. Philadelphia, PA:Saunders/Elsevier. 2008:355-7.

222. James M. Madsen. Prepatellar Bursitis. Greenberg's text-atlas of emergency medicine. Lippincott Williams & Wilkins. 2005:922.

223. McAfee JH, Smith DL. Olecranon and prepatellar bursitis—Diagnosis and treatment. West J Med. 1988;149(5):607–10.

224. Lars-Goran Larsson and John Baum. The syndrome of anserina bursitis: An overlooked diagnosis. Arthritis & Rheumatism. 1985;28(9):1062–5.

225. David Zieve, Benjamin Ma. Baker's cyst. Available from: URL: http://www.nlm.nih.gov/medlineplus/ency/article/001222.htm 2014.5.15.

226. Huddleston JI, Goodman SB. Hip and knee pain. Kelley's Textbook of Rheumatology. 9th ed. Philadelphia: Elsevier Saunders. 2012:683-99.

227. Biundo JJ. Bursitis, tendinitis, and other periarticular disorders and sports medicine. Goldman's Cecil Medicine. 24th ed. Philadelphia:Elsevier Saunders. 2011:1676-80.

228. Mayoclinic. Available from: URL: http://www.mayoclinic.org/diseases-conditions/ 2014.9.25.

229. Stanley Hoppenfeld. 정진우역. 척추와 사지의 검진. 서울:대학서림. 2000.

230. Joseph J. Cipriano. 김형묵역. 정형외과 임상검사. 서울:고려의학. 1989.

231. 성기선, 박세준. 원인이 밝혀진 족근관 증후군의 수술적 치료의 결과. 대한족부관절학회지. 2007;11(2):192-7.

232. Gregor Antoniadis, Konrad Scheglmann. Posterior Tarsal Tunnel Syndrome: Diagnosis and Treatment. Dtsch

Arztebl Int. 2008;105(45):776–81.

233. Hans Polzer et al. Hallux rigidus: Joint preserving alternatives to arthrodesis-a review of the literature. World J Orthop. 2014 january 18;5(1): 6–13.

234. James W. Brantingham, Timothy G. Wood. Hallux rigidus. J Chiropr Med. 2002;1(1): 31–7.

235. Childs, Sharon G. Diagnosis and treatment of interdigital perineural fibrome (a.k.a. Morton's neuroma). Orthopaedic Nursing. 2002;21(6):35-40.

236. 박현우. 모턴씨 신경종(족지간 신경염). J Korean Foot Ankle Soc. 2011;15(2):58-61.

237. American academy of orthopaedic surgeons. Essentials of musculoskeletal care. 서울:한우리. 1999:455-9.

238. 노도환, 이명종. 악관절 장애에 대한 문헌적 고찰. 한방재활의학과학회지. 2005;15(3):13-24.

239. 유재철, 강홍제, 고경환. SLAP 병변의 이학적 검사법. 대한견주관절학회지 2008;11(1):6-12.

240. Mun JY, Im JG, Wang OH, Jang HS. Case Report of Pes Anserine Bursitis patient treated with Bee Venom Acua-Acupunture Therapy. The Journal of Korean Acupuncture & Moxibustion Society. 2003;0(1):16-22.

241. Kim JW, Bae KH, Joo MS.Is There a Clinically Important Superior Labrum Anterior to Posterior (SLAP) Lesion? J Korean Orthop Assoc 2017; 52: 371-377.

242. 지종훈. SLAP 병변. 대한견주관절학회 2012;11:167-175.

243. Scrivani SJ, Keith DA, Kaban LB. Temporomandibular disorders. N Engl J Med. 2008;359(25):2693-705.

244. Miloro M. Peterson's principles of oral and maxillofacial surgery. Vol. 1. PMPH-USA, 2004.

245. Manfredini D, Guarda-Nardini L, Winocur E, Piccotti F, Ahlberg J, Lobbezzo F. Research diagnostic criteria for temporomandibular disorders: a systematic review of axis I epidemiologic findings. Oral Surg Oral Med Oral Pathol. 2011;112(4):453-62.

246. John MT, Dworkin SF, Mancl LA. Reliability of clinical temporomandibular disorder diagnoses. Pain. 2005;118(1-2):61-9.

247. 보건의료빅데이터개방시스템 http://opendata.hira.or.kr/op/opc/olapDiagBhvInfo.do

248. Joo H, Lee YJ, Shin J-S, Lee J, Kim M-r, Koh W, Park Y, Song YK, Cho J-H, Ha I-H: Medical service use and usual care of common shoulder disorders in Korea: a cross-sectional study using the Health Insurance Review and Assessment Service National Patient Sample. BMJ open 2017, 7(7):e015848.

249. S. Brent Brotzman, Robert C. Manske. 근골격계 질환의 진단 및 재활치료, 개정 3판. 대한스포츠의학연구회옮김. 한미의학.

250. Charles E Giangarra, Robert C Manske. Clinical orthopaedic rehabilitation: A team approach, 4th. Elsevier Inc. 2018.

251. Lisa Maxey, Jim Magnusson. Rehabilitation for the postsurgical orthopedic patient, 3th. Mosby an impront of Elsevier Inc. 2013.

252. JeMe Cioppa-Mosca, Janet B Cahill, John T Cavanaugh, Deborah Corradi-Scalise, Holly Rudnick, Aviva L Wolff. Postsurgical rehabilitation guidelines for the orthopedic clinician. Mosby, Inc., an affiliate of Elsevier Inc. 2006.

253. Gilbertson B, Wenner K, Russell LC. Acupuncture and arthroscopic acromioplasty. Journal of orthopaedic research. 2003;21(4):752-8.

254. Melchart D, Weidenhammer W, Streng A, Reitmayr S, Hoppe A, Ernst E, et al. Prospective investigation of adverse effects of acupuncture in 97,733 patients. Archives of Internal Medicine. 2004;164(1):104-5.

255. Witt CM, Pach D, Brinkhaus B, Wruck K, Tag B, Mank S, et al. Safety of acupuncture: results of a prospective observational study with 229,230 patients and introduction of a medical information and consent form. Forschende Komplementärmedizin/Research in Complementary Medicine. 2009;16(2):91-7.

256. 王延武, 王翀敏. 电针配合康复疗法治疗肩袖损伤术后肩关节功能受损 35例. 浙江中医杂志. 2015(6):441.

257. 김영준, 원제훈, 안희덕, 우창훈. 회전근개 파열 수술 후 한방재활치료 치험 1례. 동서의학. 2014;39(3):31-39.

258. 정재엽, 김정희, 송춘호, 장경전, 김철홍, 윤현민. 약침을 활용한 한방치료로 호전된 회전근개 파열 수술 후 견비통 환자에 대한 치험 1례. 대한침구의학회지. 2012;29(6):119-125.

259. Merolla G, Dellabiancia F, Ingardia A, Paladini P, Por-

cellini G. Co-analgesic therapy for arthroscopic supraspinatus tendon repair pain using a dietary supplement containing Boswelliaserrata and Curcumalonga: a prospective randomized placebo-controlled study. Musculoskeletal surgery. 2015;99(1):43-52.

260. 王原恺. 中药结合肩关节镜手术治疗肩周炎, 肩袖损伤临床观察. 新中医. 2015;47(5):159-60.

261. Lee JY, Jun SA, Hong SS, Ahn YC, Lee DS, Son CG. Systematic Review of Adverse Effects from Herbal Drugs Reported in Randomized Controlled Trials. Phytotherapy Research. 2016;30(9):1412-9.

262. Kim M-R, Shin J-S, Lee J, Lee YJ, Ahn Y-J, Park KB, et al. Safety of Acupuncture and Pharmacopuncture in 80,523 Musculoskeletal Disorder Patients: A Retrospective Review of Internal Safety Inspection and Electronic Medical Records. Medicine. 2016;95(18).

263. Nielsen SM, Tarp S, Christensen R, Bliddal H, Klokker L, Henriksen M. The risk associated with spinal manipulation: an overview of reviews. Systematic reviews. 2017;6(1):64.

264. 이병이, 장건, 이길재, 송윤경, 임형호. 추나 시술 부작용에 대한 국내 현황 보고. 척추신경추나의학회지. 2007;2(2):161-169.

265. Julie Bruce, Jane Quinlan. Chronic Post Surgical Pain. Rev ain. 2011 Sep; 5(3): 23–9.

266. Toms AD, Mandalia V, Haigh R, Hopwood B. The management of patients with painful total knee replacement. J Bone Joint Surg Br. 2009 Feb;91(2):143-50.

267. Ranawat CS, Atkinson RE, Salvati EA, et al. Conventional total hip arthroplasty for degenerative joint disease in patients between the ages of forty and sixty years. J Bone Joint Surg Am 1984;66:745–52.

268. Aamodt A, Nordsletten L, Havelin LI, et al. Documentation of hip prostheses used in Norway: a critical review of the literature from 1996-2000. Acta Orthop Scand 2004;75:663–76.

269. Ng CY, Ballantyne JA, Brenkel IJ. Quality of life and functional outcome after primary total hip replacement: a five-year follow-up. J Bone Joint Surg Br 2007;89:868–73.

270. Vince KG. The problem total knee replacement: systematic, comprehensive and efficient evaluation. Bone Joint J. 2014 Nov;96-B(11 Supple A):105-11

271. Ritter MA, Wing JT, Berend ME, Davis KE, Meding JB. The clinical effect of gender on outcome of total knee arthroplas

272. Ritter MA, Wing JT, Berend ME, Davis KE, Meding JB. The clinical effect of gender on outcome of total knee arthroplasty. J Arthroplasty 2008; 23: 331-6.

273. Forsythe ME, Dunbar MJ, Hennigar AW, Sullivan MJ, Gross M. Prospective relation between catastrophizing and residual pain following knee arthroplasty: two-year follow-up. Pain Res Manag 2008; 13: 335-41.

274. Sullivan MJ, Thorn B, Haythornthwaite JA, Keefe F, Martin M, Bradley LA, Lefebvre JC. Theoretical perspectives on the relation between catastrophizing and pain. Clin J Pain 2001; 17: 5264.

275. Jensen MP, Turner JA, Romano JM, Karoly P. Coping with chronic pain: a critical review of the literature. Pain 1991; 47: 24983.

276. Lonner JH, Siliski JM, Scott RD. Prodromes of failure in total knee arthroplasty. J Arthroplasty 1999;14:488-92.

277. Kenneth CK(Author), Peter Tugwell(Section Editor), Monica RC(Deputy Editor). Risk factors for and possible causes of osteoarthritis. 2017. UpToDate.

278. Julie Bruce, Jane Quinlan. Chronic Post Surgical Pain. Rev Pain. 2011 Sep; 5(3): 23–9.

279. 陈钢, 辜锐鑫, 徐丹丹. 电针疗法在全膝关节置换术后康复中的应用. 中国针灸. 2012;32(4):309-12.

280. Mayoral O, Salvat I, Martín MT, Martín S, Santiago J, Cotarelo J, et al. Efficacy of myofascial trigger point dry needling in the prevention of pain after total knee arthroplasty: a randomized, double-blinded, placebo-controlled trial. Evidence-Based Complementary and Alternative Medicine. 2013;2013:694941

281. Mikashima Y, Takagi T, Tomatsu T, Horikoshi M, Ikari K, Momohara S. Efficacy of acupuncture during post-acute phase of rehabilitation after total knee arthroplasty. Journal of Traditional Chinese Medicine. 2012;32(4):545-8.

282. Tsang RC-C, Tsang P-L, Ko C-Y, Kong BC-H, Lee W-Y, Yip H-T. Effects of acupuncture and sham acupuncture in

addition to physiotherapy in patients undergoing bilateral total knee arthroplasty—a randomized controlled trial. Clinical rehabilitation. 2007;21(8):719-28.

283. Melchart D, Weidenhammer W, Streng A, Reitmayr S, Hoppe A, Ernst E, et al. Prospective investigation of adverse effects of acupuncture in 97,733 patients. Archives of Internal Medicine. 2004;164(1):104-5.

284. Witt CM, Pach D, Brinkhaus B, Wruck K, Tag B, Mank S, et al. Safety of acupuncture: results of a prospective observational study with 229,230 patients and introduction of a medical information and consent form. Forschende Komplementärmedizin/Research in Complementary Medicine. 2009;16(2):91-7.

285. 김요한, 황민혁, 김재수, 이현종, 이윤규. 슬관절 전치환술 후 통증 및 강직에 대한 한방치료 치험 2례. 한방척추관절학회지. 2016;13(1):91-98.

286. 허윤경, 이성환, 이현. 한방 치료를 통해 호전된 인공 슬관절 전치환술을 시행한 퇴행성 슬관절염 환자에 대한 증례보고. 대전대학교 한의학연구소 논문집. 2007;16(1):61-67.

287. Kim M-R, Shin J-S, Lee J, Lee YJ, Ahn Y-J, Park KB, et al. Safety of Acupuncture and Pharmacopuncture in 80,523 Musculoskeletal Disorder Patients: A Retrospective Review of Internal Safety Inspection and Electronic Medical Records. Medicine. 2016;95(18).

288. 郭振中, 张宁, 程燕, 路露, 段晓亮. 益气活血汤对全膝关节置换术后早期康复的影响. 临床合理用药杂志. 2016(10):67-9.

289. 杨勇, 赵良虎, 黄金. 膝关节置换术结合中药疗法对膝关节骨性关节炎的临床疗效研究. Chinese Journal of Osteoporosis/Zhongguo Guzhi Shusong Zazhi. 2016;22(7).

290. 朱晓飞. 自拟舒经活血通络汤联合 CPM 机锻炼治疗全膝关节置换术后患者 60 例临床观察. 中国中医药科技. 2015(5):568.

291. 김창곤, 이진현, 조동찬, 문수정, 박태용, 고연석, 송용선, 이정한. 슬관절 전치환술 후 한방재활치료의 효과 보고. 한방재활의학과학회지. 2014;24(1):111-118.

292. Lee JY, Jun SA, Hong SS, Ahn YC, Lee DS, Son CG. Systematic Review of Adverse Effects from Herbal Drugs Reported in Randomized Controlled Trials. Phytotherapy Research. 2016;30(9):1412-9.

293. 李会娟, 刘丽媛, 李肖妮. 隔药灸疗法联合康复训练在全膝关节置换术后的应用及效果评价. 国初级卫生保健. 2015;29(5):115-6.

294. 邵海波, 吴红. 艾灸对初次人工全膝关节置换术后疼痛及关节功能恢复影响的临床疗效观察. 黔南民族医专学报. 2015;28(4):254-6.

295. 方锐, 孟庆才, 邹全, 潘芳. 中医推拿在全膝关节置换术后康复应用的临床研究. 中国中医骨伤科杂志. 2008(08).

296. 吴志远, 贾杰, 欧阳桂林, 何勇, 郭艳明. 推拿手法对全膝关节置换术后患者康复及D-二聚体水平的影响. 成都医学院学报. 2012(04).

297. 王念宏, 严隽陶, 孙武权, 胡永善, 夏军, 魏礼成, et al. 早期推拿对全膝关节置换患者术后股四头肌表面肌电影响的随机对照研究. 中西医结合学报. 2012(11).

298. 王念宏, 严隽陶, 孙武权, 胡永善, 夏军, 魏礼成, et al. 全膝关节表面置换早期推拿的疗效评价. 中国组织工程研究. 2013(09).

299. 赵炜. 推拿对膝关节置换术后患者康复以及D-二聚体水平的影响观察. 云南中医中药杂志. 2015(07).

CHAPTER

04 마비 질환

이수경(원광대학교)
김영준(대구한의대학교)
정원석(경희대학교)
박서현(동국대학교)
이준환(한국한의학연구원)

CHAPTER 04

마비 질환

제1절 痲痺의 개요

痲痺란 신경계나 근육의 장애에 의한 운동기능의 상실, 혹은 감각기능의 상실을 말하는 것으로, 痿症의 범주에서 이해될 수 있다. 사지가 마비되는 경우에는 마비의 분포별로 단마비(monoplegia), 편마비(hemiplegia), 대마비(paraplegia), 사지마비(quadriplegia)로 분류된다.

단마비는 사지의 어느 한 부분이 마비를 보이는 경우이다. 편마비란 한쪽 팔다리가 마비된 상태이며, 뇌졸중 후유증 환자와 같이 대뇌반구에 장애를 받는 경우에 그 반대쪽에 나타난다. 대마비란 양쪽 다리의 마비를 의미하고, 흉수 이하 척수의 병변이나 다발성 신경염에서 볼 수 있다. 사지마비란 양쪽 팔다리의 마비를 말하며, 경수장애, 다발성 신경염, 근질환 등에서 발생한다. 그 밖에도 뇌신경 영역의 마비, 예를 들면 안면신경마비, 동안신경마비 등이 있다. 근 긴장상태에 따라 경련성 마비와 이완성 마비로 나눌 수 있다. 경련성 마비는 중추신경계의 근육을 지배하는 신경세포보다 상위 신경계의 장애에 의한 것이고, 이완성 마비는 근육이나 근육을 직접 지배하는 말초 운동 신경의 장애에 의한 것이다.

1. 신경계

신경계는 중추신경계와 말초신경계로 나뉜다. 중추신경계는 다시 뇌와 척수로 나뉘고, 이 뇌와 척수 각각에서 뇌신경 12쌍과 척수신경 31쌍의 말초신경이 나온다. 뇌는 두개골에 둘러싸인 조직으로 약 1,300 g 전후이며, 척수는 뇌에서 이어지는 조직으로 척추에 의해 형성된 척주관(vertebral canal)을 통해 내려와 제 1-3 요추의 높이에서 끝난다. 뇌신경은 후각신경, 시각신경, 동안신경 등이고, 척수신경은 경수신경(C1-C8), 흉수신경(T1-T12), 요수신경(L1-L5)이며, 각각 뇌와 척수로부터 끈처럼 나와 있다. 따라서 말초신경계는 형태학적으로는 뇌신경과 척수신경으로 나뉘며 기능적으로는 체성신경과 자율신경으로 나뉜다. 체성신경은 운동 및 감각에 관여하며, 자율신경은 의지와 관계없는 활동에 관여하며 교감신경과 부교감신경이 있다.

운동신경은 중추에서 보낸 운동신호를 골격근에 전달하는 원심성 신경을 말하는데, 대뇌피질에서 시작하는 상위운동신경원과 뇌신경운동핵과 척수전각세포에서 시작하여 골격근으로 내려가는 하위운동신경원이 있으며, 이 둘은 시냅스를 이룬다.

감각신경은 감각수용기가 기록한 체내외의 변화를 중추신경으로 전달하는 작용을 하는데, 일반적으로 감각신경에서 오는 정보는 중추신경계의 시상부위에 모이며 시상에서는 다시 대뇌피질의 두정엽에 전달한다. 자율신경은 호흡, 순환, 체온, 소화, 대사, 분비, 생식 등 생명활동의 기본이 되는 기능을 유지하는 중요한 역할을 하고 있으며, 교감신경과 부교감신경이 서로 길항하면서 기능적으로 각 기관의 기능을 조절한다.

2. 마비의 진단

운동마비는 운동중추에서 근섬유까지의 어딘가에 장애가 있어서 수의적인 운동이 불가능한 상태를 말한다. 운동마비는 그 정도에 따라 완전마비(paralysis)와 불완전마비(paresis)로 나누어진다. 운동신경이 중추성 마비인지 말초성 마비인지를 나누는 것은 임상적으로 중요하다.

상위 운동 신경원 장애란 중추성 마비이고 대뇌피질에서 내포, 뇌간, 척수를 거쳐 척수 전각세포에 이르는 경로의 어딘가에 장애가 있을 때에 나타난다. 이것을 핵상 마비(supranuclear or corticospinal paralysis)라 한다. 하위 운동 신경원 장애는 말초성 마비이고 척수전각세포에서 말초부로 근육에 이르기까지의 경로가 장애를 받아서 일어나고 핵하 마비(infranuclear or spinomuscular paralysis)라 한다(표 4-1).

3. 마비의 분류

1) 단마비

단마비(monoplegia)는 상하지 중 하나만 마비되어 있는 상태를 말한다. 진단할 때는 근육약화의 분포를 주의 깊게 결정하는 것이 필요하다. 예를 들면, 한쪽 사지의 약화를 호소하는 환자의 경우, 종종 다른 사지의 약화를 인지하지 못하지만 실제로는 반신마비 또는 양측 하지마비인 경우가 있다. 단마비는 근위축이 거의 없거나 완전히 없는 마비와 근위축을 동반한 마비로 나눈다. 근위축이 없는 것은 주로 대뇌피질 운동영역의 장애에 의한 것으로, 원인으로는 뇌혈관 장애나 종양이 많다. 근위축을 동반한 단마비는 대개 운동단위(척수, 척수근, 말초신경 또는 근육)의 병변을 나타내고, 중증근무력증과 같은 신경근 접합부의 병변은 근육위축과 상관없다.

2) 편마비

편마비(hemiplegia)는 신체 한쪽의 상하지에 나타나는 운동마비이다. 상해부위는 내포(internal capsule) 부근이 가장 많다. 기타 대뇌피질, 뇌간, 척수의 상해로도 일어난다. 내포 부근의 상해에서는 반대측 얼굴, 혀 및 상하지에 중추성 마비가 일어난다. 편마비에서 실어, 실행, 실인, 피질성 감각장애 등을 수반하는 것은 대뇌 피질 및 피질하에도 상해가 있다고 볼 수 있다. 또한 뇌간의 상해에서는 한쪽의 편마비와 다른 쪽의 뇌신경 마비를 수반한다. 이것을 교대성 마비라고 한다. 한쪽의 상지와 다른 쪽의 하지가 마비되는 것을 교차성 마비라고 하고 연수 추체 교차부의 장애에 의한 것이다. 대뇌, 뇌간 상해에 의한 편마비는 분명한 근위축은 보이지 않지만, 근육을 사용하지 않기 때문에 폐용성 근위축이 일어날 수 있다. 편마비 원인의 대부분은 혈관장애에 의한 것이며, 외상, 종양 등에 의한 경우도 있다.

3) 대마비

대마비(paraplegia)는 양측 하지의 마비를 말하고, 척수장애에 의한 것이 많다. 척수 장애가 동반될 때에는 이완성 대마비인 것도 있지만, 대개는 경성 대마비가 된다. 척수전각염으로 요선부가 침해받을 때, 마미(cauda equina)의 손상, 다발신경염에서는 이완성 대마비가 된다. 대마비의 감별은 신중을 요하기 때문에 우선 척수 전각세포를 핵이라고 생각하고 상위 운동 신경원 장애인가, 하위 운동 신경원 장애인가를 감별하여야 한다. 상위 운동 신경원 장애에서는 경성 대마

표 4-1. 상위 운동 신경원 장애와 하위 운동 신경원 장애의 감별점

상위 운동 신경원 장애	하위 운동 신경원 장애
1. 근 긴장(tonus)이 항진되고 경직(spasticity)이 있다.	1. 근 긴장은 저하되고 이완(flaccidity)이 있다.
2. 심부건 반사는 항진된다.	2. 심부건 반사는 감약 내지 소실된다.
3. 근위축은 없거나 있어도 폐용성 근위축이다.	3. 근위축이 분명하다.
4. Babinski 반사가 양성이다.	4. Babinski 반사는 음성이다.
5. 섬유속연축(fasciculation)은 없다.	5. 섬유속연축(fasciculation)이 있다.
6. 침해받는 근육군이 광범위하다.	6. 고립한 근육만 침해받는다.

비가 되고, 하위 운동 신경원 장애에서는 이완성 대마비가 된다. 척수장애에서는 일반적으로 상위 운동 신경원 장애를 일으키지만, 급성기에는 척수 shock을 동반하기 때문에 이완성 대마비를 보인다. 하지만 척수횡단 증후군, 방광직장 장애 등의 증상을 동반하기 때문에 진단이 어렵지는 않다.

만성의 경과로 대마비를 보이는 것은 소아기와 성인으로 나누어 생각해 볼 수 있다. 소아기에서는 선천성, 혹은 소위 뇌성 소아마비로 사지마비를 보이지만 상지보다 하지가 분명하게 장애를 받아 대마비를 주징후로 한다. 성인에서는 척수 종양, 추간판 탈출증, 매독성 수막 척수염, 근위축성 축삭경화증 등이 원인이다.

4) 사지마비

사지마비(quadriplegia or tetraplegia)는 상하지가 양측성으로 운동마비를 보이는 경우를 말하며, 상해 부위는 대뇌, 뇌간, 척수, 말초신경, 근육, 신경접합부 등이다. 이중 완전한 마비는 경수 장애, 다발성신경염에 의한 것이 많다. 경수 장애는 척추 종양, 추간판 탈출증, 후종인대 골화증, 척추 외상, 경수관 협착증, 두개저 함입증, 척추 염증, 혈관장애 등으로 일어난다. 대뇌의 양측성 장애에서는 사지경직이 되고 상지는 굴곡, 하지는 신전위를 취하는 除皮質硬直(decorticate rigidity : 피질 제거성 자세)을 보인다. 뇌간 장애 특히 중뇌의 장애에서는 사지 전체가 경직되고 상하지 모두 신전위를 취하여 소위 除腦硬直(decerebrate rigidity)을 보이는 일이 많다.

5) 일부 근의 운동마비

말초신경의 마비에 의해 일어나고 동시에 그 지배 영역의 감각장애를 수반한다. 말초신경이 거의 완전하게 장애 받으면 근위축, 피부, 피하조직, 손톱의 영양장애도 확인된다. 말초성 마비에서 국소적으로 일어나는 것은 외상에 의한 것이 가장 많다. 임상적으로 흔히 알려져 있는 말초신경 장애의 운동마비 징후로는 요골신경 마비, 정중신경 마비, 척골신경 마비, 비골신경 마비 및 경골신경 마비 등이다. 외상 이외의 원인으로서는 아연, 알코올, 수은 등의 중독, 비타민 B1 결핍, 당뇨병 등의 대사장애, 설파제 등의 약물중독, guillain-barre 증후군 등을 들 수 있다.

제2절 痿症의 개요

痿症은 인체가 손상을 입거나 혹은 정기가 훼손된 후에 邪毒이 침습하여 나타나는 肢體筋脈弛緩, 軟弱無力, 手不能握物, 足不能任身, 久則肌肉萎縮, 不能隨意運動 등의 증상을 가리키는 것이다.

痿症에 관한 역대문헌을 살펴보면 ≪素問·生氣通天論≫에서 "因於濕 首如裏 濕熱不攘 大筋軟短 小筋弛長 軟短爲拘 弛長爲痿", ≪素問·陰陽別論≫에서 "三陽三陰發病, 爲偏枯痿易, 四肢不擧", ≪素問·痿論≫에서 "陽明虛 則宗筋縱 帶脈不仁 故足痿不用也"라 하였고, ≪靈樞·邪氣臟腑病形≫에서 "風痿 四肢不用" 등이라 언급한 이래로, ≪鍼灸節要≫에서 "痿厥爲四末束悗"이라 하였고, ≪中國醫學大辭典≫에서 "痿易 四肢不擧左右變易爲痿也"로 표현하였으며, ≪景岳全書≫에서 "元氣敗傷 卽 精虛不能灌漑 血虛不能營養 而致筋骨萎廢不用"이라 하여 精血不足으로 筋骨을 營養치 못하여 발생한다고 하였다.

痿症은 역대문헌에서 痿躄·痿漏·痿易·痿厥·足痿 등으로 불리고 있으며, 증후에 따라 皮痿, 筋痿, 肉痿, 脈痿, 骨痿 등 五痿로 나누기도 한다. 痿症은 증상으로 보아 척수의 손상, 운동신경원질환, 말초신경질환, 근신경접합부질환, 근육질환 등에 의한 이완성 마비와 유사하다.

1. 痿症의 분류

《素問·痿論》에 痿症의 병인병리, 증후, 분류와 치료원칙에 관하여 전반적인 서술이 잘되어 있다. "五臟使人痿"라 하여 肺主皮毛, 心主血脈, 肝主筋膜, 脾主肌肉, 腎主骨髓 등의 이론에 근거하여 痿症을 痿躄, 脈痿, 筋痿, 肉痿, 骨痿 등 五痿

로 분류한다.

1) 痿躄

《素問·痿論》에 "肺熱葉焦, 卽皮毛虛弱急薄著, 卽生痿躄也"라 하여 痿躄은 皮膚의 感覺이 麻木하고 肢體가 痿軟無力한 병증을 지칭하며 특히 하지부가 심하다. 주로 正氣가 부족한데 溫熱毒邪가 침범하여 肺가 熱을 받음으로서 皮膚가 失養된 것이다. 肺의 眞氣는 후천적으로 섭취하는 水穀의 精微가 脾氣의 散精하는 힘을 빌어 肺에 上輸됨으로써 얻어지는 것이다. 肺는 이를 다시 전신에 輸送하여 皮膚筋骨이 濡養하게 되므로 "肺主皮毛"라 한다.

2) 脈痿와 筋痿

筋脈의 失養으로 인하여 肌肉 또는 筋腱에 攣縮이 일어나는 痿症이다. 外傷 등으로 血脈이 압박을 받게 되면 손상부위 이하의 氣血이 空虛해지고 근육이 失養케 됨으로서 발생하는 肢節痛, 활동장애를 脈痿라 할 수 있다.《素問·痿論》에 "心主身之血脈......心氣熱卽下脈厥而上, 上卽下脈虛, 虛卽生脈痿, 樞折挈, 脛縱而不任地也"라 하였다. 肝氣熱이나 營血이 不足하여 筋急이나 筋攣한 상태에 이르게 되면 筋痿라 할 수 있다.《素問·痿論》에 "肝主身之筋脈 ......肝氣熱卽膽泄口苦筋膜乾, 筋膜乾卽筋急而攣, 發爲筋痿"라 하였다. 일반적으로 筋痿는 脈痿로 인하여 나타나고 상호간 밀접한 관련이 있다.

3) 肉痿

肌肉萎縮은 痿症의 가장 중요한 임상증상이며 임상적으로도 비교적 쉽게 접할 수가 있다.《靈樞·經脈篇》에 "肉爲牆"이라 한 것은 肌肉은 인체의 외벽을 구성하면서 지체활동의 동력이 된다는 것이다.《素問 · 痿論》에 "脾主身之肌肉"이라 하여 脾胃의 運化機能에 장애가 있으면 津液과 氣血의 化源이 부족하게 되고 脈道가 不利하므로 반드시 肌肉消爍, 軟弱無力하고 심하면 萎弱不用하게 된다.

4) 骨痿

《素門·痿論》에 "腎主身之骨髓, ...腎氣熱, 則腰脊不擧, 骨枯而髓減, 發爲骨痿", "有所遠行勞倦, 逢大熱而渴, 渴則陽氣內伐, 內伐則熱邪於腎, 腎者水臟也, 今水不勝火, 則骨枯而髓虛, 故足不任身, 發爲骨痿"라 하여 모든 骨枯髓減하여 일어나는 증상을 骨痿라고 부른다. 骨痿가 되면 골절이나 기형 등이 쉽게 발병할 수 있다.

2. 痿症의 병인병리와 변증치료

肌肉筋骨萎弱, 血脈失養 및 皮膚麻木 등의 병인은 여러 가지가 있지만 이들 상호간에 밀접한 영향을 미치고 있다. 痿症과 痺症은 다르다. 痿症은 筋骨萎軟이 主가 되고 후기에는 일반적으로 통증이 없다. 반면에 痺症은 대부분 통증이 있고 肌肉萎縮은 장기간 사용하지 않음으로써 이차적으로 오게 되므로 양자의 병인병리와 임상증상은 다르다.

발병이 급하고 진행속도가 빠르면서 초기에는 발열 등 외감증상이 나타나면 주로 실증에 속하고, 발병이 완만하면서 오래도록 낫지 않는 경우는 허증에 속한다.

실증 중에서 초기에 발열이 있거나 또는 미열이 계속되면서 舌紅, 口乾하고 脈이 細數하면 主로 肺熱傷津한 경우이며, 痿症이 주로 하지부에 나타나고 濕邪에 受傷한 경력이 있으면서 舌苔가 黃膩하고 脈滑하면 주로 濕熱侵襲에 의한 것이다. 허증 중에서 食慾不振, 便溏 등의 증상이 있으면서 肌肉萎縮이 主症이 되는 경우는 주로 脾胃虛弱에 의한 것이고, 腰膝酸軟하면서 頭眩 遺精 등이 나타나면 주로 肝腎虧虛에 의한 것이다. 그러나 확연하게 나누어지는 경우 보다는 함께 섞여서 나타나는 경우가 많다. 痿症의 치료는 우선 病因을 제거하는데 초점을 맞추어서 藥物, 鍼灸, 手技 등을 이용한다. 이들 외에 사지의 기능 회복을 위한 재활치료와 훈련이 痿症의 회복에 임상적으로 중요하다.《素問 · 痿論》에 "治痿獨取陽明"이라 한 것은 脾胃의 調理에 중점을 두어서 培土固本하라는 것이다. 脾는 주로 水穀精微를 運化하여 後天之本이며 氣血生化之源이 된다. 脾胃의 기능이 건전하면 氣血津液의 生化가 충족되고 臟腑經絡과 皮肉筋骨이 濡養되므로 痿症의 회복에 크게 도움이 된다. 그러므로 임상에서는 藥物 뿐만 아니라 鍼灸 取穴에서도 마땅히 脾胃調理에 중점을 두어야 한다. 그러나 痿症의 病因에는 脾胃虛弱 뿐만 아니라 瘀, 濕,

熱, 痰 그리고 腎陰不足 등이 있으므로 정황을 상세히 살펴서 扶正과 祛邪를 적절히 응용해야 할 것이다.

1) 血瘀證(U612)

(1) 병인병리

골관절과 주위 연조직이 外傷이나 勞損 후에 惡血이 內留하면 경락과 기혈의 운행을 방해하므로 筋脈이 失養하고 肌肉과 骨質이 萎縮된다. 예를 들면 허혈성구축, 외상성마비 등이다.

(2) 변증진단

대부분 뚜렷한 外傷 혹은 만성적인 勞損의 경력을 가지고 있다. 이러한 경우 척주, 골반 혹은 사지부가 골절되어서 심한 경우에는 척수나 신경이 손상되므로 마비증상이 나타난다. 장기적인 筋骨의 勞損은 經脈에 損傷을 일으키므로 역시 痿症에 이를 수 있다. 주로 氣虛血瘀한 상태이므로 面黃肌瘦, 神疲短氣, 四肢靑筋露出, 脣舌紫暗하며 脈은 虛澁하다.

(3) 약물치료

① 治法 : 活血化瘀, 益氣養營

② 治方 : 聖愈湯加味, 補陽還五湯, 復元活血湯, 氣滯血瘀者 加 赤芍藥 三七 橘紅 木通

- 聖愈湯加味 <蘭室秘藏> : 當歸, 黃芪 各 15 g 生地黃, 熟地黃, 人蔘, 川芎 各 20 g
- 補陽還五湯 <醫林改錯> : 黃芪 120 g, 當歸尾 6 g, 赤芍藥 5 g, 地龍, 川芎, 桃仁, 紅花 各 3 g
- 復元活血湯 <醫學發明> : 大黃 12 g, 柴胡 15 g, 當歸, 桃仁, 栝蔞根 各 9 g, 紅花 6 g, 穿山甲, 甘草 各 6 g

2) 溫邪侵襲肺衛證(U580)

(1) 병인병리

正氣不足하거나 皮毛虛弱한데 溫熱毒邪가 侵犯하여 高熱이 계속된 경우, 또한 病後에 微熱이 지속되는 경우에는 肺가 熱을 받아서 津液이 耗傷하고 筋脈이 失養하여 手足이 萎弱不用하게 된다.

(2) 변증진단

發熱 後에 兩足이 萎弱無力하며 심하면 腰脊手足이 모두 痿軟하여 사용할 수 없고 皮膚枯燥, 口渴心煩, 咽乾尿黃, 小便短赤熱痛, 舌紅苔黃하며 脈은 細數하다. 이 症은 주로 濕熱病中이나 病後에 나타나는데 邪熱이 肺를 侵犯하면 肺熱은 傷津하게 되고 津液不足이 전신에 영향을 미치게 되면 筋脈이 失養하여 肢體가 萎弱不用하게 된다. 口渴 心煩한 증상은 熱盛傷津의 소치이며, 咽乾은 肺熱이 熏津한 까닭이다.

(3) 약물치료

① 治法 : 淸熱潤燥, 養肺生津

② 治方 : 淸燥湯, 淸燥救肺湯加減, 葛根芩連湯合甘露消毒丹加減方, 發熱 小便赤痛 舌赤者 加 生地黃 白芍藥 玄蔘 白茅根, 咳嗽少痰者 加 瓜蔞仁 桑白皮 枇杷葉

- 淸燥湯 <東垣> : 黃芪, 白朮 6 g, 蒼朮 4 g, 陳皮, 澤瀉 各 2.8 g, 人蔘, 赤茯苓, 升麻 各 2 g, 當歸, 生地黃, 麥門冬, 甘草, 神麴, 豬苓 各 1.2 g, 柴胡, 黃連, 黃栢 0.8 g, 五味子 9粒
- 淸燥救肺湯加減 <醫門法律> : 桑葉 12 g, 石膏 10 g, 麥門冬 5 g, 胡麻仁, 甘草 各 4 g, 人蔘, 阿膠, 杏仁, 枇杷葉 各 3 g
- 葛根黃芩黃連湯 <傷寒雜病論> : 葛根 15 g, 黃芩, 黃連 各 9 g, 甘草 6 g
- 甘露消毒丹 <溫熱經緯> : 滑石 15 g, 茵蔯蒿 12 g. 黃芩 10 g, 石菖蒲 6 g, 川貝母, 木通 各 5 g, 藿香, 射干, 連翹, 薄荷, 白荳蔲 各 4 g

3) 濕熱證(U504)

(1) 병인병리

潮濕한 곳에 거처하거나 步水冒雨하면 濕邪가 侵襲한다. 濕邪는 肌肉을 濡漬하게 되고 이것이 鬱滯되면 熱로 變하여 筋脈을 侵犯하므로 痺而不仁하게 된다.

(2) 변증진단

兩足이 痿軟하면서 微熱과 微弱한 浮腫이 있거나 足脛이

發熱하며, 喜冷惡暖, 肢體困重, 面色萎黃, 胸脘痞悶, 小便熱赤澁痛, 舌苔黃膩, 脈濡澁하다. 濕熱之邪가 筋脈에 侵犯하면 氣血의 運行이 방해되므로 筋骨이 失養케되어 肢體가 痿軟하면서 微弱한 浮腫과 微熱이 나타난다. 濕熱이 肌膚에 侵犯하면 足脛이 發熱하고 肢體가 困重하며, 鬱蒸하면 面色이 萎黃하고, 滯塞하면 胸脘이 痞悶하며, 下注하면 小便이 熱赤澁痛하고, 內蘊하면 舌苔가 黃膩하고 脈은 濡數하다.

(3) 약물치료

① 治法 : 淸熱利濕, 祛邪通絡

② 治方 : 加味二妙散 加 黃芩 茯苓 澤瀉, 兩足熱甚 口燥舌乾者 加 苦參 知母 麥門冬 金銀花, 形肉消瘦 心煩舌邊尖紅者 加 薏苡仁 山藥 沙蔘 天花粉 麥門冬

- 加味二妙散 <醫學正傳> : 蒼朮 160 g, 黃柏 80 g, 當歸尾, 龜板, 防己, 萆薢, 牛膝 各 40 g

4) 脾氣虛證(U680)

(1) 병인병리

肺의 津液은 脾胃의 轉輸에 의하여 오는 것이고, 肝腎의 精血 역시 脾胃의 生化作用에 의존한다. 만약 脾胃가 虛弱하여 運化作用이 제대로 이루어지지 않으면 津液氣血은 化源不足으로 肌肉筋脈이 失養하여 肉痿筋縮과 步行困難이 나타난다. 이 외에 飮食攝取가 不節制하거나 過度한 營養攝取와 運動不足은 脾胃의 運化作用을 느리게 하여 停濕生痰한다. 痰이 經絡에 客하면 痞滿, 腰膝痲痺, 四肢萎弱을 초래하여 痿症에 이르게 된다.

(2) 변증진단

肢體痿軟無力, 顔面浮腫, 面色不華, 食慾不振, 大便溏薄, 舌苔薄白, 脈細하다. 脾胃가 虛弱하면 氣血生化之源이 不足하므로 筋脈이 失養케되어 肢體가 痿軟無力해진다. 營養은 缺乏되어 面色이 不華하면서 顔面에 微弱한 浮腫이 나타난다. 脾가 健運하지 못하므로 食慾不振, 大便溏薄이 나타나고 營氣不足으로 舌苔薄白, 脈細하게 된다.

(3) 약물치료:

① 治法 : 益氣健脾, 和中養胃

② 治方 : 蔘苓白朮散加減, 健脾養胃湯, 補中益氣湯, 瓊玉膏, 病久體虛者 加 黃芪 當歸, 傷胃陰者 加 玉竹 石膏 石斛 天花粉

- 蔘苓白朮散加減 <和劑局方> : 人蔘, 白朮, 茯苓, 甘草, 山藥 各 12 g, 白扁豆 9 g, 蓮子肉, 薏苡仁, 桔梗, 砂仁 各 6 g, 大棗 3枚
- 健脾養胃湯 <傷科補要> : 山楂肉 6.4 g, 香附子, 貢砂仁, 山藥, 白朮 各 4 g, 蒼朮, 川芎, 厚朴, 陳皮, 麥芽炒, 神麴炒, 半夏, 白茯苓, 白荳蔲 各 3.2 g, 草果, 藿香, 草荳蔲, 炙甘草 各 2.8 g, 人蔘, 益智仁, 木香 各2 g, 生薑 4 g
- 補中益氣湯 <脾胃論> : 黃芪, 甘草, 人蔘 各 4 g, 當歸身, 陳皮, 升麻, 柴胡, 白朮 各 2 g
- 瓊玉膏 <洪氏集驗方> : 白密 6000 g, 白茯苓 637.5 g, 生地黃 4800 g, 人蔘 862.5 g

5) 肝腎陰虛證(U784)

(1) 병인병리

병이 오래되어 체력이 약해지거나 平素에 夢精이나 遺精이 자주 있으면 肝腎虧虛에 이르게 된다. 肝은 筋을 主管하는 바 肝陰이 損傷되면 榮筋할 수 없으므로 筋骨이 萎弱해진다.

(2) 변증진단

病程이 오래되면 下肢는 점차 萎弱해지고 頭暈目眩, 耳鳴, 腰脊酸軟, 遺尿, 遺精, 陰痿 혹은 月經不調, 舌紅少苔, 脈細數하다. 病이 오래되면 肝腎의 精血이 훼손되므로 筋骨을 濡養할 수 없어 下肢가 점차적으로 萎弱해지며, 陰虛하면 陽亢하므로 頭暈, 目眩, 耳鳴하게 되고, 腰는 腎之府이므로 腎精不足하면 腰脊이 失養하여 酸軟無力해진다. 腎과 膀胱은 表裏 관계이므로 腎虛하면 膀胱기능이 失調하여 遺尿하고, 또한 腎虛하면 陰精을 固澁할 수 없으므로 남자는 遺精陰痿, 여자는 月經不調가 나타난다. 陰虛하면 안으로 熱이 생기므로 舌紅苔少, 脈細數한 증상이 나타난다.

(3) 약물치료

① 治法 : 滋陰清熱, 補益肝腎

② 治方 : 虎潛丸加減, 補腎壯陽湯, 養血壯筋健步丸, 氣血虛弱者 加 黃芪 人蔘 何首烏 鷄血藤, 久病者 去 知母 黃柏 加 鹿角 補骨脂 仙靈脾 巴戟天 附子 肉桂

- 虎潛丸加減 <丹溪心法> : 黃柏, 龜板 160 g, 知母, 熟地黃, 當歸, 白芍藥, 鎖陽 80 g, 虎骨, 陳皮, 牛膝 40 g
- 補腎壯陽湯 <中醫傷科學> : 肉桂 6 g, 炮薑 6 g, 白芥子 3 g, 熟地黃 15 g, 麻黃 3 g, 杜仲 12 g, 菟絲子 12 g, 狗脊 12 g, 牛膝 9 g, 續斷 2 g, 絲瓜絡 6 g
- 養血壯筋健步丸 <古今醫鑑> : 熟地黃 160 g, 牛膝, 當歸, 杜仲, 黃柏 各 80 g, 枸杞子, 龜板, 白芍藥, 白朮, 山藥, 五味子, 人蔘, 蒼朮, 菟絲子, 破古紙, 虎脛骨, 黃芪 各 40 g, 防風 24 g, 防己 20 g, 羌活 12 g

6) 침구치료

痿症에 대한 침구치료의 원칙은 調理脾胃, 補益後天, 强筋壯骨, 通經活絡, 陽明과 侵犯된 臟腑의 兪穴을 위주로 한다.

《鍼灸歌賦》에서 痿症의 침구치료 내용을 소개하면 다음과 같다.

(1) 半身不遂 麻木不仁

『雜病歌』半身不遂患偏風 肩髃曲池列缺同 陽陵泉兮手三里 合谷絕骨丘墟中 環跳昆侖照海穴 風市三里委中攻

(2) 言語障碍

『百病賦』瘂門關衝舌緩不語而要緊 天鼎間使 失音囁嚅而休遲

『針灸歌』承漿暴瘂口喎斜

(3) 顔面麻痹

『百病賦』頰車地倉穴 正口喎于片時, 太衝瀉唇喎以速愈

『針灸歌』承漿暴瘂口喎斜

(4) 脊椎部 痿症

『玉龍賦』人中曲池可治其痿傴, 風池·絶骨 而療乎傴僂

『肘後歌』腰軟如何去得根 神妙委中立見效

(5) 四肢部 痿症

『通玄指要賦』四肢之懈惰 凭照海以消除

(6) 上肢部 痿症

『臥岩應穴針法賦』但見兩肘之拘攣 仗曲池而平掃 應在尺澤

『玉龍歌』腕中無力痛艱難 握物難移體不安 腕骨一針雖見效 莫將補瀉等床看

『雜病歌』腕中無力 列缺中

『百病賦』目如兩臂頑麻 少海就傍於三里

『雜病歌』手臂麻木天井宜 外關支溝與曲池 陽陵腕骨上廉等 再兼合谷與經渠

『度弘賦』更向太衝須引氣, 指頭麻木自輕飄

(7) 下肢部 痿症

『玉龍歌』腰腿無力身立難 原因風濕致傷殘 倘知二市穴能灸 步履悠然漸自安

『玉龍賦』風市陰市 驅腿腳之乏力

『針灸歌』足躄懸鍾環跳中

『雜病穴法歌』兩足酸麻補太谿 僕參內庭盤跟楚

『雜病歌』足麻痺等環跳 陰陵陽輔太谿穴 兼治至陰五穴瘳

(8) 足部 痿症

『臥岩應穴針法賦』且如行步難移 太衝最奇 應在丘墟

『勝玉歌』若人行步苦艱難 中封太衝針便痊

『玉龍歌』行步艱難疾轉加 太衝二穴效堪誇 再針三里中封穴 去痛如同用手拿

『雜病歌』足緩陽陵衝陽中 絕骨丘墟四穴定

『長桑君天星秘訣歌』足緩難行先絶骨 次尋條口及衝陽

3. 동의보감에 수록된 관련 내용

【痿病之因】

內經曰 肺者藏之長也 爲心之蓋也 有所失亡 所求不得 則發肺鳴 鳴則肺熱葉焦. 故曰 五臟因肺熱葉焦 發爲痿躄 此之謂也. 陽明者 五臟六腑之海 主潤宗筋 宗筋主束骨 而利機關也. 衝脈者經脈之海也 主滲灌谿谷 與陽明合於宗筋 陰陽總宗筋之會 會於氣街 而陽明爲之長 皆屬於帶脈 而絡於督脈 故陽明虛則 宗筋縱 帶脈不仁 故足痿不用也<內徑> ○心氣熱 爲脈痿 則縱而不任地. 肝氣熱則 膽泄 口苦 筋膜乾 筋膜乾則 筋急而攣 發爲筋痿. 脾氣熱則 胃乾而渴 肌肉不仁 發爲肉痿. 腎氣熱則 腰脊不擧 骨枯而髓減<內經> ○痿謂手足痿弱 無力以運動也. 由肺金本燥 燥之爲病 血衰不能榮養百骸 故手足痿弱不能運動. 猶秋金旺則草木萎落 病之象也 痿猶萎也<河間> ○痿之作也 皆五月六月七月之時. 午者 少陰君火之位. 未者 濕土庚金伏火之地. 申者 少陽相火之分 故病痿之. 人其脈浮大<子和>

【痿病治法】

肺金體燥而居上 主氣 畏火者也. 脾土性濕而居中 主四肢 畏木者也. 火性炎上 若嗜慾無節則氷失所養 火寡于畏而侮所勝 肺得火邪而熱矣. 木性剛急 肺受熱則金失所養 木寡于畏而侮所勝 脾得木邪而傷矣. 肺熱則不能管攝一身 脾傷則四肢不能爲用 而諸痿之病作矣. 瀉南方 則肺金淸 而東方不實 何脾傷之有. 補北方 則心火降 而西方不虛 何肺熱之有. 故陽明實 則宗筋潤 能束骨而利機關矣. 治痿之法 無出於此<丹心> ○東垣取黃栢爲君 黃芪等補佐 以治諸痿 無一定之方. 有兼痰積者 有濕多者 有熱多者 有濕熱相半者 有挾氣者 臨病製方 其善於治痿者乎. 雖然 若將理失宜 醫所不治. 天産作陽 厚味發熱 患痿之人 若不淡薄食味 吾知其必不能安全也<丹心> ○痿病 切不可作風治 用風藥<丹心> ○蒼朮 黃栢 治痿之要藥也<正傳> ○肝腎俱虛 筋骨痿弱 宜加味四斤元 五獸三匱丸 鹿角膠丸 養血壯筋健步丸 ○濕熱痿弱 宜神龜滋陰丸 三妙丸 加味二妙丸 加味四物湯 滋血養筋湯 ○長夏濕熱成痿 宜健步丸 四製蒼栢丸 二炒蒼栢散(方見上) 淸燥湯 ○兼濕痰 二陳湯 加蒼朮 黃栢 黃芩 白朮 竹瀝薑汁. 血虛 四物湯加蒼栢. 氣虛 四君子湯 加蒼栢.

[加味四斤元] 治肝腎俱虛 脚膝痠疼痿弱 或受風寒濕氣以致脚痛. 牛膝酒浸一兩半 川烏 虎脛骨 肉蓯蓉各一兩 乳香 沒藥各五錢 木瓜 一箇蒸熟. 右爲末 入木瓜膏和酒糊丸 如梧子. 溫酒或 塩湯下七十丸<濟生>

[五獸三匱丸] 治肝腎不足 兩脚痿軟. 鹿茸酥灸 血竭 虎脛骨酥灸 牛膝酒浸 金毛狗脊燎去毛各一兩. 爲末 卽五獸也. 另用附子一箇 去皮 剜去中心 入辰砂細末一兩塡滿. 又用木瓜一枚 去皮剜去中心 入附子於內 以附子末盖口 卽三匱也. 却以三匱正坐於磁缸內 重湯蒸至極爛 取出和五獸末 搗丸芡實大 木瓜酒化下. 血竭 一名麒麟竭<澹寮>

[鹿角膠丸] 治兩足痿軟 久臥不起 神效. 鹿角膠一斤 鹿角霜 熟地黃各八兩 當歸身四兩 牛膝 白茯苓 兎絲子 人蔘 白朮 杜冲各二兩 虎脛骨 龜板並酥灸各一兩. 右爲末 將鹿角膠入酒烊化 和丸梧子大. 薑塩湯呑下百丸<正傳>

[養血壯筋健步丸] 治氣血兩虛 兩脚痿軟 不能行動. 熟地黃四兩 牛膝酒浸 杜冲薑汁炒 當歸酒洗 蒼朮 黃栢塩水炒各二兩 白芍藥酒炒一兩半 黃芪塩水炒 山藥 五味子 破古紙塩水炒 人蔘 枸杞子 兎絲子 白朮炒 虎脛骨 龜板並酥灸各一兩 防風六錢 防己酒洗五錢 羌活酒洗三錢. 右爲末 猪脊髓七條 入蜜和丸梧子大. 塩湯下百丸<醫鑒>

[神龜滋陰丸] 治膏粱之人 濕熱傷腎 脚膝痿弱無力. 龜板酥灸四兩 黃栢 知母並塩水炒各二兩 枸杞子 五味子 鎖陽各一兩 乾薑五錢. 右爲末 酒糊和丸梧子大. 塩湯下七十丸<綱目>

[三妙丸] 治濕熱下流 兩脚麻木痿弱 或如火烙之熱. 蒼朮泔浸六兩 黃栢酒炒四兩 牛膝二兩. 右爲末 麪糊和丸梧子大. 薑塩湯下五七丸<正傳>

[加味二妙丸] 治兩足如火燎 足跗熱起 漸至腰胯 痲痺痿軟 皆是濕熱爲病. 蒼朮泔浸四兩 黃栢酒浸二兩 牛膝 當歸尾酒洗 萆薢 防己 龜板酥灸各一兩 右爲末 酒麪糊和丸梧子大. 空心 薑塩湯下百丸<正傳>

[加味四物湯] 治濕熱 兩脚痿軟無力. 熟地黃二錢 當歸身 麥門冬 黃栢 蒼朮各一錢 白芍藥 川芎 杜冲各七分 人蔘 黃連各半錢 知母 牛膝各三分 五味子九粒. 右爲剉 作一貼 水煎 空心服<正傳>

[滋血養筋湯] 治氣血兩虛 兩足痿軟 不能行動. 熟地黃一錢半 白芍藥 當歸 麥門冬 黃栢酒炒 牛膝酒浸 杜冲酒炒 蒼朮 薏苡仁各八分 人蔘 川芎 防風 知母各五分 羌活 甘草

各三分 五味子九粒. 右爲剉 作一貼 入薑三棗二 水煎服<醫鑑>

[健步丸] 治濕熱盛 脚膝無力 不能屈伸 腰腿沈重 行步艱難. 防己一兩 羌活 柴胡 滑石 瓜蔞根酒洗 甘草炙各五錢 澤瀉 防風各三錢 苦蔘 川烏各一錢 肉桂五分. 右爲末 酒糊和丸梧子大. 以葱白 荊芥煎湯 下七十丸<丹心>

[四製蒼栢丸] 治濕熱盛 脚膝痿弱 能滋陰降火 黃栢二斤 以乳汁童便 米泔各浸八兩 酥灸八兩 浸灸各宜十三次 蒼朮八兩 用川椒 破古紙 五味子 川芎各二兩 揀去炒藥. 只取栢 朮 爲末 蜜丸梧子大. 早酒 午茶 晚白湯 呑下三五十丸<入門>

[清燥湯] 治長夏濕熱 盛兩脚痿厥癱瘓. 黃芪 白朮各一錢半 蒼朮一錢 陳皮 澤瀉各七分 赤茯苓 人蔘 升麻各五分 生地黃 當歸 豬苓 麥門冬 神麴 甘草各三分 黃連 黃栢 柴胡各二分 五味子九粒. 剉作一貼 水煎服<東垣>

【熱厥成痿】

一人自踝以下常覺熱 冬不可加綿於上. 常自言曰 我稟質壯 不怕冷.予曰 足三陰虛 宜斷慾事 以補養陰血 庶乎可免. 彼笑而不答 年近五十 患痿半年而死<丹心> ○一相公 兩脚痿弱 臍下尻陰皆冷 精滑不固 服鹿茸丸不減. 東垣診其脈沈數而有力. 告曰 飮醇酒 食膏粱 滋火于內 逼陰於外. 醫不知此 投而熱劑 反瀉其陰而補其陽 眞所謂實實 虛虛也. 遂處以滋腎丸 再服而愈. 或問其故. 答曰 是病相火熾盛 以乘陰位 故用此大寒之劑 以瀉相火而復眞陰 陰旣復其位 則皮裏之寒自消矣<東垣>

【筋急筋緩】

內經曰 濕熱不攘 大筋緛短 小筋弛長 緛短爲拘 弛長爲痿. 註曰 大筋受熱則縮而短 小筋得濕則引而長. 縮短故拘攣而不伸 引長故痿弱而無力 ○靈樞曰 筋之病寒則反折筋急 熱則筋弛縱不收 陰痿不用. 寒急用燔鍼 熱弛無用燔鍼 ○脈不榮則筋急. 仲景云 血虛則筋急 此皆血脈不榮於筋而成攣. 故丹溪治攣 用四物湯(方見血門)加減. 本事方 治筋急 用養血地黃元. 蓋本乎此也<綱目>○寒則筋急 熱則筋縮. 急因於堅强 縮因於短促. 若受濕則弛 弛因於寬而長. 皆受寒使人筋急 受熱使人筋攣. 若但熱而不曾受寒 亦使人筋緩. 若受濕則又引長無力也<得效> ○酒煮木瓜汁 裹筋急痛處 亦佳<綱目> ○金絲膏 主風濕筋寒諸病 可外貼之.(方見丹心) 酒煮木瓜粥 治脚膝筋急 大木瓜酒水相和 煮令爛 研作膏 熱裹痛處 冷卽易 一宿三五度 便差<本草>

【筋痿】

內經曰 肝氣熱則膽泄口苦 筋膜乾 筋膜乾則筋急以攣 發爲筋痿. 思想無窮 所願不得 意淫於外 入房太甚 宗筋弛縱 發爲筋痿及爲白淫. 故下經曰 筋痿者生於肝使內也 ○肝氣熱爲筋痿 則筋急以攣<本草>

【骨痿】

腎氣熱則腰脊不擧 骨枯而髓減 發爲骨痿. 有所遠行勞倦 逢大熱而渴 渴則陽氣內伐 內伐則熱合於腎. 腎者水藏也 今水不勝火 則骨枯而髓虛 故足不任身 發爲骨痿. 故下經曰 骨痿者生於大熱也<內經>

【濕熱】

六氣之中 濕熱爲病 十居八九<丹心> ○內經曰 因於濕 首如裹 濕熱不攘 大筋緛短 小筋弛張 緛短爲拘 弛張爲痿 ○大筋受熱 則縮而短 小筋得濕 則引而長. 縮短故拘攣而不伸 引長故痿弱而無力<內經註> ○濕者 土濁之氣 首爲諸陽之會 其位高 其氣淸 其體虛 故聰明得以係焉. 濕氣熏蒸 淸道不通 沈重而不爽利 似乎有物以蒙冒之. 失而不治 濕鬱爲熱 熱留不去 熱傷血 不能養筋 故大筋爲拘攣 濕傷筋 不能束骨 故小筋痿弱也<丹心> ○濕勝筋痿 熱勝筋縮 實者三花神祐丸 方見下部 虛者宜淸燥湯 方見足部<入門> ○有氣如火 從脚下起 入腹 此濕鬱成熱而作 宜蒼朮 黃栢 牛膝 防己 作丸服 或二妙丸 單蒼朮丸<正傳> ○首如裹 單蒼朮膏 最妙 ○濕病腹中和 能飮食 病在頭 中寒濕 故鼻塞 納藥鼻中 則愈. 瓜蔕末吹鼻中 出黃水<仲景>

[單蒼朮丸] 常服 除濕 壯筋骨 明目. 蒼朮一斤 米泔浸 剉 晒乾 半斤以童便浸一宿 半斤酒浸一宿 並焙乾爲末 神麴糊和丸綠豆大 白湯下七十丸 或加白茯苓六兩 尤好<入門> ○或爲末 每二錢空心塩湯 或酒調下 亦得<入門>

[二妙丸] 治濕熱 蒼朮 黃栢 等分爲末 滴水爲丸 服之<丹心>

제3절 痲痺와 痿症疾患

이완성 마비 질환은 일반적으로 근력 저하, 근긴장도 저하, 반사의 감소 혹은 소실, 신경성 근육 퇴행 변화 등과 같은 증상을 보인다. 이완성 마비와 위증은 지체가 위약하여 잘 쓰지 못하고 수의적인 운동에 제한을 받는 특징적인 증상이 있어 이에 해당되는 질환들을 살펴보면 다음과 같다.

1. 다발성 신경병증

다발성 신경염(polyneuropathy)은 말초신경염이라고도 불리며 주로 중독(다수의 전염성 병원균과 그 독소, 알코올, 납 등), 영양장애(비타민 B1결핍, 빈혈), 대사장애 등의 원인으로 인하여 사지말단부에 대칭적인 피부감각장애, 이완성 마비, 영양장애 등을 유발한다. 임상 증상은 대개 신속하게 진행하여 수일 내에 사지원위부의 감각장애, 수족하수, 근육위축, 피부냉감 및 건조 등이 나타난다. 독성 신경염, 감염성 신경염, guillain-barre 증후군, 당뇨병성, 알코올성 등으로 분류된다.

주요 임상적 특징은 사지말단부 특히 하지부에 대칭적으로 감각, 운동, 자율신경에 장애가 나타나는 것이다. 감각장애는 초기에 피부 자극증상이 주로 나타나지만 점차적으로 열감, 벌레가 기어가는 느낌, 찌르는 듯한 통증 혹은 감각과민 등이 나타나고 진행됨에 따라 통각, 온각, 촉각 그리고 관절위치감각이 감퇴한다. 운동장애는 근력저하 및 무력, 일정하지 않은 마비, 근위축, 심부건 반사의 감퇴 혹은 소실이 나타나며 심한 경우 수족이 하수된다. 자율신경장애는 수족부의 피부가 얇아지거나 각질화되고 爪甲의 脆弱, 多汗 혹은 無汗, 潮紅 그리고 체온저하 등이 나타난다.

2. 피부근염과 다발성근염

피부근염(dermatomyositis)은 급성, 아급성 혹은 만성의 경과를 취하는 피부, 골격근 및 혈관의 염증성 질환으로 아직 정확한 원인은 밝혀져 있지 않으며, 침범된 골격근의 허약을 특징으로 한다. 피부증상이 없이 근육 침범만 있는 경우에는 다발성근염(polymyositis)이라 하며 양자는 동일 질환의 이형이라 생각된다.

원인설로는 면역 발병 기전이 유력하고 특히 근섬유에 대한 자가 독성설, 림프구에 의한 자가면역설이 지지를 받고 있다. 또 환자의 25-35%에서 악성 종양을 동반하며 일부 환자에서 종양조직에 대한 양성 피부반응을 나타내는 점으로 보아 종양에 대한 과민반응이라는 주장도 있다.

발병 연령은 전 연령층이지만 50-60대에서 호발하고 여성이 남성보다 2배 가량 많다. 대개 근허약이나 근육통으로 시작하며 근 침범은 흔히 대칭성으로 주로 견갑부, 골반부의 근육이나 경부 근육을 침범한다.

침범된 근육은 압통 혹은 통증을 수반하고 초기에는 물렁물렁하게 촉지되지만 차차 딱딱해지면서 나중에는 위축되고 섬유화하여 경축이나 석회침착이 일어나고 때로는 가성 비대 현상도 보인다.

식도나 인두의 근육이 침범 당하면 연하곤란, 구개근이 침범되면 발성장애, 안면근이 침범되면 가면상 안면이 온다. 장을 침범하면 장유동이 증가하고 흡수장애가 오기도 한다. 흉근, 횡격막근, 심근이 침범된 경우 심하면 심장장애가 온다. 근증상이 나타날 때나 나타나기 이전에 전신 증상으로 발열, 쇠약감, 권태감을 호소하며 때로는 류마티스 관절염, 활액낭염을 보이고 성인에서는 0-20%에서 raynaud 현상을 나타낸다. 특징적인 소견으로 피부근염의 경우 연자색 홍반 혹은 부종이 안검주위에 발생하고 기타 조갑주위 홍반, 모세혈관확장증, 지골관절배부의 gottron 구진이 나타난다.

환자의 약 25%에서 발병 6개월 내지 3년 후에 미만성 피부섬유화가 일어나고 20-25%에서 발병 2-3년 후에 근, 피하조직, 건 등에 광범위한 석회침착이 일어난다.

3. 허혈성 구축

허혈성 구축(ischemic contracture)은 꽉 조이는 지혈대 등에 의한 압력, 상해, 동상 등으로 발생하는 순환장애로 근의 구축이나 연축 상태를 말한다. 외상 후의 석고 및 압박붕대 등으로 인한 장기간의 압박과 지체 내부조직의 혈종으로 인한 종창 등으로 인하여 구획 증후군(compartment syndrome)이 발생한다. 초기에는 손상부위의 麻感 혹은 異常感을 나타내고 계속하여 심부로 전달되면서 광범위하고 격렬한 灼痛을 호소한다. 손상부위는 뚜렷한 종창과 발적 그리고 신경분포구역의 감각장애를 나타낸다. 후기에는 신경기능의 소실로 인하여 감각이 없어지고 구축이 일어나 손가락이 새 발톱 모양을 이루며 활동기능에 장애를 일으킨다.

4. 사경증

사경증(torticollis)은 선천성 또는 후천성으로 발생하는 목의 회전 및 굴곡 변형으로 머리는 환측으로 기울고 턱은 건측으로 돌아가는 질환이다.

선천성 사경(congenital torticollis)은 흉쇄유돌근이 구축되고 섬유화되어 나타나는데, 이의 원인으로는 확실하지는 않지만, 태내에 있을 때 두부가 비정상적인 위치로 있는 경우, 태생기에 흉쇄유돌근의 영양 혈관이 손상되거나 혈류 장애가 있는 경우, 또는 흉쇄유돌근의 구획 증후군이 발생한 경우 등에서 근육의 구축이 일어날 수 있다는 가설들이 있다.

후천성 사경(acquired torticollis)의 원인으로는 경추 자체의 이상에 의한 경우와, 경추에는 이상이 없으나 신경학적 또는 심리적 원인에 의한 경우가 있으며, 화상과 같이 연부조직의 구축에 의한 경우도 있다. 경추 자체의 이상으로는 외상에 의한 염좌, 아탈구, 탈구, 골절 등이 있으며, 염증성 질환으로는 척추 결핵, 화농성 척추염, 류마티스 관절염, 강직성 척추염, 골관절염 등이 있고 경추 종양에 의해서도 사경이 발생할 수 있다. 신경학적 또는 심리적 원인으로는 경련성 사경, 히스테리성 사경, 척수 종양이나 경추 신경의 마비에 의한 마비성 사경, 임파선의 급성 감염 때 볼 수 있는 반사성 사경 등이 있다.

사경증은 비수술적 치료로 흉쇄유돌근 이완기법 등이 활용되며, 특히 선천성 사경의 경우 조기 진단을 통한 조기 치료가 예후에 중요한 영향을 미친다. 또한 보툴리늄 독소 주사를 통한 근긴장의 해소는 통증 및 증상의 개선에 도움이 될 수 있다. 비수술적 요법을 통해 교정되지 않는 사경증은 흉쇄유돌근 절제 등의 수술적 치료가 필요할 수 있다.

5. 수장건막구축

수장건막구축(dupuytren's contracture)은 수장건막(palmar aponeurosis)이 진행성으로 구축되는 질환으로, 보통 50대 후반에서 70대까지의 남자에게 잘 발생하며 여자의 경우는 젊은 층에 잘 나타난다. 남녀의 비는 약 7:1이며 유색인종에서는 드물다. 침범부위는 제 4 또는 제 5 손가락이며 때로는 양쪽 손가락에 동시에 침범하는 경우가 있다. 한쪽 손에만 구축이 생기는 경우가 있으나 대체로 양측성으로 발생하며 일반적으로 오른손에 잘 생긴다.

처음에는 피하에 무통성 소결절이 중수지관절의 수장건막에 나타나고 피부에 소와(foveola)를 동반하며 비대된 축대가 縱으로 형성되어 점차 수지가 굴곡위로 구축된다. 중수지관절과 수지관절이 굴곡되지만 원위지 관절에는 영향이 없으므로 이 관절의 신전에는 장애가 없다. 구축이 심할 때는 손가락 끝이 손바닥에 접해 있어서 수지의 신전이 안 될 경우도 있다.

일반적으로 통증은 없거나 있어도 대단히 경미하며 압통이 있을 때가 있다. 보통 양측성으로 구축이 발생되나 먼저 한쪽 손에 생기고 이어 반대측을 침범하는 수가 많다. 때로는 수장건막이 비대 구축되는 것과 동시에 족저건막이 비대되는 경우도 있다.

보존적 치료는 보통 발병초기의 환자로서 기능장애가 심하지 않은 경우에 한하며 기능장애가 심한 경우에는 건막제거술 등의 수술요법을 고려한다.

6. 뇌성마비

뇌성마비(cerebral palsy)는 "미성숙 뇌의 결손이나 병변에 의한 운동이나 자세의 이상"을 말하며 1889년 William

등이 cerebral palsies 라고 보고한 이후 뇌성마비라 불리게 되었다.

최근 의학의 발전에도 불구하고 감소하는 추세가 아니며, 원인 또한 매우 다양하고 출생초기부터 증상이 나타나기 시작하여 그 장애가 일생을 지속하는 심각한 질환이며 발생빈도는 전체 인구 중 0.15-0.2% 정도로 알려져 있다.

1) 원인

뇌손상의 시기별로 출생 전(prenatal), 출생 시(perinatal)와 출생 후(postnatal)로 나눌 수 있다. 뇌성마비의 발생은 미숙의 정도와 비례하는데 발육부전, 저산소증, 출혈과다, 감염독소 및 중독, 외상, 자가면역반응, 유전인자의 결함 등이 미숙아를 출생하게 하는 원인이 되며 환자의 약 3분의 1 정도가 뇌의 발육부전으로 인해 발생한다. 시기별 원인은 다음과 같다.

① 출산 전: 임신중 모체의 풍진 바이러스 등의 감염, 방사선 조사, 출혈, 중독증, 제대 및 태반의 이상, 무산소증, 핵황달, 미숙아 등

② 출산 시: 난산, 기도폐색, 호흡마비, 신생아 가사 등

③ 출산 후: 두부외상, 뇌염, 뇌막염, 뇌농양, 뇌종양 등

2) 진단과 분류

뇌성마비의 진단과 평가는 같은 연령의 정상아의 발육정도와 비교하여 평가하는데, 발육은 신체적, 정신적, 감정적, 심리적 및 사회적 성장과 발육면에서의 전체적 관점에서 평가한다. 대체로 비정상적 근긴장(muscle tone)의 형태와 힘, 상호작용하는 신경지배(reciprocal innervation)의 비정상적 상태, 자세와 운동성의 비정상과 정상발육부전 등에 대하여 평가한다.

신경운동적으로 경직형, 불수의운동형, 강직형, 운동실조형, 진전형, 혼합형의 6가지로 분류하며, 신경운동손상이 나타나는 지절별로는 하반신마비(paraplegia), 편마비(hemiplegia), 삼지마비(triplegia), 사지마비(quadriplegia)로 분류하고, 장애정도에 따라서는 일반적으로 신경운동장애 정도를 기본으로 하며 환자가 일상생활동작을 수행할 수 있는 능력에 따라서 분류하는데 경도(mild), 중등도(moderate), 중증(severe)이 있다.

3) 임상적 특징

뇌성마비 환자의 70-80%는 경직형 양상을 보인다. 영향을 받은 사지는 심부건반사, 근긴장도의 항진이 나타나며 특징적인 가위 보행(scissors gait), 첨족 보행(toe-walking)이 나타난다. 10-20%의 불수의 운동형 뇌성마비 환자는 상하지의 움직임이 비정상적으로 느리고 뒤틀리는 모습을 나타낸다. 운동실조형 뇌성마비는 5-10% 정도로, 균형과 협응 운동이 저해되어 다리를 넓게 벌리고 걷거나 일상 중 미세한 운동 기능이 요구되는 복잡한 동작을 수행시 떨림이 나타난다. 그 외 지적 장애, 경련, 발육 부전 및 시각 장애, 청각 장애 등의 신경학적 이상이 동반되기도 한다.

4) 치료

뇌성마비는 치료보다는 증상의 관리가 중요하다. 아동의 발달 가능성을 최대화하고, 근골격계 변형은 최소화하며 운동, 인지 발달, 사회적 상호 작용 및 독립성 측면에서 능력을 향상시켜 정상적인 생활을 유지하게 하는 것이다.

신경 발달 치료(ex. Bobath method)는 뇌성마비 치료에 일반적으로 활용되는 방법으로, 특정 수기법을 통해 근육 긴장도, 반사, 비정상적 운동 패턴, 자세 조절, 감각 등의 감각운동 영역을 조절한다. 또한, 근력 강화 프로그램도 활용된다. 약물 치료로는 뇌성마비의 경직 완화를 위해 보툴리눔독소(Botulinum toxin) 주사, 근이완제인 바클로펜(Baclofen) 등이 사용된다. 수술적 치료인 선택적 척수후근절제술(selective dorsal rhizotomy)은 L1-S2 척수 분절로부터의 후근분지를 선택적으로 절제하여 경직을 최소화하는 방법이다.

7. 뇌졸중

뇌졸중(CVA)이란 급속히 발생한 뇌기능의 장애가 24시간 이상 지속되거나 그전에 죽음에 이르는 것으로 뇌혈관의 문제가 원인인 것으로 정의하고 있다(WHO). 따라서 급격하게 증상이 나타나기 때문에 대부분 문진으로 발병 시기를 알 수 있으며, 뇌혈관이 장애를 받은 부위에 따라 각기 다른 국소 신경 증상이 나타난다. 뇌간과 시상의 손상에 의해서는 돌발적으로 의식장애가 나타날 수 있고 대뇌의 광범위한 장애에 의해

서는 점진적으로 의식장애가 심해질 수 있다. 다양한 임상 증상으로는 편마비, 언어장애, 연하곤란, 이상감각 등이 있다. 보통 출혈성 뇌졸중(뇌출혈)과 허혈성 뇌졸중(뇌경색)으로 분류되며 뇌경색과 뇌출혈을 시사하는 임상 증상은 다음과 같다.

보통 뇌경색은 자고 일어난 후 증상이 이미 발생한 경우가 많고, 일과성 허혈성 발작을 경험한 후에 증상이 발생하기도 한다. 신경학적 증상이 심해도 두통을 호소하지 않으며 뇌출혈에 비해 의식이 깨끗한 경우가 많고 신경학적 증상이 가볍거나 곧 호전되는 것이 일반적이며 평소 심장병, 당뇨병을 가지고 있는 사람에게서 다발한다.

뇌출혈의 경우 활동중 특히 스트레스가 많은 상황에서 증상이 생기는 경우가 많으며, 처음부터 두통이 있으며 구토하는 것이 자주 있다. 뇌경색에 비해 빠른 속도로 신경학적 증상이 악화되며 점차 의식이 흐려지며, 평소 혈압이 잘 조절되지 않았거나 최근 술을 무척 많이 마신 경우에 다발한다.

뇌졸중이 의심되는 환자의 진단에는 CT와 MRI 검사가 적극적으로 사용된다. 허혈성 뇌졸중이 의심되는 환자의 영상검사 시 1차적 목적은 비허혈성 중추신경계 병변을 배제하고, 허혈성 뇌졸중과 출혈성 뇌졸중을 감별하는 것이다. CT는 급성 출혈을 감지하는데 민감도가 높은데, 초기 72시간 내의 지주막하 출혈의 진단에는 CT가 매우 유용하다. 그러나 3시간 이내의 급성기 허혈성 뇌졸중은 CT에서 민감도가 낮아 감별하기에 어려움이 있다. MRI는 CT보다 높은 분해능을 가지며, 특히 확산강조영상(diffusion weighted image, DWI)은 급성 허혈성 뇌졸중을 진단하는데 유용하다. 또한 경사회복에코(gradient recalled echo, GRE), 확산강조영상 등의 MRI기법은 출혈성 뇌졸중 진단에도 CT 만큼의 민감도를 가진다. MRI가 CT보다 분해능이 뛰어나지만, CT는 검사시간이 더 짧고 비용이 적게 들며, 체내 인공삽입물(예: 심박조율기)이 있는 사람과 폐쇄 공포증이 있는 사람에게서 수행하기 유리하다.

8. 척수손상

척수손상(spinal cord injury)은 일반적으로 양측 하지의 마비 또는 근력저하를 나타내며, 손상된 척수의 신경학적 위치 이하에 증상이 나타난다. 양측 하지의 마비는 척수, 척수근 및 말초신경질환에서도 나타날 수 있다. 만약 신경학적 병변이 상위에 위치하게 되면 양측 상지에도 증상이 나타나 사지마비를 보여주게 된다. 임상적으로는 급성과 만성으로 나누며 급성은 척추의 골절성 전위와 그에 의한 척추의 압박성 괴사, 혈관 기형의 출혈에 의한 특발성 척수혈종, 척수동맥혈전에 의한 경색, 해리성 대정맥류나 죽상경화에 의한 척수 영양동맥이 폐쇄되어 나타나는 경색이 원인이 된다. 만성은 척수변성증, 척수 종양, 추간판 탈출증, 변형성 경추증, 매독성 수막척수염 등이 주요원인이다.

척수손상은 대체로 젊은 층에서 많이 발생하는 상해로 70%는 외상에 의한 것이며 30%는 질병에 의한 것으로, 이중 외상으로 인한 척수손상 중에는 교통사고가 50%로 가장 많고 산업재해 등으로 인한 추락사고, 스포츠 손상, 총기 및 흉기 등이 원인이며 호발 연령은 대체로 80%가 40세 미만이다.

발생 기전을 살펴보면 다음과 같다. 경추의 골절, 탈구는 급격한 굴곡으로 발생되는데, 산재사고, 교통사고, 높은 곳에서의 추락, 직접적인 타격 등으로 기인한다. 가장 많이 발생하는 부위는 C5-6, C6-7 사이이다.

흉추 부위는 하위부에서 압박 골절을 많이 볼 수 있으며, 이로 인하여 후만(kyphosis)이 증가하고 신경관의 침해가 발생하기 쉽다. 가장 많이 발생하는 부위는 T12-L1 사이이다. 요추 부위는 압박 골절이나 복합 골절, 부전 탈구가 있는 골절, 신경공의 침해 또는 완전 골절 및 탈구증이 많이 발생한다. 하반신마비는 하지와 구간을 포함한 부분의 마비이며, 상지까지 포함되었을 때는 사지마비라고 한다. 척수손상은 선천성 결함이나 감염 및 질병에서도 발생되나 그 원인보다는 손상 척수의 부위가 문제가 되며 환자재활의 중요한 요소이다.

치료는 우선 원인을 제공하는 탈구, 골절편, 어혈, 종양, 농양 등을 제거하여 부분적인 회복을 꾀한 다음 종합적인 치료를 시행한다.

9. 중증근무력증

중증근무력증(myasthenia gravis)은 신경근육성 기능장애로서 임상적으로 지각장애나 근위축을 동반하지 않고,

증상의 심한 정도가 변동하는 경향이 있는 근육계의 피로가 나타난다. 장애는 근육군에 국한되며 심한 쇠약이 전신적으로 오고 어떤 증례에서는 호흡장애를 일으킨다. 특히 눈, 얼굴, 입술, 혀, 인후, 경부의 근육을 침습한다. 서의학적으로는 신경근 접합부에서 acetylcholine 수용체 결핍이나 cholinesterase의 작용을 억제하는 수용체에 대한 항체의 존재에 의한 것으로 생각하고 있다.

각 연령에서 발생하며 여성이 남성의 2배 정도 되고 20-30대에서 잘 발생한다. 대개 서서히 발병하지만 감염이나 감정의 변화에 의하여 급격히 나타나기도 한다. 眼筋의 脫力으로 인한 안검하수는 약 90%에서 나타나고 처음에는 편측성이며 좌우의 차이로 인하여 복시현상이 나타나지만 동공 운동장애는 없다. 안면근의 장애는 약 70%에서 나타나기 때문에 안면표정이 어색하게 보인다.

후두근과 구개근이 마비되면 誤飮하거나 유동식은 코로 역류하기도 하며 설근이 마비되면 점차적으로 발음이 부정확하면 계속적인 회화가 곤란해진다. 증세가 진행되면 전신의 골격근에 탈력이 오지만 휴식하면 부분적인 회복을 보이는 특징이 있다. 장기 환자의 경우에는 근위축이 나타날 때도 있으며 건반사는 정상이며, 방광이나 항문의 괄약근의 탈력으로 실금할 때도 있다. 증상은 수일 또는 수주일에 걸쳐 나타나며 진행속도는 불규칙하지만 절반정도는 최초의 2년 이내에 부분적 또는 완전한 회복을 보여준다. 진행성일 경우 사망을 고려해야 하며 대개 1년 이내와 4-7년 사이다. 따라서 10년 이상인 경우는 양성이다.

10. 사지의 국한성마비

사지의 국한성마비(isolated paralysis)는 하나 또는 그 이상의 근육군에 국한된 마비로서 해당하는 말초신경의 장애를 말한다. 하나하나의 말초신경장애는 문제의 신경분포와 일치하는 근육 및 근육군의 마비와 지각장애에 의해서 진단한다. 임상적으로는 사지의 단마비가 가장 많으며, 말초신경장애의 80%는 상지에서 발생한다.

(1) 상완신경총 손상

상지의 운동, 감각, 영양 모두 장애가 나타나며 지배하는 근육에는 이완성 마비와 감각장애가 나타난다. C5-T1의 상지로 가는 신경의 뿌리에 문제가 생긴 것으로, 교통사고나 산재로 인하여 견인, 좌상, 압박 및 관통상 등의 손상으로 인한다.

(2) 요골신경 손상

요골신경은 주관절, 완관절, 수지관절의 신전근을 지배하므로 마비 시는 이들의 신전장애로 인하여 완수(wrist drop)가 나타난다. 그러나 주관절부근에서 요골신경의 후골간분지(post. interosseous branch)가 손상을 받으면 완수는 발생하지 않는다. 감각소실은 엄지손가락(大魚際)의 배측에 나타난다.

(3) 정중신경 손상

정중신경은 완관절 굴곡근, 수지굴곡근, 단무지외전근(abductor pollicis m.), 대립근(opponens m.), 외측(요측) 두 충양근(lumbricals m.)을 지배하므로 주관절부위의 손상인 경우 완관절 및 수지굴근의 대부분을 포함하여 원회내근, 무지의 외전근 및 대립근, 외측 2개의 충양근의 마비를 나타낸다. 감각소실은 정중신경의 지각 고유영역인 제 2지의 말단을 포함하여 절단된 부위와 동일하게 보통 무지 및 제 2,3지와 4지의 외측 1/2에 나타난다. 정중신경 감각의 소실은 수부에서 가장 범위가 넓으므로 심한 수지 기능 장애를 초래한다. 수근관에서 압박을 받으면 대개 불완전 마비가 초래되며 완관절을 굴곡시키면 수장부에 감각이상과 통증을 나타낸다. 척골신경과 정중신경이 함께 손상받는 경우는 intrinsic minus 형태의 갈퀴손(claw hand)변형을 보이게 되고 이때는 심한 수지기능장애를 초래한다.

(4) 척골신경 손상

상완부의 척골신경이 손상받으면 척측수근굴근, 제 4, 5지 심수지굴근, 제1배측 골간근, 내측 2개의 충양근, 무지내전근, 단무지굴근 등의 마비가 나타난다. 마비가 오래 지속되는 경우 근위축 및 갈퀴 변형을 초래한다. 감각소실은 척골신경의 지각 고유영역인 손바닥의 내측부위와 제 5지 및 제 4지의 내측 1/2에서 나타나고 혈관운동장애에 의한 피부건조 및 영양성 변화가 나타날 수 있다.

(5) 좌골신경 손상

신경의 완전 절단 시는 절단부이하의 지배하는 모든 근육의 마비가 나타나고 부분 손상시는 보통 비골신경이 손상을 받게 되면 이때 족관절은 배굴을 할 수가 없다. 즉, 족하수(foot drop)가 발생한다. 또한 족지의 배굴도 불가능하게 된다. 이때 족하수에 의한 계상 보행(steppage gait)이 특징적으로 나타난다. 감각소실은 좌골신경의 지각 고유영역인 족저부를 포함하여 하퇴부 외측과 족부에서 나타나며 가끔 족저부의 국소궤양을 초래하기도 한다. 드물게 불완전 절단으로 작열통 등을 호소하는 경우도 있다.

(6) 경골신경 손상

경골신경은 비복근, 족저근, 장총지굴근, 외전모근, 내전모근 등을 지배하므로 손상이 있으면 발의 굴곡내전과 발가락의 굴곡에 장애가 생기고 외반족 변형을 가져올 수 있으며 발바닥의 감각소실이 나타날 수 있다.

(7) 총비골신경 손상

총비골신경은 무릎의 바로 아래 외측에서 외측비복피신경, 천비골신경, 심비골신경으로 나누어져 하퇴 외측부를 주행한다. 비골신경이 손상되면 하퇴외측부와 족배부의 지각이 둔해지고 무감각해지는데 주로 오랜 시간 책상 다리를 하거나 꽉 조이는 석고붕대, 장화, 옷 등에 의한 압박으로 나타날 수 있다. 전경골근, 비골근 및 족지신근 등의 마비에 의하여 족하수를 초래한다.

11. 구안와사

구안와사(안면신경마비)는 풍한이 안면의 경락을 침범하여 경기순환의 장애로 기혈이 조화되지 못하여 경근의 자양이 弛緩不收되어 발생된다. 일반적으로 국소신경에 영양하는 혈관이 풍한의 사기로 인해서 경련하고, 해당 신경의 허혈과 부종을 일으켜 발병하는 것으로 인식된다. 주요 증상으로는 顔面筋肉의 痲痺, 流涎, 構音障碍, 落淚, 耳痛, 聽覺過敏, 偏側味覺喪失 등이 있다.

《內經》에서 '口喎', '口僻'으로 언급된 이래, 《金匱要略》에서는 '喎僻'으로, 《諸病源候論》에서는 '風口喎候'로, 《三因方》에서는 '口眼喎斜'로 표현하였고, 이외에도 '口噤喎斜', '口噤眼合', '風牽喎僻' 등으로 표현되었다.

환측의 유양돌기부, 귀 뒤쪽의 통증, 편두통 등의 전조증상이 약 60%의 환자에서 나타나며 대개 48시간 정도에 근력약화가 최대에 이르게 된다. 발병 당시의 신체상태는 정신적, 육체적 과로로 인한 전신기능저하 상태가 90% 이상이었다. 일반적으로 불완전마비의 경우에는 95%에서 완전회복을 보이지만 완전마비의 경우에는 회복률이 떨어진다. 일단 변성을 일으킨 경우에는 회복된다 해도 수반운동, 연축, 경련, 악어눈물현상 등의 증상이 있다.

1) 원인 및 감별 질환

(1) 말초성 마비

① Bell's palsy(원인불명의 특발성 안면신경마비) : 벨 마비는 한랭노출, 감정적 불안이나 충격 등의 유발원인으로 갑자기 발생한다. 안면신경마비의 75%를 차지하는 벨 마비는 말초성, 일측성 안면신경마비로 유병률은 십만명당 40명 정도이고, 임신 3기에는 3배 이상의 유병률을 보인다고 하였는데 그 원인은 아직 밝혀지지 않았으나 혈관 허혈설과 viral theory, 그리고 이 두 가지를 합한 설 및 유전설 등이 있다.

② Ramsay hunt syndrome(이성 대상포진) : 슬상 신경절의 대상포진에 의한 것으로서 인두, 외이도 및 두개의 피부에 수포성 발진이 동반되면서 심한 안면신경마비가 있다.

③ 외상이나 수술에 의한 것 : 두개골 골절, 안면외상 등으로 안면신경에 손상

④ GB syndrome (Guillain-barre syndrome) : 느리게 진행하며 하지에서 상부로 마비와 통증을 보인다. 양측 동일하게 보이며 심한 경우 뇌막 증세가 있고 7뇌신경 침범이 많다. 뇌척수액 검사에서 단백량 증가와 세포 수 정상 혹은 감소가 있고 가장 심한 경우 호흡근의 마비

를 볼 수 있다. 양측성 안면신경마비, 느리게 진행하며 하지에서 상부로 진행하는 마비와 통증을 보이며, 양측의 구각이 내려가고, 안면 전체의 긴장이 저하한다.

⑤ Sarcoidosis(육아종) : 양측성 안면신경마비를 보인다.

⑥ Melkerson rosenthal syndrome : 안면신경마비, 안면부종, 추벽설의 증상이 있는데 슬상신경절에서 나오는 부교감 섬유의 분포부에 병변이 있다. 재발되는 안면신경마비, 영구적인 안면 부종, 특히 구순의 부종, 혀의 유두 위축에 의한 주름혀가 있다.

⑦ 당뇨병 : 당뇨병성 단신경병증 또는 다발성 단신경병증, 혈액순환장애로 말초신경의 국소적 경색, 압박성으로 중등도의 통증과 함께 동안, 외전, 활차, 안면 신경의 장애를 주로 일으킨다. 말초 신경장애나 당뇨의 임상 증상 없이도 발생하며, 나이 많은 당뇨병 환자에 많고 비대칭적으로 갑자기 발생하여 점차 호전한다.

⑧ 갑상선 기능저하증 : 근육의 부피가 증가하고 근 수축력 속도가 떨어져, 근육통과 근육의 뻣뻣함과 불편함이 있으며 두꺼워진 얼굴 양상, 탄력없는 피부경결을 보인다.

⑨ 롬버그의 안면 편측 위축 : 주로 여성에게 발병하고 한쪽 얼굴의 피부와 피하조직의 지방이 소실되는 것이 특징이다. 진행된 경우 침범된 얼굴이 수척하고 피부가 얇고 주름이 지고 비교적 갈색이다. 안면 털이 하얗게 되어 떨어져 나가고 지루선이 위축된다. 대개 근육과 뼈는 침범되지 않는다.

⑩ 기타 종양, 나병 등

(2) 중추성 마비

뇌혈관 질환(CVA), 뇌종양, 청신경종, 수막종, 다발성경화증의 한 증상으로 안면마비가 올 수 있는데 경과가 잠행성이고 예후가 불량하다.

2) 임상 증상

(1) 말초성 마비

가장 흔한 형태의 안면신경 기능장애이다. 안면관 내에서 안면신경이 손상되어 결과적으로 이마를 포함한 말초성 이완마비가 생겨 한쪽 안면의 표정을 짓지 못하게 된다. 이외에 안면관 내에서 손상되는 부위에 따라 여러 다른 증상들, 즉 미각장애, 누액 및 타액분비장애, 청각과민 등이 동반된다. 안면신경마비의 회복기에는 식사 중에 발작적으로 流涙현상을 보이는 催涙증상 또는 악어눈물현상이 나타날 수 있다. 급성과 아급성으로 나누며 급성은 수시간, 아급성은 수일 내에 걸쳐서 증상이 나타난다.

① 마비쪽의 눈이 감기지 않고 눈물이 흐르며 눈이 시리다(안륜근 마비).

② 마비쪽의 이마 주름이 잡히지 않는다(전두근 마비).

③ 마비쪽의 구순이 건측으로 끌려가고 환측의 안면 표정이 소실된다.

④ 미각 둔마

⑤ 청각 예민

⑥ 이명

⑦ 구각이 쳐지고 혹은 침을 흘린다(流涎).

⑧ 구음장애(dysarthria)

⑨ 환측의 귀뒤 또는 이하부(유양돌기부위)의 통증

⑩ 환측의 편두통 또는 후정부 견인통

⑪ 환측 안면의 이상감각(numbness)

(2) 중추성 마비

대뇌피질 운동영역에서 안면신경핵의 사이에 장애로 일어나며 안면 하반부 안면근이 마비된다. 병소의 반대쪽에 안면신경마비가 나타나지만, 이마 및 안주위 근육은 양측 대뇌피질로부터 함께 신경지배를 받으므로 이마에 주름을 만들 수 있고 눈도 감을 수 있다.

12. 동의보감에 수록된 관련 내용

【麻木】

靈樞曰 衛氣不行則爲麻木 ○靈樞曰 開目則陽道行 陽氣遍布周身. 閉目則陽道閉而不行 如晝夜之分 知其陽衰而陰旺也. 久坐而起 亦有麻木 知其氣不行也. 當補其肺中之氣則麻木自去矣<東垣> ○如肌肉麻 必待瀉榮氣而愈<綱目> ○

諸痺之中 着痺卽麻木不仁也<綱目> ○河間曰 着痺者留着不去 四肢麻木拘攣也. 內經曰 病久入深 榮衛之行澁 經絡時踈 故不痛 皮膚不榮 故爲不仁. 夫所謂不仁者 或周身 或四肢 喞喞然麻木 不知痛痒 如繩扎轉初解之狀 古方名爲痲痺者是也<正傳> ○麻是氣虛 木是濕痰死血. 然則曰麻 曰木 以不仁中而分爲二也<丹心> ○手十指麻 是胃中有濕痰死血. 痰用二陳湯方見痰飮 加蒼朮 白朮 桃仁 紅花 少加附子行經. 用四物湯方見血門 加蒼朮 白朮 陳皮 茯苓 羌活 蘇木 紅花<醫鑒> ○手足麻因濕者 香蘇散方見寒門 加蒼朮 麻黃 桂枝 羌活 白芷 木瓜<醫鑒> 手足麻木 四物湯合二陳湯 加桃仁 紅花 白芥子 竹瀝 薑汁以行經<醫鑒> ○渾身麻 是氣虛也. 補中益氣湯(方見內傷) 加木香 烏藥 香附子 靑皮 防風 川芎 少加桂枝行經<醫鑒> ○麻木 宜人蔘益氣湯 神效黃芪湯 冲和補氣湯 雙合湯 開結舒經湯 麻骨方

[人蔘益氣湯] 夏月濕熱 兩手麻木困怠. 黃芪二錢 人蔘 生甘草各一錢半 白芍藥七分 柴胡六分 升麻 炙甘草各五分 五味子三十粒 剉作一貼 水煎服日二 於麻處 頻按摩屈身之<東垣>

[神效黃芪湯] 治渾身麻木. 黃芪二錢 白芍藥 炙甘草各一錢半 人蔘一錢 陳皮七分 蔓荊子五分. 剉作一貼 水煎服<東垣>

[冲和補氣湯] 治合目則麻作 開目則不麻 四肢痿軟 目昏頭眩. 黃芪二錢 蒼朮 陳皮各一錢半 人蔘 白朮 白芍藥 澤瀉 猪苓各一錢 羌活七分 升麻 甘草各五分 獨活 當歸 黃栢 柴胡 神麴 木香 草豆蔲 麻黃 黃連各三分 爲剉 分作二貼 水煎服之<東垣>

[雙合湯] 治濕痰死血作麻木. 當歸 川芎 白芍藥 生乾地黃 陳皮 半夏 白茯苓 白芥子各一錢 桃仁七分 酒紅花 甘草各三分 爲剉 作一貼 水煎入竹瀝 薑汁 調服<醫鑒>

[開結舒經湯] 治婦人七情六鬱 氣滯經絡 手足痲痺. 紫蘇葉 陳皮 香附子 烏藥 川芎 蒼朮 羌活 南星 半夏 當歸各七分 桂枝 甘草各五分 剉作一貼 薑三片煎 入竹瀝薑汁 調服<醫鑒>

[麻骨方] 有自頭麻至心窩而死者 或自足心麻至膝盖而死者 人糞燒灰 用豆腐漿 調飮卽止. 又方 用楝子燒灰爲末 每服三五錢 黃酒 調下卽止<回春>

【四肢不用】

黃帝曰 脾病而四肢不用何也. 岐伯對曰 四肢皆稟氣於胃 而不得至經 必因於脾乃得稟也. 今脾病不能爲胃行其津液 四肢不得稟水穀氣 氣日以衰 脈道不利 筋骨肌肉皆無氣以生. 故不用焉<內經> ○四肢解墮者 脾精之不行也<內經> ○帝曰 人之嚲者 何氣使然. 岐伯曰 胃不實則諸脈虛 脈虛則筋脈解墮 筋脈解墮則行陰用力 氣不能復故爲嚲 嚲謂手足嚲曳也<靈樞> ○帝曰 脾與胃以膜相連 而能爲之行其津液何也. 岐伯曰 足太陰者脾也 爲之行氣於三陰. 陽明者胃也 亦爲之行氣於三陽. 藏府各因其經而受氣於陽明 故爲胃行其津液也<內經> ○脾實則四肢不擧. 內經曰 脾太過則令人四肢不擧是也 此謂膏梁之疾 其治宜瀉. 三和湯方見風門 調胃承氣湯方見寒門 選而用之. 若脾虛則四肢不用. 盖脾病不能與胃行其津液 其治宜補. 十全大補湯方見虛勞 去邪留正<保命>

【口眼喎斜】

風中血脈則 口眼喎斜<東垣> ○自其邪氣入人也 邪氣反緩 正氣引邪 爲喎僻 爲竄視 爲掣縱 爲搐搦 爲癱瘓 爲反張 在於陽 則皮膚緩 在於陰則腹皮急. 緩則四肢不能收 急則一身不能仰<直指> ○風邪初入反緩 正氣反急 以致口眼喎斜 或左或右 急掐人中 拔頂髮 灸耳垂珠下三五壯 外用南星 草烏各一兩 白芨一錢 白殭蠶七枚. 爲末 薑汁調塗喎處 正卽洗去. 內用正舌藥 白附子 白殭蠶 全蝎 等分爲末 酒調二錢 服<入門> ○口眼喎斜者 多屬胃土. 風木不及 金乘之 土寡于畏也. 內經曰 木不及曰委和 委和之紀 其動緛戾拘緩. 緛者縮短也 戾者口目喎斜也 拘者 筋脈拘降也 緩者筋脈弛縱也 木爲金乘 則縮短 牽引而喎斜 拘强也. 木弱則土寡于畏 故土兼化而緩縱也<綱目> ○口眼喎斜之證 大率在胃 而有筋脈之分. 經云 足陽明 手太陽筋急 則口目爲僻 眥急不能卒視 此爲土之筋爲邪也. 經云 足陽明脈 挾口環脣 所生病者 口喎脣斜 此胃土之脈爲邪也<綱目> ○口眼喎斜 宜用淸陽湯 秦芃升麻湯 不換金丹 牽正散 理氣祛風散 淸痰順氣湯 犀角升麻湯 天

仙膏

[淸陽湯] 治中風口眼喎斜 頰腮急緊. 此胃中火盛 必汗不止 小便數. 升麻 黃芪 當歸身各二錢. 葛根一錢半 甘草灸一錢 酒黃栢 紅花 桂枝各三分. 剉作 一服. 酒三盞 煎至一盞三分 溫服<東垣>

[秦芃升麻湯] 治風中 手足陽明經 口眼喎斜. 升麻 葛根 白芍藥 人蔘 甘草各一錢半 秦艽 白芷 防風 桂枝各七分. 剉作一貼. 入連根葱白三莖 水煎服 食後<寶鑑>

[不換金丹] 中風口喎. 薄荷三兩 荊芥穗 白薑蠶 防風 天麻 甘草各一兩 川烏 生白附子 羌活 細辛 川芎 全蝎梢 藿香各五錢. 爲末 蜜丸 彈子大. 茶淸嚼下一丸. 如喎向左 以此藥塗右腮便正<丹心>

[牽正散] 治中風喎斜. 白附子 白薑蠶 全蝎並生用 各等分. 爲末 每二錢. 熱酒調下<丹心>

[理氣祛風散] 治中風喎斜. 羌活 獨活 靑皮 陳皮 枳殼 桔梗 南星 半夏 烏藥 天麻 川芎 白芷 防風 荊芥 白芍藥 甘草各七分. 剉作一貼. 入薑五片 水煎服<醫鑒>

[淸痰順氣湯] 治風中經絡 口眼喎斜. 南星 瓜蔞仁 荊芥穗 貝母 陳皮 蒼朮 官桂 防風各一錢. 黃連 黃芩並酒炒 甘草各七分. 剉入薑三片 水煎 入木香 沈香末各五分 調服<回春>

[犀角升麻湯] 治中風 鼻額間痛 唇口 頰車 髮際皆痛 口不可開 左額頰上如糊 急手觸之則痛. 此足陽明經受風 毒血凝滯而然. 犀角一錢半 升麻 防風 羌活各一錢 川芎 白附子 白芷 黃芩各七分半 甘草五分. 剉作一貼. 水煎服 食後<寶鑑>

[天仙膏] 治卒中風 口眼喎斜. 南星大者一箇 草烏大者一箇 白芨二錢 白薑蠶七箇. 爲末 生鱔魚血調成膏 付喎處覺正便洗去<得效>

제4절 痲痺疾患의 재활치료

1. 진단 및 평가

진단(diagnosis)이란 환자의 병리적 상태를 정확히 파악하고 질병명을 결정하는 것으로, 질병의 치료와 예후 예측의 근거를 확보하는 중요한 과정이다. 그러나 재활치료의 주 대상이 되는 기능의 장애를 파악하는 데에는 진단만으로는 부족하기 때문에 평가(evaluation)가 중요하다. 평가는 환자의 장애에 따른 기능결손의 종류와 정도 및 회복의 잠재성을 알아내는 과정이며, 이로써 환자의 재활능력을 판단하여 적합한 재활치료를 계획할 수 있다.

일반적인 의학적 진찰과 검사를 통한 소견뿐만 아니라 환자의 가정, 가족사항, 직업 또는 환경 등과 같은 사회적 존재로서의 환자를 평가하며, 이외에도 환자의 인품, 태도, 적응능력 등에 대한 종합적인 평가가 이루어져야 한다.

이와 같이 평가는 환자의 질병에 대한 병리적 진단뿐 아니라 개개인이 가지는 장애의 복잡성, 사회 심리적 문제성 등을 기본 자료로 하며, 이는 환자에게 가장 적합하게 선택되어야 할 재활의 치료 목표나 방침의 설정에 근거 자료가 되기 때문에 재활 프로그램 설정을 위한 주요한 과정이라 할 수 있다.

환자에 대한 전체 평가는 의학적 평가, 장애 평가, 사회 심리적 평가의 세 가지로 나눌 수 있으며, 의학적 평가에 대해 살펴보기로 한다.

1) 의학적 평가

진찰을 통해 얻어진 기초적 자료와 장애를 유발시킨 질병이나 외상 등의 병력, 과거력 등을 분석한다. 현재의 장애에 이르게 된 명확한 상황을 알게 되면 장애가 진행성인지 현 상태로 남아 지속될 것인지, 점차 회복될 것인지를 알 수 있게 되므로 재활 계획의 수립에 많은 도움이 된다.

(1) 평가 내용

① 인적사항, 주소
② 현병력: 장애가 발생하게 된 자세한 정보
③ 과거력: 과거 병력과 현재 증상과의 관련성
④ 가족력
⑤ 습관: 흡연, 음주, 기호식품 등
⑥ 직업력: 환자의 직업 종류에 따라 진단에 필요한 정보를 얻음

⑦ 심리 사회적 환경: 환자의 성격, 행동, 가정, 사회 환경 및 경제력 등의 심리 사회적 사항을 기록

(2) 평가를 위한 검사

① 근골격계 검사
  가. 관절가동범위의 측정
  나. 근력 검사

② 신경학적 검사
  가. 정신상태의 검사
  나. 뇌신경의 검사
  다. 감각 검사
  라. 운동 기능 검사
  마. 반사(reflex)

③ 기능 평가
  가. 이동(mobility)
  나. 일상생활 동작(activities of daily living, ADL)
  다. 도구적 일상생활 동작(instrumental activities of daily living, IADL)

④ 언어 검사(speech assesment)
⑤ 심리 검사(psychological assesment)
⑥ 작업 평가(vocational assesment)
⑦ 전기적 진단(electromyography)

2) 진단

진찰을 통하여 환자에게 어떠한 이상이 있는지 확인하며, 이러한 이상이 장애를 유발한 질병의 원발성 장애(primary disability)인지, 병의 경과 과정에서 발생한 속발성 장애(secondary disability)인지, 아니면 부적합한 조작이나 동작에서 발생한 증상(misuse syndrome)인지를 구분한다. 장애의 호전과 기능의 회복은 남아있는 기능에 의해서 이루어지기 때문에 각 기관의 잔존기능 또는 손상받지 아니한 기관 일부의 기능을 파악해야 한다.

(1) 원발성 장애(Primary disability)

현재의 질환이나 외상이 원인이 되어 발생한 장애를 말한다. 중풍 환자의 경우 뇌졸중의 결과로 편마비, 실어증 등의 원발성 장애를 가질 수 있다.

(2) 속발성 장애(Secondary disability)

환자의 원발성 장애에 대한 치료가 적합하지 못하였거나 치료하지 못한 결과로 발생한다. 예를 들어 중풍으로 인한 침상생활로 발생한 부동증후군은 속발성 장애이다.

(3) 기존 장애(Present disability)

원발성 또는 속발성 장애와는 관계가 없으나 재활 계획에는 중요한 역할을 하며 노인 등에서 볼 수 있는 시력장애, 청력장애, 관절통, 관절의 운동영역 제한, 심장맥관부전 등을 들 수 있다.

2. 치료분야와 대상

재활치료의 목표는 일차적으로 질병으로 인하여 발생한 장애에 대한 기능적 재활을 실시하는 것이고, 이차적으로 질병의 과정 중에 발생할 수 있는 합병증을 예방하는 것이다. 이러한 목표를 위한 치료적 접근으로 손상 부위의 기능을 최대한 회복시키고 손상 받지 않은 부위를 강화시켜 손상된 기능을 보조할 수 있게 한다. 보조기 및 의지의 장착, 질환에 대한 교육 및 훈련 등을 시행하고 장애를 최소화하기 위해서 주변 환경이나 생활조건을 변화시킬 수 있도록 직업적, 사회적 재활까지 실시하게 된다.

1) 치료 분야

재활치료의 과정에서는 물리치료(physical therapy), 작업치료(occupational therapy), 언어치료(speech therapy)와 보조장구(orthotics)등을 사용한다. 최근 유럽이나 일본 등에서는 온천치료(balneology therapy), 기후요법(climate therapy)을 활용하기도 한다. 한 환자를 치료하기 위해서는 의사를 중심으로 각 치료사의 협력을 통한 공동작업(team work)이 이루어져야 한다. 재활 분야를 담당하는 핵

표 4-2. 재활치료의 대상

뇌졸중 편마비	골절
외상성 및 선천성 척수 질환	결합조직 질환
중추 및 말초신경 손상	요부 질환
뇌성마비	호흡기능장애
중추신경계의 퇴행성 질환	순환기장애
말초신경 질환	화상

심요원으로는 재활의학 전문의, 물리치료사, 작업치료사, 언어치료사, 재활간호사, 임상심리사, 의료사회복지사, 의지보장구 제작자, 특수교사, 직업보조사 등이 있다.

2) 대상

치료의 대상이 되는 것은 일반적인 개념에 포함되는 모든 장애상태이지만 실질적인 대상은 다음과 같다(표 4-2).

3. 재활치료

1) 뇌졸중

뇌졸중은 최근 10년간(2007-2017년) 국내에서 암, 심장질환과 함께 주요 사망원인 중 하나로, 통계청의 사망원인통계(2017년)에 따르면 뇌졸중의 국내사망률은 10만 명당 44.4명에 이른다. 뇌졸중을 크게 나누면 허혈성 뇌졸중과 출혈성 뇌졸중으로 나눌 수 있으며 각각은 발병기전에 따라 더욱 세분화된다. 우리나라의 경우 과거에는 출혈성 뇌졸중이 높은 비중을 차지했으나 근래에는 허혈성 뇌졸중의 빈도가 늘어서 점차 서구화되는 경향을 보인다.

뇌졸중 환자 중 일반적으로 재활 치료의 대상이 되는 환자는 일과성 허혈 발작(transient ischemic attack, TIA)을 제외한 완전 뇌졸중(complete stroke)환자인데 이들에서 나타나는 증상은 그 침범 부위에 따라 다르며 재활치료도 환자의 증상 및 상태에 따라 계획을 세워 실시해야 한다.

(1) 개요

뇌졸중의 회복은 손상의 부위 및 크기, 환자의 의지 및 의식정도, 가족의 지지와 사회적 환경, 동반 질환, 재활치료의 수준에 따라 달라진다. 대개의 경우 3개월에서 6개월간 회복이 진행되며 팔다리의 마비, 언어장애는 6개월 이후에도 회복이 진행되기도 한다. 뇌졸중 이후 신체기능회복은 신경 가소성에 의해 가능한데 이는 중추 신경계의 손상 후 신경연접신생, 손상 이전에는 기능하지 않았던 신경연접의 활성, 수상돌기 가지형성 등의 다양한 현상을 통해 뇌가 재조직화하는 능력을 일컫는 것으로 뇌졸중의 재활치료도 뇌의 가소성의 기전에 기초한 다양한 방법을 제시하는 것이 필요하다.

(2) 재활치료의 시작시기

뇌졸중 환자의 재활치료 시기를 결정하는 것은 그리 용이하지 않으나 조기 치료를 원칙으로 하며 발병 후 증상이 진행되지 않고 생체징후가 안정이 되면 구축을 예방하는 가벼운 치료부터 시작한다. 재활치료를 너무 일찍 시작하게 되면 뇌졸중 자체를 악화시킬 우려가 있어 환자의 상태에 따라 신속한 판단이 요구된다.

(3) 치료

뇌졸중 환자의 재활치료 목적은 합병증의 예방, 환자가 가능한 한 독립적인 생활을 할 수 있도록 신체기능을 회복시키는 것, 장애의 어려움에 적응 및 대처하는 방법을 익힐 수 있도록 하는 것이다.

① 급성기의 치료

가. 부동 증후군 방지(표 4-3)

부동(Immobilization)은 생리적인 기능의 변화로 신체 움직임이 소실된 것으로, 이에 따른 중력 변화와 운동 기능 감소는 거의 모든 인체 기관에 기능 저하를 유발할 수 있다. 뇌졸중은 부동의 흔한 원인 중 하나이다.

나. 욕창의 방지

환자의 체위는 앙와위보다 측와위가 더 좋고, 매 2시간마다 체위를 변경하며, 접촉면의 압력을 분산시킬 수 있는 매트리스나 쿠션 등을 이용하여 욕창을 방지하여야 한다.

다. 관절 변형의 방지

뇌졸중 후의 조기 치료는 침상자세에서부터 시작하

고, 수동적 관절운동, 침상에서의 운동과 감각자극, 촉진 등으로 단계적으로 진행한다. 일반적으로 많이 볼 수 있는 변형의 양상으로 상지에서 견관절의 내전과 내선, 주관절, 수근관절, 지관절 등의 굴곡 구축과 견관절의 아탈구 등이 있으며, 하지에서는 고관절의 내전과 외선, 슬관절의 굴곡 또는 신전, 족관절의 족저굴곡 및 내번 등의 구축 등을 볼 수 있는데 이러한 변형의 예방은 비교적 간단한 방법으로 가능하기 때문에 간호사나 보호자에게 지도하여 예방 및 관리하여야 한다.

㉠ 견관절의 내전과 내선을 방지하기 위하여 쿠션을 겨드랑이 사이에 넣어 상지를 약 60° 의 외전위를 유지하도록 하고 팔 밑에 베개나 쿠션을 받쳐서 주관절이 견관절보다 더 높은 위치에 있게 한다.
㉡ 수근관절의 신전을 위해서는 원주형의 수건이나 붕대를 손에 쥐게 하고, 손을 주관절보다 높게함으로써 손의 부종을 예방할 수 있도록 한다.
㉢ 고관절의 내전과 외선을 방지하기 위해서는 쿠션이나 모래주머니를 하지의 내외측에 대어준다.
㉣ 슬관절의 과신전을 예방하기 위해서는 쿠션이나 모래주머니를 하지의 내외측 밑에 넣어준다.
㉤ 보행훈련에 지장을 줄 수 있는 첨족과 아킬레스건의 구축 예방을 위해서는 쿠션이나 모래주머니, 석고나 보조 장구 등을 이용하여 족관절이 직각으로 유지되도록 해야 한다.
㉥ Vital sign이 안정된 후에 관절가동범위 운동을 하루에 3회 정도 실시한다.

② 안정기의 치료

안정기의 치료는 전신 기능의 개선과 관절 가동역의 유지와 증대, 건측의 상하지 강화에 있으며 신체 기능을 위한 포괄적 재활은 운동훈련, 일상생활 동작(ADL) 훈련과 뇌졸중에 동반되는 합병증의 악화 방지 등이 포함된다.

가. 관절가동운동 : 수동관절운동은 통증이 없는 범위에서 시행하며 점차 능동관절운동을 겸하고, 환자의 건측 팔다리를 이용한 운동을 훈련시킨다.
나. 매트운동 : 앉아 있기, 앉은 상태에서 균형잡기부터 시작하여, 누운 자세에서 앉기, 기기, 누운 상태에서 엉덩이 들기, 구르기 등으로 진행한다.
다. 보행운동 : 기립훈련, 기립상태 균형훈련을 시작으로 평행봉훈련, 네발지팡이 훈련, 계단훈련으로 진행한다.
라. 기타 일상생활동작훈련 : 누운 자세에서 체위변경, 침대에서 일어나 앉기, 식사하기, 침대에서 오르내리기, 휠체어 및 지팡이 이용하기, 세수하기, 화장실 이용하기 등을 훈련시키며 모든 훈련은 환자의 상태 및 상황에 맞추어 훈련을 계획하고 시행한다.

(4) 뇌졸중에 동반되는 여러 문제

① 인지장애(Cognitive dysfunction)

인지기능은 주의, 언어, 시공간, 기억과 같은 하위 인지기능과 하위 인지기능을 조절하는 상위 인지기능인 관리기능으로 나눌 수 있다. 뇌졸중 환자에게서 흔히 볼 수 있는 인지기능 장애는 기억장애, 주의력 장애, 언어장애, 시공간 인지기능장애

표 4-3. 부동증후군

심혈관계	심박동 증가, 심박출량 감소, 심근 약화, 정맥혈전증
호흡기계	폐활량 감소, 분당호흡수 증가, 폐렴 및 무기폐 발생
근골격계	근력약화, 근육량 감소, 연부조직 구축, 골다공증, 관절연골의 퇴행
소화기계	식욕부진, 장의 연동운동 저하, 변비
비뇨생식기계	이뇨 증가, 배뇨장애, 고칼슘혈증, 요로감염 발생
내분비계	호르몬 분비의 변화(갑상선, 부갑상선, 부신, 안드로겐, 성장호르몬 등), 내당능장애
신경계	비골신경 및 척골신경의 포착성 신경병증, 균형감각 및 운동의 민첩성 저하
신경정신계	우울증, 불면증, 기억력저하, 집중력저하

장애, 관리기능 장애이다. 인지장애는 뇌졸중 후 3개월이 지난 환자의 50% 이상에서 부분적으로 나타난다고 보고되고 있으며, 뇌졸중환자의 인지기능 장애는 조기에 발견하여 치료할수록 예후가 좋고 환자의 전반적인 치료에도 큰 영향을 미친다.

② 시야결손

시야결손은 주로 중대뇌동맥, 후대뇌동맥 부위의 뇌졸중으로 인한 시각로의 차단 혹은 후두엽의 시각피질의 손상으로 나타난다. 치료자는 시야결손이 있는 환자에게 감소된 시야방향을 자주 인지시키고, 감소된 시야 방향으로 자주 고개를 돌려 확인하는 연습과 이동 시 항상 잘 보이는 방향으로 접근하는 연습으로 낙상, 부딪힘 등이 일어나지 않도록 한다.

③ 경직

뇌졸중 후 발생하는 경직은 상지에서는 어깨의 내전, 팔꿈치의 굴곡, 손목과 손가락의 굴곡 경향이 나타나고 하지에서는 엉덩관절과 무릎관절의 신전, 발목의 발바닥쪽 굴곡 경향이 나타난다. 환자는 경직으로 인해 운동능력의 제한, 통증, 수면방해가 나타날 수 있다. 경직이 있는 환자는 운동치료와 함께 환자의 상태와 상황에 따라 다양한 기능적인 관점의 접근이 필요하다. 상지와 하지의 경직에는 경직을 줄이고 관절운동범위와 보행기능의 호전을 목적으로 보툴리늄 독소를 주사하기도 한다.

④ 견관절의 문제

뇌졸중 후 견관절의 문제는 견관절의 장애정도와 유병기간에 따라 차이가 있으나 근긴장도의 저하, 고유 수용감각의 소실, 견관절의 경직 등의 원인에 인해 발생하고, 초기에 치료하지 않은 채 방치될 경우 만성화 되는 경향이 있다.

가. 어깨 아탈구(subluxation) - 어깨 근육의 마비로 중력에 대해 상완골두를 관절와에 고정시키지 못하여 발생하며 아탈구된 어깨는 통증을 수반하는 다양한 형태의 어깨질환으로 발전하기 쉽다. 어깨 아탈구는 이완성 마비기에 빈번히 발생하는데 팔이 당겨지지 않게 자세를 적절히 유지하고 팔걸이(slings), 팔받침대, 무릎식사대 등을 이용하여 팔을 지지해주며 어깨 운동치료를 실시하여 예방한다.

나. 견수증후군(shoulder hand syndrome)

뇌졸중 후 2-4개월 후부터 잘 발생되며, 환자의 약 20% 정도에서 심한 동통과 부종, 뻣뻣함, 피부 색조의 변화, 운동 제한 등이 따른다.

다. 그 밖에 유착성 견관절염, 견관절 충돌증후군, 회전근개 손상, 상완이두근의 건염, 액와신경 손상, 상완신경총의 손상, 어깨근육의 경직, 어깨 주위 연부조직 손상, 근막동통 증후군 등이 어깨통증을 유발할 수 있다.

라. 견관절 동통의 예방

㉠ 팔걸이 : 견관절 외전근의 근력이 Gr.III 이상이 될 때까지 착용한다.

㉡ 견갑골 위치 교정 : 상완골두가 견봉, 오구상완인대, 관절와 안으로 위치하도록 근육활동성 자극, 전기자극을 준다.

㉢ Passive ROM 운동 : 통증 직전의 강도까지 1일 3회 이상 시행한다.

⑤ 연하장애

연하장애는 입안의 음식을 씹고 삼키는데 제한이 있어 영양결핍, 탈수, 흡인성 폐렴, 기도 폐색 등의 합병증을 초래하여 심각한 상황이 초래될 수 있어 조기에 적절한 치료가 필요하다. 음식의 재질, 온도 및 점도의 조절, 안전한 삼킴을 위한 자세조절, 편안한 식사시간을 위한 환경조절, 식이 선호도를 고려하는 방법 등이 사용되고 있다.

⑥ 배뇨 및 배변 장애

뇌졸중 후의 배뇨 및 배변장애는 환자의 기능회복과 예후 및 삶의 질에 중요한 요소이다. 특히 요실금은 요로계통의 감염위험을 높이고, 비뇨생식기 주위의 피부를 손상시킬 우려가 있으므로 배뇨훈련 등을 통한 치료가 필요하다.

⑦ 골절

뇌졸중 환자는 지각, 평형감각 이상이 자주 동반되어 쉽게 넘어지며 장기간 침상생활과 마비로 인한 불용성 골다공증이 생기기 쉽다. 이에 따라 골절의 위험이 크기 때문에 환자와 보호자는 항상 낙상이 일어나지 않도록 주의해야 한다.

⑧ 실어증 및 구음장애

실어증은 뇌졸중 환자의 21-38%정도에서 나타나며 뇌졸중 발병 후 초기에 치료를 시작할수록 예후가 좋고, 언어 중추와 연관된 부위에 병변이 클수록 예후도 좋지 않다. 자연적인 회복은 보통 발병 후 6개월간 일어나지만 경우에 따라 발병 후 1년까지 회복되는 경우도 있다. 실어증의 치료는 실어증의 분류 및 정도에 따라 달라지는데 증상 중심의 치료방법, 일상생활 중심의 치료방법, 의사소통 중심의 치료방법, 심리사회적 지원 등의 요소가 포함된다.

발성에 관여하는 근육의 마비, 약화, 협동운동의 제한으로 발생하는 구음장애는 심한정도를 감안하여 발음 및 발성연습, 조음기관에 관여하는 근육들을 강화, 조절시키는 운동이 필요하다.

⑨ 보행 이상

뇌졸중 후의 신경학적 손상으로 인한 하지 근력 소실, 평형 장애, 경직 등은 정상적인 보행을 어렵게 하며 변화된 보행양상과 이동의 제한을 발생시킬 수 있다. 뇌졸중 후 가장 흔히 나타나는 편마비 보행에서는 보행 속도의 감소와 보행 시 에너지 소비의 증가, 마비 측의 짧은 입각기와 상대적으로 긴 유각기, 마비 측 보폭감소, 마비측 고관절의 외전, 발목의 족저굴곡 양상을 보인다.

⑩ 간질발작

뇌졸중 발생 후 처음 수일 동안 발작이 발생하기도 한다. 대부분은 처음 24시간 이내에 발생하고 전신성 발작보다는 부분 발작이 흔하며, 급성기에 발작이 있었던 환자 중20-80%에서 발작이 재발하기도 한다. 뇌내출혈(ICH)의 경우나 대뇌피질에 병변이 있을 경우 뇌졸중 후 간질 발작이 보다 흔하다고 보고되고 있으며, 급성기에 발작을 예방하기 위해 항경련제를 사용하기도 한다.

(5) 근거기반 한의치료

2011년도에 간행된 뇌졸중의 중의임상진료지침(China Academy of Chinese Medical Sciences, 2011, China Press of Traditional Chinese Medicine – 2018. 대한민국 국가한의표준임상진료지침 개발사업단 번역)에 의하면 적극적인 재활치료기인 회복기와 후유증기에는 益氣活血, 育陰通絡 등이 주된 치료법이 된다. 치료방법으로는 한약, 침구, 추나, 약물목욕 및 재활훈련 등을 제시하고 있다. 2017년도 예비인증을 받은 한국의 중풍 한의표준임상진료지침에서는 뇌졸중의 재발 예방 및 뇌졸중으로 인한 원발성 및 속발성 증상에 대해서 한약, 침구, 전침치료 등을 권유하고 있으며, 양방 재활의학과와의 협진을 통하여 재활치료효과를 높일 수 있다. 한약으로는 다양한 처방에 대한 근거들이 제시되고 있으며, 뇌졸중 재활치료기에 益氣活血의 목적으로 사용되는 補陽還五湯이 대표적으로 권고되고 있다. 補陽還五湯은 뇌졸중 환자의 신경학적 장애 개선, 뇌졸중 후 우울증 개선, 일상생활 수행능력 개선, 운동장애 개선, 강직개선, 인지기능 개선, 연하

표 4-4. 실어증의 분류

실어증 유형	말의 유창성	청각 이해력	반복 능력
명칭 실어증	정상(+)	정상(+)	정상(+)
전도성 실어증	정상(+)	정상(+)	장애(-)
초피질 감각성 실어증	정상(+)	장애(-)	정상(+)
베르니케 실어증	정상(+)	장애(-)	장애(-)
초피질 운동성 실어증	장애(-)	정상(+)	정상(+)
브로카 실어증	장애(-)	정상(+)	장애(-)
혼합성 초피질 실어증	장애(-)	장애(-)	정상(+)
전실어증	장애(-)	장애(-)	장애(-)

장애 개선, 언어장애 개선, 삶의 질 개선 등 뇌졸중으로 인한 전반적인 증상개선을 위하여 투여할 것을 고려하도록 권유되고 있다.

2) 언어 장애

언어는 의사소통을 하는데 가장 중요한 수단으로 인류가 다른 동물보다 복잡하고 고등한 사회생활을 할 수 있는 큰 요인으로 알려져 있다. 언어를 통한 의사소통은 듣기, 말하기, 유창성, 언어, 음성, 입소리 등을 바탕으로 언어의 구성요소인 음운론, 형태론, 의미론, 통사론, 화용론의 의미가 결합하여 이루어진다.

언어장애는 유전적인 요인, 언어발달과정 중의 문제, 언어습득 후 발생한 뇌질환 등으로 인해 발생하며 언어장애 환자들은 의사소통의 제한으로 인해 사회생활에 적응하기가 쉽지 않고, 심리적으로도 심각한 어려움을 겪는 경우가 많다. 이 중 언어습득 후 발생한 뇌질환으로 인해 발생하는 실어증에 대해 살펴보고자 한다.

(1) 실어증

실어증은 뇌손상 후 말과 언어능력에 장애가 나타나는 것으로 뇌졸중이 가장 흔한 원인이며 외상성 뇌손상, 뇌종양, 뇌의 감염성 질환, 뇌의 퇴행성 질환 등도 원인이 된다. 실어증 환자는 뇌의 손상위치, 병변 크기에 따라 증상이 가벼운 경우부터 의사소통이 불가능한 경우까지 다양하게 나타날 수 있고 말하기, 상대방 말을 이해하기, 읽기, 문장 만들기, 사물의 이름 말하기 등 다양한 증상이 함께 혹은 단독으로 나타날 수 있다.

(2) 실어증의 분류

실어증의 분류는 유창성과 비유창성으로 나누고 청각 이해력, 반복능력에 따라 다음과 같이 구분하며 각각의 유형은 병변 위치와 연관성이 높다(표 4-4).

(3) 실어증의 예후 및 치료

실어증의 예후를 결정하는 가장 큰 요인은 병변의 위치와 범위이며 언어 중추와 연관된 부위에 병변이 클수록 예후가 좋지 않다. 그리고 발병 후 초기에 치료를 시작할수록 예후가 좋으며 가족, 친지의 환자의 상태에 대한 관심과 협력이 중요하다.

실어증의 치료는 두 가지 방법으로 나누어 볼 수 있는데, 첫 째는 환자의 상태에 따라 부족한 부분을 개선시키는 치료(impairment-based therapies)로 환자의 병변 및 언어능력을 파악한 다음 그 환자에게 언어생활을 원활하게 하기 위해 필요한 부분, 언어능력이 취약한 부분을 집중적으로 훈련하는 치료이다.

두 번째는 대화를 통한 의사소통능력을 키우고 용기를 북돋아주는 치료(communication-based therapies)이다. 환자에게 자주 말할 수 있는 기회를 주고 환자의 언어능력에 따른 최적의 대화방법을 찾을 수 있게 하며, 환자가 말을 하는데 용기를 가질 수 있도록 한다.

3) 구안와사

구안와사는 일반적으로 말초성 안면신경마비를 의미한다. 전체 안면마비 환자의 29%는 다양한 정도의 안면마비 후유증이 남는데, 발병 후 약 3-6개월이 지나고도 회복되지 않으면 대개 후유증으로 남게 된다. 안면마비의 후유증으로는 환측 안면근육의 마비 이외에도 연합운동, 악어눈물, 안면근 구축 및 경련, 눈물 감소로 인한 안구장애 등과 미각 및 청각 장애 등이 나타날 수 있다. 안면마비 후유증에 대해서는 정적인 안면의 대칭성을 회복하는 동시에 마비된 근육의 회복과 연합운동, 근육의 구축 등 후유증을 개선하기 위해 각종 한방치료 및 물리요법을 시행하게 된다.

(1) 한방물리요법

근 이완 및 혈액순환 증진을 위해 경피경근온열요법(hot pack), 경피적외선조사요법(infra red), 부항요법, 광선요법 등을 사용한다. 근육 이완과 모세혈관, 동·정맥, 임파액 순환을 촉진시켜 부종을 감소시키고 근육구축을 방지하기 위해 경근수기요법 및 추나요법을 시행할 수 있다.

(2) 근전도 biofeedback을 이용한 훈련

기구를 사용하여 인체의 생리적 작용을 환자에게 시각 또는 청각적인 신호의 형태로 제시하여 스스로 자신을 느끼게 하는 방법이다. 근전도 biofeedback을 사용하여 환자가 모니터를 통하여 안면 근육을 감시하고 정확하게 촉진하거나 억제하는 법을 기르게 한다.

(3) 안면운동 프로그램

운동치료로서 눈을 꼭 감기, 미소 짓기, 입을 꼭 다물기, 휘파람 불거나 촛불 끄기, 풍선 불기, 윗입술 들어올리기, 이 드러내 웃기, 앞이마에 수직 혹은 수평 주름잡기, 비공 확장하기, 얼굴 전체를 찡그리기, 순음단어의 발음하기 등을 실시한다.

4) 뇌성마비

뇌성마비의 치료는 초기부터 관심을 가져야 하며 운동장애를 극소화하고 충분한 발달상의 경험을 하게 하는 것이 중요하다. 또한 부모가 장애아에게 가장 적절한 환경을 만들어 주어야 하고 효율적인 가정치료가 강조되어야 한다. 넓은 의미에서 치료는 신체적 치료, 심리사회적 치료, 언어 치료, 부모 상담과 특수 교육이 포함된다.

뇌성마비의 재활은 운동치료가 주된 치료로 일상생활동작을 최대한 독자적으로 수행하는데 필요한 운동패턴을 가지게 하고, 운동기능을 정상화하여 비정상적인 형태로 발달하지 않게 하며, 사용 가능한 근력을 충분히 사용하게 하여 관절의 탈구를 예방하고, 정상자세 반사 및 근 기능 조절을 촉진시키는데 중점을 둔다. 운동치료방법에는 보바스 신경발달 치료법, 고유수용성 신경근 촉진법, 보이타 치료법, 감각통합 치료법, 근력강화 운동 등이 있다.

5) 척수손상

척추손상의 치료는 초기에 적절하고 신속한 처치를 함으로써 환자의 신경마비의 발생을 예방하고, 신경마비가 더욱 진행되는 것을 미연에 방지하여 신경손상에 따른 합병증을 감소시키는 급성기 치료와 환자의 손상부위와 증상에 따라 가능한 조기에 사회에 복귀할 수 있도록 유도하는 재활치료로 나누어진다.

(1) 환자의 수송 및 응급처치

① 척수 손상 환자의 담당자는 기본적 치료 원칙을 숙지하고, 질서와 침착성을 유지하여야 한다. 먼저 사고현장이 환자나 구급 의료인에게 더 이상의 위험이 남아 있지 않은지 확인하고 주위상황에 따라 더 이상의 위험이 없도록 위험요소를 제거하거나 환자를 신속히 사고 현장으로부터 이동시킨다.

② 환자를 이동하기 전 전신상태를 신속, 정확하게 평가한다. 특히 기도확보, 의식, 출혈여부, 마비, 통증 등을 확인하고 척추 및 척수손상이 의심되는 경우에는 환자를 현장에서 구출할 때 목과 신체가 일직선상으로 고정되어 움직이지 않도록 주의해야 하며 환자는 중립위를 취하게 한다.

③ 환자를 들것이나 널빤지로 옮길 때에는 목과 체간에서의 움직임이 없도록 주의해야 하며 이마와 안면좌우를 고정해주어 머리와 체간이 중립위가 될 수 있도록 한다. 만약 환자가 헬멧을 착용하고 있으면 두 사람이 협조하여 한 사람은 환자의 목부분이 움직이지 않도록 고정하고 다른 한 사람이 헬멧을 조심스럽게 벗긴다. 만약 헬멧 제거가 쉽지 않으면 헬멧을 그대로 둔 채 후송한다.

(2) 재활치료

① 수동관절운동

수동관절운동은 관절과 연부조직의 구축을 최소화하고, 통증과 강직의 감소, 혈액순환을 보조하기 위하여 환자가 안정화된 후 가능한 빨리 시행한다. 각 관절의 가동운동은 연부조직의 기능적 길이의 범위 내에서만 시행하여 과신장이 일어나지 않도록 주의한다. 환자의 관절경직 상태에 따라 하루 1-3회 시행하며, 효율적인 치료의 적용을 위해 환자의 손상부위에 따라 집중부위를 결정하여 시행할 수 있다.

② 능동운동

손상 받거나 마비된 근육과 잔존하는 근육의 근력증강을 위해 능동운동을 시행한다. 특히 견관절 내림근, 삼두근과 광배근 등의 근력 유지에 유의하여 하지마비 환자가 후일에 보조기나 목발을 사용하여 보행하는데 필요한 근육운동을 훈련하게 한다. 근육 운동 시에는 강한 강도의 운동보다는 적은 강도로 여러 번 반복 운동을 하는 것이 더욱 효율적이다.

③ 조기 기립자세

척추손상환자들의 기립훈련은 급성기 침상안정이후 가능한 조기에 시작한다. 기립자세는 중력에 대한 경험과, 균형감각에 대한 자극을 주고, 경직감소, 요로결석의 예방, 혈액순환 개선, 골다공증 예방, 소화기관 및 배변 기능의 촉진 효과가 있다.

④ 일상생활 동작 훈련 및 기타

척수손상의 부위와 정도에 따라 환자가 스스로 일상생활을 수행하는데 가장 필요한 것을 중심으로 훈련을 한다. 침대에서의 움직임, 화장실 사용, 휠체어 타고 내리기, 보조기 착용, 목발사용 등의 훈련이 기본적으로 필요하며 재활과정에서 환자의 의지와 치료사의 도움, 가족들의 지지가 환자의 회복에 영향을 끼친다. 동작 훈련에는 반복 훈련이 가장 중요하며 최근에는 손상 부위 이하에 집중하는 움직임 기반 요법이 대두되고 있다.

제5절 재활을 위한 운동치료기구

1. 자세 교정용 거울(Posture Mirror; 그림 4-1)

거울의 종류는 여러 가지가 있으나 보통 성인용과 유아용으로 구분할 수 있다. 또한 거울면에 가로, 세로 10 cm 정도 간격으로 선을 그어 환자의 몸의 자세와 균형을 평가할 수 있는 거울과 환자가 운동 치료를 하면서 스스로 확인할 수 있는 평면거울로 나누기도 한다.

평가를 위한 거울은 주로 근골격계 질환 환자를 측정하기 위함이고, 평면 거울은 보행을 하거나 운동을 할 때 자기 자신을 보면서 확인하는 데 사용된다.

2. 훈련용 매트(그림 4-2)

훈련용 매트는 운동치료에 없어서는 안 되는 것으로서 일상생활 동작의 전 단계 훈련으로서도 중요한 용구의 하나이다. 매트는 탄력이 너무 푹신하거나 딱딱하지 않아야하며 적당한 탄력으로 환자를 보호할 수 있는 매트여야 한다. 매트운동(Mat Exercise)에 적합한 환자는 편마비, 뇌성마비, 척추질환으로 인한 하지마비 환자 등이다.

3. 보바스 테이블(그림 4-3)

보바스 테이블은 지압치료나 교정치료 시 다양하게 이용하는 것으로 전동식 보바스 테이블과 단일상판 보바스 테이

그림 4-1. 자세교정용 거울

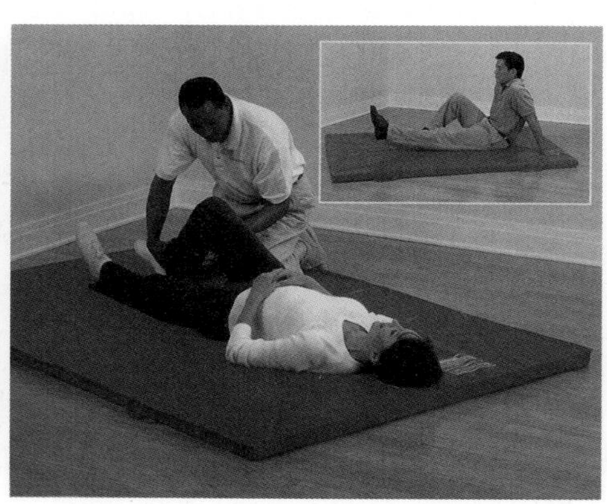

그림 4-2. 훈련용 매트

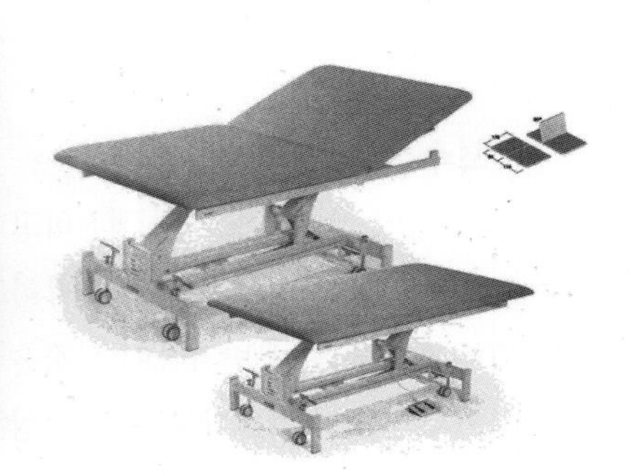

그림 4-3. 보바스 테이블

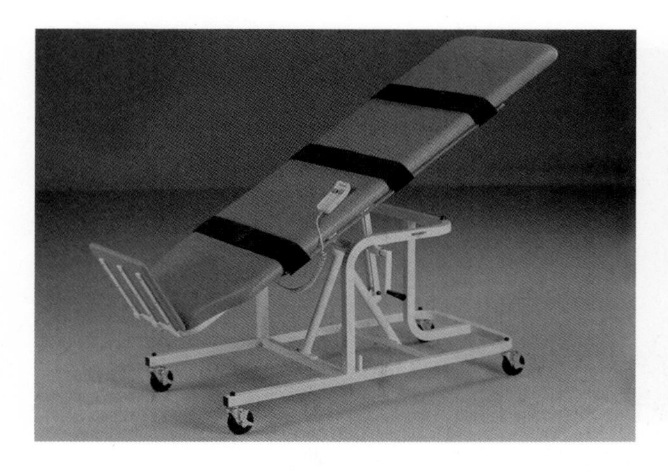

그림 4-4. 경사 침대

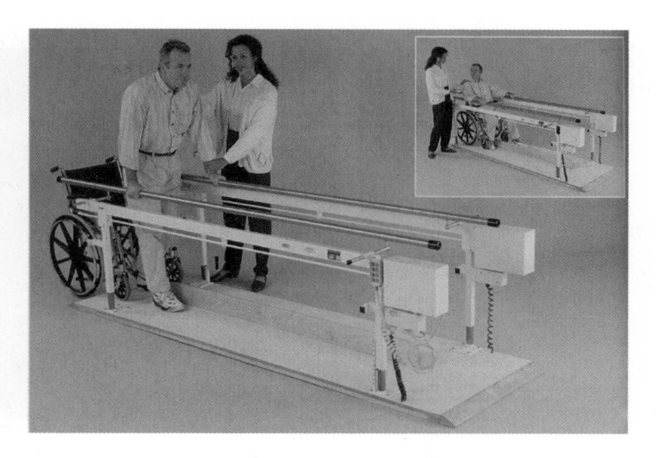

그림 4-5. 평행봉

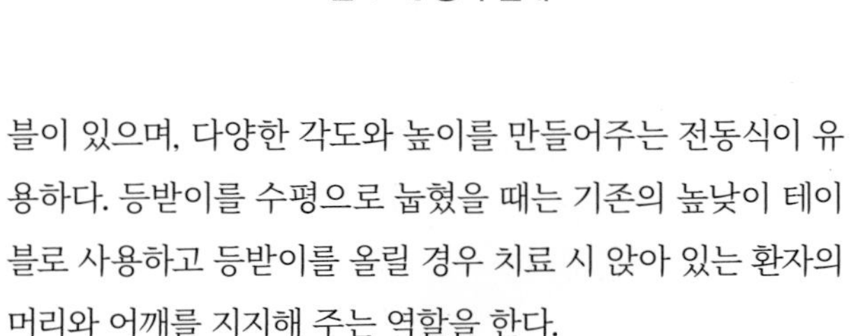

블이 있으며, 다양한 각도와 높이를 만들어주는 전동식이 유용하다. 등받이를 수평으로 눕혔을 때는 기존의 높낮이 테이블로 사용하고 등받이를 올릴 경우 치료 시 앉아 있는 환자의 머리와 어깨를 지지해 주는 역할을 한다.

4. 경사 침대(Tilt Table; 그림 4-4)

경사 침대는 장기간 누워있던 환자의 기립자세를 훈련하는 것으로써 수동식 경사 침대와 전동식 경사 침대가 있다.

기립을 할 수 없거나 의지하여 발을 들 수 없는 환자의 대부분이 적용 대상이 된다. 하반신마비, 사지마비, 편마비 및 근무력 등의 환자에 많이 사용된다.

관절염 및 하지의 변형이 있는 환자는 주의를 요하며 효과는 하지 및 무릎의 근력증강과 지구력의 증가, 기립성 저혈압 방지, 방광 및 요결석, 요독증 예방, 욕창방지 등의 효과가 있다.

일반적으로 환자의 상태에 따라서 환자를 세우는 각도, 기립 시간 등이 달라진다. 어지럼증이 심하거나, 피로를 많이 느끼는 환자에게는 처음에는 낮은 각도에서 짧은 시간동안 실시하고 각도 및 시간을 점차 증가시킨다. 최대로 90°까지 세울 수 있으나 이때는 환자의 관찰에 면밀한 주의를 요한다. 전동기 기기를 사용할 경우 처음 약 30° 정도로 기립을 시켜 발운동(경사침대에 발목을 움직일 수 있는 장치가 있을 경우)을 먼저 시키고, 다음 40° 정도부터 각도를 점차 증가시키며 시간은 총 10-60분 정도까지 시행할 수 있다.

5. 평행봉(Parallel Bars; 그림 4-5)

평행봉에는 기립훈련을 시작으로 보행에 필요한 기초훈련이나 crutch보행의 전 단계 훈련이 행해진다. 평행봉은 고정식과 이동식이 있으며 길이, 높이, 간격이 자유롭게 조절된다. 바의 높이는 사용자에 따라 조절할 수 있게 되어 있는데 가장 이상적인 높이는 대퇴골의 대전자 부위이다. 때로는 바 가운데에 foot placement ladder나 abduction board를 설치하기도 한다. 한쪽 혹은 양편의 하지가 약하거나 사용할 수 없는 환자 즉 하지마비, 편마비, 뇌성마비 등으로 보행기능이 부족한 환자들이 적용 대상이 된다.

기립의 지구력을 기르고 몸의 균형 및 상호협동의 연습, 부분적으로 다리에 힘을 주거나 전혀 주지 않는 걸음 연습 등을 할 수 있다.

주로 팔에 힘을 주어 몸을 이동시키는 방법으로 4 point gait, 3 point gait, swing gait 등으로 보행연습을 하고, 숙달이 되면 다음 단계로 crutch 및 cane을 사용하여 보행연습을 한다. 특히 평행봉 연습시에는 자세교정용 거울을 사용하여 환자 스스로 자세를 교정하도록 지도해야 한다.

6. 고정 계단(Stational stair case; 그림 4-6)

그림 4-6. 고정 계단

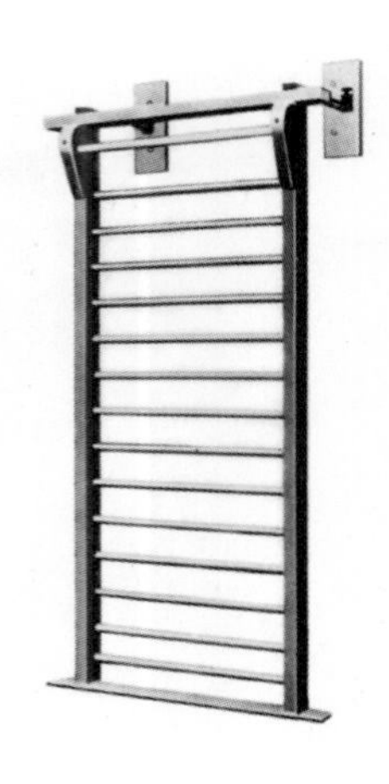

그림 4-7. Stall Bar

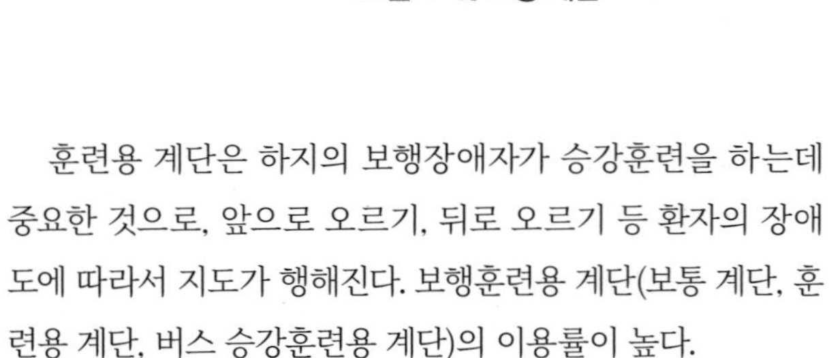

훈련용 계단은 하지의 보행장애자가 승강훈련을 하는데 중요한 것으로, 앞으로 오르기, 뒤로 오르기 등 환자의 장애도에 따라서 지도가 행해진다. 보행훈련용 계단(보통 계단, 훈련용 계단, 버스 승강훈련용 계단)의 이용률이 높다.

'ㄱ' 자 또는 'ㅡ' 자 등의 형이 있으며 일반적으로 양측의 계단의 높이가 다르다. 맨 위에는 휴식용과 crutch 보행 시에 방향전환이 가능한 넓은 장소가 설계되어 있다. 또 측면에는 버스모형 계단, 보통 계단, 훈련용 계단이 설치되어 있다.

평행봉의 것과 마찬가지로 계단 보행 연습이 주된 목적이다. 계단연습으로 고관절, 족관절 및 하지의 근력 증강과 관절운동개선의 효과가 있으며, 계단 연습 시 올라갈 때는 건측의 발이 먼저 올라가고, 내려갈 때는 환측의 발을 먼저 내려 놓는다. 이 때 건측 손으로는 꼭 side를 잡고 두 발을 모아 걷는 방법과 교대로 계단을 오르내리는 방법이 있는데 처음에는 두발을 모아서 걷도록 한다.

7. Stall Bar(그림 4-7)

여러 개의 둥근 막대를 가로 질러 고정시켜 놓은 것으로, 보조의자가 필요한 경우도 있다.

주로 각종 마비질환의 기립 및 자세운동에 사용되며 하지의 근력증강, 자세교정과 상지의 근력증강, 동결견의 견관절 운동에 도움이 된다.

환자가 바를 건측 혹은 환측을 동시에 잡고 앉고 서는 운동, 잡고 매달리는 운동, 자세 운동 등을 할 수 있으며, 보조의자는 앉고 서는 운동을 할 때 필요하다.

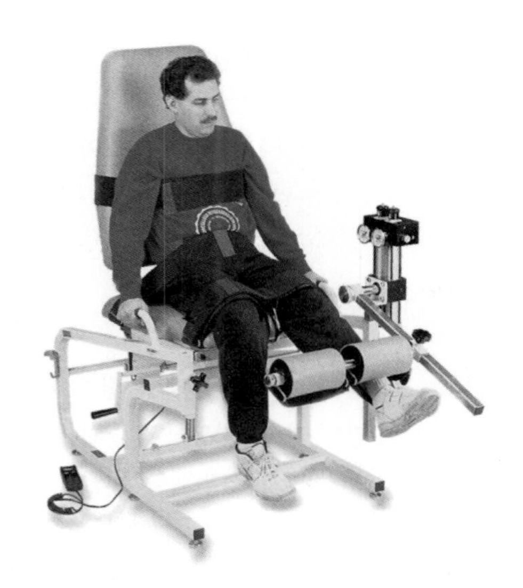

그림 4-8. Above Knee Exerciser

8. Above Knee Exerciser(그림 4-8)

앉을 수 있는 테이블과 발목을 걸게 하는 바, 부하를 달 수 있는 바로 구성되어 있고, 똑같은 무게에서도 에너지를 변화시키거나, 좌우로 옮겨 설치할 수 있도록 되어 있다.

무릎 이상 환자, 대퇴사두근, 슬개건의 약증 환자 등에게 적용되며 대퇴사두근의 근력증강, 슬관절의 가동각도의 증가 및 강직방지 등의 효과가 있다. 근육 및 피부이식 직후의 환자나 골절 후 치료되지 않은 환자에게는 금한다.

사용 시 환자를 테이블에 앉게 한 다음 발받침을 조절한 후 환자에게 알맞는 무게를 걸어 준다. 무게는 0.5 kg부터 10 kg까지 여러 종류의 무게를 환자에 맞추어 적절히 사용할 수 있다.

대퇴사두근을 운동시킬 때는 발받침을 뒤쪽으로 해주고 슬괵근을 운동시킬 때는 앞쪽으로 해주어야 한다. 사용 시 반동을 이용하지 말고 최대 가동 각도에서 얼마간 정지하여야 힘의 증강을 얻을 수 있다.

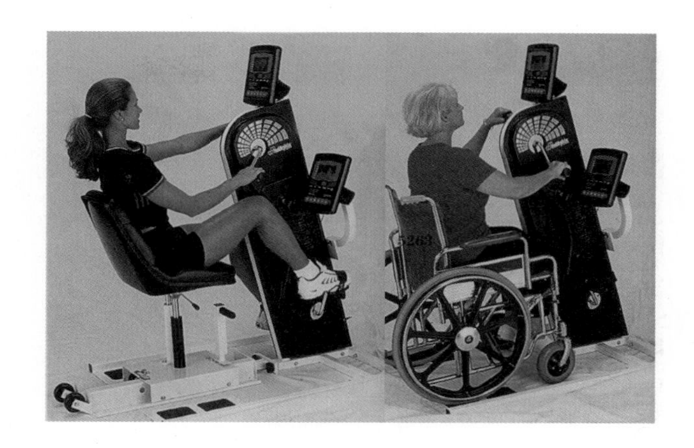

그림 4-9. Ring Bow Exerciser

9. Ring Bow Exerciser(그림 4-9)

의자에 앉아 손과 발을 동시에 상호 교대로 움직일 수 있는 기구로 편마비, 사지마비, 하반신 마비, 뇌성마비 등의 마비성질환 등에 적용되며 팔과 다리 근육의 근력증강 및 근육의 협동 작용을 증진하는 효과가 있다.

의자에 앉은 상태에서 사지를 동시에 사용하여 자전거를 타듯이 회전시키는 방법으로 사용하며 동측의 팔과 다리는 반대로 운동이 이루어진다. 근력등급상 poor 이상의 힘이 있어야 가능하며 그 이하에서는 보조해주어야 한다.

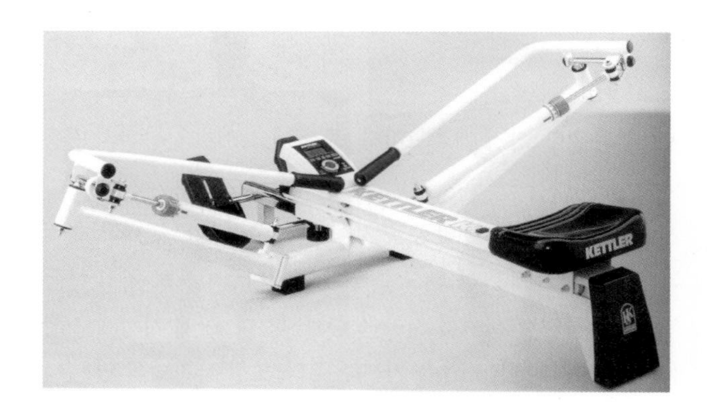

그림 4-10. Rowing Boat Exerciser

10. Rowing Boat Exerciser(그림 4-10)

보트의 노를 젓는 방법과 마찬가지로 전, 후로 팔을 돌리며 시행한다. 저항은 유압식 장치로 자유로 조절할 수 있으며 몸은 slider에 의해 전후로 움직일 수 있고 발은 고정시키도록 되어 있다. 또한 다리의 길이에 따라 발 고정장치를 조절할 수 있도록 되어 있다.

각 전신 관절의 운동, 지구력 증강이 필요한 사람, 특히 견관절 및 악력의 증가를 요하는 사람 등이 적용되며 모든 관절운동 및 근육의 지구력 증진, 근육의 상호협동 작용 증진과 체간의 전방 및 후방 굴곡 증진의 효과가 있다.

사용 시 slider를 맨 뒤쪽에 둔 상태에서 발을 쭉 뻗어 발판을 조절시키고 발을 밴드로 고정시킨 후 자신에게 알맞은 상태로 유압저항을 조정시킨 후 양쪽 손으로 핸들을 잡아 끌면서 몸을 앞으로 끌어가고 핸들을 회전시키면서 뒤로 물러가게 하며 반복적으로 시행한다.

11. Ergo Meter (lower&upper body)(그림 4-11)

주로 마비가 있거나, 근무력 등의 장애가 있는 환자에 적용되며 혼자서 타고 내리기 불가능한 사람이거나 앉아서 혼자 균형을 잡을 수 없는 환자는 다른 기구를 사용하는 것이 좋다.

견관절, 주관절, 허리, 고관절, 무릎 등 상하지의 근육 및 관절운동, 근력증가, 지구력 증가의 효과가 있다. 고정된 r.p.m.을 사용한 등속성운동과 고정된 저항에 의한 등장성 운동을 할 수 있다. 따라서 재활치료와 동시에 측정 및 평가

그림 4-11. Ergo Meter

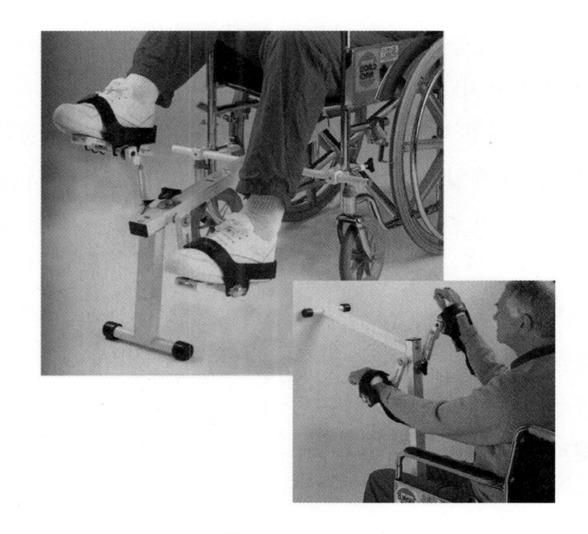

그림 4-12. Restorator

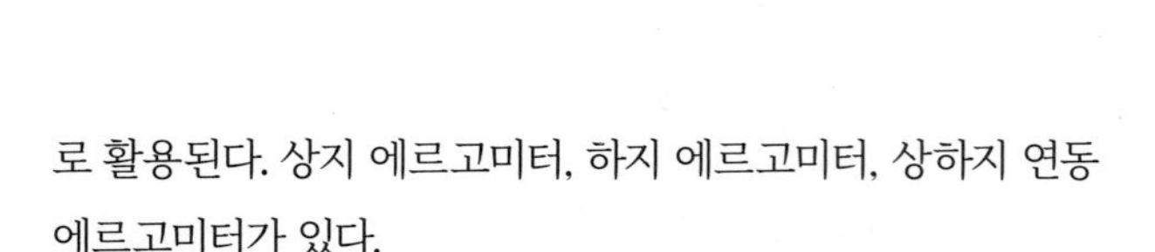

로 활용된다. 상지 에르고미터, 하지 에르고미터, 상하지 연동 에르고미터가 있다.

사용 시 핸들 및 안장을 자신에게 알맞게 조절하고 올라 앉은 후 페달에 발을 밴드로 조이고 저항을 0으로 하고 운동을 시작하면서 서서히 저항을 증가시킨다. 이때 지시계로 환자 능력에 따른 r.p.m.을 지시해 준다. 또한 부착되어 있는 타이머로 시간도 지시하여 무리한 운동이 없도록 하여 주는 것이 좋다. 오를 때는 건측이 먼저 오르고, 내릴 때는 환측이 먼저 내리도록 한다.

12. Restorator(그림 4-12)

앞에서 기술한 ergo meter와 동일한 기능을 가진 것이나 다른 점은 기구를 의자나 휠체어에 부착하여 환자가 편히 앉아서 사용할 수 있다는 것이다. 그래서 높은 자전거 같은 운동기구에 오르기 힘든 환자들에게 적합하며 기구의 모델에 따라서 양손을 회전운동 시키는 것으로 사용될 수 있다.

상호 협조작용의 증진이나 근력강화, 안정성이 좋지 않은 환자의 상하지 모두에 사용이 가능하다.

13. Wrist Roll(그림 4-13)

손목의 굴곡 신전 운동치료기이며, 양측의 둥근 막대를 양손으로 쥐고 전후로 구를 수 있게 양측이 고정되어 있고 각도 측정 장치와 저항을 줄 수 있는 장치가 되어 있다.

손의 모든 마비, 손의 관절염 등의 환자에 적용되며 손의 악력증강, 손목의 관절 가동 각도의 증가 효과가 있다.

사용 시 높낮이를 환자에게 맞게 조절한 다음 환자가 얼마나 쥘 수 있는지를 어느 정도 파악한 후 환자에 맞게 손잡이를 잡게 하고 적절한 저항을 주어 전후로 움직이게 하는데 이때 어깨나 팔 전체를 움직이면 안 되고 단지 손목 관절만 움직여야 된다. 쥐는 힘이 좋아질수록 가는쪽으로 옮겨 쥐며 그때

그림 4-13. Wrist Rotator and Wrist Roll

그림 4-14. Shoulder wheel

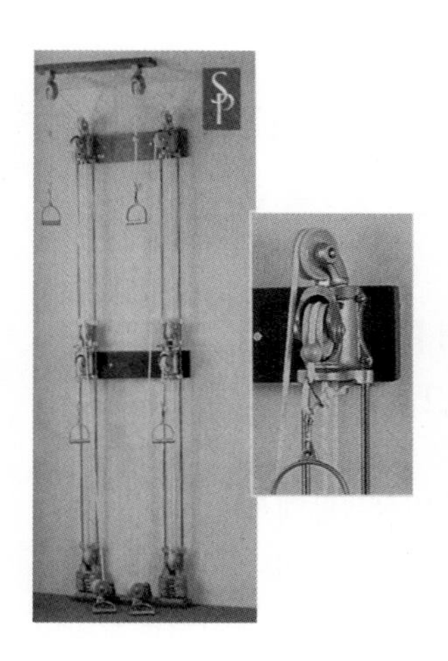

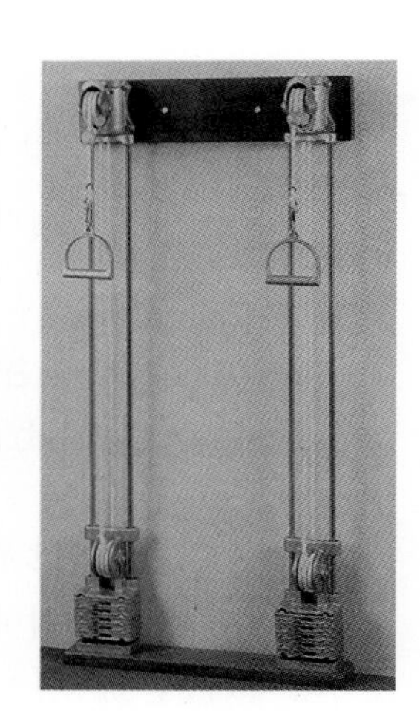

그림 4-15. Pulley

마다 저항을 조절하여 주어야 한다. 운동 횟수는 환자에게 알맞게 조정한다.

14. Wrist Rotator(그림 4-13)

전완부의 회내외 운동치료기이며 판 위에 팔을 고정시킬 수 있는 장치와 중심축을 회전할 수 없는 원형쇠와 손잡이가 있고, 손잡이는 축으로부터 거리를 조정할 수 있다. 운동저항 및 높낮이는 사용하는 환자나 목적에 따라 조절이 가능하다.

마비, 관절염 등 손목관절 이상 환자 등에게 적용되며 골절 후에 치료되지 않는 환자에겐 금한다.

상지의 전완부, 견관절, 주관절의 회내외 운동에 의한 근력의 증가 및 손목의 회전운동 가동각도 증가의 효과가 있고, 사용 시 환자의 손목관절 가동상태에 따라 손잡이를 조정시키고 팔목을 고정시킨 후 좌측 및 우측으로 회전시킨다.

15. Shoulder Wheel(그림 4-14)

큰 원형 쇠바퀴를 벽에 부착하여 팔을 회전운동시킬 수 있는 것으로 중심부 축에 스프링이 달려 있어 조이면서 점차 저항을 증가시킬 수가 있다. 손잡이는 축으로부터 적당하게 거리를 조절할 수 있다.

오십견, 관절염, 점액낭염, 상지마비 등 어깨의 이상 환자에게 적용되며 견관절 가동각도의 증가와 근력증가의 효과가 있다.

사용 시 shoulder wheel의 중앙이 shoulder tip에 오도록 한 후 저항을 조절한 후 기구와 측면으로 서서 전후로 회전하거나, 기구를 마주보고 전면으로 서서 좌우로 회전시킨다. 이때 반동을 이용하지 않고 하는 것이 좋다.

16. Pulley(그림 4-15)

이 기구는 크게 over head pulley와 wall pulley 두 가지로 나눌 수 있다.

Over head pulley: 말 그대로 활차를 이용하는 것으로, 머리 위에 활차를 달아 놓고 양손으로 교대로 잡아당기는 장치이며, 어떤 다른 무게나 저항을 주지 않고 환자 자신의 팔의 힘으로 조절한다.

Wall pulley: 이 기구는 벽에다 부착하여 weight를 조정하면서 잡아당기는 운동기구이다.

상지의 힘이 약한 모든 환자, 오십견 환자에 적용되며 over head pulley는 상호협동작용에 중점을 두고 wall pulley는 근력의 증가에 중점을 둔다.

Over head pulley는 양쪽의 끈의 길이가 환자가 앉은 상태에서 양쪽 어깨까지 닿으면 된다. 이 양끝에 달린 손잡이를 잡고 건측으로 환측의 팔을 움직이도록 하는데, 이때 환측의 손이 쥐는 힘이 없거나 약할 때는 특수장갑을 이용하여 손잡이를 붙잡도록 보조해줘야 한다. 주로 견관절의 굴곡,신전, 내전, 외전, 과신전 등의 운동을 할 수 있다.

Wall pulley는 앉거나 서는 위치에서 환자에게 가장 적합한 부하로 조종해 주어 상기와 같은 운동을 할 수 있다.

17. Hand, Wrist and Forearm Table (일명 Kanavel Table; 그림 4-16)

Kanavel table은 판 위에 일상생활에서 사용하는 여러 가지 종류의 물건을 부착하여 마비된 손의 동작을 연습하는 것이다. 이 기구는 테이블위에 6개의 holder가 상하로 부착되어 있고 상하의 holder는 줄(wire)로 연결되고 테이블 밑의 줄 중간에는 도르래가 있어서 1-110 g의 추가 달려 있다.

손의 마비 및 부자유스런 환자에게 적용되며 저항 혹은 저항 없이 전완, 수근관절, 손의 내재근에 대한 운동기회 제공과 손가락의 굴곡운동 및 근력 증가, 손목 및 주관절의 근력 증가의 효과가 있다.

사용법은 6개의 holder중 5개를 사용(우수는 좌측부터, 좌수는 우측부터 엄지손가락을 낀다)하며 상단은 밑으로 향하여 끌어 내리고 하단은 주관절을 굴곡하면서 위로 들어 올린다. 이때 내리거나 들어올린 상태에서 얼마간 지속한 후 서서히 원상태로 돌아가야 되는데 순간적으로 내리거나 놓아버리면 운동효과가 적다.

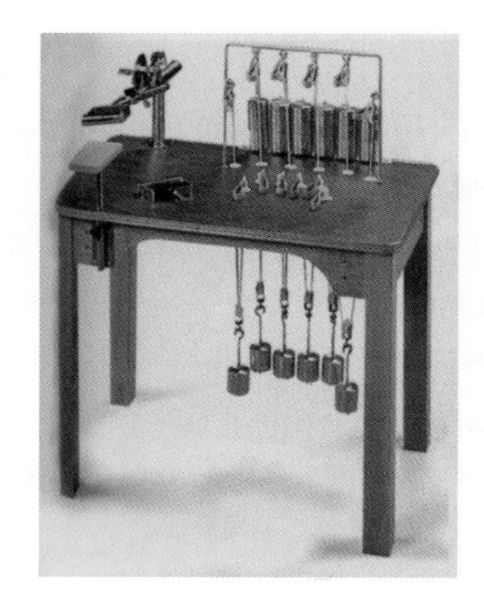

그림 4-16. Hand, Wrist and forearm Table

18. Finger and Hand Exerciser(그림 4-17)

Weight를 달아 놓고 기구에 달려 있는 도르래를 이용하여 손가락 하나씩 또는 전체를 이용하여 잡아당기는 운동기구이며, 이때 손목은 좌우로 움직이지 않도록 고정한다. 악력 및 손가락 힘이 약한 상지마비, 근무력, 관절염 등의 환자 등에게 적용되며, 근육 및 피부이식 직후, 골절 후 치료되지 않은 환자에겐 금한다.

손의 악력 및 손가락의 힘의 증가 효과가 있으며 사용 시 추의 무게를 조절하여 운동에 가장 적합한 무게로 손가락을 고리에 걸어 당기거나, 손바닥으로 바를 잡고 당기게 하는데 처음부터 많은 양을 하기보다 횟수와 무게를 조절하면서 점차 증가시키도록 한다. 이때 연필이 종이 위에 선을 그리는 것으로 지구력을 관찰하거나 측정할 수 있다.

19. Crutch(그림 4-18)

Crutch의 종류는 다양하다. 재질에 따라 목재와 금속재로 나눌 수 있고 가볍고 튼튼해야 한다. 일반적으로 흔한 것이 목재 crutch로, 액와에 닿는 부분을 고무나 스펀지로 된 패드를 대주어야 하고 바닥에 닿는 끝 부분은 팁을 부착해야 한다.

패드는 액와에 주어지는 압박을 덜어주어 혈액순환 장애를 도와주며, 신경에 대한 압박도 감소시킬 수 있다. 팁은 바닥에서 미끄러지지 않도록 원형의 홈이 파져 있는 고무가 대부분이다. Stainless crutch는 forearm crutch, quad

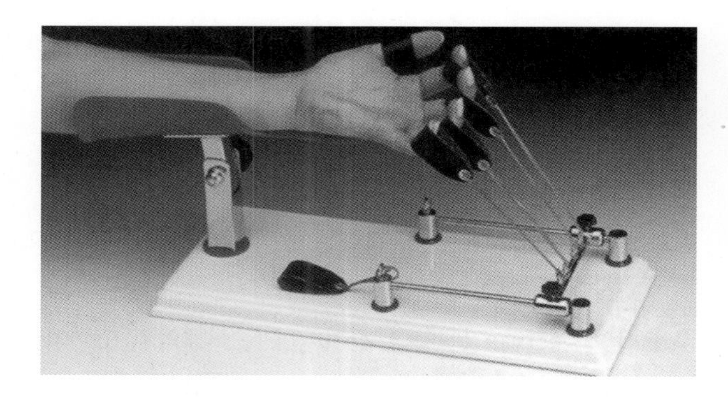

그림 4-17. Finger and Hand Exerciser

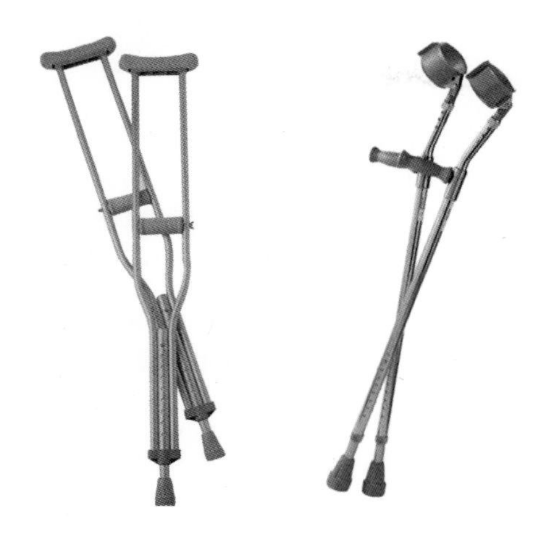

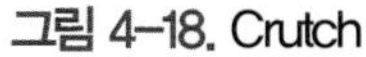
그림 4-18. Crutch

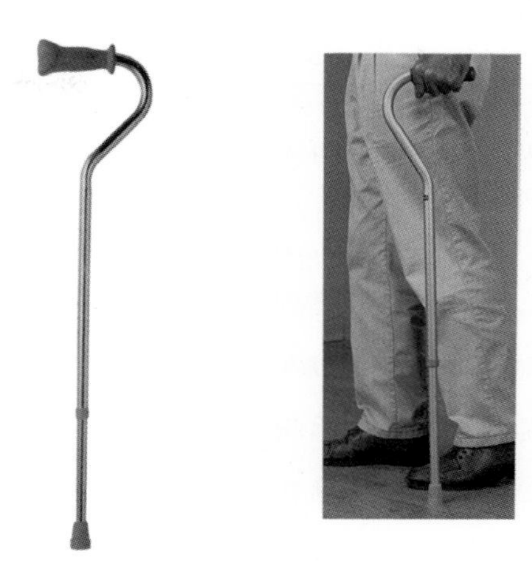

그림 4-19. Cane

crutch 등이 있고, 모두 길이를 변화시킬 수 있으며 어린이용은 따로 있다.

하지마비, 편마비, 하지절단 환자 등에 적용하는데 팔의 힘이 강하지 않으면 안 되므로 팔의 힘을 기르고 다음 평행봉에서 연습 후 사용하도록 한다. 주된 목적은 어떤 힘을 기르거나 운동을 위한 것보다 실생활에 사용하는데 있다.

crutch를 사용하여 걷기 위해서는 몇 가지 방법이 있다.

4 point gait : 두 발과 두 개의 crutch를 가지고 걷는데 오른쪽 crutch가 나가고 다음 왼발, 왼쪽 crutch가 나가고 다음 오른발이 나가면서 걷게 된다. 보행속도는 느리지만 양측 목발과 양측 다리에 체중부하가 균등하며 안정성이 있는 보행방법이다.

3 point gait : 건측 발로 지탱하고 두 개의 crutch는 동시에 나가고 다음 건측 발이 나가고 환측 발은 따라 나가게 된다.

swing gait : 두개의 crutch가 동시에 먼저 나가고 다음 두 다리가 동시에 나가는 방법이다.

2 point gait : 오른쪽 발과 왼쪽 crutch가 동시에 나가고 다음 왼쪽 발과 오른쪽 crutch가 동시에 나간다. 가장 정상 보행에 가까운 방법이다.

Crutch measurement : 액와로부터 바닥(또는 발바닥)까지 길이에 5 cm를 더한 것이 crutch의 길이이다.

20. Cane(그림 4-19)

Cane도 crutch와 마찬가지로 여러 종류가 있다. cane의 길이는 대퇴골의 대전자로부터 바닥까지의 길이에 5 cm를 더한 것이 cane의 길이가 된다.

cane은 대체로 한쪽만 짚게 되는데 항상 건측에 짚도록 한다. 건측의 발이 먼저 나가고 다음 환측과 cane이 동시에 나가는 방법이 있고, 건측의 발이 나가고 cane이 나가고 다음 환측의 발을 끌어다 놓는 방법이 있는데 기동성은 전자가 우수하다.

• 운동 시 유의사항

① 기구를 사용한 운동은 근육의 검진상 근력이 fair 이상인 환자에게만 실시한다.

② 운동시간 및 운동량은 환자에게 알맞게 시킨다.

③ 환자 최대 심박수의 80%(일반적으로 운동 시 120회 정도)

④ 심장병, 골다공증(osteoporosis) 등의 환자는 특히 주의해야 한다.

⑤ 처음부터 과도하게 훈련시키는 것보다 점차 횟수 및 강도를 증가시킨다.

참고문헌

1. 全國韓醫科大學再活醫學科教室. 東醫再活醫學科學. 서울:書苑堂. 1995.
2. 노진환, 고창남, 조기호, 김영석, 배형섭, 이경섭. 위증에 대한 동서의학적 고찰. 대한한방내과학회지. 1996;17(1):81-106.
3. 楊維傑(編). 黃帝內經素問靈樞釋解. 서울:成輔社. 1980.
4. 許 浚(原著). 東醫寶鑑. 서울:南山堂. 2001.
5. 정석희. 임상의 활용에 능한 침구가부. 서울:청홍. 2014.
6. 陳貴延, 楊思澍. 實用中西醫結合診斷治療學. 서울:一中社. 1992.
7. 朴贊國. 病因病機學. 서울:傳統醫學研究所. 1992.
8. 黃文東 外. 實用中醫內科學. 上海:上海科學技術出版社. 1986.
9. 해리슨번역편찬위원회(譯). Harrison's 내과학. 한글 제1판. 서울:정담. 1997.
10. 沖山 奈緒 子 上阪 等. 多発性筋炎・皮膚筋炎の研究の発展. 日本臨床免疫學會會誌. 2008;31(2):85-92.
11. 김경석, 김성수, 정석희. 경련성 사경증의 보존적 치료 효과에 대한 문헌적 고찰 -2000년 이후 발표된 논문을 중심으로. 척추신경추나의학회지. 2010;5(1):145-156.
12. Birks M, Bhalla A. Dupuytren's disease. Surgery. 2013;31(4):177-180.
13. Cerebral Palsy. (National Center on Birth Defects and Developmental Disabilities, October 3, 2002). www.cdc.gov.
14. American Spinal Injury Association & ISCOS. Standard Neurological Classification of Spinal Cord Injury. 2011.
15. Ho CH, Wuermser LA, Priebe MM, Chiodo AE, Scelza WM, Kirshblum SC. Spinal cord injury medicine. 1. Epidemiology and classification. Archives of Physical Medicine and Rehabilitation. 2007;88:49–54.
16. 이광우, 김지수, 이성현. 한국인 중증근무력증의 역학 및 임상적 특성 연구. 대한신경과학회지. 1997;15(4):825-837.
17. 이석원, 신용욱, 정호룡, 차윤엽. 교통사고로 인한 상완신경총 손상 환자의 치험 1례. 한방재활의학과학회지. 2002;12(2):199-208.
18. 최은희, 천혜선, 이주희, 류혜선, 양동선, 홍석. 중성어혈 약침치료를 병행한 요골신경마비 환자 치험 4례. Journal of Pharmacopuncture. 2011;14(4):63-69.
19. Shy ME. Peripheral neuropathies. In: Goldman L, Schafer AI, eds. Cecil Medicine. 24th ed. Philadelphia, Pa:Saunders Elsevier;2011.
20. 양현주, 주현아, 백상철. 벨마비 입원환자 35례에 대한 임상보고 조기 한방치료가 벨마비에서 House-Brackmann grade에 미치는 영향을 중심으로. 韓方眼耳鼻咽喉皮膚科學會誌. 2011;24(3):108-118.
21. 이근희, 김형수, 한동욱, 김병조. 보바스치료와 일반적치료가 성인 편마비 환자의 보행능력에 미치는 영향. 대한물리의학회지. 2008;3(4):277-84.
22. Bente E. Bassøe Gjelsvik 저. 황병용 역. 보바스 개념의 성인신경치료학. 서울:서울메드메디아. 2008.
23. 최원제, 김윤환, 이승엽. 고유수용성 신경근 촉진법의 통합 패턴이 정적 균형에 미치는 영향. 대한고유수용성신경근촉진법학회. 2008;6(1):1-12.
24. Walsh K. Management of shoulder pain in patients with stroke. Postgraduate Medical Journal. 2001 Oct;77:645-9.
25. 한진태, 권오현, 신형수. 뇌졸중 편마비환자의 견관절 아탈구 예방에 관한 고찰. 대한물리의학회지. 2007;2(2):243-50.
26. 한주원, 오민석. 뇌졸중 후유증 환자에서 발병한 견관절 아탈구 치료2례. 대전대학교 한의학연구소 논문집. 2008;17(1):145-55.
27. 방요순, 김희영, 손경현. 뇌졸중 후 연하곤란 환자의 관리를 위한 교육이 가족의 지식과 실천 및 스트레스에 미치는 영향. 대한작업치료학회지. 2009;17(3): 55-65.
28. 김식현. 뇌가소성과 뇌졸중 재활. 대한고유수용성신경근촉진법학회. 2008 June;6(2):39-50.
29. 송주민. 운동과 신경가소성에 대한 고찰. 대한고유수용성신경근촉진법학회. 2008;6(2):31-8.
30. Koman LA, Smith BP, Shilt JS. Cerebral palsy. Lancet. 2004 May 15;363(9421):1619-31.
31. Kohler F, Schmitz-Rode T, Disselhorst-Klug C. Introducing a feedback training system for guided home rehabilitation. J Neuroeng Rehabil. 2010 Jan 15;7:2. doi: 10.1186/1743-0003-7-2.
32. Duncan PW, Lai SM, Keighley J. Defining post-stroke recovery: implications for design and interpretation of drug trials. Neuropharmacology. 2000 Mar 3;39(5):835-41.
33. Herr-Wilbert IS, Imhof L, Hund-Georgiadis M, Wilbert DM. Assessment-guided therapy of urinary incontinence after stroke. Rehabil Nurs. 2010 Nov-Dec;35(6):248-53.

34. Jamieson K, Brady M, Peacock C. Urinary dysfunction: assessment and management in stroke patients. Nurs Stand. 2010 Sep 22-28;25(3): 49-55, quiz 56.

35. 김상진, 김민수, 서부일, 구덕모, 서혜경, 안희덕. 중풍으로 유발된 배뇨, 배변장애에 양격산화탕을 위주로 한 치험 1례. 대한본초학회지. 2003;18(3):1-8.

36 김기환, 고덕환, 신주용, 김동헌, 이준혁. 고령의 뇌졸중 환자의 고관절부 골절 치료. 대한골절학회지. 2006;19(2):122-7.

37. 박형준, 이혜경. 작업치료학. 서울:현문사. 1995.

38. Govender P, Kalra L. Benefits of occupational therapy in stroke rehabilitation. Expert Rev Neurother. 2007 Aug;7(8):1013-9.

39. Jürgen Tesak 저. 배진애, 류병래, 박정식 역. 실어증의 이해. 서울: 학지사. 2007.

40. Hegde MN 저. 김지채, 김화수, 이은경, 이은정 역. 실어증과 신경언어장애. 서울:박학사. 2012.

41. Hegde MN 저. 김선희 외 역. 의사소통장애. 서울:학지사. 2002.

42. Vanswearingen J. Facial rehabilitation: a neuromuscular reeducation, patient-centered approach. Facial Plast Surg. 2008 May;24(2):250-9.

43. Susan B O'Sullivan, Thomas J Schmitz, George Fulk. Physical Rehabilitation. F.A. Davis Company. 2013:645-720.

44. Hankey GJ, Spiesser J, Hakimi Z, Bego G, Carita P, Gabriel S. Rate, degree, and predictors of recovery from disability following ischemic stroke. Neurology. 2007 May 8;68(19):1583-7.

45. Jørgensen HS1, Nakayama H, Raaschou HO, Olsen TS. Stroke. Neurologic and functional recovery the Copenhagen Stroke Study. Phys Med Rehabil Clin N Am. 1999 Nov;10(4):887-906.

46. Guy H. Preventing pressure ulcers: choosing a mattress. Prof Nurse. 2004 Dec;20(4):43-6.

47. Vázquez Pedrazuela C, Lázaro del Nogal M, Verdejo Bravo C, Royuela Arte T, Torrijos Torrijos M, Ribera Casado JM. Immobility syndrome in patients being care for in a home care unit. An Med Interna. 1995 Oct;12(10):489-91.

48. Sica S, Davis D, Grechis K, Lento A, Wallace LM, Niles I. Immobility syndrome: use it or lose it!. AD Nurse. 1987 Nov-Dec;2(6):6-10. Phys Ther. 1986 Aug;66(8):1233-8.

49. Dickstein R, Hocherman S, Pillar T, Shaham R. Stroke rehabilitation. Three exercise therapy approaches.

50. HYPERLINK "http//www.stroke-rehab.com/stroke-rehab-exercises.html"http://www.stroke-rehab.com/stroke-rehab-exercises.html (cited 2015. 1. 30)

51. 조영남, 정재훈, 김홍근. 뇌졸중 환자의 인지기능 장애에 관한 연구. 대한인지재활학회지. 2012;1(1):37-50.

52. Desmond DW, Moroney JT, Paik MC, Sano M, Mohr JP, Aboumatar S, Tseng CL, Chan S, Williams JB, Remien RH, Hauser WA, Stern Y. Frequency and clinical determinants of dementia after ischemic stroke.Neurology. 2000 Mar 14;54(5):1124-31.

53. de Haan EH, Nys GM, Van Zandvoort MJ. Cognitive function following stroke and vascular cognitive impairment. Curr Opin Neurol. 2006 Dec;19(6):559-64.

54. Susie L, Andrew W, Andrew D, Celia S. Visual field defects after stroke. Australian Family Physician. 2010;39(7):499-503.

55. Bipin B Bhakta. Management of spasticity in stroke. British Medical Bulletin. 2000;56(2):476-485.

56. SinanovićO, MrkonjićZ, ZukićS, VidovićM, ImamovićK. Post-stroke language disorders. Acta Clin Croat. 2011 Mar;50(1):79-94.

57. Engelter ST, Gostynski M, Papa S, Frei M, Born C, Ajdacic-Gross V, Gutzwiller F, Lyrer PA. Epidemiology of aphasia attributable to first ischemic stroke: incidence, severity, fluency, etiology, and thrombolysis. Stroke. 2006 Jun;37(6):1379-84.

58. 이민구, 박세욱, 이선우, 유현희, 이승언, 김용정, 손지우, 임은경, 김성남, 이인, 문병순, 윤종민. 침치료가 뇌졸중으로 인한 구음장애에 미치는 음향적 특성에 대한 증례보고. 대한한방내과학회지. 2005;26(3):660-669.

59. Pang MY, Eng JJ, Dawson AS et al. A communitybased fitness and mobility exercise program for older adults with chronic stroke: a randomized, controlled trial. J Am Geriatr Soc. 2005;53(10):1667-74.

60. Fabricio Ferreira de Oliveira, Benito Pereira Damasceno. A topographic study on the evaluation of speech and language in the acute phase of a first stroke. Arq Neuropsiquiatr. 2011 Oct;69(5):790-8.

61. 박성희, 박찬옥. 언어 구성 요소를 적용한 만 5세 문해 교육프로그램 효과 연구. 유아교육학논집 제17권 제1호 (2013. 2) pp.225-255.

62. SinanovićO, MrkonjićZ, ZukićS, VidovićM, ImamovićK. Post-stroke language disorders. Acta Clin Croat. 2011 Mar;50(1):79-94.

63. 이상언. 척추외상의 응급처치. 경희의학. 1995:11(2);136-141.

64. Craven CT, Gollee H, Coupaud S, Purcell MA, Allan DB. Investigation of robotic-assisted tilt-table therapy for early-stage spinal cord injury rehabilitation. J Rehabil Res Dev. 2013;50(3):367-78.

65. Bohannon RW. Tilt table standing for reducing spasticity after spinal cord injury. Arch Phys Med Rehabil. 1993 Oct;74(10):1121-2.

66. Carenzio G, Carlisi E, Morani I, Tinelli C, Barak M, Bejor M, Dalla Toffola E. Early rehabilitation treatment in newborns with congenital muscular torticollis. Eur J Phys Rehabil Med. 2015;51(5):539-45.

67. Camargo CH, Cattai L, Teive HA. Pain Relief in Cervical Dystonia with Botulinum Toxin Treatment. Toxins (Basel). 2015;7(6):2321-35.

68. Lee GS, Lee MK, Kim WJ, Kim HS, Kim JH, Kim YS. Adult Patients with Congenital Muscular Torticollis Treated with Bipolar Release: Report of 31 Cases. J Korean Neurosurg Soc. 2017;60(1):82-8.

69. Krigger KW. Cerebral palsy: an overview. Am Fam Physician. 2006;73(1):91-100.

70. Wimalasundera N, Stevenson VL. Cerebral palsy.Pract Neurol. 2016;16(3):184-94.

71. Yew KS, Cheng EM. Diagnosis of acute stroke. Am Fam Physician. 2015;91(8):528-36.

72. 통계청. 2017년 사망원인통계.

73. Laksmi PW, Harimurti K, Setiati S, Soejono CH, Aries W, Roosheroe AG. Management of immobilization and its complication for elderly. Acta Med Indones. 2008. Oct;40(4):233-40.

74. Carolee J. Winstein, Joel Stein, Ross Arena, Barbara Bates, Leora R. Cherney, Richard L. Harvey et al. Guidelines for adult stroke rehabilitation and Recovery – A guideline for healthcare professionals from the American Hear Association/American Stork Association. Stroke. 2016;47:398-169.

75. Carolee J. Winstein, Joel Stein, Ross Arena, Barbara Bates, Leora R. Cherney, Richard L. Harvey et al. Guidelines for adult stroke rehabilitation and Recovery – A guideline for healthcare professionals from the American Hear Association/American Stork Association. Stroke. 2016;47:398-169.

76. Lisa A Harvey. Physiotherapy rehabilitation for people with spinal cord injuries. Journal of Physiotherapy 62:4-11.

77. Van Hook FW., Demonbreun D., Weiss BD. Ambulatory devices for chronic gait disorders in the elderly. Am Fam Physician. 2003;67:1717-24.

78. China Press of Traditional Chinese Medicine. Evidence-based Guidelines of Clinical Practice in Chinese Medicine Internal Medicine. China Academy of Chinese Medical Sciences, 2011,

79. 대한중풍-순환신경학회. 중풍 한의표준임상진료지침. 2017. 한의표준임상진료지침 개발사업단.

80. 석경환, 유희경, 구본혁, 이주현, 류수형, 이수연, 김민정, 박연철, 서병관, 박동석, 백용현. 안면마비 후유증 평가법에 대한 고찰 및 제언. 대한침구의학회지. 2014;31(4):99-108.

CHAPTER

05 손상과 상해, 장애

조재흥(경희대학교)
염승룡(원광대학교)
신병철(부산대한의전)
김형석(경희대학교)
박정식(가천대학교)
송윤경(가천대학교)

CHAPTER

05 손상과 상해, 장애

제1절 개요

손상(損傷)이란 의학적인 용어로서 '외부적인 원인(물리적 또는 화학적)이 인체에 작용하여 생긴 형태적 변화나 기능적 장애'로 정의되며, 상해(傷害)란 형법이나 상법에서 상해죄나 상해보험과 관련하여 사용되는 개념으로 피해자 혹은 피보험자가 '외부의 돌발적인 사고로 입은 신체의 손상'을 의미한다. 그러나 용어의 개념이 비슷하여 스포츠 손상과 스포츠 상해, 교통사고 손상과 교통사고 상해 등과 같이 혼용되는 경우가 많으며 손상이 피동적 외상을 입는 측면의 용어라면, 상해는 가해의 측면에서 외상이 발생하는 용어로 볼 수도 있다.

손상이나 상해는 불의에 발생하고, 근골격계 및 신경계에 일시적이고 부분적인 상해 뿐만 아니라, 영구적이고 전체적인 상해를 발생시켜 후천적 장애를 남길 수 있는 것 등 다양한 정도의 상해가 있을 수 있다. 또한 이에 따른 신체 기능의 상실 및 외상 후 스트레스 장애, 우울증, 좌절감, 신체형 장애 등이 손상 후 발생한 1차적 문제의 해결 후에도 지속적인 문제가 되기도 한다.

손상이나 상해는 다양한 상황에서 발생하지만, 주로 일상생활이나 스포츠 활동, 교통사고, 산업현장 등과 관련하여 많이 발생한다. 손상이나 상해의 경우 주로 근골격계 손상이나 신경계 손상으로 이어지는데, 연부조직의 손상, 골절, 타박상이 가장 흔하고 심각한 인체의 손상이나 신경계 손상이 동반되기도 한다. 이러한 이유로 교통사고에 의한 손상이나 상해의 경우 <자동차손해배상보장법>에 의한 법률(일부개정 2009.05.27 법률 제9738호)에 의하여 손상에 대한 배상이 개입되고, 산업현장에서의 근로자의 산업재해는 <산업재해보상보험법>에 의한 법률(일부개정 2009.1.7 법률 제9338호)에 의하여 재해에 대한 배상이 개입된다는 사실에서 기존의 질병과는 구분되는 특징이 있다.

따라서 손상과 상해의 경우 신체적 손상의 회복뿐만 아니라 기능적, 정신적 측면에서의 회복 또한 적절히 고려되어야 하며, 보상이나 배상의 심리적 측면이 작용하기 쉽다. 충분한 치료에도 불구하고 장애가 일시적 또는 영구적으로 남는 경우도 있으며 이로 인한 사회적 손실이나 사회로의 복귀도 고려되어야 한다.

1. 한의학적 범주

(1) 근상(筋傷): 전신 각 부위의 근육의 손상과 이와 연관된 제반 증상

(2) 골상(骨傷): 전신 각 부위의 골 손상 및 이와 연관된 제반 증상

(3) 신경 손상: 전신 신경계의 중추신경 또는 말초신경의 손상과 이와 연관된 제반 증상 (뇌신경손상, 척수손상, 말초신경손상 등)

(4) 관절 손상: 척추, 골반, 천장관절, 천미관절 및 사지관절(견, 주, 완, 고, 슬, 족과관절, 수족지관절)의 손상과 이로 인한 기능장애

(5) 내상타박(內傷打撲): 전신 각 부위의 내상타박 및 이와 연관된 제반 증상
(6) 심신증(心身症): 손상과 상해로 유발되거나 연관된 각종 심신증(외상 후 스트레스 증후군 등)

2. 단계별 관리

손상과 상해의 기본 진단에서 가장 중요한 것은 급성기의 경우 외상의 정도를 즉시 파악하여 의학적 처치나 응급의료의 필요성을 판단하는 것이다. 골절이나 신경손상, 장기파열, 뇌손상의 경우 빠른 이송과 함께 적절한 처치를 수행하지 않으면 환자에게 이차적 장애를 유발시킬 수 있다. 따라서 급성기 진단에 맞는 이학적 검사와 신경학적 검사를 수행하여 이송의 필요성, 치료의 선택이 전제되어야 한다.

진단적 특징으로는 진료현장에서 보상과 배상적 관점에서 환자는 손상과 상해의 이득에 따라 본인의 상태를 과장하려는 경향이 있을 수 있으며, 꾀병의 가능성을 염두에 둔 진찰이 필요하다. 또한 손상과 상해에서 중요한 요소는 손상이나 상해의 유형, 손상이나 상해의 등급별(경도, 중등도, 고도), 손상이나 상해의 단계별(최급성기, 급성기, 아급성기, 만성기, 후유증기)로 진단이나 치료의 접근을 달리하는 특징을 갖는다.

치료적 접근은 급성기의 경우 보조기(경성, 연성)의 사용, 한약물요법, 추나요법, 침술(약침술 포함), 구술, 부항술이 적용가능하다. 한방물리요법으로 냉찜질(ice pack)과 이학요법, 견인치료, 운동치료 등이 적용될 수 있으나, 모든 한의학적 치료의 경우 상해의 등급이나 단계를 고려한 처방이나 치료적 접근이 필요하다.

급성기나 아급성기의 관리기간이 지나가게 되면, 만성기나 후유증기에 도달하게 되는데 이 경우 기능적 손상이나 만성화로 인한 신체화, 만성통증증후군(chronic pain syndrome), 섬유근통 등의 이환이 나타날 수 있다.

1) 급성기의 관리(RICE 처치)

(1) Rest: 손상 부위를 손상 후 약 24시간 동안 쉬게 둔다.
(2) Ice: 냉찜질로 손상 부위 전체를 감싸서 발적과 부종의 염증반응을 감소시킨다.
(3) Compression: 손상이나 상해부위에 직접적으로 압박 붕대(탄력붕대)를 적용하는 것이 도움이 된다.
(4) Elevation: 손상 부위는 가능한 한 손상 후 초기 72시간 동안 심장보다 높이 올려져야 한다. 손상 부위를 올려서 유지하는 것은 잠잘 때 특히 중요하다.

2) 급성기 이후의 관리

(1) 급성기 이후 환자 상태에 대한 전문적 평가를 통해 장단기적인 재활 치료 계획 수립
(2) 신체 기능 회복 정도에 따른 단계별 치료: 관절가동운동, 일상생활동작훈련, 보행운동, 작업치료
(3) 욕창, 요로감염, 부동증후군, 폐색전증, 심부정맥혈전증, 폐렴 등과 같은 합병증의 예방
(4) 신경학적 회복이 고정된 이후에는 최대한의 신체 기능 수준에서 사회에 적응할 수 있도록 지역사회와 연계된 통합적 재활 서비스 제공

3. 치료 개요

한의학에서는 落傷, 落馬, 打撲, 杖瘡, 創傷, 金瘡, 跌撲, 墜落, 蓄血, 血結, 瘀血, 骨折, 脫臼 등으로 다루어졌고, 이들 증후군에 대하여 氣와 血의 관계로 설명하고 있으며 氣滯, 瘀血이라는 병적 개념을 도입하여 치료해 왔다. 瘀血이란 개념은 상당히 포괄적 개념으로 血의 병리적 산물로 정의되지만 교통사고나 산업재해의 현장에서 손상이 이루어진 후 대개 만성화가 되면 瘀血의 한의학적 개념과 일치하는 병적 상태에 놓이게 되며, 이에 대한 치료 역시 活血去瘀의 방법이 중심이 된다.

척추관절을 포함한 관절과 근육 등의 근골격계의 기능적 변화상태는 주로 경결, 변위, 위축 및 고착이라고 하는 구조적인 병리상태로 나타나게 되고, 이러한 근골격계의 구조적 또는 기능적인 변화는 오장육부의 구조적 또는 기능적인 변화에도 영향을 미쳐 해부학적 구조에 이상을 수반하는 질환이나 관련 증상을 동반한 증후성 질환 등으로 나타나기도 한다. 한의학적 치료방법으로 침, 구, 부항요법, 추나요법, 첩대요

법, 한약물 요법과 더불어, 한방물리요법을 적절히 적용하고, 심리적인 접근 또한 정신과적 측면에서 고려되어야 한다.

침과 구술은 止痛, 行氣의 목적으로 관련된 부위의 아시혈과 경락이론에 근거한 혈자리가 선택될 수 있으며, 약침술의 경우 行氣, 活血, 止痛의 목적으로 봉약침, 황련해독탕약침, 중성어혈, 냉성어혈, 신바로약침 등이 선택될 수 있다. 첩대요법은 인대나 관절의 불안정성이 있을 때 또는 급성기의 고정 목적으로 활용이 가능하며, 한약물 요법의 경우 급성기에 疎風活血湯, 五積散, 烏藥順氣散, 回首散, 當歸鬚散의 처방을, 아급성기에 養筋湯, 杜續五和飮, 疎風活血湯, 淸上蠲痛湯을, 만성기나 회복기에 養筋湯, 杜續五和飮, 疎風活血湯, 血府逐瘀湯 등의 처방을 응용하여 활용할 수 있다.

4. 상해 진단서의 작성

인구가 증가하고 사회가 복잡해 지면서 교통사고나 산업재해, 다양한 사건 사고로 인해 신체에 손상과 상해가 발생하여 법적인 처벌이나 손해배상을 위하여 상해 진단서를 발급해야 하는 경우가 증가하고 있다.

1) 상해진단서 작성

질병의 원인이 상해(傷害)로 인한 것인 경우에는 의료법 시행규칙 제9조 제2항에 따라 상해의 원인 또는 추정되는 상해의 원인, 상해의 부위 및 정도, 입원의 필요 여부, 외과적 수술 여부, 합병증의 발생 가능 여부, 통상 활동의 가능 여부, 식사의 가능 여부, 상해에 대한 소견, 치료기간에 관한 사항을 추가로 기재해야 한다.

2) 상해진단서는 법률적인 상해를 증명하는 문서

상해진단서에 기재된 상해의 원인이나 부위 등이 피해자가 주장하는 내용과 일치하는 경우, 상해진단서는 피해자의 진술과 함께 법정에서 유력한 증거가 될 수 있으므로 작성 시 신중을 기해야 한다.

3) 상해진단서 작성 시 유의 사항

(1) 손상 원인은 객관적인 손상 명칭만을 기재하며 인과 관계를 추정하여 작성하지 않는다.

(2) 손상 부위는 빠지지 않고 기록하며, 손상 부위를 그림이나 사진 등으로 첨부하면 증거 자료가 될 수 있다.

(3) 환자의 통증이나 불편감 등 주관적인 소견은 상해 진단서에 기재하지 않는다.

(4) 충분한 객관적인 소견 없이 피해 사실만으로는 상해 진단서를 작성해서는 안 된다.

(5) 상해진단서의 치료기간은 향후 법정에서 상해의 정도를 판단하는 기준이 되며 3주 이상의 상해 진단서는 구속 수사를 원칙으로 하므로 의학적 소견에 따라 치료기간을 신중하게 판단해야 한다.

제2절
연부조직 손상

1. 연부조직 손상의 유형

1) 연부조직 손상 유형 I (Type I soft tissue sprain)

유형 I 은 일반적으로 구조적인 완전성의 변화되지 않은 상태에서 극히 작은 부분의 연부조직이 약간 신장되는 경우이다. 이 경우 약간의 국소적 통증이나 가벼운 부종이 있을 수 있다.

2) 연부조직 손상 유형 II (Type II soft tissue sprain)

유형 II 는 연부조직이 중간 정도로 신장되어 단열되지는 않은 상태에서 약간의 부분적인 열상이 있는 경우로 정의된다. 연부조직의 손상으로 인한 통증과 부종이 즉시 발생하며 이 경우 연부조적은 거의 완전히 회복될 수 있다.

3) 연부조직 손상 유형III (Type III soft tissue sprain)

유형III은 열상이 발생하고 조직의 일정한 파괴가 일어나는 연부조직의 심한 신장이 발생하는 유형이다. 증상은 통증과 부종이 동반되고, 혈관에서의 출혈에 의하여 피부에 멍이 나타나게 된다. 이 경우 회복 기간은 보통 3-6개월이 걸리며, 조직의 손상으로 인한 섬유화와 반흔조직의 형성에 의한 연부조직의 변형이 일어난다.

2. 연부조직 손상과 치유 과정

1) 초기 염증 단계(Early inflammatory phase)

손상 초기 24시간 이내에는 염증성 매개물질들이 조직의 부종을 일으켜 충혈이 일어난다.

2) 섬유조직 대체 단계(Fibrous replacement)

반흔조직의 형성은 손상이 비교적 큰 경우 발생하는데, 섬유조직으로 대체가 되는 단계를 말하며, 섬유조직의 침윤(infiltration)은 염증 단계가 시작된 이후 약 48-72시간 이내에 일어나기 시작하여 6-12주 동안 지속된다.

3) 섬유조직 재구성-재형성 단계(Fibrous reconstitution-remodeling)

상당히 심한 연부조직 손상들에서 치유의 마지막 단계 동안에는, 섬유조직이 재구성되어 좀 더 생리적 조직으로 변화되고 교원질(collagen) 및 탄력소(elastin)가 증가하게 된다. 이 단계는 손상조직이 주변조직과의 적응을 위한 약간의 스트레스가 존재하는 동안에는 6-12개월을 넘어서도 지속된다.

3. 인대 손상

인대에 발생하는 손상을 염좌(sprain)라고 한다. 족근관절의 외측인대, 슬관절의 내측인대에 가장 다발한다. 그 외에 슬관절의 기타 인대, 무지 중수지관절의 인대, 수지관절의 인대, 주관절의 인대에도 손상이 빈발한다.

손상 정도에 따라 몇 가닥의 섬유질만이 파열된 경도(mild)의 1도 손상, 부분적으로 인대가 파열된 중등도(moderate)의 2도 손상, 완전하게 파열된 중증(severe)의 3도 손상으로 구분한다. 1도 손상은 인대에 대한 스트레스 검사에만 통증이 있다. 2도 손상부터 반상의 피하출혈(bruising)이 나타나며 스트레스 검사에 통증이 있고, 육안 상 약간의 관절 이완(joint laxity)이 보인다. 3도 손상은 스트레스 검사에 통증이 있거나 혹은 없을 수도 있으며, 육안적으로 관절 이완이 뚜렷해 보인다. 이학적 검사 상 관절 불안정성은 2도 손상부터 나타나는데, 수동 운동 검사 상 2도는 확실한 끝 느낌(end feel)이 있고 3도는 확실한 끝 느낌이 없다. 다만, 주위 근육들의 경련으로 이학적 검사가 어려울 경우 부하 영상(stress view) 방사선 검사가 도움이 될 수 있다.

3도 손상은 수술적 처치를 고려하지만, 족근관절 외측인대와 슬관절 내측인대의 경우 보존적 치료의 결과가 수술에 비해 양호하여 최근에는 보존적 치료가 선호된다.

4. 근육 손상

1) 좌상(Strain)

연부조직 손상은 해부학적 손상 부위를 특정하기 힘든 경우가 많아 임상적으로 '염좌 및 긴장'으로 진단한다. 종종 연부조직 손상을 총칭하여 '염좌'로 부르는 경향이 있지만, 근육 손상은 '좌상' 혹은 '긴장'이라 해야 한다.

좌상은 두 관절에 걸쳐 분포하는 '2 joints muscle'인 슬굴곡근(hamstring), 대퇴사두근(quadriceps femoris), 비복근(gastrocnemius) 등에 많이 발생한다. 임상적으로 하지에서는 장딴지의 비복근 내측두 좌상, 상지에서는 주관절의 회내굴근 좌상이 대표적이다.

1도 손상은 소수의 근섬유(muscle fiber)가 미세하게 파열된 상태로 국소 통증이 있다. 2도 손상은 상당수의 근섬유가 파열되거나 건 부착부가 부분적으로 결출된 상태로 통증, 종창, 근력 감소, 운동 제한이 있다. 3도 손상은 근섬유가 완전하게 파열되거나 건부착부가 완전하게 결출된 상태로, 근건의 이행부위에서 다발한다. 간혹 근육이나 인대가 파열되지 않고 부착부의 골편이 떨어지는 결출 골절(avulsion fracture)이 동반되기도 한다.

2) 근육통(Muscle soreness)

과도한 운동 시 미세한 근섬유 파열이나 근육 긴장으로 근육통이 발생하며, 운동을 중지하면 근육통이 즉시 완화되는 것을 운동에 의한 급성 근육통(acute muscle soreness)이라 한다. 그런데 평소와 달리 경사진 곳을 달려 내려가는 신장성(eccentric) 운동을 하거나, 새로운 운동 프로그램을 시작하거나, 웨이트 트레이닝 등의 고강도 운동 후에 지연되어 발생하는 근육통을 지연발생 근육통(delayed onset muscle soreness, DOMS)이라 한다.

지연발생 근육통은 운동 중이나 운동 직후에는 통증이 없다. 운동이 끝난 후 24시간 내로 통증이 시작되고, 24-72시간에 절정을 이루었다가, 7일 내로 통증이 사라지는 특징이 있다. 지연발생 근육통은 근육이 신장되거나 수축될 때 통증이 발생하며, 둔하고 쑤시는 통증 및 압통(tenderness)을 호소한다. 지연발생 근육통 예방을 위해서는 점진적으로 운동 부하를 늘리는 것이 중요하며, 마사지나 온천욕 및 사우나가 증상 경감에 도움이 될 수 있다.

3) 타박상(Contusion)

외상이나 접촉성 운동에서 직접적인 가격이나 접촉으로 대퇴의 전면부에 다발한다. 근육의 국소 손상과 더불어 출혈, 부종 및 근육 경련으로 잘 걷지 못하여 'dead leg'나 'corked thigh' 또는 'charley horse'라고 부르기도 한다.

대부분 경미한 수준에 그치지만, 지속적인 활동이나 운동 참여는 출혈을 조장한다. 합병증으로 혈종이 석회화되는 화골성 근염(myositis ossificans)이 발생할 수 있다.

4) 구획 증후군(Compartment syndrome)

근막에 둘러싸인 구획 내 조직압이 상승하면서 발생한 관류(perfusion) 저하로 구획 내 연부조직이 괴사되는 질환으로 근막절개가 필요한 응급상황이다.

급성 구획 증후군은 골절이나 심한 외상과 관련이 있다. 증상으로 통증(pain), 이상 감각(paresthesia), 마비(paralysis)의 '3P'가 나타나며, 해당 근육을 수동적 혹은 능동적으로 스트레칭할 때 심한 통증이 유발되는 특징이 있다.

만성 구획 증후군은 주로 운동과 관련하여 하지의 전방 구획에 발생한다. 육상선수나 달리기를 즐기는 일반인에 흔하다. 운동으로 통증이 유발되었다가 안정하면 사라지는 것이 다른 과사용 손상과의 차이점이다.

5. 건 손상

건에 발생하는 손상을 포괄적으로 건염으로 불러왔고, 현재까지도 통상적으로 사용되고 있다. 최근에는 병리학적 소견 및 염증 여부에 따라 건염, 부건염, 건증으로 세분화하고, 손상 정도에 따라 부분 파열, 완전 파열로 나눈다.

1) 건염(Tendinitis)

건염은 건 자체의 염증을 의미한다. 반복적인 일이나 운동과 관련된 통증 및 국소 압통이 특징적이다. 초기에는 운동 후나 아침 기상 시 통증이 있다. 차츰 진행하면 운동 시작과 더불어 통증이 약해지거나 없어졌다가, 운동 후 다시 통증이 발생한다. 이에 대하여 환자들은 "일이나 운동을 하면 통증이 없어진다"고 표현한다. 더욱 심해지면 종창, 염발음(clicking sound)과 더불어 지속되는 통증으로 활동에 제한이 생긴다.

2) 부건염(Paratendinitis)

건을 둘러싸고 있는 결합조직인 부건이나 건초의 염증을 의미한다. 직접적인 자극을 받아 발생하거나, 뼈 융기 부위나 지대(retinaculum)와의 협착성 마찰로도 발생한다.

활액막 건초(synovial tendon sheath)에 발생한 염증은 건막염(tenosynovitis)이나 건의 활액막염(synovitis)이라 불러야 하지만, 현재까지는 건초염과 혼용되어 사용되고 있다. De Quervain 병이 대표적이다.

3) 건증(Tendinopathy)

과도한 반복적 사용으로 발생하는 과사용 손상은 주로 운동선수에서 흔히 발생한다. 이는 건이 장력(tensile force)에는 강하나 전단력(shearing force)에 약하고 압박력(compressive force)에는 매우 약하기 때문이다.

급성 건염 이후 과사용으로 퇴행성 변화가 진행되며, 결국 염증성 변화가 없는 건증으로 이행한다. 건증은 주관절의 외측상과(lateral epicondyle), 아킬레스건(achilles tendon), 슬개건(patella tendon)에서 오래된 통증이 있는 경우 자주 관찰된다.

4) 건파열(Rupture of tendon)

건은 다른 구조물에 비해 혈액 공급이 잘 안 되어 쉽게 손상을 받는다. 근건 이행부의 급성 손상 시 부분 파열이나 완전 파열이 흔히 발생하며, 하지의 아킬레스건(achilles tendon)과 어깨의 극상근건(supraspinatus tendon)에 손상이 다발한다.

제3절 골절과 탈구

1. 골절

골절은 인류역사가 시작되면서부터 발생하였을 것으로 생각되며 外臺秘要에 "救急療骨折接合如故...."라 하여 골절이란 병명이 처음 언급되었으며 <醫宗金鑑>과 <傷科補要>에 이르러 골절에 대한 연구가 체계를 갖추게 되었다. 골절(fracture)이란 뼈의 연속성이 완전 또는 불완전하게 소실된 상태를 말하며, 그 원인으로는 교통 사고나 산업 재해 및 스포츠 활동으로 인한 외상, 골다공증 등의 질병으로 인한 뼈의 약화, 뼈에 반복적으로 가해지는 스트레스 등이 있다. 탈구(dislocation)란 관절의 완전 파열이나 붕괴가 일어나 서로 접촉해 있던 관절면의 접촉이 완전히 소실된 상태이며, 접촉이 다소 남아있는 상태를 아탈구(subluxation)라 한다.

1) 골절의 분류

골절을 분류하는 기준으로 AO classification 등의 다양한 방법이 제시되고 있지만, 여기에서는 일반적으로 사용되는 용어에 대한 분류 기준을 제시한다.

골절의 원인에 따라 외상성(traumatic), 병적(pathological), 스트레스(stress) 골절이라 한다. 골절부의 개방성 여부에 따라 개방성(open), 폐쇄성(closed) 골절이라 한다. 골절부의 위치에 따라 골단(骨端, epiphysis), 골간단(骨幹端, metaphysis), 골간(骨幹, diaphysis), 관절내(intraarticular) 골절이라 하거나, 혹은 근위부(proximal), 중간부(shaft), 원위부(distal) 골절이라 한다. 골절면의 형태에 따라 횡상(transverse), 사상(oblique), 나선상(spiral), 종상(longitudinal) 골절이라 한다.

골절편의 수에 따라 단순(simple), 분쇄(comminuted), 분절(segmental) 골절이라 한다. 골절편의 전위 여부에 따라 비전위성(undisplaced), 전위성(displaced) 골절이라 한다. 골절 정복 후의 재전위 가능성에 따라 안정성(stable), 불안정성(unstable) 골절이라 한다. 골절 시 피질골(cortical bone)의 손상 정도에 따라 완전(complete), 불완전(incomplete) 골절이라 한다. 완전 골절은 양쪽 피질골의 연속성이 소실된 경우이고, 불완전 골절은 한쪽 피질골의 연속성만이 파괴된 경우로 소아에게 잘 발생하는 생목(生木; greenstick) 골절이 대표적이다.

2) 골절의 증상 및 진단

골절의 증상은 국소 통증, 촉진 시의 압통, 골절단의 출혈로 인한 급속한 부종, 시간 경과와 더불어 나타나는 반상출혈이 있다. 운동 시 통증이 증가하며 운동 기능 제한, 염발음이 발생한다. 육안적으로는 뼈가 튀어나와 보이는 각형성(angulation) 변형, 뼈의 길이 단축, 특징적인 자세 변화(쇄골 골절 시 건측 팔로 환측을 받치고 머리를 환측 반대편으로 돌리는 자세)가 관찰된다. 또한 신경 손상, 혈관 손상, 구획증후군 등의 동반 손상이 발생하기도 한다. 명확한 외상력이 있으면 환자 스스로 인식하거나 보호자에 의해 발견되어 적절한 치료를 받지만, 경미한 골절의 경우 염좌로 오인하여 한방으로 내원하기도 한다.

한방병원 내원 환자의 다빈도 골절 부위는 척추 특히 흉요추 이행부에서 가장 흔하다. 그 다음으로 족부(중족골, 거골 등의 족근골, 지절골)와 발목(족외과, 족내과), 상지(원위요골)와 수부(중수골, 지절골), 흉곽(늑골, 쇄골, 흉골)에서 흔히 발생한다. 주관절 및 슬관절 이하 골절 시 급속한 부종이 30분 1시간 이내에 나타나며, 압통의 위치가 대부분 손상 부위와 일치하는 특징이 있다. 그러므로 세심한 관찰로 부종 정도를 파악하고, 통증 부위에 대한 촉진으로 골절을 배제해야 한다. 또한 대부분의 골절은 방사선 검사로 확진되지만, 주상골 골절이나 일부 늑골 골절은 자주 지연되어 나타나므로 주의가 필요하다.

임상적으로 주저앉거나 넘어진 후 자세 변화 시(돌아눕거나 일어설 때) 통증이 증가하며 간혹 피부 분절을 따라 복부까지 아픈 경우 흉요추 압박골절을 의심해야 한다. 발목을 삐끗한 경우 족외과, 족내과, 제5 중족골의 촉진이나 타진을 실시해야 하며, 종종 단비골근의 급격한 수축으로 인한 제5 중족골 결출 골절을 놓치는 경우가 흔하다. 손을 짚으면서 넘어진 경우 원위 요골 골절은 요골과 척골의 squeeze test를 실시하고, 주상골 골절은 陽谿穴의 압통 여부를 확인하고, 중수골 골절은 손등 부위의 현저한 부종, 압통, 굴곡 변형을 건측과 비교 확인해야 한다.

3) 골절의 치유 과정

골절의 치유란 뼈의 비연속적인 상태가 연속적인 상태로 바뀌어 뼈에 가해지는 부하를 견디게 되는 것을 말한다. 일련의 자연치유 과정인 염증기(inflammatory phase), 복원기(reparative phase), 재형성기(remodeling phase)를 순차적으로 거치지만, 각 시기는 뚜렷한 경계 없이 서로 중첩되어 진행된다. 피질골의 골절 치유 과정은 다음과 같다.

염증기는 골절 후 약 5일까지의 기간이다. 뼈 자체와 주위 연부조직 출혈로 혈종이 형성되고, 혈류 차단으로 양쪽 골절면과 주위 연부조직에 괴사가 발생한다. 혈관 확장과 혈관 투과성 증가로 혈장 유입이 증가하면서 비감염성 염증 반응이 시작되며, 대식세포(macrophage) 등의 염증세포에 의해 괴사 조직이 점차 흡수된다. 염증 반응이 점차 소실되면서 혈종의 기질화(organization)가 시작된다.

복원기는 골절 후 4-40일 정도의 기간으로 가골(callus)이 형성되는 시기이다. 염증기에 기질화되기 시작한 혈종이 육아조직(granulation tissue)으로 바뀌고, 여기에 섬유모세포(fibroblast)와 신생 모세혈관이 증식하면서 골절 부위가 느슨하고 두꺼운 결합조직으로 둘러싸여 연결된다. 이 결합조직에서 조골세포(osteoblast) 증식으로 유골(類骨, osteoid)이 만들어지며, 유골에 칼슘이 침착되어 직골(織骨, woven bone)이 형성된다. 이와 동시에 상대적으로 저산소 상태인 심부에서는 연골모세포(chondroblast)로부터 초자 연골(hyaline cartilage)이 형성되고, 이 초자 연골이 점차 골조직으로 치환된다(enchondral ossification). 이상의 결합조직, 유골, 직골, 초자 연골 등으로 구성된 것을 가골이라 한다.

재형성기는 골절 후 25-50일 정도의 기간이지만, 수 년이 걸리는 경우도 있다. 가골내의 직골이 점차 성숙 층판골(lamellar bone)로 대치된다. 과도하게 형성된 가골은 파골세포(osteoclast)에 의해 흡수되면서 크기가 점점 작아진다. 성숙 층판골에 무기질이 침착하여 골경화가 진행되고 교원질이 규칙적으로 배열되면서 골수강이 새로이 형성된 상태를 방사선적 골유합(radiologic union)이라 한다. 인체의 다른 조직들은 치유되더라도 반흔(scar) 조직이 남는 것과는 달리, 뼈는 재형성기가 계속 진행될수록 원래의 정상골에 가깝게 치유된다.

피질골(cortical bone), 해면골(cancellous bone), 관절내(intraarticular) 골절은 서로 다른 뼈의 구조적 특성으로 인해 골절 치유 과정에 약간 차이가 있다. 해면골은 골수강이 없으면서 골절면이 넓고 균일한 망상 구조를 이루므로, 피질골에 비해 골유합이 빨리 진행되고 불유합되는 경우도 거의 없다. 해면골 골절은 가골 없이 골절부 양쪽에서 직접 골유합이 되므로, 전위된 경우를 제외하면 방사선 검사에서 가골을 확인하기 어렵다. 관절내 골절 시 재생 능력에 한계가 있는 초자 연골은 섬유 연골(fibrocartilage)로 바뀌어 치유되지만, 초자 연골에 비해 지지 능력이 약하다.

4) 골절 치유와 관련된 인자

골절 치유 기간은 대략 2-3개월 정도 걸리지만, 손상 정도, 환자 상태, 부적절한 치료 방법, 지시사항 불이행 등에 의해 그 치유 기간 및 속도가 달라진다. 골절 치유의 합병증인 불유합(nonunion), 부정유합(malunion), 지연유합(delayed union)은 전체 골절의 5-10% 정도에서 발생하며, 이 중 불유합이 71%, 부정유합이 18%, 지연유합이 11% 정도를 차지한다. 장관골(long tubular bone) 특히 경골 중간부(shaft) 골절의 경우 10-20% 정도에서 불유합이 발생한다.

손상 정도와 관련된 인자에는 뼈의 손상 정도, 연부조직의 손상 정도, 혈액의 공급 장애, 감염 등이 있다. 개방성 골절, 폐쇄성이더라도 다발성의 고에너지(high-energy) 골절,

골결손이 심한 분쇄 골절, 장관골의 분절 골절은 골유합이 느려 지연유합이나 불유합이 잘 발생한다. 골절된 뼈의 종류 및 형태에 따라 골유합에 차이가 있는데 해면골이 피질골보다, 상지골이 하지골보다, 사상 골절이 횡상 골절보다 골유합이 빠르다. 또한 골절 시 신경, 근육, 혈관 등의 연부조직 손상이 흔히 동반되는데, 연부조직의 손상 정도도 골유합에 중요하다. 연부 조직이 잘 보존될수록 골유합이 빠르므로, 괴사 조직 제거 시 이를 고려해야 한다. 다만, 골절편 사이에 연부조직이 삽입된 경우 골유합에 지장을 주므로, 수술적 제거가 필요하다.

환자 상태와 관련된 인자에는 연령, 영양 상태, 당뇨, 약물 복용, 흡연, 알코올 남용, 골다공증, 유전적 소인 등이 있다. 이 중 연령, 영양 상태, 당뇨, 약물 복용은 골절 치유 기간에 큰 영향을 미친다. 나이가 어릴수록 미분화 간엽세포(mesenchymal cell)가 조골세포로 분화되는 속도가 빠르므로, 성인보다 소아에서 치유 속도가 빠르다. 골절 시 에너지 소비가 증가하므로, 불충분한 영양 공급 시 치유 속도가 더뎌진다. 특히 단백질 결핍과 비타민 B6 결핍이 흔하므로, 영양 공급 시 이를 고려해야 한다. 류마티스 관절염 등에 사용하는 코르티코이드(corticosteroids)와 골절의 진통 목적으로 사용하는 비스테로이드성 소염제(NSAIDs)도 치유 속도를 더디게 한다.

5) 골절의 양방 치료

전위된 골절은 고정에 앞서 먼저 정복을 한다. 도수 정복(closed reduction)과 관혈적 정복(open reduction)이 주로 사용된다. 도수 정복은 손을 사용하여 해부학적 정렬을 얻는 방법이며, 도수 정복에 실패할 경우 수술을 통한 관혈적 정복을 한다. 간혹 지속적 견인(continuous traction)으로 정복하기도 한다.

골절의 고정 방법에는 비수술적 방법과 수술적 방법이 있다. 비수술적 방법은 석고 붕대(plaster of Paris), 기능적 보조기(functional brace), 지속적 견인 등으로 외부 고정(external immobilization)을 하며, 수지골 골절, 늑골 골절 등의 경미한 골절의 경우 보호대나 팔걸이로 골절부의 부하만 감소시켜주기도 한다. 수술적 방법은 강선(wire), 금속못(pin), 나사(screw), 금속판(plate), 골수내정(骨髓內釘, intramedullary nail) 등을 이용하여 내부 골고정(internal bone fixation)이나 외부 골고정(external bone fixation)을 한다.

비수술적 방법 중 석고 부목 고정(plaster of Paris splint)은 심한 부종 등으로 석고 붕대 고정이 힘들 때 일시적으로 적용되거나, 원위 요골 골절 등의 비전위 안정성 골절에 적용된다. 불안정성 골절은 석고 붕대 고정이 적용되며, 골절된 부위의 상하 관절을 포함하여 시행한다. 지속적 견인은 소아의 대퇴골 골절, 성인 대퇴골의 분쇄 골절, 경추의 골절 및 탈구, 골반 골절 등에 적용되며, 정복한 후 외부 고정을 시행하기도 한다.

수술적 방법은 골절의 위치, 골절면의 형태, 골절편의 수 및 전위 여부, 재전위 가능성 등을 고려하여 결정하며, 일반적으로 외부 골고정술에 비해 내부 골고정술이 주로 적용된다. 외부 골고정술은 피부 밖에서 여러 개의 금속못을 삽입하여 체외에서 고정하는 방법으로, 경골의 개방성 분쇄 골절, 화상을 동반한 골절, 심한 골결손이 있는 골절, 사지연장술 등에 선별적으로 적용된다.

안정성 골절은 과도한 움직임에도 불구하고 고정이 잘 유지되므로, 안정성 골절은 외부 고정만으로도 충분하다. 하지만 장관골의 외부고정은 대근육이 부착되어 있어 과도한 움직임시 골절의 안정성을 확보하기 어렵고, 긴 고정 기간으로 인한 관절 강직, 관절가동범위(range of motion, ROM) 감소 등이 발생한다. 그래서 최근에는 골절면의 간격을 좁혀주면서(간격이 좁을수록 골유합이 촉진되므로) 골절의 안정성 확보가 용이한 내부 골고정술이 선호되며, 기존에 보존적으로 치료하던 골절에 대해서도 내부 골고정술이 시도되고 있다.

6) 골절의 한방 치료

보고된 골절 관련 한방 논문들에는 체간부의 비전위 안정성 골절(경추, 흉추, 요추, 척추 횡돌기, 척추 극돌기, 늑골, 견갑골, 쇄골, 흉골, 골반골 등의 골절) 및 스트레스 골절에 대한 보존적 치료, 석고 붕대 제거 이후 및 내부 골고정 상태에서의 재활치료, 지연유합에 대한 한약 치료 관련 보고가 있다.

침구치료는 통증 조절, 관절 강직, 관절운동 범위 감소를 예방하며, 석고 붕대로 고정된 경우에는 舍岩針法 瘀血方 등의 원위 취혈 방법을 활용한다. 가능한 골절 초기부터 적극적인 운동치료로 골절부에 부하를 증가시켜 부종을 감소시키고 혈액공급을 도와 골유합을 촉진시킨다. 실제 적용에 있어서는 체간부의 비전위 안정성 골절, 스트레스 골절은 적절한 기간의 안정 이후에 통증을 유발하지 않는 범위에서 운동량을 늘려나간다. 석고 붕대 제거 이전에는 근육 위축 방지 목적으로 등척성 운동을 한다. 석고 붕대 제거 이후와 내부 골고정 상태에서는 골절의 안정성이 유지되므로, 능동 및 수동 관절가동범위 운동을 한다.

한방물리요법 중 수기요법은 초기에는 적용하지 않으며, 온경락요법은 관절가동범위 운동 전에 실시하는 것이 효과적이며, 전기자극요법은 주로 진통 목적으로 사용한다. 고빈도(high frequency)의 저강도(low intensity) 혈위 초음파요법은 금속 삽입 상태에서도 치료가 가능하면서 골유합을 촉진하는 효과가 있으며, 그 기전도 일정 부분 밝혀지고 있다. 불유합이나 지연유합시 전기자극요법과 자기장(magnetic field)요법이 일정 정도 골유합을 촉진한다는 보고도 있다.

골절에 대한 한약 치료는 손상 부위뿐만 아니라 전신 상태를 반영하여 치료하는 특징이 있다. 골절 치유를 위해 인체의 에너지 소비가 증가하므로, 이에 대한 고려도 필요하다. 임상에서는 보통 초기, 중기, 후기로 나누어 활용한다. 골절 손상 후 1-2주인 초기에는 筋脈損傷, 瘀血阻滯로 腫脹疼痛하므로 活血化瘀, 消腫止痛하는 약물 위주로 攻下逐瘀法, 行氣消瘀法, 淸熱凉血法을 사용한다. 손상 후 3-6주인 중기에는 瘀血과 腫脹이 감소하고 절단된 골절면이 생장 접속되는 시기이므로 接骨續斷하는 약물 위주로 和營生新法, 接骨續筋法, 舒筋活絡法을 사용한다. 손상 후 7주 이후인 후기에는 골유합에 필요한 에너지의 소비가 증가되어 氣血不足, 筋骨不濡養으로 肢體無力하므로 强壯筋骨하는 약물 위주로 補氣養血, 調理脾胃, 補益肝腎한다. 골유합이 일어날 때까지 보존적 치료 외에는 뚜렷한 치료법이 없는 지연유합, 불유합은 후기에 해당하지만, 환자의 상태에 따라 초기, 중기의 치법을 활용할 수도 있다.

연령 및 부위별로 골유합되는 시기가 다르므로, 손상 시기 및 환자의 상태에 따라 辨證하여 接骨續筋, 壯筋健骨하는 약물인 自然銅, 紅花, 鹿茸, 人蔘, 骨碎補, 合歡皮, 接骨木, 補骨脂, 杜冲, 狗脊, 龜板, 鹿角膠, 菟絲子, 巴戟天, 熟地黃, 何首烏, 楮實子 등을 隨症加減하기도 한다. 또한 내복약과 더불어 외용약을 활용할 수도 있으며, 紅花藥針, 鹿茸藥針, 中性瘀血藥針 등을 사용하기도 한다.

(1) 內服藥

① 攻下逐瘀法 : 桃仁承氣湯<傷寒論>, 復元活血湯<醫學發明>, 鷄鳴散<傷科補要>

② 行氣消瘀法 : 當歸鬚散<沈氏尊生書>, 桃紅四物湯<中國醫學大辭典>, 血府逐瘀湯<醫林改錯>, 身痛逐瘀湯<醫林改錯>

③ 淸熱凉血法 : 黃連解毒湯<外臺秘要>, 犀角地黃湯<千金方>, 淸營湯<溫病條辨>

④ 和營生新法 : 和營止痛湯<傷科補要>, 正骨紫金丹<醫宗金鑑 正骨心法要旨>

⑤ 接骨續筋法 : 接骨紫金丹<雜病源流犀燭>, 壽命丹<傷科補要>

⑥ 舒筋活絡法 : 獨活寄生湯<千金方>, 麻桂溫經湯<傷科補要>, 三痺湯<婦人良方>

⑦ 補氣養血法 : 八物湯<萬病回春>, 十全大補湯<醫學發明>, 加味芎歸湯<東醫臨床方劑學>

⑧ 調理脾胃法 : 參苓白朮散<和劑局方>, 補中益氣湯<東垣十書>

⑨ 補益肝腎法 : 虎潛丸<醫學心悟>, 補腎壯筋湯<傷科補要>, 六味地黃元<小兒藥證直訣>, 靑蛾地黃湯<晴崗醫鑑>

(2) 外用藥

① 消腫止痛藥 : 接骨膏<傷科補要>, 乳香膏<證治準繩>

② 淸熱解毒藥 : 金黃膏<醫宗金鑑>, 四黃膏<證治準繩>

③ 止血收口藥 : 桃花散<外科正宗>

④ 去腐生肌藥 : 生肌玉紅膏<外科正宗>, 生肌象皮膏<外科正宗>

⑤ 溫經通絡藥 : 舒筋散<林如高正骨經驗>

⑥ 熏洗藥 : 海桐皮湯<醫宗金鑑 正骨心法要旨>

2. 탈구

탈구는 소아 및 노인에서는 비교적 드물며, 주로 남성 청·장년층의 스포츠 활동에서 흔히 발생한다. 운동과 관련된 탈구는 주로 상지의 견관절, 견쇄관절, 주관절, 수지관절에서 상대적으로 빈발한다. 기타 비교적 안정된 관절에서의 탈구는 심한 손상이 가해진 것을 의미하므로, 동반된 골절 등을 배제해야 한다.

탈구의 증상은 손상 부위 관절의 통증이며 정복되더라도 둔통을 호소한다. 능동적 관절 운동뿐만 아니라 수동적 관절 운동이 제한되거나 상실된다. 육안적으로 관절 외형 변화 및 자세 변화(견관절 탈구 시 건측 손으로 환측 전완부를 잡아 체부 가까이에 유지하려는 자세)가 관찰된다. 골절, 신경 손상, 혈관 손상 등의 동반손상이 발생하기도 한다.

탈구를 정복하는 이상적인 시간은 손상 후 즉시이다. 이는 시간이 지연될수록 통증 및 근육 경련으로 마취 없이는 도수 정복이 어려워지며, 손상 초기의 즉각적인 정복이 재발성 탈구 발생률을 줄여주기 때문이다. 도수 정복 전에 신경학적 검사를 실시하고, 손상 부위 아래에서 맥박을 확인하고, 방사선 검사를 실시한다. 이러한 검사는 도수 정복 이후에도 필수적으로 시행해야 한다. 정확히 도수 정복되면 극적으로 통증이 호전되지만, 1차 정복이 실패한 경우 다른 도수 정복 방법을 이용하여 2차 정복을 시도한다.

정복 후에는 손상 부위를 고정(immobilization)하며, 적절한 고정 기간이 무엇보다 중요하다. 고정 기간이 길수록 재발성 탈구 위험이 감소하지만, 관절 강직 등의 문제가 발생한다. 그러므로 환자의 상태 즉 나이, 활동 정도, 직업 등을 고려하여 초기부터 적극적인 재활 운동 치료가 필요하다.

탈구 정복 후 통증과 부종을 조절하면서 연부 조직 회복을 촉진하고 재발성 탈구 예방을 위해서는 근육과 건에만 국한하지 않고 연골 및 뼈에 대한 치료도 병행해야 한다. 그러므로 탈구의 한약 치료는 골절의 치료 원칙과 동일하게 적용된다. 다만, 탈구는 골절에 비해 빨리 회복되므로, 손상 후 1-2주가 초기, 2-3주가 중기, 3-4주가 후기에 해당된다.

제4절 부위별 손상

1. 두부와 안면부 손상

1) 두부 손상

(1) 증상, 징후 및 검사

외상으로 인한 두부 손상 빈도는 낮은 편이지만, 심한 손상의 경우 치명적인 후유증을 남기게 된다. 그러므로 다양한 증상과 징후를 바탕으로 이학적 검사와 더불어 방사선 검사나 전산화단층촬영이 필요할 수 있다.

두통, 오심, 구토, 혈압, 맥박, 울혈유두(papilledema), 뇌척수액 누출, 호흡곤란, 감정조절 소실 여부를 살펴야 한다. 오심과 구토, 높아진 수축기 혈압과 더불어 낮아진 확장기 혈압, 평균보다 낮은 서맥(bradycardia), 울혈유두는 두개내압 상승의 신호일 수 있다. 두개골 골절 시 뇌척수액이 코나 귀로 누출될 수도 있다.

동공반사, 안구운동(안구진탕, 안진), 건망증 여부, 100마이너스7 검사, 손가락·코 협동 검사, 롬베르그(Romberg) 검사, 뒤꿈치·발가락 걷기 정도를 살펴보아야 한다. 기억상실로 인한 건망증 평가를 위해서 15분 후에 동일한 질문을 반복해서 하며, 집중력 평가를 위해서 100마이너스7 검사가 유용하다.

(2) 두피 혈종

두피 혈종(cephal hematoma)은 두개골 표층과 두피 사이에 혈액이 고이는 것이다. 외관상 혹처럼 혈종이 튀어나와 보이며 만지면 크게 느껴진다. 다만, 두피 열상이 없는 경우 얼음찜질이면 충분하다. 두피 혈종은 시간 경과와 더불어 자연적으로 흡수된다.

(3) 뇌진탕

외상이나 운동과 관련하여 발생하는 두부 손상의 대부분은 뇌진탕(concussion)이다. 뇌진탕은 오래전부터 사용되어온 용어로, 경미한 외상성 뇌손상(mild traumatic brain injury, MTBI)이라는 최근 용어와 같이 사용되고 있다. 현재까지 뇌진탕의 기준이 확립되지는 않았지만, Robert Cantu와 미국신경학회(AAN)가 제시한 3단계 등급 척도가 주로 사용되고 있다(표 5-1).

뇌진탕이란 역학적인 힘에 의한 의식변화, 시각과 평형의 장애와 같은 신경 기능의 즉각적이고 일시적인 손상으로 특정되는 임상 증상으로, 의식이 정상수준으로 회복된 후에 진단이 이루어진다. 다만, 두부 타박 후 정상적인 상태를 보이다가 시간 경과 후 두개내(intracranial) 출혈로 무의식 상태로 빠질 수 있으므로, 뇌진탕이 있었던 환자는 혼자 있게 해서는 안 된다.

뇌진탕의 주 증상은 두통이며, 어지러움, 오심, 구토, 운동 협응력(motor coordination) 결여, 균형 장애, 시각 장애 등의 증상이 있다. 증상은 보통 3주 안에 사라지는 것이 일반적이다.

증상이 소실되지 않고 몇 개월에서 몇 년까지 지속되는 경우를 뇌진탕후증후군(postconcussive syndrome)이라 한다. 두통, 어지러움, 피로, 불면, 이명 등의 신체적 증상, 기억력·주의력·집중력의 인지기능 저하 증상, 우울, 과민성, 정서불안 등의 정서적 증상이 나타나기도 한다.

(4) 두개내 출혈

① 경막외(epidural) 출혈 : 중경막 동맥 손상으로 발생하며 전형적인 병력은 두부 타박 후에 일어나는 일시적인 의식소실이다. 일시적 의식소실 후 회복되어 정상을 나타내는 의식 명료기(lucid interval)가 몇 분에서 한 두 시간 지속되다가 곧 의식불명이나 혼수상태에 빠지기도 한다.

② 경막하(subdural) 출혈 : 경막동을 지나는 뇌정맥 교락의 파열로 발생한다. 급성 경막하 출혈은 쓰러져 의식을 거의 회복하지 못한다. 아급성 경막하 출혈에서는 의식소실이 있을 수도 없을 수도 있다. 이러한 손상이 발생하는 전조는 수 시간 혹은 하루 동안 없을 수도 있다.

③ 지주막하(subarachnoid) 출혈 : 지주막하 출혈은 대개 선천적인 동맥류 파열에 기인하며, 급사의 흔한 원인이 된다. 운동 중에 나타나기도 하지만, 대개는 운동과는 관련이 적다.

표 5-1. 뇌진탕의 등급 척도

	Cantu	AAN
I도	의식소실 없음 기억상실 < 30분	의식소실 없음 증상 지속 < 15분
II도	의식소실 < 5분 30분 < 기억상실 < 24시간	의식소실 없음 증상 지속 > 15분
III도	의식소실 > 5분 기억상실 > 24시간	몇 초 - 몇 분의 의식소실

여기에서 증상이란 혼란 등의 증상을 의미함

2) 안면부 손상

안면부에 발생하는 골절 중 비골(nasal bone) 골절이 가장 흔하며, 관골(zygomatic bone) 골절, 안와(orbital wall) 골절, 하악(mandible) 골절이 빈발한다. 여기에 상악동(maxillary sinus)과 부비강(paranasal sinus)의 골절, 치아 파절도 발생한다. 치아 파절 예방을 위한 구강보호기(mouth piece)의 착용은 치과 손상 및 혀 손상을 감소시킬 뿐 아니라, 뇌진탕의 발생률을 감소시켜주므로 접촉성 운동 시 적극적인 사용이 필요하다.

눈의 손상 시 안검(eyelid) 주위 조직이 매우 느슨해 많이 부어오르는 것이 특징적으로 안검 타박상(contusion), 각막 찰과상(abrasion), 결막하(subconjunctival) 혈종이 빈발한다. 수정체와 홍채의 손상, 망막 분리 등의 심각한 손상이 유발될 수 있으므로 안과적 검진이 필요하다.

코의 손상 시 타박으로 인한 비출혈(epistaxis)이 빈발하고, 잠행성의 비중격(nasal septum) 혈종과 비골 골절이 흔하게 동반되므로 주의가 필요하다.

귀의 고막 파열은 직접적인 타박으로 발생하며, 다이빙으로 인한 압력 손상(급격한 압력 증가로 중이와 부비강에 발생)으로도 발생하기도 한다. 수영에서는 외이도염이 자주 발생하는데, 이를 수영선수의 귀(swimmer's ear)라고 한다. 레슬링, 럭비, 프로 권투에서는 연골막하(subperichondrial)의 출혈로 콜리플라워(cauliflower) 모양의 이개 혈종(wrestler's ear)이 발생한다.

3) 측두하악 관절 탈구

측두골의 하악와(glenoid fossa)와 하악골의 관절돌기(condylar process)로 이루어져 있는 측두하악 관절(temporomandibular joint)의 탈구는 전체 탈구의 3%정도를 차지한다. 단·쌍 탈구, 급성·만성 탈구, 재발성 탈구로 분류하는데, 급성의 전방 탈구가 대부분을 차지한다.

손상 기전은 입을 크게 벌려 발생하는 자발적 탈구가 대부분을 차지하며, 이때 전방 탈구된다. 자발적 탈구는 소아 및 가임기 여성에서 호발한다. 자발적 탈구는 하품을 하거나, 크게 웃다가, 구토하거나, 간질 발작 등에 발생하며, 간혹 치과 치료, 위내시경, 기도내삽관 등의 의원성으로도 발생한다. 또한 가격을 당하거나 교통사고 등의 외상에 의한 경우는 힘이 가해지는 방향 및 위치에 따라 탈구의 방향이 다양하지만, 후방 탈구가 흔하다.

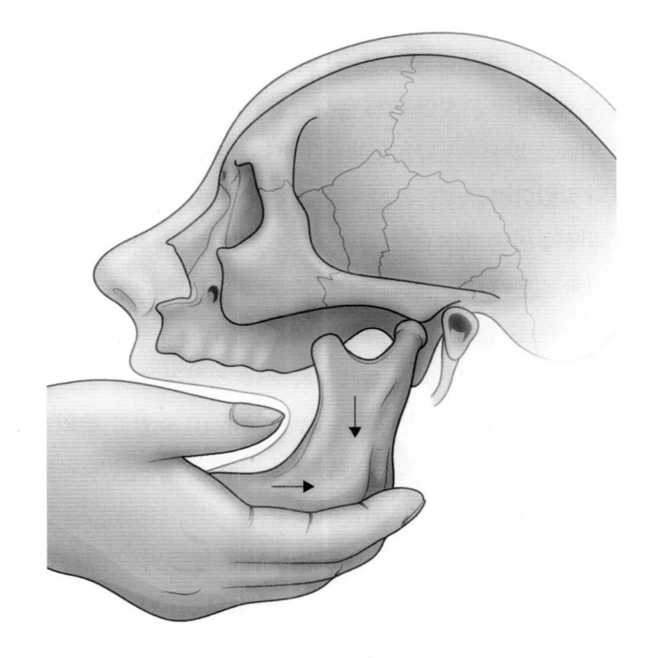

그림 5-1. 측두하악관절 정복법

(1) 임상 증상

탈구 후에 입을 자유롭게 벌리거나 다물 수 없으며, 귀 앞쪽으로의 부종 및 압통이 나타나고, 교근(masseter), 측두근(temporalis), 익돌근(pterygoid)에 경련이 발생한다. 단탈구된 경우 하악골이 건측으로 비틀어져 하수하여 환측 관골궁(zygomatic arch) 아래에서 돌출부위와 함몰부위가 만져진다. 쌍탈구된 경우에는 하악골이 전방으로 이동하여 양쪽 관골궁 아래에서 하악골두(head of mandible)가 돌출된 것이 만져진다. 단탈구보다는 쌍탈구가 특징적으로 더 발생한다.

(2) 도수 정복 및 치료

도수 정복(closed reduction)은 먼저 하악골을 아래로 잡아 당겨서 하방 압력을 가한 후 양쪽 관절 부위를 무지로 잡고 후방으로 밀어 넣는다. 이어서 두부에서 하악골까지 붕대로 고정시키고 보호한다(그림 5-1).

급성 및 2주까지 방치된 탈구라도 대부분 도수정복으로 쉽게 교정되며, 보존적 치료가 상당히 효과적이다. 다만, 보존적 치료에 반응하지 않는 만성 재발성 탈구는 관절융기 절제술을 시행하기도 한다. 측두하악 관절(temporomandibular joint)에서 소리가 나거나 입을 크게 벌리지 못하고 통증을 호소하는 측두하악 관절 기능장애가 진행되는 경우에도 탈구가 발생하기도 한다. 이런 경우 측두하악 관절에 대한 추나 치료와 더불어 翳風, 合谷穴 등에 침구치료를 해주면 효과적이다. 최초 탈구 후 입을 크게 벌리는 습관을 교정하지 않으면 재발성 탈구가 발생한다. 또한 차갑거나 점도가 높고, 딱딱한 음식물을 씹지 않도록 교육시켜야 한다.

2. 어깨 손상

1) 견관절 탈구

견관절은 인체의 다른 관절들에 비해 가장 광범위한 관절 가동범위를 가지고 있지만, 불안정한 볼-소케트 구조로 되어 있어서 전체 탈구의 55%를 차지할 정도로 탈구가 가장 많이 발생하는 관절이다. 스포츠나 교통사고 등의 외상이 주원인이며, 나이가 들수록 낙상이 주원인이다.

관절와(glenoid fossa)에 대한 상완골두(head of humerus)의 해부학적 위치에 따라 전방·후방·하방 탈구로 분류한다. 전방 탈구가 90-95% 정도로 대부분을 차지하고, 후방 탈구는 4-5% 정도를 차지한다. 하방 탈구(luxatio erecta)는 0.5-1% 정도로 거의 드물며, 강력한 과외전 외상에 의해 심한 혈관 및 신경 손상이 발생한다.

(1) 견관절 전방 탈구

전방 탈구에는 오구돌기하(subcoracoid), 관절와하(subglenoid), 쇄골하(subclavicular), 흉곽내(intrathoracic) 탈구의 4가지 유형이 있다. 이중 오구돌기하 탈구가 60% 정도로 가장 흔하게 발생하고, 관절와하 탈구가 30% 정도 발생하며, 흉곽내 탈구는 거의 드물게 발생한다. 손상 기전은 주로 간접 외상에 의하며 상완이 외전, 외회전, 신전된 상태로 넘어질 때 흔히 발생하며, 강력한 힘이 상완골두의 후방에 가해져 발생하는 직접 외상은 드물다.

전방 탈구의 동반 손상으로는 하부 관절와-상완(glenohumeral) 인대 파열이 가장 흔하며, Bankart 병변[전하방 관절와의 관절순(labrum) 부착부에서 관절순이 벗겨져 분리되는 손상이나 부착부의 결출(avulsion) 골절], Hill-Sachs 병변[상완골의 후외측부가 관절와의 전연에 압박되어 발생되는 상완골두 후외측부의 골조직 결손이나 감입(impacted) 골절], 상완골 대결절의 골절, 회전근개 파열 등이 발생하며, 기타 액와(axillary) 동맥 손상, 액와 신경 손상, 상완신경총(brachial plexus) 손상도 발생할 수 있다. 일반적으로 30세 이하에서는 Bankart 병변이 많고, 30세 이상에서는 회전근개 파열이 많은 편이다.

① 임상 증상

최초에 탈구되면 심한 통증(재발성 탈구는 통증이 훨씬 적음)이 있어 환자는 대개 탈구된 것을 알고 매우 놀라고 불안해한다. 심한 통증으로 환측 상지를 움직이려 하지 않는다. 내전과 내회전이 제한되며, 내전, 내회전 시 통증이 증가된다. 환측의 상완(upper arm)은 외전 및 외회전되고, 주관절은 굴곡되며, 전완부(fore arm)는 내회전된 상태에서 건측 손으로 환측 전완부를 잡아 체부 가까이에 유지시키려는 특징적인 자세를 취한다. 상완골두(head of humerus)가 있어야할 견봉(acromion) 바로 아래 부분이 함몰되면서 견봉이 돌출되어 보이며, 현저히 돌출되어진 상완골두가 전방에서 만져진다.

② 도수 정복

견관절 탈구는 조기에 정복할수록 근육 경련이 적어 쉽게 정복되며, 상완골두 후외측의 골결손도 줄일 수 있다. 전방 탈구에 대한 정복 방법은 여러 가지가 있다. Hippocrates 정복법, Stimson 정복법, Spaso 정복법, Eskimos 정복법 등은 견인·대항견인 원리를 이용한다. Kocher 정복법, Milch 정복법 등은 지렛대 원리를 이용한다. 이외에도 견갑골 수기(scapular manipulation) 정복법, 자가(self) 정복법 등이 있다.

Boss-Holzach-Matter 자가 정복법은 환자가 양손으로 깍지를 끼고 굴곡된 동측의 무릎을 감싸 잡은 상태에서 환자가 상체를 뒤로 젖힐 때 자가 정복이 된다. 이는 견인·대항견인 원리를 이용한 방법이다. 이때 의사가 발로 환자의 가슴을 고정시키고 환자의 환측 팔을 45° 방향으로 당겨 도와줄 수도 있다(그림 5-2).

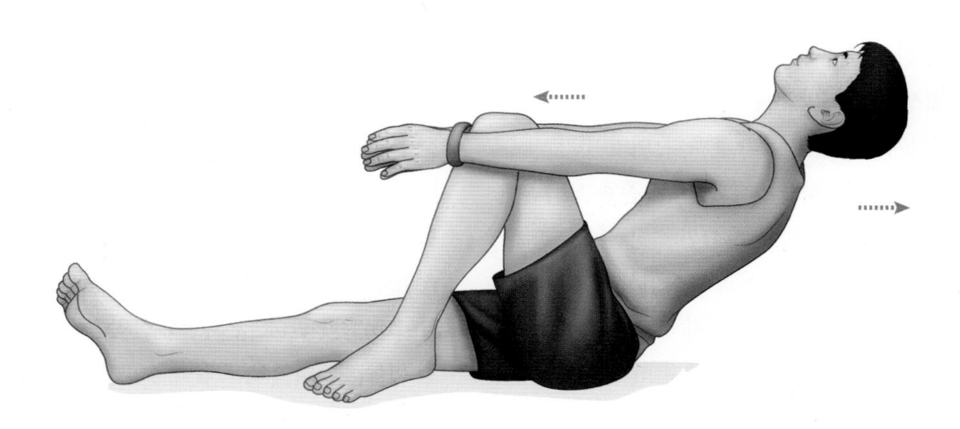

그림 5-2. Boss-Holzach-Matter 자가 정복법

③ 고정 및 재활 치료

정복 이후에는 통증 조절을 위해 약물을 사용할 수 있으며, 얼음찜질은 정복 후에 즉시 사용하여 수일간 지속한다. 재발성 탈구 예방을 위한 고정 자세로는 팔걸이와 붕대를 이용하여 팔이 내회전되도록 유지시키는 전통적인 방법이 선호된다(외회전 고정이 더 효과적이라는 보고도 있지만, 외회전 고정은 실제 환자에게 적용하기 어려운 단점이 있다).

재발성 탈구 예방을 위해서는 긴 고정 기간이 필요하지만, 고정 기간이 길수록 견관절 구축이 발생하므로 고정 기간은 3-6주 범위 내에서 환자의 상태에 따라 적용해야 한다. 일반적으로 3주 동안 고정시킨 후 통증이 없는 범위 내에서 관절가동범위 운동을 실시하고, 관절가동범위가 향상될수록 근력 강화 운동을 추가하는 방법이 권장된다.

④ 재발성 전방 탈구

견관절 탈구의 재발률은 최초(first time) 탈구 시의 연령과 가장 밀접한 관련이 있다. 연령별 재발률이 15-95%까지 다양한 차이를 보이는데 최초 탈구 시 20세 이하인 환자의 95%에서, 최초 탈구 시 40세 이상인 환자의 15%에서 재발성 견관절 탈구가 발생한다. 그러므로 젊은 운동선수의 경우 보존적 치료보다는 수술이 권장된다. 임상적으로 재발성 전방 탈구의 보존적 치료 시 견관절 후면에 압통이 특징적으로 나타나며, 전방 불안정(apprehension) 검사에 잘 반응하는 편이다.

(2) 견관절 후방 탈구

후방 탈구는 견관절 탈구의 4-5%를 차지하며, 전방 탈구에 비해 드물게 발생한다. 전방 탈구와는 달리 환자가 실제로 탈구된 것을 인식하지 못하는 경우가 흔하다. 머리 빗기, 세수하기 같은 동작 제한을 호소하는 경우가 많아 종종 오십견으로 오진되어 진단이 자주 지연된다. 방사선 검사 시 전후면상만으로는 진단이 어려우므로, 측면상과 액와면상이 추가되어야 한다. 손상 기전은 간질 발작이나 전기 충격 등으로 상완이 굴곡, 내전, 내회전 상태에서 넘어질 때 흔히 발생한다. 후방 탈구 시 상완골두의 해부학적 위치상 견봉하(subacromial) 탈구가 흔하다.

임상 증상은 어깨 전 부위에 걸친 통증을 호소한다. 견관절의 다른 움직임에 비해 전방 거상 및 외회전(수동 및 능동)이 매우 심하게 제한된다. 팔은 내전, 내회전 위치로 고정되어 가슴 앞으로 와 있는 자세를 취한다. 위에서 볼 때 건측에 비하여 후방부가 불룩하게 융기되어 있고, 옆에서 볼 때 전방부가 납작하고 평평하면서 오구돌기(coracoid process)가 현저하게 돌출되어 있다.

도수정복은 앙와위(supine position) 상태에서 팔을 굴곡, 내전시켜 축 방향으로 견인한 다음 상완골두(head of humerus)를 후방에서 전방으로 압력을 가하여 밀어준다. 정복 후 20° 외회전시킨 상태에서 4-6주간 고정시킨다. 다만, 3주 이상 방치된 경우 도수정복이 불가능하며, 상완골두의 전내측부에 감입(impacted) 골절이 발생한 reverse Hill-Sachs 병변은 수술이 필요하다.

2) 견관절 불안정성

견관절 불안정성은 견관절 주위 구조물 이상으로 상완골두(head of humerus)가 관절와로부터 전이되어 나타나는 불편감이나 기능 이상이다. 재발성 탈구 및 아탈구도 견관절 불안정성에 포함된다. 견관절 불안정성은 젊었을 때 외상성 견관절 탈구가 발생했었던 경우 흔히 발생한다. 또한 오버헤드(overhead) 동작이 많은 운동(야구의 투수, 창던지기, 수영, 배구, 테니스)이나 선천적으로 관절의 이완도가 큰 경우에도 견관절 불안정성이 잘 발생한다.

방향에 따라 전방·후방·다방향성 불안정으로 나눈다. 전방 불안정성이 있는 경우 상완을 외전 또는 외회전시키려는 시도에 대해 환자가 저항하는 특징이 있다.

원인에 따라 외상성·비외상성 불안정으로 나눈다. 외상성 불안정을 TUBS (traumatic, unidirectional, Bankart lesion responding to surgery)라 하며, 비외상성 불안정을 AMBRI (atraumatic, multidirectional, bilateral responding to rehabilitation and inferior capsular shifting)라 한다. 즉 외상성 불안정은 탈구나 아탈구를 일으킨 외상 과거력이 있고 일측성이면서 Bankart 병변이 관찰되는데, 수술로 호전되는 경우가 많다. 비외상성 불안정은 오버헤드 등의 반복적인 손상에 의하고 불안정성의 방향이 다방향이면서 양측성이어서, 수술보다는 재활 치료에 더 잘 반응하며 관절낭 축소술이 도움이 될 수 있다.

재활 치료 시 약화된 전거근(serratus anterior), 능형근(rhomboideus), 광배근(latissimus dorsi) 등의 견갑골 안정화 근육 및 회전근개 근육에 대한 근력 강화 운동에 주안점을 두어야 한다. 다만, 재활 치료 초기의 과도한 스트레칭은 불안정성을 악화시킬 수 있으므로 주의해야 한다.

3) 흉쇄관절의 손상

흉쇄관절(sternoclavicular joint) 손상은 견관절이 전·내측으로 움직여진 상태에서 옆으로 넘어질 때 늑쇄(costo-clavicular) 인대와 흉쇄(sternoclavicular) 인대를 분열시키는 힘이 쇄골에 가해져 발생한다.

1도, 2도 염좌가 일반적이지만, 완전 인대 파열(rupture)로 흉쇄관절이 분리(separation)되면서 흉쇄관절의 전방이나 후방으로 탈구가 일어나기도 한다. 후방 탈구 시 아래로 지나가는 혈관이 파열될 수 있어 위험하다. 후방 탈구로 쇄골이 폐를 압박해 호흡이 불편해지므로, 눕는 것보다 앞으로 구부려 앉는 것을 편하게 느끼게 된다.

치료는 얼음찜질, 약물투여와 고정을 위한 8자형 밴드나 석고 붕대를 사용한다. 정복이 유지되지 않으면 관혈적 정복(open reduction)과 내부 골고정술이 필요할 수 있다.

4) 견봉쇄골관절의 손상

견봉쇄골 관절(acromioclavicular joint)은 쉽게 찢어지는 비교적 불안정한 관절이다. 견봉(acromion)과 오구돌기(coracoid process)를 아래로 하고 어깨 융기부로 넘어질 때 주로 발생한다.

증상은 환측의 팔과 어깨가 늘어지며 심한 통증이 수반되며, 견봉쇄골 관절 바로 위에 나타나는 압통이 특징적이다. 완전 인대 파열로 견봉쇄골 관절이 분리되면 쇄골이 견봉보다 높이 올라가 있는 것을 확인할 수 있으며, 이때 환측 팔을 아래로 당기면 더욱 뚜렷해진다.

견봉쇄골 관절의 손상은 shoulder pointer와 감별진단이 중요하다. Shoulder pointer는 쇄골 외단의 타박상(contu-sion)으로 인대 손상은 없고 견봉쇄골 관절에 압통도 없다.

치료는 얼음찜질, 약물투여와 고정을 위한 Kenny-How-ard 팔걸이를 사용하며, 심하게 분리된 경우는 내부 골고정술이 필요할 수 있다.

5) 쇄골 골절

쇄골(clavicle)은 분만 시 신생아에서 골절이 가장 잘 일어나는 뼈이며, 아동이나 사춘기에도 흔하게 발생한다. 직접적인 타박보다는 팔을 편 채로 넘어지거나 어깨의 융기부로 넘어져 발생한다. 골절의 대부분은 중간부 1/3에서 발생하며, 근육이 당겨지면서 전위되기도 한다.

치료는 얼음찜질과 고정이며, 고정 시 어깨를 지지하고 뒤로 당겨주는 8자형 밴드나 석고 붕대를 사용한다. 보존적 치료에 잘 반응하지만, 간혹 내부 골고정술을 시행하기도 한다.

3. 팔꿈치와 상지 손상

1) 주관절 내측 측부 인대의 염좌

주관절의 내측 구조물은 팔꿈치 각도(cubital angle)로 인하여 외반력(valgus force)과 과신전력에 의해 쉽게 손상을 받는다. 특히 야구처럼 내회전 상태에서 공을 던지는 운동에서는 수근굴근(wrist flexors)이 부착되는 내측상과(medial epicondyle)에 과부하가 많이 걸리므로 내측 측부(ulnar collateral) 인대 손상이 흔히 발생한다.

증상은 주관절 내측면의 압통과 종창으로 시작되며, 진행될수록 주관절 내·외측 모두에 상당한 통증을 호소하며 매우 불안해한다. 척측 수근굴근(flexor carpi ulnaris) 좌상이나 척골(unlar) 신경의 신장성 손상이 동반될 수 있다. 주관절 내측부의 국소 압통 및 외반 부하(valgus stress) 검사 시 거부반응이나 통증을 호소해 쉽게 진단되지만, 방사선 검사를 통해 탈구, 아탈구, 결출(avulsion) 골절, 관절내 유리체(loose body) 등을 배제해야 한다.

치료 시에는 외반 스트레스를 피하고 상지 근력을 강화시켜야 한다. 원형회내근(flexor pronator teres) 좌상과도 감별이 필요하다.

2) 원형회내근의 좌상

원형회내근(flexor pronator teres) 좌상은 직접적인 외반력에 의하거나, 투창이나 야구 등의 비접촉성 운동에서 부정확한 자세로 발생한다. 종종 주관절 내측 측부(ulnar collateral) 인대 염좌나 수근굴근(wrist flexors) 손상이 동반되기도 한다.

통증은 주관절의 내측면에 있고 특히 손목을 굴곡하고 전완을 회내시킬 때 심하다. 약간의 종창이 원형회내근과 내측상과(medial epicondyle)에 나타나며, 압통은 내측상과나 근육 결을 따라 나타난다. 원형회내근이 정중(median) 신경을 압박할 경우 손가락과 손바닥에 걸친 저림 증상이 유발되기도 한다(원형회내근 증후군). 간혹 내측상과의 결출(avulsion) 골절이 동반되기도 한다.

3) 주관절 탈구

주관절은 경첩 관절이면서 볼-소케트 구조로 되어있는 비교적 안정된 관절이다. 하지만 관절에 비해 상대적으로 약한 인대 구조물로 인해, 강한 힘이 가해질 때 탈구가 발생한다. 소아에 있어 가장 흔한 탈구가 바로 주관절 탈구이며, 성인의 경우 견관절 탈구 다음으로 흔한 탈구이다.

주관절 탈구의 50%는 운동과 관련되며, 기타 보행자 교통사고로도 발생한다. 미식축구, 럭비, 체조, 사이클, 스케이트, 아이스하키 등에서 흔히 발생한다고 하지만, 특정 운동에 치우치지 않고 고루 발생한다.

손상 기전은 넘어질 때 신체의 방어기전으로 주관절 신전 상태에서 팔을 밖으로 뻗은 채 지면을 짚으면서 발생(falling onto an outstretched hand, FOOSH injury)한다.

탈구의 방향은 상완골에 대한 척골의 위치에 따라 전방·후방 탈구로 나눌 수 있으며, 후방 탈구가 90% 이상으로 대부분을 차지한다. 동반 골절 유무에 따라 단순 탈구와 복합 탈구로 나누고, 탈구의 정도에 따라 완전 탈구와 부분 탈구로 나눈다. 골절을 동반한 복합 탈구는 드물게 발생한다.

(1) 임상 증상 및 진단

완전 탈구 시 환자가 탈구된 것을 바로 느끼며 심한 통증, 신속한 부종과 더불어 상지는 굴곡위(45° 정도 굴곡)이며 주관절을 신전할 수 없다. 전완(fore arm)의 길이가 짧아진 것 같이 보이면서 주두(olecranon)가 현저하게 후방으로 튀어나와 있으므로, 촉진으로 대개 임상적 진단을 할 수 있다(전방 탈구 시 전완의 길이가 길어 보이며 상지는 신전위).

부분 탈구는 저절로 탈구가 정복되는 경향이 있고, 방사선 검사에서 이상 소견이 발견되지 않아 종종 상당 기간 방치된다. 주관절 손상 후 관절 움직임은 정상이지만, 관절 운동 시 통증을 호소하거나 피하 출혈이 있는 경우 인대 손상이 동반된 부분 탈구 가능성을 의심해야 한다.

주관절이 탈구된 경우 신경 및 혈관 손상이 드물게 발생하지만, 손가락 부위의 감각 검사를 통하여 신경 손상을 배제하고 손목에서의 맥박 감소 여부를 확인하여 혈관 손상을 배제해야 한다. 또한 방사선 검사로 요골두(radial head), 구상돌기(coronoid process), 내측·외측 상과의 결출(avulsion) 골절 등의 동반 골절을 배제해야 한다. 기타 상완 동맥 손상, 정중(median) 신경 손상, 구획(compartment) 증후군 등의 동반 손상이 발생할 수 있다.

(2) 도수 정복 및 고정

무엇보다 조기에 도수정복을 시도해야 하며, 주로 Hankin 정복법, Lavine 정복법이 사용된다. Hankin 정복법은 앙와위(supine position) 상태에서 술자의 팔꿈치를 환자의 상완골에 대어 팔꿈치가 지렛대 역할을 하도록 한 다음, 팔을 위로 잡아당기면서 주관절을 굴곡시켜 준다. Lavine 정복법은 의자에 환자의 팔을 90° 굴곡시켜 걸치게 하고 손은 땅을 향하게 한 다음, 전완(fore arm)을 아래로 잡아당기면서 가볍게 회내시키고 술자의 반대편 손을 사용하여 돌출된 주두를 아래로 밀어준다.

도수정복 후 완전하게 관절가동이 가능하면 주관절을 90-100° 정도 굴곡시켜 후방 부목으로 고정한다. 3주 이상의 고정은 주관절의 굴곡 구축을 유발하므로 피해야 한다. 조기에 시행하는 관절가동범위 운동이 예후에 가장 큰 영향을 미친다. 그러므로 상태에 따라 조기에 탈부착이 가능한 부목으로 바꾸고 능동 관절 운동을 시작하여 관절 구축을 예방해야 한다.

(3) 예후 및 후유증

대부분의 주관절 탈구는 도수정복 후에 고정 및 관절가동범위 운동 등의 보존적 치료에 잘 반응한다. 하지만 골절을 동반한 복합 탈구인 경우, 탈구가 3주 이상 방치된 경우, 만성적인 주관절 불안정성이 있는 경우 수술이 필요할 수 있다.

후유증으로는 주관절의 굴곡 구축, 만성적인 국소 통증이 주로 발생하며, 간혹 화골성 근염(ossifying myositis)이 발생할 수 있다. 그러나 주관절의 재발성 탈구는 견관절에 비해 드문 편이다.

(4) 요골두 아탈구(Radial head subluxation)

요골두 아탈구(radial head subluxation)는 'nursemaid's elbow', 'pulled arm'으로 불리기도 한다. 응급실을 찾는 6세 이하의 상지 손상 중 가장 흔한 손상이지만, 간단한 도수정복으로 후유증이 없이 치료된다. 주로 2-3세에 호발하고 6세 이상에서는 드물게 발생한다. 간혹 9세까지 재발하기도 한다.

요골두를 감싸고 있는 윤상(annular) 인대에서 요골두의 일부가 일시적으로 빠지는 것과 관련된다. 손상 기전은 전완이 회내되고 주관절이 신전된 상태에서 보호자에 의해(nursemaid's elbow) 팔이 잡아당겨질 때(pulled arm) 주로 발생한다. 부모와 양손을 잡고 걸어가며 공중 그네를 탈 때에도 발생하므로, 각별한 주의가 필요하다.

임상 증상은 부종이 없으며, 통증은 심하지 않다. 환측 팔을 사용하면 통증이 발생하므로, 전혀 사용하지 않거나 만지지 못하게 한다. 전완이 회내되고 주관절이 약간 굴곡된 상태에서 상지를 몸에 붙이는 특징적인 자세를 취한다. 방사선 검사에서 이상 소견이 발견되지 않으므로, 임상 증상 및 손상 기전으로 진단한다. 도수정복 후에도 증상을 호소할 경우 동반 손상 배제를 위해 방사선 검사가 필요하다.

도수정복 방법에는 회외(supination)·굴곡(flexion) 정복법, 과회내(hyperpronation) 정복법 등이 있다(그림 5-3, 5-4).

과회내 정복법이 회외·굴곡 정복법보다 성공률이 높고, 굴곡시킬 때 발생하는 순간적인 통증이 덜 하므로 권장된다. 1차 정복으로 성공하지 못하는 경우에는 15분 경과 후 다시 2차 정복을 시도하거나, 과회내 정복법에 굴곡 방법을 추가하여도 된다. 정복 성공 시 딸깍 소리가 나거나 느낄 수 있으며, 대부분 도수정복으로 극적으로 좋아진다. 요골두 아탈구는 도수정복 후 고정이 반드시 필요한 것은 아니지만, 자주 재발하므로 예방을 위해 팔걸이를 사용하기도 한다.

4. 손과 손목 손상

1) 손과 손목의 골절

수부에서 발생하는 골절 중 주상골(scaphoid) 골절이 가장 흔하며, 요골 원위부(distal radius)와 중수골(metacarpal bone)에도 골절이 잘 발생한다. 골프 인구의 증가와 더불어 유구골구(hook of the hamate) 골절이 증가 추세인데,

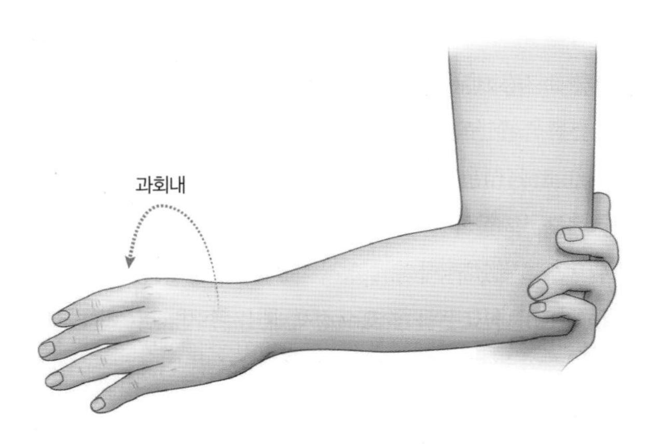

그림 5-3. 과회내 정복법

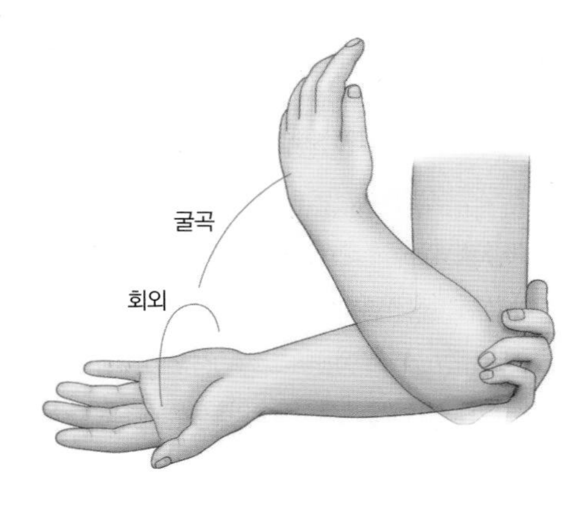

그림 5-4. 회외·굴곡 정복법

골프클럽 이외에도 테니스라켓, 야구방망이도 관련이 있다. 유구골구 골절은 스윙(swing) 시 손잡이 끝이 회전되면서 유구골구와 부딪히면서 유발된다. 손과 손가락에서 발생하는 손상이 운동 관련 손상의 9% 정도를 차지하므로, 진찰 시 주의가 필요하다.

(1) 주상골 골절

손을 뻗치고 넘어질 때 손목이 배측으로 과신전, 요측 굴곡되면서 발생한다. 부종이 약간 있거나 거의 없는 정도여서 종종 염좌로 오진되기 쉽지만, 골절 유합까지 장기간이 걸리므로 주의가 필요하다.

가장 중요한 소견은 주상골 부위의 해부학적 코담배갑(anatomical snuffbox)인 陽谿穴 부근의 압통(tenderness)이다. 전완을 회전시킬 때에도 주상골(scaphoid) 부위에 통증이 나타난다. 초기 방사선 검사에는 즉시 보이지 않는 경우가 많으며, 방치 시 무혈성 괴사(avascular necrosis)로 진행하기도 한다.

손목 손상 병력이 있고 주상골 부위 압통이 있는 경우 다른 것이 증명되기 전까지 골절로 취급하여 손목을 고정시켜야 한다. 2주 후에 석고를 제거하고 다시 방사선 검사를 해야 한다. 근위부가 골절되거나 전위된 경우 내부 골고정술이 필요하다.

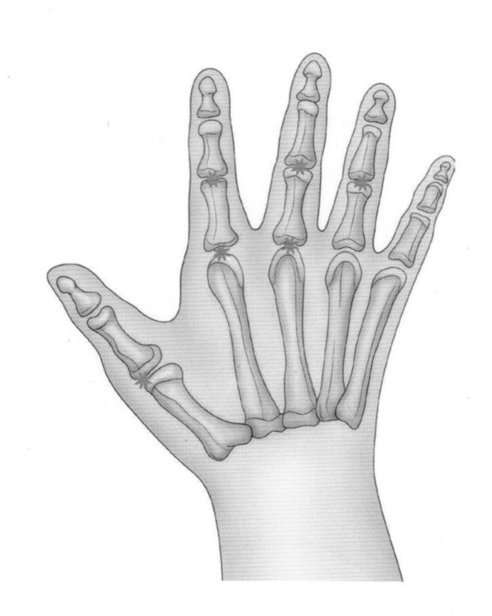

그림 5-5. 도수 정복 불능 수지 관절

(2) 요골 원위부 골절

콜리스(Colles) 골절로 불리며, 성인골절의 15% 정도를 차지할 정도로 흔한 골절이다. 젊은 사람들에게는 잘 발생하지 않지만, 골다공증이 빈발하는 중년 이후 여성에 흔한 편이다. 손상 기전은 넘어질 때 주관절이 신전되고 손목은 배측 굴곡된 상태로 지면을 짚으면서 발생(FOOSH injury)한다.

항상 심한 통증과 부종, 전완 하부에서의 함요와 공동이 있는 변형이 있다. 전위된 골절 때문에 손목에 융기가 나타나기도 한다.

(3) 중수골 골절

중수골(metacarpal bone) 골절은 해부학적으로 약한 경부에서 흔히 발생하며, 항상 굴곡 변형이 유발된다. 대부분 제5 중수골 경부에서 발생하며, 간혹 제4 중수골 경부에서도 발생한다. 주먹을 쥔 상태로 가격할 때 발생하므로 권투선수의 골절(boxer's fracture)이라고 부르지만, 복싱 글러브를 낀 상태에서는 거의 발생하지 않는다. 임상적으로는 일반인이 화가 난 상태에서 복싱 글러브 없이 딱딱한 벽이나 사람 등을 주먹으로 가격할 때 주로 발생한다.

2) 손과 손가락의 탈구

수근골(carpal bone)에서는 월상골(lunate)의 전방 장측 탈구가 흔하다. 중수지절 관절(metacarpophalangeal joint, MCP)에서는 중수골이 기절골에 대하여 전방 장측 탈구되어 손바닥에서 중수골두가 촉진되며, 시지(index finger)와 소지(little finger)에 흔히 발생한다. 근위 지절간 관절(proximal interpharyngeal joint, PIP) 및 원위 지절간 관절(Distal interphalangeal joint, DIP)은 후방 배측 탈구가 흔하다.

다만, 수지 탈구 시 도수정복이 어려워 관혈적 정복(open reduction)이 요구되는 '도수정복 불능 수지 관절'이 있으므로 주의해야 한다(그림 5-5).

3) 손과 손목의 염좌

(1) 무지 내측 측부인대의 염좌

무지 내측 측부 인대(ulnar collateral ligament of the thumb) 손상을 사냥터지기의 무지(gamekeeper's thumb)라고도 하는데, 이는 사냥터지기가 작은 짐승의 목을 부러뜨리는 동작과 관련된다. 스키에서 많이 발생한다하여 최근에는 skier's thumb이라고도 불리는데, 야구나 축구의 골키퍼에서도 자주 발생한다. 무지(thumb)가 외전이나 과신전 상태로 넘어질 때나 비트는 힘에 의한 외상으로 일어난다. 가벼운 염좌로 간과하여 치료하지 않으면 무지와 시지(index finger)로 집는 동작이 어려워지고, 만성 통증으로 이행하므로 주의가 필요하다.

척골측의 내측 측부 인대에 통증, 압통이 있고, 검사자가 무지를 외전시키면 격렬한 통증이 나타난다. 부종과 반상출혈이 있기도 하며, 간혹 결출(avulsion) 골절이 동반되기도 한다.

(2) 근위 지절간 관절의 측부 인대 염좌

손가락에 흔하게 발생하는 운동 손상으로 방치 시 부종, 강직, 손가락 관절운동 제한이 발생한다. 손상 당시 손가락이 측면으로 당겨지는 아탈구가 발생하기도 하는데, 대부분 저절로 정복되거나 환자에 의해 즉시 정복되기도 한다.

압통은 손상된 측부 인대와 장측판(volar plate)에 나타나고, 부종이 급속히 발생한다. 측부 인대와 장측판이 모두 찢어지면 불안정성이 발생하며, 간혹 결출(avulsion) 골절이 동반되기도 한다.

4) 손가락의 변형

추지(mallet finger)는 원위 지절간 관절(distal interphalangeal joint, DIP)이 공에 맞아 강제 굴곡될 때 수지신전근(finger extensor)의 건파열로 원위 지절간 관절(DIP)이 완전 신전되지 않는 변형이다. 이후 수지신전근건의 힘이 근위 지절간 관절(proximal interpharyngeal joint, PIP)에 집중되면서 2차적으로 백조목(swan neck) 변형이 발생하며, 이때 원위 지절간 관절(DIP)은 굴곡, 근위 지절간 관절(PIP)은 과신전 변형된다.

단추구멍(buttonhole) 변형은 직접적 외상이나 공을 던질 때 손가락이 순간적으로 강하게 굴곡되면서 신전건의 중앙신건(central slip)이 파열되어 발생한다. 점차 진행하여 원위 지절간 관절(DIP)은 과신전, 근위 지절간 관절(PIP)은 굴곡, 중수지절 관절(MCP)은 과신전 변형된다(그림 5-6).

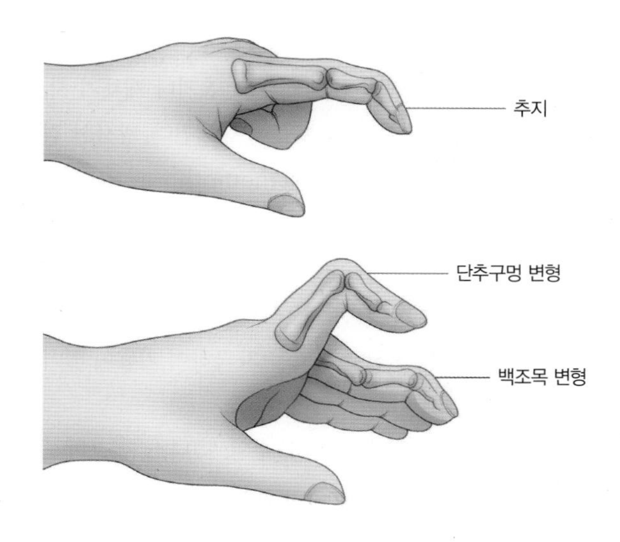

그림 5-6. 손가락의 변형

5) 건막염

손목을 많이 사용하는 사람에서 발생하는 과사용 손상으로 장무지외전근(abductor pollicis longus)과 단무지신근(extensor pollicis brevis)에 의한 de Quervain 병 및 척측 수근신근(extensor carpi ulnaris)의 건막염이 가장 흔하다. 장무지신근(extensor pollicis longus), 장무지내전근(adductor pollicis longus)에도 건막염이 발생한다.

5. 흉부, 복부, 생식기 손상

1) 늑골 타박상

심한 늑골 타박상(rib contusion)은 때때로 골절과 구분하기 매우 어려우므로, 이러한 경우 방사선 검사를 실시해야 한다. 늑간(intercostal) 근육에 발생한 혈종으로도 숨을 들이쉴 때 통증을 느끼며, 부분적 압통이 나타난다.

단순 타박상으로 확인되면 얼음 마사지나 늑골 벨트를 사용하며, 운동 참여 시에는 타박 부위에 충분한 패드를 대어준다.

2) 늑골 골절

골절 부위에 통증 및 압통이 나타나고, 흡기나 재채기 시, 기침을 할 때, 상체를 움직일 때 통증이 심해진다. 방사선 검사로 기흉(pneumothorax)과 혈흉(hemothorax)을 배제해야 한다.

치료는 증상이 있는 부위 흉부벽을 따라 늑골 벨트나 테이핑을 한다. 완전히 치유되지 않은 상태에서 무리하게 활동할 경우 골절된 늑골의 전위로 흉막을 자극하여 기흉이 일어날 수도 있다.

늑골의 스트레스 골절은 노젓기, 수영, 테니스, 골프에서 다발하며, 종종 척추기립근(erector spinae)의 좌상으로 오인되기도 한다.

3) 기흉과 혈흉

기흉(pneumothorax)은 자발적으로 발생하기도 하지만, 주로 흉부 외상, 자상(punctured wound), 늑골 골절에 의해서 발생한다. 흉강에 공기가 차면서 폐를 압박하여 저산소증이 유발되고, 갑작스런 호흡곤란, 가슴에 날카로운 흉통과 더불어, 혈압이 저하된다. 타진 시 과공명(hyperresonance)되며, 청진 시 호흡음이 들리지 않거나, 청색증(cyanosis)이 나타나기도 한다.

혈흉(hemothorax)은 주로 기흉과 동시에 발생하며, 기흉의 증상에 기침, 객혈이 나타난다.

4) 복부 손상

비장(spleen) 손상은 공이나 물건에 의해 심한 충격을 받아 발생한다. 평소 비장 종대가 있었던 경우 평범한 운동이나 충격으로도 비장 파열이 일어날 수 있다. 비장 파열 시 복부 좌측 상부에 압통, 복부 전·후면이나 좌측 상부 어깨에 연관통(referred pain)이 나타난다. 움직일 때 증상이 심해지며, 오심과 구토를 하기도 한다.

간(liver) 손상은 자동차 경주, 스키 등에서 잘 발생한다. 간은 캡슐에 쌓여 있기 때문에, 우측 상복부의 충격으로 인한 출혈은 어느 정도 조절이 가능하다. 간 파열 시 증상은 비장 파열과 유사하다.

신장(kidney) 손상은 상부 요추와 하부 흉추 부위에 심한 충격을 받았을 때 발생하는데, 요통이나 혈뇨가 나타날 수 있다. 옆구리에 타박을 입은 경우 비록 소변이 깨끗해 보일지라도 현미경을 통한 출혈 여부를 검사할 필요가 있다.

5) 고환의 타박상

고환(testis)의 타박으로 인한 심한 동통과 불편은 간단한 시술로 완화될 수 있다. 환자에게 이 시술 방법을 간단히 설명한 다음 양손을 환자의 액와 사이에 끼고, 지상으로부터 약 6인치 정도 들어 올린 다음 떨어뜨린다. 이때의 충격에 의해서 거고근(cremasteric) 경직이 풀리며, 가끔 극적으로 동통이 사라지기도 한다.

만약 음낭(scrotum)에 부종이 생기면 그 부위에 얼음 마사지를 하고, 큰 혈종이 보이면 비뇨기과 의사에게 보이고 혈종을 제거해야 한다.

6. 경추, 흉추, 요추 손상

1) 경추부 염좌

경추부 염좌는 머리와 목을 지지하고 움직이게 하는 경추부의 근육 및 인대 손상으로 인한 급성 통증을 말한다. 경추부는 광범위한 관절가동범위를 가지고 있으면서 다른 신체 부위에 비해 안정성이 떨어져 외상에 취약한 부분이다. 특히 두경부가 갑자기 과도하게 회전, 신전, 굴곡될 때, 간혹 머리가 물체에 부딪칠 때 염좌가 발생한다. 럭비, 미식축구, 유도, 체조, 스키, 수영 등의 운동에서 흔하며, 다이빙 시 수영장 밑바닥 뿐만 아니라 수면에 이마를 부딪쳐 발생하기도 한다. 또한 과도한 머리 흔들기(head banging), 번지 점프로 발생하기도 한다.

일반적으로 가장 흔한 경우는 교통사고 시 가속(acceleration)과 감속(deceleration)에 의한 간접적 외상으로 유발된 편타성 손상(whiplash injury)이다. 이러한 경우 다양한 임상 증상이 나타나므로 이를 WAD (whiplash associated disorders)라고 부르기도 한다. 후방 충돌을 당하는 순간 두경부가 후방으로 과신전(가속)되었다가 전방으로 굴곡(감속)되면서 유발된다. 간혹 측방 충돌이나 저속의 교통사고에서도 발생한다.

(1) 증상 및 검사 소견

증상은 즉시 나타나기도 하지만, 종종 2-3일 정도 지연되어 나타난다. 경추부의 뻣뻣함이나 경추통, 두통(주로 후두통)이 점차 증가하며, 경추의 가동범위 제한과 더불어 통증이 머리나 목을 움직일 때 심해진다. 견갑골간(interscapular) 통증, 상지로의 연관통(referred pain)이나 이상 감각을 호소하기도 한다. 그리고 많은 경우 하배부 통증이 동반된다.

또한 어지러움, 오심, 집중력 및 기억력 저하, 이명, 연하곤란, 흐릿한 시야, 통증으로 인한 수면장애, 심리적인 고통 등을 호소하기도 하며, 뇌좌상이나 뇌진탕이 동반되기도 한다. 다만, 직접적인 손상이 없는 측두하악 관절 기능장애에 대해서는 논란의 여지가 있다.

이학적 검사에서 경추 가동범위가 제한되고 흉쇄유돌근(sternocleidomastoid, SCM), 상부승모근(upper trapezius), 부척추근(paraspinalis) 등의 촉진 시 압통이 매우 흔하지만, 초기에 실시한 방사선 검사나 자기공명영상 검사 및 신경학적 검사는 대부분 정상이다. 경추의 퇴행성 변화도 종종 관찰되지만, 이는 기왕력에 의한 것이다. 근육 경련으로 경추 전만이 다소 소실된 경우가 종종 관찰되지만, 대조군과의 차이는 없는 것으로 알려지고 있다.

(2) 예후

1-3개월 이내에 대부분 회복되지만, 5-8% 정도는 증상이 1년 이상 지속되기도 한다. 여성인 경우, 나이가 많은 경우, 부양 자녀가 있는 경우, 상근(full time) 직업이 없는 경우, 버스에 탄 경우, 소형차인 경우, 충돌 순간을 인식하지 못한 경우는 회복 속도가 느린 편이다.

퇴행성 변화가 심한 경우, 편타성 손상 기왕력이 있는 경우, 초기에 통증의 강도가 심한 경우, 머리를 다친 경우, 추간판·인대·신경 손상이 동반된 경우, 신경학적 이상 소견이 있는 경우는 예후가 좋지 않다. 편타성 손상으로 인한 증상이 6개월 이상 지속되는 경우를 만성 편타성 손상 장애(chronic WAD)라 한다.

(3) 치료

환자가 호소하는 증상 및 예후, 치료에 대한 적절한 정보제공 및 설명이 예후에 좋은 영향을 미친다. 하지만 환자가 호소하는 다양한 증상 및 통증 부위를 무시할 경우 심리적 증상이 악화되며, 통증 조절이 지연되어 예후가 좋지 않다. 또한 초기에 호소하는 통증의 강도가 예후에 가장 큰 영향을 미치며, 초기 치료가 지연될수록 회복 속도가 느리다. 그러므로 환자가 호소하는 통증 부위에 대한 급성기의 적극적이고 다양한 치료를 통하여 초기 통증의 강도를 신속하게 조절하는 것이 가장 좋은 결과를 얻을 수 있다.

침구치료, 부항요법, 한약 투여, 한방물리요법, 약침요법, 추나요법 등의 복합요법이 효과적이다. 상부승모근(upper trapezius), 사각근(scalene), 판상근(splenius), 흉쇄유돌근(sternocleidomastoid, SCM), 반극근(semispinalis), 견갑거근(levator scapulae), 후두하근(suboccipital)에 발통점(trigger point)이 주로 발생한다. 간혹 교근(masseter), 익돌근(pterygoid), 측두근(temporalis) 등에도 발통점이 발생한다. 특히 경추부의 발통점들은 한의학의 經穴과 거의 대부분 일치한다.

초기 1-3일간의 안정이 필요하지만, 절대적 침상 안정(absolute bed rest, ABR)은 권장되지 않는다. 급성기 초기의 가동화(mobilization)가 예후에 큰 영향을 미치므로, 고정(immobilization) 목적의 유연성 경추 칼라(collar)는 일반적으로 권장하지 않는다. 다만, 심한 근육 경련이나 급성 통증으로 유연성 경추 칼라를 처방한 경우 통증이 줄어들면 되도록 빨리 제거해야 하며, 되도록 48시간 이상 착용해서는 안 된다. 손상 후 72시간 이내에는 경피한랭요법이 효과적이며, 이후 온경락요법을 실시한다.

통증이 줄어들면 관절가동 운동을 시작하고 상부승모근(upper trapezius), 흉쇄유돌근(sternocleidomastoid, SCM), 사각근(scalene), 광배근(latissimus dorsi), 대흉근(pectorialis major) 등을 스트레칭 시키고, 차츰 경흉추 안정화 운동과 근육 강화 운동을 시행한다. 이외에 거북목(head forward)이나 둥근 어깨(round shoulder) 등은 자세 교정이 필요할 수 있다.

2) 경추의 타박상

후방 경추 타박상(contusion)은 후방 근육군에 대개 통증이 있으며, 다양한 근육 경직의 원인이 된다. 근육내의 혈종이 석회화되기도 하며, 강한 타박의 경우 경추 극돌기(spinous process)가 골절되거나 결출(avulsion) 골절되기도 한다. 치료는 얼음찜질과 약물을 투여하고, 경직이 가라앉으면 능동 운동을 실시한다.

전경부와 인후부에 타박상을 입으면 수 초 동안 심한 고통, 불안, 발성 불능, 호흡곤란 등이 일어난다. 이러한 증상은 빠르게 지나가며, 비교적 정상적인 발성과 호흡이 1-2분 이내에 돌아온다. 그렇지 않으면 후두와 기관에 대한 심한 손상을 의심해야 하고, 즉시 이비인후과 의사에게 의뢰해야 한다.

3) 흉추후 관절 및 늑흉 관절의 손상

흉추후 관절(thoracic facet joint)과 늑흉 관절(costovertebral joint)은 접촉성 운동에서의 직접적인 압박 손상을 입기 쉽다. 미식축구에서의 압박 손상이나 레슬링에서 누르기할 때 가슴에 압박을 받아 발생되는 경우가 흔하다.

대부분의 경우 관절 아탈구와 같은 기능 이상으로 동통이 늑골연(costal cartilages)을 따라 나타나거나 늑간 근육의 수축을 야기하므로, 늑골 손상으로 오진되는 경우가 많다. 관절 기능 이상의 경우 추나요법으로 쉽게 교정되기도 한다.

4) 요추 타박상

요추의 타박상(contusion)은 흔하게 발생한다. 간혹 극돌기의 끝이 관련되어 골주위 혈종과 현저한 근육 경련이 발생하기도 한다. 이 부위는 근육군에 덮여 있으므로, 다른 부위의 연부조직 타박상과 같이 치료한다. 더 이상의 타박으로부터 보호하면서 얼음찜질, 약물투여, 부드러운 스트레칭을 한다.

5) 역학적 요통

운동 중에 발생하는 요통은 거의 대부분 '염좌 및 좌상'으로 진단된다. 방사선 검사나 자기공명영상검사 등으로도 정확한 원인을 찾기 어려운 경우가 종종 있다. 연부조직 이상에 의한 요통으로 활동 시 악화되고 안정 시 감소되는 경우 이를 역학적(기계적, mechanical) 요통이라 하며, 통증이 어떤 특정 동작에 의해 심해지고 다른 동작에서는 줄어드는 특징이 있다.

요통의 가장 흔한 형태가 근육에 발생한 좌상이며, 근막통의 치료점인 발통점이 한의학의 經穴과 상당 부분 일치한다는 점은 시사하는 바가 크다. 요통과 관련된 요배부 근육으로 척추기립근(erector spinae), 요방형근(quadratus lumborum)이 있고, 복부 근육으로 장요근(iliopsoas), 복직근(rectus abdominalis)이 있고, 둔부 근육으로 중둔근(gluteus medius), 소둔근(gluteus minimus), 대둔근(gluteus maximus), 이상근(piriformis)이 있고, 대퇴부 근육으로 대퇴근막장근(tensor fascia latae), 슬굴곡근(hamstring) 등이 있다. 또한 인대에 발생한 염좌에 의해서도 요통이 발생하며, 장요(iliolumbar) 인대, 천장(sacro iliac) 인대, 천골결절(sacro tuberous) 인대, 천골가시(sacro spinous) 인대가 요통과 관련된다.

(1) 기전 및 증상

급성은 직접적 외상이나, 무거운 물건을 들거나, 부적절한 자세에서 힘을 쓰다가 삐끗하여 발생한다. 심한 경우 근육 경직과 통증으로 허리를 전혀 움직일 수 없고, 걷지도 못하게 된다. 또한 장요근(iliopsoas) 등의 경직으로 허리를 쭉 펴고 일어서지 못해 엉덩이가 뒤로 빠지면서 허리가 앞으로 굴곡된 자세를 취하거나, 요방형근(quadratus lumborum) 등의 긴장으로 허리가 옆으로 휘는 측만된 자세(trunk shift)를 종종 볼 수 있다.

만성은 허리에 지속적으로 과중한 힘이 가해지거나 과사용 손상, 부적절한 운동 자세, 척추의 이상 등이 복합적으로 작용해 발생한다. 둔탁하게 쑤시는 통증을 천장 관절(S-I joint)부위에 호소하며, 자주 재발되고 오래 지속되는 특징이 있다.

역학적 요통은 방산통(radicular pain)이 없는 요통 및 둔부 통증이 주 증상이다. 방산통이 있더라도 무릎 아래까지 내려가는 경우는 드물다. 압통은 대개 요천추부나 천장 관절의 편측이나 양측에서 나타나지만, 통처가 모호한 경우가 많다. 기타 후상장골극(posterior superior iliac spine, PSIS) 또는 장골릉(iliac crest)의 높이가 다를 수 있고, 다리 길이의 차이(leg length inequality)가 나타나기도 한다. 슬굴곡근(hamstring) 긴장 시 하지직거상 검사에서 대퇴 후방에 통증이 나타나기도 한다.

(2) 치료

역학적 요통의 초기 치료 시 침상 안정(bed rest)이 중요하다. 한방물리요법 적용 시 냉각수건 또는 얼음주머니 형태의 경피한랭요법을 사용한다. 얼음보다 열이 더 좋다고 느끼면 이완을 위해서 온경락요법이 사용될 수 있다. 경피전기자극치료가 유효하며, 골반 견인은 근육 경련과 통증을 단기적으로 해소할 수 있다. 요천추 코르셋(corset)은 근육 경련이 지속되면 종종 사용되지만, 장시간 사용은 피해야 한다.

통증이 줄어들면 상태에 맞는 체조 및 운동을 실시해야 한다. 적절한 양의 운동은 요통을 감소시키는 효과가 있어 급성기 이후의 요통 환자에 운동을 추천한다. 하지만 운동선수나 평소 운동을 과도하게 하는 사람은 동일 연령대에 비해 요통이 많이 발생하므로, 적절한 운동량 조절이 필요하다.

6) 요통의 운동 처방

요통은 자주 재발하는 경향이 있어 보존적 치료뿐만 아니라 수술 후에도 요통 예방을 위한 자세와 생활습관 교육 및 지속적인 운동이 필요하다. 또한 요통의 치료 및 예방을 위한 운동은 급성 요통보다는 만성 요통에 더 효과적이라고 알려지고 있다.

고전적인 William 굴곡 운동, McKenzie 신전 운동 이후 이들을 보완하여 Golthwaite, Emblass, Kraus-Weber 등이 다양한 운동을 제안하였다. 이러한 운동들은 대근육 위주의 굴곡 운동, 신전 운동, 골반 경사 운동, 복근 강화 운동의 조합을 통하여, 긴장된 근육을 스트레칭시키고 약화된 근육을 강화시켜준다는 원리이다. 최근 새로운 흐름으로 척추 분절의 안정성에 기여하는 소근육을 강화시켜주는 요추 안정화(lumbar stabilization, core stabilization, segmental stabilization) 이론이 제시되고 있다.

(1) William 운동 및 McKenzie 운동

William 굴곡 운동은 복근, 둔근의 강화로 요추 전만각(lordosis angle)을 줄일 목적으로 시행되는데, 동시에 요추의 신전근을 신장시켜준다. 후 관절(facet joint)에 가해지는 압력을 줄이고 추간공(intervertebral foramen)을 넓혀주므로, 후 관절 증후군, 척추협착증, 척추전방전위증 등에 처방된다. 다만, 추간판 내압을 상승시키므로, 급성 추간판탈출증에는 주의가 필요하다.

McKenzie 신전 운동은 후방 섬유륜(annulus fibrosus)의 장력을 감소시켜 수핵(nucleus pulposus)을 전방으로 이동시킬 수 있다는 이론에 근거한다. 요추의 신전근 근력과 지구력을 증가시켜주므로, 추간판 탈출증, 생리적으로 요추 전만이 감소된 경우에 처방된다. 그러나 심한 추간판탈출증에는 금기증이며, 신전 운동 시 통증이 증가하면 중단해야 한다. 또한 추간판의 압력은 줄일 수 있지만, 척추후 관절에 압박이 가해지므로 주의가 필요하다.

(2) 요추 안정화 운동

기존의 운동법들은 대근육인 천층의 움직임(mobilizer) 근육에 중점을 두었으며, 소근육인 심층의 안정화(stabilizer) 근육인 다열근(multifidus), 복횡근(transverse abdominis), 횡격막(diaphragm), 골반기저근(pelvic floor) 등을 간과한 측면이 있었다. 요통 환자들은 이러한 안정화 근육이 약해져 있는 경우가 많으므로, 안정화 근육의 강화 없이는 만성 요통이 되거나 종종 재발하게 된다.

안정화 근육들의 공동 수축은 내적 요추 코르셋으로 작용하여 요추 분절 운동에 안정성을 부여한다. 이중 다열근과 복횡근은 중립 자세에서 더욱 안정적이 되며, 대근육이 작용할 수 있는 기초를 제공한다. 여기서 중립 자세(neutral position)란 앉거나 서 있을 때 기능적으로 가장 안정된 상태로 요추 전만이 적절히 유지되고, 골반은 전방 경사와 후방 경사의 중간점에 위치하는 자세를 말한다.

그러므로 요통 치료 및 예방을 위해서는 중립 자세에서 다열근(multifidus)과 복횡근(transverse abdominis)이 정상적으로 수축하도록 하는 훈련이 필요하다. 요추 안정화 운동의 1단계는 누워서 배에 힘주기, 세로로 누워서 배에 힘주기, 네발 자세에서 배에 힘주기 등으로 복횡근과 다열근만 수축 강화시키고, 나머지 근육은 수축시키지 않는다. 2단계는 복횡근과 다열근의 수축을 유지하면서 정적인 상태에서의 중립 자세 및 차츰 일상생활 동작에서의 중립 자세를 훈련한다. 3단계는 복횡근과 다열근의 수축을 유지하면서 척추기립근(erector spinae), 광배근(latissimus dorsi) 등의 움직임 근육에 대한 근력 강화를 시행한다.

(3) 질환별 실제 적용

요추 안정화 운동은 추간판 탈출증, 척추분리증, 척추전방전위증 등에 효과적인 것으로 나타나고 있다. 현재까지는 주로 오래된 만성 요통 환자 및 운동선수들의 재활에 사용되고 있는데, 기존 운동법으로도 통증이 지속되는 경우 시도해보아야 한다.

추간판탈출증은 초기에는 신전 운동이나 굴곡 운동 위주로 시행하고, 증상이 악화되면 이를 중단한다. 급성 통증이 줄어들면 요추 안정화 운동에 중점을 두고 시행하며, 이후 근력 강화 운동이 권장된다.

척추관협착증은 약화된 둔근, 복근의 근력 강화와 골반의 후방 경사 증가로 요추 전만을 감소시켜야 한다. 척추관협착증의 경우 통증을 감소시켜주는 전방으로 약간 굴곡된 자세가 중립 자세이므로, 굴곡 운동이 주가 되어야 한다. 다만, 간혹 가벼운 신전 운동으로 요추의 신전근 근력 저하를 막아야 한다. 요추 안정화 운동과 더불어 유산소 운동인 자전거 타기, 경사를 조절할 수 있는 트레드밀, 수중 보행이 권장되며, 일상생활에서는 통증을 유발하는 걷기, 오래 서 있기를 피한다.

척추분리증과 척추전방전위증은 굴곡 운동이 신전 운동보다 효과가 좋으나 지나친 굴곡은 피해야 하므로, 요추 안정화 운동이 권장된다. 슬관절의 굴곡근 구축으로 요추 전만이 심해지므로 요추의 신전근, 고관절의 굴곡근, 슬관절의 굴곡근을 신장시키고, 요추의 굴곡근, 복근을 강화시켜 요추 전만을 감소시켜야 한다.

척추후 관절 증후군은 굴곡 운동이 권장되며, 복근 강화 운동 및 골반 경사 운동으로 골반의 후방 경사를 유지해야 한다. 척추압박골절은 보통 신전 운동이 권장된다. 퇴행성 척추증은 요추 안정화 운동과 더불어 척추 주위근과 복근의 강화 운동 및 유연성 운동이 필요하며, 일상생활에서는 유산소 운동이 권장된다.

7. 서혜부, 둔부, 대퇴부 손상

1) 서혜부 손상

서혜부 통증(groin pain)은 체중을 지지하고 있는 한쪽의 고관절이 순간적으로 강력하게 굴곡, 내회전, 신전, 외회전될 때 발생한다. 주로 고관절을 지지하는 장내전근(adductor longus), 장요근(iliopsoas) 등의 근육과 관련된 좌상이 대부분으로, 손상 초기에는 손상 근육에 국한된 압통이 특징적이다. 종종 치료가 지연되거나 적절히 치료받지 못하여 만성화되는 경향이 있지만, 해당 근육의 발통점에 대한 침치료가 상당히 효과적이다.

고관절의 내전근인 장내전근(adductor longus)은 서혜부 통증의 가장 흔한 원인으로 스케이트, 럭비, 축구에서 고관절이 강하게 외회전될 때 좌상이 자주 발생한다. 고관절의 굴곡근인 장요근(iliopsoas)은 태권도, 발레, 육상 허들에서 좌상이 발생하며, 대퇴골 소전자(lesser trochanter) 부착부에 병변이 있으면 서혜부 통증과 더불어 고관절을 외전, 외회전시킬 때 염발음이 발생한다.

서혜부 통증 이외에 치골부나 하복부에도 만성적인 통증을 호소하는 경우를 운동선수의 골반통(athletic pubalgia)이라 한다. 주로 복직근(rectus abdominis)이 부착되는 치골 결합부(symphysis pubis)의 염증이나 미란으로 유발되며, 치골에 부착되는 장내전근(adductor longus)의 병변이 종종 동반된다. 간혹 서혜부 후벽에 위치한 복횡근막(transverse abdominis fascia)의 약화나 파열로도 발생하므로 세밀한 주의가 필요하다.

2) 이상근 증후군

이상근(piriformis) 경련으로 인한 좌골(sciatic) 신경의 압박과 관련이 있다. 허리가 굴곡된 상태에서 운동중 한쪽 다리가 비틀리며 움직일 때 손상이 발생하며, 이와 같은 동작이 많은 골프, 스키, 스케이트, 아이스하키, 인라인스케이트 등에서 흔히 발생한다. 고관절을 굴곡시킨 상태에서 내회전할 때 증상이 악화된다.

주 증상은 좌골 신경이 지배하는 하지 부위로 내려가는 통증 및 이상 감각이다. 요통이나 둔부 통증은 있을 수도 없을 수도 있으며, 이상근 부위의 압박 시 국소 압통이 있다. 임상적으로 좌위로 앉아 있기가 어렵다고 호소하는 환자의 경우 이상근 증후군을 고려해보아야 한다.

3) 힙 포인터(Hip pointer)

장골릉(iliac crest)과 전상장골극(anterior superior iliac spine, ASIS) 모두에 타박상(contusion)을 입은 것을 힙 포인터(hip pointer)라고 하며, 주로 외상으로 발생한다. 미식축구, 축구, 농구, 야구와 같은 접촉성 운동에서 빈발한다. 증상은 타박으로 인한 출혈이나 혈종, 부종, 통증이다. 통증은 웃거나 기침을 할 때 심해지며, 걷거나 다리를 움직일 때 통증 및 근육 경련으로 무력감을 호소한다. 매우 통증이 심하며 회복이 느리지만, 대부분 6주 안에 완전하게 회복된다. 간혹 장골릉에 부착된 근육에 의한 결출(avulsion) 골절이 발생하기도 한다.

4) 고관절 탈구

고관절은 다양한 관절 운동이 가능하면서도 볼-소케트 구조로 되어있는 매우 안정된 관절이다. 그러므로 다른 관절들에 비해 매우 강력한 외상이 아니고서는 쉽게 탈구가 발생하지 않지만, 일단 탈구가 발생하면 골절이 병발된 경우가 많고 다양한 동반 손상이 흔히 발생하므로 주의가 필요하다.

고관절 탈구의 대부분은 교통사고로 인한 차의 계기반 손상(dashboard injury)이다. 그 다음이 추락 사고이며, 간혹 미식축구, 럭비, 축구, 스키, 승마 등의 운동에서 드물게 발생한다. 그 손상 기전은 슬관절과 고관절이 동시에 굴곡된 상태에서 슬관절 전방에 힘이 가해질 때(차의 계기반 등에 의해) 대퇴골이 뒤로 밀리면서 고관절에 손상이 발생한다.

고관절의 위치와 힘의 방향에 따라 전방·후방·중앙 탈구가 발생한다. 고관절이 내전된 상태에서 충격이 가해지면 후방 탈구가 발생하고, 외회전된 상태에서는 전방 탈구가 발생한다. 고관절 전방의 장경 인대(Bigelow의 Y ligament)로 인해 전방 탈구는 드물게 발생하며, 골절도 거의 발생하지 않는다. 그에 비해 고관절의 후방 탈구는 고관절 탈구의 85-90%를 차지하며, 단순 탈구보다는 골절이 동반되는 경우가 많다. 중앙 탈구는 비구 골절이 동반되므로 중앙골절 탈구라고도 한다.

(1) 임상 증상

매우 심한 통증으로 걸을 수 없고 전혀 다리를 움직일 수 없다. 고관절에 한정된 통증 및 대전자(greater trochanter) 주위에 큰 융기가 나타난다. 특징적으로 환측 발을 건측 발보다 위에 두려하는 경향이 있고, 환측 하지의 길이 변화로 즉각적인 진단이 가능하다. 후방 탈구 시 굴곡, 내전, 내회전 변형 및 하지가 짧아 보이지만, 전방 탈구 시 외전, 외회전 변형 및 하지가 길어 보인다. 하지만 동측 하지에 동반 손상이 있으면 변형이 확실하게 나타나지 않으므로 주의가 필요하다.

시간 지체 시 쇼크(shock) 등이 발생할 수 있는 응급상황이다. 섣부른 정복은 대퇴골두(femoral head) 골절을 유발할 수 있으므로, 환자를 즉시 병원으로 이송하여 방사선 검사 및 정밀 검사를 실시해야 한다.

(2) 도수 정복 및 고정

좌골(sciatic) 신경 손상, 대퇴골두 무혈성 괴사(head of femur avascular necrosis), 외상후 관절염 등의 합병증을 줄이기 위해서는 가능한 빠른 시간 내의 도수정복 및 고정이 필요하다. 6시간 내에 정복되지 않으면 대퇴골두 무혈성 괴사 발생률이 증가하며, 또한 부적절한 고정은 퇴행성 관절염을 증가시키므로 주의가 필요하다.

도수정복은 진정제 투여나 마취를 통하여 근육이 이완된 상태에서 실시하며, 도수정복 실패 시 절개 수술이 필요하므로, 도수정복은 수술실에서 이루어진다. 정복 방법으로는 Allis 방법, Stimson gravity 방법, Biegelow 방법, reverse Biegelow 방법 등이 사용된다. 후방 탈구가 전방 탈구에 비해 예후가 좋은 편이지만, 완전한 운동능력의 회복을 가져오려면 오랜 기간의 재활 치료가 필요하다.

5) 슬굴곡근의 좌상

슬굴곡근(hamstring)의 좌상은 대퇴부의 흔한 손상으로, 빠른 가속 및 최대 속도가 필요한 운동 특히 단거리 달리기에서 가장 다발한다. 단거리 달리기나 허들에서 고관절의 과도한 굴곡과 슬관절의 신전에 대하여 그 속도를 감속시키려는 강한 원심성 수축이 일어날 때 발생한다. 외측의 대퇴이두근(biceps femoris)의 근위부 근건 이행부 손상이 흔하다. 손상 정도는 단순한 긴장에서부터 파열까지 다양하게 나타난다.

급성일 경우 증상은 달리던 도중 갑자기 허벅지를 쥐고 주저앉는 모습을 보이기도 한다. 주로 상부 1/3의 대퇴부에 통증, 경직, 종창, 피하 출혈이 나타나며, 슬관절 신전이 감소되고 슬관절 신전 시 통증이 악화된다. 심한 경우 좌골 결절(ischial tuberosity)로부터 슬관절 뒤쪽으로 내려오는 통증과 함께 극심한 파열감을 호소한다.

치료는 속히 차갑게 적신 탄력 밴드를 이용하여 얼음찜질과 압박요법을 시행한다. 플루오르메탄(fluorimethane)을 뿌리고 경피전기자극치료를 사용하면 도움이 될 수 있다. 정상적으로 걸을 수 없으면 목발을 사용해야 한다. 재손상율이 높으므로 적극적인 재활 치료가 필요하다.

6) 대퇴사두근(Quadriceps femoris) 타박상

대퇴사두근(quadriceps femoris)의 타박상(contusion)은 미식축구, 럭비, 축구, 농구, 하키 등에서 접촉성 외상으로 발생하는 매우 흔한 손상이다. 대퇴의 전외측방이나 전방에 다발한다. 대부분 손상 부위의 가벼운 통증 및 압통 정도여서 종종 치료하지 않고 넘어가는 경우가 많다.

운동을 계속할 경우 출혈이 많아지면서 혈종이 형성되어 상당한 종창이 발생하고, 근육 손상이 증가되면서 근력 약화가 발생한다. 합병증으로 화골성 근염(ossifying myositis)이 발생하면 통증과 더불어 근육내에 만져지는 종괴, 장기적인 운동범위 장애를 초래할 수 있다. 그러므로 환자에게 심각한 손상으로 발전될 수 있다는 것을 인식시켜야 한다.

7) 대퇴사두근 좌상

대퇴사두근(quadriceps femoris) 좌상은 주로 비외상성 기전으로 발생한다. 럭비나 축구에서 박자를 잘못 맞추어 공을 찬 경우, 단거리 선수가 충분한 스트레칭 없이 급가속하는 경우처럼 슬관절이 굴곡되고 고관절이 신전된 상태에서 대퇴사두근에 강력한 수축이 가해질 때 발생한다. 대퇴직근(rectus femoris)에 주로 일어나며, 손상 정도에 따라 단순한 긴장에서부터 완전 파열까지 다양하다.

손상이 발생되면 대퇴부 전방에 즉각적인 통증이 나타난다. 대퇴직근 전체를 따라 통증이 내려가며, 손상 부위에 압통이 있고, 슬관절의 굴곡이 심하게 제한된다. 완전 파열 시 근육 결손 부위가 만져지며 영구적인 팽륜이 남지만, 대부분 기능 장애는 남지 않는다.

초기 치료는 차갑게 적신 탄력 밴드를 견고하게 붙이고 그 위에 얼음찜질을 시행한다. 복와위(prone position)로 발목에 붕대를 감고 슬관절이 굴곡되도록 수동적 스트레칭을 시키며, 약물투여와 목발 보행을 해야 한다. 후기 치료는 일단 초기의 출혈이 멈추면 얼음찜질과 병행하여 경피전기자극치료, 혈위초음파요법, 부드러운 마찰 마사지, 부드럽게 제한된 스트레칭을 실시해야 한다.

8. 무릎 손상

인체에서 가장 큰 관절인 슬관절은 변형된 경첩 관절로, 외력을 쉽게 받는 구조적 불안정성을 가지고 있어 흔하게 손상이 발생하는 관절이다. 특히 슬관절은 운동 관련 손상이 가장 다발하는 부위로 그 원인은 주로 외상과 관련되지만, 과사용 손상도 흔히 발생한다. 일반적으로 골절, 탈구보다는 인대, 건, 반월상 연골 손상이 흔하다.

최근에는 슬관절 손상에 대하여 초기의 적극적인 수술 시행보다는, 보조기 등을 이용한 보존적 치료를 우선시하는 경향이다. 일시적 고정이나 보조기 혹은 목발 보행을 하며, 점진적인 체중 부하와 더불어 하지 거상 운동, 대퇴사두근(quadriceps femoris)의 등척성 운동 등의 재활 치료를 순차적으로 시행한 후 남는 문제점을 수술적으로 접근하는 방법이 선호된다.

1) 인대 손상

(1) 내측 측부 인대 손상

슬관절의 내측 측부(medial collateral) 인대는 운동으로 인한 인대 손상 중 족근 관절의 외측 인대 다음으로 손상을 많이 받는 구조물이다. 럭비의 블로킹, 축구의 태클(tackle), 스키의 활강에서 주로 발생한다.

손상 기전은 슬관절의 외측에서 내측으로 가해지는 외력이나 관절의 외회전, 외전 등에 의한 외반력(valgus force)에 기인한다. 특히 발이 지면에 고정되고 슬관절이 굴곡된 상태에서 더 쉽게 손상된다. 손상의 정도는 가해진 힘에 따라 다르지만, 내측 측부 인대 손상은 종종 다른 구조물에 손상이 동반된다. 심할수록 내측 반월상 연골 및 최종적으로 전방 십자 인대까지 동반 파열(unhappy triad)되기도 한다.

증상은 손상 직후 내측부의 국소적인 통증, 압통, 종창과 더불어 반사성 근육 경련으로 보행이나 체중 부하가 어려워 슬관절 굴곡위를 취하려는 경향이 있다. 급성기 이후에는 통증이 줄어들면서 무력감, 근육 위축, 휘청거리는(giving way) 불안정성이 나타난다. 진단을 위해 외반 부하(valgus stress) 검사를 시행한다.

내측 측부 인대의 완전 파열이라도 동반 손상이 없으면 보존적 치료의 결과가 양호하다. 최근에는 동반 손상이 있더라도 보존적 치료를 통하여 내측 측부 인대 손상이 호전된 후 수술을 하는 것이 일반적이다. 외상 후 슬관절 내측 측부 인대가 골화되는 Pellegrini-Stieda 병도 고려해야 한다.

(2) 외측 측부인대 손상

외측 측부(lateral collateral) 인대는 해부학적으로 강한 구조여서 내측 측부 인대보다 손상이 드물다. 손상 기전은 슬관절에 가해지는 내전, 내회전 등에 의한 내반력(varus force)에 기인하며, 유도에서 넘어질 때 주로 발생한다. 외측 인대가 손상되었다는 것은 동반 손상의 가능성이 높음을 의미하며, 심한 경우 비골(peroneal) 신경 및 전방 십자 인대 손상이 동반되기도 한다.

증상은 손상 부위인 외측부의 통증을 제외하면 내측 측부 인대 손상과 비슷하다. 내반 부하(varus stress) 검사가 진단에 도움이 된다.

(3) 전방 십자인대 손상

경골의 전방 이동 및 과신전을 방지하고 경골의 내회전을 제한하는 전방 십자(anterior cruciate) 인대는 축구, 농구, 핸드볼, 스키 등의 고부하 운동에서 손상받기 쉽다. 또한 내·외측 측부 인대 및 후방 십자 인대가 손상될 때 전방 십자 인대 손상이 동반되는 경우가 흔하다. 비접촉성 회전 손상이 주가 되지만, 다양한 기전에 의해 손상된다.

급성 손상은 급감속하면서 슬관절이 굴곡, 외반, 외회전될 때 발생한다. 만성 손상은 점프 후 무릎이 15-20° 굴곡된 상태로 착지할 때의 반복 충격에 기인한다. 직접 손상은 럭비, 축구에서의 태클로 무릎 아래 부위에 후방에서 전방으로 가해지는 강력한 충격을 받을 때 과신전되면서 발생한다.

증상은 손상 당시 '툭'(popping)하는 소리나 휘청거리는(giving way) 느낌과 더불어 심한 통증, 관절운동 제한이 발생한다. 곧이어 수 시간 내의 급속한 종창, 혈관절증(hemarthrosis)이 동반된다. 특이도가 낮은 전방 전위(anterior drawer) 검사보다는 Lachman 검사, 추축 변위(pivot shift) 검사가 진단에 도움이 된다.

(4) 후방 십자 인대 손상

경골의 후방 전위 및 과신전을 방지하는 후방 십자(posterior cruciate) 인대는 무릎 인대 중 가장 강하므로, 단독 손상은 거의 드물다. 또한 과사용 손상보다는, 추락이나 슬관절 90° 굴곡위에서의 계기반 손상(dashboard injury) 등의 직접 손상에서 주로 발생한다.

손상 기전은 경골의 후방 전위나 슬관절의 과신전에 기인한다. 경골이 후방 전위되는 경우는 럭비, 축구의 태클로 경골 전방 근위 부위에 전방에서 후방으로 강한 충격을 받을 때, 슬관절 굴곡 상태에서 경골 조면(tibial tuberosity)으로 넘어지면서 심하게 부딪힐 때 발생한다. 슬관절이 과신전되는 경우는 슬관절 신전 상태의 무릎 아래 부위에 후방에서 전방으로 강한 충격이 가해질 때, 점프 후 슬관절 신전 상태로 착지하는 만성적 충격으로 발생한다.

증상은 슬와부에 통증이 나타나는 것을 제외하면 전방 십자 인대 손상과 비슷하다. 후방 전위(posterior drawer) 검사의 정확도가 높으며, 외회전 전반(external rotation recurvatum) 검사를 이용하기도 한다.

2) 반월상 연골 손상

반월상 연골(meniscus) 손상은 미식축구, 축구, 아이스하키 등에 참여하는 10-45세의 젊은 남자에서 가장 흔히 발생하며, 종종 전방 십자 인대 손상이 동반된다. 또한 55세 이상의 연령층에서도 흔히 발생하는데, 이는 퇴행성 변화로 인한 반월상 연골의 마모와 관련된다. 또한 슬관절 굴곡위로 쭈그려 앉아 일하는 직업에서도 흔히 볼 수 있다.

일반적으로 외측 반월상 연골에 비해 내측 반월상 연골 손상이 흔히 발생한다. 이는 외측 반월상 연골은 경골에 느슨하게 부착되고 슬굴곡 시 슬와근(popliteus)에 의해 후방으로 1 cm 정도 당겨지므로 가동성이 크지만, 내측 반월상 연골은 경골에 견고하게 부착되어 가동성이 몇 mm에 불과하기 때문이다.

반월상 연골 손상은 대부분 직접적인 외상과 관련되며, 굴곡된 슬관절에 가해지는 회전력에 의해 주로 발생한다. 손상 기전은 발이 지면에 고정되고 대퇴골이 내회전된 상태에서 굴곡된 슬관절에 외반력(valgus force)이 가해지면 내측 반월상 연골 손상이 발생하고, 대퇴골이 외회전된 상태에서 굴곡된 슬관절에 내반력(varus force)이 가해지면 외측 반월상 연골 손상이 발생한다. 이밖에도 비접촉 손상은 달리기나 점프와 착지 동작에서 반복적으로 과사용된 경우, 급가속이나 급감속을 하면서 방향 전환할 때 슬관절이 뒤틀리면서 발생한다.

주 증상은 슬관절의 통증과 관절 부종이다. 통증은 계단을 오르거나 의자에서 일어나거나 차에서 내릴 때와 같이 슬관절이 신전되면서 부하가 가해지면 악화되며, 간혹 밤에 자다가 돌아누우면서 무릎이 뒤틀릴 때 통증을 호소하기도 한다. 급성 손상 시에는 대퇴골과 경골 사이의 관절선(joint line)을 따라 손상 부위에서 압통이 있고, 관절 부종은 24 48시간에 걸쳐 서서히 점진적으로 나타난다. 하지만 변연부(marginal zone) 손상, 인대 손상, 혈관절증(hemarthros)이 동반되면 부종이 급속히 진행되기도 한다. 또한 외상과 무관한 퇴행성 파열의 경우에도 관절선 압통 및 만성적인 관절 부종이 나타난다.

기타 증상으로 잠김(locking), 무력감(giving way sensation), 대퇴사두근(quadriceps femoris) 위축 등이 나타나기도 한다. 어느 굴곡위에서 슬관절을 신전시킬 때 나타나는 신전 제한(슬관절의 완전한 신전이 제한되기도 함)을 잠김이라하는데, 이는 이차적으로 전위된 연골편이 관절면 사이에 끼어 발생하며 잠김이 풀리더라도 딸깍거림(clicking)이 흔히 동반된다. 잠김은 외상으로 인한 양동이 손잡이형(bucket handle) 파열에서 흔하지만, 퇴행성 파열에서는 거의 드물다. 고르지 않은 지면을 걸을 때 순간적으로 힘이 빠지면서 휘청거리는 무력감을 호소하기도 하는데, 이는 손상 부위에 부하가 가해져 발생한다. 대퇴사두근의 위축(특히 내측 사광근)은 시간 경과와 더불어 나타나는데, 슬관절을 완전 신전시키지 못하여 발생한다.

이학적 검사법으로 McMurray 검사와 Apley 압박·견인 검사가 도움이 되며, 임상적으로는 쭈그려 앉기(squatting) 검사가 유용하다.

반월상 연골 손상은 내측 반월상 연골 후각부의 변연부(marginal zone)에서 주로 발생하는데, 변연부(폭의 10 -25%)는 인접 활액막으로부터 혈액 공급을 받아 섬유성 조직으로 치유된다. 그러므로 동반 손상이 없는 변연부의 파열, 전위가 적은 안정형 파열, 퇴행성 파열은 4-6주간의 보존적 치료로 양호한 결과를 얻을 수 있다. 다만, 보존적 치료로도 증상(특히 잠김)이 남아있는 경우에는 손상된 파열 부위가 더 커질 수 있으므로, 절제술이나 봉합술을 고려한다(증상이 소실되면 수술 적응 대상이 아니다).

3) 슬개대퇴 통증 증후군

슬개대퇴 통증 증후군(patellofemoral pain syndrome, PFPS)이란 슬관절 전방부에 통증을 유발하는 다양한 병리학적, 해부학적 이상을 총칭하는 용어로, 슬개골 통증 증후군, 슬개대퇴 관절통, 슬개골 연골연화증(chondromalacia patella)으로도 불린다. 슬관절의 굴곡 시 도르래 활주 운동으로 슬개골과 대퇴골 관절 사이의 연골면에 가해지는 스트레스가 증가되어 통증이 발생하는 것으로 알려지고 있다.

청장년에서 슬관절 전방부의 미만성 통증의 가장 흔한 원인으로, 통증은 지속적이지 않으며 활동 정도에 따라 통증이 변하는 특징이 있다. 달리기처럼 슬관절 굴곡과 신전이 많은 운동선수(runner's knee)에서 흔히 발생한다. 급성 외상 후 점진적으로 진행하기도 하지만, 주로 과사용 손상으로 유발된다. 여성의 경우 골반부 근육의 근력 약화와도 관련이 있는 것으로 알려지고 있으므로, 고관절 및 기타 하지의 비정상적

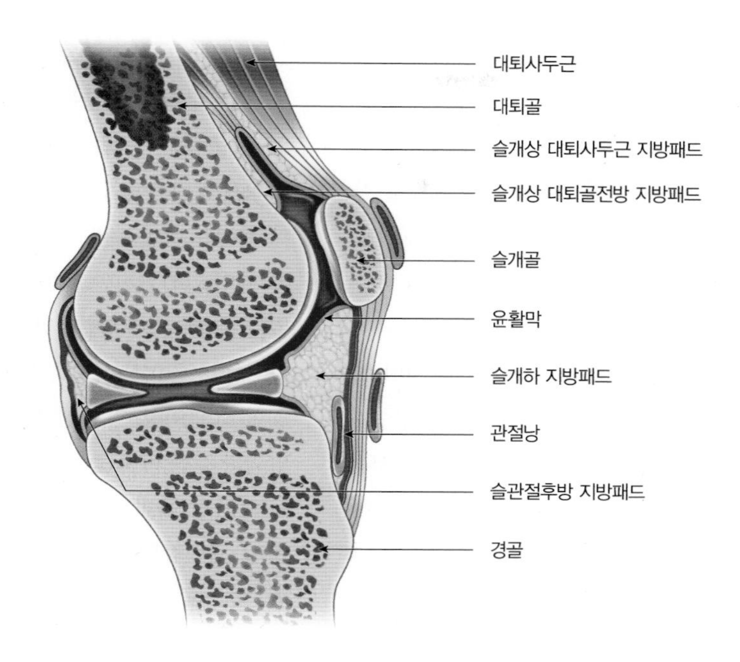

그림 5-7. 슬관절의 지방패드

인 생체역학과의 관련 여부도 고려해야 한다.

일상생활에서는 통증을 유발하는 꿇어앉기(kneeling), 쪼그려 앉기(squatting), 슬굴곡위로 장시간 앉아있기, 계단 오르내리기를 피한다. 운동 시에는 걷기, 달리기, 자전거 타기, 등산 등의 운동은 피하고, 물속에서 걷기나 수영을 권장한다.

침치료와 테이핑 요법 및 근력 강화가 도움이 된다. 침치료 시 도르래 활주 운동과 관련이 있는 대퇴사두근(quadriceps femoris), 장경 인대(iliotibial band), 슬개건(patella tendon) 등의 불균형을 바로잡는 것이 중요하다. 이와 더불어 장경 인대 및 하지부 근육들의 스트레칭 및 약화된 근육 특히 내측사광근(vastus medialis oblique)의 근력 강화가 필요하다. 또한 장기간 지속적 통증을 호소하는 환자의 경우 정신심리학적 접근이 필요하다.

4) 슬개하 지방패드 증후군

슬개하 지방패드 증후군(infrapatellar fat pad syndrome)은 슬개하 지방패드의 급·만성 염증이 슬관절 전방부 통증을 유발할 수 있다는 1904년 Hoffa의 보고로 Hoffa병(Hoffa's diesease)으로 불리기도 한다. 슬개상 지방패드(suprapatellar fat pad)도 슬관절 전방부 통증을 유발할 수 있으나, 슬개하 지방패드가 주로 관련된다. 원인은 외상이나 과사용으로 인한 슬개하 지방패드의 염증, 부종, 혈종, 괴사, 섬유화, 칼슘 침착 등이다. 일반인 보다는 주로 점프를 많이 하는 농구, 배구 선수에 흔히 관찰되는데, 이는 만성적 과사용 손상으로 인한 지방패드의 비후와 관련된다. 간혹 무릎 수술 후에 발생하기도 한다(그림 5-7).

주 증상은 무릎을 펼 때 유발되는 슬관절 전방부 통증으로, 이는 비후된 지방패드가 대퇴골, 경골, 슬개골 사이에 끼면서 충돌(impingement)하여 발생한다. 슬관절이 과신전되거나 장시간의 슬굴곡위 자세로 비행기나 자동차를 탄 후 통증이 악화되며, 젊은 여성의 경우 계단을 오르내릴 때 통증을 호소하기도 한다. 기타 증상으로 內膝眼과 外膝眼의 팽륜 및 압통, 염발음, 가동범위 제한이 있을 수 있다. 90° 슬굴곡위에서 슬개골(patellar) 인대의 내·외측을 촉진한 채로 슬관절을 신전시킬 때 통증이 발생하면 Hoffa's test에 양성 소견이다. 임상적으로는 슬개골을 위로 밀 때 통증이 발생하면 슬개하 지방패드의 문제를 고려할 수 있다. 장경 인대 증후군, 추벽 증후군, 슬개대퇴 통증 증후군과 감별진단이 필요하며, 진단은 자기공명영상 검사를 통해 이루어진다.

치료는 슬개골 상부에 압박 테이핑을 하거나, 內膝眼穴과 外膝眼穴에서 슬개건의 뒤쪽을 향해 침이나 약침 시술을 한다.

5) 슬개건염

슬개골의 전하방부에 통증이 유발되는 슬개건염(patellar tendinitis)은 빈번하게 점프를 많이 하는 농구, 배구에 주로 나타나므로, 점프선수의 무릎(jumper's knee)라고도 한다. 하지만 임상적으로는 슬관절의 굴곡과 신전을 반복적으로 하는 사이클, 축구, 달리기를 주로 하는 일반인에서도 흔히 나타난다. 슬개건의 과사용이 원인이며, 진행 정도에 따라 염증, 파열, 퇴행성 변화(patellar tendinopathy) 등의 다양한 소견이 보인다.

증상은 서서히 발생하여 조금씩 진행된다. 안정 시 호전되었다가 걷기, 달리기, 점프 후 쑤시는 통증을 호소하며 종종 부종이 동반된다. 슬관절 전방부의 미만성(diffuse) 통증을 호소하는 슬개대퇴 통증 증후군과는 달리, 슬개건염은 슬개건의 주행 방향에 따라 통증이 나타나며 주로 슬개골 바로 아래 부위의 국소 통증 및 압통이 특징적이다.

슬개건염이 다발하는 슬개건 부착부의 바로 아래 부위에서 발생하는 골단분리(slipped epiphysis) 현상을 Sinding-Larsen-Johansson 병이라고 한다.

9. 하퇴 손상

1) 하퇴 전방의 타박상

하퇴 전방의 타박상(contusion)은 경골 보호대 없이 축구 등의 접촉성 운동을 하다가 걷어차인 후 하지의 전방 구획(compartment)에 주로 발생한다. 대부분은 타박상으로 그치지만, 경골 골절이 동반되기도 한다. 간혹 급성 구획 증후군으로 진전될 수도 있으므로, 예방을 위해 전방 구획에 대한 얼음찜질과 하지 거상을 여러 시간 지속해야 한다. 구획 증후군이 지연되어 발생할 수도 있으므로 증상과 징후에 대해 알려주고, 만약 발병하면 즉시 응급치료를 받도록 하여야 한다.

2) 만성 구획 증후군

만성 구획 증후군은 육상 등의 운동과 관련되는 경우가 많아, 운동성 구획 증후군이라고도 한다. 주로 하지의 전방 구획에 발생하며, 일측성보다는 양측성인 경우가 많다.

증상은 운동을 계속하면 악화되었다가, 휴식하면 수 분 내로 사라진다. 하지만 운동을 다시 시작하면 재발하는 특징이 있다. 하퇴 전방부에 다양한 양상의 통증이 나타나며, 족저굴곡(plantar flexion) 시 통증이 심해진다. 저리거나 타는 듯한(burning) 이상 감각 증상 및 족배 굴곡(dorsi flexion) 약화와 같은 마비 증상이 나타나기도 한다.

통증을 유발하는 운동을 피하고 휴식을 취한다. 얼음찜질, 스트레칭을 병행하고, 외부 압박 요인으로 작용하는 보조기, 석고 고정을 제거한다. 또한 붕대를 압박하여 감아두는 것과 심장 높이 이상으로의 장시간 하지 거상은 관류저하를 유발할 수 있으므로 피해야 한다. 임상적으로 하지부 足陽明胃經의 經穴에 대한 심부 자침으로 증상이 호전되기도 한다. 하지만 충분한 휴식으로도 운동 시 통증이 유발된다면 수술적 처치를 고려해야 한다.

3) 비복근의 좌상

비복근(gastrocnemius) 좌상은 하지에서 가장 다발하는 근육 좌상으로, 테니스를 즐기는 중년에 다발하여 테니스 다리(tennis leg)라 한다. 주로 비복근 내측 근건 이행부에 발생한다.

손상 기전은 슬관절 신전위에서 족근 관절이 족배 굴곡된 채 앞으로 돌진(lunge)할 때 주로 발생한다. 족근 관절이 족배 굴곡되어 있는 상태에서 슬관절이 갑자기 신전될 때에도 발생한다.

전구증상으로 평소 테니스 후 장딴지 부위에 쑤심과 통증이 있다. 손상 당시 종아리 상부의 비복근 내측두에 돌연히 날카로운 통증이 있고, '툭'하는 소리나 종아리를 한 대 맞은 듯한 느낌을 호소한다. 종창이 매우 급속하게 나타나고, 손상 부위의 국소 압통과 더불어 함몰부가 만져지기도 한다. 시간 경과에 따라 반상출혈이 빈번히 나타난다.

응급치료로 차갑게 적신 탄력 밴드를 이용하여 얼음찜질과 압박요법을 시행하고 하지 거상을 시킨다. 발은 가볍게 족저 굴곡시키고 목발을 사용하도록 한다. 체중 부하가 가능해지면 수동적 스트레칭을 반드시 실시한다. 신발에 뒤꿈치 올림(heel lift)을 사용하면 도움이 된다. 이후 점진적으로 능동적 스트레칭과 근력 강화를 시킨다. 예후는 보통 양호하여 2주 정도면 호전되고, 3-4주 정도면 운동을 시작할 수 있다.

4) 아킬레스건 손상

활액막(synovial sheath)이 없어 마찰에 약한 구조인 아킬레스건(achilles tendon)은 건 중에서 가장 많이 손상을 받는다. 특히 비복근(gastrocnemius)과 가자미근(넙치근, soleus)이 90°로 꼬이면서 합쳐지는 부착부 상방 2-6 cm부위에 병변이 호발한다. 이는 혈액공급이 원활하지 못하면서 전단력(shearing force)이 집중되기 때문으로, 이를 비부착부 손상이라 한다. 종골(calcaneus) 후면의 부착부 손상은 비부착부 손상에 비해 덜 발생하며, 후족부 통증으로 종골후 활액낭염(retrocalcaneal bursitis)으로 종종 오인된다.

(1) 아킬레스건염

아킬레스건 손상에서 건 자체의 염증을 의미하는 건염은 거의 드물다. 대부분 부건에 염증이 발생하므로 아킬레스부건염(paratendinitis)이 정확한 표현이지만, 통상적으로 아킬레스건염으로 불린다.

달리기나 점프 및 방향전환이 많은 축구, 농구, 배구, 발레 등에서 다발한다. 장시간의 과도한 훈련, 갑작스런 집중 훈련이나 주행 거리의 연장, 불규칙한 지면이나 경사진 오르막 달리기, 부적절한 신발 등에 의해 유발된다.

통증이 주 증상이며, 종창, 염발음이 동반되기도 한다. 오르막 달리기처럼 족근 관절이 족배 굴곡되어 아킬레스건이 늘어나는 운동과 관련하여 증상이 악화된다. 심해지면 근력 약화, 운동 범위 감소, 운동 제한과 더불어 조직 비후로 건이 두꺼워지기도 한다.

초기에는 체중 부하를 피하고 아킬레스건이 과도 신전되지 않도록 한다. 뒤꿈치 올림(heel lift) 사용은 초기에는 권장되지만, 족저굴곡근(plantar flexors) 단축이 유발되므로 장기 사용은 피해야 한다. 과도 회내(hyper pronation)된 경우 내측을 지지(medial posting)하는 신발내 교정 장치 사용이 도움이 된다. 상태 호전에 따라 비복근-가자미근의 스트레칭을 하며, 족저 굴곡근의 강화 운동 시 구심성 수축보다 원심성 수축에 중점을 두어야 한다.

(2) 아킬레스건의 파열

평소 운동량이 부족한 중년 남자가 갑자기 과격한 운동을 하거나, 주말에 운동을 몰아서 하는 경우 호발한다. 간접 손상은 슬관절 신전 상태에서 점프할 때나, 착지하면서 족근 관절이 족배 굴곡될 때 발생한다. 직접 손상은 건에 직접적인 가격이 가해질 때 근육이 수축되면서 발생한다.

손상 당시 갑작스런 통증과 더불어 '툭' 하는 소리나 하퇴 뒷부분을 강하게 얻어맞은 느낌을 호소한다. 발끝으로 서기(족저 굴곡)가 약해지거나 안 되고 걷지 못할 정도가 되며, 점차 부종이 심해진다. 촉진을 통하여 결손 부위가 만져지면 파열을 의심한다. 종아리를 손으로 압박하는 Thompson 검사 시 족저 굴곡이 되지 않으면 Thompson 검사 양성으로 완전 파열을 의미한다. 다만, 증상만으로 건염, 부분 파열, 완전 파열을 구분하기 어려울 수 있다.

초기에는 얼음찜질, 약물투여와 더불어 목발을 사용하고, 발목을 약간 족저 굴곡시킨 상태에서 석고 붕대로 고정한다. 보존적 치료보다 수술이 재파열 가능성이 낮으므로, 젊은 사람, 활동적인 사람, 운동선수일 경우 일반적으로 수술이 권장된다. 하지만 보존적 치료의 재파열율이 수술보다 높지 않다는 보고도 있다.

5) 정강이통(Shin pain)

주로 달리기와 연관된 전반적인 하퇴 통증을 총칭하여 경골 부목(shin splint)이라 부르기도 하지만, 정강이통(shin pain)이나 경골의 스트레스 증후군(medial tibial stress syndrome)이란 용어 사용이 권장된다. 종종 만성 구획(compartment) 증후군이나 스트레스 골절이 동반되지만, 이 경우 정강이통의 진단에서 배제하는 추세이다. 또한 신경이나 슬와(popliteal) 동맥의 포착과 감별진단이 필요하다.

골주사 검사에서 흡수 증가가 점상으로 나타나는 스트레스 골절과는 달리, 정강이통의 경우 경골의 후내측 가장자리를 따라 선상으로 나타나는 것이 특징적이다. 이는 경골에 부착되는 근육들에 반복적으로 과도한 과부하가 가해져 유발된 근막염(fasciitis), 건염, 골막염(periostitis)이 원인으로 추정된다. 또한 평발 등의 하지나 족부의 비정상적 생체 역학이 이를 가중시키는 것으로 보인다.

증상은 경골 원위 1/3 후내측에 반복적인 둔한 통증 및 국소 압통이 있고, 간혹 국소 부종이 있기도 하다. 초기에는 운동 시작 시 통증이 있다가, 운동 지속 시 통증이 사라지고, 운동 종료 시 다시 통증이 온다. 진행하면 운동과 무관하게 통증이 지속적으로 있고, 휴식 시에도 통증이 있다. 초기에는 대부분 1-2주 정도의 휴식으로 회복된다. 관련된 비정상적인 생체 역학의 교정이 필요하며, 과도 회내된 경우 신발내 교정장치 사용이 도움이 될 수 있다.

10. 발목과 발 손상

발목 및 발에는 족근(ankle) 관절, 거골하(subtalar) 관절, 중족근(midtarsal) 관절 등 여러 개의 관절이 존재한다. 간혹 족근 관절(足根關節, ankle joint)과 족관절(足關節, joint of foot)을 혼동하는 경우가 있다. 족근 관절은 발목 관절로 경골, 비골, 거골(talus)에 의해 이루어진 윤활 관절이며, 족관절은 발목 관절 이외의 발에 있는 여러 개의 관절을 의미한다.

이러한 여러 관절들이 복합적으로 작용하여 발목 및 발에서 운동이 일어난다. 또한 다른 관절에 비해 회전운동이 많으므로, 관점에 따라 운동 및 변형을 기술하는 용어에 조금씩 차이가 있다. 내번, 외번과 자주 혼동되는 내반(varus), 외반(valgus)이란 용어는 운동 용어가 아니며, 위치, 변형, 상태를 기술하는 용어로 주의가 필요하다.

운동을 기술하는 용어로는 족배 굴곡(dorsi flexion), 족저 굴곡(plantar flexion)은 시상면상 운동이며, 내전(adduction), 외전(abduction)은 전족부 및 중족부의 수평면상 운동이며, 외회전(external rotation), 내회전(internal rotation)은 후족부의 수평면상 운동이며, 내번(inversion), 외번(eversion)은 관상면상 운동이다.

또한 회외(supination), 회내(pronation)는 세 면(tri plane)에서 일어나는 운동이다. 회외는 내전, 내번, 족저 굴곡의 복합 운동이며, 회내는 외전, 외번, 족배 굴곡의 복합 운동이다. 족부의학에서 관용적으로 사용되는 회외는 내번, 회내는 외번에 가깝다(그림 5-8).

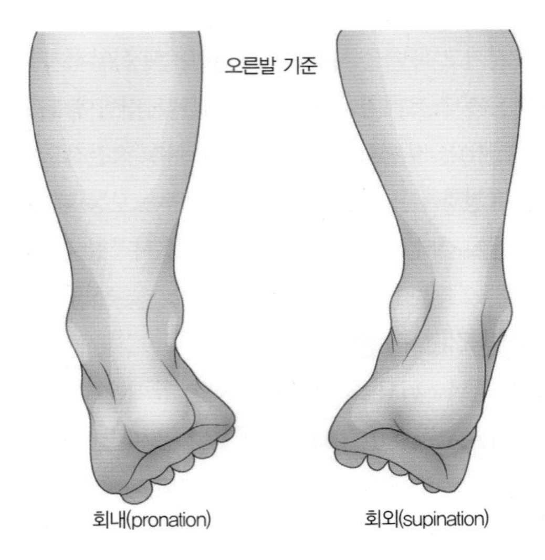

그림 5-8. 회내 및 회외

1) 인대 손상

족근 관절 염좌는 운동 손상 중 가장 흔하게 발생하며, 발목이 급격하게 내번 또는 외번되어 생긴다. 대부분 침치료, 부항요법, 한약 투여, 테이핑 요법 등의 복합 한방 치료로 쉽게 호전된다.

하지만 적절한 치료를 받지 않거나 동반된 손상을 간과할 경우 만성 재발성 염좌, 관절 불안정성, 발목 충돌 증후군으로 이행하기도 한다. 이럴 경우 발목 주위의 막연한 통증 및 불편감, 국소 부종 및 압통, 방향 전환 시의 불안정성, 발목 잠김, 염발음을 호소하며, 이차적으로 아킬레스건의 단축, 비골근(peroneal muscles)의 약화와 더불어 전방 전위 검사에서 전위 소견이 나타나기도 한다. 임상적으로 아킬레스건 및 비골근에 흔히 문제가 발생하므로, 하지부의 足太陽膀胱經 및 足少陽膽經의 經穴에 대한 침치료 및 부항요법이 효과적인 경우가 많다.

(1) 족근 관절의 인대

내측의 삼각(deltoid) 인대는 천층과 심층으로 구성되어 있고, 외반력(valgus force)에 저항하고 외회전 안정성에 기여한다. 외측의 전거비(anterior talofibular) 인대, 종비(cacaneofibular) 인대, 후거비(posterior talofibular) 인대는 내반력(varus force)에 저항하고 내회전 안정성에 기여한다. 원위 경비 인대 결합(syndesmosis)에는 전·후·횡 경비(tibiofibular) 인대, 골간(interosseous) 인대, 골간막(interosseous membrane)이 있으며, 족근 관절의 회전 안정성에 기여한다.

족근 관절 염좌의 90%는 내번 염좌에 의한 외측 인대의 손상이다. 이중 전거비 인대의 손상이 대부분을 차지하며, 손상 기전에 따라 종비 인대 손상이나 원위 경비 인대 결합 손상이 동반되기도 한다. 해부학적 위치 파악이 족근 관절 인대 손상의 진단 및 치료에 도움이 된다. 특히 발 부위는 압통의 위치가 대부분 병소와 일치하므로, 손상 부위에 나타나는 압통이 임상적으로 중요하다.

(2) 족근관절 염좌의 기전

순수한 단일운동으로서 족배 굴곡·족저 굴곡·외번·내번·회전성 염좌는 드물다. 가장 일반적이며 흔한 손상 기전은 내번, 족저 굴곡, 내회전이 복합적으로 일어나는 것이다. 다만, 여기서는 동반 손상과의 감별진단을 위해 세부적으로 나누어 기술한다.

① 족배 굴곡 염좌

족배 굴곡(dorsi flexion) 시 거골이 족근 관절에 끼어 유동성이 감소되므로, 족배 굴곡 염좌는 드물게 발생한다. 급격한 족배 굴곡 시 아킬레스건의 신장성 손상이 발생한다. 과도한 족배 굴곡 시 거골 원개(talus dome)의 골연골 골절, 경골 천정부(tibia plafond) 골절이 동반될 수 있다.

② 족저 굴곡 염좌

족저 굴곡(plantar flexion) 시 유동성이 높아지므로, 족배 굴곡 염좌에 비해 족저 굴곡 염좌는 잘 발생한다. 족저 굴곡 시 강한 외반력이 가해지면 내측 삼각 인대가 손상되고, 내반력이 가해지면 외측 전거비 인대가 흔히 손상된다. 과도한 족저 굴곡 시 특히 발레리나의 경우 거골 후방의 부골인 삼각골(Os trigonum)에 손상이 동반되어 발목 후면 전체에 압통이 나타나기도 한다.

③ 외번 염좌

내측의 강력한 삼각 인대 때문에 드물게 발생한다. 삼각 인대가 손상되었다는 것은 강력한 외력이 가해진 것이므로, 회복까지 더 많은 시간이 걸린다. 반대편으로 급정지나 착지할 때 발의 과도한 회내로 외번, 외전, 족배 굴곡되어 발생한다. 심층의 삼각 인대 단독 손상이 일반적이지만, 심한 경우 심층뿐만 아니라 천층까지 모두 손상될 수 있다. 경골 내과(medial malleolus)의 결출(avulsion) 골절과 비골 외과(lateral malleolus) 골절도 동반될 수 있다.

④ 내번 염좌

다른 염좌에 비해 내번 염좌가 가장 다발한다. 족근 관절 중립위에서의 순수한 내번 염좌는 드물고, 내번 염좌 시 족저 굴곡이나 족저 굴곡과 내회전이 동시에 발생하는 경우가 가장 흔하다.

전거비 인대 손상이 가장 다발하고, 다음으로 종비 인대 손상이 발생하며, 후거비 인대 손상은 거의 드물다. 심한 경우 비골 외과의 결출(avulsion) 골절이 동반되기도 한다. 또한 단비골근(peroneus brevis)의 급격한 수축으로 인한 제5 중족골 기저부(base of the fifth metatarsal)의 결출(avulsion) 골절이 동반되기도 한다.

⑤ 회전성 염좌

족근 관절은 일종의 경첩 관절로 경골 내과, 비골 외과, 원위 경비 인대 결합이 경첩의 격자 역할을 한다. 이들 중 원위 경비 인대 결합 손상이 회전 운동에 의해 흔히 발생하며, 외회전보다는 내회전 손상이 대부분을 차지한다.

원위 경비 인대 결합 손상을 'high ankle sprain'이라고도 한다. 강력한 회전력이 가해질 때 족근 관절보다 고위인 비골 외과 골절 및 비골 근위 1/3의 나선상 비골 골절(Maisonneuve fracture)이 동반되기 때문이다. 원위 경비 인대 결합 손상 여부는 경골과 비골 원위부를 움켜쥐고 동시에 압박하는 squeeze test로 알 수 있다.

(3) 골절과의 감별진단

손상 후 한 시간 이내에 부종이 급속하게 진행하는 경우, 한 시간이 지나도 서 있기 힘들 정도의 심한 통증이 있는 경우, 촉진 시 특정한 뼈에 심한 압통이 있으면서 타진이나 소리굽쇠(tuning fork) 검사에서 통증이 증가하는 경우는 골절을 의심해야 한다.

한방 임상에서 족근 관절 염좌에 병발하는 골절로는 비골 외과의 골절이나 결출(avulsion) 골절, 제5 중족골 기저부 결출 골절, 경골 내과의 골절이나 결출 골절이 주가 되므로, 이에 대한 감별진단이 중요하다.

골절의 감별진단을 위해서는 방사선 검사가 필요하다. 전후면, 측면, 격자 영상(mortise view)을 기본으로 하여, 기타 부하 영상을 추가하기도 한다. 시간 경과 후 내원한 환자라도 피하 출혈(bruising)과 심한 부종이 있는 경우 최소한 2도 염좌 이상을 의미하므로, 방사선 검사를 고려해야 한다.

(4) 외재건 손상과의 감별진단

비골건(peroneal tendon) 손상은 족외과에 통증이 있으면서 족근 관절 염좌와 동반되는 경우가 많아 종종 오진된다. 비골건 손상은 외과 후방에 주로 압통이 있고, 전거비 인대 손상은 외과의 전하방에 압통이 있고, 종비 인대 손상은 외과 하방에 압통이 있다.

장무지굴곡건(flexor hallicis longus tendon)의 근위부 활액막염은 족내과 후방에 통증이 있으면서 만성 족근 관절 염좌와 동반되는 경우가 많아 만성 염좌로 취급되곤 한다. 삼각 인대 손상과의 감별점은 족배 굴곡한 상태에서 족무지의 신전이 제한되며, 족무지의 운동 시에 방아쇠 현상과 마찰음이 있을 수 있다.

후경골건(posterior tibial tendon) 손상으로도 족내과 후방에 통증이 발생한다. 저항을 준 상태에서 후족부를 내회전하도록 하거나 수동적으로 외회전시킬 때 통증이 유발되는 것이 삼각 인대 손상과 감별점이다.

(5) 족근관절 염좌의 예후

1, 2도 염좌는 보존적 치료로 잘 치유된다. 3도 손상이더라도 회복 기간이 길고 합병증이 많은 수술보다는 보존적 치료가 선호된다. 다만, 치료 지연 시 운동선수의 3도 염좌는 수술을 고려한다. 족근 관절 염좌의 15% 정도에서 결출(avulsion) 골절이 병발하는데, 큰 결출 골절의 경우 수술이 필요할 수 있다.

(6) 족근관절 염좌의 치료

초기에는 얼음찜질, 압박붕대 사용, 하지 거상 등을 시킨다. 절대적 안정은 불필요하고, 운동 및 활동의 제한으로 충분하다. 간혹 air cast를 사용하기도 한다. 통증 없이 걸을 수 없으면 보조기나 목발을 사용하지만, 조기 체중 부하가 중요하다. 일시적 고정과 압박 및 고유수용성 감각 촉진을 위해 시행하는 테이핑 요법이 효과적이다.

통증이 가라앉으면 먼저 족저 굴곡과 족배 굴곡 운동을 시작한다. 하지만 내전과 외전은 최소화해야 한다. 관절 가동화 및 스트레칭을 실시하면서 점차 등척성 운동 및 탄력 고무 밴드를 이용한 등장성 운동을 한다. 운동선수의 경우 족근관절 손상 재활에 특히 중요한 고유수용성 감각 자극 훈련과 닫힌 사슬운동 및 기능적 훈련이 필요하다.

재발 방지를 위해서 아킬레스건의 스트레칭, 비골건의 외번 강화 운동이 필요하다. 이때 농구화 높이 정도의 약간 높은 굽의 신발, 폭이 넓은 신발, 테이핑 요법, 신발내 교정 장치가 도움이 된다.

2) 외재건 손상

족부에 부착만 하는 외재근(extrinsic muscles)의 건은 체중 부하를 이겨내면서 운동을 하므로, 손상을 많이 받아 불분명한 발 통증의 원인이 된다. 또한 통증 부위가 족근 관절 염좌와 유사하여 감별진단이 필요하다.

(1) 비골건 손상

비골건염은 운동선수에 비교적 흔하게 발생하며 자주 재발한다. 비골건(peroneal tendon)의 주행 경로를 따라 통증, 부종, 염발음이 나타난다. 압통은 주로 외과 후방에 있으며,

활액막염이 있는 경우 상·하 비골지대(peroneal retinaculum)에 압통이 더 흔하다. 비골건의 강화 운동과 내번 방지용 신발내 교정 장치가 도움이 된다.

비골건 탈구는 드물게 발생하지만, 건탈구 중에서는 흔한 편이다. 비골구의 깊이가 얕거나 내번된 족부가 갑작스럽게 족배 굴곡될 때 상방 비골지대(superior peroneal retinaculum)가 파열되면서 발생한다. '툭' 하는 소리와 함께 족외과 위로 탈구된 비골건이 만져지므로, 환자는 불안해하며 마찰음과 불안정성을 호소한다.

비골건 파열은 축구 등의 고부하 운동에서 간혹 발생한다. 장비골건과 비골구 사이에 끼어있는 단비골건이 압박성 마찰을 받아 주로 파열된다.

(2) 후경골건 손상

후경골건염은 운동 중 갑작스런 방향 전환 시 주로 손상되며, 경골 내과에 의한 압박성 마찰, 퇴행성 변화, 고도 비만과도 관련된다. 후경골건(posterior tibialis tendon) 주행 경로를 따라 통증, 부종이 나타나고, 압통은 족내과 바로 후방 및 주상골(navicular) 부착부에 있다.

후경골건 기능장애가 있으면 족부 아치의 높이가 낮아져 유연성 편평족의 양상이 된다. 처음에는 족내과에 통증이 있지만, 회내가 진행되면서 족외과 부위로 통증이 옮겨가므로 주의가 필요하다.

후경골건이 파열될 경우 한발이나 양발로 선 상태에서 뒤꿈치를 들어 올리지 못한다.

(3) 장무지굴곡건 손상

장무지굴곡건(flexor hallicis longus tendon)의 주행 경로를 따라 통증, 압통, 부종이 나타나는데, 주로 활액막염(synovitis)이 발생한다. 뚜렷한 증상 차이로 인해, 근위부 활액막염과 원위부 활액막염으로 구분한다.

근위부 활액막염은 족근 관절 후내측부의 굴근지대(flexor retinaculum)에서 다발한다. 발레 무용수의 발끝으로 서는 동작(en pointe, demi pointe)과 관련되어 무용수 건염(dancer tendinitis)이라 한다.

원위부 활액막염은 족무지의 종자골(sesamoid bone) 사이에서 발생한다. 달리기의 차고 나가는 동작과 관련되므로, 거의 모든 종목에서 발생한다. 종자골 부위 통증이 특징적이며, 중족족지(metatarsophalangeal) 관절을 고정시킨 상태에서 무지 관절을 굴곡시킬 때 통증이 유발된다.

(4) 전경골건 손상

걷거나 달릴 때 중요한 역할을 하는 전경골건(anterior tibialis tendon)은 장시간의 걷기, 등산, 달리기로 자극되는데, 주로 스케이트 부츠 같이 꽉 끼는 신발에 의해 中封, 商丘穴 부근에 발생한다.

내과 전방의 통증, 압통, 부종, 열감을 호소하며, 내측궁의 건 부착부에도 압통이 나타난다. 걷거나 점프할 때 주로 통증을 호소한다. 발목이 족배 굴곡되면 통증이 유발되고, 족저 굴곡되면 통증이 줄어든다. 진행되면 족배 굴곡력이 약해지면서 보행에 지장을 받으며, 파열될 경우 족하수가 서서히 나타난다.

3) 편평족(Flat foot, pes planus)

매우 흔한 변형인 편평족(flat foot, pes planus)은 내측 종아치(medial longitudinal arch)가 소실되어 족저부가 편평해지는 변형을 의미한다. 체중 부하와 관계없이 항상 편평한 것을 강직성 편평족이라 하며, 체중 부하 시에 편평하다가 비체중 부하 시에는 정상인 것을 유연성 편평족이라 한다. 유연성 편평족은 강직성 편평족으로 이행하는 경우가 많다.

원인불명이 대부분이지만, 외상 후, 류마티스 관절염, 후경골건 기능장애, 선천성 족근골 결합, 부주상골, 족부의 퇴행성 관절염, 당뇨 등과 관련된다. 이중 후경골건 기능장애는 성인 편평족의 가장 흔한 원인이다.

편평족이 진행되어 후족부의 외반 변형과 전족부의 외전이 동반되면 뒤쪽에서 볼 때 외측부로 발가락이 더 많이 보이게 되는 특징적인 다족지 소견(too many toes sign)이 나타난다. 아킬레스건 단축 및 신발 밑창의 안쪽이 바깥쪽보다 더 닳는 소견이 나타나기도 한다.

통증이나 기능장애가 있을 때는 치료의 대상이 된다. 후경골근(posterior tibialis) 강화 운동, 아킬레스건 스트레칭, 종아치를 지지해주거나 회외(내번)시키는 신발내 교정 장치가 도움이 된다.

4) 요족(Cavoid foot, pes cavus)

요족(cavoid foot, pes cavus)은 종아치가 비정상적으로 높아지는 변형이다. 원인불명이 대부분이지만, 성인의 경우 비골근위축증(charcot marie tooth 병), 소아마비 후유증, 외상 등과 관련이 있고, 소아의 경우 척추 유합 부전, 뇌성마비 등과 관련된다.

환자들은 요족이 있더라도 불편함을 호소하지 않는 경우가 의외로 많다. 측면에서 볼 때 발등의 뼈가 돌출되어 보이며 중족족지(metatarsophalangeal) 관절의 과신전, 지간(interphalangeal) 관절의 굴곡과 더불어 갈퀴 족지(claw toe)가 관찰되기도 한다. 이러한 변형으로 인해 중족골두 하방과 근위 지절간 관절(proximal interpharyngeal joint, PIP) 배측에 굳은살 및 압통이 특징적으로 나타난다. 전방에서 볼 때 내측부로 발뒤꿈치가 보이는 특징적인 'peek a boo heel sign'이 나타난다. 또한 심한 경우 근육 불균형을 유발하여 전형적인 족저근막의 구축, 아킬레스건의 단축으로 높은 굽의 신발을 선호하는 경향이 있다.

중족골두 하방에 가해지는 압력으로 생긴 굳은살이 증상을 유발하는 흔한 요인이다. 그러므로 중족골 패드, 중족골 지지대가 도움이 되지만, 편평족에 비해 치료가 어렵다.

5) 신발내 교정 장치

족부 질환 치료 시 최근 보존적 치료가 늘어나는 추세이다. 직접적으로 발에 테이프나 접착성 패드를 단기간 붙이는 방법, 신발의 밑창(outsole)이나 깔창(insole)을 변형시키는 방법, 삽입 보조 용구나 단하지 보조기(ankle foot orthosis, AFO)를 사용하는 방법이 사용된다.

신발 밑창을 변형시키는 방법에는 둥근 바닥(rocker sole), 경성 바닥(rigid sole), 뒤꿈치 올림(heel lift), 뒤꿈치 넓힘(flare heel), 중족골 지지대(metatarsal bar) 등이 있다 (그림 5-9).

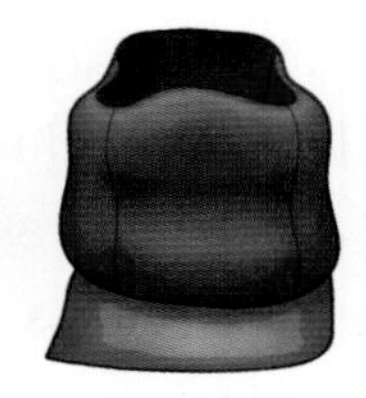

그림 5-9. 신발 밑창을 변형시키는 방법

최근 운동선수뿐 아니라 일반인에게도 인기를 얻고 있는 삽입 보조 용구는 말의 다리 모양에 따라 높이와 넓이가 다른 편자를 사용한 것에서 유래하였다. 이를 보조기(orthosis, orthotics), 깔창(insole), 삽입 용구(insert) 등으로 부르지만, 여기서는 삽입 보조 용구와 신발 깔창의 변형 방법을 합하여 '신발내 교정 장치'라 한다.

신발내 교정 장치에는 기성품과 맞춤형이 있다. 그리고 발바닥 전체 크기의 전 접촉 깔창과 일부 크기의 부분 접촉 깔창이 있다. 부분 접촉 깔창은 경제적이나 매번 착용 위치가 달라지는 문제점이 있어서 전 접촉 깔창을 변형시키는 방법이 주로 사용된다. 교정 목적에 따라 중족골 패드(metatarsal pad), 신경종 패드(neuroma pad), 아치 패드(arch pad), 뒤꿈치 컵(heel cup), 뒤꿈치 올림(heel lift), 지지(posting, wedge) 등이 있다. 일반적으로 회내된 경우 후족부 내측 지지(medial posting)를, 회외된 경우 후족부 외측 지지(lateral posting)를 사용한다.

이러한 신발내 교정 장치는 편평족, 요족, 무지강직증, 족관절염, 첨족 변형, Morton 신경종, 족저근막염, 지방패드 위축 및 일반적인 발의 통증(중족골통, 종자골 통증, 내측궁 동통, 후족부 통증) 등에 우선적으로 처방된다. 척추측만증, 하지 골절, 근육 비대칭에 의해 골반 경사가 있거나 하지 길이 차이가 나는 경우, 슬관절 내측이 좁아진 골관절염에 도움이 된다. 또한 하지와 족부의 비정상적인 생체 역학의 교정 및 예방 목적으로 사용되기도 한다.

제5절 교통사고 상해 증후군

1. 개요

교통사고 상해 증후군(whiplash-associated disorders, WAD)은 각종 교통사고 후 발생하는 골격 손상, 연조직 손상, 뇌손상(traumatic brain injury), 내장기 손상(traumatic visceral injuries), 정신적 고통(psychological distress) 등의 근골격계 손상 뿐만이 아니라 전신적 증후군을 의미한다. 특히 사고 당시의 급가속(acceleration) 또는 급감속(deceleration)으로 인하여 탑승자의 머리가 급격하게 과신전(hyper-extension) 또는 과굴곡(hyper-flexion) 되어 목 부위에 발생한 임상적 문제들을 일컬어 편타성 상해(whiplash injury)라고 한다.

세계보건기구(WHO) GSRRS (global status report on road safety 2018)의 보고에 따르면 전 세계적으로 135만 명이 사망하여 증가추세를 보이고 있으며, 대한민국은 4,292명(남 71%, 여 29%, 2016)으로 인구 10만명 당 9.8명의 통계를 보이고 있다. 교통사고 상해 증후군은 중요 상해사고의 한 분야로 교통사고 상해의 97%는 대개 경증-중등도의 염좌에 해당하고, 국내 한의학 치료는 전체 교통사고 상해의 27.9%(2016년 통계)를 담당하고 있다.

일반적으로 교통사고 상해 환자의 1/3은 3개월 이내에 초기 증상에서 완전히 회복되고, 1/3의 환자는 경미한 통증과 장애가 3개월 이상 지속되며, 나머지 1/3은 심각한 통증과 장애가 3개월 이후에도 지속된다. 교통사고 상해 증후군은 모든 근골격계 질환 중에서 가장 논란이 있는 상해 분야 중 하나인데 이는 신체적, 정신적으로 다양한 증상들이 복잡하게 나타나고 증상 변화가 다양한 반면에 현재까지의 영상 기법으로는 정확한 해부·생리·병리학적 진단이 힘들고, 사회적 문제와 더불어 대부분의 환자들이 보상 문제와 연관되어 있기 때문이다.

현재 국내는 건강보험 외에 자동차보험 체계를 통해 교통사고 상해환자의 보상이 이루어지고 있으며, 교통사고 상해 증후군에 대한 가이드라인이 캐나다(1995), 영국(2004), 호주(2008) 등을 중심으로 출간되었으나, 국내의 경우 교통사고 상해 증후군 한의표준임상진료지침(2016-2020)이 연구진행 중이다.

2. 손상기전과 임상증상

1) 손상기전

교통사고 충돌 실험을 통해 관찰한 결과 하부 경추에서 분절간 과신전, 상부 경추에서 분절 운동의 불안정성이 발생하였다. 경추의 경우 충돌 직후에 S자 형태로 변형되는데 이는 아래 분절은 신전상태인 반면에 윗 분절은 굴곡되어 있는 상태를 의미한다. 또한 상부 흉추의 신전과 회전을 포함하는 흉추의 과운동성이 발생하며 축방향력과 전단력으로 인해 추체 간 회전과 병진운동이 발생하게 된다. 현재의 영상 기술로는 살아있는 인체를 대상으로 교통사고 상해 증후군의 손상기전을 명확하게 파악하는 것은 한계가 있으나 척추관절돌기, 디스크, 추체, 신경조직(척수, 후근 신경절, 뇌간 등을 포함), 뼈와 같은 구조물에 손상이 발생하는 것으로 보고되고 있다. 또한 일부 만성 교통사고 상해 증후군 환자들을 대상으로 기능부전이 발생한 척추관절돌기에 신경차단술(blocks)을 시행했을 때 통증이 감소되고, 근전도에서의 운동단위활동전위(MUAP) 검사 상 변화가 나타나는 것을 통해 말초에도 신경 손상이 존재하는 것으로 알려져 있다.

특히 연부조직의 손상은 흔히 일어나는 손상으로 가벼운 신장(연부조직 손상 1단계), 신장과 부분적 열상(연부조직 손상 2단계), 심한 신장과 실제적 열상 및 조직 완전성의 파괴(연부조직 손상 3단계)가 일어날 수 있다. 골절과 탈구에 내용은 제3절 골절과 탈구의 내용을 참조한다.

2) 임상증상

교통사고 상해 증후군 환자들은 사고 발생 후에 다양하고 복잡한 증상을 호소하게 된다. 차량 추돌로 인한 충격이 탑승객의 체간과 어깨에 전달되면서 전종인대, 극간인대, 척추 주변 근육을 손상시킬 뿐만 아니라, 심한 경우 신경근과 추간판, 뼈의 손상까지 야기하기도 한다. 증상은 일반적으로 즉시 발생하기도 하지만 12-15시간 후에 나타날 수도 있다.

내원 주 증상은 통증, 뻣뻣함, 피로감, 두통, 현훈, 기억상실, 불면, 우울 등 매우 다양하게 나타나며, 한방의료기관에 내원하는 57%의 환자가 다발부위 통증을 호소하였다. 그 중

경항통은 교통사고 상해 증후군 환자에서 가장 빈도가 높은 증상이다.

3) 교통사고 상해 증후군의 신체적, 정신적 특성

교통사고 상해 증후군이 발생한 환자에게서 구체적인 병소가 확인되는 것이 가장 이상적이지만, 증상의 해부병리학적 원인을 확인해서 교통사고 상해 증후군 환자의 통증을 관리하는데 필요한 근거를 명확히 제시할 수 없기 때문에 현재로서는 단지 증상에 따른 신체적, 정신적 문제에 관한 평가와 치료를 하는데 초점을 맞추고 있다.

(1) 운동 장애

교통사고 상해 증후군에서 가장 흔하게 관찰되는 운동 장애는 경추에서의 뚜렷한 운동 범위 제한이다. 그리고 경추와 어깨 부위 모두에서 근육이 변성되는데 이는 사고 직후에 뚜렷하며, 통증과 장애 정도가 심각할수록 증가한다. 이러한 운동 범위 제한은 증상이 진행 중인 만성 환자들 뿐만 아니라 통증과 장애가 비교적 경미하거나 완전히 회복되었다고 판단되는 환자들에게까지 계속되어 목 통증이 재발하기 쉬운 상태로 만들기 때문에 사고 후 2년까지가 회복 여부를 판단하는데 특히 중요한 것으로 알려져 있다.

만성 교통사고 상해 증후군 환자들의 경우 경추 근육의 뚜렷한 구조적 변화를 MRI를 통해 확인할 수 있는데 경추를 신전시키는 근육들에서 지방 축적이 증가하였고 특히 대/소후두직근과 다열근과 같은 심부 근육들에서 지방 축적이 더 많았다. 통증과 장애 정도, 혹은 환자의 기능 회복 정도가 근육의 구조적 변화와 어떤 상관성을 가지고 있는지 아직 알려진 바가 없지만 만성 교통사고 상해 증후군 환자들에게서 운동 장애는 공통적으로 나타나는 특징이다.

(2) 감각 장애

운동 장애가 대부분의 교통사고 상해 증후군 환자들에서 공통적으로 나타나는 것과는 대조적으로, 감각 장애는 교통사고 상해 증후군 환자들의 통증과 장애 정도를 높고 낮은 수준으로 분류할 수 있는 특징이 될 수 있다. 일반적인 근골격계 질환에서 나타나는 통증 역시 통각 자극에 과민성을 보이지만, 만성 교통사고 상해 증후군 환자들의 경우 경추와 멀리 떨어진 부위에서 압각, 온각, 냉각 자극에 대한 역치가 감소하는 것과 같은 복잡한 감각 장애가 나타나며 일반적인 비외상성 통증 환자들에 비해 상대적으로 심한 통증과 장애를 가지고 있다.

교통사고 이후 중추성 과흥분으로 인해 통증 역치가 감소하는 현상은 경추와 상하지 등 신체의 다양한 부위에서 나타날 수 있는데 특히 손상 직후에 많이 발생하며 교통사고 상해 초기에 발현되는 경우 기능 회복이 좋지 않고 물리치료에 대한 반응이 나쁘기 때문에 중요하다. 교통사고 상해 증후군 환자들에서 통증 역치가 감소하는 까닭은 심부 경추 구조물들이 빠르게 회복되지 않아 중추신경계의 과흥분을 유발하기도 하며 교감신경의 손상으로 인한 혈관수축과 스트레스 관련 요인들이 연관되어 있다고 알려져 있다.

(3) 정신적 장애

비외상성 질환들과 비교해 볼 때 교통사고 상해 증후군은 다양한 정신적 요인들과 연관되어 있으며 특히 급성 스트레스 장애(acute stress disorder, ASD)와 외상 후 스트레스 장애(post traumatic stress disorder, PTSD)는 교통사고 상해 증후군 환자에서 정신적 증상으로 나타나기도 한다. 급성기 교통사고 상해 증후군 환자들은 경미한 통증과 장애를 가지고 있더라도 심한 정신적 고통을 겪을 수 있다. 또한 중등도 혹은 심한 정도의 통증과 장애를 사고 후 2-3개월 동안 계속된 환자들의 경우 정신적 괴로움과 삶의 질 저하를 확인할 수 있다. 이러한 증상이 초기에 나타날 경우 예후가 불량해지며, 적절한 정신적 치료를 위해서 교통사고 상해 증후군 환자를 보다 깊게 이해하고 다양한 치료적 접근 방법을 고려하는 것이 필요하다.

3. 진단, 분류 및 평가

1) 진단 및 분류

교통사고 상해 증후군의 진단은 교통사고 상해라는 뚜렷한 발병원인을 갖추고 있어, 상해 발생 후 적절한 진단의 갈림 포인트를 찾는 것이 매우 중요하다. 특히, 급성기(사고 후

72시간 이내)에는 신경학적 손상(중추 및 말초신경) 유무, 골절유무, 내장기 손상의 유무를 감별하는 것이 매우 중요하며, 한국의료시스템에서 주로 의과의 응급의료센터에서 이루어지게 된다. 한방의료기관에 내원하는 주요 손상부위는 목>허리>두부>신경손상>골절>상하지>가슴 옆구리 손상으로 설문조사되었다.

교통사고 상해 증후군 관련 상병명 코드는 S코드, T코드와 더불어 외상으로 인한 정신적 고통(F코드), 신경계마비(G코드) 등이 사용될 수 있다. 1, 2차(2017, 2018)에 걸친 한의사 대상 설문조사를 토대로 한의변증진단은 어혈(瘀血)변증(93.1%)이 대다수를 차지하고 있으며, 그 이외 기체(氣滯), 담음(痰飮), 허증(虛症: 기허>혈허>음허>양허)의 순으로 조사되었다. 또한 의과협진이 필요하다는 의견이 43.6%를 차지하였으며, 필요한 사유로는 영상검사를 포함한 의과 진단(82.4%)과 의과 치료(11.7%)로 조사되었다. 영상검사의 경우 엑스선검사, MRI, CT 순으로 나타났다.

1995년, 캐나다의 브리티시 콜롬비아주 퀘벡 특별 위원회(the Quebec Task Force, QTF)는 교통사고 상해 증후군에 대한 분류를 표 5–2와 같이 제시하였다. 이는 교통사고 상해 증후군 환자에 대한 평가를 용이하게 하고 치료 방침을 결정하는데 있어 유용한 지침을 제공하기 위함이다. QTF 체계는 교통사고 상해 증후군 환자를 손상 직후 관찰되는 특징, 이학적 검사 결과와 증상의 경중에 따라 다음과 같이 분류하였다. 또한 교통사고 상해의 단계별로 급성기, 아급성기, 회복기 및 만성기로 구분이 가능하다.

표 5–2. WAD에 관한 퀘벡 특별 위원회(QTF) 분류

QTF 등급 분류	임상 양상
0	목 통증에 대한 불편감이 없음
I	이학적 증상 없음 통증, 뻣뻣함, 압통을 포함하는 목의 증상
II	이학적 증상 없음 목의 증상 근골격계 증상 : ROM 감소, 압통
III	목의 증상 근골격계 증상 신경학적 증상 : 심부 건반사 감소 혹은 소실, 근력약화, 감각소실
IV	목의 증상, 골절 혹은 탈구

주) Quebec Task Force (QTF)의 가이드라인에서 인용

2) 평가

초진 시 진료실에서의 병력청취, 진단과 평가는 정확하게 기록되어야 한다. 교통사고 상해 증후군 환자의 평가는 통증과 장애가 발생한 부위에 대한 세밀한 관찰과 함께 종합적인 평가가 이루어져야 하며, 특히 만성화와 관련된 위험 인자는 치료 방향을 결정하는 중요한 요인이기 때문에 사고 초기에 급성기 손상의 평가가 무엇보다 중요하다. 급성기 손상의 평가는 향후 예후에도 지대한 영향을 미치는 중요 요소로 작용하며, 아급성기를 거치면서 점차 복구단계로 전환된다.

우선 목 통증과 두통과 같이 손상과 직접적인 연관이 있는 모든 통증이나 장애에 대한 병력 청취가 이루어져야 한다. 또한 사고 초기에 나타나는 통증과 장애의 정도가 회복기간이 장기화 될지를 알 수 있는 확실한 근거이기 때문에, 통증척도(pain visual analogue scale, numerical rating scale)나 목과 허리의 기능평가(Oswestry disbibility index, ODI / neck disability index, NDI)와 같은 평가설문지를 초기 평가에 활용해 볼 수 있다(표 5–3).

임상에서 급성기 환자를 대했을 때 제일 먼저 신경학적 손상, 골절과 탈구 혹은 정신적 2차 증상 여부를 반드시 감별해야 한다. 신경손상의 분류는 일반적으로 Seddon(1943)과 Sunderland(1951)의 신경손상분류법(1단계~5단계)을 참고하여 활용하며, 향후 신경의 회복과 장애에 대한 예후를 판단 시 근전도, 신경전도검사가 참조된다. 정신적 상태(급성스트레스 장애, 외상 후 스트레스 장애 등)는 사고 후 발생한 손상이 만성기로 전환하는데 부정적 영향을 주기 때문에 교통사고 상해 증후군 환자의 평가에서 반드시 고려해야 한다. 특히 교통사고 상해 증후군 환자에서 통증 역치의 감소 여부를 확인하는 것은 두 가지 이유에서 중요한데 (1) 통증 역치를 관찰하고 진료기록에 기록하여 환자의 예후 판단에 도움을 받고, (2) 향후 보상분쟁의 발생 시 근거자료로 활용가능하고 환자의 경과관찰에 필수적이기 때문이다.

4. 교통사고 상해 증후군의 치료

한의학적 관점에서 교통사고 상해 증후군은 打撲, 落傷, 瘀血, 血結, 蓄血의 범주로 인식하는데 교통사고 상해 증후군의 발생요인이 어혈(瘀血)의 발생요인과 유사하게 충격으로 인한 혈행부조(血行不調)로 기인하기 때문이다. 따라서 血行의 不調를 바로잡고 瘀血을 제거하여 손상부위를 회복시키는 것을 치료 목표로 삼는다.

현재까지 발간된 국내(2017 한의표준임상진료지침, 2020년 발간예정) 및 국외 교통사고 상해 증후군의 진료지침을 참고하여 보면 1) 교통사고 상해 증후군이 일반적인 근골격계 질환과는 달리 다양한 증상과 예후를 가지고 있는 질환임을 교육시키고, 2) 영구적인 장애는 매우 드물고 장기적인 예후는 좋은 편이라는 자신감을 키워주며, 3) 점진적으로 일상생활과 운동 수준을 증가시키면서 4) 의과 및 한의과의 각종 통증을 완화시키는 보존적 치료법(주사, 약물, 침 등)을 유지하면서 버텨내는 전략이다. 통증이 경미한 환자들은 일상적인 활동이나 운동을 제한할 필요가 없기 때문에 보조기를 사용하지 말고 최대한 움직임을 확보하고 유지하는 것이 급성기 교통사고 상해 증후군 환자 관리에서 무엇보다 중요하다. 특히 예민해진 통증 부위에는 침이나 추나요법, 부항 혹은 한방물리요법과 같은 보존적 치료법이 손상 부위를 더욱 자극하여 증상이 악화되지 않도록 주의해야 한다.

하지만 교통사고 상해 증후군이 매우 다양한 요인들이 복합적으로 작용하여 나타나기 때문에 이와 같은 치료법이 경미한 증상을 가지고 있는 경우에는 효과적이겠지만 뚜렷한 신체 장애와 정신적 문제가 동반된 중증의 환자에게는 도움이 되지 않을 수도 있다. 그래서 최근의 진료지침을 참고하면 감각 장애나 정신적 스트레스와 같은 불량한 예후와 관련된 요인들이 명확하게 나타날 경우 교통사고 상해 증후군이 만성화될 것을 고려해 환자들에게 정신적 지지와 함께 장기적인 치료 계획을 세울 것을 권고하고 있다.

교통사고 상해 증후군의 한의표준임상진료지침(2017, 미발간)과 그간의 연구를 참고하면, 급성기 한의치료는 주 3-5회, 아급성기는 주 2-3회, 만성기는 주 1-2회의 치료를 시행하였으며, 주요 치료법으로는 침(전침)>부항>한방물리요법>한약>약침>도인운동요법>추나요법>뜸 순으로 다용되었다. 침과 전침은 가장 다용되었으며, 부항은 근육의 경결과 어혈(瘀血)의 해소를 위하여 사용되었다. 한약의 경우 당귀수산(當歸鬚散)>오적산(五積散)>갈근탕(葛根湯)>회수산(回首散) 등의 처방이 다용되었으며, 추나요법은 근막추나기법이 가장 빈도 높게 사용되었다. 특히, 추나와 약침의 병행치료를 통해 통증과 기능개선에 효과적이라는 의견은 87.7%로 높게 나타났다 (표 5-4).

표 5-3. 교통사고 상해 증후군의 진단평가

단계별 진단평가	급성·아급성기	만성기
근골격계 평가	통증평가(VAS, NRS 등) 골절 및 탈구평가(X-ray 등)	통증평가 전신적외선체열검사(DITI)
정신·신경계 평가	중추신경평가(뇌손상, 척수손상) 말초신경 손상 평가 정신적 충격(ASD평가)	근전도, 신경전도검사 정신적 충격(PTSD평가)
기능평가	ROM 경추(NDI, MPQ 등) 요추(ODI, RMDQ 등)	ROM 경추(NDI, MPQ 등) 요추(ODI, RMDQ 등)

주) 의과, 한의과 진단을 포괄하여 작성함.
VAS; visual analogue scale, NRS; numerical rating scale, NDI; neck disability index, ODI; Oswestry disability index, RMDQ; Roland-Morris disability questionnaire, ASD; acute stress disorder, PTSD; post-traumatic stress disorder

5. 교통사고 상해 증후군의 예후

교통사고 상해 증후군 환자의 예후를 판단하기 위해 사고의 정도, 충돌과 관련된 변수, 보험과 소송의 배상문제, 그리고 신체적, 정신적, 사회적 요인들과 같은 수 많은 요인들이 고려되어야 하는데 그 중에서 초기에 나타나는 심한 통증 강도가 기능 회복을 지연시키는 것과 가장 밀접하게 연관되어 있다고 보고되어 있다. 이 밖에도 경추의 운동 범위 감소, 통증 자극에 대한 역치의 감소 그리고 손상된 교감신경으로 인한 혈관 수축과 같은 증상들이 예후와 연관이 있었으며 외상 후 스트레스 장애(PTSD)는 다른 정신적 질환들과 비교할 때 교통사고 상해 증후군의 불량한 예후를 판단하는데 있어 특히 중요한 것으로 여겨지고 있다. 그리고 사고 후 배상 문제와 관련된 요인이 회복에 미치는 영향에 대해서는 아직까지 논란의 여지가 있는데 일부 연구에서는 예후와 관련이 있다고 주장하고 있고 또 다른 연구에서는 예후와는 관련이 없다고 보고되어 있기도 하지만 교통사고 상해 증후군 환자를 치료하는 과정에서 보험이나 소송과 같은 문제들이 환자들에게 심리적, 정신적으로 적지 않은 영향을 미치고 있다는 것을 간과해서는 안 된다.

교통사고 상해 증후군

변증진단

전 연령의 교통사고 상해 환자의 한의학적 변증진단은 어혈 변증을 우선적으로 고려할 수 있으며, 환자 상태나 한의사의 판단에 따라 기혈, 장부, 한열, 음양 변증에 따른 세부 변증 진단을 임상진료지침 개발그룹의 임상적 경험에 근거하여 권고한다.
GPP/insufficient

의과협진/의뢰

전 연령의 교통사고 상해 환자의 신체 검진 및 이학적 검사를 통해 WAD 중등도 이상 Ⅲ, Ⅳ로 의심되는 경우, 의과 협진 의뢰하는 것을 임상진료지침 개발그룹의 임상적 경험에 근거하여 권고한다. GPP/insufficient

외상 후 스트레스 장애

교통사고 상해로 인한 성인(19–70세)의 급성 스트레스 장애(acute stress disorder; ASD) 및 외상 후 스트레스 장애(post –traumatic stress disorder, PTSD) 환자의 신경정신과적 지표 개선을 위해 통상적인 치료만을 시행하는 것보다 한방 복합 치료를 시행하는 것을 임상진료지침 개발그룹의 임상적 경험에 근거하여 권고한다. GPP/insufficient

골절

교통사고 상해로 골절이 발생한 성인(19–70세) 환자의 통증 및 기능 개선을 위해 일상 치료만을 시행하는 것보다 한방 복합 치료를 시행하는 것을 임상진료지침 개발그룹의 임상적 경험에 근거하여 권고한다.
GPP/insufficient

예후

전 연령의 교통사고상해 환자의 직장으로의 또는 일상생활로의 복귀율 등을 개선하기 위해 한방 복합치료를 임상진료지침 개발그룹의 임상적 경험에 근거하여 권고한다.
GPP/insufficient

침

경항통을 주소로 하는 성인(19–70세) WAD Ⅰ, Ⅱ 환자의 통증 개선을 위해 다른 통상적인 치료보다 침(또는 전침) 치료와 통상적인 치료를 병행하는 것을 고려해야 한다.
B/moderate
경항통을 주소로 하는 성인(19–70세) WAD Ⅰ, Ⅱ 환자의 통증 개선을 위해 다른 통상적인 치료보다 침(또는 전침) 치료와 통상적인 치료를 병행하는 것을 고려해야 한다.
B/moderate
요통을 주소로 하는 성인(19–70세) WAD Ⅰ, Ⅱ 환자의 통증 및 기능 개선을 위해 통상적인 치료에 침(또는 전침) 치료를 추가 시행하는 것을 임상진료지침 개발그룹의 임상적 경험에 근거하여 권고한다.
GPP/insufficient

약침

경항통을 주소로 하는 성인(19–70세) WAD Ⅰ, Ⅱ 환자의 통증 개선을 위해 침 치료만을 시행하는 것보다 침 치료와 변증 진단에 따른 약침 치료를 병행하는 것을 고려해야 한다.
B/moderate
경항통을 주소로 하는 성인(19–70세) WAD Ⅰ, Ⅱ 환자의 기능 개선을 위해 침 치료만을 시행하는 것보다 침 치료와 변증 진단에 따른 약침 치료를 병행하는 것을 고려해야 한다.
C/low
요통을 주소로 하는 성인(19–70세) WAD Ⅰ, Ⅱ 환자의 통증 및 기능 개선을 위해 변증 진단에 따른 약침 치료 단독 또는 병행 치료를 시행하는 것을 임상진료지침 개발그룹의 임상적 경험에 근거하여 권고한다.
GPP/insufficient

추나

경항통을 주소로 하는 성인(19–70세) WAD Ⅰ, Ⅱ 환자의 통증 및 기능 개선을 위해 추나요법 단독 또는 병행 치료를 시행하는 것을 임상진료지침 개발그룹의 임상적 경험에 근거하여 권고한다.
GPP/insufficient
요통을 주소로 하는 성인(19–70세) WAD Ⅰ, Ⅱ 환자의 통증 및 기능 개선을 위해 추나요법 단독 또는 병행 치료를 시행하는 것을 임상진료지침 개발그룹의 임상적 경험에 근거하여 권고한다.
GPP/insufficient

뜸

경항통을 주소로 하는 성인(19–70세) WAD Ⅰ, Ⅱ 환자의 통증 개선을 위해 침 치료만을 시행하는 것보다 침 치료와 간접구 치료를 병행하는 것을 고려할 수 있다.
C/low
경항통을 주소로 하는 성인(19–70세) WAD Ⅰ, Ⅱ 환자의 기능 개선을 위해 침 치료만을 시행하는 것보다 침 치료와 간접구 치료를 병행하는 것을 고려할 수 있다.
C/low
요통을 주소로 하는 성인(19–70세) WAD Ⅰ, Ⅱ 환자의 통증 및 기능 개선을 위해 뜸 치료 단독 또는 병행 치료를 시행하는 것을 임상진료지침 개발그룹의 임상적 경험에 근거하여 권고한다.
GPP/insufficient

침

경항통을 주소로 하는 성인(19–70세) WAD Ⅰ, Ⅱ 환자의 변증 지표 및 통증, 기능 개선을 위해 변증진단에 따른 한약 단독 또는 병행 치료를 시행하는 것을 임상진료지침 개발그룹의 임상적 경험에 근거하여 권고한다.
GPP/insufficient
요통을 주소로 하는 성인(19–70세) WAD Ⅰ, Ⅱ 환자의 변증 지표 및 통증, 기능 개선을 위해 변증진단에 따른 한약 단독 또는 병행 치료를 시행하는 것을 임상진료지침 개발그룹의 임상적 경험에 근거하여 권고한다.
GPP/insufficient

약침

경항통을 주소로 하는 성인(19–70세) WAD Ⅰ, Ⅱ 환자의 통증 및 기능 개선을 위해 통상적인 치료만을 시행하는 것보다 한방물리요법 치료와 통상적인 치료를 병행하는 것을 임상진료지침 개발그룹의 임상적 경험에 근거하여 권고한다.
GPP/insufficient
요통을 주소로 하는 성인(19–70세) WAD Ⅰ, Ⅱ 환자의 통증 및 기능 개선을 위해 통상적인 치료만을 시행하는 것보다 한방물리요법 치료와 통상적인 치료를 병행하는 것을 임상진료지침 개발그룹의 임상적 경험에 근거하여 권고한다.
GPP/insufficient

추나

경항통을 주소로 하는 성인(19–70세) WAD Ⅰ, Ⅱ 환자의 통증 및 기능 개선을 위해 부항 단독 또는 병행 치료를 시행하는 것을 임상진료지침 개발그룹의 임상적 경험에 근거하여 권고한다.
GPP/insufficient
요통을 주소로 하는 성인(19–70세) WAD Ⅰ, Ⅱ 환자의 통증 및 기능 개선을 위해 부항 단독 또는 병행 치료를 시행하는 것을 임상진료지침 개발그룹의 임상적 경험에 근거하여 권고한다.
GPP/insufficient

뜸

경항통을 주소로 하는 성인(19–70세) WAD Ⅰ, Ⅱ 환자의 통증 및 기능 개선을 위해 추나요법 또는 약침 치료를 단독으로 시행하는 것보다 추나요법 치료와 약침 치료를 병행하는 것을 임상진료지침 개발그룹의 임상적 경험에 근거하여 권고한다.
CPP/insufficient
요통을 주소로 하는 성인(19–70세) WAD Ⅰ, Ⅱ 환자의 통증 및 기능 개선을 위해 추나요법 또는 약침 치료를 단독으로 시행하는 것보다 추나요법 치료와 약침 치료를 병행하는 것을 임상진료지침 개발그룹의 임상적 경험에 근거하여 권고한다.
GPP/insufficient

그림 5–10. 교통사고 상해 증후군 진료흐름도

6절 산업재해

1. 개요

산업재해란 근로자가 업무에 관계되는 건설물, 설비, 원재료, 가스, 증기, 분진 등에 의하거나 작업 기타 업무에 기인하여 사망 또는 부상하거나 질병에 이환되는 것으로 산업안전보건법에서 정의하고 있다. 하인리히(Heinrich)는 1931년 그의 저서에서 하인리히법칙이라고 불리는 이론을 제시하였는데, 산업재해를 큰 재해, 작은 재해, 사소한 재해로 구분하여 1:29:300의 비율을 따른다고 한 것이다. 즉, 중대한 재해는 단순히 우연에 의해 단편적으로 발생하는 것이 아니라, 수많은 크고 작은 반복 상황 중에 일어난다는 의미이다. 따라서 국가는 산업재해를 예방하기 위해 선진화된 산업안전시설을 설치하고 주의를 기울임에도, 업무의 종류 및 특성에 따라 발생할 수 있다. 산업재해 발생 시 초기 대응을 신속하게 하고 적절한 의료재활을 통해 장애를 최소화하여 사회 복귀가 가능하도록 하는 것이 중요하다.

중대한 산업재해로 장애가 남을 경우, 재해자는 갑작스러운 신체기능의 상실 및 환경 변화로 인한 적응의 어려움을 겪으면서 자신의 상태를 수용하기가 어렵기 때문에 심한 외상 후 스트레스, 우울증 그리고 좌절감을 경험할 수 있다. 산업재해 장애인은 신체적 변화로 인해 무력감을 느끼고 근로욕구가 단절되어, 요양기간이 장기화될수록 자신감과 근로의욕이 감퇴되고, 알코올중독과 같은 의존적 생활에 빠질 수도 있다. 결국 심리적 문제, 가족 간의 갈등, 경제적인 문제, 직업적인 문제 등의 복합적인 경험은 육체적, 정신적 어려움을 가속화시켜 사회참여를 저해하는 결과를 낳는다. 그러므로 신체적, 심리적, 사회적, 경제적인 부분의 인식 고취 및 개선 프로그램과 사회적응 및 개별적 선호에 맞는 직업, 사회참여 프로그램이 제공되어야 한다.

의료재활 단계에서는 '장해 또는 장애'로 인한 육체적, 정신적인 능력을 개선시킴으로써 산업재해 이전의 상태로 회복시키는 것이 주목적이다. 구체적 의료 재활은 병의 진행 예방 및 치료, 건강회복과 호전 상태 유지, 직업생활 참여 준비 등이 포함된다.

2. 발생현황

우리나라의 산업재해 발생 현황을 살펴보면, 2017년 12월 말 현재 우리나라 근로자 18,560,142명 중 산업현장에서 재해를 입은 재해자수는 89,848명, 이 중 사망자수는 1,957명으로, 재해율(재해자수/근로자수×100)과 사망만인률(사망자수/근로자수×10,000)이 각각 0.48과 1.05를 기록하고 있다.

3. 산업재해보상보험

1) 개요

근로자의 업무상 재해를 사업주의 개별보상책임(근로기준법에 의한 재해보상책임 등)에 맡겨둘 경우 사업주의 보상능력의 정도에 따라서 피재근로자측이 제대로 보호받지 못하는 경우가 발생할 수 있다. 산업재해보상보험법(이하 산재법이라 표현함)은 이러한 근로기준법상의 문제점을 해결하고자 1963년 제정된 법률로써 근로자의 업무상의 재해를 신속하고 공정하게 보상함으로써 근로자 보호에 이바지하는 것을 목적으로 하고 있으며(산재법 제 1조), 사업주가 피재근로자에 대한 보상과 관련하여 과도한 경제적 부담을 질 수 있는 위험을 산업재해보상보험(이하 산재보험이라 표현함)이라는 보험제도를 통해 분산 또는 경감시켜줌으로써 안정적이고 계속적인 기업 활동을 할 수 있도록 하는 역할도 수행하고 있다.

우리나라 사회보험 중 최초로 1964년도에 산재보험이 시행된 이후 산재보험 적용대상 기업은 대규모기업에서 소규모기업으로 점차 확대되었으며 2000년 7월부터는 전면적으로 확대되어 근로자 1인 이상의 사업장에도 산재보험을 적용하게 되었다.

2) 요양의 범위

요양이라 함은 진찰, 약사법에 의해 등록된 약국의 약제, 치료 재료·의지·보철구의 지급, 처치·수술·치료, 의료시설에

의 수용, 간병, 이송 등을 말한다. 다시 말해서 부수적으로 행하는 보조적인 의료조치나 장비도 요양의 범위로 인정된다. 이에 대해 행정해석을 중심으로 살펴보자. 첫째, 한방치료는 요양의 범위에 들어가나 온천치료는 그렇지 않다. 둘째, 다른 사람에게 혐오감을 주거나 전염의 우려가 있을 때는 격리수용도 요양으로 인정된다. 셋째, 업무상 재해로 요양하는 환자가 이미 가지고 있는 당뇨병이 악화된 경우도 요양의 대상이다. 다만, 그 당뇨병은 3개월간 치료하여도 상태가 호전되지 않으면 기존 상태로 인정하여 치료를 종결할 수 있다. 넷째, 요양 중에 당한 골절상과 같은 부상도 원래의 상병과 상당한 인과관계가 있으면 요양대상이다. 다섯째, 요양 중에 간염, 영양불량 등의 병이 추가되어 이를 치료하지 않고는 당초의 병을 치료하기 어렵다면 요양대상이 된다. 여섯째, 당초의 상병을 치료하는데 명백히 필요한 속발증이거나 합병증도 요양급여의 대상이다. 일곱째, 성형수술이나 안경의 사용도 장해의 정도를 완화시킨다면 요양급여의 대상이다. 여덟째, 가발이나 치과 보철도 요양의 범위에 포함된다. 아홉째, 재해근로자가 요양 중에 이동하다가 들어간 비용, 즉 이송료도 요양급여의 대상이다.

3) 요양급여 지급방법

산업재해 근로자는 근로복지공단에 요양비의 전액을 요양급여로 지급해 줄 것을 신청한다. 산업재해 근로자는 일반적으로 근로복지공단이 설치하거나 지정한 의료기관에서 요양을 받는다. 다만, 근로복지공단은 인근에 지정된 의료기관이 없거나 지정된 의료기관의 시설이나 장비가 충분치 못하면 다른 의료기관을 정하여 요양하게 할 수 있다. 산업재해 근로자의 부상이나 질병이 완전히 치료되면 요양은 종결된다. 또 계속하여 치료하더라도 더 좋아질 것으로 기대할 수 없어 그 증상이 고정된 상태에 이르렀다는 의학적인 의견이 있으면 종결된다. 이 경우에는 장해의 정도에 따라 장해보상 또는 장해보상연금을 받게 된다. 의료기관은 최초로 진단한 때부터 요양이 종결된 때까지의 의견서를 근로복지공단에 제출하고 이미 정한 산업재해 근로자의 요양기간을 연장할 수 있다. 한편 의료기관의 진료 이외에 치료를 위한 투약기간도 요양기간에 포함된다. 세부적인 신청 및 지급방법은 아래와 같다.

(1) 요양신청

업무상의 사유로 부상을 당하거나 질병에 걸려 4일 이상 요양이 필요한 경우에는 「요양급여신청서」를 공단에 제출하여 승인을 받아야 한다.

(2) 진료계획서 제출 - 치료기간을 연장하고자 할 때

산재보험 의료기관은 요양급여를 받고 있는 근로자의 치료기간을 연장할 필요가 있는 때에는 그 근로자의 상병 경과, 치료 예정기간 및 치료 방법 등을 적은 진료계획을 3개월 단위로 하여 종전의 요양기간이 끝나기 7일전까지 공단에 제출하여야 한다.

(3) 전원요양신청 - 산재보험 의료기관을 옮기고자 할 때

전문적인 치료 및 재활치료 또는 생활근거지에서 치료하기 위하여 산재보험 의료기관을 옮기고자 할 때에는 사전에 전원요양을 신청하여야 한다.

(4) 추가상병 신청 - 치료 중 새로운 상병이 발견되었을 때

요양 중인 산재근로자에게 당초의 업무상 재해와 관련하여 이미 발생한 부상이나 질병이 원인이 되어 새로운 질병이 발생하는 경우 공단에 추가로 승인 신청하는 것을 말하며 공단의 승인을 받아야만 그 상병에 대한 치료가 가능하다.

4) 재요양과 후유증

요양이 끝난 후 다음과 같은 경우 재요양이 가능하다. 첫째, 질병이 재발하거나 악화되면 다시 요양을 받을 수 있다. 예를 들면 일반적인 경우로서 당초의 상병과 재요양 신청한 상병 간에 상당한 인과관계가 인정되고 재요양을 함으로써 치료효과가 기대될 수 있다는 의학적 의견이 있는 때를 생각할 수 있다. 둘째, 의지 장착을 위하여 절단부의 재수술이 필요한 경우에도 그러하다. 셋째, 금속핀 등 내고정물의 제거가 필요해도 재요양이 가능하다. 재해근로자가 재요양을 신청할 때 반드시 처음에 요양한 의료기관에서 의학적 의견을 받지 않아도 된다. 그러나 자기 집에서 요양하면서 사적인 행위로 상병이 악화된 경우에는 재요양의 대상이 될 수 없다. 장해보상연금을 받는 근로자가 재요양을 받게 되면 재요양이 결정

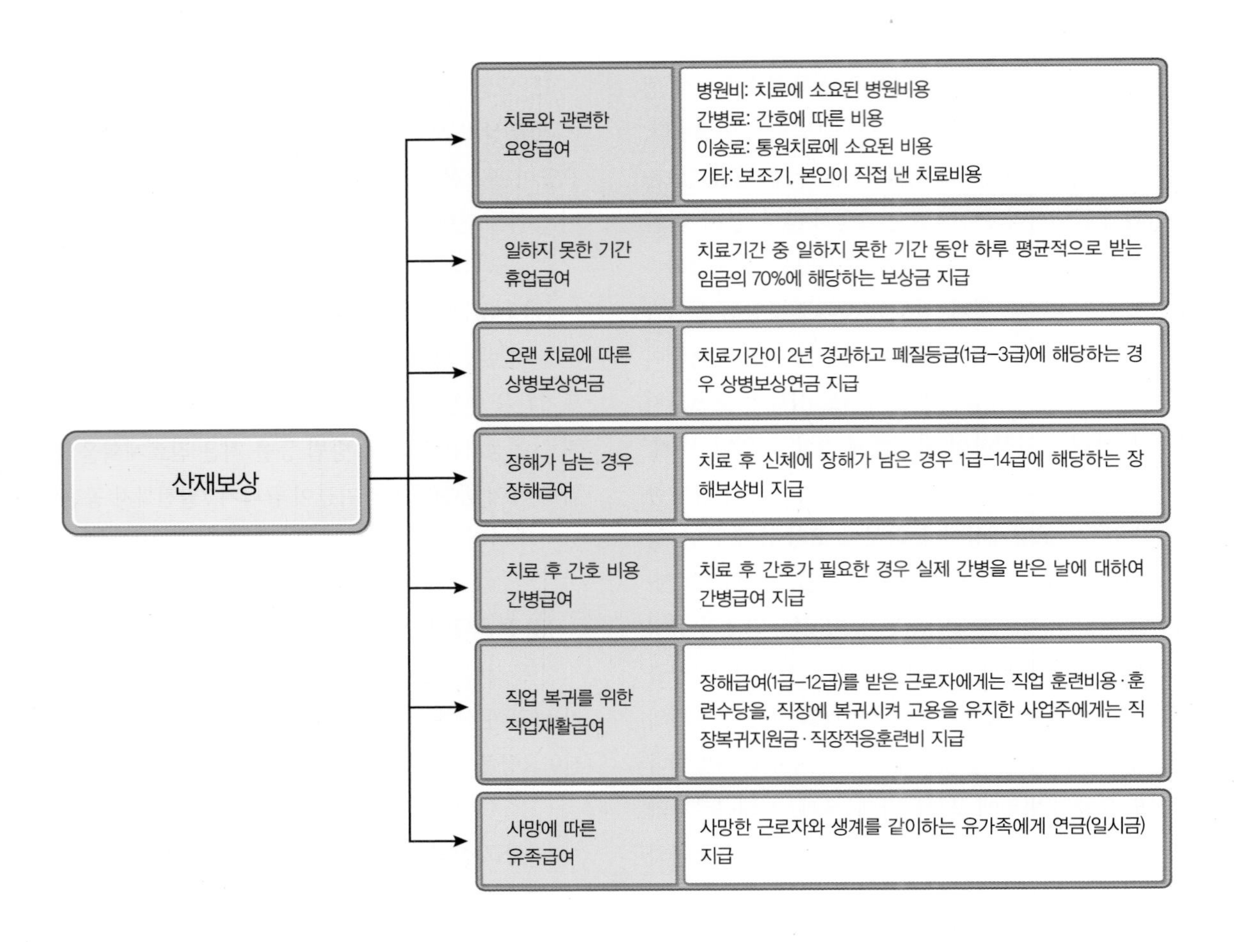

그림 5-11. 산업재해보상의 종류

된 날이 속하는 달의 다음 달부터 재요양이 종료된 날이 속하는 달까지 장해보상연금의 지급이 정지된다. 또한 장해보상연금을 선급받은 경우에는 재요양기간을 대상으로 하여 그 차액을 추가로 지급한다. 근로복지공단은 재요양 요건에는 해당하지 않으나 부상·질병의 특성상 후유증이 발생할 우려가 있는 근로자에 대하여 지정된 의료기관에서 필요한 조치를 받도록 할 수 있다. 근로복지공단은 후유증의 진료를 받을 수 있는 대상을 '척수손상, 두부외상 후 증후군, 척추재해, 고관절 및 대퇴골 골절, 인공관절, 요도협착, 3도 화상 등에 따른 후유증상'으로 제한하고 있다.

5) 요양급여의 제한

업무상의 사유로 발생한 부상 또는 질병이 3일 이내의 요양으로 치유될 수 있는 때에는 산업재해보험법상의 요양급여가 지급되지 않는다. 이 경우에는 근로기준법에 따라 회사가 요양보상을 하여야 한다. 한편, 재해 근로자가 요양을 받다가 임의로 다른 의료기관에서 특별진찰을 받았더라도, 특별진찰 결과의 소견에 관계없이, 그 비용은 요양급여의 범위에서 제외된다.

6) 산업재해보상보험법상 한방요양

(1) 요양대상

'산업재해보험법' 적용을 받는 사업 또는 사업장 소속 근로자의 업무상 부상 또는 질병으로 4일 이상의 요양이 필요한 경우 한방요양을 신청할 수 있다.

표 5-4. 한의원의 산재보험 의료기관 지정 기준

구분		항목별 배점 기준	배점
인력 기준	한의사	1. 전문의가 2명 이상 있는 경우 : 10점	10
		2. 전문의가 1명 있는 경우 : 9점	
		3. 전문의가 없는 경우 : 8점	
		- 임상경력이 가장 오래된 의사를 기준으로 임상경력 1년당 4점 (임상경력이 5년 이상이면 20점)	20
		1. 해당 의료기관에 소속된 모든 의사가 지정신청일 이전 2년 동안 「의료법」에 따른 행정처분 받지 않은 경우: 5점	5
		2. 해당 의료기관에 소속된 의사 1명 이상이 지정 신청일 이전 2년 동안 「의료법」에 따른 행정처분을 받은 경우: 3점	
	간호사	1. 간호사가 2명 이상 있는 경우: 5점	5
		2. 간호사가 1명 있는 경우: 3점	
시설 기준		1. 입원시설이 있는 경우: 10점	20
		2. 입원시설이 없는 경우: 20점	
		- 침구치료실 및 물리치료장비를 갖춘 한방요법시설과 탕전실의 시설이 있는 경우	10
		- 승강기 또는 경사로가 있는 경우	10
		- 정보통신망으로 진료비 청구를 할 수 있는 경우	10
산재보험 의료기관의 지역별 분포 기준		- 지리적 여건 및 교통편 등을 고려할 때 가까운 곳에 있는 한방병원 또는 한의원 중 산재보험 의료기관이 없는 경우: 10점	10
		- 지리적 여건 및 교통편 등을 고려할 때 산재보험 의료기관 중 한방병원 또는 한의원이 부족하여 추가로 지정할 필요가 있는 경우: 5점	
		- 가까운 곳에 있는 산재보험 의료기관 중 한방병원 또는 한의원이 있어 추가로 지정할 필요가 적은 경우: 0점	
합계			100

(2) 한방요양을 받을 수 있는 상병명

양방요법으로 외과적 치료를 받은 후 한방요법에 의한 요양이 필요한 외상이나 요통, 염좌, 근골격계 질환, 뇌혈관 및 심장질환의 업무상 질병, 기타 한방요양의 필요성이 인정되는 내과 질환 등이다.

(3) 한방요양 방법

상병상태에 따라 한방 의료기관에서 입원, 통원 치료가 가능하며, 요양승인기간 중 양방과 한방 의료기관에서 각각 다른 날짜에 통원치료 가능하다.

입원환자는 타 의료기관 통원치료 불가하지만, 한의과(한방) 의료기관 요양중인 환자가 약제의 투약 등으로 의과(양방) 의료기관의 통원진료가 필요한 경우는 가능하고, 동일 상병에 대하여 2개 이상의 의료기관 통원치료는 불가하고, 동일 상병에 대하여 양·한방 중복투여는 불가하다.

(4) 한방요양 급여의 범위

한방 건강보험 요양급여기준 및 진료수가 기준을 원칙적으로 적용하되 산업재해보험 요양급여 산정기준을 추가로 적용한다.

한방 건강보험 요양급여기준 및 진료 수가를 기준으로 하며, 진찰료, 입원료, 투약(한방보험제제) 및 처방조제료와 침술, 구술, 부항술 처치료, 양도락 검사, 맥전도 검사, 경락기능 검사가 가능하며, 추나요법의 경우 2019년 4월 건강보험이 시행됨에 따라 산재보험에서도 적용이 가능하다. 첩약의 경우 산재근로자의 진료상 반드시 필요한 경우에 지급하며, 기본적으로 1일 2첩, 입원 60일, 외래 30일을 원칙으로 하되, 상병상태가 추가 첩약치료가 필요하다는 의학적 소견이 있는 경우 추가로 인정할 수 있다. 현재 물리치료(핫팩, 아이스팩, 적외선치료 제외)는 산재급여 대상이 아니다.

7) 산재보험 의료기관의 지정

산재요양급여가 승인된 환자를 진료하고, 근로복지공단으로부터 진료비를 청구하려면 산재보험 의료기관의 지정을 받아야 한다. 산업재해보상보험법 시행규칙에 따르면, 지정 신청을 한 날 이전 1년 동안 의료법에 따른 업무정지 이상의 행정처분을 받지 않았다는 공통의 기준을 충족하면서, 종합병원, 병원, 치과병원, 한방병원, 요양병원, 의원, 치과의원, 한의원 및 보건소(보건의료원)는 각각의 지정기준 배점합계의 80% 이상을 충족할 경우 산재보험 의료기관으로 신청할 수 있다. 구비서류를 관할 근로복지공단에 제출하면 적격 여부 등을 판단하여 지정결정을 받게 되고, 이후 계약을 체결하게 된다. 이 중 한의원의 지정기관 심사기준은 표 5-2와 같다.

제 7절 장애와 장해

장해(障害)는 생리적 또는 심리적 기능의 이상 및 소실 혹은 몸 구조물의 이상 및 소실을 의미하고 장애(障碍)는 장해로 인하여 보통의 일상적인 방법으로는 활동을 수행하는 능력이 부족하거나 제한된 상태를 말한다.

즉, 장해는 신체적 또는 정신적 기능의 이상 및 소실의 원인이 되는 것을 의미하며, 장애는 질병이나 손상을 회복이 기대되는 기간까지 치료하였더라도 잔여하는 기능적 제한이나 소실을 의미 하는 의학적 개념이라고 볼 수 있다.

1. 장해의 분류

1) 일시적 부분적 장해

일시적이고 부분적인 장해는 직장에서 사고를 당한 근로자가 그러한 직업을 더 이상 수행할 수 없으나 장해기간 동안에 약간의 고용에 참여할 수 있는 경우로, 발목(손목)의 염좌, 경골절 및 열상 등이 해당된다.

2) 일시적 전체적 장해

일시적 전체적 장해는 근로자가 일시적으로 그러나 정해지지 않은 기간 동안 전혀 일을 할 수 없는 경우로, 심각한 질병, 소모성 열사병 등이 해당된다.

3) 영구적 부분적 장해

영구적 부분적 장해는 영구적이고 회복할 수 없는 상해가 근로자에게 일어났을 때 나타난다. 이러한 상해는 현재 어떠한 회복징후 없이 무한한 기간 동안 계속된다. 예를 들면 발을 잃은 사람이 의학적 개선이 되고 난 후 더 이상 치료하여도 효과가 없을 경우 이를 영구적이고 부분적 장해로 구분하는 것은 근로자가 약간의 소득활동을 할 수 있기 때문이다.

4) 영구적 전신적 장해

영구적 전체적 장해는 근로자가 업무관련 상해로 인하여 소득활동을 영원히 그리고 무한정으로 할 수 없을 때 나타난다. 근로자가 의학적으로 완전히 무기력하거나 무능력한 상태일 필요는 없다. 주지의 노동시장분야에서 정규적으로 고용될 수 없을 정도의 핸디캡을 가진 산업재해근로자를 위하여 영구적 전체적 장해를 인정한다. 예를 들면 양쪽 눈의 상실과 같은 경우이다.

2. 장애의 현황과 분류

현대 사회는 인구의 노령화, 급격한 산업화에 따른 산업재해, 교통사고를 비롯한 각종 사고, 약물남용, 공해, 치료가 어려운 새로운 질병의 등장 등 장애 유발 요인이 다양화 되면서 장애인구도 점차 증가하는 경향을 보이고 있다.

1) 장애의 정의와 분류

현행 장애인복지법 제2조에서 '장애인이란 신체적 정신적 장애로 오랫동안 일상생활이나 사회생활에서 상당한 제약을 받는 자'로 규정되어 있으며, 장애는 크게 신체적 장애와 정신적 장애로 나뉘고 신체적 장애의 경우는 다시 외부신체기능의 장애와 내부기관의 장애로 나뉘게 된다. 정신적 장애의 경우는 발달장애와 정신장애로 나뉜다. 외부신체기능의 장애에는 지체장애 뇌병변장애 시각장애 청각장애 언어장애 안면

표 5-5. 장애등급판정기준 종류와 기준(장애등급판정기준 전문 제2013-56호)

대분류	중분류	소분류	세분류
신체적 장애	외부 신체기능의 장애	지체장애	절단장애, 관절장애, 지체기능장애, 변형 등의 장애
		뇌병변장애	뇌의 손상으로 인한 복합적인 장애
		시각장애	시력장애, 시야결손장애
		청각장애	청력장애, 평형기능장애
		언어장애	언어장애, 음성장애, 구어장애
		안면장애	안면부의 추상, 함몰, 비후 등 변형으로 인한 장애
	내부기관의 장애	신장장애	투석치료중이거나 신장을 이식 받은 경우
		심장장애	일상생활이 현저히 제한되는 심장기능 이상
		간장애	일상생활이 현저히 제한되는 만성·중증의 간기능 이상
		호흡기장애	일상생활이 현저히 제한되는 만성·중증의 호흡기기능 이상
		장루·요루장애	일상생활이 현저히 제한되는 장루·요루
		간질장애	일상생활이 현저히 제한되는 만성·중증의 간질
정신적 장애	발달장애	지적장애	지능지수가 70 이하인 경우
		자폐성장애	소아청소년 자폐 등 자폐성 장애
	정신장애	정신장애	정신분열병, 분열형정동장애, 양극성정동장애, 반복성우울장애

장애가 있고, 내부기관의 장애에는 신장장애 심장장애 간장애 호흡기장애 장루/요루장애 간질장애가 있다. 발달장애의 경우에도 다시 지적장애와 자폐성 장애로 구분할 수 있다. 구체적인 분류는 다음 표 5-5와 같다.

주요 장애로는 뇌병변장애, 지체장애가 있으며, 뇌병변장애는 뇌성마비, 외상성뇌손상, 뇌졸중 등 뇌의 기질적 병변으로 인한 경우에 한하며, 지체장애는 절단장애(상지, 하지), 관절장애(상지, 하지), 지체기능장애(상지,하지, 척추), 변형장애 등으로 구분되며, 뇌병변 장애와 중복되지 않는 팔다리의 장애와 몸통의 장애를 의미한다.

2) 장애 관련 법령

우리나라의 경우도 매 3년마다 1회씩 시행되고 있는 장애인 실태조사와 매년 보건복지부에서 발표하는 등록장애인 현황을 근거로 볼 때 2017년 기준 우리나라 전체 인구중 장애인구의 비율은 4.9%로서, 등록장애인은 2,668,411명으로 2000년 958,196명에 비해 2배 이상 증가하였다.

국내의 장애인 관련 법령으로는『장애인 복지법』과『장애인차별금지법』이 있으나 장애인 건강 및 의료기관 이용 관련된 구체적 내용은 부족하며, 장애인의 건강 및 의료기관 이용과 관련된 내용은 2017년 12월 30일부터 시행된『장애인 건강권 및 의료접근성 보장에 관한 법률』(이하 장애인 건강권법)에서 규정하고 있다.

장애인 건강권법의 주요 사항으로는 1. 장애인 건강 주치의제, 2. 장애인 건강검진 기관 지정, 3. 재활의료기관 지정 제도 등이 시행된다는 것이며, 또한, 국가 차원의 장애인 건강정책을 체계적으로 추진하기 위해 4. 중앙 및 시도별 장애인 보건의료센터가 지정 운영되고, 5. 의료기관 종사자 대상 장애인 건강권 교육을 시행하는 내용이 포함되어 있다.

3) 장애의 진단과 판정

장애의 판정은 장애인복지법 시행규칙 제2조 및 별표의 장애인의 장애등급표에 의한 장애등급 사정기준에 따라 표준 진단방법으로 제시된 기준이 존재하며, 특별자치도 지사 시 군 구청장에게 장애인 등록을 신청한 사람의 경우에 한해 장애 등급을 진단, 판정하게 된다.

1980년대부터 본격적으로 장애인 복지 정책을 수립하여 추진해 온 우리나라는 1989년 장애인 등록제 도입을 규정한 이후로 장애인 범주의 확대가 이루어져 현재는 장애인 복지법 제32조(장애인 등록)에 근거한 장애인 등록 및 장애등급

심사제도를 시행하여 복지정책의 대상을 구체화하고 있다. 장애 등록을 위해서는 장애유형별 장애진단 전문기관 및 전문의에 의해 발급된 장애진단서가 필요하며 관련한 세부사항은 장애인복지법령 및 「장애등급판정기준」에 규정되어 있다.

한의사는 현재 「장애등급판정기준」에 근거한 장애유형별 장애진단 전문의에 포함되지 않으므로 장애진단서를 발급할 수 없으나, 장애인 복지 정책의 시행 방향을 이해함으로써 다양한 환자로 하여금 보다 나은 복지 서비스를 받을 수 있도록 권고하여 인간다운 삶을 영위할 수 있도록 도움을 줄 수 있다. 1-6등급으로 구분하던 장애등급제는 2019년 7월부터 '장애 정도가 심한 장애인'과 '심하지 않은 장애인' 두 단계로 구분하는 것으로 변경되었다.

장애 진단은 장애의 원인 질환 등에 관하여 충분히 치료하여 장애가 고착되었을 때에 시행하며, 그 기준 시기는 원인 질환 또는 부상 등의 발생 또는 수술 이후 6개월 이상 지속적으로 치료한 후로 한다. 다만, 지체의 절단, 척추고정술 등 장애의 고착이 명백한 경우는 예외이다. 향후 장애정도의 변화가 예상되는 경우에는 반드시 최초 진단일로부터 2년 후 재판정을 받도록 하여야 한다.

장애인들을 위한 장애보상 제도가 발달하면서 적절한 의학적 치료 후에도 남게 되는 기능적 결손을 평가하는 각종 장애 평가법들이 사용되고 있다. 현재 국내에서 다용하는 장애 평가도구로 장애인복지법에 의한 장애등급판정법, 미국의사협회의 영구장애평가지침서(American Medical Association Guides to the Evaluation of Permanent Impairment, AMA Guides), 정형외과 위주로 체계적 정리가 이루어진 맥브라이드 신체장애평가방법이 있으며, 국민기초생활보장법 시행령에 따른 근로능력평가, 자동차 손해배상 보장법의 후유장애 구분, 산업재해보상보험법에 따르는 장해기준 등이 있다.

(1) 미국의사협회 영구장애평가지침서(American Medical Association Guides to the Evaluation of Permanent Impairment, AMA Guides)

미국의사협회(American Medical Association)에서 객관적이고 표준화된 의학적 장애평가방법의 필요성에 따라 1971년 첫 발간된 이후로 현재 2007년 12월 6판까지 발행 되었다. 이전의 평가지침이 가진 단점을 보완하기 위해 6판 은 장애의 개념에 관한 이전 ICIDH (international classi-fication of impairments, disabilities and handicaps) 모델을 대체할 ICF (international classificaton of func\-tioning, disability and health) 모델을 도입하고, 일상생활 기본 동작(activities of daily living, ADLs)에 근거한 기능 평가 도구를 사용하며, 평가자간 및 평가자 내 신뢰도 를 개선하였다. 또한 '진단명에 근거한 장애율(diagnosis-based approach to impairment rating, DBI)'이라는 개념을 강조하여 보다 근거중심적인 방향을 모색하였다. AMA guide는 가장 포괄적이고 타당도 신뢰도가 높으며 객관적이고 근거중심적인 장애평가 방법으로 여겨진다. 현재 국내에서는 생명보험이나 장기손해보험에서 사용되고 있다.

(2) 맥브라이드 신체장애 평가방법

미국의 정형외과 교수였던 McBride 교수가 정한 노동능 력상실 평가방법이다. 1936년 McBride 교수가 쓴 「배상이 필요한 손상의 치료원칙과 장애평가서(Disability Evaluation and Principles of Treatment of Compensable Injuries)에 수록되어 있으며, 현재 사용하는 것은 1963년 의 제6판이다. McBride식 노동능력상실 평가방법은 후유 장애 등급표에 의해 장해 종류별(절단, 강직, 골절 등) 부위 별 직업계수별 장해율을 정하고, 직업별 손상부위에 대한 장해계수와 연령에 따른 장해 상응 계수를 구한다. 현재의 직업 및 질환을 잘 반영하지 못하며 타당성이 빈약하다는 단점에도 불구하고 직업이나 연령을 보정할 수 있다는 이유로 자동차보험 대인배상 및 법원 판결에서도 이 방법을 사용하고 있다.

(3) 국민기초생활수급자 근로능력평가

이 기준은 국민기초생활 보장법 시행령 제7조 제4항에 따라 근로수행능력에 영향을 미치는 신체적 또는 정신적 질환이나 장애 정도를 평가하기 위한 것이다. 평가대상 질환으로 근골격계, 신경기능계, 정신신경계, 감각기능계, 심혈관계, 호흡기계, 소화기계, 비뇨생식계, 내분비계, 혈액 및 종양 질환계, 피부질환계의 11가지 항목이 분류되며, 특히 근골격계와 신경기능계질환은 한의사의 근로능력평가용 진단서 발급이 가능한 항목이다.

근골격계 질환은 사지골의 절단, 골절, 변형 및 기능장애가 있는 근골격계 질병 및 척추골절, 척추 퇴행성 질환, 척추 신경근 병변 등을 포함하며, 한의학적 근로능력 평가기준은 주로 신체검사와 증후학적 평가를 위주로 한다. 신경기능계 질환은 뇌졸중이나 뇌손상, 뇌신경손상, 척수병변, 척수 손상, 뇌종양 등 중추신경계와 관련된 질환 및 근육병, 말초신경병증 등 신경기능계와 관련된 질병을 포괄하며, 사지의 기능장애 소견으로 일상생활동작이나 기립 및 보행 제한 정도, 경련발작 정도, 안면마비 정도에 따라 평가한다. 각 질환별 장애평가 기준에 따라 단계를 결정하는데 근로수행에 지장을 줄 수 있으나 치료에 잘 반응하는 1단계부터 근로수행에 상당한 제한이 따르는 4단계로 나뉜다.

3. 장애 환자의 건강문제

장애발생의 원인으로 후천적 원인에 의한 것은 총 88.1%로서, 질환은 56.0%, 사고는 32.1%이며, 선천적 원인과 출산시 원인은 각각 5.1%, 1.4%에 불과한 것으로 보고되고 있다.

장애인의 보건의료 서비스에 대한 욕구는 건강증진, 예방, 그리고 치료의 영역으로 나눌 수 있으며, 장애인은 비장애인들보다 비장애인들보다 건강문제가 발생할 경우 더 복잡하고 지속적인 치료가 필요할 수 있으므로 예방적 건강관리가 필요하다.

2011년 WHO의 지원 하에 세계 여러나라에서 실시된 대규모의 연구조사인 'World Report on Disability'에서, 장애인의 보건의료서비스 이용에 대한 요구가 높으며 여러 가지 제한으로 인한 미충족 의료요구 또한 높게 나타나고 있음을 보고하고 있다.

1) 만성질환 및 위험요인 관리

장애인의 77.2%가 근골격계 통증, 당뇨, 고혈압 등 1인당 평균 1개 이상의 만성질환을 보유하고 있다는 보고가 있으며, 장애인과 비교하였을 때 그 유병률이 높은 편이다. 또한 2차 질환이 장애로 인하여 쉽게 발생할 수 있으며, 일반인에 비해 건강관리 역량도 낮을 가능성이 높으므로 식이 및 운동 등의 일상생활관리를 통한 만성질환의 예방 및 관리가 필요하다. 장애로 인한 일상생활의 제한 및 활동량 감소로 인하여 신체기관별 다양한 문제가 나타날 수 있으며(부동증후군), 이에 대한 점검 및 기능저하에 대한 예방적 측면에서의 관리가 필요하다. 예를 들면, 욕창 및 주장애로 인한 연하곤란, 위장관 기능의 저하, 배변 및 배뇨장애, 수면의 질 저하, 통증 등의 문제, 호흡과 관련된 의료적 보조장치에 대한 소독 및 관리여부등도 건강문제로 연결될 가능성이 있으므로 관리가 필요하며, 낙상의 위험이 높으므로 낙상 예방을 위한 생활지도가 필요하다.

2) 심리적 문제

산업재해 및 교통사고 등으로 인한 장애 환자 중에는 만성적 통증과 같은 후유증이나 기타 국소에서 전신에 이르는 장애가 남는 경우가 종종 있다. 이러한 환자들의 경우 동반되는 여러 가지 심리적 문제들이 그 증상을 더욱 강화시키거나 치료 및 재활의 결과에 부정적인 영향을 끼치게 되는 경우가 많다. 환자들은 흔히 통증 자체에 대한 불안감이나 치료 과정, 업무 복귀 등에 대한 불안감을 표현하는 경우가 많으며 장애 등으로 인해 본인의 자존감이 떨어져 있는 경우가 많아 이전에 하던 일들도 할 수 없다고 포기하는 경우가 많으며 우울감이나 피해의식을 동반하는 경우도 있다. 또한 간혹 2차적 보상에 대한 기대 심리로 본인의 통증의 과도하게 표현하는 환자도 볼 수 있다.

환자들이 흔히 겪는 정신과적 문제로는 불면증, 우울증, 공포증, 건망증, 성기능 저하, 외상 후 스트레스 장애 등이 있을 수 있으며 이러한 문제들을 단순히 볼 것이 아니라 적극적인 접근과 주된 질환과의 동반 치료를 통해 재활의 성과를 높이고 사회로의 빠른 복귀를 꾀할 수 있다. 또한 외상 후 스트레스 장애 등에 대한 침의 효과에 대한 긍정적 연구 결과 등이 보고됨에 따라 한방적 접근을 통해 이러한 문제 해결을 꾀할 수 있다. 공포증, 건망증, 성기능 저하, 외상 후 스트레스 장애 등이 있을 수 있으며 이러한 문제들을 단순히 볼 것이 아니라 적극적인 접근과 주된 질환과의 동반 치료를 통해 재활의 성과를 높이고 사회로의 빠른 복귀를 꾀할 수 있다. 또한 외상 후 스트레스 장애 등에 대한 침의 효과에 대한 긍정적 연구 결과 등이 보고됨에 따라 한방적 접근을 통해 이러한 문제 해결을 꾀할 수 있다.

3) 소통

장애유형에 따른 특성을 이해하고, 장애인의 심리 및 감수성에 대한 의료인의 이해가 필요하다. 단, 장애 환자들에 대한 이해를 바탕으로 한다 하더라도 그것이 비장애인의 진료와 다르지 않으며, 장애인 당사자와의 소통을 통한 건강상태 파악과 협조를 이끌어내는 것이 바람직하다. 장애 환자들을 진료할 때, 상태를 설명하는 도중, '정상인, 비정상인, 보통사람, 일반인의 경우에는 ..'이라는 표현은 절대 사용하지 않아야 하며, '장애인, 비장애인'이라는 표현이 적절하다. 장애 환자들에 대한 과도한 친절 및 과잉 대응은 불편감을 초래할 수 있으며, 오히려 '차별한다' 라는 느낌을 줄 수 있기 때문에 장애 환자가 할 수 없는 일만 도와주고 나머지는 스스로 할 수 있도록 기다려 주는 것이 바람직하다.

장애 환자 본인이 아닌 보호자나 활동보조인과만 소통하지 않도록 주의하고, 알아듣지 못하거나 이해가 되지 않는 부분에 대해서도 침착하게 몇 번이고 물어보고, 차근차근 소통하도록 노력하며, 그럼에도 불구하고, 소통에 어려움이 있을 때는 보호자나 활동보조인의 도움을 구하도록 한다. 진료시 시간을 절약하기 위해 무조건 도우려고 하는 것보다 어떻게 도움을 주는 것이 좋을지 직접 묻고 필요한 부분에 대해 도와주는 것이 바람직하며, 치료시 이동과 체위변경 등의 동작에서 충분한 시간을 가지고 기다려 주며 환자별 움직임의 요령을 이해하도록 하고, 평소 환자의 방법대로 시행하도록 한다.

시각장애인에게는 진행과정을 구도로 설명하면서 진행하는 것이 심리적 안정함을 제공할 수 있으며, 청각장애인에게는 시각적인 설명문 혹은 그림을 통하여 설명하면서 진행하거나 보호자가 옆에서 전달해주면서 심리적 안정감을 갖도록 하는 것이 도움이 될 수 있다.

4) 한의치료

국내 장애인의 다수는 한의학적으로 마비질환인 위증의 범주에 해당된다. 식욕부진과 근육 위축 등이 주증상인 비위허약(脾胃虛弱)과 하지(허리와 무릎 등)가 약한 증상과 두현(頭眩,어지러움), 유정(遺精) 등의 증상이 주증상인 간신음허(肝腎陰虛)의 유형으로 구분할 수 있으며, 그 외에 혈어(血瘀), 기체(氣滯), 한습(寒濕), 습담(濕痰) 유형등이 있다. 장애 유형별 특성을 반영한 한의 치료계획과 한의학적 양생법에 기초한 생활습관 관리가 필요하다.

한약물 투여 시, 장애인의 특성상 여러 가지 질환을 가지고 있고, 증후가 비전형적이며 정확한 임상진단이 곤란한 경우도 있다. 또한, 생리기능이 저하되어 있어 약물에 대한 흡수, 분포, 대사 및 배설 과정이 저하되어 있을 가능성이 있으며, 혈액 내 약물 농도가 높을 수 있으며 약물의 반감기가 길 수 있음을 이해하고, 복용하고 있는 다른 약물을 파악하고 상호 작용에 대한 것을 염두에 두고 처방하는 것이 중요하다.

침치료 및 한방물리요법 등의 치료시에도 침자극 혹은 전기적인 자극에 대해 두려움을 가지고 있는 경우가 많으므로 충분히 설명하고 동의를 구하고 시술하도록 한다. 뇌병변 등 장애 환자의 경우 감각신경의 이상으로 자극에 민감한 경우가 있을 수 있으므로 이에 대한 고려를 하여야 하며, 시술시 경직의 증가, 통증의 증가가 등이 나타나지 않도록 적절한 자세를 취하도록 하는 것이 필요하다.

침치료 및 기타 치료법의 시행 전 호흡을 통하여 조기(調氣) 및 이완을 유도할 수 있다. 호흡재활은 호흡곤란 증상을 완화시키고 운동 능력을 증가시키며 일상생활에서 신체적 정서적인 활동을 가능하게 하여 삶의 질을 향상시키는 것을 목적으로 다양한 만성질환에 활용되고 있으며, 동의보감에서 "호흡을 다스릴 수 있으면 온갖 병이 생기지 않으므로 양생을 잘하려면 반드시 조기법(調氣法, 기를 다스리는 법)을 알아야 한다"고 하여 호흡의 중요성을 강조하였다.

참고문헌

<제1절>

1. 대한추나학회. 교통사고 상해 증후군(Whiplash Injury Associated Disorders; WAD). 추나 진단·치료 지침서. 대한추나학회 출판사. 2004.
2. 홍승준, 박원필, 하성용. 자동차사고 손상유형과 상해에 관한 실사고 연구. 한국자동차공학회논문집. 2013;21(1):107-112.
3. 대한간호학회편. 간호학대사전. 한국사전연구사. 1996.
4. 신용승, 박종배, 김종훈, 최정림, 김덕호. 교통사고 후유증관리에 관한 한의학적 임상 고찰. 대한침구학회지. 2002;19(6):1-11.
5. Berg KO, Maki BE, Williams JI, Holliday PJ, Wood-Dauphinee SL. Clinical and laboratory measures of postural balance in an elderly population. Arch Phys Med Rehabil. 1992;73(11):1073.
6. Sunderland A, Tinson D, Bradley L, Hewer RL. Arm function after stroke. An evaluation of grip strength as a measure of recovery and a prognostic indicator. J Neurol Neurosurg Psychiatry. 1989;52(11):1267-72.
7. Salter K, Jutai J, Foley N, Hellings C, Teasell R. Identification of aphasia post stroke: a review of screening assessment tools. Brain Inj. 2006;20(6):559-68.
8. 고성규, 고창남, 조기호, 김영석, 배형섭, 이경섭, 금영석. 뇌졸중 환자의 기능평가방법에 대한 연구. 대한한의학회지. 17(1):48-83.
9. 유선애, 김보경. 뇌성마비의 기능성평가도구에 대한 고찰 : GMFCS, GMFM과 PEDI중심으로. 동의신경정신과학회지. 2010;21(2):13-42.
10. Palisano R, Rosenbaum P, Walter S, Russell D, Wood E, Galuppi B. Development and reliability of a system to classify gross motor function in children with cerebral palsy. Dev Medi Child Neurol. 1997;39:214-23.
11. 한국장애인개발원. 장애인백서 2012. 서울:한국장애인개발원. 2012.
12. 보건복지부. 보건복지부고시 제2013-56호. 장애등급판정기준. 2013년 4월 3일 개정.
13. Rondinelli RD. Changes for the New AMA Guides to Impairment Ratings, 6th Edition: Implications and Applications for Physician Disability Evaluations. PM R. 2009;1(7):643-56.
14. 박동식, 이상구. 미국의학협회 장애평가 기준. J Korean Med Assoc. 2009;52(6):567-72.
15. McBride ED. Disability evaluation and principles of treatment of compensable injuries 6th Ed. Philadelphia: Lippincott Company. 1963.
16. American Medical Association. Guides to the Evaluation of Permanent Impairment. 6th ed. Chicago:American Medical Association. 2007.
17. 김창호. 우리나라 장해평가제도의 개선방안에 관한 연구. 건국대: 박사논문. 2005.
18. 보건복지부, 국민연금공단. 국민기초생활보장수급자 근로능력평가를 위한 의학적 평가기준. 2012년 12월 1일 시행.

<제2절>

1. 오재근, 이명종. 스포츠의학. 서울: 도서출판 정담. 2000.
2. 대한스포츠의학회. 스포츠의학. 서울: 의학출판사. 2001: p 76.
3. Muwanga CL, Hellier M, Quinton DN, Sloan JP, Dove AF. Grade III injuries of the lateral ligaments of the ankle: the incidence and a simple stress test. Arch Emerg Med. 1986 Dec;3(4):247-51.
4. Kannus P, Järvinen M. Nonoperative treatment of acute knee ligament injuries. A review with special reference to indications and methods. Sports Med. 1990 ;9(4):244-60.
5. Kannus P, Renström P. Treatment for acute tears of the lateral ligaments of the ankle. Operation, cast, or early controlled mobilization. J Bone Joint Surg Am. 1991 Feb;73(2):305-12.
6. Noonan TJ, Garrett WE Jr. Muscle strain injury: diagnosis and treatment. J Am Acad Orthop Surg. 1999 Jul-Aug;7(4):262-9.
7. Nosaka K. Muscle Soreness and Damage and the Repeated-Bout Effect. In Tiidus PM, eds. Skeletal muscle damage and repair. Champaign, IL: Human Kinetics. 2008: p 59–76.
8. Cheung K, Hume P, Maxwell L. Delayed onset muscle soreness : treatment strategies and performance factors. Sports Med. 2003 ;33(2):145-64.
9. Alonso A, Hekeik P, Adams R. Predicting a recovery time from the initial assessment of a quadriceps contusion injury. Aust J Physiother. 2000 ;46(3):167-77.

10. Weinmann M. Compartment syndrome. Emerg Med Serv. 2003 Sep;32(9):36.

11. Englund J. Chronic compartment syndrome: tips on recognizing and treating. J Fam Pract. 2005 Nov;54(11):955-60.

12. Rees JD, Wilson AM, Wolman RL. Current concepts in the management of tendon disorders. Rheumatology(Oxford). 2006 May;45(5):508-21.

<제3절>

1. 오재근, 이명종. 스포츠의학. 서울: 도서출판 정담. 2000.

2. John W, Hole J. Human anatomy physiology. Oxford: WC Brown publisher. 1993: p 170-227.

3. 대한정형외과학회. 정형외과학 5판. 서울: 최신의학사. 2001: p 557-9, 562-8, 572-80.

4. Roach RT, Cassar-Pullicino V, Summers BN. Paediatric post-traumatic cortical defects of the distal radius. Pediatr Radiol. 2002 May;32(5):333-9.

5. 김정석, 김지용, 김경호. 한방병원에 내원한 근골격계 질환 환자중 골절 발생 현황. 대한침구학회지. 2001 ;18(6):53-8.

6. 대한병리학회. 병리학. 서울: 고문사. 2000: p 1015-7.

7. Nakahara H, Bruder SP, Haynesworth SE, Holecek JJ, Baber MA, Goldberg VM, Caplan AI. Bone and cartilage formation in diffusion chambers by subcultured cells derived from the periosteum. Bone. 1990 ;11(3):181-8.

8. Wornom I, Buchman S. Bone and cartilaginous tissue. In: Cohen K, Diegelmann R, Lindglad W. Eds. Wound healing: Biochemical and clinical aspects. Philadelphia: WB Saunders. 1992: p 356.

9. 송계용, 지제근, 함의근. 핵심 병리학. 서울: 고려의학. 1998: p 772.

10. Perumal V, Roberts CS. Factors contributing to non-union of fractures. Current Orthopaedics. 2007 ;21(4):258-61.

11. Buckwalter JA, Einhorn TA, Marsh JL. Bone and joint healing. In: Rockwood and Green's fractures in adults. Bucholz RW, Heckman JD, Court-Brown C M, eds. Philadelphia: Lippincott Williams & Wilkins. 2006: p 297–311.

12. Goodship AE, Cunningham JL, Kenwright J. Strain rate and timing of stimulation in mechanical modulation of fracture healing. Clin Orthop Relat Res. 1998 Oct;(355 Suppl):S105-15.

13. Court-Brown CM, McQueen MM, Tornetta P., 3rd . Nonunions and bone defects. Trauma. Orthopaedic surgery essentials. Philadelphia: Lippincott Williams & Wilkins. 2006: p 503–19.

14. Hernandez RK, Do TP, Critchlow CW, Dent RE, Jick SS. Patient-related risk factors for fracture-healing complications in the United Kingdom General Practice Research Database. Acta Orthop. 2012 Dec;83(6):653-60.

15. Eneroth M, Olsson UB, Thorngren KG. Nutritional supplementation decreases hip fracture-related complications. Clin Orthop Relat Res. 2006 Oct;451:212-7.

16. Loder RT. The influence of diabetes mellitus on the healing of closed fracture. Clin Orthop Relat Res. 1988 Jul;(232):210-6.

17. Castillo RC, Bosse MJ, MacKenzie EJ, Patterson BM; LEAP Study Group. Impact of smoking on fracture healing and risk of complications in limb-threatening open tibia fractures. J Orthop Trauma. 2005 Mar;19(3):151-7.

18. Tønnesen H, Pedersen A, Jensen MR, Møller A, Madsen JC. Ankle fractures and alcoholism. The influence of alcoholism on morbidity after malleolar fractures. J Bone Joint Surg Br. 1991 May;73(3):511-3.

19. Nikolaou VS, Efstathopoulos N, Kontakis G, Kanakaris NK, Giannoudis PV. The influence of osteoporosis in femoral fracture healing time. Injury. 2009 Jun;40(6):663-8.

20. Schürch MA, Rizzoli R, Slosman D, Vadas L, Vergnaud P, Bonjour JP. Protein supplements increase serum insulin-like growth factor-I levels and attenuate proximal femur bone loss in patients with recent hip fracture. A randomized, double-blind, placebo-controlled trial. Ann Intern Med. 1998 May;128(10):801-9.

21. Reynolds TM. Vitamin B6 deficiency may also be important. Clin Chem. 1998 Dec;44(12):2555-6.

22. Nwadinigwe CU, Anyaehie UE. Effects of cyclooxygenase inhibitors on bone and cartilage metabolism--a review. Niger J Med. 2007 Oct-Dec;16(4):290-4.

23. Murnaghan M, Li G, Marsh DR. Nonsteroidal anti-inflammatory drug-induced fracture nonunion: an inhibition of angiogenesis? J Bone Joint Surg Am. 2006 Nov;88 Suppl 3:140-7.

24. Giannoudis PV, MacDonald DA, Matthews SJ, Smith RM, Furlong AJ, De Boer P. Nonunion of the femoral diaphysis. The influence of reaming and non-steroidal anti-inflammatory drugs. J Bone Joint Surg Br. 2000 Jul;82(5):655-8.

25. Bhandari M, Guyatt GH, Tong D, Adili A, Shaughnessy SG. Reamed versus nonreamed intramedullary nailing of lower extremity long bone fractures: a systematic overview and meta-analysis. J Orthop Trauma. 2000 Jan;14(1):2-9.

26. Perren SM. Evolution of the internal fixation of long bone fractures. The scientific basis of biological internal fixation: choosing a new balance between stability and biology. J Bone Joint Surg Br. 2002 Nov;84(8):1093-110.

27. Grundnes O, Reikerås O. Mechanical effects of function on bone healing. Nonweight bearing and exercise in osteotomized rats. Acta Orthop Scand. 1991 Apr;62(2):163-5.

28. Buckwalter JA, Grodzinsky AJ. Loading of healing bone, fibrous tissue, and muscle: implications for orthopaedic pracJ Orthop Sports Phys Ther. 2004 Dec;34(12):781-99.

29. Hardy MA.tice. Principles of metacarpal and phalangeal fracture management: a review of rehabilitation concepts. J Am Acad Orthop Surg. 1999 Sep-Oct;7(5):291-9.

30. Zhang P, Malacinski GM, Yokota H. Joint loading modality: its application to bone formation and fracture healing. Br J Sports Med. 2008 Jul;42(7):556-60.

31. Kristiansen TK, Ryaby JP, McCabe J, Frey JJ, Roe LR. Accelerated healing of distal radius fracture with the use of specific low intensity ultrasound. A multicenter, prospective, randomised, double-blind, placebo controlled study. Am JBJS. 1997 ;79: 961-73.

32. Rubin C, Bolander M, Ryaby JP, Hadjiargyrou M. The use of low-intensity ultrasound to accelerate the healing of fractures. J Bone Joint Surg Am. 2001 Feb;83-A(2):259-70.

33. Hasegawa T, Miwa M, Sakai Y, Niikura T, Kurosaka M, Komori T. Osteogenic activity of human fracture haematoma-derived progenitor cells is stimulated by low-intensity pulsed ultrasound in vitro. J Bone Joint Surg Br. 2009 Feb;91(2):264-70.

34. Kohata K, Itoh S, Takeda S, Kanai M, Yoshioka T, Suzuki H, Yamashita K. Enhancement of fracture healing by electrical stimulation in the comminuted intraarticular fracture of distal radius. Biomed Mater Eng. 2013;23(6):485-93.

35. Mollon B, da Silva V, Busse JW, Einhorn TA, Bhandari M. Electrical stimulation for long-bone fracture-healing: a meta-analysis of randomized controlled trials. J Bone Joint Surg Am. 2008 Nov;90(11):2322-30.

36. 趙勇. 中國骨傷方藥全書. 北京: 學苑出版社. 1995: p 1-23.

37. 張安楨, 武春發 主編. 中醫骨筋科學. 서울: 驪江出版社. 1988: p 104-6, 112-6, 353.

38. Smith TK. Prevention of complications in orthopedic surgery secondary to nutritional depletion. Clin Orthop Relat Res. 1987 Sep;(222):91-7.

39. 황지혜, 안지현, 김진택, 안상현, 김경호, 조현석, 이승덕, 김은정, 김갑성. 자연동의 투여가 인체의 뼈모세포 활성과 생쥐 정강이뼈 골절에 미치는 영향. 대한침구학회지. 2009 ;26(2):159-70.

40. 신경민, 정찬영, 황민섭, 이승덕, 김경호, 김갑성. 자연동이 초기 골절 생쥐 정강이뼈의 Remodeling에 미치는 영향. 대한침구학회지. 2009 ;26(5):65-75.

41. 김진호, 오승환. 동종골의 치유 과정에 홍화씨를 첨가한 히알루론산의 골형성에 미치는 영향. 원광치의학. 2003 ;12(1):167-87.

42. 서현주, 김준한, 곽동윤, 전선민, 구세광, 이재현, 문광덕, 최명숙. 늑골골절을 유도한 흰쥐에서 홍화씨 분말 및 분확들의 급여가 골절 회복 중 골조직에 미치는 영향. 한국영양학회지. 2000 ;33(4):411-20.

43. 송해룡, 라도경, 김종수, 정태성, 김용환, 강호조, 강정부, 연성찬, 김은희, 이후장, 신기욱, 박미림, 김곤섭. 홍화씨가 신생골 형성에 미치는 영향. 한국임상수의학회지. 2002 ;19(1):66-72.

44. 염익환, 오민석, 송태원. 가미궁귀탕 및 가미궁귀탕가녹용이 흰쥐의 골절유합에 미치는 영향. 대전대학교 한의학연구소 한의학논문집. 1999 ;8(1):675-87.

45. 한상원, 최제용, 이윤호. 녹용약침이 골형성에 미치는 영향. 대한침구학회지. 2001 ; 18(5):138-45.

46. 안덕균, 심상도. 녹용이 난소적출로 유발된 흰 쥐의 골다공증에 미치는 영향. 대한본초학회지. 1998 ;13(1):1-23.

47. 이한구, 정문상, 윤강섭. 한국 인삼이 골절 치유에 미치는 영향. 대한정형외과학회지. 1984 ;19(3):483-91.

48. 기영범, 김대훈, 강대희, 김선종, 최진봉. 육미지황탕과 녹용약침이 당뇨유발 흰쥐의 골절치유에 미치는 영향. 한방재활의학과학회지. 2012 ;22(3):49-63.

49. 안혜림, 신미숙, 김선종, 최진봉. 중성어혈약침과 당귀수산이 흰쥐

의 골절초기 골유합에 미치는 영향. 한방재활의학과학회지. 2007 ;17(1):1-16.

50. 윤길영. 동의임상방제학. 서울: 명보출판사. 1985: p 391.

51. 김민수, 서부일, 곽민아, 지선영. 청아지황탕이 난소적출로 유발된 백서의 골다공증에 미치는 영향. 대한본초학회지. 2003 ; 18(2):49-58.

52. 김영훈. 청강의감. 서울: 성보사. 1995: p 304.

53. Skelley NW, McCormick JJ, Smith MV. In-game management of common joint dislocations. Sports Health: A Multidisciplinary Approach OnlineFirst. 2013 Aug. doi:10.1177/1941738113499721.

<제4절>

1. 오재근, 이명종. 스포츠의학. 서울: 도서출판 정담. 2000.

2. Cantu RC. Posttraumatic retrograde and anterograde amnesia : Pathophysiology and implications in grading and safe return to play. J Athl Train. 2001 Jul-Sep;36(3):244–8.

3. Cobb S, Battin B. Second-impact syndrome. J Sch Nurs. 2004 Oct;20(5):262–7.

4. Arciniegas DB, Anderson CA, Topkoff J, McAllister TW. Mild traumatic brain injury: a neuropsychiatric approach to diagnosis, evaluation, and treatment. Neuropsychiatr Dis Treat. 2005 Dec;1(4):311-27.

5. Moos KF. Diagnosis of facial bone fractures. Ann R Coll Surg Engl. 2002 Nov;84(6):429-31.

6. Muraoka M, Nakai Y. Twenty years of statistics and observation of facial bone fracture. Acta Otolaryngol Suppl. 1998 ;538:261-5.

7. Oliphant R, Key B, Dawson C, Chung D. Bilateral temporomandibular joint dislocation following pulmonary function testing: a case report and review of closed reduction techniques. BMJ Case Rep. 2009;2009.

8. Akinbami BO. Evaluation of the mechanism and principles of management of temporomandibular joint dislocation. Systematic review of literature and a proposed new classification of temporomandibular joint dislocation. Head Face Med. 2011 Jun;7:10.

9. Ugboko VI, Oginni FO, Ajike SO, Olasoji HO, Adebayo ET. A survey of temporomandibular joint dislocation: aetiology, demographics, risk factors and management in 96 Nigerian cases. Int J Oral Maxillofac Surg. 2005 Jul;34(5):499-502.

10. Cutts S, Prempeh M, Drew S. Anterior shoulder dislocation. Ann R Coll Surg Engl. 2009 Jan;91(1):2-7.

11. Burra G, Andrews JR. Acute shoulder and elbow dislocations in the athlete. Orthop Clin North Am. 2002 Jul;33(3):479-95.

12. Imerci A, Gölcük Y, Uğur SG, Ursavaş HT, Savran A, Sürer L. Inferior glenohumeral dislocation (luxatio erecta humeri): report of six cases and review of the literature. Ulus Travma Acil Cerrahi Derg. 2013 Jan;19(1):41-4.

13. Chung CH. Closed reduction techniques for acute anterior shoulder dislocation: from Egyptians to Australians. Hong Kong J Emerg Med 2004 ;11:178-88.

14. Itoi E, Hatakeyama Y, Kido T, Sato T, Minagawa H, Wakabayashi I, Kobayashi M. A new method of immobilisation after traumatic anterior dislocation of the shoulder: a preliminary. study. J Shoulder Elbow Surg 2003 Sep-Oct;12:413-5.

15. Wen DY. Current concepts in the treatment of anterior shoulder dislocations. Am J Emerg Med. 1999 Jul;17(4):401-7.

16. Hovelius L, Augustini BG, Fredin H, Johansson O, Norlin R, Thorling J. Primary anterior dislocation of the shoulder in young patients: a ten-year prospective study. J Bone Joint Surg. 1996 Nov;78:1677–84.

17. Cicak N. Posterior dislocation of the shoulder. J Bone Joint Surg Br. 2004 Apr;86(3):324-32.

18. Winge S, Thomsen NO, Jensen CH, Klareskov B. Shoulder instability. Ugeskr Laeger. 1998 Jun;160(25):3707-13.

19. Mahaffey BL, Smith PA. Shoulder instability in young athletes. Am Fam Physician. 1999 May;59(10):2773-82, 2787.

20. Field LD, Savoie FH. Common elbow injuries in sport. Sports Med. 1998 Sep;26(3):193-205.

21. 최수용. 한의사를 위한 통증치료 매뉴얼1. 서울:신흥메드싸이언스. 2012.

22. O'Driscoll SW. Elbow dislocations. In: Morrey BF ed, The Elbow and Its Disorders. 3rd ed. Philadelphia, Pa: WB Saunders. 2000: p 409-17.

23. Rockwood CA Jr, Green DP, Bucholz RW eds. Rockwood and Green's Fractures in Adults. 4th ed. Philadelphia, Pa: Lippincott Williams & Wilkins. 1996: p 971-85.

24. Ross G. Acute elbow dislocation: on-site treatment. Phys

Sportsmed. 1999 Feb;27(2):121-2.

25. Parsons BO, Ramsey ML. Acute elbow dislocations in athletes. Clin Sports Med. 2010 Oct ;29(4):599-609.

26. Josefsson PO, Nilsson BE. Incidence of elbow dislocation. Acta Orthop Scand. 1986 Dec;57(6):537-8.

27. Sheps DM, Hildebrand KA, Boorman RS. Simple dislocations of the elbow: evaluation and treatment. Hand Clin. 2004 Nov;20(4):389-404.

28. Cohen MS, Hastings H 2nd. Acute elbow dislocation: evaluation and management. J Am Acad Orthop Surg. Jan-Feb 1998;6(1):15-23.

29. Krul M, van der Wouden JC, Koes BW, Schellevis FG, van Suijlekom-Smit LW. Nursemaid's elbow: Its diagnostic clues and preferred means of reduction. J Fam Pract. 2010 Jan;59(1):E5-7.

30. Macias CG, Bothner J, Wiebe R. A comparison of supination/flexion to hyperpronation in the reduction of radial head subluxations. Pediatrics. 1998 Jul;102(1):e10.

31. David TS, Zemel NP, Mathews PV. Symptomatic, partial union of the hook of the hamate fracture in athletes. Am J Sports Med. 2003 Jan-Feb;31(1):106-11.

32. Earnshaw SA, Cawte SA, Worley A, Hosking DJ. Colles' fracture of the wrist as an indicator of underlying osteoporosis in postmenopausal women: a prospective study of bone mineral density and bone turnover rate. Osteoporos Int. 1998 ;8(1):53-60.

33. Vilke GM. FOOSH injury with snuff box tenderness. J Emerg Med. 1999 Sep-Oct;17(5):899-900.

34. Altizer L. Boxer's Fracture. Orthop Nurs. 2006 Jul-Aug;25(4):271-3; quiz 274-5.

35. Yadla S, Ratliff JK, Harrop JS. Whiplash: diagnosis, treatment, and associated injuries. Curr Rev Musculoskelet Med. 2008 Mar;1(1):65-8.

36. Kassirer MR, Manon N. Head banger's whiplash. Clin J Pain. 1993 Jun;9(2):138-41.

37. Spitzer WO, Skovron ML, Salmi LR, Cassidy JD, Duranceau J, Suissa S, Zeiss E. Scientific monograph of the Quebec Task Force on Whiplash-Associated Disorders: redefining "whiplash" and its management. Spine. 1995 Apr;20(8 Suppl):1S-73S.

38. Castro WH, Schilgen M, Meyer S, Weber M, Peuker C, Wörtler K. Do "whiplash injuries" occur in low-speed rear impacts? Eur Spine J. 1997 ;6(6):366-75.

39. Rodriquez AA, Barr KP, Burns SP. Whiplash: pathophysiology, diagnosis, treatment, and prognosis. Muscle Nerve. 2004 Jun;29(6):768–81.

40. Sterner Y, Gerdle B. Acute and chronic whiplash disorders--a review. J Rehabil Med. 2004 Sep;36(5):193-209; quiz 210.

41. Hildingsson C, Toolanen G. Outcome after soft-tissue injury of the cervical spine. A prospective study of 93 car-accident victims. Acta Orthop Scand. 1990 Aug;61(4):357-9.

42. Harder S, Veilleux M, Suissa S. The effect of socio-demographic and crash-related factors on the prognosis of whiplash. J Clin Epidemiol 1998 May;51(5):377-84.

43. Parmar HV, Raymakers R. Neck injuries from rear impact road traffic accidents: prognosis in persons seeking compensation. Injury 1993 Feb:24:75-8.

44. Simons DG. Myofascial trigger points and the whiplash syndrome. Clin J Pain. 1989 Sep;5(3):279.

45. Huffman GB. Clinical and Other Symptoms Related to Whiplash Injury. Am Fam Physician. 2002 Feb;65(3):478-80.

46. 최수용. 한의사를 위한 통증치료 매뉴얼3. 서울:가온해미디어. 2015.

47. van Tulder M, Malmivaara A, Esmail R, Koes B. Exercise therapy for low back pain: a systematic review within the framework of the cochrane collaboration back review group. Spine (Phila Pa 1976). 2000 Nov;25(21):2784-96.

48. Standaert CJ, Weinstein SM, Rumpeltes J. Evidence-informed management of chronic low back pain with lumbar stabilization exercises. Spine J. 2008 Jan-Feb;8(1):114-20.

49. Elnaggar IM, Nordin M, Sheikhzadeh A, Parnianpour M, Kahanovitz N. Effects of spinal flexion and extension exercises on low-back pain and spinal mobility in chronic mechanical low-back pain patients. Spine (Phila Pa 1976). 1991 Aug;16(8):967-72.

50. Barr KP, Griggs M, Cadby T. Lumbar stabilization: core concepts and current literature, Part 1. Am J Phys Med

Rehabil. 2005 Jun;84(6):473-80.

51. Barr KP, Griggs M, Cadby T. Lumbar stabilization: a review of core concepts and current literature, part 2. Am J Phys Med Rehabil. 2007 Jan;86(1):72-80.

52. Kumar SP. Efficacy of segmental stabilization exercise for lumbar segmental instability in patients with mechanical low back pain: A randomized placebo controlled crossover study. N Am J Med Sci. 2011 Oct;3(10):456-61.

53. Pua YH, Cai CC, Lim KC. Treadmill walking with body weight support is no more effective than cycling when added to an exercise program for lumbar spinal stenosis: a randomised controlled trial. Aust J Physiother. 2007 ;53(2):83-9.

54. Tyler TF, Silvers HJ, Gerhardt MB, Nicholas SJ. Groin injuries in sports medicine. Sports Health. 2010 May;2(3):231-6.

55. Boyajian-O'Neill LA, McClain RL, Coleman MK, Thomas PP. Diagnosis and management of piriformis syndrome: an osteopathic approach. J Am Osteopath Assoc. 2008 Nov;108(11):657-64.

56. Sanders S, Tejwani N, Egol KA. Traumatic hip dislocation-a review. Bull NYU Hosp Jt Dis. 2010 ;68(2):91-6.

57. Tornetta P 3rd, Mostafavi HR. Hip Dislocation: Current Treatment Regimens. J Am Acad Orthop Surg. 1997 Jan;5(1):27-36.

58. DeLee JC. Fractures and dislocations of the hip. In: Rockwood CA Jr, Green DP, Bucholz R eds. Fractures in adults. 4th ed. Philadelphia: Lipincott-Raven. 1996: p 1756-803.

59. Mitchell JC, Giannoudis PV, Millner PA, Smith RM. A rare fracture-dislocation of the hip in a gymnast and review of the literature. Br J Sports Med. 1999 Aug;33(4):283-4.

60. Jacob JR, Rao JP, Ciccarelli C. Traumatic dislocation and fracture dislocation of the hip. A long-term follow-up study. Clin Orthop Relat Res. 1987 Jan;(214):249-63.

61. Hoskins W, Pollard H. The management of hamstring injury--Part 1: Issues in diagnosis. Man Ther. 2005 May;10(2):96-107.

62. Phisitkul P, James SL, Wolf BR, Amendola A. MCL injuries of the knee: current concepts review. Iowa Orthop J. 2006 ;26:77-90.

63. Jain DK, Amaravati R, Sharma G. Evaluation of the clinical signs of anterior cruciate ligament and meniscal injuries. Indian J Orthop. 2009 Oct;43(4):375-8.

64. Goldstein J, Zuckerman JD. Selected orthopedic problems in the elderly. Rheum Dis Clin North Am. 2000 Aug;26(3):593-616.

65. Yeh PC, Starkey C, Lombardo S, Vitti G, Kharrazi FD. Epidemiology of Isolated Meniscal Injury and Its Effect on Performance in Athletes From the National Basketball Association. Am J Sports Med. 2012 Mar;40(3):589-94.

66. Rinonapoli G, Carraro A, Delcogliano A. The clinical diagnosis of meniscal tear is not easy. Reliability of two clinical meniscal tests and magnetic resonance imaging. Int J Immunopathol Pharmacol. 2011 Jan-Mar;24(1 Suppl 2):39-44.

67. Rytter S, Jensen LK, Bonde JP, Jurik AG, Egund N. Occupational kneeling and meniscal tears: a magnetic resonance imaging study in floor layers. J Rheumatol. 2009 Jul;36(7):1512-9.

68. Stanitski CL, Harvell JC, Fu F. Observations on acute knee hemarthrosis in children and adolescents. J Pediatr Orthop. 1993 Jul-Aug;13(4):506-10.

69. Konan S, Rayan F, Haddad FS. Do physical diagnostic tests accurately detect meniscal tears?. Knee Surg Sports Traumatol Arthrosc. 2009 Jul;17(7):806-11.

70. Renstrom P, Johnson RJ. Anatomy and biomechanics of the menisci. Clin Sports Med. 1990 Jul;9(3):523-38.

71. Barber FA, Harding NR. Meniscal repair rehabilitation. Instr Course Lect. 2000 ;49:207-10.

72. Shelbourne KD, Heinrich J. The long-term evaluation of lateral meniscus tears left in situ at the time of anterior cruciate ligament reconstruction. Arthroscopy. 2004 Apr;20(4):346-51.

73. Nicholas SJ, Golant A, Schachter AK, Lee SJ. A new surgical technique for arthroscopic repair of the meniscus root tear. Knee Surg Sports Traumatol Arthrosc. 2009 Dec;17(12):1433-6.

74. Waryasz GR, McDermott AY. Patellofemoral pain syndrome (PFPS): a systematic review of anatomy and potential risk factors. Dyn Med. 2008 Jun;7:9.

75. Prins MR, van der Wurff P. Females with patellofemo-

ral pain syndrome have weak hip muscles: a systematic review. Aust J Physiother. 2009 ;55(1):9-15.

76. Jensen R, Gøthesen O, Liseth K, Baerheim A. Acupuncture treatment of patellofemoral pain syndrome. J Altern Complement Med. 1999 Dec;5(6):521-7.

77. Jensen R, Hystad T, Baerheim A. Knee function and pain related to psychological variables in patients with long-term patellofemoral pain syndrome. J Orthop Sports Phys Ther. 2005 Sep;35(9):594-600.

78. Dragoo JL, Johnson C, McConnell J. Evaluation and treatment of disorders of the infrapatellar fat pad. Sports medicine (Auckland, N.Z.). 2012;42(1): 51–67.

79. Hiemstra LA, Kerslake S, Irving C. Anterior knee pain in the athlete. Clinics in sports medicine. 2014;33(3):437–59.

80. Larbi A, Cyteval C, Hamoui M, Dallaudiere B, Zarqane H, Viala P, Ruyer A. Hoffa's disease: a report on 5 cases. Diagn Interv Imaging. 2014;95(11):1079-84.

81. 최수용. 한의사를 위한 통증치료 매뉴얼2. 서울:신흥메드싸이언스. 2013.

82. De Flaviis L, Nessi R, Scaglione P, Balconi G, Albisetti W, Derchi LE. Ultrasonic diagnosis of Osgood-Schlatter and Sinding-Larsen-Johansson diseases of the knee. Skeletal Radiol. 1989 ;18(3):193-7.

83. Meyer RS, White KK, Smith JM, Groppo ER, Mubarak SJ, Hargens AR. Intramuscular and blood pressures in legs positioned in the hemilithotomy position : clarification of risk factors for well-leg acute compartment syndrome. J Bone Joint Surg Am. 2002 Oct;84-A(10):1829-35.

84. Campbell JT. Posterior calf injury. Foot Ankle Clin. 2009 Dec;14(4):761-71.

85. Thompson J, Baravarian B. Acute and chronic Achilles tendon ruptures in athletes. Clin Podiatr Med Surg. 2011 Jan;28(1):117-35.

86. van der Linden-van der Zwaag HM, Nelissen RG, Sintenie JB. Results of surgical versus non-surgical treatment of Achilles tendon rupture. Int Orthop. 2004 Dec;28(6):370-3.

87. Moen MH, Tol JL, Weir A, Steunebrink M, De Winter TC. Medial tibial stress syndrome: a critical review. Sports Med. 2009 ;39(7):523-46.

88. Vitale TD, Kolodin EL. Foot disorders. In Delisa JA, Gans BM, Walsh NE. eds. Physical medicine & rehabilitation principles and practice 4th. Philadelphia Pa: Lippincott Williams & Wilkins. 2005: p 873-94.

89. 이우천. 족부족관절학. 서울:교학사. 2004: p 1-3, 29-47.

90. Ferran NA, Maffulli N. Epidemiology of sprains of the lateral ankle ligament complex. Foot Ankle Clin. 2006 Sep;11(3):659-62.

91. Kadel NJ. Foot and ankle injuries in dance. Phys Med Rehabil Clin N Am. 2006 Nov;17(4):813-26.

92. Norkus SA, Floyd RT. The anatomy and mechanisms of syndesmotic ankle sprains. J Athl Train. 2001 Jan-Mar;36(1):68-73.

93. Tiemstra JD. Update on acute ankle sprains. Am Fam Physician. 2012 Jun 15;85(12):1170-6.

94. Chinn L, Hertel J. Rehabilitation of ankle and foot injuries in athletes. Clin Sports Med. 2010 Jan;29(1):157-67.

95. Kulig K, Pomrantz AB, Burnfield JM, Reischl SF, Mais-Requejo S, Thordarson DB, Smith RW. Non-operative management of posterior tibialis tendon dysfunction: design of a randomized clinical trial. BMC Musculoskelet Disord. 2006 Jun;7:49.

96. Geideman WM, Johnson JE. Posterior tibial tendon dysfunction. J Orthop Sports Phys Ther. 2000 Feb;30(2):68-77.

97. Oloff LM, Schulhofer SD. Flexor hallucis longus dysfunction. J Foot Ankle Surg. 1998 Mar-Apr;37(2):101-9.

98. Sanhudo JA. Stenosing tenosynovitis of the flexor hallucis longus tendon at the sesamoid area. Foot Ankle Int. 2002 Sep;23(9):801-3.

99. Theodore GH, Kolettis GJ, Micheli LJ. Tenosynovitis of the flexor hallucis longus in a long-distance runner. Med Sci Sports Exerc. 1996 Mar;28(3):277-9.

100. Lee MS, Vanore JV, Thomas JL, Catanzariti AR, Kogler G, Kravitz SR, Miller SJ, Gassen SC; Clinical Practice Guideline Adult Flatfoot Panel. Diagnosis and treatment of adult flatfoot. J Foot Ankle Surg. 2005 Mar-Apr;44(2):78-113.

101. Burns J, Landorf KB, Ryan MM, Crosbie J, Ouvrier RA. Interventions for the prevention and treatment of pes cavus. Cochrane Database Syst Rev. 2007 Oct;(4):CD006154.

102. Manoli A 2nd, Graham B. The subtle cavus foot, "the underpronator". Foot Ankle Int. 2005 Mar;26(3):256-63.

103. Robbins S, Waked E. Factors associated with ankle injuries. Preventive measures. Sports Med. 1998 Jan;25(1):63-72.

104. Ball KA, Afheldt MJ. Evolution of foot orthotics-part 1: coherent theory or coherent practice? J Manipulative Physiol Ther. 2002 Feb;25(2):116-24.

105. Ball KA, Afheldt MJ. Evolution of foot orthotics-part 2: research reshapes long-standing theory. J Manipulative Physiol Ther. 2002 Feb;25(2):125-34.

<제5절>

1. WHO. Golobal status report on road safety. 2018.

2. 교통사고 상해증후군의 한의 임상진료 현황조사를 위한 웹기반 설문조사. 한방재활의학과학회지. 2017;27(4):131-145.

3. 교통사고 후 발생한 경항통에 대한 황련해독탕약침, 봉독약침, 중성어혈약침 치료의 효과 비교 연구: 후향적 관찰 연구. 한방재활의학과학회지. 2018;28(2):83-89.

4. 교통사고 상해 증후군의 한의 임상진료 현황 조사: 2차 온라인 심층 설문 조사. 한방재활의학과학회지. 2018;28(4):89-101.

5. Characteristics and status of Korean medicine use in whiplash-associated disorder patients. BMC Complementary and Alternative Medicine. 2018;18(1):124.

6. Clinical practice guidelines for the use of traditional Korean medicine in the treatment of patients with traffic-related injuries: An evidence-based approach. European Journal of Integrative Medicine. 2018;18:34-41.

7. Seddon HJ. A Classification of Nerve Injuries. BMJ. 1942 Aug 29;2(4260):237–239.

8. South Australian Centre for Trauma and Injury Recovery. Clinical Guidelines for Best Practice Management of Acute and Chronic Whiplash-Associated Disorders. Australia. 2008.

9. The Chartered Society of Physiotherapy. Clinical Guidelines for the Physiotherapy Management of Whiplash Associated Disorder. United Kingdom. 2004.

10. Motor Accidents Authority. Guidelines for the Management of Acute Whiplash-Associated Disorders for Health Professionals, 3rd Edition. Australia. 2014.

11. Quebec Task Force. Scientific Monograph of the Quebec Task Force on Whiplash-Associated Disorders. Canada. 1995.

12. Motor Accidents Authority. Guidelines for the Management of Anxiety Following Motor Vehicle Accidents. Australia. 2003.

10. Motor Accidents Authority. Guidelines for the Management of Acute Whiplash-Associated Disorders for Health Professionals, 3rd Edition. Australia. 2014.

11. Quebec Task Force. Scientific Monograph of the Quebec Task Force on Whiplash-Associated Disorders. Canada. 1995.

12. Motor Accidents Authority. Guidelines for the Management of Anxiety Following Motor Vehicle Accidents. Australia. 2003.

13. Hendricks E, Scholten-Peeters G, van der Windt D, et al. Prognostic factors for poor recovery in acute whiplash patients. Pain 2005;114:408–416.

14. Sterling M, Jull G, Vicenzino B, et al. Physical and psychological factors predict outcome following whiplash injury. Pain 2005;114:141–148.

15. Rebbeck T, Sindhausen D, Cameron I. A prospective cohort study of health outcomes following whiplash associated disorders in an Australian population. Inj Prev 2006;12:86–93.

16. Barnsley L, Lord S, Bogduk N. The pathophysiology of whiplash. Spine 1998;12:209–242.

17. Treleaven J, Jull G, Sterling M. Dizziness and unsteadiness following whiplash injury – characteristic features and relationship with cervical joint position error. J Rehabil 2003;34:1–8.

18. Radanov B, Sturzenegger M. Predicting recovery from common whiplash. Eur Neurol 1996;36:48–51.

19. Provinciali L, Baroni M. Clinical approaches to whiplash injuries: a review. Crit Rev Phys Rehabil Med 1999;11:339–368.

20. Cusick J, Pintar F, Yoganandan N. Whiplash syndrome: kinematic factors influencing pain patterns. Spine 2001;26:1252–1258.

21. temper B, Yoganandan N, Rao R, et al. Influence of thoracic ramping on whiplash kinematics. Clin Biomech 2005;20:1019–1028.

22. Sizer P, Poorbaugh K, Phelps V. Whiplash associated disorders: pathomechanics, diagnosis and management. Pain Pract 2004;4:249–266.

23. Ivancic P, Panjabi M. Cervical spine loads and intervertebral motions during whiplash. Traffic Inj Prev 2006;7:389–399.

24. Ronnen J, de Korte P, Brink P. Acute whiplash injury: is there a role for MR imaging. Radiology 1996;201:93–96.

25. Taylor J, Taylor M. Cervical spinal injuries: an autopsy study of 109 blunt injuries. J Musculoskel Pain 1996;4:61–79.

26. Lord S, Barnsley L, Wallis B, et al. Chronic cervical zygapophysial joint pain after whiplash: a placebo-controlled prevalence study. Spine 1996:21:1737–1745.

27. Chu J, Eun S, Schwartz J. Quantitative motor unit action potentials (QUAMP) in whiplash patients with neck and upper limb pain. Electromyogr Clin Neurophysiol 2005;45:323–328.

28. Chien A, Eliav E, Sterling M. Hypoaesthesia occurs with sensory hypersensitivity in chronic whiplash: indication of a minor peripheral neuropathy? Man Ther 2008; in press.

29. Spitzer W, Skovron M, Salmi L, et al. Scientific Monograph of Quebec Task Force on Whiplash associated Disorders: redefining "Whiplash" and its management. Spine 1995;20:1–73.

30. Sterling M. Whiplash injury pain: basic science and current/future therapeutics. Rev Analg 2007;9:105–116.

31. Heikkila H, Wenngren B. Cervicocephalic kinesthetic sensibility, active range of cervical motion and oculomotor function in patients with whiplash injury. Arch Phys Med Rehabil 1998;79:1089–1094.

32. Dall'Alba P, Sterling M, Trealeven J, et al. Cervical range of motion discriminates between asymptomatic and whiplash subjects. Spine 2001;26:2090–2094.

33. Jull G, Kristjansson E, Dall'Alba P. Impairment in the cervical flexors: a comparison of whiplash and insidious onset neck pain patients. Man Ther 2004;9:89–94.

34. Nederhand M, Hermens H, Ijzerman M, et al. Cervical muscle dysfunction in chronic whiplash associated disorder grade 2. The relevance of trauma. Spine 2002;27:1056–1061.

35. Sterling M, Jull G, Kenardy J. Physical and psychological predictors of outcome following whiplash injury maintain predictive capacity at long term follow-up. Pain 2006;122:102–108.

36. Sterling M, Jull G, Vizenzino B, et al. Development of motor system dysfunction following whiplash injury. Pain 2003;103:65–73.

37. Elliott J, Jull G, Noteboom T, et al. Fatty infiltration in the cervical extensor muscles in persistent whiplash associated disorders: an MRI analysis. Spine 2006;31: E847–855.

38. Scott D, Jull G, Sterling M. Sensory hypersensitivity is a feature of chronic whiplash associated disorders but not chronic idiopathic neck pain. Clin J Pain 2005;21:175–181.

39. Sterling M, Kenardy J, Jull G, et al. The development of psychological changes following whiplash injury. Pain 2003;106:481–489.

40. Radanov B, Sturzenegger M, Di Stefano G. Long-term outcome after whiplash injury. A 2-year follow-up considering features of injury mechanism and somatic, radiologic, and psychological findings. Medicine 1995;74:281–297.

41. Cassidy JD, Carroll LJ, Cote P, et al. Effect of eliminating compensation for pain and suffering on the outcome of insurance claims for whiplash injury. N Engl J Med 2000;20:1179–1213.

42. Kasch H, Flemming W, Jensen T. Handicap after acute whiplash injury. Neurology 2001;56:1637–1643.

43. Cote P, Cassidy D, Carroll L, et al. A systematic review of the prognosis of acute whiplash and a new conceptual framework to synthesize the literature. Spine 2001;26:E445–E458.

44. Scholten-Peeters G, Verhagen A, Bekkering G, et al. Prognostic factors of whiplash associated disorders: a systematic review of prospective cohort studies. Pain 2003;104:303–322.

45. Kasch H, Qerama E, Bach F, et al. Reduced cold pressor pain tolerance in non-recovered whiplash patients: a 1 year prospective study. Eur J Pain;2005;9:561–569.

46. Buitenhuis J, DeJong J, Jaspers J, et al. Relationship between posttraumatic stress disorder symptoms and the course of whiplash complaints. J Psychosom Res 2006;61:681–689.

47. Dufton J, Kopec J, Wong H, et al. Prognostic factors associated with minimal improvement following acute whiplash associated disorders. Spine 2006;31: E759–E765.

48. Sturzenegger M, Radanov B, Stefano GD. The effect of accident mechanisms and initial findings on the long-term course of whiplash injury. J Neurol 1995;242:443–449.

49. Sterling M, Jull G, Vicenzino B, et al. Sensory hypersensitivity occurs soon after whiplash injury and is associated with poor recovery. Pain 2003;104:509–517.

50. Scholten-Peeters G, Bekkering G, Verhagen A, et al. Clinical practice guideline for the physiotherapy of patients with whiplash associated disorders. Spine 2002;27:412–422.

51. MAA. Guidelines for the Management of Whiplash Associated Disorders. Sydney: Motor Accidents Authority, 2006:16.

52. 정석희, 이준환, 신동재, 조재흥. 경추 통증의 진단과 치료:교통사고 상해 및 목 통증 치료의 최신지견. 군자출판사 2011:133-150.

53. 최승훈, 오민석, 송태원. 교통사고로 인한 경항통 환자 52례에 대한 임상연구. 한방재활의학과학회지. 2000;10(1):45-55.

54. 조성우, 강연경, 장동호, 이인선. 교통사고 환자에 대한 진단 및 치료의 경향성 연구: 국내에서 발표된 학위지 및 학술논문을 중심으로. 척추신경추나의학회지. 2009;4(2):197-209.

55. Porterfield JA, DeRosa C. 머리, 목, 어깨의 통증과 치료. 서울:지성출판사. 1998:1-2, 16-18.

56. 박래준. 연부조직의 동통과 장애. 서울:대학서림. 1994:133-150.

57. 척추신경추나의학회 교과서편찬위원회. 추나의학2.5판. 척추신경추나의학회 출판사. 2017.

<제6절>

1. 김희영, 조성재. 산재장애인의 장애수용도, 장애정도, 장애부위가 직업복귀에 미치는 영향. 대구대학교 대학원. 2007:1-61.

2. 고용노동부. 2017년 산업재해 발생현황. 2017.

3. 법제처. 산업재해보상보험법 제40조 제5항 및 시행규칙 제10조 「산업재해보상보험 요양급여 산정기준」. 2018.

4. 마승렬, 김명규. 산업재해보상보험 급여체계의 적정성 분석. 보험개발연구. 2008;19(3):119-163.

5. 보건복지부 국민연금공단. 장애인복지법에 의한 장애등급 판정기준(보건복지부 고시 제 2013-56호). 국민연금공단 장애인지원실. 2013.

6. 근로복지공단. 알기 쉬운 산재보험(치료·보상·재활). (사)한국신체장애인복지회인쇄사업장. 2013.

7. 보건복지부 장애인정책과. 「장애등급판정기준 고시」 일부 개정령〔안〕. 2013.

8. 최윤영. 산재근로자 재활서비스 정책의 문제점과 개선방안. 한국직업재활학회. 2009;19(1):121-142.

9. 강선경, 노지현. 산업재해 이후 산재장해인의 삶의 적응에 관한 현상학적 연구: 삶의 재구축. 직업재활연구. 2013;23(1):107-129.

10. 이해경, 서경현. 신체손상을 입은 산업재해 환자가 경험하는 심리적 문제에 관한 질적 연구. 한국심리학회지. 2014;19(1):431-442.

11. 임선경, 우종민, 채정호, 고아름, 류희경. 산업재해 환자를 위한 긍정심리학 기반의 심리재활 프로그램 효과성 연구. 스트레스 연구. 2012;20(2):79-85.

<제7절>

1. 한국장애인개발원. 장애인백서 2012. 서울:한국장애인개발원. 2012.

2. 한눈에 보는 2018 장애인통계. 한국장애인고용공단 고용개발원

3. 2017 장애인 실태조사 결과. 보건복지부. 한국보건사회연구원. 2018

4. Rondinelli RD. Changes for the New AMA Guides to Impairment Ratings, 6th Edition: Implications and Appli\-cations for Physician Disability Evaluations. PM R. 2009;1(7):643-56.

5. 박동식, 이상구. 미국의학협회 장애평가 기준. J Korean Med Assoc. 2009;52(6):567-72.

6. McBride ED. Disability evaluation and principles of treat\-ment of compensable injuries 6th Ed. Philadelphia:Lippincott Company. 1963.

7. American Medical Association. Guides to the Evaluation of Permanent Impairment. 6th ed. Chicago:American Medical Association. 2007.

8. 보건복지부, 국민연금공단. 국민기초생활보장수급자 근로능력평가를 위한 의학적 평가기준. 2012년 12월 1일 시행.

9. 장애인 건강관리 사업. 보건복지부. 국립재활원재활연구소. 2015.

10. 이자경 · 손정우. 의료커뮤니케이션의 기본 개념. 학지사. 2012.

11. 김성수, 금동호. 위증에 關한 文獻的 考察 -病因病氣, 治法 및 治方 中心으로 -. 한의대 연구소 논문집. 1999;7(2):81-95

12. 中藥的合理應用. 徐德生 主編. 상해과학기술출판사 2005:155-227

13. 동의노년양생학. 김광호, 김동영. 서원당. 1999:365-381

14. Ernst E, White AR. Prospective studies of the safety of acupuncture: a systematic review. The American journal of medicine. 2001;110(6):481-5.

15. Ries AL, Bauldoff GS, Carlin BW, Casaburi R,Emery CF, Mahler DA, et al. Pulmonary rehabilitation: joint ACCP/AACVPR evidencebased clinical practice guidelines. Chest. 2007;131(5):4S-42S.

16. 김호일, 허영, 김태희, 박영배. 天人相應으로 바라본 呼吸과 呼吸方式의 五行歸類 - 黃帝內經과 難經, 東醫寶鑑을 중심으로 바라본 呼吸. 대한한의학회지. 2003;7(2):35-54

CHAPTER

06 스포츠 의학

금동호(동국대학교)
염승룡(원광대학교)
오민석(대전대학교)
오재근(한국체육대학교)
이명종(동국대학교)
정원석(경희대학교)

CHAPTER

06 스포츠 의학

제1절 개요

로마시대 콜로세움의 검투사를 치료하면서 시작된 스포츠 의학은 프로화 이후 비약적으로 발전하기 시작하였다. 최근 건강을 위해 스포츠에 참여하는 인구가 늘어나면서 운동중독(exercise addiction) 및 과사용(overuse) 손상 예방을 위한 적정 운동량 지침이 필요할 정도가 되었으며, 이와 더불어 스포츠 손상 예방 및 치료를 위한 스포츠 의학의 중요성이 대두되고 있다.

스포츠 의학 관련 종사자에는 의사 및 트레이너, 물리 치료사, 운동 생리학자, 운동 기능학자, 체육 교육자 등의 준의료 요원(paramedical personnel)까지 광범위하게 포함되므로, 용어 정의에 다소 차이가 있을 수 있다. 이중 Ryan은 스포츠 의학의 개념을 첫째 운동선수의 의학적 관리, 둘째 특수체육, 셋째 운동치료, 넷째 만성적 퇴행성 질환의 예방을 위한 운동으로 정의하였다.

한의학을 스포츠에 적극적으로 활용하기 위해 스포츠 한의학회가 결성되었다. 스포츠 한의학은 한의학적 방법을 이용하여 경기력 즉 운동수행능력(exercise performance) 향상과 스포츠 손상의 예방, 치료 및 재활 등을 관리하고, 나아가 한의학 분야 중 운동을 통하여 건강한 삶에 기여할 수 있는 요소들을 연구 개발하는 것을 목적으로 한다.

제6장 스포츠 의학에서는 운동으로 인해 유발하는 과사용 손상 등을 위주로 기술하며, 운동으로 유발되는 부위별 연부조직 손상과 골절 및 탈구는 제5장 손상과 상해, 장애 부분을 참조하길 바란다.

1. 과사용 손상

오늘날 운동선수들은 과거보다 훨씬 강한 훈련을 받아 스포츠 손상이 증가하고 있다. 스포츠 손상은 급성과 만성, 외상과 과사용 손상으로 분류하며, 임상적으로는 급성 손상과 과사용 손상으로 분류한다. 외적 요인에 의한 급성 손상이 1/3 정도, 만성 과사용 손상 등의 내적 요인에 의한 것이 2/3 정도를 차지한다. 스포츠 손상은 일반적으로 골절이나 탈구보다 좌상, 건염, 염좌가 주로 많이 발생한다. 손상 부위별로는 슬관절, 요추부, 견관절, 족근관절(足根關節, ankle joint)에 다발하며, 주관절, 족부, 수부에 빈발한다.

과사용 손상(overuse injury)은 반복사용 긴장성 손상(repetitive strain injury)이나 누적 외상성 장애(cumulative trauma disorder)와 혼용되어 사용되지만, 직업적 소인이나 작업 환경과의 관련성은 낮으면서 주로 운동 과다로 인해 유발된 것을 흔히 과사용 손상이라고 한다.

운동으로 인한 과부하는 미세외상(microtrauma)을 유발하고, 미세외상이 회복되기도 전에 동일한 운동을 반복적으로 하는 경우 조직 손상이 발생한다. 이러한 미세외상으로 인한 조직 손상이 누적되어 쌓이다가 통증 등의 임상 증상으로 나타나게 된다. 과사용 손상은 다양한 조직에서 발생하지만, 근골격계에서 가장 흔하게 발생한다. 족저근막염, 아킬레스건염, 스트레스 골절, 정강이통(shin pain), 회전근개(rotator cuff) 질환, 외측상과염 등이 대표적이다.

과사용 손상은 주로 잘못된 훈련에 의해 유발되며, 부정렬(malalignment) 등의 생체역학적(biomechanic) 이상, 근육 불균형 및 약화, 비유연성, 기술적 미숙함, 부적절한 장비, 과도한 운동 시간 및 횟수 등과 관련된다. 이러한 요인들을 분석하면 충분히 예방 가능하다. 하지만 흔히 예방의 중요성을 인식하지 못하고 결국 치료가 어려워지거나 실패하는 경우가 종종 있다.

2. 스트레스 골절

과사용은 주로 연부조직(soft tissue)에 손상을 유발하지만, 뼈에도 손상을 유발할 수 있다. 스트레스 골절(stress fracture) 혹은 피로 골절(fatigue fracture)은 단번에 골절을 유발하기에는 부족한 힘이나 부하가 뼈에 반복적으로 가해져서 발생하는 부분 골절이나 완전 골절을 말한다. 스트레스 골절은 운동선수와 군인에서 흔히 발생하며, 특징적으로 키가 크고 마른 체형에서 빈발하는 경향이 있다.

국소 통증, 압통, 방사선 검사, 골주사 검사(bone scan)의 정도에 따라 골좌상(bone strain), 스트레스 반응(stress reaction), 스트레스 골절로 분류된다. 스트레스 반응을 스트레스 전(前)골절이라고도 한다. 골좌상이나 스트레스 반응 단계에서 원인성 활동의 강도를 줄이면 치유될 수 있지만, 뼈에 가해지는 힘이 증가하면 스트레스 골절로 진행하기도 한다.

1) 원인 및 다발 부위

운동선수에 있어 흔한 손상인 스트레스 골절은 무게 중압보다는 반복적 활동으로 뼈의 한 지점에 구조 강도를 초과하는 힘이 지속적으로 가해질 때 발생한다.

스트레스 골절은 거의 신체의 모든 뼈에서 발생할 수 있다. 일반적으로 체중 부하가 걸리는 하지에 다발하며, 경골(tibia)에서 가장 흔히 발생한다. 그 다음으로 족부의 주상골(scaphoid), 중족골(metatarsal bone), 비골(fibula)에 흔하며, 기타 대퇴골(femur), 골반(pelvis), 척추(spine) 순으로 발생한다. 스트레스 골절을 유발하는 가장 흔한 운동은 달리기이다. 하지만 운동 종목별로 약간의 차이가 존재하는데, 사격의 견갑골 오구돌기(coracoid process), 던지기의 상완골(humerus), 골프와 테니스의 늑골(rib), 미식축구와 체조의 요추 관절간부(pars inter articularis) 등에 발생한다.

2) 증상, 징후 및 검사

스트레스 골절은 뼈 부위에 국한된 국소 통증과 압통이 특징적이다. 특히 초기에는 운동시에 악화되고 휴식 시에 감소되는 통증을 호소한다.

진행되면 국소 통증이 여러 시간 지속되거나 밤 동안에 악화된다. 국소 압통은 골절 부위 전체에 거의 항상 존재한다. 종창은 없을 수도 있으나 주로 운동 후에 발생한다. 간혹 병변 부위에 온열감을 호소하기도 한다.

스트레스 골절의 추정 진단에 정확성을 더할 수 있는 방법으로 소리굽쇠(tuning fork) 검사가 있다. 진동하는 소리굽쇠를 통증 부위에 대어볼 때 불쾌감이나 통증을 느끼면 스트레스 골절을 암시하는 것이다. 스트레스 골절이 이 검사에서 언제나 양성을 나타내지는 않지만, 스트레스 골절이 없는 곳에서 이 검사가 양성으로 나타나는 일은 거의 없다.

방사선 검사에서 뼈의 희미해짐, 골막을 따라 생기는 가골(callus), 머리카락 골절이 관찰되기도 하지만, 증상발현 후 최소 2-6주간은 특이소견이 없을 수도 있다. 골주사 검사(bone scan)에서 hot spot 소견이 관찰된다.

3) 치료 및 예후

치료를 위해서는 통증을 유발하지 않을 정도로 활동을 줄여야 한다. 부위에 따라 다르지만, 3-8주간의 휴식이 가장 기본적인 치료이다. 하지에 발생한 경우 되도록 체중부하가 걸리지 않도록 하는 것이 중요하다. 운동 여부는 골절의 부위에 따라 약간의 차이가 있는데, 제3 혹은 제4 중족골(metatarsal bone)은 흔히 구두내 특수 장치를 사용하면 운동 참여가 허용되기도 한다.

대부분은 비수술적으로 회복되지만, 대퇴골(femur)은 전위를 막기 위해 조기에 수술하기도 한다. 간혹 치료 후에 재발되기도 하며, 치유가 되지 않은 상태에서 운동에 복귀할 경우 완전한 골절로 진행할 수도 있다.

3. 골단 손상

소아나 청소년기 운동선수의 골단(epiphysis) 손상은 성장판에 영향을 미쳐, 심한 경우 성장장애가 발생할 수 있다. 그러나 예후는 일반적으로 양호한 편이다. 원위 요골(radius), 원위 경골(tibia) 및 비골(fibula), 원위 대퇴골(femur), 원위 및 근위 상완골(humerus), 수근골(carpal bone)에서 자주 발생한다. 대개 골단 손상이 있어도 방사선 검사에서 정상인 경우가 많으므로, 세심한 주의 및 경과 관찰이 필요하다.

성장기 남자 운동선수에 많은 성장판의 과사용 손상은 골단염(epiphysitis)이나 골단분리(epiphysiolysis)가 특징적이다. 치료시 휴식과 운동량의 조절이 가장 중요하다. 병변은 자연 정지되거나 성장판이 닫히면 증상이 소실되는 경향이 있다.

이중 소아 야구 견 & 주(little leaguer's shoulder & elbow)는 야구의 투구시 과도한 오버헤드(overhead) 동작으로 견관절, 주관절부에 발생하며, 변형이나 골편이 동반되기도 한다. Osgood-Schlatter 병은 슬개건의 견인으로 경골조면(tibial tuberosity) 골단에 발생하며, Sever 병은 아킬레스건의 견인으로 종골(calcaneus) 후방 골단에 발생한다.

제2절
생활체육 다발 손상

1. 걷기

걷기는 유산소 운동으로 콜레스테롤과 혈당을 낮추어 심장질환, 뇌혈관질환, 당뇨병, 비만 등을 예방해주는 효과가 있다. 달리기에 비해 열량 소모가 적어 운동을 처음 시작하는 사람, 노약자, 심장병 환자에 적합하다. 달리기보다 지방분해 효과가 커 다이어트에 도움이 된다.

걷기와 달리기의 차이점은 달리기는 발이 동시에 공중에 뜨는 부유 기간(floating phase)이 반드시 있어야 하고, 걷기는 한쪽 발이 지면에 항상 닿아 있어야 한다. 경보에서도 한쪽 발이 땅에서 떨어지기 전(toe off) 다른 발이 땅에 닿는(heel strike) 양하지 지지 기간(double support phase)이 존재해야 한다.

일반 걸음보다 조금 빠른 평보의 속력은 4 km/hr(보폭 60-70 cm)이다. 속보는 6 km/hr(보폭 80-90 cm)로 체력 증진과 심폐기능 향상 및 지방분해에 효과적이다. 경보는 8 km/hr(보폭 100-120 cm)로 운동 효과가 크지만, 입각기(stance phase) 내내 다리를 곧게 펴고 있어야 하므로 무릎에 부담을 준다.

시간이 오래 걸리고 상체를 많이 쓰지 않아 운동 효과가 떨어지는 걷기의 단점을 극복하기 위해 제안된 파워워킹(power walking)은 허리를 곧게 펴고 팔꿈치를 굽혀 힘차게 흔들면서 보폭을 크게 하여 시속 6-8 km 속도로 걸어, 달리기와 비슷한 열량을 소모한다.

장시간 과도한 걷기는 무릎이나 발목의 퇴행성 관절을 악화시킬 수 있으며, 심장병이 있는 경우 점진적인 운동량의 조절이 필요하다. 당뇨 환자는 발에 당뇨병성 괴사(necrosis of diabetic foot)가 유발될 수도 있으므로, 물속 걷기가 권장된다.

2. 달리기

걷기에 비해 심폐지구력(cardiovascular endurance) 및 전신 근력 향상 효과가 큰 달리기는 한쪽 발로 착지할 때 부하가 하지 부위에 순차적으로 걸리면서 손상이 발생한다. 손상 부위별로는 슬관절 손상이 40% 정도로 가장 다발한다. 그 다음으로 족부와 족근관절 손상이 빈발한다. 질병으로는 슬개대퇴 통증 증후군(patellofemoral pain syndrome), 장경 인대 증후군(iliotibial band syndrome), 족저근막염(plantar fasciitis) 순으로 손상이 발생한다.

무릎 통증은 달리기로 흔히 유발되는 증상이다. 주로 과사용으로 인한 슬개대퇴 통증 증후군과 관련되며, 슬개골의 전방 이외에 슬개골의 내측, 외측, 후방부에도 통증이 발생할 수 있다. 외측 무릎 통증이 오르막길을 달릴 때 사라졌다 내리막길을 달릴 때 통증이 나타나거나, 유각기(swing phase)에 다리가 앞으로 내밀어질 때 통증이 나타나면서 대퇴골의 외측

상과(lateral condyle of femur) 부위에 압통이 있는 경우 장경 인대 증후군을 고려한다.

족저근막염은 육상선수의 발뒤꿈치 통증의 가장 큰 원인으로 국소적인 최대 압통점이 종골 결절(tuberculum calcanei) 근처에 존재하는 것이 특징이다. 족저근막염의 연관통(referred pain)은 전방으로 방사되거나 엄지 발가락의 족배굴곡 시 통증이 증가되는데, 노인이나 비만인에 다발하는 지방패드(fat pad) 위축과의 감별진단이 필요하다. 지방 패드는 종골(calcaneus)의 바로 아래에 위치하여 충격 흡수 역할을 한다. 지방 패드가 손상되거나 위축되면 지속적으로 종골에 체중 부하가 가해질 때 미만성의 통증이 발뒤꿈치에 주로 나타난다.

이밖에 갑작스런 발바닥 외측부 통증으로 잘 걷지 못하는 입방골 기능장애(cuboid syndrome)는 추나 교정 및 입방골 패드가 효과적이다. 내측궁(medial arch) 동통은 무지외전근(abductor hallucis) 근염, 중족부(mid foot)의 족저근막염, 주행경로를 따라 나타나는 외재건 손상, 비정상적으로 큰 부주상골(accessory navicular bone), 신발과의 마찰 등의 요인과 관련이 있으며, 신발 교정 및 내측 아치 패드가 도움이 된다.

하퇴부 손상은 전경골근(anterior tibialis) 등에 의한 근막통이 가장 흔하다. 기타 경골과 비골의 스트레스 골절, 경골의 스트레스 증후군, 만성 구획 증후군, 슬와(popliteal) 동맥 포착 증후군, 근막 헤르니아(hernia) 등이 발생한다. 근막 헤르니아는 천비골(superficial peroneal) 신경이 근막을 뚫고 나오는 족근관절 상방 10 cm 부위에 잘 나타난다.

달릴 때의 자세 불량 및 지나친 달리기로 인해 요통이 발생하기도 하므로, 비정상적인 생체역학의 교정이 필요하다. 과도하게 회내(hyper pronation)된 경우 신발내 교정 장치 사용이 도움이 된다.

손상 예방을 위해서는 아킬레스건, 슬굴곡근(hamstring), 장경(iliotibial band) 인대의 스트레칭 및 약화된 복부와 배부의 척추기립근(erector spinae)과 둔부 근육의 강화 운동이 필요하다. 달리기는 대부분의 운동 종목에 기본이 되므로, 다른 종목에서도 위와 같은 손상들이 발생할 수 있다.

3. 축구

전 세계적으로 가장 인기 있는 스포츠인 축구는 유산소성 운동과 무산소성 운동의 복합 운동으로 다른 운동에 비해 심각한 손상의 발생률이 높은 편이다. 하지만 골절보다는 좌상, 염좌, 타박상(contusion)이 손상의 대부분을 차지한다. 손상은 체중이 부하된 발, 발목, 무릎, 대퇴에서 주로 발생하는데, 특히 발목에서 다발한다. 나이가 많을수록 손상이 더 많이 발생하는 경향이 있다.

일반적으로 비접촉 손상이 접촉 손상보다 더 흔히 발생한다. 그러나 심각한 손상은 주로 접촉 손상으로 유발된다. 접촉 손상은 주로 태클(tackle)을 당하거나 태클을 할 때 발생하며, 특히 경기가 과열된 경우 흔하다. 비접촉 손상은 달리기, 킥, 점프, 착지 등의 동작 시에 흔히 발생하는데, 주로 과사용 손상이나 손상 부위가 재손상되면서 유발된다.

발목 손상은 주로 접촉 손상으로 유발되며, 우성 발목에서 잘 발생한다. 비접촉 손상으로 인한 발목 손상은 급격한 방향 전환이나 내전, 족저굴곡 상태에서 발의 바깥쪽 면으로 공을 다룰 때 흔하다. 기타 중족골(metatarsal bone)의 스트레스 골절, 족근관절 충돌 증후군이 발생한다. 또한 퇴행성 관절염이 발목에 잘 유발되는 경향이 있으므로, 장년층의 경우 주의가 필요하다.

무릎 손상은 무릎이 회전축으로 사용될 때, 급격한 방향 전환 및 감속 등을 위주로 하는 turn & twist 동작에서 주로 발생한다. 일반적으로 측부 인대 손상이 많으며, 특히 발의 안쪽 면을 사용하는 기술은 내측 측부(medial collateral) 인대의 손상을 유발하기 쉽다. 심각한 손상의 경우 발목보다 무릎에서 더 흔하며, 전방 십자(anterior cruciate) 인대 손상이나 반월상 연골 손상이 대표적이다.

다른 종목에 비해 접촉 손상으로 인한 정강이 타박상(contusion), 대퇴부 타박상, 아킬레스건 손상이 다발하므로, 항상 정강이 보호대(shin guard)를 착용해야 한다. 간혹 서혜부(groin) 통증이 발생하기도 한다. 또한 반복적인 헤딩(heading)이 경미한 외상성 뇌손상(mild traumatic brain injury, MTBI)을 유발할 수 있다는 문제 제기도 있으므로, 유소년의 경우 주의가 필요하다.

4. 야구

야구의 손상 발생률은 축구에 비하면 높은 편이지만, 농구, 미식축구, 아이스하키 등에 비해서는 낮은 편이다. 하지만 외상성 뇌손상, 심장진탕(commotio cordis) 등의 심각한 손상으로 이어지는 비율이 상대적으로 높은데, 이는 빠른 볼이나 방망이에 의한 직접적인 가격으로 발생한다. 그러므로 야구 경기에는 적절한 보호 장비의 착용이 필요하다.

급성 손상은 주로 야수나 타자에서 흔히 발생하는데, 다른 선수나 펜스와 충돌하거나, 포구나 주루 시 넘어지거나, 볼이나 방망이에 맞아서 발생한다. 급성 손상에는 찰과상(abrasion)이 가장 흔하며, 타박상(contusion), 염좌, 좌상, 열상(laceration), 골절 등이 발생한다. 과사용 손상은 상지의 주관절 및 견관절에 주로 발생하며, 투수에서 가장 다발하고 빠른 송구가 요구되는 야수 등에서도 발생한다.

상지 손상(주관절 및 견관절)이 하지 손상(슬관절 및 족근관절)에 비해 발생률이 매우 높게 나타난다. 주관절 손상은 연령이 낮을수록 발생률이 높아지고, 견관절 손상은 연령이 높을수록 발생률이 높아지며, 하지 손상은 연령이 높을수록 발생률이 높아지는 경향이 있다. 베이스 근처에서 슬라이딩하면서 발생하는 족근관절 손상도 종종 발생한다. 간혹 높이 뜬 공이나 바운드된 공을 포구하는 과정에서 얼굴 및 치아에 손상이 발생하기도 한다. 포지션별로는 투수에서 가장 많은 손상이 발생하며, 그 다음으로는 내야수, 외야수 순으로 손상이 발생한다.

야구에서 손상이 가장 다발하는 부위는 주관절이며, 견관절, 슬관절, 허리 순으로 발생한다. 손상이 가장 다발하는 주관절에서는 내측 측부(ulnar collateral) 인대 손상이 가장 흔히 발생하며, 이 경우 'Tommy John surgery'를 시행하기도 한다. 기타 내측 상과염(medial epicondylitis), 박리성 골연골염(osteochondritis dissecans), 관절내 유리체 등이 발생한다.

두 번째로 다발하는 견관절 손상은 상완골두(head of humerus)의 과도한 외회전과 관련이 있다. SLAP (superior labrum anterior posterior tear)가 가장 흔히 발생하며, 충돌증후군, 견관절 불안정성, Bankart 병변 등이 발생한다. 간혹 투구 동작에서 상완골에 가해지는 강력한 염전력(torsional force)으로 상완골 간부 골절(humeral shaft fracture)이 발생하기도 하며, 골격이 미성숙한 유소년 및 청소년 투수들의 경우 성장판 과사용으로 상완골의 골단염(epiphysitis)이나 골단분리(epiphysiolysis)가 발생하기도 한다.

세 번째로 다발하는 손상 부위는 슬관절이다. Osgood-Schlatter 병이 가장 흔히 발생하며, 반월상 연골 손상, 슬개골(patella) 골절, 전방 십자(anterior cruciate) 인대 손상, 내측 측부(medial collateral) 인대 손상 등이 발생한다.

네 번째로 다발하는 증상은 요통이며, 이는 허리의 과도한 굴곡 및 신전으로 인한 척추기립근(erector spinae)의 경직과 관련이 있다. 프로 야구 선수의 경우에는 요통이 다른 손상에 비해 가장 높은 발생률을 나타낸다는 보고도 있다.

5. 농구

농구는 접촉성 경기이면서 좁은 공간에서 공을 가지고 빠르게 달리면서 진행되므로, 손상 발생률이 가장 높은 구기 종목이다. 농구의 손상 발생률은 축구보다 3배 정도 높다. 하지만 심각한 손상은 드물며, 발목, 무릎, 손가락에 발생하는 염좌가 대부분을 차지한다. 상지에 비해 하지 손상이 주로 발생하는데, 이는 거듭되는 슛(shoot) 동작과 리바운드, 무리한 착지 등으로 인하여 체중 부하가 하지에 가해지기 때문이다.

농구에서 가장 흔한 손상인 발목 염좌는 주로 비접촉 손상으로 유발되며, 손상 기전 상 내번 염좌(inversion sprain)로 인한 발목의 외측 인대 손상이 가장 흔하다. 점프 후 다른 선수의 발을 밟으며 착지하게 될 때나 컷인(cut in) 및 피벗(pivot) 등의 동작을 수행할 때 발생한다. 또한 발목 보조기(ankle brace)의 착용이 손상 예방에 도움이 된다.

슬관절 염좌의 대부분은 외적 충격에 의한 접촉 손상으로 주로 유발된다. 직업적인 선수의 경우 점프와 착지의 반복으로 인한 과사용 손상인 슬개건염(patellar tendinitis)이 흔하다.

다른 종목에 비해 상지의 손가락에 손상이 잘 발생하는 이유는 딱딱하면서 크고 무거운 공을 사용하기 때문이다. 나이가 어릴수록, 숙련도가 낮을수록 손가락 손상이 흔하다. 또한 특징적으로 팔꿈치 가격에 의한 안면 및 구강 손상이 발생하기도 한다.

6. 배구

배구는 네트를 두고 양 팀이 팀을 나누어서 비접촉성 경기를 하므로 비교적 안전한 스포츠로 여겨져 왔다. 하지만 볼을 바닥에 떨어뜨리지 않도록 하기 위해서는 전신의 빠른 반응과 움직임이 필요하며, 강력한 스파이킹(spiking)과 블로킹(blocking)을 위해서는 수많은 점프와 폭발적인 힘이 요구되므로, 배구를 즐기는 일반인들과는 달리 선수의 경우 운동 손상 발생률이 높은 것으로 보고되고 있다.

배구로 인한 급성 손상은 족근관절 및 손가락 부위에 주로 발생한다. 손가락 손상은 토스(toss)할 때 손가락이 접질리거나 블러킹 시 공이 손가락 끝에 맞을 때 종종 인대 손상이 발생하며 간혹 탈구, 골절 등이 발생하기도 한다. 이상의 급성 손상을 제외하면 대부분 무릎 통증, 어깨 통증, 요통 등의 만성 과사용 손상이다.

배구에서 가장 다발하는 손상은 급성 족근관절 염좌로 전체 배구 손상의 40% 정도를 차지한다. 족근관절 염좌는 네트 근처에서 도약 후 불안정한 착지를 하거나 다른 사람의 발 위로 착지하면서 외측 측부(lateral collateral) 인대에서 가장 빈번하게 발생하며, 특히 과거에 족근관절 염좌가 있었던 사람에 흔히 나타난다.

두 번째로 다발하는 손상은 과사용으로 인한 슬개건염(jumper's knee)으로 여자 선수보다 높은 점프를 구사하는 남자 선수들에 많이 발생하며, 점프 후 착지 동작이 적은 비치 발리볼 선수에서는 슬개건염이 덜 발생한다. 슬개건염은 배구 선수의 삶의 질에 가장 큰 영향을 미치는 과사용 손상이므로 지속적인 스트레칭과 근력강화 운동이 필요하며, 슬개건 보조기(patellar tendon straps)가 도움이 되기도 한다. 간혹 점프 후의 착지 시에 급성 전방 십자(anterior cruciate) 인대 손상이 발생하는데, 예방을 위해서는 무릎을 약간 구부린 상태로 착지(bent knee landing)하여야 한다.

세 번째로 다발하는 손상은 과사용으로 인한 어깨 손상이며, 강력한 스파이크, 블러킹, 서브(serve) 등의 오버헤드 동작으로 발생하는 충돌증후군, 회전근개 건염과 관련있다. 간혹 견갑상 신경병증(suprascapular neuropathy)으로 우성 어깨의 극하근(infraspinatus) 위축이 발생하기도 하는데, 이는 과항진된 견관절 가동범위로 인해 견갑상 신경에 손상이 가해져서 발생한다.

7. 테니스

라켓운동은 상지의 주관절과 견관절에 상당한 스트레스를 주게 된다. 특히 테니스의 경우 주관절에 가장 많은 손상(tennis elbow)을 유발하고, 견관절에도 손상을 흔하게 유발한다. 또한 하지의 비복근(gastrocnemius)에 발생하는 테니스 각(tennis leg)도 있다.

테니스로 인한 외상과염(lateral epicondylitis)은 미숙한 백핸드(backhand) 기술, 전진 주관절 백핸드 증후군, 중심점 이탈, 타이밍 미숙, 체중이동 미숙, 전완근(antebrachial) 사용 미숙 등으로 발생한다.

테니스로 인한 내상과염(medial epicondylitis)은 주로 전문선수들 특히 남자선수에서 다발하는데, 이는 남자가 여자보다 더 강하게 서브를 넣는 경향이 있기 때문이다. 예를 들어 볼을 과도하게 회전시키기 위해 구사하는 미식 트위스트(twist) 서브는 주관절의 척측 편위(ulnar deviation)와 손목의 굴곡이 최대로 일어나므로, 내측상과에 강한 긴장감이 유발된다.

견관절 손상은 오버헤드 동작과 관련이 있으며, 서브나 머리 위에서 타격을 가할 때 발생한다. 서브 동작 시 90° 외전 및 외회전된 견관절이 전굴(anterior flexion)되면서 내회전 범위가 커질 때, 회전근개 주위의 근육, 건, 활액낭 등이 오구견봉(coracoacromial) 아치에 끼이면서 감입(insertion) 증후군이 발생한다.

8. 골프

골프 손상은 과사용과 기술적인 미숙함에 기인한다. 주로 척추 손상(특히 요추)의 빈도가 가장 높고 다음으로 상지 손상이 흔하지만, 여성 골퍼에서는 척추 손상보다는 상지 손상이 더 호발하는 편이다. 상지에서는 주관절, 견관절, 수근부에 흔하게 발생한다. 간혹 하지에서는 슬관절의 내측 반월상 연골손상, 고관절의 전자부 점액낭염(trochanteric bursitis)이 발생하기도 한다.

골프 스윙 시 전단력(shearing force), 압박력(compressive force), 축회전(axial rotation), 외측 굴곡력(lateral flexion force)이 복합적으로 하부 요추에 가해진다. 비거리 향상을 위해서는 순간적인 체간의 축회전을 통한 빠른 스윙 속도가 필요한데, 과도하게 축회전이 이루어질 때 이들 간의 조화가 깨어져 요추 손상이 잘 발생한다. 또한 과도한 체간 회전력이 늑골에 전달되면 늑골의 스트레스 골절이 유발될 수 있으므로, 늑골부 및 옆구리의 통증을 호소하는 골퍼 내원 시 주의가 필요하다.

견관절은 급성 손상보다는 과사용 손상이 많으며, 보통 비우성(non-dominant) 견관절 손상이 흔하다. 견관절 충돌 증후군은 스윙(swing) 중 상지를 내전 위치로 움직임에 따라 견봉쇄골(acromioclavicular) 관절에 미치는 힘이 증가되므로, 견봉쇄골 관절 하연에 골극(spur)이 생기거나 회전근개에 염증이 발생한다. 이때 반복적으로 과사용하면 회전근개 손상으로 진행되기도 한다.

주관절의 내상과염(golfer's elbow)은 골프채를 너무 단단히 잡은 채로 다운 스윙(down swing)할 때, 전완부가 빨리 회내되거나 골프채로 땅을 먼저 치는 동작이 비우성 주관절에 전달되어 발생한다. 외상과염은 장·단 요측수근신근건(extensor carpi radialis longus & brevis tendon)의 수축 운동에 의하며, 우성 주관절에 잘 발생한다.

손이나 손목에서도 손상이 발생한다. 유구골구(hook of hamate) 골절은 비우성 수근부에서 특징적으로 호발한다. 요·척측 편위 상태에서의 반복적인 수근부 운동은 de Quervain 병, 수근관 증후군, 삼각섬유연골 복합체(triangular fibrocartilage complex, TFCC)의 손상 등을 유발하기도 한다.

9. 수영

수영은 추진력의 90%가 상지 운동에 의해 만들어지므로, 수영선수의 어깨(swimmer's shoulder)라고 불릴 정도로 어깨 손상이 많다. 이는 부정확한 스트로크(stroke), 반복된 과사용으로 발생한다.

손이 물속에 들어가는 견인기(pull through phase)에 상지가 과도 내전된 채 견관절이 수평 내전될 때, 상완이두근(biceps brachii) 장두건이 오구견봉(coracoacromial) 인대 전면부와 충돌하면서 상완이두근건염이 발생한다. 손이 물 밖으로 나오는 회복기(recovery phase)에 상지가 외회전될 때, 극상근건(supraspinatus tendon)이 상완골의 대결절과 견봉 사이에 끼면서 충돌이 일어나 극상근건염이 발생한다. 견인기와 회복기의 반복적인 충돌은 견봉하 점액낭염과 어깨 충돌 증후군을 유발할 수 있다. 여기에 지속적인 과사용이 누적되어 회전근개 손상이 발생하기도 한다.

하지 손상은 킥과 관련이 많다. 평영은 특징적인 발 자세(whip kick)로 경골 측부 인대의 손상, 슬개골 연골연화증 등의 무릎 손상이 많다. 자유영과 배영의 물차기 자세(flutter kick)로 족근관절 신근지대(extensor retinaculum)가 자극받기 쉬우므로, 이에 대한 예방 및 과도한 족저굴곡을 피해야 한다.

10. 스키, 스노보드

스키 및 스노보드 손상은 전도, 충돌, 추락 등의 직접적인 외상에 의한다. 체간 손상은 드물고, 주로 하지와 상지에 손상이 발생한다. 손상 유형은 열상(laceration), 염좌, 타박상(contusion), 골절 및 탈구 등이며, 다른 스포츠에 비해 열상의 비율이 높다.

스키는 하지 손상의 빈도가 높으며, 족근관절보다 특히 슬관절 손상이 흔하다. 스키를 신은 상태에서 넘어지거나 충돌할 때 고정된 하퇴에 염전력(torsional force) 및 강한 외반 스트레스가 가해지므로, 슬관절의 내측 측부(medial collateral) 인대, 내측 반월상 연골(medial meniscus), 전방 십자(anterior cruciate) 인대 손상이 일어난다. 상지의 무지 내측 측부 인대(ulnar collateral ligament of the thumb)의 염좌(skier's thumb)는 스키 폴대를 쥐고 넘어질 때 엄지손가락의 외전 및 신전에 의해 발생하며, 간혹 중수수지(metacarpo phalangeal) 관절의 견열(avulsion) 골절이 동반되기도 한다.

스노보드 손상은 스키 손상에 비해 빈도수가 2배 가까이 높다. 상지 손상이 현저히 높으면서 골절이 자주 발생하므로 주의가 필요하다. 수근관절(手根關節, wrist joint), 주관절, 견관절의 상지 손상 비율이 높은 이유는 두 다리가 고정되어 있어 넘어질 때, 상지로 땅을 짚으려는 동작이 반사적으로 일어나기 때문이다. 소프트(soft) 부츠를 신는 스노보드의 특성상 하지에선 슬관절보다 족근관절 손상 빈도가 높다.

제3절 열손상과 한랭손상

1. 열손상

정상 중심 체온(core temperature)은 환경, 기후, 체내의 대사 기능 등에 따라 달라지며, 중심 체온이 상승하면 기초대사율(basal metabolic rate)이 높아진다. 체온조절은 시상하부(hypothalamus)에 의해 조절되고, 열을 소실시키기 위해 부교감 신경계는 발한 기전을 조절하고, 교감 신경계는 피부의 혈액 순환을 증가시키고 혈관을 확장시킨다. 이러한 체온 조절 기전의 장애로 발생한 모든 상태를 총칭하여 열손상(heat injury)이라 한다.

체온 조절 기전은 주위 온도, 기후 순응, 습도, 바람, 의복, 기존의 의학적 상태(알코올 의존증, 식욕부진, 심장 질환, 비만, 나이 등), 약물 사용(알코올, 항콜린제, 항히스타민제, 신경안정제, 이뇨제 등)과 같은 인자의 영향을 받는다.

특히 고온에서 마라톤과 같이 장시간 지구력이 요구되는 운동을 할 경우 탈수(dehydration) 현상을 일으켜 운동 수행능력을 감소시킬 뿐 아니라 열경련, 열사병 등을 일으킬 수 있어 예방이 중요하다. 예방을 위해서는 고온다습(high temperature and humidity) 환경에서의 운동을 피해야 한다. 또한 운동량의 조절, 통풍이 잘 되는 의복 착용, 적절한 음료 및 수분 보충, 신선한 야채와 과일을 포함한 식사의 조절, 적절한 체중 조절 등이 필요하다. 특히 운동 전, 운동 중에는 탈수 방지를 위해 적절한 수분 공급이 중요하다. 고온에서 불가피하게 운동을 할 경우 수일간 하루에 1-2시간 정도로 열에 노출된 상태에서 운동하면서 열적응(heat acclimation) 능력을 높여야 한다.

증상 및 경중에 따라 열실신, 열경련, 열탈진, 열사병 등으로 분류한다.

1) 열실신(Heat syncope)

말초혈관 확장과 정맥환류 저하로 인한 기립성 저혈압 상태이다. 격렬한 운동 후에 오래 서있거나 체위를 빠르게 바꾸는 경우(앉았다 서는 것과 같은 동작)에 발생할 수 있으며, 대부분 운동 직후에 나타난다. 증상으로는 현훈, 전신 무력감을 호소하지만, 중심 체온은 정상이다.

시원한 곳에 하지를 거상하고 누워서 안정을 취하면, 중추신경계로 혈액 공급이 이루어져 의식이 곧 회복된다.

2) 열경련(Heat cramp)

격렬한 운동 중이나 운동이 끝난 후에 발생하는 통증을 동반한 불수의적인 골격근 경련이다. 주로 발한과다로 수분과 나트륨이 고갈되어 발생한다. 신경근 피로로 인해 발생하는 운동 중 근육 경련(exercise-associated muscle cramp)의 경우 수동 스트레칭으로 완화될 수 있는데 비해, 열 경련은 식염수나 고장성, 등장성 전해질 음료 섭취를 통해 완화될 수 있다.

통증을 동반한 근육 경련은 대퇴사두근(quadriceps), 슬굴곡근(hamstring), 비복근(gastrocnemius), 복근(abdominal musculature)에서 가장 흔히 발생한다. 해당 근육의 연축 및 경직, 갈증, 발한, 빈맥이 나타나지만, 의식은 정상이다. 중심 체온은 정상이거나 약간 상승하지만, 40°C 이하로 나타난다.

시원한 곳으로 옮겨 충분히 안정하게 하고, 해당 근육에 대한 스트레칭, 마사지, 얼음찜질을 시행한다. 물과 전해질을 섭취하도록 한다.

3) 열탈진(Heat exhaustion)

고온다습한 환경에서의 격렬한 운동으로 발생한다. 과도한 발한과 피부혈관 확장으로 혈장량과 심박출량이 저하되면서 전신 순환 혈액량이 줄어든 저체액성 쇼크(shock) 상태이다.

급성기에는 혈압 저하, 맥박과 호흡수 상승, 발한, 창백 등이 나타난다. 다른 증상 및 증후로 권태 및 피로, 현훈, 오심, 구토, 두통, 목과 머리의 열감, 오한, 무력감, 차고 축축한 피부, 저혈압이 나타난다. 중심 체온은 37-40°C이고, 신경학적 검사나 의식 상태는 정상이다. 간혹 열실신이나 열경련이 동반되기도 한다.

생체징후가 안정된 상태에서는 그늘지고 시원한 곳으로 옮기고, 시원한 이온 음료나 소금물을 섭취하도록 한다. 이온 음료나 소금물을 섭취시킬 때 경구 투여가 불가능하거나 의식이 떨어지거나 체온이 상승할 경우 병원으로 이송하여 적절한 수액을 공급해야 한다. 제대로 치료를 하지 않으면 열사병으로 진행하므로 주의가 필요하다.

4) 열사병(Heat stroke)

열사병은 체온조절능력 소실로 혼수 및 사망으로 이어질 수 있는 응급상황이다. 주로 고전적 열사병(classic heat-stroke)과 운동유발형 열사병(exertional heatstroke)으로 분류된다. 고전적 열사병은 고온의 환경에서 장시간 노출되어 발생하고, 주로 고령에서 많이 나타난다. 운동유발형 열사병은 고온에서 강한 운동을 하였을 때 수시간 내로 갑작스럽게 나타나며, 주로 젊은 사람, 운동선수, 군인에게서 많이 나타난다.

초기에는 권태 및 피로, 현훈, 오심, 구토 등의 열탈진 증상이 나타날 수 있다. 특징적으로 40°C 이상의 중심 체온과 중추신경계 장애가 나타난다. 중추신경계 장애로는 과민성(irritability), 운동협응력 실조(ataxia), 혼돈(confusion), 혼수(coma) 등이 나타난다. 피부가 뜨거워지며, 발한은 있을 수도 있고 없을 수도 있다. 중심체온이 40°C 이하라도 중추신경계의 변화가 있으면, 열사병에 대한 치료를 시작해야 한다.

초기 처치 시 구급차가 도착할 때까지 기도(airway), 호흡(breathing), 순환(circulation)을 관찰한다. 그늘진 시원한 곳으로 옮기고 옷을 벗긴다. 액와부(axilla), 서혜부(groin), 경부에 얼음 찜질을 하고, 물을 적시거나 선풍기 바람을 쐬게 한다. 환자가 마실 수 있다면 시원한 이온 음료나 물을 마시게 한다. 구급차가 도착하는 즉시 병원으로 옮겨 응급처치를 받아야 한다.

급속 냉각법으로는 냉수침욕법이 가장 효과적이며, 이 방법이 어려울 경우 증발냉각법을 시행한다. 지나치게 식히면 저체온증에 빠질 수 있으므로, 환자가 안정되고 직장 온도가 38°C 이하가 되면 식히는 작업을 중단한다.

5) 열손상에 대한 한의학적 접근

한의학에서는 열에 의한 손상을 傷暑, 中暑, 暑厥로 구분하여 치료하고 있다. 傷暑는 頭痛, 胸悶, 甚則 吐瀉로 輕證이며, 中暑는 頭痛, 壯熱, 口渴引飮의 中證이며, 暑厥은 卒然昏倒, 不事人省, 二便不利의 重證을 말한다. 傷暑는 輕證으로 열실신이나 열경련, 中暑는 中證으로 열탈진, 暑厥은 重證으로 열사병과 유사하다.

치료는 傷暑와 中暑일 때는 內關, 合谷, 足三里穴 등을 刺針하고, 暑厥로 의식의 장애가 있을 때는 中衝, 十宣穴, 人中, 百會, 四關穴 등의 구급혈에 刺針한다. 평소 열손상이 자주 일어나는 선수에게는 益元散, 生脈散의 常服이 도움이 될 수 있다.

祛暑利濕의 효과로 暑濕으로 인한 身熱, 煩渴, 小便不利 혹은 泄瀉 등에 益元散<宣明論> 등을 사용할 수 있으며, 益氣生津, 斂陰止汗의 효과로 暑熱多汗으로 耗氣傷液하여 體倦氣短, 咽乾口渴, 脈虛細한 경우 生脈散<醫學入門> 등을 사용할 수 있다.

2. 한랭손상

운동과 관련된 한랭손상은 스키, 스노보드 등의 겨울 스포츠에서 주로 발생한다. 하지만 추위와 관련이 적은 수영, 다이빙, 윈드서핑, 사이클, 등산, 마라톤, 탐험 등에서도 한랭손상(cold injury)이 발생한다. 이는 공기에 비해 30배나 높은 물의 열전도 효과, 습기에 의한 증발 효과, 바람에 의한 풍랭 효과, 얇고 가벼운 피복 때문이다.

부적절한 피복은 한랭손상의 예방 가능한 주된 요인이다. 한 겹으로 두껍게 입는 것보다 여러 겹으로 입는 것이 더 효율적이다. 겉옷은 통풍이 안 되는 방한복을 입고, 꽉 끼는 옷, 장갑, 신발은 피한다. 또한 체열의 30% 정도는 머리에서 소실되므로 머리 부위의 보호가 중요하며, 신체 중심부에서 떨어진 손가락, 발가락 등의 보호도 필요하다. 또한 적절한 열량 및 수분 섭취를 유지하는 것도 한랭손상을 예방하는 방법이다.

사지에서 주로 발생하는 국소적인 한랭손상에는 비동결성 손상인 동창과 침수 증후군이 있고, 동결성 손상인 동상이 있다. 전신적인 한랭손상으로는 저체온증이 있다.

1) 동창(Chilblains)

동창은 한랭손상 중 가장 경미한 손상으로 짧은 시간 동안 추위에 노출되었을 때 발생한다. 16°C 이하의 차고 축축한 상태에서 1-5시간 정도 노출되었을 때 발생한다. 손가락의 배부, 귀, 얼굴, 노출된 정강이, 발의 피부에 작은 홍반성 구진이 나타나는데, 사지에 가장 흔히 발생한다. 기타 종창, 압통, 소양감, 통증, 발적, 청색증이 나타나며, 간혹 수포(blister), 궤양, 반흔, 위축이 나타나기도 한다. 증상에 따라 다르나 몇 주 내에 서서히 호전 된다.

2) 침수 증후군(Immersion syndrome)과 참호족(Trench foot)

조직이 오랜 시간 동안 0-15°C 사이의 온도에 노출되었을 때 발생한다. 겨울 등산, 캠핑, 탐험 등으로 얼지 않은 찬물이나 진흙에 사지를 오래 담그고 있을 때, 젖은 양말과 신발을 며칠간 지속적으로 신고 있을 때에 흔히 발생한다.

혈관이 수축되는 충혈 전기에는 냉감, 창백, 청색증 등이 나타난다. 혈관이 확장되는 충혈기에는 저림, 온감, 홍반, 부종, 쑤시는 통증, 반상출혈, 수포 등이 나타난다. 심한 경우 림프관염, 연부조직염, 혈전정맥염(thrombophlebitis) 등으로 염증 및 괴저가 나타나기도 한다.

먼저 젖은 신발과 양말을 벗기고, 뜨거운 공기로 피부를 건조하고 따뜻하게 한 후, 하지를 담요로 감싸고 거상시킨다. 부드럽게 마사지하고, 하지와 발을 움직이도록 한다.

예방을 위해서는 저온 다습한 환경에 장시간 노출 시 하루에 2-3차례 양말을 갈아 신어야 한다. 특히 하이킹, 스키 부츠와 같은 방습 부츠는 땀이 잘 증발되지 않기 때문에 신은 후에는 매번 닦고 말려야 한다.

3) 동상(Frostbite)

동상은 조직의 온도가 0°C 이하로 떨어질 때 발생하는 동결성 손상이다. 추위에 노출되는 부위(코, 귀, 볼, 손목)에서 주로 발생하지만, 말초 혈관수축으로 조직 온도가 낮아지는 사지에서도 흔히 나타난다. 피부가 젖은 상태에서는 더 빠르게 온도가 낮아지고 0°C 보다 더 높은 온도에서도 조직이 동결되므로, 동상 처치 시 주의가 필요하다. 저온, 다습, 높은 고도 등의 환경적 요인 외에도 꽉 조이는 옷, 니코틴, 그리고 말초 혈관 병변, 당뇨, 레이노병 등의 병력이 위험 요인으로 작용한다.

동상은 일반적으로 얕은(superficial) 동상과 깊은(deep) 동상으로 분류한다. 얕은 동상은 피부와 피하조직까지 영향을 받은 것으로 투명한 수포, 창백, 부종, 표피탈락이 나타난다. 깊은 동상은 뼈, 관절, 건까지 영향을 받은 것으로 출혈성 수포, 무감각이 나타나며, 진행하면 감각 과민, 궤양, 괴저가 발생한다. 조직이 녹으면서 재가온(rewarming)될 때 작열감, 쑤시는 통증, 날카로운 통증이나 감각 저하가 나타난다.

초기 처치 시 먼저 젖은 의복을 제거하는 것이 중요하다. 비비거나 문지르면 조직 손상이 악화되므로, 문지르지 않도록 한다. 재가온 후 다시 동상이 발생하면 조직 괴사가 심해지므로, 재가온은 다시 동상이 발생하지 않을 때에만 시행해야 한다. 재가온이 어려운 상황에서는 마른 거즈로 환부를 덮고 가능한 해당 부위를 움직이지 않도록 주의한다. 재가온할 때 건열(모닥불, 히터)은 온도 조절이 어렵고 조직 탈수(dehydration)를 유발하므로 추천되지 않는다. 40-42°C의 물에 30분 정도 담가 환부가 붉어지거나 부드러워질 때까지 급속 재가온하는 습식가온법이 조직 손실을 최소화한다. 재가온 이후 환부 보호를 위해 붕대나 거즈를 감지 말고 실온에 노출시켜 두어야 하며, 손상된 부위에 부목을 대거나 거상시키면 부종을 줄이고 조직 관류를 촉진시킬 수 있다. 탈수를 방지하기 위해 물을 마시게 하거나 경구 투여가 불가능한 경우 수액 처치가 필요하다.

다만, 수포(blister)를 제거하면 조직 탈수의 위험이 있으므로, 수포가 운동 범위를 제한하지 않는다면 터뜨리지 말아야 한다. 만약 수포가 크고 제거해야 하거나, 이미 터졌다면 그 부위의 괴사 조직을 제거하고 국소 항균제와 거즈로 덮어야 한다.

동상의 예방을 위해서는 말초 조직의 관류를 유지해야 한다. 추위에 피부가 노출되지 않도록 하며, 약이나 알코올 등의 복용에 주의한다. 운동은 조직 관류를 유지하고 중심 체온을 높일 수 있는 방법이다. 감각 저하, 저림 등 동상의 가능성이 보이는 경우 해당 부위를 액와나 복부 등 체열과 인접한 곳에 두어 따뜻하게 해야 한다.

4) 저체온증(Hypothermia)

저체온증은 장시간 추운 곳이나 찬물 속에 있을 때 잘 발생하며, 중심체온이 35°C 미만인 상태이다. 경증(mild, 중심체온이 32-35°C), 중등도(moderate, 중심체온이 28-32°C), 중증(severe, 중심체온이 28°C 이하)로 분류한다. 중등도와 중증의 저체온증은 병원으로 즉각적인 이송이 필요한 응급 상황이다.

같은 중심체온에서도 그 증상은 사람마다 매우 다양하게 나타난다. 초기에는 오한, 무관심, 대화 감퇴, 사회적 위축(social withdrawal)과 같은 증상과 더불어 생리적 반응으로 인한 빈맥, 혈압상승, 빈호흡(tachypnea)이 나타난다. 점차적으로 서맥(brachycardia), 혈압하강, 호흡감소로 진행하며, 혼란, 기면, 분명하지 않은 말, 행동이나 표현의 변화가 나타난다.

32-35°C의 경증 저체온증은 열 발생을 촉진하기 위한 생리적 반응으로 오한이 나타난다. 하지만 28-32°C 이하에서는 오한이 사라지며, 이는 중등도 이상의 저체온증으로 진행을 의미한다. 28°C 이하의 중증에서는 심장에 영향을 미쳐 심방세동(atrial fibrillation), 심실세동(ventricular fibrillation), 심장무수축(asystole) 등의 위험이 증가한다.

머리와 목을 포함한 전신을 담요로 덮어주고, 가습기로 흡기하도록 한다. 가열한 공기나 따뜻한 담요를 공급하거나 따뜻한 물에 몸을 담그게 하기도 한다. 중증의 저체온증 환자는 체온, 심혈관 기능, 호흡 기능을 적절히 모니터링할 수 있는 고도의 중앙 집중치료가 가능한 의료 기관으로 이송되어야 한다. 사망할 수 있으므로 특별한 주의와 치료가 필요하다.

5) 한랭손상에 대한 한의학적 접근

한랭손상은 外感寒邪와 陽氣虛弱으로 血凝滯되고 氣血運行이 不順하여 국부에 충혈성의 홍반과 괴사를 일으키는 상태로 한의학에서는 凍瘡이라고 한다. 輕證은 손상 부위의 蒼白이나 紅腫, 麻痺, 冷感, 水腫, 청자색의 瘀斑으로 동창(chilblains)이 여기에 해당한다. 中證으로 진행되면 암홍색의 漫腫, 수포의 破潰, 腐爛, 潰瘍으로 동상(frostbite)이 해당된다. 重證은 寒戰, 神昏譫語, 四肢厥冷 등의 증상으로 저체온증(hypothermia)에 해당된다.

외용약으로는 附子를 가루 낸 生附散<醫學綱目>, 大黃을 가루낸 如神散<醫學綱目>을 물에 개어 바른다. 내복약으로 回陽救逆의 효과로 四肢厥冷, 惡寒踡臥, 嘔吐不渴, 腹痛下利, 身衰欲寐를 치료하는 四逆湯<醫學正傳> 등을 사용할 수 있다.

제4절
스포츠 손상의 예방

1. 준비운동과 정리운동

1) 준비운동(Warm up)의 필요성

준비운동은 스포츠 손상 예방 효과뿐 아니라 운동수행능력(exercise performance) 향상에 필수불가결하다. 최적의 운동행위를 하기 위해서는 준비운동을 통한 근육내의 온도 상승이 필요하다. 준비운동은 운동 종목 및 선수 상태에 따라 다르지만, 일반적으로 시간은 15분 정도가 적당하다. 강도는 약간의 땀이 나면서 피곤하지(exhausted) 않을 정도가 적당하다. 또한 준비운동은 심리학적 관점에서 운동선수들이 그 다음 활동에 집중할 수 있도록 도와주기도 한다. 논란의 여지는 있으나 준비운동이 지연발생 근육통(delayed onset muscle soreness, DOMS)의 예방 효과가 약간 있는 것으로 알려지고 있다.

2) 정리운동(Cool down)의 중요성

갑작스럽게 운동을 중단하면 하지나 상지에서 혈액이 정체(pooling)되면서 심장, 골격근, 뇌로의 혈류 순환이 줄어들어 어지러움, 실신 등이 발생할 수 있다. 그러므로 본 운동이 끝나면 운동의 강도를 점진적으로 감소시켜 서서히 몸을 식혀주어야 한다.

다만, 젖산(lactic acid)은 운동 중단 시 1시간 안에 글리코겐(glycogen)으로 전환되어 없어지므로, 젖산 축적이 근육통을 유발한다는 것은 잘못된 이론이다. 또한 정리운동은 지연발생 근육통을 줄여주지 못한다고 알려지고 있다.

3) 준비운동에서 정리운동까지

(1) 가벼운 스트레칭 : 처음의 스트레칭은 부드럽고 가볍게 하되 힘 받을 부위에 한하여 실시한다.

(2) 달리기 : 자신의 능력과 본 경기에 맞게 일정 거리를 실시한다.

(3) 본격적 스트레칭 : 천천히 완전하게 실시한다.

(4) 구체적 준비운동 : 경기와 관련된 실제 동작을 구체화 할 수 있는 기술훈련을 한다.

(5) 휴식기 : 신체의 항상성을 회복하기 위하여 경기 전 약 10분간은 쉬어야 한다. 이 동안 선수는 경기를 참관하면서 심리적으로 자신감을 북돋는 생각을 하는 것이 좋다.

(6) 경기

(7) 경기 후 정리운동 : 정리 운동의 시간은 선수마다 다지만, 일반적으로 5-10분 정도가 적당하다. 정리 운동 후에 마무리 스트레칭을 한다.

(8) 마무리 스트레칭 : 정리운동 후 스트레칭은 선수들에게 정신적으로 긴장을 풀게 한다. 스트레칭 정도는 경기의 강도 및 형태에 따라 조절한다.

2. 스트레칭

1) 정의 및 효과

스트레칭(stretching)은 부드러운 신전자극을 근육 및 관절에 수 초 내지 수 십초 동안 가하여 근육 긴장을 이완시키고 근육의 신축성을 높여 관절가동범위(range of motion, ROM)를 확장시켜주는 방법이다. 스트레칭은 유연성(flexibility)의 개선에 효과적이며, 특히 육상처럼 슬굴곡근(hamstring) 긴장과 같은 근육의 불균형을 일으키는 운동을 하는 선수나 평소 근육이 자주 경직되는 경향이 있는 선수들에 필수적이다.

논란의 여지는 있으나 평소 규칙적으로 실시하는 스트레칭은 관절가동범위 증가 및 유연성 증가 효과와 더불어 운동수행능력(exercise performance)의 증가 및 스포츠 손상 예방 효과가 있는 것으로 알려지고 있다. 그러나 본 운동 전후에만 실시하는 스트레칭은 스포츠 손상 예방 효과가 없으며, 지연발생 근육통을 감소시키지 못하는 것으로 알려지고 있다.

2) 원칙 및 주의사항

관절을 신전시킬 때 편안한 느낌이 들기 시작하는 시점으로부터 시작해 관절의 최대 가동범위까지 실시한다. 스트레칭 시의 감각을 잘 터득하여 그 이상의 지나친 신전이 되지

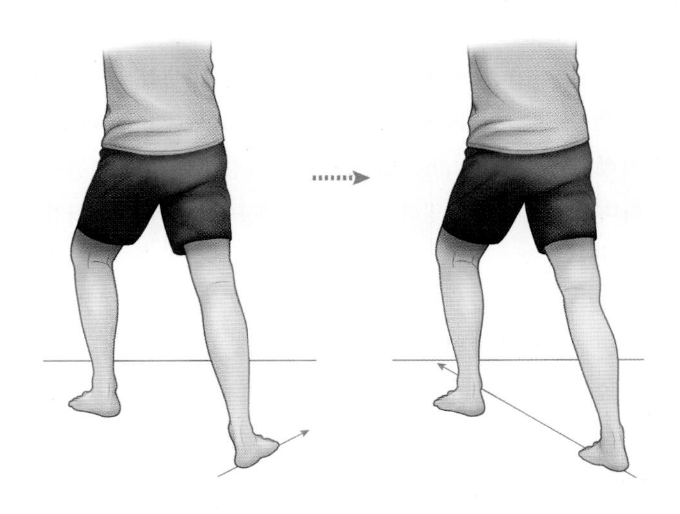

그림 6-1. 바른 장딴지 스트레칭 방법

않도록 하는 것이 중요하다.

스트레칭은 본 운동이나 경기 전후에 하는 것이 효과적으로 각각의 종목 특성에 맞는 스트레칭을 해야 한다. 본 운동이나 경기 전에 하는 스트레칭이라 할지라도 달리기 등의 스트레칭 전 준비운동을 한 후에 본격적인 스트레칭을 해야 한다.

근육통이 발생하지 않는 범위 내에서 긴장점까지 천천히 부드럽게 하며, 특히 '2 joints muscle'에 대한 스트레칭에 중점을 두어야 한다. 효과를 높이기 위해서는 부위별 스트레칭 자세와 더불어 한 자세를 유지하는 지속 시간이 중요하며, 특히 장딴지 부위 스트레칭 시 뒷발은 외회전(external rotation)되지 않아야 한다(그림 6-1).

3) 스트레칭 기전

스트레칭을 통한 관절가동범위 증가는 신장 반사(stretch reflex), 자가 억제(autogenic inhibition), 상호 억제(reciprocal inhibition) 기전에 의해 이루어지며, 근방추(muscle spindle)와 골지건 기관(Golgi tendon organ)이 연관된다. 근방추는 근육의 길이와 속도의 변화를 감지하고, 골지건 기관은 근육의 장력 변화를 감지하여 그 신호를 척수와 뇌로 보내는 고유수용기이다.

근육이 빠르게 스트레칭되어 근방추가 자극되면 근육 길이를 유지하기 위해 척수에서 해당 근육을 반사적으로 수축시키는데, 이를 신장반사라 한다.

목표 근육이 최소한 6초 이상 신장되거나 강하게 수축되어 근육 장력이 증가하면 주동근(agonist)의 골지건 기관이 활성화된다. 이때 신경-근육 조절(neuromuscular control)에 의해 주동근 수축이 반사적으로 억제되면서 길항근(antagonist)이 수축되어지고, 길항근 수축의 결과로 주동근이 쉽게 이완되어지는 것을 자가 억제라 한다. 자가 억제는 낮은 장력과 긴 스트레칭 시간이 필요한 정적 스트레칭에서 잘 보인다.

목표 근육이 빠르게 신장되면 근육의 길이에 변화가 생기므로, 주동근의 근방추가 활성화되어 주동근에 반사적 수축(신장 반사)이 유발된다. 이때 신경-근육 조절에 의해 길항근이 이완되는 것을 상호 억제라고 한다. 실제 적용에서는 스트레칭시킬 목표 근육의 길항근을 먼저 자발적으로 수축시키고, 이어서 나타나는 상호 억제에 의해 목표 근육이 이완되면, 또 이어서 목표 근육을 더 스트레칭시켜주는 방법을 주로 이용한다.

4) 스트레칭 방법

수동적 스트레칭과 능동적 스트레칭으로 구분할 수 있다. 일반적으로 정적(static) 스트레칭, 탄성(ballistic) 스트레칭, 고유수용성 신경근 촉진(proprioceptive neuromuscular facilitation, PNF) 스트레칭을 주로 시행한다.

정적 스트레칭은 자가 억제 기전을 이용하여 부상 가능성이 최소화되므로, 가장 쉽고 안전한 방법이다. 또한 비수축성 결합조직도 스트레칭시킬 수 있는 효과적인 방법이다. 정적 스트레칭은 일반적으로 정지 상태에서 한 자세를 15-30초 정도 유지하는데, 30초 이상 유지하면 더 효과적이다. 다만, 과신전되면 통증이 발생하므로, 통증이 느껴지지 않는 범위까지만 실시한다.

탄성 스트레칭은 가동범위를 크게 할 목적으로 시행되며, 신장 반사와 관련된다. 일반적으로 관절가동범위 한계까지 스트레칭하고 나서 빠르고 큰 동작으로 반동을 주어 좀 더 스트레칭하는 방법이다. 규칙적으로 시행할 경우 신장 반사가 최소화되므로 효과적일 수 있지만, 근육 파열이나 근막 손상 등으로 오히려 근력 및 유연성을 감소시킬 수 있으므로 주의해야 한다.

고유수용성 신경근 촉진 스트레칭은 자가 억제 및 상호 억제를 이용한다. 짧은 시간에 관절가동범위를 최대로 늘리는 가장 효과적인 방법으로 임상적으로 흔히 사용된다. 하지만 혼자서는 할 수 없어 타인의 도움이 필요하며, 여러 가지 방법이 있어서 전문가의 지도가 필요하다. 수축-이완(contract-relax) 방법의 경우 첫 번째로 타인이 목표 근육을 불편감이 느껴질 때까지 수동적으로 스트레칭시킨 후 정지하고, 두 번째로 선수가 타인의 저항에 대하여 스트레칭의 반대 방향으로 밀면서 목표 근육을 6초 이상 수축시킨 후 이완시키며, 마지막으로 타인이 새로 늘어난 관절가동범위까지 20초간 수동적으로 더 스트레칭시켜주는 방법이다.

5) 손상예방을 위한 한의학적 접근

근육의 활성화와 근육 강화를 위하여 근육내의 氣血 흐름을 원활히 하는 것이 중요하다. 근육에 가장 많은 힘과 강직이 발생하는 經穴의 자극을 통하여 운동 전후 근육 긴장을 풀 수가 있다. 근육내의 經穴들을 효과적으로 이용하면 근육의 스트레칭에 큰 도움이 된다.

상지부 및 체간 經穴들로는 手三里, 肩井, 肩貞, 天宗, 秉風, 膏肓, 胃兪穴 등을 이용하고, 하지부 經穴들로는 足三里, 血海, 梁丘, 承山, 承筋, 環跳穴 등이 근육 피로 회복과 근육 강화에 좋은 經穴이다.

3. 컨디션 조절 프로그램

1) 컨디션 조절 프로그램의 목적 및 특혜

컨디션 조절(conditioning) 프로그램의 목적은 부족한 체력 요인의 보강을 위해 선수에게 가장 적합한 운동 형태를 결정하는 것이다. 과학적 근거에 기초한 컨디셔닝 프로그램을 통해 운동수행능력(exercise performance)의 향상, 부상 위험의 감소, 부상 시 손상 정도의 감소, 부상 후 운동성 회복의 촉진과 같은 특혜를 누릴 수 있다.

2) 컨디셔닝 프로그램의 원리

과부하(overload)의 원리와 특수성(specificity)의 원리가 적용되며, 이는 SAID (specific adaption to imposed demands)로 설명되어진다. 인체는 스트레스를 받으면 각각의 상황에 적응(adaptation)하여 스트레스를 극복하려 한다. 그러므로 적응할 수 없을 정도의 과도한 부하를 가하면 안 되며, 기능을 향상시킬 수 있을 정도의 적절한 부하를 주어야 한다.

과부하의 원리란 현재 수준보다 신체 능력을 더 향상시키기 위해서는 다소 근육통이 유발되더라도 적응 능력 이상의 과부하를 주어야 한다는 것이다. 스프링이나 중량물 등의 저항 부하를 증가시키거나, 운동의 횟수, 빈도, 강도, 지속 시간, 속도를 증가시켜 반복적으로 시행한다. 일정 시간 경과 후에는 근육통 없이 동일한 동작을 보다 적은 에너지를 사용하여 쉽게 할 수 있게 된다.

특수성의 원리란 적용하는 운동의 종류와 운동 부위가 어디냐에 따라 훈련의 효과가 각각 다르다는 것이다. 근력 향상을 위해서는 높은 강도의 적은 반복 횟수로, 근지구력 향상을 위해서는 낮은 강도의 많은 반복 횟수로 운동을 해야 한다.

3) 컨디셔닝 프로그램의 구성

표 6-1. 컨디셔닝 프로그램의 구성 요소

구성 요소	정의	손상 예방의 응용
근력	근육의 길이를 바꾸지 않고 발휘하는 최대장력으로 나타내는 근육의 힘	가해진 외부 힘에 대해 해부학적 안정을 유지함
근파워	근육이 주어진 일을 하는 속도로 근력×속도로 구함(혹 힘×거리÷시간)	손상 발생 상황에서 빠른 반응이 요구될 때 적용되는 힘을 증가시키거나 수행 시간을 단축함
근지구력	근육이 장시간 동안 연속적으로 수축 및 이완을 반복할 수 있는 능력	낮은 근지구력은 손상 발생 위험이 높음
유연성	주위 조직에 의해 허용되는 관절의 운동범위 및 근육-건의 신장	주위 조직의 손상 없이 강한 신장력에 반응함
고유수용성	공간상의 신체 위치를 파악하는 능력	체절의 다양한 위치를 파악하고 손상 예방을 위한 체절과 공간 관계를 감지함
민첩성	동작의 빠른 조절과 몸의 방향 전환을 가능케 하는 속도와 협조성을 의미	손상유발 인자를 피하는 정확한 반응과 몸의 방향 전환을 빠르고 효과적으로 함
균형능력	몸을 지탱하는 평형상태	손상을 유발하는 불안한 상태를 방지하거나 효과적인 안정성을 유지하고 조절함
심폐지구력	장시간 지속되는 운동을 견딜 수 있는 능력으로 에너지 및 산소 공급과 관련	손상을 발생시킬 수 있는 피로상태를 극복하고 지속적 운동이나 활동을 용이하게 함

먼저 참가자의 체력을 측정하고 연령, 운동 종목 및 포지션을 고려하여 개별적으로 특성화해야 한다. 컨디셔닝 프로그램은 대개 근력(muscle strength), 근파워(muscle power), 근지구력(muscle endurance) 등 근육 기능의 세 가지 요소와 유연성, 고유수용성 감각(proprioception) 기능, 민첩성, 균형능력, 심폐지구력(cardiovascular endurance) 등으로 구성된다(표 6-1).

이상의 체력 요인 중 유연성과 고유수용성 감각 기능이 부상과 밀접한 관련이 있다. 특히 고유수용성 감각은 구체적 스포츠와 관련된 기술을 발휘할 때 반드시 필요하며, 고유수용성 감각 기능이 향상되면 민첩성이나 균형능력도 좋아지게 된다. 그러므로 끊임없는 반복 훈련을 통하여 고유수용성 감각 훈련으로 신경-근육 조절 능력을 향상시켜야 한다.

여기서 고유수용성 감각(proprioception)이란 근육, 인대, 관절, 관절낭, 피부 등에 분포하여 몸의 움직임, 자세, 운동 상태, 근육수축 정도를 감지하여 동작 범위, 힘, 속도를 조절하는 감각이다. 즉 축구 경기에서 헤딩 후 안전하게 착지할 수 있는 것도 발의 위치를 감지하는 고유수용성 감각 때문이다. 또한 공을 휘어지게 감아 차는 프리킥(free kick) 기술도 근육, 인대, 관절 등에 분포하는 고유수용성 감각이 이러한 움직임이나 운동을 기억하여 원하는 방향으로 찰 수 있도록 힘과 속도를 조절하기 때문에 가능하다.

4) 컨디셔닝과 골격근

컨디셔닝 프로그램의 주 대상이 되는 골격근(skeletal muscle)은 수축 속도에 따라 지근섬유(slow twitch fiber)와 속근섬유(fast twitch muscle fiber) 2가지로 크게 구분하여 사용된다. 일반적으로 지근섬유는 붉은 색소를 가진 미오글로빈(myoglobin)이 근세포 속에 많아 붉은 색을 띠고, 모세혈관과 미토콘드리아(mitochondria)가 많아 피로를 잘 견디고, 장시간의 지속적 운동에 적합하며, 유산소성 산화적 인산화(oxidative phosphorylation) 과정을 통해 ATP(adenosine triphosphate)를 생성한다. 속근섬유는 미오글로빈이 적어 흰색을 띠고, 모세혈관과 미토콘드리아가 적어 피로가 빨리 오고, 단시간의 고강도 운동에 적합하며, 무산소성 당분해(glycolysis) 과정을 통해 젖산을 생성한다.

여기서 근섬유(muscle fiber)는 근원섬유(myofibril)를 구성하는 미오신(myosin)의 조직화학적 유형에 따라 Ⅰ형, Ⅱa형, Ⅱx형, Ⅱb형 등으로 분류하기도 하지만, Ⅱb형이 사람에게는 존재하지 않는 것이 밝혀진 이후 Ⅰ형, Ⅱa형, Ⅱx형의 3가지로 세분하여 사용하기도 한다.

일반적으로 수많은 운동 단위(motor unit)들이 모여 이루어진 하나의 근육에는 Ⅰ형, Ⅱa형, Ⅱx형의 3가지 근섬유들이 다양한 비율로 섞여서 존재하며, 구성 비율은 성별, 개인별, 근육부위별로 다르다. 유전적 소인 때문에 하나의 운동 단위에는 한 가지 유형의 근섬유만 존재하므로, 다른 유형의 근섬유로 변하지 않는다는 것이 지금까지의 정설이다. 하지만 운동 종목별, 훈련 형태별로 근섬유 비율에 차이가 있는데, 예를 들면 장거리 달리기 선수의 경우 Ⅰ형 비율이 높고, 단거리 달리기 선수는 Ⅱx형 비율이 높다. 이러한 사실은 근섬유가 자극에 의해 상호 전환된다는 것을 의미할 수 있지만, 아직 근섬유가 상호전환된다는 근거는 충분하지 않다.

5) 컨디셔닝과 훈련(Training)

컨디셔닝은 시즌 후뿐만 아니라 시즌 중이라도 손상 예방을 위해서 시행되며, 컨디셔닝을 위해 실시하는 일반적 훈련 방법은 다음과 같다.

웨이트(weight) 트레이닝은 저항운동으로 근육을 발달시켜 근력과 지구력 향상으로 강한 체력을 기르는 방법이다. 서킷트(circuit) 트레이닝은 여러 운동을 하나의 세트로 조합하여 이를 모두 수행하는 시간을 측정하는 방법으로, 시간 단축을 통해 체력을 전반적으로 향상시킨다. 인터벌(interval) 트레이닝은 고강도 운동 사이에 쉬지 않고 저강도 운동을 시행하여 운동 지속능력을 높이는 방법으로, 전신지구력을 향상시켜준다. 레피티션(repetition) 트레이닝은 최대 강도의 운동을 반복적으로 시행하고 중간에 충분한 휴식을 취하는 무산소 훈련 방법으로, 속도를 향상시켜준다.

제5절
스포츠 손상의 치료

1. 테이핑 요법

1) 테이핑의 역사

테이핑(taping) 요법은 관절 고정(immobilization) 목적으로 시행하는 비탄력 반창고 테이핑으로부터 시작되었으며, 여러 해에 걸쳐 코치, 트레이너, 스포츠의학 전문의들에 의해 사용되어오고 있다. 테이핑이 손상 예방의 유용한 수단 중 하나로 인식되면서 스포츠 동호회를 중심으로 탄력성 테이프 사용이 늘어나는 추세지만, 테이핑에 대한 지식의 대부분은 경험적 측면이 강하며 아직 테이핑의 효과를 입증할 만한 충분한 근거가 다소 부족한 실정이다. 하지만 최근에 테이핑에 대한 체계적인 연구가 이루어지면서 족근관절 및 슬관절에 대한 테이핑이 효과가 있으며, 고유수용성 감각(proprioception)의 촉진과 관련된 것으로 알려지고 있다.

테이핑 요법은 1970년대 이후 일본에서 체계화되면서 발전하기 시작했다. 카세겐죠는 탄력 테이프를 이용하여 근육 결에 따라 테이핑을 하는 키네시오(kinesio) 테이핑 요법을, 다나카는 좌방계와 우방계의 나선형 개념을 기초로 비탄력 격자 테이프를 이용한 스파이럴(spiral) 테이핑 요법을, 아리까와는 접촉 검사와 압박 검사를 통하여 탄력 및 비탄력 테이프를 이용하는 밸런스(balance) 테이핑 요법을 제안하였다.

스포츠 테이핑 요법을 비롯한 여러 가지 테이핑 요법이 한의학계에 도입되면서 이를 한의학에 적극적으로 응용하기 위해 한방첩대학회가 결성되어 활동하고 있다.

2) 테이핑의 원리

관절 부위에 테이핑하는 방법은 관절을 완전하게 고정하는 방법과 관절운동범위 내에서 원하는 움직임만 허용하는(조절된 가동성) 방법이 있다. 그러므로 테이핑을 하는 부위의 기능해부학, 생체역학, 손상 기전에 대한 정확한 이해가 필요하다.

3) 테이핑의 가이드라인

(1) 해당 부위에 알맞은 테이프 형태와 폭을 선별해야 하며, 테이핑 목적에 일치하는 범위 내에서 테이프 사용을 최소화해야 한다. 이는 테이프의 폭이 넓을수록 효과는 크지만, 피부 부작용도 커지기 때문이다.

(2) 손상의 예방이나 손상 부위 보호를 위해서는 특정 손상별로 각각 개별적인 테이핑 기술이 필요하다.

(3) 원하는 운동범위를 유지하기 위해서는 테이핑할 때 관절을 바른 위치에 두어야 한다. 이때 테이프의 절반이 중복되도록 겹쳐 붙여야 한다.

(4) 테이핑 할 피부는 필요하다면 면도를 하여 깨끗이 한 다음 말려주는 것이 좋다. 냉온 처치나 수치료 후 바로 테이핑을 해서는 안 되며, 손상 부위가 정상 온도일 때만 테이핑을 해야 한다.

(5) 테이프는 접착제를 사용하여 피부에 붙게 하므로, 접착제(특히 벤조인)에 대한 피부 민감도나 알레르기 반응이 일어날 수 있다. 이럴 경우 거즈 패드나 언더랩을 몇 겹 부착한 위에 테이핑하거나 비알레르기성 테이프를 사용해야 한다.

(6) 테이프의 가장자리가 안으로 접히거나 말리지 않도록 주의하여 테이핑을 해야 한다.

(7) 테이핑 부위가 구겨지거나 주름이 잡히면 안 되며, 이는 신경, 근육 건을 압박하거나 과민하게 할 수 있기 때문이다.

(8) 테이프를 제거할 때 붕대 가위나 테이프 절단기를 사용하여 피부에 상처가 나지 않도록 해야 하며, 이를 위해서는 자연스러운 굴곡 면을 이용하는 기술이 필요하다.

(9) 테이프 제거 후 물, 비누, 테이프 제거액 등을 사용하여 테이프 잔류물을 씻어낸다. 피부가 건조하면 보습 크림을, 찰과상이 있으면 피부손상용 연고를 바른다. 감염이나 알레르기 증상이 있으면 피부과 치료를 받아야 한다.

4) 한의학계의 테이핑 요법

한의학적 관점에서 테이핑 요법은 단순한 고정의 차원이 아닌 근육, 피부, 내부 장기와의 상호기전에 근거를 두고 있는 생리적이며 역동적인 치료방법으로 볼 수 있다. 또한 테이핑 요법은 침 맞기를 싫어하는 사람이나 소아에게도 폭넓게 응용할 수 있다.

기존의 일반체침법, 동씨침법, 8체질침법 이론을 발전시켜 한의학의 經絡을 활용하는 테이핑 요법이 사용되어 효과를 거두고 있다. 일반 체침을 응용한 테이핑 요법에서는 기본적으로 활용하는 經穴을 대상으로 테이핑을 하면서 經絡별 분류에 따른 테이프의 색깔을 고려하여 테이핑하게 된다. 동씨침법을 응용한 테이핑 요법은 자체의 고유한 經穴에 테이핑을 하게 된다. 8체질 테이핑 요법은 인간의 체질을 臟腑大小에 따라 8가지 유형으로 구분하여 각 체질에 따라 테이프의 색깔을 구분하여 테이핑을 하게 된다.

그러므로 한의학계의 테이핑 요법은 관절의 고정이나 근육 결에 따라 붙이는 테이핑 요법을 활용하기도 하지만, 한의학의 고유 이론인 經絡 및 經穴에 근거를 둔 테이핑 요법을 발전시켜 사용하고 있다고 할 수 있다.

2. 경기 중 응급처치

1) 혼수 환자의 처치

(1) 자세

경기 중 선수가 갑자기 의식을 잃을 경우 GCS 혼수척도(glasgow coma scale)로 의식 상태를 평가하여 8점 이하이면 혼수이다. 재확인 시 의식이 돌아오면 편안한 자세를 유지하면 된다.

혼수상태로 호흡이 규칙적인 경우는 구토로 인해 기도가 막히지 않도록 혼수 자세(recovery position)를 유지한다. 즉 옆으로 누워 머리를 아래로 낮추고 위쪽 다리를 무릎 부위에서 구부려 준다(그림 6-2).

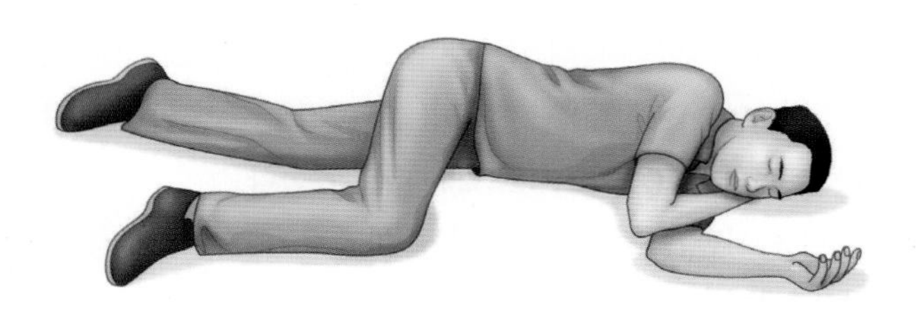

그림 6-2. 혼수 자세

혼수상태로 호흡이 불규칙하거나 없는 경우는 기도 확보 등의 추가적인 처치를 위해서 체위를 일직선으로 유지한 채 통나무를 굴리듯(log roll)하여 앙와위(supine position)를 취하게 한다.

(2) 기도 확보

경추 손상을 배제할 수 없는 경우 목을 과신전시키지 말아야 한다. 집게손가락을 턱 모서리 뒤에 댄 후 엄지로 아랫 입술을 입안으로 밀어 넣으면서 아래턱을 전방으로 이동시키는 하악거상법(jaw lift method)이 타당하다.

하악거상법으로 기도확보가 안 되면 경구 에어웨이(airway)의 아래쪽이 위로 가도록 거꾸로 삽입하고, 입안에 들어가면 부드럽게 혀 뒤쪽에서 회전시킨다.

(3) 인공호흡 및 심폐소생술

그래도 호흡이 없으면 선수의 코를 손으로 잡고 공기가 빠져나가지 않도록 한 후, 폐에 공기를 불어 넣는 구강 대 구강 인공호흡을 시행한다.

인공호흡 후에도 경동맥(carotid artery)에서 맥박이 뛰지 않는다면 즉시 외부 심장 압박을 시작해야 한다. 호흡이 살아나면 척수손상 예방을 위하여 척추를 고정할 수 있는 장비를 이용하여 고정 후 병원으로 이송한다.

(4) 이물질에 의한 기도 폐색

견갑골 사이의 척추에 연속적으로 4-5회 신속하게 타격을 가하는 방법을 사용하거나, 상복부에 일련의 급격한 외력을 주는 하임리히 수기법(Heimlich maneuver)을 사용하기도 한다. 이러한 처치로도 이물질 제거에 실패할 경우 기관 절개술(tracheotomy)을 시행해야 한다.

2) 두부와 경부의 손상

두부 손상 시 두개내 출혈로 갑자기 의식을 잃을 수도 있다. 외관상으로 회복되더라도 두통이나 제반 증상이 완전히 사라질 때까지 운동에 복귀시켜서는 안 된다. 경막외 출혈의 경우 의식 명료기(lucid interval)를 거쳐 다시 악화될 수 있으므로 주의해 살펴야 한다.

많은 경우 두부와 경부의 손상은 동시에 일어나므로, 두부 손상의 경우 경부 손상이 없다고 판명될 때까지는 헬멧을 쓰고 있더라도 헬멧을 벗기지 말아야 한다. 경부나 척수 손상이 의심되면 머리와 목을 고정시키고 이송해야 하며, 의사나 훈련받은 요원의 감독 하에서 이송되어야 한다.

3) 흉부 손상

흉곽 손상으로 기도 폐쇄, 기흉(pneumothorax), 혈흉(hemothorax), 동요흉(flail chest)에 의한 호흡곤란이 발생할 수 있다. 이럴 경우 산소를 공급하면서 선수가 편한 자세(보통 45° 반거상 자세)를 취하여 의료 시설로 이송해야 한다. 여기서 동요흉이란 다발성의 분절성 늑골골절로 흡기 시 함몰되고 호기 시 팽만되는 비정상적 흉벽 운동이 발생하여, 환측과 정상측이 반대로 움직이면서 마구 동요하는 것처럼 보이는 것을 말한다. 흉곽에 대한 강력한 타박상(contusion)으로도 심낭에 손상이 발생하여 심장 압전(cardiac tamponade) 상태가 유발될 수 있는데, 이는 응급상황이다.

4) 복부 손상

빈번히 발생하는 심한 복부 손상에는 비장, 신장, 간장 파열과 관련된 혈복증(hemoperitoneum)이 있다. 복통 이외에 초기 징후로 빠른 맥박과 혈압하강 같은 초기 쇼크(shock)의 징후가 있다. 압진으로 복부 강직, 반발통(rebound tenderness) 및 통증 부위를 확인해야 하며, 청진 시 장음이 소실되어 있다. 선수를 앙와위(supine position)로 하고 무릎 밑에 받침을 대서 복부 근육을 이완시키고 신속히 의료 시설로 이송시켜야 한다.

5) 외출혈

운동 중 피부의 상처로 심각한 출혈이 되는 것은 흔하지 않다. 피부 상처에 따라 피부의 바깥층이 찢어지거나 벗겨진 찰과상(abrasion), 피부와 심부조직이 잘리거나 찢어진 열상(laceration), 날카로운 물체가 피부를 깊게 관통한 자상(puncture wound)으로 구분된다. 드레싱을 하거나 상처 부위를 직접 압박하여 지혈시킬 수 있다. 가능하다면 상처 부위를 높여주고 지혈이 되지 않는 경우 출혈에 관계된 동맥을 찾아 압박해야 한다.

6) 골절

해당 부위의 부자연스러운 동작, 변형, 뼈 전면의 국소적 압통, 염발음이 주요 특징이다. 운동 중 손상 시 손가락 지절골(maniphalanx), 원위 요골(radius) 및 척골(ulnar), 중수골(metacarpal bone), 쇄골(clavicle) 등의 상지에서 골절이 가장 빈발하며, 기타 발목, 경골(tibia) 및 비골(fibula), 중족골(metatarsal bone) 등에서도 골절이 발생한다. 초기 처치 시 부목이나 고정법을 적용해야 한다. 개방성일 경우 드레싱으로 상처를 감싸고 출혈을 억제한 후 고정하고, 가능하면 거상시켜 즉각적인 의료 처치를 받아야 한다.

7) 탈구

관절의 변형, 통증(특히 움직일 때), 관절 사용 불가능이 주요 특징이다. 운동 중 손상 시 견관절, 견쇄(acromioclavicular) 관절, 주관절, 수지(finger) 관절 즉 상지에서 상대적으로 탈구가 빈발한다. 기타 관절에서의 탈구는 심한 손상이 가해진 것으로, 골절 등의 동반 손상이 흔하다. 탈구 정복은 의사에 의해 손상 후 즉시 이루어지는 것이 이상적이지만, 그렇지 못한 경우에는 초기 처치로 손상된 관절이나 사지를 고정시키거나 부목을 댄 후 의료 시설로 이송한다.

3. 연부조직 손상의 구급법

대부분의 연부조직(soft tissue) 손상은 생명 위협의 범주에 들어가지 않지만, 손상 정도를 최소화하고 빠르고 완전한 회복을 이루려면 정확한 구급 조치가 필요하다. 연부조직 손상은 'RICE요법'에 의해 처치되며, 여기에 보호(protection), 고정(stabilization), 스트레칭(stretching)을 추가하여 'PRICE요법(PRICES, ICE+S2)'이라고도 한다.

치료 기간을 줄이기 위해서는 수상 초기 신속한 부종 조절이 중요하다. 일반적으로 부종은 72시간 동안 유발되므로,

RICE요법의 실제 적용 기간은 초기 72시간 정도가 적당하다. 다만, 선수의 상태, 적용 방법의 차이 등으로 구체적인 적용 시간 및 기간에 다소 차이가 날 수 있다.

1) 안정(Rest)

손상 부위의 지속적인 사용은 부종과 출혈을 악화시키므로, 손상 초기에는 활동을 중단하고 안정을 취한다. 손상의 정도에 따라 적용 기간은 차이가 있다. 일반적으로 경도 손상은 1일, 중등도 손상은 3-5일, 중증 손상은 최소한 1주일 정도의 안정이 필요하다. 또한 휴식 기간 동안 통증이 유발되지 않는 범위 내에서 등척성 운동을 실시한다. 조기에 운동으로 복귀할 경우 재발하는 경우도 있지만, 심한 염좌나 골절이 없다면 손상 부위의 동작 제한만 필요할 뿐 전신의 완전한 휴식은 불필요하다.

2) 얼음 또는 냉기 적용(Ice)

매우 중요한 구급 절차로 손상 조직의 대사 감소 및 조직의 산소 요구량 감소로 손상 범위를 제한하고, 염증, 부종, 혈종을 억제하고, 통증 및 경련을 줄여주는 효과가 있다.

적용 시간은 냉기에 따라 다르지만, 손상 즉시 2시간마다 10-30분 정도 실시하되 쉬었다 다시 하기를 자주 반복하는 것이 효과적이다. 다만, 관절 부위처럼 피하지방이 적은 부위는 10분 정도가 적당하다. 적용 기간은 최소한 72시간 정도가 권장된다. 얼음으로 직접적인 마사지를 하거나 얼음을 주머니나 물통에 넣어 사용하기도 하지만, 잘게 쪼개진 얼음을 젖은 수건에 싸서 손상 부위 전체에 적용하는 것이 가장 효과적이다. 기타 얼릴 필요가 없는 즉석 냉각 젤이나 팩, 염화에틸(ethyl chloride) 또는 플루오르메탄(fluorimethane) 성분의 화학적 스프레이를 사용하기도 한다. 다만, 냉기 적용 직후에는 신경전도 속도, 결합조직의 유연성 등이 줄어들어 있으므로, 바로 경기에 복귀해서는 안 된다.

3) 압박(Compression)

손상 부위의 압박은 부종 및 출혈이 일어날 공간을 감소시켜주는 것을 의미한다. 보통 탄력 압박 붕대를 사용하여 손상 부위의 원위부에서 근위부를 향해 붕대가 서로 겹치도록 감아준다. 다만, 너무 꽉 조일 정도로 감아 통증이 유발되어서는 안 된다.

건조한 붕대를 사용하거나 찬물에 담가둔 붕대로 손상 부위를 감아 압박과 냉기를 같이 적용하는 경우가 흔하다. 압박과 냉각을 겸한 장치들이 다양하게 시판되어 있으며, 이를 이용할 경우 급성 손상을 치료하는데 매우 유용하다.

4) 거상(Elevation)

손상 부위를 심장보다 높게 거상시키므로, 사지에 가장 많이 적용된다. 손상 부위로 가는 동맥혈을 감소시키고 정맥혈을 손상 부위로부터 제거시켜 부종을 줄여주는 효과가 있다. 다만, 사지를 거상시킬 경우에는 압박과 동시에 시행하지 않아야 한다.

4. 한방물리요법

1) 경피한랭요법

다양한 온경락요법이 오랜 기간 치료법의 표준으로 되어왔다. 하지만 경피한랭요법은 운동손상의 초기 치료에 있어 아주 효과적인 치료법일 뿐만 아니라, 회복단계에서도 더욱 빈번하게 사용되고 있다. 이는 경피한랭요법이 온경락요법보다 뛰어난 진통효과가 있으면서 효과 지속 시간이 더 길기 때문이다.

경피한랭요법은 혈관수축으로 인한 혈류 감소, 손상 조직의 대사 및 산소 요구 억제, 신경전도 속도 감소, 근방추 흥분 억제, 근육 경련 감소로 관절구축 개선, 부종 억제, 염증 억제, 진통 효과가 있다.

적응증은 주로 급성·만성 통증, 급성·아급성 염증이며, 좌상, 염좌, 타박상(contusion), 점액낭염(bursitis), 건염(tendinitis) 등 급성·만성의 모든 전형적 운동성 연부조직 손상에 적용된다. 또한 근육 경련이나 경직, 관절수술 후의 통증, 근막통의 발통점(trigger point) 해소에도 사용한다. 레이노드병(Raynaud's disease)과 같은 순환장애나 한랭 과민자는 금기증이다. 슬관절의 총비골(common peroneal) 신경 및 주관절의 척골(ulnar) 신경 등의 천피(superficial) 신경 부근의 자극은 신경기능 손상을 유발할 수 있고, 장시간의 피부 자극은 수포, 동상 등의 피부 손상이 유발될 수 있으므로 주의해야 한다.

2) 수치료

경기 후 회복 목적으로 이용하는 회전욕(whirlpool)과 온천욕(spa)은 피로 회복, 흥분 해소, 정서적 안정 및 근육 긴장을 해소하는 효과가 있다. 손상 부위에 대한 음양교호욕(냉온욕)은 특히 급성기 이후 사지 염좌에 효과적이다.

3) 한방 수기요법

스포츠 손상 치료 시 추나 및 근건이완 수기요법 등의 한방 수기요법이 도움이 된다. 심부건 마사지(deep friction massage), 관절가동술(mobilization), 관절견인(traction), 능동이완(active release)기법, 근육에너지(muscle energy)기법, 근막이완(myofascial release)요법, 좌상역좌상(strain counterstrain)기법 등이 여기에 해당된다.

이중 능동이완 요법은 유착 해소 목적으로 개발되어 근육의 발통점을 압박한 상태에서 능동적 움직임을 유발하여 관절가동범위 개선에 효과적이며, 과사용 증후군, 급성 연부조직 손상, 신경포착 해소에 사용되고 있다.

경기 후 회복 목적으로 주로 시행되는 마사지는 급성기 이후 연부조직 외상 중 좌상에 효과적이지만, 석회화가 진행될 수 있는 대퇴 타박상(contusion)이나 골절 초기, 진행성 출혈, 감염, 혈전 등의 급성 손상은 금기증이다. 또한 자주 장시간 마사지를 받는 것은 피로를 누적시킬 수 있으므로 주의해야 한다.

5. 재활치료

1) 조직의 치유 과정

연부조직 손상에 대한 인체의 초기 반응은 염증으로, 이는 손상된 조직을 치유하기 위함이다. 염증기(inflammatory phase), 재생기(repair phase), 재형성기(remodeling phase)로 구분되며, 각 단계는 중첩되어 진행된다.

염증기에 화학적 매개체가 방출되어 통증, 종창, 발적, 발열이 유발된다. 재생기에는 섬유모세포(fibroblast)에 의해 콜라겐(collagen)이 생성되고 콜라겐 상흔(scar) 증가로 교차 결합이 이루어진다. 재형성기에 손상 조직에 기질이 추가되어 강도가 높아지고, 콜라겐이 최종 형태로 분화되면서 상흔 조직이 치유된다.

재생 및 재형성기에 고정보다는 제한된 운동을 하면 조직의 장력 강도가 증가하게 되고, 조직수축으로 인한 유착을 예방할 수 있다.

2) 재활치료의 원칙

스포츠 손상의 재활치료 목적은 가능한 짧은 시간에 최고 수준으로 기능을 회복하여 운동으로 복귀하는 것이다. 이를 위해 손상 부위의 신속한 치료와 더불어 손상 부위가 회복될 때까지 기다리지 않고 재활치료를 조기에 시작해야 한다.

(1) 하나의 정형화된 프로그램을 모든 선수에게 적용해서는 안 된다. 손상의 정도, 조직의 치유 과정, 수술을 포함한 치료의 형태, 관절 상태를 고려하여 각각의 선수에 맞는 개별적 프로그램이 필수적이다.

(2) 지구력 유지를 위해 손상 초기부터 시행할 수 있는 운동을 고려해야 한다. 상지 지구력을 위해서는 상지 에르고미터(ergometer)나 수영이, 하지 지구력을 위해서는 자전거타기가 적당하다. 허리 및 무릎, 발 등의 하지 손상의 경우 체중부하 없이도 시행할 수 있는 물속에서 걷기 등을 처방해야 한다.

(3) 재활치료가 손상된 단 하나의 근육군에만 집중되어서는 안 된다. 손상된 근육의 치료와 더불어 사지의 모든 근육들을 운동시키는 과정 중에 어느 근육이 약한지를 파악하고, 보다 약화된 근육들에도 집중할 필요가 있다.

(4) 근력 강화시 SAID 원리에 맞게 운동의 강도를 조절하여 손상을 악화시켜서는 안 된다. 초기에는 최대 부하(maximum load)보다는 낮은 강도로 여러 번 시행하고, 회복될수록 강도는 높이고 횟수는 줄여 나간다.

(5) 손상 부위에 대한 기능해부학과 생체역학을 이해하여 비정상적인 동작 및 보상적 변화에 의한 움직임을 교정해야 한다. 이때 족근관절의 과도한 회내(pronation)와 회외(supination), 경골 회전, 대퇴골 염전(tor-

sion), 골반의 비대칭 등이 문제가 된다.

(6) 손상 부위의 재손상이나 다른 부위의 추가 손상을 예방하기 위해서는 손상 가능성을 줄여주는 전조건화(prehabilitation)가 필요하다. 전조건화 운동 프로그램은 손상이 발생하기 전이나 손상이 발생한 후의 재활치료 기간에 시행된다. 해당 스포츠의 반복적 동작에 손상받기 쉽고 불균형이 잘 발생하는 특정 근육군들에 대한 집중적인 근력 강화 및 스트레칭을 시행한다. 테니스의 백핸드(backhand) 동작으로 발생한 외측상과염을 예로 들면 백핸드 동작 시 가해지는 힘보다 큰 힘을 반복적으로 주관절 신전근에 가해서 근력을 강화시키면서, 불균형이 잘 발생하는 주관절 굴곡근은 스트레칭을 시켜주는 방법이다. 이러한 전조건화 개념은 한의학의 未病而治之 원리와 일맥상통한다.

3) 단계별 재활치료 프로그램

(1) 초기 재활 단계

초기 급성기는 증상 치료와 유연성 향상에 중점을 둔다. 손상 부위를 보호하면서 RICE요법으로 염증 및 부종을 줄이며, 통증에 대한 전기치료 및 약물치료로 조직의 치유 과정을 단축시킨다. 유연성 향상을 위해 연부조직을 신장시키는 정적 스트레칭, 관절가동범위를 늘리는 수동적 관절 가동화 운동을 한다. 관절이 고정되었다면 심폐 지구력 운동과 등척성 운동이 강조되어야 한다. 이때 등척성 운동은 통증이 발생하지 않는 범위 내에서 근육 위축 방지를 위해 실시한다.

(2) 중기 재활 단계

재활의 중간 단계에는 고유수용성 감각 자극 및 근력 강화 운동에 중점을 둔다. 한방물리요법과 약물치료는 증상개선과 더불어 차츰 줄여 나가며, 고유수용성 신경근 촉진 스트레칭, 능동적 관절 가동화 운동을 통해 유연성을 더욱 향상시킨다.

고유수용성 감각 자극을 위해 체중 부하가 가능하면 조기 기립해야 하며, 눈을 뜨거나 눈을 감은 채로 한발로 서기, 발뒤꿈치 들고 서기, 경사판을 이용한 균형 조절 훈련 등을 통해 손상된 신경-근육 조절 능력을 향상시킨다.

근력 강화를 위해 부하를 천천히 증가시키면서 등장성, 등속성 운동을 시행하고, 등장성 운동시 탄력 고무 밴드사용이 효과적이다. 신경-근육 조절 향상을 위해서는 열린 사슬 운동(open kinetic chain exercise)보다 닫힌 사슬 운동(closed kinetic chain exercise)이 더 안전하며 기능적이지만, 두 가지 사슬 운동 모두 근력 강화 및 재활치료에 효과적이므로 선수의 상태에 따라 조합하여 적용해야 한다.

(3) 후기 재활 단계

재활의 후기 단계에는 플라이오메트릭스(plyometrics) 운동과 구체적 스포츠와 관련된 훈련에 중점을 둔다. 플라이오메트릭스 운동은 폭발적인 근육 수축으로 속도 및 근력을 강화시키고, 신경-근육 조절을 향상시켜주어 재활의 후기에 주로 사용된다. 구체적 스포츠와 관련된 훈련을 위해 걷기나 달리기를 시작하고, 여기에 민첩성 훈련(S자 달리기, 8자 달리기, 갑자기 방향 전환하며 달리기)을 추가하며, 점차적으로 구체적 스포츠에 필요한 복잡한 기술 훈련으로 진행한다.

통증과 지속적인 종창이 없고 정상 관절운동 범위가 가능하면서 건측과 동일한 근력에 도달하면 스포츠로 복귀가 가능하다. 스포츠로 복귀하더라도 손상 예방을 위해 보조기 착용이 필요하지만, 보조기 착용은 에너지 소비 증가, 근육 피로도 증가를 유발하므로 보조기 처방 시 주의가 필요하다. 그러므로 기능적 보조기의 사용으로 운동수행능력의 저하를 최소화해야 한다.

4) 손상의 재활치료에 대한 한의학적 고찰

손상은 외부로부터 인체에 급격히 가해지는 작용으로 인해 발생하는 상해의 총칭이다. 외부로부터의 급격하고 돌연한 작용이 인체의 기능해부학과 생체역학에 영향을 미쳐 국소적 반응 및 전신적 반응을 유발한다. 역대 문헌기록에 의하면 ≪外臺秘要≫에서 "損傷有兩種 一者外傷 一者內傷"이라고 매우 명확하게 서술했으며, 후세의 많은 학자들이 손상을 外傷과 內傷으로 분류하였다.

外傷은 크게 傷皮肉, 傷筋, 傷骨로 나누었고, 內傷은 傷氣, 傷血, 傷臟腑 등으로 나누어 진단과 치료에 임하였다. 한의학에서는 부상의 재활치료적인 측면으로 이미 正坐法

과 導引 체조 등을 이용하여 人身의 精氣神을 증강시켜 왔다.

제6절 운동 치료

운동치료(Therapeutic exercise)는 몸의 일부분을 어떤 형태로 움직이게 하는 운동을 통하여 근력, 지구력, 운동조절 그리고 운동범위를 향상시키기 위해 치료사에 의해 수행되는 치료의 한 분야이다. 여기서 기술하는 내용은 스포츠 손상에 국한한다(표 6-2).

손상이 발생하면 그에 따른 통증, 부종, 근육 경련, 신경근 조절 결함, 부목이나 석고 고정 등으로 인하여 거의 대부분은 정상적으로 움직일 수 있는 능력의 결핍, 즉 관절가동범위의 제한이 일어난다. 이러한 비정상적인 가동범위를 능동적, 능동보조적, 수동적인 관절가동범위(range of motion, ROM) 운동을 통하여 정상 가동범위로 회복시키는 것이 운동 치료 프로그램의 중요한 목표 중 하나이다.

표 6-2. 스포츠 손상의 운동 치료

목표	치료 방법
스포츠 손상 발생	손상 정도 파악 재활치료 및 수술여부 결정
증상의 치료	RICE요법 한방물리요법 약물치료
가동성(mobility) 증진	관절가동범위 운동
유연성(flexibility) 증진	스트레칭
근력 강화	등척성·등장성·등속성 운동 원심성·구심성 수축 열린·닫힌 사슬 운동
심폐지구력 증진	달리기, 자전거 타기, 수영
기능적 운동	고유수용성 감각 운동 민첩성 운동 플라이오메트릭스 운동 구체적 스포츠 관련 훈련

1. 유연성 운동

유연성(flexibility) 운동이란 근장력을 완화하기 위한 의식적인 노력을 의미하며, 이를 통하여 근긴장을 조절하거나 억제할 수 있다. 장기간의 근긴장은 근육 경련에 의해 일어날 수 있으며, 이것은 통증을 일으킬 수 있다. 따라서 유연성 운동은 근육의 수축과 긴장으로 통증을 느끼는 경우에 주로 사용되며, 관절가동범위를 증가시키기 위해서도 사용된다.

요가, 태극권 등이 유연성 증진에 도움이 되며, 유연성 운동의 가장 보편적인 방법은 스트레칭으로 '4절 스포츠 손상의 예방'에서 이미 기술하였다.

2. 근력 강화 운동

근력을 강화하기 위해서는 모든 운동 단위가 최대한 동원되도록 근육에 높은 부하를 주어 최대한의 일을 수행하도록 해야 한다. 가해지는 부하는 손을 이용하여 저항을 주는 방법부터 기구를 이용하여 저항을 주는 방법까지 무척 다양하다. 근력 강화 운동(muscle strengthening exercise)은 저항의 유형에 따라 크게 등척성, 등장성, 등속성 운동으로 구분한다.

1) 등척성 운동(Isometric exercise)

근육 수축은 일어나지만 길이가 변하지 않으며 부하의 위치이동 없이 장력(tension)만 변하는 정적인 운동이다. 고정되어 있는 가구나 벽에 힘을 쓰거나, 관절운동이 없는 자세에서 해당 근육에 힘을 주어 5-10초 정도 유지한다. 관절운동이 없어도 되므로, 사지가 석고 고정되어 있는 상태나 관절운동이 금지되는 상태(관절수술, 급성 관절염 등)인 재활 프로그램의 초기에 주로 사용된다.

장점으로는 특별한 장비가 필요하지 않아 어느 곳에서든지 시행할 수 있고, 시간이 적게 걸리며, 근육통이 적고, 대부분의 근육에 시행하기가 쉽다.

단점으로는 통증이 없는 각도에서만 시행하여 근력 증강 효과가 크지 않으므로, 근육 위축을 최소화할 목적으로 사용된다. 또한 심실 부정맥(ventricular arrhythmia)이나 혈압이 상승하는 부작용이 있다.

2) 등장성 운동(Isotonic exercise)

운동 속도와는 상관없이 관절의 움직임이 일정한 부하로 이루어지는 동적인 운동이다. 장력(tension)의 변화가 없다고 하여 등장성 운동이라 불러왔지만, 관절의 각도, 근육의 길이 변화에 따라 근육에 걸리는 장력에 다소 차이가 있다. 다양한 헬스 장비에서부터 아령, 역기, 모래주머니 등의 자유 중량(free weights) 기구와 탄력 고무 밴드 그리고 체중을 이용한 팔굽혀펴기, 윗몸일으키기, 쪼그려 앉기까지도 등장성 운동에 해당된다.

장점으로는 과부하의 원칙에 따라 점진적으로 중량 부하를 늘려 근력과 근지구력 증진이 용이하며, 다른 근육과 분리시켜 한 근육만을 따로 발달시킬 수 있고, 성취에 의한 동기 부여가 가능하다.

단점으로는 근육통이 흔하고, 무게나 기구를 바꾸는 시간이 많이 소요되며, 전체 운동범위 중 최대 부하가 가장 약한 부위에 걸리므로 나머지 부위는 최대 이하(sub maximal) 강도로 운동하게 된다.

(1) 구심성 수축과 원심성 수축

등장성 운동으로 근육이 수축할 때 구심성 수축(concentric contraction)과 원심성 수축(eccentric contraction)이 일어난다. 아령으로 상완이두근(biceps brachii)을 강화할 때 시작점에서 주관절 굴곡까지 근육의 길이가 짧아지면서 수축하는데, 이를 단축성 또는 구심성 수축이라 한다. 다시 주관절을 신전하여 시작점으로 돌아갈 때 아래로 내려가는 아령의 조절을 위해 근육의 길이가 늘어나면서 수축하는데, 이를 신장성 또는 원심성 수축이라 한다.

기존에는 구심성 수축을 통한 근력 강화가 많이 이루어졌지만, 최근에는 원심성 수축의 중요성이 강조되고 있다. 이는 빠른 속도의 역동적 운동에서 원심성 수축이 사지의 움직임을 감속시켜 손상을 예방하기 때문이다. 또한 원심성 수축은 근육과 건의 길이를 늘이는 데 도움이 되므로, 건염의 치료 및 관리에 원심성 프로그램이 사용되고 있다.

다만, 원심성 수축은 근육내 힘이 많이 필요하고, 주위 조직에 긴장력을 유발하여 근육통이 많고, 손상의 위험도 높아지게 되는 단점이 있다.

(2) 닫힌 사슬 운동과 열린 사슬 운동

닫힌 사슬(closed kinetic chain) 운동은 팔굽혀 펴기처럼 원위부 지절을 고정시킨 상태에서 원위부 지절에 체중 부하를 가하는 운동이다. 이 운동은 대개 안정성, 근력, 지구력 강화와 감각-운동 조절 훈련 시에 사용할 수 있고, 기능적인 능력을 향상시키기 위한 훈련으로 이용된다. 관절 내에 압력이 증가되어 안정성이 향상되고, 운동이 일어나는 관절 주위의 주동근과 길항근이 협력 수축을 일으켜 관절에서 발생하는 전단력(shearing force)을 최소화시켜 관절의 스트레스를 줄여 준다.

열린 사슬(open kinetic chain) 운동은 아령 들기처럼 근위부 지절이 고정된 상태에서 원위부 지절을 움직여 운동을 하므로, 원위부 지절에 체중 부하가 가해지지 않는다. 이 운동은 주로 근력 강화와 지구력 향상을 목적으로 사용되며, 근육들의 개별적인 훈련 시에 사용된다. 체중 부하를 줄 수 없는 상태에서 운동이 가능하다.

이러한 두 가지 운동은 주로 슬링(sling) 치료에 잘 적용된다. 슬링 치료의 핵심은 중력의 영향 없이 적용되는 열린 사슬 운동, 중력이 부하되어 기능적인 생체역학 및 물리학적 상태의 효과를 단계적으로 적용할 수 있는 닫힌 사슬 운동으로 구성되며, 닫힌 사슬 운동에 더 큰 중점을 둔다. 따라서 효과적인 근력 강화를 위해서는 두 가지 사슬운동을 상황에 맞게 조합하여 최적의 결과를 얻어야 한다.

3) 등속성 운동(Isokinetic exercise)

가해지는 힘에 상관없이 관절의 움직임이 일정한 각속도(angular velocity)로 이루어지는 동적인 운동이다. 이는 일정 속도를 유지하기 위해서, 관절 각도에 따라 가해지는 힘에 비례하여 저항이 변하도록 고안된 특수 장비를 통해 가능하다. 즉 통증 등으로 가하는 힘이 약하면 저항이 줄어들고, 가하는 힘이 강해지면 장비의 저항도 늘어나게 된다.

재활의 마지막 단계에서 주로 시행하지만, 등척성 운동 후 바로 등속성 운동을 시행하기도 한다. 이는 등속성 운동 시

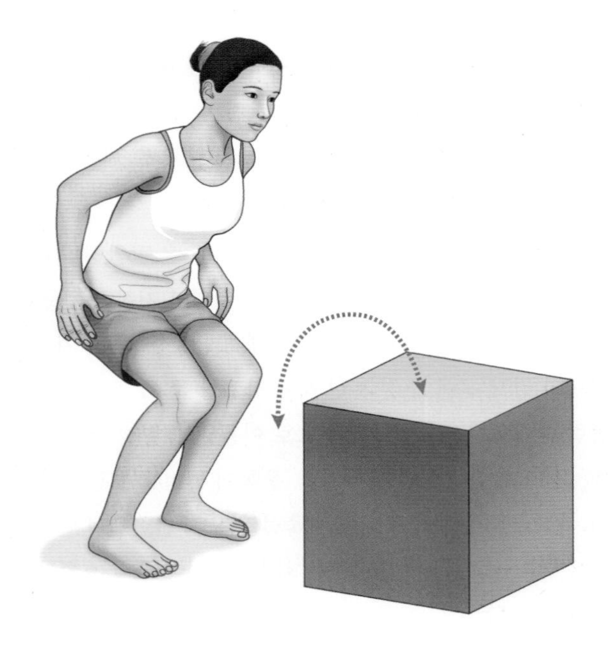

그림 6-3. 상자위로 뛰어 오르내리기

원심성 수축이 없어 근육통이 거의 일어나지 않기 때문이다.

장점으로는 관절의 전체 운동범위 동안 모든 지점에서 근육에 최대한의 저항이 가해져 근력 강화 효과가 크며, 중량 기구를 사용하지 않아 안전하고, 시간이 적게 걸리며, 객관적인 기록 분석 및 선수에게 되먹임(feedback)을 제공해준다.

단점으로는 사이벡스(cybex), 킨콤(kincom), 바이오덱스(biodex) 같은 고가의 장비를 이용해야 하며, 따라 하기 힘든 어려운 동작의 경우 혈압이 상승하는 부작용이 있다.

3. 플라이오메트릭스 운동

1980년대 소련 운동 선수들의 훈련을 보고 사용되기 시작한 "plyometrics"는 그 어원이 불분명하지만, 종종 "plyos", "jump training"으로 불리기도 한다. 플라이오메트릭스(Plyometrics) 운동은 특수화된 점프의 반복을 통하여 가능한 짧은 시간에 속도와 파워를 최대 한도로 증가시키려는 목적에 의해 시행된다. 하나의 근육을 능동적으로 원심성 수축시킨 후 동일 근육의 즉각적이고 빠르며 폭발적인 구심성 수축을 통하여 이루어지며, 이를 통하여 신경-근육 조절 및 구체적 스포츠와 관련된 기술을 향상시킬 수 있다.

하지에 대해서는 제자리 점프(tuck jumps), 연속 점프(squat jumps), 한발 또는 두 발로 짧게 뛰기(hopping), 번갈아 한 발로 뛰기(skipping), 도움닫기(bounding), 상자 위로 뛰어 오르내리기(box jumps), 상자에서 뛰어 내린후 다시 올라가기(vertical depth jump), 장애물을 전후로 뛰어넘기(lateral jumps) 등이 있고, 상지에 대해서는 메디슨 볼(medicine balls) 등 다양한 형태로 진행된다(그림 6-3).

플라이오메트릭스 운동 도중에 손상이 많이 발생하므로, 손상 방지를 위해서 전문가의 지도하에 실시하여야 하며 또한 콘크리트 바닥보다 잔디밭이나 반동이 있는 바닥 등의 장소에서 시행해야한다.

4. 지구력 강화 운동

지구력 강화를 위해서는 저부하(low load) 고속 반복(high repetition) 운동이 필요하며, 이를 통해 피로에 대한 저항력 및 운동수행능력(exercise performance)을 높일 수 있다. 지구력 강화 운동은 무산소 상태의 근지구력 운동, 유산소 상태의 심폐지구력(혹은 전신지구력) 운동으로 구분한다.

1) 무산소(Anaerobic) 지구력 운동

근지구력은 근육이 지속적으로 수축할 수 있는 능력으로 무산소성 당분해 과정(glycolytic system)이 작용한다. 최대 근력의 80% 정도 부하로 1-2분간 짧고 격렬한 근육 운동을 통해 당분해 대사를 고갈시킨다. 1-2분간의 짧은 휴식 후 다시 고부하 운동을 2-3회 반복하여 근지구력을 향상시킨다.

어떠한 형태의 운동이라도 근지구력 향상을 위해 사용될 수 있지만, 턱걸이, 팔굽혀펴기, 윗몸일으키기, 중량 부하 등의 등장성 운동이 주로 사용된다. 강화시킨 근육에만 지구력이 향상되는 특수성 원리가 적용되므로, 전신 지구력을 위해서는 운동 종목을 바꾸어가면서 실시해야 한다. 무산소성 당분해 과정에서 젖산이 과잉 생성될 경우 피로, 오심, 구토 등이 유발될 수 있다.

2) 유산소(Aerobic) 지구력 운동

심폐지구력(Cardiovascular endurance)은 순환기나 호

흡기가 장시간 지속되는 운동을 견딜 수 있는 능력으로 유산소성 산화 과정(oxidative system)과 관련된다. 최대 근력의 60%보다 낮은 부하를 주면서 최대한의 반복 횟수로 피로에 빠질 때까지 오랜 시간 운동해야 심폐지구력을 향상시킬 수 있다.

심폐지구력 향상을 위해서는 산소 소모를 점진적으로 증가시키며, 팔과 다리의 큰 근육을 이용하는 줄넘기, 계단 오르기, 달리기, 자전거 타기, 수영 등이 효과적이다. 또한 유산소 운동은 중성지방(triglyceride), 저밀도지단백(low density lipoprotein, LDL)을 감소시키고, 고밀도지단백(high density lipoprotein, HDL)을 증가시키며, 열량 소비를 증가시킨다. 그러므로 유산소 운동은 체중조절 목적으로도 종종 사용된다.

5. 운동처방 및 운동 권장량

1) 운동처방

운동처방(exercise prescription)이란 바람직한 체력 획득을 목표로 각 개인의 연령, 성별, 체격, 건강상태, 운동경험, 직업, 개인의 기호 등을 고려하여, 적당한 운동의 양과 질을 결정하는 것이다. 운동처방은 운동의 빈도(frequency), 강도(intensity), 지속 시간(time duration), 종류(type)로 구성된다. 먼저 현재의 체력이 어느 정도 수준인지 파악한 후 개인에게 맞는 처방을 하는 것이 바람직하다.

2) 운동처방의 원리

첫째 과부하(overload)의 원리와 둘째 특수성(specificity)의 원리는 컨디셔닝 프로그램의 원리에서 이미 기술하였다. 셋째 점증 부하(progression)의 원리는 가벼운 부하로 시작해서 점진적으로 부하를 높여 가야 한다. 넷째 반복성(regularity)의 원리는 일시적이거나 간헐적 자극으로는 변화를 유발하지 못하므로, 반복적으로 운동을 실시해야 한다. 다섯째 개별성(individuality)의 원리는 동일한 운동이라도 사람마다 차이가 있으므로, 처방 및 강도가 달라야 하는 것이다.

3) 운동의 효과

지속적으로 운동을 하면 최대 호흡 능력의 증가, 심박출량 증가, 휴식기 심박수의 감소, 일정 운동에 대한 심근의 산소 소비율 감소, 고혈압 환자의 안정 시 수축기 혈압과 확장기 혈압의 감소 등을 통하여 심폐기능을 증진시키는 효과가 있다. 또한 심장 질환, 천식, 2형 당뇨, 고혈압, 이상지질혈증(dyslipidemia), 비만, 골다공증, 우울증 등에 운동이 도움이 되므로, 환자 진료 시 적극적인 운동 처방이 필요하다.

4) 운동의 권장량

심폐 기능을 증진시키면서, 근골격계 손상을 예방하고, 이상적인 체중 유지를 위한 운동은 고강도의 운동보다는 중간 강도의 운동이 적당하다. 이를 규칙적으로 장기간 지속하는 것이 무엇보다 중요하다.

미국 스포츠의학회(ACSM)가 1998년 제시한 건강한 성인의 체력 증진 및 유지에 필요한 운동의 양과 질에 대한 지침은 다음과 같으며, 유산소 운동과 더불어 근력 강화 운동 및 유연성 운동을 병행하여야 효과적이다.

(1) 유산소 운동

① 운동의 빈도 : 주 3-5일 시행한다.
② 운동의 강도 : 최대 심박수(maximal heart rate)의 65-90% 혹은 최대 산소 섭취량(VO_2 max; maximal oxygen uptake)의 50-85%로 시행한다.
③ 운동의 지속 시간 : 지속적인 유산소 운동을 20-60분간 시행한다.
④ 운동의 종류 : 걷기, 달리기, 자전거 타기, 수영, 스케이트 타기 등의 다양한 유산소 운동을 규칙적으로 시행한다.

(2) 근력 강화 운동

주요 근육을 포함한 8-12가지의 운동을 8-12번 반복하는 중간 강도의 근력 강화 운동을 주 2-3회 시행한다. 이때 최대 심박수(최대 심박수 = 220 - 나이)의 50-60% 강도로, 20-40분간 시행한다.

(3) 유연성 운동

주요 근육에 대한 스트레칭을 4번 반복하며, 최소한 주

2-3회 시행한다.

제7절
운동선수와 영양

1. 열량과 에너지원

1) 균형 잡힌 식사와 열량

운동선수들은 운동수행능력(exercise performance) 향상을 위해 다양한 식품을 섭취하며, 운동수행능력을 강화하고 피로 회복을 돕는 특별한 식단이 있다고 믿는 경우가 많다. 또한 육류 섭취가 체력을 향상시킨다고 믿어 고단백 식사(high protein diet)를 선호하는 경향이 있지만, 고단백질식은 대사 작용 증가로 요량 증가, 약간의 탈수, 변비, 피로를 유발한다.

균형 잡힌 식사(balanced diet)를 통한 고른 섭취만이 운동수행능력을 극대화할 수 있다. 균형 잡힌 식사란 10-20%의 단백질, 20-30%의 지방, 50-70%의 탄수화물로 구성된다. 이 비율은 인체가 필요로 하는 영양소를 바탕으로 산출되어진 것으로 선수의 상태에 따라 변경될 수 있다. 균형 잡힌 식사를 할 경우 부가적으로 특별한 음식, 비타민 등의 영양제(여성의 철분 공급은 예외)는 필요하지 않다.

그런데 운동선수는 계속해서 열량(calorie)을 사용하고 조직 손상을 입게 되므로, 에너지 소모와 회복, 성장에 필요한 충분한 영양과 열량을 추가 공급해야 한다. 보통 앉아서 일하는 사무직의 경우 약 1500㎉ 정도의 열량이 기본적으로 필요하지만, 격렬한 운동을 하는 선수는 대개 하루 3000-6000㎉가 필요하다. 체조 선수가 하루 2시간씩 운동하는데 약 3000㎉ 정도 필요하며, 일주일에 100-160 km의 지구성 훈련을 하는 경우 하루에 약 6000㎉ 정도가 필요하다.

그러므로 운동선수는 고단백질식에서 벗어난 균형 잡힌 식사를 하고 운동 종목별로 필요한 열량을 추가 섭취해야 하며, 운동의 주 에너지원(energy source)이 되는 탄수화물(carbohydrate)이 많이 포함된 식사가 권장된다.

2) 단백질, 지방, 탄수화물

단백질(protein)은 세포, 효소, 호르몬의 구성 요소이다. 단백질은 에너지원(1 g당 4㎈)으로 활용되는 경우는 드물며, 장시간의 격렬한 운동, 단식 등으로 탄수화물과 지방이 결핍되었을 때만 에너지원으로 사용된다. 단백질은 많이 섭취하더라도 지속적으로 저장되지 않는 특징이 있다. 운동으로 근육량이 증가할수록 단백질 섭취량을 증가시켜야 하는데, 지구성 운동은 하루 1.2-1.4 g/kg, 무산소 운동은 1.4-1.8 g/kg이 요구된다.

지방(Fat)은 세포막의 구성 성분으로 기본적인 에너지원(1 g당 9㎈)이 된다. 지방조직과 골격근에 저장된 중성지방(triglyceride)에서 분해 생성된 유리지방산(free fatty acid)이 에너지원이 되며, 휴식이나 안정 시에 필요한 에너지의 80% 정도를 공급한다. 지방이 분해될 때는 산소가 필요하며, 산소와 반응하는데 시간이 다소 걸리는 특징이 있다.

탄수화물(carbohydrate)은 지구성 운동의 주 에너지원(1 g당 4㎈)이며, 무산소성 고강도 운동의 유일한 에너지원이다. 포도당(glucose)은 간(liver)과 근육에 글리코겐(glycogen) 형태로 저장되고, 나머지는 혈중 포도당(blood glucose)으로 혈당을 유지하며, 여분의 혈중 포도당은 중성지방으로 전환되어 저장된다. 근육내 글리코겐은 소모된 후 필요량이 충족되지 않으면 선수들은 매우 피로하게 된다.

3) 운동의 에너지원

근글리코겐(muscle glycogen) 형태의 탄수화물과 유리지방산 형태의 지방이 운동의 에너지원이 된다. 장시간의 지속성 운동에서는 두 가지 에너지원이 복합적으로 사용된다. 하지만 산소의 유무, 운동의 강도 및 시간, 음식의 섭취, 훈련 상태에 따라, 주로 사용되는 에너지원에 차이가 난다.

지방이 에너지원으로 사용되기 위해서는 산소가 반드시 필요하지만, 탄수화물은 산소 유무에 상관없이 에너지원으로 사용되므로 무산소성 운동에서는 탄수화물이 유일한 에너지원이 된다. 유산소성 상태에서는 지방 이용률이 늘어나므로 장시간의 중간 강도 이하의 운동 시 지방이 주 에너지원이 되지만, 단시간의 고강도 운동 시 탄수화물이 주 에너지원이 된다. 그리고 운동 전이나 운동 중에 섭취한 탄수화물은 지방이

에너지원으로 사용되는 것을 방해한다. 지속적으로 유산소 훈련을 할 경우 지방이 에너지원으로 사용되는 비율이 높아지게 된다.

구체적으로 유산소 운동의 에너지원을 시간대별로 살펴보면 안정 시에는 유리지방산이 주 에너지원이다. 운동 시작 초기 5-10분 이내에 근글리코겐이 소비되면 이후 혈중 포도당이 에너지원이 된다. 약 15-20분경과 후부터 중성지방으로부터 분해된 유리지방산과 혈중 포도당이 복합적으로 에너지원으로 사용된다.

2. 체중 조절

1) 체중 증량

운동선수에 있어 체중은 운동수행능력과 밀접한 관계가 있다. 체중 증량의 가장 중요한 원칙은 특별한 훈련 프로그램과 열량 증량식을 통하여 근육과 뼈만으로 이루어진 체중 증량이 되어하며, 지방이 늘어나서는 안 된다는 것이다.

근육의 증가는 웨이트 트레이닝을 통해서 이루어진다. 열량 증량식은 지방 증가를 막기 위해 장기간 하지 않도록 한다. 2주에 1회 지방 측정을 통해 지방 비율이 높으면, 열량을 줄이고 에너지 소모를 늘려야 한다. 부가적인 단백질, 단백동화 스테로이드, 항히스타민제들은 잠재적 위험과 효과가 아직 확실하지 않으므로 사용을 제한해야 한다.

2) 체중 감량

엄격한 체중제한이 있는 체급경기에서는 경기 전 체중 감량을 많이 한다. 수분 및 음식 제한을 통한 체중 감량은 수분, 단백질 등의 손실을 야기하므로 주의가 필요하다. 탈수 시 혈장량 감소, 심박출량 저하, 빈맥, 지구력 저하, 불안, 실신 등을 동반한 열손상이 발생할 수 있다. 또한 성장기에 수분 공급이 자주 제한을 받으면 정상적인 발달에 나쁜 영향을 초래하므로, 수분 제한보다는 체지방량 감소에 중점을 두어야 한다.

체지방률을 측정하여 안전하게 줄일 수 있는 체중량을 정하여 감량을 시행한다. 일주일에 1-1.5kg 이상의 감량은 근육량이 줄어드는 것이므로 바람직하지 않다. 하루 한 시간 훈련량을 늘리고 균형 잡힌 열량 감량식으로 1000㎉을 줄인다. 다만, 하루 섭취 열량이 1500-2000㎉ 이하가 되어서는 안 된다. 정상 수분함량 유지를 위해 하루 8잔의 물을 섭취해야 하고, 땀복, 사우나, 탈수요법은 금지된다.

체급 경기(weight class competition)의 선수는 수분을 많이 함유한 함수성 음식을 항상 피하는 것이 좋은데, 특히 경기 72시간 전에는 반드시 금한다. 함수성 음식으로는 소금, 글루탐산나트륨, 햄, 소시지, 베이컨, 젓갈, 정어리, 청어, 땅콩, 치즈, 케첩, 셀러리, 양파, 마늘, 올리브, 피클 등이 있다.

3. 식사 방법

1) 경기 전의 식사

경기 전의 식사는 저지방, 저단백질, 고탄수화물식이 권장된다. 지방은 5시간(탄수화물은 2시간) 정도 위장에 머물러 소화 장애를 유발하므로, 우유 및 고지방식은 피해야 한다. 락타아제(Lactase)가 결여된 선수가 유제품을 먹으면 설사 등이 유발될 수 있다. 따라서 선수는 자기의 체질에 맞는 음식을 알아야 한다. 그리고 육류 속에 든 아미노산(특히 tryptophan)의 진정 효과와 아질산나트륨(sodium nitrite)의 헤모글로빈 비활성화 효과로 고단백식도 피해야 한다. 그러므로 경기 전 식사는 500㎉이하의 부드럽고 소화가 잘 되는 탄수화물 위주로 해야 한다.

경기 3-4시간 전에 식사를 하여 음식이 위를 거쳐 소장에 도달해야 하며, 이때 긴장이나 흥분하게 되면 소화 속도가 더 느려질 수 있다. 육류 위주 식사는 실질적으로 3-4시간 후 배고픔을 유발하므로, 운동수행능력에 기여하는 바가 없다. 또한 장을 자극해 가스를 발생시키는 음식인 양배추, 오이, 견과, 콩, 상추가 섞인 샐러드, 기름, 양념, 채소는 제외시켜야 한다.

경기 전 단순 탄수화물의 과잉 섭취는 인슐린(insulin) 과분비로 혈당을 갑자기 떨어뜨릴 수 있고 소화흡수를 지연시키며 포만감과 오심을 유발할 수 있으므로, 경기 전에는 복합 탄수화물 섭취가 권장된다. 경기 중에는 인슐린의 생산이 줄어들므로, 단순 탄수화물을 비교적 안심하고 섭취해도 된다. 예를 들면 45-60분 이상의 고강도 경기와 마라톤과 같은 장시간 경기에서는 단순 탄수화물을 경기 중 섭취하기도 한다.

2) 수분 및 전해질 공급

45분 이상 지속되는 경기에서는 과도한 발한으로 인한 탈수(dehydration)를 예방해야 한다. 수분의 상대적 소실로 인한 체액의 고장성(hypertonic) 상태인 일차성 탈수는 물만 보충하면 된다. 하지만 수분과 나트륨이 동시에 소실된 저장성(hypertonic)의 이차성 탈수는 나트륨 보충 없이 과량의 물만 보충할 경우 저나트륨혈증(hyponatremia)에 빠질 수 있다. 그러므로 마라톤, 철인경기, 테니스같이 장시간 지속되는 경기에서는 저나트륨혈증 예방을 위해 나트륨 등의 전해질 섭취가 필요하다.

수분 보충 시 흡수 속도가 중요하다. 시원한 음료가 흡수 속도가 빠르고, 고장성 음료는 등장성(isotonic) 음료에 비해 흡수 속도가 느린 편이다. 일반적으로 수분 보충 및 전해질 공급을 위해 당질 농도가 10%이하인 등장성 스포츠 음료를 사용하며, 당질은 혈중 포도당을 보충하여 준다. 스포츠 음료의 주성분은 물이고, 여기에 미량의 나트륨을 포함한 전해질, 4-10%의 단순 탄수화물로 된 당질, 기타 첨가물로 구성된다.

3) 고탄수화물식

탄수화물의 비중이 높은 식사는 1967년 스웨덴의 Jonas Bergstrom에 의해 처음 알려진 이후, 지구성 운동을 하는 선수들에게 상당한 명성을 거두고 있다. 이 식사는 선수로 하여금 최대 2시간 정도 지속적인 운동을 하게 하는 것이지, 운동능력을 강화시켜주는 것은 아니다. 즉 평소 km당 5분에 달리다가 32 km 지점에서 지치는 마라톤선수가 이 식사를 할 경우 41 km를 완주할 수 있다는 것이지, km당 4분에 달릴 수 있다는 것은 아니다. 이 식사는 모든 선수에게 필요한 것은 아니며, 장시간의 유산소성 지구력이 필요한 마라톤, 수영, 사이클, 축구, 테니스, 핸드볼 등에서 운동수행능력 향상을 위해 주로 사용된다.

이 식사의 목표는 근육의 글리코겐(glycogen) 레벨을 높여서 좀 더 장시간 에너지를 공급하기 위한 것으로, 그 기전은 격렬한 훈련으로 근육의 글리코겐을 고갈시키면서 동시에 식사의 구성 비율에 변화를 주게 되면 더 많은 글리코겐이 근육에 축적(glycogen loading, carbohydrate loading)되는 현상을 이용한다. 처음 3일은 고단백질, 고지방, 저탄수화물의 식사와 더불어 격렬한 훈련으로 글리코겐을 고갈시키고, 나머지 3일에는 가벼운 훈련이나 휴식을 하면서 고탄수화물, 저단백질, 저지방의 식사를 하는 것이 원래 방법이다.

격렬한 운동에 의한 근육 손상, 저혈당을 동반한 두통 등의 부작용, 운동부족에 대한 두려움 등으로, 대부분의 선수들은 변경된 형태의 식사를 한다. 변경된 방법은 처음부터 80% 이상의 고탄수화물식을 하면서 소모량 정도의 수분만을 섭취하고, 경기 당일에는 너무 많은 탄수화물을 섭취하지 않는 것이다. 기존에 고탄수화물식을 하지 못하였다면 적어도 경기 48시간 전에는 실시하고, 근글리코겐 유지를 위해 경기 전날은 가벼운 운동만 해야 한다.

4) 다양성에 대한 고려

이처럼 경기 전의 식사는 선수 성적에 상당한 영향을 미친다. 하지만 동일한 음식이라도 선수마다 각기 다른 반응을 보이기도 한다. 예를 들면 육식을 해야 기운이 나고 피로가 없어진다는 사람도 있으므로, 개인적 다양성을 고려하여 지구성 운동을 하는 선수가 아니라면 고탄수화물식만을 권장할 필요는 없다.

결론적으로 선수가 최상의 수준에 도달하려면 고도의 육체 훈련과 함께 적절한 영양학적 프로그램이 동시에 이루어져야 하며, 어느 한쪽만으로는 부족하다. 선수들의 기록과 최상의 컨디션을 위해서는 선수 개개인의 다양성까지 파악하여 음식은 물론 섭생을 적절히 한다면 큰 도움이 될 것이다.

제8절
도핑과 한약

1. 도핑의 역사

도핑(Doping)은 아프리카 부족이 제사나 축제에 사용하던 흥분 효과가 있는 음료를 뜻하는 용어인 'dop'에서 비롯되었다고도 하고, 경주마 또는 운동선수에게 부정으로 사용되는 알코올성 흥분제의 속어인 'dope'에서 유래하였다고 하기도 한다.

운동선수들은 경기 성적을 높이기 위한 보조물 사용을 유사 이래로 끊임없이 시도해왔다. 고대 그리스 올림픽경기의 선수들은 경기력 향상을 위한 약재를 먹었으며, 로마 시대의 검투사나 중세 기사들도 피로나 부상을 극복하고 전투에 임하기 전에 승리를 위하여 약물을 복용하였다. 19세기 초에는 카페인, 알코올, 니트로글리세린(nitroglycerine), 코카인(cocaine), 스트리키닌(strychnine) 등이 주로 사용되었고, 특히 1950년대에 개발된 수많은 신약으로 도핑이 급증하면서 부작용도 빈번하게 나타나게 되었다.

1960년 로마 올림픽에서 덴마크 사이클선수 Kurt Jensen과 1967년 Tour de France에서 Tommy Simpson이 암페타민(amphetamine) 복용으로 사망하였다. 이를 계기로 IOC 의무위원회 주도하에 금지약물 목록이 만들어져, 1968년 올림픽부터 도핑 검사가 시행되었다. 1988년 서울올림픽에서 육상 남자 100 m 우승자가 금지약물 복용으로 메달이 박탈된 것이 대표적인 사례이다.

1999년에는 IOC의 활동과 조직을 기초로 세계반도핑연맹(world anti-doping agency, WADA)이 설립되었고, 이후 WADA가 국제 대회에서 선수들의 약물에 대한 엄격한 검사와 관리 및 규제를 담당하고 있다.

2. 도핑의 정의

도핑이란 운동수행능력(exercise performance) 향상을 위하여 금지된 약물을 복용하거나 금지된 방법을 사용하는 것으로, 반도핑 규정을 하나 또는 그 이상 위반하는 것이다.

반도핑 규정 위반이란 선수의 시료(뇨, 혈액 등) 내에 금지약물과 그 대사물질 또는 표지자(marker)가 존재 하는 경우, 금지약물이나 금지방법의 사용 또는 사용을 시도하는 경우, 시료 채취를 정당한 사유 없이 회피, 거부 또는 실패하는 경우, 금지약물과 금지방법의 소지, 금지약물과 금지방법의 부정거래 또는 부정거래 시도, 금지약물과 금지방법 투여 및 투여시도, 공모, 금지된 연루 등이 해당된다.

도핑을 금지하는 이유는 약물 부작용으로 건강에 나쁜 영향을 미칠 뿐만 아니라, 약물에 의한 운동수행능력 향상은 공정한 경기(fair play) 및 스포츠 정신(the spirit of sport)에 반하는 행위이기 때문이다.

3. WADA의 금지약물

2010년 WADA가 규정한 금지 목록(prohibited list)에는 상시 금지약물과 금지방법, 경기기간 중 금지약물과 금지방법이 있다.

상시 금지약물은 비승인약물(S0. non-approved substances), 동화작용제(S1. anabolic agents), 펩티드호르몬, 성장인자, 관련 약물 및 유사체(S2. peptide hormones, growth factors, related substances, and mimetics), 베타-2 작용제(S3. beta-2 agonists), 호르몬 및 대사 변조제(S4. hormone and metabolic modulators), 이뇨제 및 은폐제(S5. diuretics & other masking agents)이다. 상시 금지방법은 혈액 및 혈액성분의 조작(M1. manipulation of blood and blood components), 화학적, 물리적 조작(M2. chemical and physical manipulation), 유전자 및 세포 도핑(M3. gene and cell doping)이다.

경기기간 중 금지약물에는 흥분제(S6. stimulants), 마약류(S7. narcotics), 카나비노이드(S8. cannabinoids), 글루코코르티코이드(S9. glucocorticosteroids)이다. 특정 운동종목에서 금지되는 약물은 양궁, 사격, 체조, 레슬링, 스키 종목 등에서의 베타 차단제(P1. beta-blockers)이다.

여기에서 경기기간 중 금지약물이란 경기 당일 섭취해야만 운동수행능력이 향상되므로, 경기참가 외의 불시 도핑에 검출되더라도 양성 판정을 하지 않는다. 예를 들면 에페드린(ephedrine)이 들어있는 감기약을 복용하거나 체중 감량 목적으로 에페드린을 섭취하더라도, 경기참가 전 복용을 중단하면 도핑으로 간주하지 않는다는 것이다.

4. 금지성분과 관련 한약재

운동선수들의 한약 복용은 체력과 운동수행능력 향상, 호흡기와 근골격계 등의 질병 치료, 체중조절 등의 목적으로 증가 추세에 있지만, 도핑 검사 때문에 한약을 포함한 대부분의 약 복용을 경기참가 전 중단하는 경향이 있다.

2010년까지 매년 발표된 WADA의 금지 약물 목록 어디에도 한약재나 한약이 포함되어 있지 않다. 이는 수많은 성분으로 구성된 한약재의 특성 때문일 수 있다. 그러므로 한약의 구성 성분에 관한 최근까지의 연구 성과를 바탕으로 금지 성분이 들어있는 한약재를 먼저 파악해야 할 것이다(표 6-3).

1) 동화작용제

단백동화 스테로이드(anabolic androgenic steroids, AAS)는 성호르몬으로 단백질 합성과 근육 세포 조직을 증가시켜 근육 강화 목적으로 가장 다용되는 약물이다. 비대한 근육을 요하는 단거리 종목, 힘을 쓰는 무산소성 종목의 선수들이 주로 사용한다.

한약재 중 海狗腎의 androsterone이 해당되나, 현재 거의 처방되지 않고 있다. 뿐만 아니라 androsterone의 반감기가 짧고 임상적인 1일 복용량(3-9 g)에 들어 있는 함량도 매우 적어 영향이 미미하다. 기타 동물성 스테로이드를 함유하고 있는 한약재는 거의 없다.

2) 이뇨제

체조, 발레처럼 날씬한 체형을 원하는 종목이나 권투, 레슬링, 태권도 같은 체급경기에서는 급격한 체중 감량을 목적으로 흔히 이뇨제가 다용된다.

한약재 중 澤瀉, 木通, 車前子, 猪苓, 王不留行, 白茯苓 등 이뇨작용을 하는 약물은 많이 있지만, 이뇨제처럼 사구체에 직접 작용하여 급격하게 뇨를 배설시키는 강력한 약제는 없다. 또한 완만한 작용만큼 부작용도 거의 없는 편이다.

3) 흥분제

다용되는 약물인 흥분제는 암페타민(amphetamine) 등의 비특정 흥분제와 아드레날린(adrenaline), 에페드린(ephedrine), 슈도에페드린(pseudoephedrine), 스트리키닌(strychnine) 등의 특정 흥분제로 나뉜다. 과거 금지약물이었던 카페인은 모니터링 프로그램에는 포함되었지만, 현재는 금지약물이 아니다.

도핑과 관련된 한약재 중에는 흥분제가 가장 많이 해당된다. 흔히 처방되는 麻黃이나 半夏에 ephedrine, pseudoephedrine이 함유되어 있으나, 반하의 경우는 미량이라 문제가 되지 않는다. 많이 쓰이지는 않지만, 간혹 통증이나 위장관 치료제로 활용되는 馬錢子(호미카)나 呂宋果(寶豆)에 strychnine이 함유되어 있어 주의를 요한다.

4) 마약류

마약은 진통 및 환각 목적으로 다용되는 약물로 모르핀, 코데인, 페티딘(pethidine), 헤로인 등의 성분과 관련이 있다.

한약재 중 양귀비과 식물인 百屈菜에 morphine이나 codein이 들어있다고 알려져 있으나 미미한 것으로 나타났다. 양귀비과인 玄胡索에 codein이나 morphine이 들어 있

표 6-3. 도핑 검사 대상 약물의 성분이 들어있는 한약재와 반감기 (한약공정서 수재품)

한약명	학명 또는 기원	도핑대상성분	반감기
海狗腎	Otariae testis et penis	androsterone	25±9분
草麻黃 木赤麻黃 中麻黃	Ephedra sinica Stapf Ephedra equisetina Bge Ephedra intermedia Schrenk et Mey.	ephedrine, pseudoephedrine	3~6시간
半夏	Pinellia ternata Breit	ephedrine, pseudoephedrine	3~6시간
馬錢子	Strychnos nux-vomica L.	strychine	4~53시간
呂宋果(寶豆)	Strychnos ignatii Berg	strychine	4~53시간
百屈菜	Chelidonium majus L.	codein	2~4시간
麻子仁	Cannabis sativa L. (fructus)	cannabinol	4일
紫何車	Hominis placenta	cortisone, corticosterone	30분

다는 보고는 아직까지 없다. 한편 대마초나 마리화나에 들어 있는 cannabinol은 WADA의 규정상 마약으로 분류되진 않으며, 한약재 중 麻子仁에 THC (tetrahydrocannabinol)가 들어있어 주의를 요한다.

5) 글루코코르티코이드

강한 항염증 효과를 가진 글루코코르티코이드(glucocorticosteroids)는 부신피질호르몬의 일종으로 경구, 항문, 정맥내, 근육내 사용은 금지되지만, 외용약이나 관절강내, 관절주위, 건주위, 경막외 주사 등은 규칙에 따라 신고하면 허용된다.

한약재 중 紫河車의 경우 cortisone이 들어 있긴 하지만, 함유량이 적어 1일 복용량으로는 도핑 검출 기준에 미치지 않고 있다. 한편 山藥의 스테로이드 전구체에 다단계의 화학적 조작을 가해 덱사메타손(dexamethasone)이나 하이드로코티손(hydrocortisone)을 합성하는데, 이를 두고 山藥에 스테로이드가 많다고 한다. 하지만 인공적인 화학 반응이 인체 내에서 일어날 가능성은 거의 없다.

6) 베타 차단제

고혈압, 협심증, 부정맥, 심근경색 등의 치료제로 사용되는 베타 차단제는 불안 해소와 진정 효과로 사격이나 양궁 등 장시간 정확한 조준이 필요한 종목에 사용된다.

한약재 중에도 牛黃淸心丸 등 불안해소와 진정 작용을 가진 약물은 많이 있지만, 베타 차단제와는 다른 기전으로 작용하고 부작용도 거의 나타나지 않는다. 특히 牛黃淸心丸은 도핑 금지 약물의 성분이 전혀 없으므로 안심하고 복용해도 된다.

5. 도핑 검사와 한약

이상을 종합하면 WADA의 금지약물 성분이 든 한약재나 한약을 처방할 때는 한의사의 세심한 주의가 필요하다. 하지만 일반적으로 처방되는 麻黃, 半夏, 紫何車, 麻子仁, 百屈菜, 馬錢子 등은 상시 금지약물이 아니라는 것을 알 수 있다. 그러므로 경기참가 중 금지약물은 일정 기간 전에 복용을 중단하면 될 것이며, 경기참가 중에 의도적으로 많은 양을 투여하는 경우가 아니라면 너무 우려할 필요는 없다.

마황이나 반하에 들어 있는 에페드린(ephedrine) 성분도 WADA 규정에 따르면 ephedrine과 methylephedrine의 요중 농도가 10 μg/mL, norpseudoephedrine은 5 μg/mL, pesudoephedrine은 150 μg/mL 이상일 경우에 제재를 받도록 되어있다. 하지만 에페드린의 용량과 복용 방법 및 기간에 따른 요중 에페드린 농도 변화를 관찰한 에페드린 함유 over-the-counter (OTC) 약물에 대한 선행연구나 小靑龍湯과 葛根湯 제제약 1회 복용 및 五積散 엑기스제 1일 3회 복용 후 요중 에페드린 농도를 측정한 연구에서 WADA에서 제시한 기준을 초과하지 않는다는 결과를 얻었다.

그 동안 국내에서는 한약재나 한약의 도핑과 관련하여 IOC 금기약물과 대책, 한약재 중 도핑 검사 대상약물에 관한 연구, 補中治濕湯의 도핑 검사 대상약물에 대한 연구, 엘리트선수들의 한약섭취 실태와 도핑 안정성 검증 등의 연구가 이루어졌으나 다소 부족한 실정이다. 특히 최근 심장박동과 혈액순환을 촉진시키고 교감신경의 베타수용체를 흥분시키는 것으로 밝혀져 S3(beta-2 agonists)에 포함된 히게나민(higenamine)은 부자, 연자육, 황련 등 다수의 한약재에도 그 성분이 포함되어 있어서 복용 허용량은 물론 복용 후 반감기 등에 대한 새로운 연구가 이루어져야 할 것이다.

앞으로 도핑 검사 대상 약물의 1첩당 복용 허용량, 1회 및 장기 복용량에 따른 반감기 변화 등에 관한 연구가 필요하며, 한의학적 원리에 입각하여 해당 한약재가 다른 한약재와 배합되면서 나타나는 상호작용(相須, 相反, 相制) 여부 및 酒炒, 酒浸 등의 에탄올을 이용한 수치 방법에 따른 변화 여부 등에 관한 연구도 이루어져야 할 것이다.

참고문헌

<제1절>

1. 오재근, 이명종. 스포츠의학. 서울: 도서출판 정담. 2000.
2. 한방재활의학과학회. 한방재활의학 3판. 서울: 군자출판사. 2011.
3. 하권익, 한성호, 정민영, 장희선. 운동선수의 스포츠 손상에 대한 임상적 분석. 대한스포츠의학회지. 1985 Jan;3(1):15-9.
4. Krivickas LS. Anatomical factors associated with overuse sports injuries. Sports Med. 1997 Aug;24(2):132-46.
5. Wilder RP, Sethi S. Overuse injuries: tendinopathies, stress fractures, compartment syndrome, and shin splints. Clin Sports Med. 2004 Jan;23(1):55-81.
6. Hess GP, Cappiello WL, Poole RM, Hunter SC. Prevention and treatment of overuse tendon injuries. Sports Med. 1989 ;8(6):371-84.
7. Martin AD, McCulloch RG. Bone dynamics: stress, strain and fracture. J Sports Sci. 1987 Summer;5(2):155-63.
8. Välimäki VV, Alfthan H, Lehmuskallio E, Löyttyniemi E, Sahi T, Suominen H, Välimäki MJ. Risk factors for clinical stress fractures in male military recruits: a prospective cohort study. Bone. 2005 Aug;37(2):267-73.
9. Moran DS, Israeli E, Evans RK, Yanovich R, Constantini N, Shabshin N, Merkel D, Luria O, Erlich T, Laor A, Finestone A. Prediction model for stress fracture in young female recruits during basic training. Med Sci Sports Exerc. 2008 Nov;40(11 Suppl):S636-44.
10. Patel DS, Roth M, Kapil N. Stress fractures: diagnosis, treatment, and prevention. Am Fam Physician. 2011 Jan;83(1):39-46.
11. Gaeta M, Minutoli F, Scribano E, Ascenti G, Vinci S, Bruschetta D, Magaudda L, Blandino A. CT and MR imaging findings in athletes with early tibial stress injuries: comparison with bone scintigraphy findings and emphasis on cortical abnormalities. Radiology. 2005 May;235(2):553-61.
12. Iwamoto J, Takeda T. Stress fractures in athletes: review of 196 cases. J Orthop Sci. 2003 ;8(3):273-8.
13. Iwamoto J, Takeda T, Sato Y, Matsumoto H. Retrospective case evaluation of gender differences in sports injuries in a Japanese sports medicine clinic. Gend Med. 2008 Dec;5(4):405-14.
14. Adirim TA, Cheng TL. Overview of injuries in the young athlete. Sports Med. 2003 ;33(1):75-81.

<제2절>

1. 오재근, 이명종. 스포츠의학. 서울: 도서출판 정담. 2000.
2. Morris JN, Hardman AE. Walking to health. Sports Med. 1997 ;23(5):306-32.
3. Poirier P, Després JP. Exercise in weight management of obesity. Cardiol Clin. 2001 Aug;19(3):459-70.
4. Ashutosh Kharb, Vipin Saini, Y.K Jain, Surender Dhiman. A review of gait cycle and it's parameters. IJCEM. 2011 ;13:78-83.
5. Taunton JE, Ryan MB, Clement DB, McKenzie DC, Lloyd-Smith DR, Zumbo BD. A retrospective case-control analysis of 2002 running injuries. Br J Sports Med. 2002 Apr;36(2):95-101.
6. Gunter P, Schwellnus MP. Local corticosteroid injection in iliotibial band friction syndrome in runners: a randomised controlled trial. Br J Sports Med. 2004 Jun;38(3):269-72; discussion 272.
7. Aldridge T. Diagnosing heel pain in adults. Am Fam Physician. 2004 Jul 15;70(2):332-8.
8. Wong P, Hong Y. Soccer injury in the lower extremities. Br J Sports Med. 2005 Aug;39(8):473-82.
9. Dvorak J, Junge A, McCrory P. Head injuries. Br J Sports Med. 2005 Aug;39 Suppl 1:i1-2.
10. Giza E, Fuller C, Junge A, Dvorak J. Mechanisms of foot and ankle injuries in soccer. Am J Sports Med. 2003 Jul-Aug;31(4):550-4.
11. Chomiak J, Junge A, Peterson L, Dvorak J. Severe injuries in football players. Influencing factors. Am J Sports Med. 2000 ;28(Suppl 5):S58-68.
12. Henson S. Pitcher head injuries to trigger cries for protection. Yahoo! Sports. May 28, 2010. Available at: http://sports.yahoo.com/mlb/news;_ylt=Ashw9AFXDSrC4i-Q6Md2d-WA85nYcB?slug=sh-headinjuries052710. Accessed December 19, 2010.

13. Lyman S, Fleisig GS. Baseball injuries. Med Sport Sci. 2005;49:9-30.

14. Abrunzo TJ. Commotio cordis. The single, most common cause of traumatic death in youth baseball. Am J Dis Child 1991; 145:1279–82.

15. 김용권, 김동문. 야구선수의 포지션에 따른 손상분석. 운동학학술지. 2012; 14(1):67-76.

16. Langer P, Fadale P, Hulstyn M. Evolution of the treatment options of ulnar collateral ligament injuries of the elbow. Br J Sports Med. 2006 Jun;40(6):499-506.

17. 임승길. 야구선수의 주관절 내측측부인대 손상과 예방. 학술지코칭능력개발지. 2007; 9(3):65-80.

18. Bennett GE. Elbow and shoulder lesions of baseball players : George E. Bennett MD (1885-1962). The 8th president of the AAOS 1939. Clin Orthop Relat Res. 2008 Jan;466(1):62-73.

19. Parks ED, Ray TR. Prevention of overuse injuries in young baseball pitchers. Sports Health. 2009 Nov;1(6):514-7.

20. 김철준, 김명화, 김미정, 신명진, 윤준오, 김상규. 프로야구 손상의 임상적 분석. 대한스포츠의학회지. 1995 ;13(1):10-6.

21. Arpit Misra. Common Sports Injuries: Incidence and Average Charges. ASPE Office of Health Policy. ASPE Issue Brief. March 17, 2014.

22. Carter EA, Westerman BJ, Hunting KL. Risk of injury in basketball, football, and soccer players, ages 15 years and older, 2003-2007. J Athl Train. 2011 Sep-Oct;46(5):484-8.

23. Randazzo C, Nelson NG, McKenzie LB. Basketball-related injuries in school-aged children and adolescents in 1997-2007. Pediatrics. 2010 Oct;126(4):727-33.

24. Azodo CC, Odai CD, Osazuwa-Peters N, Obuekwe ON. A survey of orofacial injuries among basketball players. Int Dent J. 2011 Feb;61(1):43-6.

25. Watkins J, Green BN. Volleyball injuries: a survey of injuries of Scottish National League male players. Br J Sports Med 199 2;26:135–.37.

26. 이종경. 배구선수의 부상형태와 원인분석. 한국체육학회지. 1994; 33(3):244-53.

27. Gerberich SG, Luhman S, Finke C. Analysis of severe injuries associated with volleyball activities. Physician and Sportsmedicine. 1987; 15(8):75-79.

28. Verhagen EA, Van der Beek AJ, Bouter LM, Bahr RM, Van Mechelen W. A one season prospective cohort study of volleyball injuries. Br J Sports Med. 2004 Aug;38(4):477-81.

29. Ferretti A. Epidemiology of jumper's knee. Sports Med. 1986 Jul-Aug;3(4):289-95.

30. Bahr R, Reeser JC; Féedéeration Internationale de Volleyball. Injuries among world-class professional beach volleyball players. The Féedéeration Internationale de Volleyball beach volleyball injury study. Am J Sports Med. 2003 Jan-Feb; 31(1):119-25.

31. Reeser JC, Verhagen E, Briner WW, Askeland TI, Bahr R. Strategies for the prevention of volleyball related injuries. Br J Sports Med. 2006 Jul;40(7):594-600.

32. Wang HK, Cochrane T. Mobility impairment, muscle imbalance, muscle weakness, scapular asymmetry and shoulder injury in elite volleyball athletes. J Sports Med Phys Fitness. 2001 Sep; 41(3):403-10.

33. Witvrouw E, Cools A, Lysens R, Cambier D, Vanderstraeten G, Victor J, Sneyers C, Walravens M. Suprascapular neuropathy in volleyball players. Br J Sports Med. 2000 Jun;34(3):174-80.

34. Lees A. Science and the major racket sports: a review. J Sports Sci. 2003 Sep;21(9):707-32.

35. 이동철, 손욱진. 골프에서 척추 및 하지의 손상. 대한정형외과 스포츠의학회지. 2004 ;3(1):15-21.

36. Gluck GS, Bendo JA, Spivak JM. The lumbar spine and low back pain in golf: a literature review of swing biomechanics and injury prevention. Spine J. 2008 Sep-Oct;8(5):778-88.

37. 박태수. 골프에서의 상지손상. 대한정형외과 스포츠의학회지. 2004 ;3(1):10-4.

38. McHardy AJ, Pollard HP. Golf and upper limb injuries: a summary and review of the literature. Chiropr Osteopat. 2005 May 25;13:7.

39. Kammer CS, Young CC, Niedfeldt MW. Swimming injuries and illnesses. Phys Sportsmed. 1999 Apr;27(4):51-60.

40. 조준휘, 이강현, 오범진, 김성환, 문증범, 황성오, 이영희. 스노우보드 손상과 스키 손상의 비교. 대한스포츠의학회지. 2000 ;18(2):284-9.

41. Hagel B. Skiing and snowboarding injuries. Med Sport Sci.

2005 ;48:74-119.

<제3절>

1. 오재근, 이명종. 스포츠의학. 서울: 도서출판 정담. 2000.
2. Wexler RK. Evaluation and treatment of heat-related illnesses. Am Fam Physician. 2002 Jun;65(11):2307-14.
3. Willcox WH. The nature, prevention and treatment of heat hyperpyrexia: the clinical aspect. Br Med J. 1920 Mar;1(3090):392-7.
4. Lee DHK. The human organism and hot environments. R Soc Med. 1935:7-30.
5. Leithead CS. The definition, classification, and incidence of the heat disorders. In: Heat stress and heat disoorders. London: Cassell. 1964: p 127-35.
6. Leithead CS. Heat syncope. In: Heat stress and heat disorders. London: Cassell. 1964: p 136-40.
7. Leithead CS. Disorders of water and electrolyte balance. In: Heat stress and heat disorders. London: Cassell. 1964: p 141-77.
8. Seto CK. Environmental illness in athletes. Clin Sports Med. 2005 Jul;24:695-718.
9. Lugo-Amador NM, Rothenhaus T, Moyer P. Heat-related illness. Emerg Med Clin North Am. 2004 May;22:315-27.
10. Howe AS, Boden BP. Heat-related illness in athletes. Am J Sports Med. 2007 Aug;35(8):1384-95.
11. Sawka MN, Leon LR, Montain SJ. and Sonna LA. Integrated physiological mechanisms of exercise performance, adaptation, and maladaptation to heat stress. 2011. Compr. Physiol. 1, 1883-928.
12. Lipman GS, Gaudio FG, Eifling KP, Ellis MA, Otten EM, Grissom CK. Wilderness medical society practice guidelines for the prevention and treatment of heat illness: 2019 UpdateWilderness & environmental medicine 2019.
13. Chen CM, Hou CC, Cheng KC, Tian RL, Chang CP, Lin MT. Activated protein C therapy in a rat heatstroke model. Crit Care Med. 2006 Jul;34:1960-6.
14. Leithead CS, AR LIND. Heat cramps. In: Heat Stress and Heat Disorders, Philadelphia: FA Davis Co. 1964: p 170–7.
15. Glazer JL. Management of heatstroke and heat exhaustion. Am Fam Physician, 2005;71(11), 2133-40.
16. Bergeron MF. Heat Cramps: fluid and electrolyte challenges during tennis in the heat. J Sci Med Sport. 2003 Mar;6:19-27.
17. Stofan JR, Zachwieja JJ, Horswill CA, Murray R, Anderson SA, Eichner ER. Sweat and sodium losses in NCAA football players: a precursor to heat cramps? Int J Sport Nutr Exerc Metab. 2005 Dec;15:641-52.
18. Bergeron MF. Exertional heat cramps. In: Exertional Heat Illnesses. Armstrong LE. Champaign, IL: Human Kinetics. 2003: p 91–102.
19. Armstrong LE, Casa DJ, Millard-Stafford M, Moran DS, Pyne SW, Roberts WO. Exertional heat illness during training and competition. Medicine and science in sports and exercise. 2007 Mar;39(3):556-72.
20. Hubbard RW, Armstrong LE. The heat illness: biochemical, ultrastructural, and fluid-electrolyte considerations. In: Human Performance Physiology and Environment Medicine at Terrestrial Extremes, KB Pandolf, MN Sawka, RR Gonzalez. Indianapolis: Benchmark Press. 1988: p 305–59.
21. Hubbard RW, Armstrong LE. Hyperthermia: new thoughts on an old problem. Physician sports med. 1989 ;17:97–113.
22. Hughson RL, Green HJ, Houseon ME, Thomson JA, Maclean DR, Sutton JR. Heat injuries in Canadian mass participation runs. Can Med Assoc J. 1980 May;122:1141–4.
23. Smith JE. Cooling methods used in the treatment of exertional heat illness. Br J Sports Med. 2005 Aug;39:503-7.
24. Armstrong LE, Crago AE, Adams R, Roberts WO, Maresh CM. Whole-body cooling of hyperthermic runners: comparison of two field therapies. Am J Emerg Med. 1996 Jul;14:355–8.
25. 許浚. 東醫寶鑑 雜病篇. 서울: 大星文化社. 1992: p 148-55.
26. Castellani JW, Young AJ, Ducharme MB, Giesbrecht GG, Glickman E, Sallis. RE; American College of Sports Medicine. Prevention of cold injuries during exercise. Med Sci Sports Exerc. 2006 Nov;38(11):2012-29.
27. Hamlet MP. Nonfreezing cold injuries. In: Textbook of wilderness medicine, P. S. Auerbach (Ed.). St. Louis, MO:

Mosby. 2001: p 129–34.

28. Fudge JR, Bennett BL, Simanis JP, & Roberts WO. Medical evaluation for exposure extremes: cold. Wilderness & environmental medicine, 2015;26(4):63-8.

29. Biem J, Koehncke N, Classen D, Dosman J. Out of the cold: management of hypothermia and frostbite. CMAJ. 2003 Feb;168(3):305-11.

30. Castellani JW, Young AJ, Ducharme MB, Giesbrecht GG, Glickman E, & Sallis RE. American college of sports medicine position stand: Prevention of cold injuries during exercise. Med Sci Sports Exerc. 2006;38(11):2012-29.

31. Haller JS Jr. Trench foot--a study in military-medical responsiveness in the Great War, 1914-1918. West J Med. 1990 Jun;152(6):729–33.

32. Danielsson U. Windchill and the risk of tissue freezing. J Appl Physiol. 1996 Dec;81:2666–73.

33. Molnar GW, Hughes AL, Wilson O, Goldman RF. Effect of skin wetting on finger cooling and freezing. J Appl Physiol. 1973 Aug;35(2):205–7.

34. Keatinge WR, Cannon P. Freezing-point of human skin. Lancet 1960 Jan;1:11–4.

35. Degroot DW, Castellani JW, Williams JO, Amoroso PJ. Epidemiology of U.S. Army cold weather injuries, 1980–1999. Aviat Space Environ Med. 2003 May;74:564–70.

36. Urschel JD. Frostbite: predisposing factors and predictors of poor outcome. J Trauma 1990 Mar;30:340-2.

37. Mills WJ. Clinical aspects of freezing cold injury. In: Textbooks of Military Medicine: Medical Aspects of Harsh Environments, Volume 1, K. B. Pandolf and R. E. Burr (Eds.). Falls Church, VA: Office of the Surgeon General, U.S. Army. 2002: p 429–66.

38. Schneider S, Levandowski CB, Manly C, Dellavalle R, & Dunnick CA. Wilderness dermatology: mountain exposures. Dermatology online journal, 2017;23(11):1-10.

39. McIntosh SE, Freer L, Grissom CK, Auerbach PS, Rodway GW, Cochran A, ... & Pandey P. Wilderness Medical Society Practice Guidelines for the Prevention and Treatment of Frostbite: 2019 Update. Wilderness & environmental medicine. 2019.

40. Britt LD, Dascombe WH, Rodriguez A. New horizons in management of hypothermia and frostbite injury. Surg Clin North Am 1991 Apr;71:345-70.

41. Pozos RS, Danzl DF. Human physiological responses to cold stress and hypothermia. In: Textbooks of Military Medicine: Medical Aspects of Harsh Environments, Volume 1, Pandolf KB, Burr RE(Eds.). Falls Church, VA: Office of the Surgeon General, U.S. Army. 2002: p 351–82.

42. Danzl DF, Pozos RS. Accidental hypothermia. N Engl J Med 1994 Dec;331:1756-60.

43. Sallis R, Chassay MC. Recognizing and treating common cold-induced injury in outdoor sports. Med Sci Sports Exerc. 1999 Oct;31:1367–73.

44. 許浚. 東醫寶鑑 雜病篇. 서울: 大星文化社. 1992: p 102-5, 455.

<제4절>

1. 오재근, 이명종. 스포츠의학. 서울: 도서출판 정담. 2000.

2. Jeffreys I. Warm up and stretching. In Baechle TR, Earle RW eds. Essentials of strength training and conditioning: National Strength and Conditioning Association. 3rd ed. Champaign, IL: Human Kinetics. 2008: p 295-324.

3. Olsen OE, Myklebust G, Engebretsen L, Holme I, Bahr R. Exercises to prevent lower limb injuries in youth sports: cluster randomised controlled trial. BMJ. 2005 Feb;330(7489):449.

4 Woods K, Bishop P, Jones E. Warm-up and stretching in the prevention of muscular injury. Sports Med 2007 ;37(12):1089–99.

5. Law RY, Herbert RD. Warm-up reduces delayed onset muscle soreness but cool-down does not: a randomised controlled trial. Aust J Physiother. 2007 ;53(2):91-5.

6. Kokkinos P. Physical Activity and Cardiovascular Disease Prevention. Canada: Jones and Bartlett Publishers. 2009: p 111-2.

7. Bale P, James H. Massage, warm-down and rest as recuperative measures after short-term intense exercise. Physiotherapy in Sport. 1991 ;13:4–7.

8. Shrier I. Does stretching improve performance? A systematic and critical review of the literature. Clin J Sport Med. 2004

Sep;14(5):267-73.

9. Herbert RD, Gabriel M. Effects of stretching before and after exercising on muscle soreness and risk of injury: systematic review. BMJ. 2002 Aug;325(7362):468.

10. Thacker SB, Gilchrist J, Stroup DF, Kimsey CD Jr. The impact of stretching on sports injury risk: a systematic review of the literature. Med Sci Sports Exerc. 2004 Mar;36(3):371-8.

11. Weerapong P, Hume PA, Kolt GS. Stretching: Mechanisms and Benefits for Sports Performance and Injury Prevention. Physical Therapy Reviews. 2004 ;9(4):189-206.

12. Hindle KB, Whitcomb TJ, Briggs WO, Hong J. Proprioceptive Neuromuscular Facilitation (PNF): Its Mechanisms and Effects on Range of Motion and Muscular Function. J Hum Kinet. 2012 Mar;31(1):105-13.

13. Hunter GR, Harris RT. Structure and function of the muscular, neuromuscular, cardiovascular and respiratory systems. In Baechle TR, Earle RW eds. Essentials of strength training and conditioning: National Strength and Conditioning Association. 3rd ed. Champaign, IL: Human Kinetics. 2008: p 3-20.

14. Sady SP, Wortman M, Blanke D. Flexibility training: ballistic, static or proprioceptive neuromuscular facilitation? Arch Phys Med Rehabil. 1982 Jun;63(6):261-3.

15. Davis DS, Ashby PE, McCale KL, McQuain JA, Wine JM. The effectiveness of 3 stretching techniques on hamstring flexibility using consistent stretching parameters. J Strength Cond Res. 2005 Feb;19(1):27-32.

16. Marek SM, Cramer JT, Fincher AL, Massey LL, Dangelmaier SM, Purkayastha S, Fitz KA, Culbertson JY. Acute Effects of Static and Proprioceptive Neuromuscular Facilitation Stretching on Muscle Strength and Power Output. J Athl Train. 2005 Jun;40(2):94-103.

17. Faigenbaum AD, Westcott WL, Loud RL, Long C. Pediatrics. The effects of different resistance training protocols on muscular strength and endurance development in children. 1999 ;104(1):e5.

18. Warburton DE, Gledhill N, Quinney A. Musculoskeletal fitness and health. Can J Appl Physiol. 2001 Apr;26(2):217-37.

19. Roy S, Irvin R. Sports medicine. Pretenice-Hall Inc. 1983.

20. Scott W, Stevens J, Binder-Macleod SA. Human skeletal muscle fiber type classifications. Phys Ther. 2001 Nov;81(11):1810-6.

21. Baechle TR, Earle RW. Essentials of strength training and conditioning 2nd ed. Champaign, IL: Human Kinetics. 2000: p 395-426.

<제5절>

1. 오재근, 이명종. 스포츠의학. 서울: 도서출판 정담. 2000.

2. Firer P. Effectiveness of taping for the prevention of ankle ligament sprains. Br J Sports Med. 1990 Mar;24(1):47-50.

3. Robbins S, Waked E, Rappel R. Ankle taping improves proprioception before and after exercise in young men. Br J Sports Med. 1995 Dec;29(4):242-7.

4. Crossley KM, Marino GP, Macilquham MD, Schache AG, Hinman RS. Can patellar tape reduce the patellar malalignment and pain associated with patellofemoral osteoarthritis? Arthritis Rheum. 2009 Dec 15;61(12):1719-25.

5. Callaghan MJ, McKie S, Richardson P, Oldham JA. Effects of patellar taping on brain activity during knee joint proprioception tests using functional magnetic resonance imaging. Phys Ther. 2012 Jun;92(6):821-30.

6. 이제훈. 스포츠테이핑과 밸런스테이핑 효능 비교. 대한스포츠한의학회지. 2002 ;3(1):50-8.

7. Richard W O Beebe, Deborah L Funk. Fundamentals of emergency care. Albany: Delmar Publishers. 2001: p 135-49.

8. Jackimczyk K. Blunt chest trauma. Emerg Med Clin North Am. 1993 Feb;11(1):81-96.

9. Wood AM, Robertson GA, Rennie L, Caesar BC, Court-Brown CM. The epidemiology of sports-related fractures in adolescents. Injury. 2010 Aug;41(8):834-8.

10. Booth L, Daley L, Kerr KM, Stark J. clinical guidelines for acute soft tissue injuries during the first 72 hours. London: Chartered Society of Physiotherapy. 2002: p 3-51.

11. Landry GL, Gomez JE. Management of Soft Tissue Injuries. Adolesc Med. 1991 Feb;2(1):125-140.

12. Bernhardt DT. General principles in treating soft-tissue injuries. Pediatr Ann. 1997 Jan;26(1):20-5.

13. Bleakley C, McDonough S, MacAuley D. The use of ice in the treatment of acute soft-tissue injury: a systematic review of randomized controlled trials. Am J Sports Med. 2004 Jan-Feb;32(1):251-61.

14. Knight K. Cryotherapy in sports injury management. Int Perspect Physiother. 1989 ;4:163–85.

15. Wilcock IM, Cronin JB, Hing WA. Physiological response to water immersion: a method for sport recovery?. Sports Med. 2006 ;36(9):747-65.

16. Callaghan MJ. The role of massage in the management of the athlete: a review. Br J Sports Med. 1993 Mar;27:28-33.

17. Pantoja PD, Alberton CL, Pilla C, Vendrusculo AP, Kruel LF. Effect of resistive exercise on muscle damage in water and on land. J Strength Cond Res. 2009 May;23(3):1051-4.

18. Topp R, Ditmyer M, King K, Coherty K, Hornyak J. The effect of bed rest and potential of prehabilitation on patients in the intensive care unit. AACN Clin Issues 2002 May;13:263-276.

19. Pearce PZ. Prehabilitation: preparing young athletes for sports. Curr Sports Med Rep. 2006 Jun;5(3):155-60.

20. Lephart SM, Pincivero DM, Giraldo JL, Fu FH. The role of proprioception in the management and rehabilitation of athletic injuries. Am J Sports Med. 1997 Jan;25(1):130-7.

21. Rogol IM, Ernst G, Perrin DH. Open and closed kinetic chain exercises improve shoulder joint reposition sense equally in healthy subjects. J Athl Train. 1998 Oct-Dec;33(4):315-8.

22. Henson S. Pitcher head injuries to trigger cries for protection. Yahoo! Sports. May 28, 2010. Available at: http://sports.yahoo.com/mlb/news;_ylt=Ashw9AFXDSrC4i-Q6Md2d-WA85nYcB?slug=sh-headinjuries052710. Accessed December 19, 2010.

23. Chu, Donald. Jumping into plyometrics(2nd ed). Champaign, IL: Human Kinetics. 1998. p 1–4.

24. Johnson BA, Salzberg CL, Stevenson DA. A systematic review: plyometric training programs for young children. J Strength Cond Res. 2011 ;25(9):2623-33.

25. Wilson GJ, Murphy AJ, Giorgi A. Weight and plyometric training: effects on eccentric and concentric force production. Can J Appl Physiol. 1996 ;21(4):301-15.

26. Brett. Health & Sports Beginner's Guide to Plyometrics. at: http://www.artofmanliness.com/2010/05/21/ beginners-guide-to-plyometrics. Accessed August 27, 2014.

27. Masamoto N, Larson R, Gates T, Faigenbaum A. Acute effects of plyometric exercise on maximum squat performance in male athletes. J Strength Cond Res. 2003 ;17(1):68-71.

28. Potach DH, Chu DA. Plyometric training. In Baechle TR, Earle RW eds. Essentials of strength training and conditioning: National Strength and Conditioning Association. 3rd ed. Champaign, IL: Human Kinetics. 2008: p 413-56.

29. Chmielewski TL, Myer GD, Kauffman D, Tillman SM. Plyometric exercise in the rehabilitation of athletes: physiological responses and clinical application. J Orthop Sports Phys Ther. 2006 ;36(5):308-19.

30. Nelson DS, Butterwick DJ. Guidelines for Return to Activity After Injury. Can Fam Physician. 1989 Aug;35:1637-55.

31. Paluska SA, McKeag DB. Knee braces: current evidence and clinical recommendations for their use. Am Fam Physician. 2000 Jan;61(2):411-8, 423-4.

<제6절>

1. 오재근, 이명종. 스포츠의학. 서울: 도서출판 정담. 2000.

2. Hoffman MD, Sheldahl LM, Kraener WJ. Therapeutic exercise. In Delisa JA, Gans BM, Walsh NE. eds. Physical medicine & rehabilitation principles and practice 4th. Philadelphia Pa: Lippincott Williams & Wilkins. 2005: p 389-434.

3. Harman E. Biomechanics of resistance exercise. In Baechle TR, Earle RW eds. Essentials of strength training and conditioning: National Strength and Conditioning Association. 3rd ed. Champaign, IL: Human Kinetics. 2008: p 65-92.

4. Laird CE Jr, Rozier CK. Toward understanding the terminology of exercise mechanics. Phys Ther. 1979 Mar;59(3):287-92.

5. Robinson ME, O'Connor PD, Riley JL, Kvaal S, Shirley FR. Variability of isometric and isotonic leg exercise: Utility for detection of submaximal effort. J Occup Rehabil. 1994 Sep;4(3):163-9.

6. Iellamo F, Legramante JM, Raimondi G, Castrucci F, Damiani C, Foti C, Peruzzi G, Caruso I. Effects of isokinetic,

isotonic and isometric submaximal exercise on heart rate and blood pressure. Eur J Appl Physiol Occup Physiol. 1997 ;75(2):89-96.

7. Guilhem G, Cornu C, Guével A. Neuromuscular and muscle-tendon system adaptations to isotonic and isokinetic eccentric exercise. Ann Phys Rehabil Med. 2010 Jun;53(5):319-41.

8. Graham VL, Gehlsen GM, Edwards JA. Electromyographic evaluation of closed and open kinetic chain knee rehabilitation exercises. J Athl Train. 1993 ;28(1):23-30.

9. Andrewa TL. Closed Kinetic Chain Exercise. A Comprehensive Guide to Multiple-Joint Exercises. J Chiropr Med. 2002 ;1(4):200.

10. 김선엽, 최석주, 윤기현. 슬링운동기법. 서울: 범문에듀케이션, 2012: p 12-4.

11. Amato HK, Smith LA. Adaptation of a foot plate for use in an isokinetic and isotonic leg press. J Athl Train. 1996 Apr;31(2):169-72.

12. Chmielewski TL, Myer GD, Kauffman D, Tillman SM. Plyometric exercise in the rehabilitation of athletes: physiological responses and clinical application. J Orthop Sports Phys Ther. 2006 ;36(5):308-19.

13. Johnson BA, Salzberg CL, Stevenson DA. A systematic review: plyometric training programs for young children. J Strength Cond Res. 2011 ;25(9):2623-33.

14. Swank A. Adaptations to aerobic training programs. In Baechle TR, Earle RW eds. Essentials of strength training and conditioning: National Strength and Conditioning Association. 3rd ed. Champaign, IL: Human Kinetics. 2008: p 121-40.

15. Ratamess NA. Adaptations to anaerobic training programs. In Baechle TR, Earle RW eds. Essentials of strength training and conditioning: National Strength and Conditioning Association. 3rd ed. Champaign, IL: Human Kinetics. 2008: p 93-120.

16. 경희수. 건강 달리기와 그와 관련된 스포츠 손상. 대한정형외과 스포츠의학회지. 2004 ;3(1):1-9.

17. Kraemer WJ, Fleck SJ, Deschenes MR. Exercise Physiology: Integrating Theory and Application. Philadelphia Pa: Lippincott Williams & Wilkins. 2012: p 1-66, 353-84.

18. Gauer RL, O'Connor FG. How to write an exercise prescription. URL:http://www .move.va.gov /download/Resources /CHPPM_How To Write And Exercise Prescription.pdf.

19. Greer M, Dimick S, Burns S. Heart rate and blood pressure response to several methods of strength training. Phys Ther. 1984 Feb;64(2):179-83.

20. American College of Sports Medicine position stand. The recommended quantity and quality of exercise for developing and maintaining cardiorespiratory and muscular fitness, and flexibility in healthy adults. Med Sci Sports Exerc 1998 Jun;30(6):975-91.

<제7절>

1. 오재근, 이명종. 스포츠의학. 서울: 도서출판 정담. 2000.

2. Holt WS Jr. Nutrition and athletes. Am Fam Physician. 1993 Jun;47(8):1757-64.

3. Lindell B. Do athletes need supplemental nutrition? A balanced diet is sufficient. Lakartidningen. 1983 Apr;80(16):1682-3.

4. Burke LM, Hawley JA. Fat and carbohydrate for exercise. Curr Opin Clin Nutr Metab Care. 2006 Jul;9(4):476-81.

5. van Loon LJ, Greenhaff PL, Constantin-Teodosiu D, Saris WH, Wagenmakers AJ. The effects of increasing exercise intensity on muscle fuel utilisation in humans. J Physiol. 2001 ;536(Pt 1):295-304.

6. Romijn JA, Coyle EF, Sidossis LS, Gastaldelli A, Horowitz JF, Endert E, Wolfe RR. Regulation of endogenous fat and carbohydrate metabolism in relation to exercise intensity and duration. Am J Physiol. 1993 Sep;265(3 Pt 1):E380-91.

7. Febbraio MA, Dancey J. Skeletal muscle energy metabolism during prolonged, fatiguing exercise. J Appl Physiol. 1999 ;87(6):2341-7.

8. Naghii MR. The significance of water in sport and weight control. Nutr Health. 2000 ;14(2):127-32.

9. Burke LM. Nutritional needs for exercise in the heat. Comp Biochem Physiol A Mol Integr Physiol. 2001 Apr;128(4):735-48.

10. Maughan RJ. Fluid and electrolyte loss and replacement in exercise. J Sports Sci. 1991 ;9 Spec No:117-42.

11. Bergeron MF, Armstrong LE, Maresh CM. Fluid and electrolyte losses during tennis in the heat. Clin Sports Med. 1995 Jan;14(1):23-32.

12. Von Duvillard SP, Braun WA, Markofski M, Beneke R, Leithäuser R. Fluids and hydration in prolonged endurance performance. Nutrition. 2004 Jul-Aug;20(7-8):651-6.

13. Burke LM, Read RS. Dietary supplements in sport. Sports Med. 1993 Jan;15(1):43-65.

14. Balsom PD, Gaitanos GC, Söderlund K, Ekblom B. High-intensity exercise and muscle glycogen availability in humans. Acta Physiol Scand. 1999 ;165(4):337-45.

15. Price TB, Laurent D, Petersen KF, Rothman DL, Shulman GI. Glycogen loading alters muscle glycogen resynthesis after exercise. J Appl Physiol. 2000 Feb;88(2):698-704.

16. Sandberg PR. Carbohydrate loading and deploying forces. Mil Med. 1999 Sep;164(9):636-42.

<제8절>

1. 오재근, 이명종. 스포츠의학. 서울: 도서출판 정담. 2000.

2. 김성수, 이응세. 한약재 중 도핑검사 대상약물에 관한 고찰. 대한한의학회지. 1990 ;11(2):18-22.

3. 김성용, 금동호, 이명종. 보중치습탕의 도핑 검사 대상약물에 대한 연구. 한국한의학연구원논문집. 1997 ;3(1):289-319.

4. 김종규, 천윤석, 강성기, 조현철. 엘리트 선수들의 한약섭취 실태와 도핑안정성 검증. 체육과학연구. 2009 ;20(4):734-42.

5. 박종세. IOC 금기약물과 대책(2):금기약물이 인체에 미치는 부작용. 대한체육회. 1987 ;224(1):20-3.

6. 박종세. IOC 금기약물과 대책(완):올림픽 도핑컨트롤에 대한 우리의 자세. 대한체육회. 1987 ;225(1):30-5.

7. 이응세, 이종각, 김기진, 박종세, 안희균, 윤재량. 한약재중 도핑검사 대상약물에 관한 연구. 체육과학연구원. 체육과학연구과제 종합보고서. 1989: p 1-27.

8. 한국도핑방지위원회. 2009 세계반도핑규약. 2008.

9. WADA. 2019 prohibited list. 2009 Jan. URL: http://www.wada-ama.org/en/Science-Medicine/Prohibited-List/

10. Strano-Rossi S, Leone D, de la Torre X, Botrè F. The relevance of the urinary concentration of ephedrines in anti-doping analysis: determination of pseudoephedrine, cathine, and ephedrine after administration of over-the-counter medicaments. Ther Drug Monit. 2009 Aug;31(4):520-6.

11. Barroso O, Goudreault D, Carbó Banús ML, Ayotte C, Mazzoni I, Boghosian T, Rabin O. Determination of urinary concentrations of pseudoephedrine and cathine after therapeutic administration of pseudoephedrine-containing medications to healthy subjects: implications for doping control analysis of these stimulants banned in sport. Drug Test Anal. 2012 May;4(5):320-9.

12. Chester N, Mottram DR, Reilly T, Powell M. Elimination of ephedrines in urine following multiple dosing: the consequences for athletes, in relation to doping control. Br J Clin Pharmacol. 2004 Jan;57(1):62-7.

13. Chan KH, Hsu MC, Chen FA, Hsu KF. Elimination of ephedrines in urine following administration of a Shoseiryu-to preparation. J Anal Toxicol. 2009 Apr;33(3):162-6.

14. Chan KH, Pan RN, Hsu MC, Hsu KF. Urinary elimination of ephedrines following administration of the Traditional Chinese Medicine preparation Kakkon-to. J Anal Toxicol. 2008 Nov-Dec;32(9):763-7.

15. 조용기. 오적산 복용 후 요중 에페드린 농도 측정을 통한 도핑안정성 연구. 경희대학교 한의과대학원 석사학위논문. 2012. 2.

16. Chan KH, Hsu MC, Chen FA, Hsu KF. Elimination of ephedrines in urine following administration of a Shoseiryu-to preparation. J Anal Toxicol. 2009 Apr;33(3):162-6.

17. Chan KH, Pan RN, Hsu MC, Hsu KF. Urinary elimination of ephedrines following administration of the Traditional Chinese Medicine preparation Kakkon-to. J Anal Toxicol. 2008 Nov-Dec;32(9):763-7.

CHAPTER 07 체형과 비만

송용선(원광대학교)
송윤경(가천대학교)
송미연(경희대학교)
한경선(한국한의학연구원)
김호준(동국대학교)

CHAPTER

07 체형과 비만

제1절 체형

1. 개요

비만 인구가 점차 증가하고, 생활수준이 향상됨에 따라, 최근의 비만치료는 단순히 체중감량 뿐만 아니라 미용적인 측면에서의 '국소부위 지방침착의 치료' 및 '체형관리'라는 심미적 차원의 치료로 확장되고 있다.

삶의 질을 중요하게 생각하는 최근의 문화적인 변화와 함께 과체중 및 비만환자에 대한 사회적 불이익으로 인한 비만의 심리사회적 합병증(psychosocial complications of obesity)에 대한 보고가 많으며, 비만환자의 치료 시에는 이에 대한 이해를 바탕으로 보다 포괄적인 접근이 필요하다. 美의 문화적 정의는 시대에 따라 변화되어 왔으나, 최근에는 언론매체 등이 체중과 외형에 대한 획일적인 기준을 제시하며 날씬해져야 한다는 사회적 압력이 존재하고 있는 것이 현실이며, 신체 사이즈와 외모에 대한 이미지 등 자아상에 대한 잘못된 인식과 이에 대한 부정적인 감정 반응으로 인한 신체 이미지 불만족이 비만치료에 대한 사회적 비용을 증가시키고 있다.

신체 사이즈 및 체형의 교정을 통한 미용적인 측면에서의 비만 치료에 대한 요구가 많아짐에 따라, 치료 시에는 환자의 기대수준과 실제적인 치료목표 사이의 모순을 조율하고, 비만치료의 평가에서도 체중감소와 체성분의 변화 뿐 아니라 활동력의 향상, 자존심의 고취 등 삶의 질과 관련된 평가가 이루어지는 것이 필요하다.

체형교정과 국소부위 지방침착의 치료에는 장침 전기자극술, 약침요법, 추나요법 외에도 기기를 이용한 치료(초음파, 고주파 등) 등이 사용되고 있다. 운동치료로서는 요가, 필라테스 등이 체형과 자세교정에 효과적인 것으로 알려지며 재활치료 뿐 아니라 비만의 치료방법으로서도 많이 이용되고 있다.

2. 결합조직으로서의 지방조직

신체 사이즈 및 체형의 교정을 통한 부분 비만치료 시에는 정확한 치료의 대상과 치료의 범위를 결정하는 것이 중요한데, 의학적으로 비만으로 정의하기 어려운 경우도 많으며, 체형관리와 비만치료에 대한 정의가 불분명한 상태로 비의료기관에서의 목적이 불분명한 치료도 성행하고 있다.

이러한 지방조직은 근골격계의 다른 조직들과 함께 중배엽성 기원 조직으로서, 중배엽성 물질들은 신체에서 전체적인 안정성과 움직임에 있어 중요한 역할을 한다.

중배엽성 기원조직은 뼈, 연골, 섬유성조직, 혈액, 지방 등이며, 공통적으로 세포, 섬유, 기저물질로 구성된다. 간엽질(mesenchyme)에서 분화되어 기능에 따라 섬유세포(fibrocyte)에서 근막조직으로, 연골세포 (chondrocyte)에서 연골조직으로, 골세포(osteocyte)에서 골격조직을 형성하고, 혈액조직은 적혈구, 백혈구, 혈소판, 지방세포(adipocyte)에서 지방조직을 형성하며 각각의 특성에 따라 생체역학적 요구에 따른 기능을 발휘 한다.

그 속성은 인체의 구조에서 유기적 접합체(organic cement)로서 서로 다른 기능단위들을 구조적으로 결합(connect)하고 지지(support)하며, 또한 본질적으로 신체의 구조(body structure)의 일부분이 된다.

따라서, 지방조직(adipose tissue)도 결합조직의 일부로서 재형성의 특성을 발휘하여, 신체 한 부위를 고정시키거나 빈 곳을 채우는 수단으로 작용할 수 있으며, 인체에서 체형을 결정하는 가장 큰 요인은 1) 골격구조의 정렬상태와 2) 근육을 비롯한 주변 결합조직(connective tissue)의 특성인 점탄성(viscoelasticity)과 성형성(plasticity)에 의존하게 되므로 결합조직의 상태에 따른 정렬상태의 이상, 공간의 형성이 지방의 분포에 영향을 미칠 수 있다.

3. 체형과 자세의 유형

체형(體型)이란 유전적 체질, 체격, 성격, 운동여부, 영양 상태, 종족, 문화의 차이, 질병 등의 환경적 영향을 받아 형성된 신체의 형태적 유형을 의미하며, 체형에 대한 연구는 B.C 400년 Hippocrates가 자연적 체형(habitus physicus)과 장애적 체형(habitus apopleticus)의 분류를 한 것이 시초로, Beneke는 무력형과 긴장형 2가지로 분류하였고 Halle(1797)는 내장형, 근육형, 흉곽형, 신경형으로 분류하였으며 이후 체형의 분류에 있어서는 독일의 E . Kretschmer와 미국의 W.H. Sheldon의 이론이 널리 알려져 있는데, Kretschmer는 細長型(分裂性기질), 肥滿型(循環性기질), 筋骨型(粘着性기질)의 3유형으로, sheldon은 신 체계측에 의한 외배엽, 내배엽, 중배엽의 3유형으로 구분하였으며 각 유형들은 서로 대응한다고 볼 수 있다.

표준이 되는 이상적인 생체역학적 골격 정렬은 최소한의 스트레스와 긴장이 주어진 상태로, 신체를 최대한 효율적으로 활용할 수 있는가와 관련이 있다. 비만환자의 에너지 소비에서도 신체활동과 운동과 관련된 효율적인 에너지 소모는 중요한 부분이며, 생체역학적 문제로 인하여 비정상적인 근육의 긴장과 관절의 고정 등이 존재하는 것은 부적절한 운동이 되도록 하여 전체 에너지 소모량을 감소시키는 원인으로 작용할 수 있다.

다음은 체형과 자세의 유형 분류와, 각 체형 및 자세와 관련된 척추관절, 근육에 대한 내용이다.

1) 용어의 정의

(1) 체형(體形, form): 신체 외적인 모습, 즉 외형(body shape)을 의미한다.

(2) 체형(體型, somatotype, body type): 신체외형과 각 부위를 측정하여 전체적인 정보를 계량화한 것으로, 유전적 체질, 소질 및 영양, 질병 등이 환경의 영향을 받아 형성된 신체의 형태적 유형을 말한다.

(3) 자세(姿勢, posture): 외형적으로 본 자태, 자연스러운 신체의 외형으로, 정적인 자세정렬상태에서 가장 잘 묘사될 수 있으며, 척추 정렬상태(alignment), 각 관절의 위치, 근육간의 균형 상태로 설명할 수 있다. 19세기 중반까지는 자세를 心身의 상태를 나타내는 인격의 상징으로 해석했으나 19세기 이후 해부학적, 생리학적 근거에 의해 바른 자세의 조건을 다양하게 제시하였다.

(4) 체격(體格, physique): 골격, 근육, 피하지방 등 신체 구조를 의미한다.

2) Sheldon의 체형분류

(1) 내배엽형(Endomorphy)

신체가 둥글고 부드러운 것이 특징이다. 내배엽은 흔히 '비만'이라고 하는 신체적 특징을 나타낸다. 머리, 목, 허리, 사지의 전, 후면 직경 뿐 아니라 측면 직경도 동일한 경향을 보인다. 이 체형의 특징은 복부와 흉곽이 잘 발달되었으며, 넓은 어깨, 짧은 목의 외형을 지닌다. 전체적인 신체곡선이 부드럽고, 근육에 선명한 윤곽이 없다.

(2) 중배엽형(Mesomorphy)

신체의 단단함과 울퉁불퉁함 그리고 우수한 근육질의 형태가 특징이다. 골격이 크고 다리, 몸통, 그리고 팔이 전체적으로 근육질이다. 전완이 두터우며 손목, 손, 손가락의 육중함이 두드러진 특징이다. 흉곽은 크고 허리는 상대적으로 날씬하다. 어깨는 넓고, 몸통은 일직선 형태이며, 승모근과 삼각근이 상당히 발달되어 있다. 복근은 강하고 두텁다. 피부는 거칠고 쉽게 그을리며 회복되는데 오랜 시간이 소요된다. 대부분의 운동선수들은 이러한 특징을 가지고 있으며, 결과적으로 관상동맥 질환의 위험성을 더 많이 가지고 있다.

(3) 외배엽형(Ectomorphy)

신체가 눈에 띄게 직선적이고, 허약하고, 갸냘프게 보이는 특징을 가지고 있다. 이 체형은 마른 체형으로, 골격은 작으며 근육은 가늘다. 처진 어깨와 상대적으로 긴 사지와 짧은 몸통을 가지고 있는 경우가 많다. 복부와 요부의 만곡은 편평한 반면 흉부의 곡선은 상대적으로 뚜렷하며 위로 올라가 있다. 어깨가 매우 좁으며 근육은 빈약하여, 어깨가 후방으로 기울어지는 경향이 있다.

3) 체형과 자세 유형

(1) 표준자세(Standard posture)

척추는 정상적인 곡선을 이루고 있고, 하반신의 골격은 체중을 유지할 수 있는 정렬상태를 하고 있는 자세. 즉, 신체를 최대한 효율적으로 활용할 수 있는 상태. 골반은 '중립' 상태에서 복부와 체간, 그리고 골반 이하의 하지가 올바른 정렬이 되도록 도와야 한다. 흉부와 등의 상부는 호흡기가 활동하기 가장 좋은 상태를 유지한다. 두부는 균형이 잘 잡힌 상태에서 목근육의 스트레스를 최소화시킨다.

(2) 척추후만증-전만증 자세(Kyphosis-lordosis posture)

① 척추: 경추, 요추의 과전만과 흉추의 과도한 후만과 전경된 골반.

② 근육: 신장과 약화(elongated and weak)된 경추 굴근, 흉추기립근, 외복사근과 단축과 긴장(short and strong)된 경추 신근, 고관절 굴근(장요근)

③ 자세의 특징: 양어깨가 앞으로 둥글게 말려있는 형태이면서 가슴이 중심으로 움푹 들어간 모양. 즉, 흉부 근육과 갈비뼈 사이의 근육이 수축된 자세로, 지속되면 순응성 수축으로 어깨주위의 안정성이 떨어지고, 순환이 저하되며 호흡기능이 영향을 받을 수 있다.

(3) 굽은등 자세(Sway-back posture)

① 척추: 경추 과전만과 흉요추부위의 long curve 즉, 요추과소전만. 골반 후경

② 근육: 신장과 약화된 고관절 굴근, 외복사근 등 상부의 신근, 경추 굴근과 단축과 긴장된 슬굴근, 내복사근의 상부섬유.

③ 자세의 특징: 지속되면 하부요추부위에 과도한 부담을 줄 수 있으며 하지 골격의 정렬에 영향을 미쳐서 O 자형 다리 등이 유발될 수 있다.

(4) 편평등 자세(Flat-back posture)

① 척추: 경추 과전만, 상부흉추 증가된 굴곡, 하부흉추와 요추의 straightening. 골반 후경

② 근육: 신장과 약화된 고관절 굴근, 단축과 긴장된 슬 굴근

③ 자세의 특징: 허리부분의 곡선이 없어지고 머리는 전 방으로 지나치게 기울어져서 전반적으로 목과 등에 부담을 주는 자세로 운동의 효율성이 저하될 수 있다.

(5) 상부교차증후군(Upper crossed syndrome)

① 관절: 환추후두관절, C4-5, 경흉추부, 관절와상완관절, T4-5 분절 등 관절 기능부전

② 근육: 상부승모근, 견갑거근, 대흉근, 소흉근의 단축과 긴장, 경추 심부 굴근, 중/하부승모근, 전거근, 능형근의 약화

③ 자세의 특징: forward head, 경추의 전만, 흉추의 후만, rounded shoulder 등의 자세가 특징적으로 나타난다.

(6) 하부교차증후군(Lower crossed syndrome)

① 관절: L4-L5, L5-S1, SI joint, 고관절 등의 관절 기능부

전.

② 근육: 장요근, 대퇴직근, 대퇴근막장근, 내전근, 척추기립근의 단축과 긴장, 복근, 대둔근의 약화

③ 자세의 특징: 짧아진 허리, 기울어진 골반 등의 자세가 특징적으로 나타난다.

4. 복부비만 및 국소부위 지방침착

1) 복부비만

2017년 국민건강영상조사에 따르면 19세 이상 비만(체질량지수 25 kg/m²이상)의 유병률은 34.8%로, 남성은 41.1%, 여성은 28.4%였다. 2007년 자료(남성 36.6%, 여성 27.9%)와 비교하면 증가하는 추세로 특히 남성에서 그 차이가 크게 나타났다. 또한 국민건강보험공단에서 발표한 '건강검진통계' 자료에 따르면 2017년 기준으로 전체 복부비만의 유병률은 23.9%로, 남성의 27.6%과 여성의 19.7%가 복부비만을 갖고 있는 것으로 나타났으며, 서서히 증가하는 추세이다. 복부비만은 고혈압, 고인슐린혈증, 고지혈증 등의 대사증후군을 초래할 뿐만 아니라 심혈관질환의 독립적인 위험인자로 알려져 있으며, 대사증후군의 진단에도 복부비만이 포함되는 등 복부비만의 중요성이 보다 강조되고 있다.

(1) 내장/복부지방측정

복부비만의 평가를 위해 흔히 L3/L4 위치의 CT나 MRI 영상에서 내장지방 면적을 측정한다. 컴퓨터 단층촬영(CT)를 이용하면 복부의 총 지방과 내장지방을 비교적 정확하게 측정할 수 있으며, 체중감량에 따른 체지방량의 작은 변화를 관찰하는 데에는 좋은 방법으로 알려져 있다. 그러나 방사선 노출과 비용이 높다는 단점이 있다. 측정 지표로 내장지방면적 또는 내장지방면적/피하지방면적의 비(V/S ratio)가 사용된다. 내장지방면적에 대한 기준으로 남자 100 cm² 이상, 여자 70 cm²가 널리 사용되고 있으나, 최근 국내 대규모 연구를 통해 대사질환 위험도를 높이는 한국인 내장지방의 기준치가 남성 134.6 cm², 여성 91.1 cm²로 새롭게 제시되었다. 내장지방면적/피하지방면적의 비는 0.4 이상인 경우 내장비만으로 진단한다. 이외에 자기공명영상(MRI), 초음파검사, 이중에너지방사선측정법(DEXA)으로 내장지방을 측정할 수 있으나 실제 활용도는 높지 않다.

(2) 임상에서 간편하게 사용할 수 있는 복부비만 측정법

① 허리둘레(Waist Circumference, WC)

간단히 측정이 가능하면서도 내장지방 및 심혈관질환의 위험을 가장 잘 반영하는 지표로 인정되고 있다. 체질량지수가 정상 및 과체중 범주에 해당된다 하더라도 허리둘레 측정상 복부비만인 경우 심혈관질환의 위험이 높아지게 된다. 허리엉덩이둘레비가 사용되어 왔지만 최근에는 허리둘레가 복부내장 지방을 잘 반영하는 것으로 알려져 더 많이 사용되고 있다. 세계보건기구(World Health Organization, WHO)에서 제시한 비만의 기준은 남성 94 cm, 여성 80 cm 이상이나 허리둘레는 인구집단별 건강관련 위험 수준이 다르다. 이에 WHO는 아시아-태평양 지역의 복부비만 진단 기준치로 남성 90 cm, 여성 80 cm 이상으로 제시하였으나, 우리나라는 복부비만의 진단 기준을 국제 당뇨병 연맹(International Diabetes Federation, IDF)의 기준인 남성 90 cm, 여성 85 cm 이상을 따르고 있다.

② 허리/엉덩이 둘레비(Waist-Hip Ratio, WHR)

허리/엉덩이 둘레비는 허리둘레를 엉덩이둘레로 나눈 값으로, 복부지방의 양과 상관관계가 있어 복부비만에 대한 지표로 널리 활용된다. WHO 기준으로 남성 WHR > 1.0, 여성 WHR > 0.85를 복부비만으로 정의하고 있으며, 국내 기준은 남성 WHR > 0.95, 여성 WHR > 0.85를 따르고 있다. 그러나 복부비만에 대한 기준으로 WHR보다 허리둘레의 사용이 더 권장되고 있다.

WHO가 선정한 허리둘레 측정시의 해부학적 위치는 양발 간격을 25-30 cm 벌리고 서서 체중을 균등히 분배시킨 직립 자세에서 최하위 늑골 하부와 골반장골능과의 수평선 중간 부위이다. 측정자는 환자의 옆에 앉아서 줄자가 연부조직 에 압력을 주지 않을 정도로 느슨하게 하여 측정하며 둘레는 0.1 cm까지 측정한다. 둔부둘레는 엉덩이에서 가장 큰 부분의 골반에서 측정한다. 심한 비만인 경우, 출산후, 폐경후 여성에서는 해석에 주의를 요한다.

③ 허리둘레/신장 비(Waist-to-Height Ratio, WHtR)

허리둘레/신장 비는 비만 관련 지표들 중 심혈관질환 및 대사질환의 발생 위험과의 연관성을 평가하기 위해 사용되는 지표 중 하나로, 특히 아시아인들을 대상으로 한 연구에서 내장지방량과 관상동맥질환 위험요소들과의 상관관계에서 더 밀접한 관련이 있다고 보고되었다. WHtR의 기준은 0.5 이상을 대사질환 발생 위험군으로 분류할 수 있다. 허리/엉덩이둘레 비는 체중 변화 시 허리와 엉덩이 둘레가 동시에 변화할 수 있으므로 체중변화의 정도를 반영하지 못할 수 있으나, 허리둘레/신장 비의 경우 환자의 신장에서 가져야 할 적절한 허리둘레를 직관적으로 제시해줄 수 있다는 장점을 갖고 있다.

2) 국소부위 지방침착

임상적으로 비만의 진단 시에는 체지방의 과잉상태를 추정하기 위한 간접적인 진단방법에 대한 연구가 많이 이루어지고 있으며, 부분비만에 대해서는 피하지방 뿐 아니라 최근 근막하(subfascia), 근육내(intramuscular)에 위치한 지방조직의 존재가 알려지고 있으나 아직 국소적인 지방의 축적에 대한 의학적인 정의와 비만의 범주에서 이해하는 관련성에 대한 연구는 많지 않다. 그러나 외모와 체형에 대한 자아상에 대한 불만족으로 인해 치료를 받고자 하는 요구가 많아지며 부분비만 및 체형교정에 대한 체계적인 의학적 관리 프로그램에 대한 필요성이 증가하고 있다.

국소의 지방침착은 성별, 개인별 lipase 활성, 코티졸의 분비 차이, 흡연 등에 따라 달라질 수 있으며, 사람의 몸에 서 지방이 침착되기 쉬운 부위는 가슴, 복부, 옆구리, 엉덩이, 허벅지, 팔의 뒷부분 등이다(그림 9-1). 국소지방 감량은 특정 부위 지방조직에서 중성지방 합성(fat synthesis)과 유리지방산으로의 가수분해(lipolysis)의 균형을 깨뜨리는 것으로서, 지방 재분포(fat mobilization)의 개념으로 지방 산화(fat oxidation)와는 다르다. 지방분해가 촉진되어 형성된 유리지방산이 에너지 요구량 증가가 없다면 다른 부위에서 재저장 될 수 있다.

또한 피하지방의 축적 후 림프관, 미세혈관 순환 장애가 쉽게 유발되어 피하지방이 주머니처럼 뭉치면서 피부가 마치 오렌지 껍질처럼 울퉁불퉁해진 상태인 셀룰라이트가 형성된다. 사춘기 이후 여성의 85-98%가 어느 정도의 셀룰라이트를 가지고 있는데, 체형변화의 주된 원인이 되므로 국소부위 치료 시 반드시 고려해야 한다.

5. 치료

최근 근막의 연속성(myofascial continuity)에 대한 여러 가지 연구를 바탕으로 근막계에 대한 관심이 높아지고 있는데, 인체의 골격과 근막조직은 결합조직 섬유에 의해 서로 연결된 전신에 걸쳐 반응하는 생리적인 네트워크(network)이며, 장력(tension)과 압력(compression)에 의해 반응하는 구조로서 생체역학적으로 텐스그리티(tensegrity) 모델에 의해 비유되기도 한다.

이 근막의 연속성을 경선(meridian)으로 간략하게 정리한 것으로는 Thomas W. Myers의 연구가 있으며, 근막경선과 경근(經筋) 분포의 유사성에 대해 밝힌 연구보고가 있다.

12經筋은 12經脈의 三陰·三陽의 氣를 稟受하여 全身을 운행하는, 운동기능만을 담당하는 체계로서 각 經筋의 주행경로가 근육/근막구조의 직접·간접적 연결인 근막경선의 주행경로와 분포상, 기능상 유사한 것이 밝혀지며, 經筋이 정적인 구조로서가 아니라 움직임의 전달체계 혹은 골격구조의 상태에 영향을 미치는 인자로 작용하는 동적인 구조로 이해해야 한다는 것이다.

따라서 자세교정의 치료에 있어 골격구조를 중심으로 한 정렬상태 분석을 통한 교정치료 시 관련된 근막구조에 대한 고려가 필요하며, 치료목표로서 생체역학적 안정성 뿐 아니라 자유로운 동작과 관절의 가동성이 증가될 수 있도록 하는 것이 중요하다.

체형 및 자세교정 방법으로서 대중적으로 알려진 필라테스나 코어운동 등에서도 척추와 골반의 정렬이 가장 중요한 부분으로 여겨지고 있으며, 전신 골격이 이상적인 생체역학적 구조를 가지는 것은 효율적인 에너지 소비가 이루질 수 있도록 함으로써 비만환자에서 에너지 섭취와 소비의 균형을 깨뜨려 치료효과가 발휘되도록 하는데 있어 대전제가 되며, 근막의 연속성과 관련된 골격구조와 근막구조 간의 정렬상태이상, 공간의 형성이 지방의 분포에 영향을 미칠 수 있다.

국소적인 지방침착이 발생하는 복부, 골반, 대퇴, 상지 부위와 관련된 근육부위로는 복직근, 내외복사근과 장요근, 둔근, 내전근, 삼두근 등이 있으며 체형변화와 관련된 각 근육의 단축에 연속되는 공간의 형성이 해당부위의 지방의 침착을 일으키는 원인으로 이해될 수 있다. 또한 각 근육은 근막의 연속성에 근거하여 종적인 연결성을 가지는 특정 經筋및 경선(myofascial meridian)의 일부이므로 치료 시 국소부위 근육으로부터 확장된 근막구조에 대한 접근이 필요하다.

따라서 국소부위 지방침착 및 체형교정의 치료 시에는 국소부위에 대한 장침전기자극술, 매선요법, 약침요법, 기기치료 등 외에도 전신적인 측면에서 척추와 골반의 이상적 정렬, 관련된 근막구조의 비정상적인 긴장과 단축의 해소를 위한 추나요법과 운동치료 등이 필요할 것이다.

1) 장침 전기자극술

복부비만과 같은 국소부위 지방 침착을 치료하기 위하여, 침형의 전극을 피하지방층에 직접 삽입한 후 저주파를 통전시켜 국소의 지방분해를 촉진시키는 장침 전기자극술이 임상에서 가장 많이 시행되고 있다.

장침 전기자극시술과 관련된 안전성 및 침의 안정성에 대한 연구에서 시술 이후에도 침의 기계적 및 생물학적 특성에 변화가 큰 변화가 없으며, 세포독성에 미치는 영향이 없는 것으로 보고되었다.

지방층으로 통전되는 저주파는 열을 발생시켜 중성지방을 글리세롤과 유리지방산으로 분해시켜 미세순환을 통하여 제거되게 하며, 지방분해와 밀접한 관련이 있는 교감신경을 흥분시켜 내분비적인 반응을 일으켜 지방세포 분해를 촉진할 뿐 아니라 전류자극이 세포막 수준의 전위차에 영향을 미쳐 대사증진과 지방분해 증진을 조장하는 것으로 알려진다.

전류가 흐르면 열의 증가를 가져오며 국소 혈류 순환을 개선시켜 지방분해 효과를 증가시키며 침을 통해 전달되는 저주파는 지방세포벽에 있는 교감신경 말단에서 지방을 분해시키는 카테콜아민의 분비를 자극시킨다. 이는 지방의 분해를 촉진하고 이동을 증진시키지만 체외로의 배출은 유산소운동을 겸하는 것이 필요하다.

저주파 전기자극을 통한 지방분해를 가장 효과적으로 자극할 수 있는 구체적인 주파수에 대하서는 아직 연구가 부족한 실정이나, 지방분해를 목적으로 한 임상실험에서 20-30Hz의 저주파가 가장 최적의 효과를 나타낸다는 보고가 있다.

침에 전기자극을 주어 지방세포의 분해를 촉진시키는 방법으로 주 1-3회로 6-10회 정도 실시하며 국소부위 지방침착의 해소에 효과적이다. 10회 시술을 통하여 둔부, 복부는 8-12 cm 감소, 대퇴는 4 cm 감소하였다는 보고가 있는데 다른 치료방법과 병행하여 시술되었을 때의 평균 수치이며, 단독시술로도 유의한 둘레 감소가 있음도 보고되어 있다.

2) 매선요법

매선요법은 혈위 약실자입요법, 혈위 매장요법이라고도 하며, 특별히 고안된 기구를 사용하여 혈위 내에 어떤 이물을 매입하고, 그 이물을 이용해서 혈위 자극을 지속적으로 하여 질병을 치료하는 방법을 말한다. 매선을 사용하는 것은 宋代 太平惠民和劑局에서 982년경 편찬한《太平惠民方》에 매선요법 또는 매식요법이라 하여 실에 약물을 묻혀 혈위에 시술했다는 기록이 있다.

매입하는 이물질은 중국에서는 주로 羊腸線을, 국내에서는 크롬으로 만든 외과 수술용 실이 사용되고 있다. 羊腸線과 외과 수술용 실은 모두 혈위 내에서 자연적으로 연화, 액화, 흡수의 과정을 거치므로 지속적인 자극 효과가 나타나게 된다. 2010년 12월 10일 '폴리디옥사논봉합사'라는 명칭으로 식품의약품안전처 의료기기 4등급 품목허가를 받음으로써 임상적 적용이 늘고 있는 추세이다. 여러 영역에 활용이 가능한데 특히 최근에는 신체성형, 주름제거, 튼살, 비만 등의 미용분야에 다양하게 활용되고 있다.

체형매선은 지방분해 및 탄력 증가를 목적으로 주로 시행되고 있으며 장침전기자극술(지방분해 전기침), 다부위 약침술과 복합 사용으로 부분비만 치료에 이용된다. 국내 연구에서는 6-9 cm 길이의 매선을 상완, 복부, 대퇴의 지방축적 부위에 한 부위 당 10-15개씩 자입하여 치료 부위의 둘레를 줄이거나 지방 두께를 감소시킬 목적으로 사용되었다. 환자의 만족도가 높고 지방 감소에 긍정적인 효과가 있는 것으로 나타났으나, 시행 횟수 및 간격이 통일되지 않고 아직까지는 증례가 적어 효과 및 그 지속기간에 대해 근거중심적으로 유의성을 논하기에 부족한 점이 있다. 부작용과 관련해서는 멍과 통증은 모든 환자에게서 나타났고, 매선 자입 부위의 불편감으로 인한 행동의 부작용이 있다고 한 경우가 78%였으나, 위와 같은 증상은 대개 시술 1-2주 내에 소실되는 것으로 알려져 있다.

체형매선은 인체에 무해한 이물질의 지속적인 유침 효과로 조직에 존재하고 있는 치료 반응점을 자극하여 말초 수용기에 생긴 흥분을 신경중추에 전달하여 생체조직을 정상화하려는 활동을 증대시킨다. 특히 지방조직 사이에는 중격이 있어 소엽 구조를 이루며, 여기에 지방의 분해와 합성을 자극하는 신경, 혈관, 림프관 등이 있는데, 매선이 이들을 지속적으로 자극하면 미소 순환이 증가되면서 지방분해가 활성화될 수 있다. 명확한 작용기전을 이해하려면 중성지방 형태로 축적되어 있는 피하지방이 유리지방산과 글리세롤로 분해되어 이들의 혈중 농도가 상승하는 것을 혈액검사, 도플러검사, 조직검사 등으로 확인하는 추가적인 연구가 필요할 것으로 사료된다.

3) 약침요법

비만치료에 있어 약침요법은 국소부위에 순수 한약재에서 정제추출하여 극소량의 약물을 주입함으로써 침의 작용과 한약의 작용을 병행하여 치료를 극대화하기 위한 방법으로서, 국소적인 지방과 셀룰라이트의 제거 및 전신적인 증상에 대한 치료를 함께 할 수 있는 방법이다. 약리이론과 경락이론의 병행이라는 장점을 가지고 있어 일관된 병리에 따른 치료지침을 제공할 수 있을 뿐 아니라 한약물치료가 어려운 환자들에게 응용할 수 있다는 장점이 있다.

비만치료로서의 약침 연구는 세포실험, 동물실험 뿐 아니라 임상연구도 다수 보고되고 있다. 산삼, 우황, 웅담, 사향 복합약침(산삼복합약침)에 대한 연구는 세포실험, 동물실험, 임상연구로 이어지며 안전성 및 유효성을 체계적으로 살펴본 연구로서 비만환자에 대한 복부둘레의 유의한 감소와 안정시대사율의 증가, 지질대사의 개선이라는 긍정적인 결과를 도출하였다. 산삼복합약침을 이용한 임상연구에서 10회의 시술을 통하여 대조군에 비하여 복부둘레 4.93 cm의 유의한 감소가 나타났다.

다른 치료방법과 병행하여 시술되는 경우가 많으며, 단독 시술을 통한 대퇴 둘레의 유의한 감소에 대한 효과도 보고되고 있다. 장침전기자극술과 마찬가지로 지방세포벽에 있는 교감신경 말단에서 지방을 분해시키는 카테콜아민의 분비를 자극하여 지방의 분해를 촉진하고 이동을 증진시키지만 궁극적으로 지방의 연소는 유산소운동을 겸하는 것이 필요하다.

4) 추나요법

이상적인 생체역학적 골격 정렬은 최소한의 스트레스와 긴장이 주어진 상태로, 신체를 최대한 효율적으로 활용할 수 있는가와 관련이 있다. 비만환자의 에너지 소비에서도 신체활동과 운동과 관련된 효율적인 에너지 소모는 중요한 부분이며, 생체역학적 문제로 인하여 비정상적인 근육의 긴장과 관절의 고정 등이 존재하는 것은 부적절한 운동을 야기하여 전체 에너지 소모량을 감소시키는 원인으로 작용할 수 있다.

따라서 골반을 비롯한 관절 고정 부위에 대한 교정을 목적으로 시행하는 추나요법은 자세 및 체형교정을 목적으로 할 때 중요한 선행 치료방법이 될 수 있다.

5) 기기를 이용한 치료

국소부위 지방침착의 치료에는 심부투열효과를 이용한 초음파, 고주파 치료기기 등이 이용되며, 이용되는 기기들의 치료원리를 작용하는 조직부위를 근거로 나누어 살펴보면 다음과 같다.

(1) 지방세포외

지방세포를 둘러싸고 있는 섬유질의 framework를 풀어주어 피부긴장과 탄력성의 증가, 혈액 및 림프 순환의 촉진, 피하층 콜라겐 섬유의 생산을 자극

(2) 지방세포 내

① 지방세포내 molecular separation을 유발하고, 지방세포내 삼투압을 증가시켜 림프순환계로의 배출을 유도하며, 혈관확장 작용으로 혈류량을 증가시키고 산소공급을 늘

려 지방분해를 촉진 ② 전기자극에 의한 규칙적인 수축과 국소적인 열로 모세혈관의 A-V shunt를 열어주고 vasodilation과 revascularization을 유도, 교감신경계의 자극으로 카테콜아민을 분비시켜 중성지방의 분해를 촉진

6) 운동요법

1900년대 초 독일인 Joseph H. Pilates(1880-1967)에 의해 고안되어 최근 체형과 자세 교정 운동(body-conditioning method)으로 요가(yoga)와 더불어 대중적으로 많은 관심을 받고 있는 필라테스(pilates method)에서도(1) 유연성(relaxation), (2) 집중(concentration), (3) 정렬 (alignment), (4) 중심화(centring), (5) 호흡(breathing), (6) 지구력(endurance), (7) 협응운동(co-ordination), (8) 흐르는 움직임(flowing movement) 등의 8가지 원칙을 제시하고 있는데, 그 중 척추의 만곡, 골반의 중립, 머리 그리고 상지와 하지 무게의 균형을 고려한 정렬(alignment)은 모든 동작에서 가장 중요한 전제조건으로 여기고 있다.

또한 부위별 스트레칭과 근력강화 운동 등은 부위별 지방침착 부위의 근육층과 지방층의 재정리 및 치료 후 효과 유지에 있어 중요하다.

제2절 비만

1. 개요

비만은 체내에 필요한 에너지보다 과다 섭취되거나 섭취된 에너지보다 소비가 부족하여 초래되는 에너지 불균형의 상태로, 호르몬의 변화, 유전, 정신, 사회경제적 요인 등 많은 요인이 복합적으로 관련되어 있으며, 성인병과의 높은 연관성 때문에 중요한 건강문제로 대두되고 있다. 우리나라에서도 비만의 유병률이 점점 높아지고 있는 추세이며, 특히 소아 및 청소년 비만도 증가하는 추세이므로 이에 대한 적극적 대처가 필요하지만 아직도 심각한 질병이라는 인식이 사회적으로 부족한 상태이다.

비만의 발생에는 유전이나 내분비 장애와 같은 요인 이외에도 운동부족, 과도한 열량 섭취 및 부적절한 식습관과 같은 행동요인과 스트레스 등의 심리적 요인이 영향을 미친다고 알려져 있다.

비만에 대한 치료방법으로서 침구치료, 약물치료, 수술요법 등이 적용되고 있으나 식이요법, 운동요법, 행동수정요법 등이 근간이 되지 못하는 경우 장기적인 치료결과는 매우 낮은 편이다. 따라서 합병증이 없는 경도 비만환자나 과체중의 경우 또는 소아 및 청소년 비만의 예방과 치료를 위해서는 식사요법과 운동요법, 행동수정요법을 통해 개인의 행동변화를 유발하여 장기적인 자기관리능력을 향상시키는 것이 바람직하다고 제시되고 있다.

2. 비만의 정의와 평가

1) 비만의 정의

비만이란 단순한 과잉체중의 상태를 말하는 것이 아니라 대사장애로 인해 체내에 지방이 과잉 축적된 상태를 말한다. 즉, kcal 섭취가 신체활동과 성장에 필요한 에너지보다 초과되어 중성지방의 형태로 지방조직에 과잉 축적된 열량불균형으로 일어난다. 이것을 비만증이라 한다.

한편 한의학에서는 비만증에 대하여『素問·通評虛實論』에서 "肥貴人則膏粱之疾也" 라고 하여 원인에 의한 간단한 정의를 최초로 언급하였다.

2) 비만의 평가

(1) 체질량지수(Body mass index, BMI)

체중 및 신장을 이용한 체질량 지수는 신장의 제곱(m^2)을 분모로 하고 체중(kg)을 분자로 한 수치로 비만을 평가하는 초기단계로 비용이 저렴하고 정확하며 간편하다는 장점이 있다. 또한, 대다수의 인구집단에서 체지방량과 높은 상관관계를 가지므로 비만도를 평가하는 여러 지표 중 여러 질환들의 위험도를 평가하는 지표로 널리 사용되고 있다. 체질량지수는 질병의 이환율 및 사망률의 상대 위험도를 예측할 수

표 9-1. 아시아 성인에서의 BMI에 의한 비만의 분류

분류	BMI (kg/m^2)	동반질환의 위험도	
		허리둘레	
		< 90 cm(남성) < 85 cm(여성)	> 90 cm(남성) > 85 cm(여성)
저체중	< 18.5	낮다(다른 임상질환의 위험은 높다)	보통
정상범위	18.5-22.9	보통	약간 높음
비만 전단계	23-24.9	약간 높음	높음
1단계 비만	25-29.9	높음	매우 높음
2단계 비만	30.0-34.9	매우 높음	가장 높음
3단계 비만	> 35	가장 높음	가장 높음

있으며 체질량 지수가 높을수록 심혈관질환, 비만 관련 암의 발생률이 높아지고 조기사망가능성도 높아진다. 그러나 체질량지수는 실제 지방량을 반영하지 않고 키와 몸무게 만으로 결정되는 수치이므로 근육이 많은 운동선수나 근육량이 적은 노인의 경우 등 BMI만으로 건강상 위험도를 평가하기 어려운 경우가 있으므로 해석에 주의가 필요하다.

세계보건기구(WHO)에서는 성별, 인종에 관계없이 BMI 25 kg/m^2 이상을 과체중, 50 kg/m^2 이상을 비만으로 정의하였다. 그러나 WHO 기준을 적용했을 때 비만 기준에 비해 체중이 높지 않음에도 중증 만성합병증이 동반되는 우리나라와 아시아 각국에서는 그대로 적용하기에 문제가 많다. 체질량지수에 따라 질병위험이 높아지기 시작하는 기준은 인종별로 다양하기 때문에 세계보건기구의 서태평양지역지부의 국가들이 주관이 되어 아시아태평양 비만지침을 새로이 재정하여 발표하게 되었다(표 9-1). 그러나 체지방량 증가와 관련된 질병의 이환율이나 사망률 증가의 관점에서 아시아태평양지역 기준을 달리 규정하는 것이 적절한 것인지에 대한 논란은 지속되고 있다. 일본의 경우 그동안의 연구결과를 토대로 일본 건강검진협회에서는 2014년부터 남성 비만기준을 BMI 27.7 kg/m^2 이상, 여성은 BMI 26.1 kg/m^2이상으로 상향 조정하였다. 중국의 경우 BMI 24 kg/m^2 이상을 과체중, BMI 28 kg/m^2 이상을 비만으로 간주한다. 그러나 국내 기준은 아직까지 기준변경에 대한 근거가 빈약하여 비만의 기준을 BMI 25 kg/m^2로 아시아태평양 기준을 따르고 있다.

(2) 체성분 측정

① 간접 측정법

가. 생체전기 저항 분석법(Bioelectric impedance analysis, BIA)

인체에 낮은 교류전압을 통과시키면 주파수에 따라 일정한 저항이 발생하며, 이때 생긴 임피던스가 체성분 구성과 일정한 연관성을 보이는 것을 이용한 방법이다. 저주파에서는 세포외액을 통하여 전류가 흐르고 고주파에서는 모든 종류의 체액을 통해 전류가 흐르는데, 주파수에 따라 세포 외액과 세포 내액의 발생한 전기저항, 즉 임피던스를 측정한다. BIA를 통해 체중에 대한 비율로 체수분량 및 세포내액, 세포내액의 양을 산출하고, 체수분량을 바탕으로 근육량, 제지방량(fat free mass), 체지방량 등을 환산하여 얻는다. 값이 싸고 편리하나 인종의 차이, 나이, 성별, 측정시간에 따른 변화, 환자의 수분상태에 따라 오차가 생길 수 있다.

나. 이중에너지 방사선 흡수계측기(Dual energy X ray absorptiometry, DXA)

DXA는 골밀도 측정을 위해 개발되었으나 체성분 또한 측정할 수 있다. 서로 다른 에너지를 가진 두 개의 저에너지 방사선을 몸에 투사시켜서 체지방, 지방조직, 골밀도에 따른 차이를 계산한다. 이 방법의 장점으로는 사용하기 쉬우며, 정확도가 높다는 점이 있다. 단점으로는 150 kg이상 환자에게는 정확도가 떨어지고, 기계의 가격이 비싸며, 정기적인 정도 관리가 필요하다는 점이 있다. 방사선 노출은 아주 적어 흉부사

진시 노출되는 양보다 적다.

② 직접 측정법

신체밀도와 이를 구성하는 지방과 체지방을 측정하기 위하여 물 속에서의 비중을 이용하는 비중법이나 동위원소 사용법이 알려져 있으며 체지방을 비교적 정확하게 측정할 수 있는 방법이지만, 시설과 사용방법의 문제로 인하여 임상에서의 사용은 드물며 주로 연구를 위한 목적으로 활용되고 있다.

③ 체성분 결과의 해석

비만은 체지방이 과다하게 축적된 상태이므로 체지방량을 반영한 비만의 진단은 임상적으로 중요하다. 그러나 현재까지 체지방량이나 체지방률의 기준치에 대한 근거가 부족하므로 체질량지수, 허리둘레, 동반질환 등을 함께 고려하여 비만 진단을 해야 한다. 미국의 경우 남자 25%, 여자 35%이상을 기준으로 비만을 정의하고 있으며, 한국인의 심혈관 질환 위험율을 높이는 체지방률에 대한 기준치로 체지방률 남자 25% 이상, 여자 30% 이상이 제시되었다. 한국인 심혈관 질환 위험인자에 대한 체지방률 기준치를 조사하기 위해 국민건강영상조사 결과를 바탕으로 분석한 한 연구에서는 남자 22.6%, 여자 33.9%를 과체중, 남자 26.2%, 여자 37.3%를 비만에 해당하는 체지방률로 제시하였다.

(3) 복부비만의 평가

제 1절 체형과 비만 참조

(4) 대사율 측정

신체가 하루에 필요로 하는 에너지와 소모하는 에너지의 양을 측정하는 것은 임상에서 체내 에너지 대사를 평가하는데 중요하다. 신체에서 발생하는 에너지 즉, 대사율의 측정법에는 직접적인 방법과 간접적인 방법이 있다. 대사율은 단위시간에 신체에서 발생되는 에너지를 말한다.

① 직접적 에너지 측정법

사람이 특수하게 지어진 밀폐된 공간으로 들어가 주변을 둘러싸고 있는 물의 온도 상승을 측정함으로써 인체의 소비열량을 측정하는 방법으로, 정확하지만 비용과 시간 등에서 현실적이지 못하다는 단점이 있다.

② 간접적 에너지 측정법

인체에서 소비되는 에너지의 95% 이상이 식품과 산소의 반응에서 나오기 때문에 호흡에 이용된 산소소모량을 측정하면 대사율을 간접적으로 측정할 수 있다. 기구가 비교적 간단하며 신속하면서도 정확에게 측정할 수 있다.

③ 예측 공식을 이용한 대사량 산출법

체중, 신장, 성별, 연령, 제지방량 등을 변수로 하는 예측공식을 이용하여 대사율을 예측하기도 한다.

3. 비만의 원인

1) 에너지 불균형

에너지와 관련되어 비만이 발생되는 기전은 식이섭취설(Dietary theory)과 열량소비 결함설(Energy expenditure deficit theory)로 설명되며, 체내에서 필요한 에너지보다 과다하게 섭취되거나, 섭취된 에너지보다 소비가 부족하여 초래

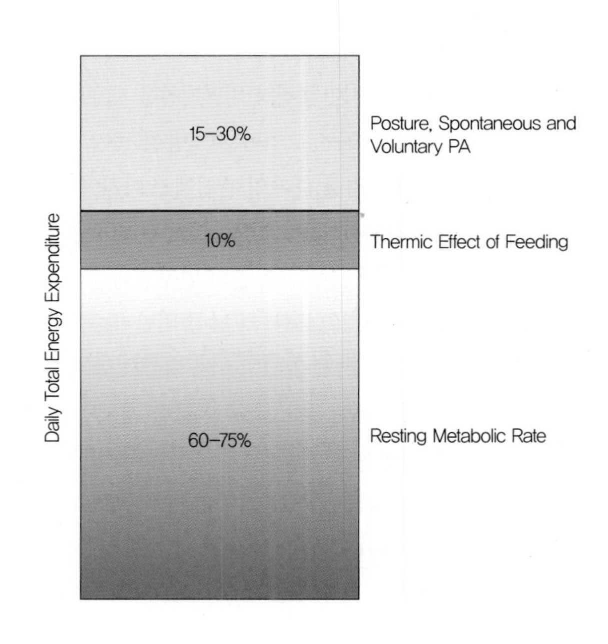

되는 에너지 불균형의 상태로 여분의 에너지가 지방의 형태로 저장되어 대사의 이상을 초래한 것으로 설명된다.

에너지 불균형을 이해하기 위해서는 에너지 소비의 구성요소에 대한 이해가 필요하다. 하루에 필요한 총 에너지 소비량(Total Energy Expenditure, TEE)을 구성하는 요소로는 안정 시 대사율, 식사에 의한 열발생, 활동에 의한 열발생, 적응시의 열발생 등이 있으며, 총 에너지 소비량(Total Energy Expenditure, TEE)가 섭취한 에너지량(Total Energy Intake)과 균형을 이룰 때 일정한 몸무게가 유지된다.

(1) 안정 시 대사율(Resting Metabolic Rate, RMR)

정상적인 신체기능을 유지하고 체내 항상성을 보존하며 자율신경계의 활동을 위하여 최소로 필요한 에너지양을 의미한다. 기초대사율(Basal Metabolic Rate, BMR)과 동의어로 사용되기도 하는데 아무런 활동을 하지 않은 상태에서 소비되는 열량으로 전체 열량 소모의 60-75%를 차지한다. 성별, 연령, 체지방, 체중, 체표면적, 영양상태, 호르몬 균형상태, 자율신경계의 활동 등에 의해 영향을 받으며 개인적으로 약 30%의 변이를 갖지만 나이 변화에 따른 변화는 성인 기준 5-10% 이내이며, 동일한 연령과 성별대의 사람간의 RMR 차이는 크지 않은 편이다. 지속적인 열량 제한을 하면 RMR의 감소를 유발할 수 있으므로 체중 감량 기간 동안에 과도한 열량 제한보다는 적절한 열량 섭취를 할 수 있도록 해야 한다. 반면, 수술로 인한 지방세포의 감소는 RMR에 영향을 미치지 않는다.

(2) 식사에 의한 열발생(Thermic Effect of Food, TEF)

음식물의 소화, 흡수, 운반, 대사, 저장되는 과정에서 소비되는 열량을 말하며, Dietary Induced Thermogenesis (DIT)라고도 한다. 전체 열량소모의 약 10%를 차지한다. 유전, 음식물의 종류, 음식물의 양, 체지방, 체력상태, 일일 생체주기에 따라 영향을 받는다. 대개 비만인에 비해 정상인의 TEF는 높은 편이며, 섭취하는 식이 구성에 따라 달라질 수 있다. 단백질 함량이 높은 음식물을 섭취할 경우 더 많은 TEF를 소비할 수 있다.

(3) 활동에 의한 열발생(Physical Activity, PA)

기본적인 활동과 운동, 자세유지와 같은 신체활동에 의해 소비되는 열량을 말한다. 활동의 종류, 활동시간 등에 개인차가 심하므로, 에너지 소비 중 개인에 따른 변동이 가장 크다고 할 수 있으며, 전체 열량 소모의 15-30%를 정도 차지한다. 안정시 대사율과는 달리 임의로 그 양을 변화시킬 수 있으므로, 총 에너지 소비량을 높일 수 있는 가장 효율적인 방법은 활동량을 높이는 것이다. 활동에 의한 에너지 소모량은 활동의 강도, 지속시간 등에 의해 영향을 받지만 연령이나 영양상태 등에는 크게 영향을 받지 않는다. 최근 앉아서 하는 직종들이 늘어나기 때문에 비만 발생에 지대한 영향을 미치며 활동 종류별로 에너지 소모량이 다르다.

(4) 적응 시의 열발생(Adaptive Thermogenesis, AT)

신체가 어떤 외부의 스트레스, 예를 들면 주위의 온도, 식사량, 감정변화, 영양상태 등에 변화가 있을 때 적응하기 위해 소비되는 열량이다. 자율신경, 호르몬(갑상선 호르몬 등)에 의해 영향을 받는데, 개개인에 있어서 그 정도를 파악하기는 어렵다.

2) 유전적 요인

비만이 가족성으로 집중발생한다는 사실과 일란성 쌍생아 및 입양아동을 대상으로 한 연구에서 알 수 있듯이, 유전적 요인은 비만의 발생에 중요한 역할을 한다. 비만한 아동의 60-80%에서 부모의 한 쪽 또는 모두가 비만함이 통계적으로 알려져 있는데, 이러한 가족성 집중 발생현상은 가족의 식생활 방식과도 관련이 있으므로 유전에 의한 영향만을 분리하여 알아보기는 어렵다. 그러나 서로 다른 성장환경에서 자란 일란성 쌍생아를 비교하거나 입양된 아동들을 대상으로 연구한 결과들은 식생활 방식 등의 환경적 요인 외에도 유전적 요인이 함께 작용하며, 10세 이전에서는 유전요인이 상당히 중요함을 나타내 주고 있다. 또 생후 1개월이 지나기 전에 비만이 되는 유아의 대사율이 비만이 되지 않는 유아의 에너지 소모보다 적음은 비만에 유전적 영향이 큼을 짐작케 한다.

3) 신경내분비 요인

(1) 식욕의 조절

식욕은 중추신경에서 신경전달물질, 위장관에서의 호르몬, 식이의 구성분 등 다양한 요인에 의해 조절된다. 중추에서의 섭식량 조절은 시상하부에 있는 공복중추와 포만중추에 의해 조절된다. 시상하부의 여러 핵들은 서로 유기적으로 신호를 주고받으면서 에너지 균형과 갑상선, 부신 등 대사를 조절하는 내분비 장기를 관장하는 매우 중요한 역할을 하는데, 스트레스 등의 환경요인, 선천적인자 등에 의해 이 기전에 문제가 생기면 섭식 장애가 유발된다. 시상하부는 위장관의 충만상태, 이완상태, 혈중 영양소의 구성비율, 위장관 및 지방에서 유리되는 호르몬, 대뇌 신호(음식의 냄새, 맛, 시각 자극 등)에 의해 영향을 받는다. 한편, 위장관에 음식물이 들어와 면적이 늘어나게 되면 미주신경이 시상하부를 자극하여 식욕은 줄게 되고, 위장에서도 다양한 호르몬들이 분비되어 중추와 교신하며 식욕을 조절하여 체내의 항상성을 유지한다.

(2) 내분비 요인

대부분의 경우 원발성 내분비 장애가 비만의 직접적 원인이 되지는 않는다. 하지만 많은 내분비 불균형이 비만의 임상양상에 중요한 역할을 한다.

인슐린은 분비과잉과 말초에서의 저항이 문제가 되며 지방의 합성과 저장에 관여한다. 인슐린 혈중 농도가 높을수록 열생산은 떨어지고 비만이 심해진다.

HPA axis(시상하부-뇌하수체-부신을 연결하는 가상의 축)의 증가된 감수성은 많은 호르몬 이상을 설명하는데 기준이 되고 있다. 지방을 분해시키는 성장호르몬의 감소, 복부비만을 일으키는 코티졸의 증가, 성호르몬의 문란 등이 스트레스 등의 환경요인에 의한 HPA axis의 이상으로 설명된다.

지방세포에서 분비되는 렙틴은 시상하부에서 식욕억제 신경전달물질을 자극하고 식욕 촉진 신경전달물질을 억제하는 방식으로 전체적인 식욕억제 효과를 나타내는데 동물에서와는 달리 사람에게서는 보충요법이 별다른 효과를 나타내지 못하고 있다.

한편, 갑상선 호르몬은 체내의 에너지 대사에 가장 중요한 호르몬으로 열발생을 촉진하기 때문에 갑상선 기능저하에서는 비만이 흔히 관찰된다. 과도한 저열량식이요법시에 일시적인 갑상선 기능저하가 관찰된다.

세로토닌은 우울증, 폭식증, 야식증, 거식증 등의 신경정신과적인 문제들과 연계되어 있다.

4) 환경적 요인

경제적 성장과 산업구조의 변화로 말미암아 식생활이 개선되고 활동량이 감소되면서 과체중과 비만체형의 발생빈도가 높아져 사회병으로 간주되고 있으며, 최근에는 건강관리의 중요 과제로 체중조절 문제가 제기되고 있다.

4. 비만과 질병

많은 연구에서 BMI와 사망률 사이에 유의한 관계가 있었으며, 비만에서 보다 위험도가 높았다. 비만에서 사망률의 증가는 생명에 위협이 되는 2형 당뇨병, 심혈관질환, 담낭질환, 호르몬 감수성암과 위장관암 등의 증가에서 명확하게 나타난다. 비만은 또한 비치명적인 요통, 관절염, 불임 그리고, 서구화된 나라에서 사회적 심리적 부적응의 위험도를 증가시킨다.

1) 비만 환자의 원인질환

(1) 내분비 이상

① 쿠싱 증후군
② 갑상선 기능 저하증

(2) 다낭성 난소질환

(3) 시상하부성 비만

① 시상하부 종양
② 종양, 감염, 외상에 의한 시상하부 손상

(4) 약물

① 스테로이드 투여

② 정신질환 치료제(삼환계 항우울제 등)
③ 항히스타민제
④ 피임약
⑤ 항갑상선제

(5) 유전적인 질환

① Laurence-Moon Biedl 증후군
② Prader-Willi 증후군
③ Altrom 증후군
④ Glycogen storage disease

2) 비만 관련 질환

(1) 대사증후군

고혈압과 복부비만, 고지혈증, 혈당조절장애 등의 대사이상을 나타내는 질환으로 인슐린저항성을 기저 요인으로 하는 전신 만성 염증 상태가 병리기전으로 알려져 있다. 특히 복부비만은 대사증후군의 중요한 위험인자이며, 내장비만의 증가와 연관이 있어 제2형 당뇨병, 고혈압, 고중성지방혈증 등의 위험인자일 뿐만 아니라 심혈관계 질환의 가장 중요한 위험인자이기도 하다. 진단기준은 2001년 미국 콜레스테롤 교육 프로그램(NCEP-ATP III) 보고서가 가장 많이 인용되는데, 최근 복부비만은 한국의 기준이 마련되었다. 즉, 복부둘레 남성 90 cm, 여성 85 cm, 고중성지방혈증 150 mg/dL 이상, 저 HDL 콜레스테롤 혈증 남성 40 mg/dL, 여성 50 mg/dL, 고혈압 수축기혈압 135 mmHg 이상 또는 이완기 혈압 85 mmHg 이상, 공복혈당장애 공복 시 혈당 100 mg/dL 이상의 5개 조건 중 3개 이상을 만족하는 경우로 정의된다.

(2) 지질대사이상

비만은 지질대사이상과 가장 밀접한 관계를 가지고 있어 혈중 콜레스테롤, 초저밀도지단백(very low density lipoprotein, VLDL), 저밀도지단백(low density lipoprotein, LDL), 중성지방(triglyceride)의 증가와 고밀도지단백(high density lipoprotein, HDL)의 저하 등과 연관되어 있다.

연구에 의하면 체중이 10% 증가하면 혈청 콜레스테롤은 12 mg/dL 증가한다고 하였으며, 비만환자에서 중성지방의 상승은 흔히 볼 수 있는 현상인데, 이는 인슐린 저항성과 고인슐린 혈증에 의해 간에서 VLDL생성이 증가하고 혈중으로 중성지방 분비를 증가시키고, 비만환자에서 높은 농도를 보이는 유리지방산 free fatty acid을 사용하여 중성지방의 분해를 증가시키기 때문이다. 이러한 지질대사의 이상은 대부분 체중조절로 치료할 수 있다.

(3) 고혈압

수축기 혈압 140 mmHg이상, 이완기 혈압 90 mmHg를 기준으로 할 때 고혈압과 비만의 연관관계는 잘 알려져 있으며, 체질량지수가 23 kg/m^2 이상인 경우 고혈압의 발생빈도가 증가하는 것으로 알려져 있다. 비만에서의 혈압상승은 전체 혈류량의 증가, 심장운동 부하의 증가, 말초 혈관의 저항이 증가하기 때문인데, 이는 혈중 norepineprine의 농도가 증가하기 때문이다. Borkan에 의하면 비만환자에서 체중의 10% 이상을 줄이면 수축기 혈압과 확장기 혈압이 각각 6.5, 6.9 mmHg로 낮아진 반면, 체중이 10% 증가하면 각각 1.4, 3.0 mmHg가 늘어난다고 하였다.

(4) 담석증

담석증의 위험도는 나이, 분만수에 따라 증가되며 비만은 적어도 2배 이상 담석증의 위험도를 증가시키는데, 이는 담즙에 콜레스테롤의 분비를 증가시키기 때문이다. 비만환자는 담즙분비의 부족과 담즙 내에서 콜레스테롤이 결정체를 형성하는 경향이 있다.

(5) 심혈관질환

비만은 고혈압, 고지혈증, 흡연, 당 불내인성(glucose intolerance), 좌심실비대와 같은 심혈관질환(관상동맥질환, 말초혈관질환, 심부전)에 위험요소로 작용하기도 하며, 독립적으로 정 상관관계(positive correlation)가 있다. 이러한 심혈관질환의 발생빈도는 체질량지수 22 kg/m^2 이상인 경우 특이적으로 연관되어 나타나는 것으로 보고되고 있다.

이는 비만에서 VLDL생산이 증가되기 때문인 것으로 생각된다. 유전적으로 VLDL과 LDL의 제거능력의 결함이 있어 VLDL의 생산이 증가되면 VLDL과 중성지방, 그리고 LDL이 증가된다. 그러나 비만환자에서 HDL이 감소되어 있는 이유는 과도한 지방조직이 HDL을 제거하는 것으로 생각되나 그 기전은 확실하게 밝혀져 있지 않다.

(6) 당뇨병 및 당대사 이상

비만은 대부분 2형 당뇨병과 연관되어 있으며, 특히 중심형 비만과 연관되어 있다.

최근 젊은 연령에서도 2형 당뇨병의 유병률이 증가하고 있으며 일본에서의 연구에 의하면 학령기 소아들에서 2형 당뇨병의 발생률이 1976년 10만 명당 0.2명의 발생률에서 1995년 10만 명당 7.3명으로 크게 증가되었으며, 중고등학생 연령에서는 10만 명당 13.9명으로 나타나고 있다. 일본 학자들은 소아에서 2형 당뇨병의 증가를 식사패턴의 서구화에 다른 비만증 유병률의 증가로 설명하고 있다. 특히 사춘기 전후 인슐린 요구량이 증가하므로 비만증에 의해서 인슐린 저항성이 증가한다면 사춘기 전후에 2형 당뇨병의 발생 증가가 일부 설명이 가능하다고 볼 수도 있을 것이다. 그러나 다양하고도 정확한 기전에 대해서는 더 많은 공부가 필요할 것이다.

(7) 퇴행성 관절염

원발성 관절염의 발생에 영향을 미치는 요인으로는 노쇠현상, 유전, 비만증, 고혈압과 당뇨병 등의 만성질환, 영양상태 등이 주장되어 왔으나 확실히 밝혀진 바는 없다.

비만증과 퇴행성 관절염과의 관계에 대해서는 이견이 많다.

(8) 불임

비만과 불임은 연관관계가 있다고 알려져 있으며, 비만증 환자에서 생식호르몬 농도가 비정상적이라는 보고가 있다. 만일 불임의 원인으로 다른 이유가 없다면 체중감량 치료를 적극적으로 권장하여야 한다.

(9) 수면 무호흡·비만 저환기증

이러한 질환에 비만은 가장 중요한 원인이 된다. 수면 무호흡 증후군은 수면시 호흡이 중단되는 것을 특징으로 하며, 어떤 경우에는 저산소증이 되기도 한다. 이는 낮동안에도 졸리게 되는 원인이 되며, 조기사망의 원인이 된다. 체중감소는 수면 무호흡증을 치료하는 데 매우 효과적인 치료방법이다. 남자에서 상체비만은 이러한 질환의 가장 강력한 예측인자이다. 이외 코골음, 낮졸음, 수면시 간헐적인 호흡중단이 있으며 이러한 질환은 수면검사를 통해 확진된다.

(10) 암

비만은 암의 유병률을 높일 뿐 아니라 사망률도 증가시킨다고 알려져 있다. 미국의 연구에서 BMI 40 kg/m^2 이상에서 암사망 위험도가 남자 1.52배, 여자 1.62배로 높았으며, 남성에서는 간암, 위암, 전립선암, 식도암, 대장암 등에서 높았고 여성에서는 유방암, 자궁내막암, 자궁경부암 등에서 높은 것으로 밝혀졌다. 비만이 암발생에 영향을 미치는 기전은 정확하게 밝혀져 있지 않지만, 내분비 호르몬 대사 변화가 원인일 것으로 생각되고 있다.

(11) 식이장애

식이장애는 음식, 체중 및 체형에 대한 과도한 집착과 왜곡된 인지를 가지면서 비정상적인 식사행동을 반복하고 그에 따른 신체적, 심리적 부작용을 나타내는 장애를 말한다. 정상 혹은 저체중 상태에 있으면서 자신이 뚱뚱하다고 생각하는 왜곡된 신체상을 갖고 있거나 체중증가에 대한 극심한 두려움을 갖고 있다. 식이장애는 정신질환의 일종이지만, 신체적인 부작용을 나타내며 그 중의 어떤 것은 생명을 위협하는 수준에 이르기도 한다. 신경성 식욕부진증(anorexia nervosa)은 생존에 필요한 최소한의 체중조차 유지하기를 거부하는 것이 특징이고, 신경성 폭식증(bulimia nervosa)은 반복되는 폭식과 이로 인한 체중증가에 대한 두려움 등으로 구토유발, 하제, 이뇨제, 관장 등의 부적절한 보상행동을 하는 것이 특징이다. 이 외에도 폭식장애(binge eating disorder)는 신경성 폭식증과 같은 형태의 습관적인 폭식증세를 나타내나 극단적 체중조절 행동은 하지 않는 것이 특징이다.

(12) 기타

이외에도 위식도 역류, 요실금, 하지 정맥 저류현상, 원인 불명성 두개강내 고혈압 등이 연관되어 있다.

5. 한의학적인 비만의 원인

1) 비만의 형태에 대한 언급

『靈樞·衛氣失常篇』에서 肥人, 膏人, 肉人의 구분을 한 것이 처음인데, 衛氣가 해부학적으로 肌肉의 어느 위치에서 充實한가에 따라 지방층의 형태가 달라지며 이에 따라 肥人·膏人·肉人의 구분이 생기고, 肥膏肉의 형태적 구분으로 사람의 肥瘦大小와 血氣多少를 구분한다고 하였다. 오늘날의 肥滿은 그 중 肥人과 膏人에 해당된다고 볼 수 있다. 血實氣虛하면 肥가 되고, 氣實血虛하면 瘦가 된다고 하였으며, 肥人은 氣虛, 寒, 濕이 많고, 瘦人은 血虛, 火, 燥가 많다.

2) 비만의 病因에 대한 인식과 肥滿人에게 주로 발생되는 病症

요즘처럼 외형적인 아름다움을 목적으로 비만을 해소하려고 했다거나 또는 비만 자체를 질병으로 인식하여 치료하려고 했던 부분은 별로 없으나, 痰飮, 濕, 寒濕, 形盛氣衰 등 病因에 대한 인식 및 中風, 痰, 白帶, 赤白濁, 消癉등과 같은 肥滿人에게 주로 발생되는 病證에 대한 언급이 있다. 음식과 관련하여서는 華食이 人體脂肥 한다 하였고, 數食甘味가 膏粱之疾이 된다 하였다.

3) 비만의 病理에 대한 인식

비만의 유발 요인으로 穀氣勝元氣, 脾胃俱旺, 脾胃俱虛, 脾困邪勝, 痰飮, 氣虛, 血實氣虛, 華食, 數食甘美와 膏粱厚味가 있다고 하였다.

① 穀氣가 元氣를 勝할 때 비만이 된다고 하였으며 이에는 胃氣가 본래 弱하여 飮食自倍 하는 경우와 七情으로 妨飮食하는 두 가지 경우가 있다고 하였다. 『東醫寶鑑 身形·形氣定壽夭』 "穀氣勝元氣其人肥而不壽 元氣勝穀氣其人瘦而壽"

② 五臟六腑의 기능 조화가 상실되어 脾濕이 과잉 축적될 수 있으며 脾, 肺, 腎 3 臟器의 기능실조로 濕痰이 과잉축적될 수 있는데, 그 중 脾胃가 가장 주요한 원인으로서 작용하며 虛實 모두 원인이 될 수 있는데 "俱旺하면 能食而不傷하며 肥하고 過時而不飢한다"하였고, "脾胃俱虛 脾困邪勝의 경우는 少食하나 四肢不擧"한다 하였다. 즉, 脾胃實의 肥滿은 過食에도 脾胃가 잘 傷하지 않으며, 脾胃虛의 肥滿은 음식을 적게 먹어도 肥하고 四肢不擧 등의 증상이 있을 수 있다. 『張介賓·景岳全書』 "若胃氣本弱 飮食自倍 則脾胃之論旣傷 而元氣亦不能充"

③ 분노 등 감정조절의 문제로 肝의 기운을 상하게 되면 소화기능에 문제를 일으키게 되고 음식의 대사를 방해하게 된다. 이는 스트레스성 폭식 및 소화장애를 언급하는 것으로 역시 비만과 관련된다. 『張介賓·景岳全書』 "怒氣傷肝 則肝木之氣 必侵脾土 而胃氣受傷 致妨飮食"

④ 腸胃에 痰飮이 있어서 漉漉有聲하는 경우는 갑자기 체중이 증가하는 경우가 많으며, 氣虛는 脾胃虛를 의미하며 굶었다가 음식을 먹었을 때 갑자기 체중이 느는 경우가 많다. 形盛氣衰者가 肥滿人에게 많은 것은 血實氣虛卽肥하기 때문으로 보인다.

⑤ 음식과 관련한 비만 요인으로는 華食과 數食甘美, 膏粱厚味가 있다.

4) 비만의 변증

비만의 변증은 다양하게 제시될 수 있으나 한국 한의학연구원에서 제시된 변증 유형이 현재 가장 활발히 연구되고 있다. 肝鬱, 食積, 陽虛, 脾虛, 痰飮, 瘀血 등의 6개 유형은 한방비만 임상에서 가장 많이 쓰이는 변증으로 나타났으며, 각 변증별 환자가 가장 많이 호소하는 임상 증상을 토대로 한방비만변증설문지가 개발되었다. 비만 환자를 진료하는 한의사의 주 사용 변증은 痰飮, 瘀血, 脾虛, 食積, 濕痰, 氣虛 순으로 나타난다고 알려졌으나, 과체중과 비만인을 대상으로 한방비만변증설문 결과를 분석한 연구에서는 55세 이하의 성인 여성에서의 최빈도 변증은 肝鬱과 食積증으로 보고되었다. 폐경전후 갱년기 여성을 대상으로 한 한방비만변증에서는 폐경 전에는 食積이, 갱년기 여성에서는 肝鬱이 높게 나타나는 것으로 보고된 바 있다.

(1) 脾虛型

비만하면서도 부종이 있고 피로무력하고 몸이 무겁고, 온몸이 찌뿌둥하다. 복창하여 잘 먹지 못하고, 가스가 차고 더부룩하고 아픈 배를 눌러주면 편하다. 식욕이 저하되었고 식사량은 적은 편이다. 설사를 잘하며 苔白膩, 舌質淡, 脈細 혹 細滑.

(2) 痰飮型

피부 색깔이 희고 푸석하다. 肥甘한 음식을 즐기고 頭暈頭脹, 脘腹脹滿, 두통이 심하고 정신이 흐릿하면서 피곤하고 몸이 가라앉는다. 手足麻木, 咳吐痰, 苔白膩, 脈滑.

(3) 陽虛型

몸이 차고 피곤하고 기운이 없고 추위를 싫어한다. 神疲乏力, 허리 무릎이 자주 아프고 바람이 들어올 것 같다. 肢體浮腫, 腹脹納呆, 변이 무르고 소화되지 않은 채로 나오고 소변량이 적다. 舌淡苔薄白, 脈沈細 혹 弱.

(4) 食積型

과식 폭식을 자주하고 배가 불러도 음식을 먹는 경향이 있다. 소화가 잘 안되고 자주 체하며 배에 가스가 많이 차고 더부룩하다.

(5) 肝鬱型

胸脇苦滿하고 煩燥易怒, 胃脘痞悶하고 그득한 배를 누르면 더욱 답답하다. 口苦 舌燥하나 물을 먹고 싶지는 않다. 腹脹納呆, 여성의 경우 月經不調하고 덩어리가 많다. 苔膩, 脈弦.

(6) 瘀血型

心悸氣短, 胸脇作痛, 月經不調, 온몸이 자주 아프고 결리고 특히 옆구리가 심하다. 여기 저기 아프고 어딘지 확실하지 않다. 여성의 경우 月經이 불규칙하다. 色黑有塊, 苔薄, 舌質暗 혹 瘀點瘀斑, 脈細弦 혹 澁.

5) 사상의학적 접근

사람은 운동을 하게 되면 심장의 박동이 빨라지고 호흡이 가빠지며 땀이 나고 에너지가 소모된다. 에너지 소모의 부산물인 요산 등의 노폐물은 소변을 통해 배설하게 된다. 에너지를 축적하기 위해서는 먹은 음식은 위장과 장에서 소화흡수되고, 간이 다시 이를 해독하여 에너지로 사용할 것은 사용하고 잉여분은 지방으로 바꾸어 보관한다.

그러나 어떤 體質에서는 에너지를 소모하고 배설하는 장기인 心·肺·腎의 기능이 상대적으로 강해 지방으로 축적되기 전에 대부분의 양은 에너지로 소모되어 체중이 쉽게 늘어나지 않는 반면 또다른 體質에서는 소화흡수의 장기인 脾·肝의 기능이 에너지 소모기능보다 상대적으로 강해 쉽게 살이 찌기도 한다.

肺의 기능이 강하고 肝의 기능이 약한 太陽人과 腎의 기능이 강하고 脾의 기능이 약한 少陰人은 비만하기 어려운 반면 肝의 기능이 강하고 肺의 기능이 약한 太陰人과 脾의 기능이 강하고 腎의 기능이 약한 少陽人은 비만하기 쉽다.

태음인과 소양인의 성격상 太陰人은 음식에 욕심이 많은 단순 과식성 비만자가 대부분이며, 少陽人은 성격이 까다로와 감정조절이 잘 되지 않고, 이를 해소하려는 스트레스성 과식을 하기 쉽다는 것도 특징이다.

6. 상황별 비만

1) 소아비만

성인에서와 마찬가지로 소아에서도 식생활의 서구화와 신체 활동량의 감소로 인해 비만율이 크게 증가하였다. 소아기 비만의 대부분이 성인비만으로 이행되는 것이 알려져 있으며, 인슐린저항성을 바탕으로 고지혈증, 2형당뇨, 고혈압 등 대사증후군 관련 위험 인자들이 관찰되고 있다. 그러므로 성인의 생활습관병으로 이환되는 것을 예방하기 위해 소아기에서의 비만 관리가 매우 중요하다.

소아기에는 연령 혹은 신장에 따라 체중 변동 폭이 크기 때문에 비만도(표준 체중에 따른 현 체중의 비율) 또는 같은 연령 집단의 체중이나 체질량지수(BMI) 분포의 몇 백분위수(percentile)에 해당되는가에 따라 비만 정도를 판정한다. 즉, 연령별 체질량지수 분포 곡선에서 95% 이상이면 비만, 85-94%면 위험군으로 판정한다.

소아비만은 다양한 대사적 합병증을 일으켜 성인기의 다양한 질환과 관련된다. 자신감이 약해 집단생활에 적응능력이 떨어지고 사춘기가 되면서 우울감, 자존감 저하, 고립감, 섭식장애 등의 정서적인 문제를 야기하며 수면무호흡, 천식, 고지혈증, 고혈압, 지방간 등의 간기능장애, 요통, 2형 당뇨병 등의 문제를 일으킨다.

좋은 치료 효과를 기대하기 위해서는 부모, 가족, 학교, 지역사회, 국가에서 체계적이고 다양한 개입이 필요하다. 적극적인 약물요법이나 수술치료보다는 식사요법, 운동요법, 교육, 인지행동요법을 통해 생활습관을 교정하도록 지지하는데, 생활습관을 스스로 감시하게 하고 체중 조절에 나쁜 영향을 주는 요소들을 생활환경에서 제외하도록 하며 감량에 대한 목적의식을 높인다. 영양요법으로 단백질 섭취량이 부족하지 않도록 유지하고 탄산음료 등 질 낮은 음식을 배제하는 것이 중요하고 과일과 야채 등 영양이 풍부하면서도 당지수(glycemic index)가 낮은 음식을 이용한 식이요법 등이 소아비만 개선에 유효하다. 운동은 kcal 소비를 줄이고 장기적인 대사 상태를 개선시킬 뿐 아니라, 비만과 동반된 정서적 문제를 개선시킬 수 있는 중요한 수단이다. 소아들이 지겹지 않도록 즐거운 게임이나 춤을 통한 운동치료, 걷기나 자전거 등으로의 통학방법의 변화를 통한 활동량의 증가 등이 권장된다. 이러한 생활방식 개선으로도 효과를 볼 수 없는 경우 약물 요법이 사용되기도 하는데, 한약은 濕痰, 熱, 氣血虛, 氣滯 등의 변증을 바탕으로 체중감량 뿐 아니라 정상적인 소아의 성장을 촉진하고 비만과 동반된 부수적 증상의 개선을 목표로 처방된다.

2) 산후비만

임신과 출산은 여성 비만의 주요원인으로 잘 알려져 있다. 임신 중에는 태아의 무게뿐 아니라 자궁, 유방이 커지며 양수, 태반 등의 무게, 늘어난 혈액량 및 체액량 등으로 인해 12.6-14.1 kg 가량의 체중이 증가된다. 한국여성에서 출산 1년 후에는 5.2 kg 가량의 체중이 증가된다고 하였고 출산 후에 최종적으로 평균 0.5-2.4 kg의 체중이 증가된다고 보고되었다. 산후 최대의 체중 감량은 3개월 이내 발생하며 6개월까지 서서히 줄어든다. 6개월까지 임신 전 체중으로 감소되지 못하면 장기적으로 체중 감량이 실패할 가능성이 높다. 그렇기 때문에 산후 곧 감량 계획을 세워야 한다.

산후비만의 위험요인으로는 산전 과체중, 임신중 과도한 체중증가, 첫 분만, 고령 임신, 낮은 사회경제적 수준, 인종(흑인) 등이 있다. 하지만 분만의 방법이나 횟수, 모유수유기간 등은 비만과 관련이 없거나 연구 결과간의 일관성이 부족하다고 보고되었다.

산후 비만을 예방하기 위해서는 임신 전부터 적정체중으로 조절한 후 임신을 시도하는 것이 바람직하며 임신중 체중증가 권고 지침을 따르며 균형 잡힌 식이와 적절한 강도의 운동을 하는 것이 권장된다. 산후에도 적절한 kcal 제한과 운동으로 인한 체중 감량은 수유에 영향을 주지 않는 것으로 알려져 있으므로 분만 직후 과체중에 대한 관리도 가능한 한 빨리 시작하는 것이 낫다.

출산 직후에는 산후 부종을 치료함으로써 증가된 체수분을 제거하는 데 집중하고 이후 본격적인 체지방 감소를 목표로 한다. 산후 부종과 어혈 제거, 혈허로 인한 제반 증상을 개선하기 위해 적절한 한약을 처방할 수 있지만 수유와 신생아에 미치는 영향이 고려되어야 한다. 교감신경 흥분제인 마황은 모유 생산량을 감소시키고 신생아의 뇌발달에 부정적인 영향을 주기 때문에 금기약물이다.

3) 노년비만

우리나라도 급격히 노령화 사회로 진행됨에 따라 노인질환에 대한 관심이 커지고 있으며 생활수준의 개선에 따라 보다 나은 삶의 질을 추구하는 노인 인구가 많아지면서 노인 비만에 대한 임상적 요구가 증가되고 있다.

노인 비만을 접근할 때 노인에서 특징적인 신체구성에 대한 이해가 필요하다. 제지방조직(fat free mass)은 나이가 들면서 점점 감소하여 70대에는 20대의 40%가 되는 반면 지방조직은 60대까지 점점 증가한다. 제지방조직이 줄어들면서 자연히 기초대사율도 감소된다. 한편, 지방의 분포도 피하에서 복부로 옮겨가기 때문에 내장지방형 비만의 양상이 뚜렷하다. 노인층에서도 비만의 평가는 체질량지수와 허리둘레를 이용하는데, 나이가 들면서 신장이 감소한다는 점과 복부비만이 자연스럽게 진행된다는 점을 감안해야 한다.

노인에서의 비만은 대사증후군, 관절염, 수면 무호흡, 유방암 대장암 췌장암, 만성통증, 신기능감소, 치매 등 인지저하와 관련되어 있다. 체질량지수가 증가할수록 사망률도 높아진다는 보고도 있다. 다만 골밀도는 체질량지수와 양의 상관관계가 있어서 비만에서 골밀도는 상대적으로 높고 골절 위험도는 감소한다.

노인비만의 치료에서는 제지방량의 감소가 생기지 않도록 식이요법과 운동요법을 적절히 병행해야 한다. 적극적인 초저열량 식이는 권장되지 않으며 지방과 염분섭취를 줄이면서 식이섬유의 섭취를 늘리는 것이 중요하다.

노인층에서는 근력저하, 심혈관질환, 관절염 등으로 운동이 어려운 경우가 있으므로 단기간의 고강도 운동보다는 평소 운동을 생활화하여 활동량을 꾸준히 늘리도록 하는 것이 필요하다.

7. 비만의 치료방법

비만치료의 목적은 가능한 제지방 체중에는 영향을 주지 않고 체지방을 감소시킨 후 바람직한 체중을 유지하는 것이다. 건강위험도에 근거한 적절한 치료방법을 제시하여, 환자가 전체적인 치료 프로그램에 순응하여 식사요법과 운동요법뿐만 아니라 장기적인 행동수정요법을 통해 바람직한 생활습관을 유지하도록 한다.

1) 식이요법

비만에 관한 모든 치료들의 기본은 식이요법이다. 지난 150여 년간 수많은 다이어트 방법들이 비만 치료와 예방목적으로 관심을 끌어왔다. 식이구성이 체중증가 기간동안 체중에 미치는 영향은 체중감량 기간에 미치는 영향과는 다름에도 불구하고, 체중감량에 있어 kcal를 적게 섭취하는 것만 강조되었기에 식이구성의 조절이 체중에 어떠한 영향을 주는지에 대해서는 연구가 다소 부족한 실정이다.

그동안 소개된 비만의 식사요법으로 하루 1,200 kcal의 열량을 공급하는 열량 제한식이(Low Calorie Diet, LCD)와 비만의 정도에 따라 하루 약 400, 800kcal (kcal이거나 kcal로 표기 통일 필요)의 열량을 공급하는 저열량 제한식이(Very Low Calorie Diet, VLCD)등이 있으나 극심한 열량제한으로 체단백질 손실과 관련된 심장질환과 같은 부작용이 나타날 수 있으므로 의사의 감독과 영양전문가의 상담에 의해서 사용돼야 한다. 비만의 적극적인 치료법에는 단식요법과 절식요법이 있다. 수 주 내지 수 개월간 물, 무기질 및 비타민 또는 한약만 섭취하는 방법이다. 체중이 급격히 감소하긴 하지만 장기간 지속 시 심혈관, 간장, 관절 등에 합병증을 유발하는 경우가 있으므로 주의를 기울여야 하며 반드시 전문의의 지도가 필요하다.

(1) 에너지 및 영양소 요구량

에너지 축적이 안정적으로 유지되기 위해서는 음식으로부터 복잡한 산화 과정을 통해 얻어지는 에너지가 평형을 이루어야 한다. 에너지 평형은 음식을 섭취하는 동안에는 양의 평형을 이루지만 식간에는 음의 평형에 놓이게 된다. 하루 24시간 동안 체내 에너지 평형은 약간의 양의 평형 혹은 약간의 음의 평형에 놓이게 된다. 체중을 일정하게 유지하기 위해서는 이러한 작은 편차가 수주 혹은 수개월에 걸쳐 평균 0 값을 이루어야 한다. 따라서 체중을 감량하기 위해서는 에너지 평형이 꾸준하게 음의 평형 위치에 놓이게 유지해야 한다.

(2) 영양학적 고려사항

저열량식을 계획할 때는 영양학적 측면을 고려해야한다. 체내 기능을 유지하기 위해서는 모든 영양소를 적절히 섭취해야 한다. 대량영양소(macronutrient)에는 수분, 단백질, 당질 및 지방이 있으며, 미량영양소(micronutrient)에는 각종 비타민과 무기질이 포함된다. 식사요법에서 영양의 질과 양은 분리해서 이해해야 한다. 비만은 에너지 과잉 섭취의 반영으로, 오히려 비만한 사람들이 영양 상태가 불량한 경우가 많다. 따라서 식이를 계획할 때 비만 환자가 양질의 영양을 섭취할 수 있도록 고려해야 한다.

① 단백

단백질은 표준체중, 혹은 조정체중 kg 당 0.8-1.2 g이 권장되고 있는데 한국인을 위한 영양권장량에서는 표준체중 kg 당 1.13 g의 단백질 섭취를 권장하고 있다. 특히 열량 제한의 정도가 클수록 단백질 섭취 상태가 중요하다.

② 지방

일반적으로 전체 열량 섭취량 중 지방 섭취량이 전체 열량의 20-25%를 넘지 않도록 권장된다. 특히 포화지방(전체 열량의 10%를 넘지 않도록)이나 콜레스테롤(1일 300 mg 미만으로) 함량이 많은 식품에 대한 제한이 필요하다.

③ 당질

단백질 제한, 케톤증 및 심한 수분 손실 예방을 위해서는 1일 최소 100 g 이상의 당질 섭취가 요구된다. 대체로 당질은 전체 열량의 50-60% 정도가 권장된다. 단순당질이 많이 함유된 음식의 경우 열량 밀도가 높을 뿐 아니라, 단순당질의 과잉섭취는 혈중 중성지방 수치를 증가시키기 쉬우므로 가능한 복합당질 위주로 당질을 섭취하도록 한다.

④ 비타민, 무기질

1일 권장량을 충족시킬 수 있도록 공급되어야 하는데, 1,200kcal 이하의 식사를 하는 경우 식사만으로는 권장량을 충족시키기 어려우므로 이에 대한 별도의 보충이 필요하다.

⑤ 수분

정상적인 식사를 하는 경우에도 1일 1 L 이상의 수분이 요구된다. 저열량 식사를 하는 경우 에너지원의 공급을 위하여 단백질이 분해되면서 생성되는 질소 산물이 증가되므로 이를 배설하기 위해서는 충분한 양의 수분이 필요하다. 특히 저당질 식사를 하는 경우 케톤체의 배설을 위해 많은 양의 수분이 요구된다.

(3) 임상에서 체중조절을 목적으로 시행되는 식이요법들

지난 수 십 년간 식사의 질보다는 kcal 위주의 양적 개념을 강조하는 영양섭취 지침이 잘못되었음이 최근 연구에서 드러나고 있으며 이에 따라 새로운 임상영양치료의 가치관이 형성되어 가고 있다. 아직까지 체중조절에 효과적이면서도 충분한 근거를 갖춘 식이요법은 없는 실정이지만 현재까지 임상에서 많이 활용되는 식이요법의 몇몇 예를 다음에 제시한다.

① 초저탄수화물 식이

소위 '황제 다이어트'라고 불리는 Atkins' diet 및 South Beach Diet 등이 대표적인 예이다. 녹색채소나 다른 전분이 없는 야채에서 얻는 극소량의 탄수화물만을 섭취하는 방법으로 체중감량 정도에 따라 6개월가량 지속되는데 50-60%의 지방, 30-35%의 단백질, 10% 미만의 탄수화물로 구성되는 식이 방법이다. 케톤증, 고지방식이로 인한 심혈관질환의 위험도 증가 등이 부작용으로 언급된다.

② 저탄수화물 식이

탄수화물을 하루 총열량의 45% 이하로 섭취하는 식단으로 탄수화물, 단백질, 지방 비율을 4 : 3 : 3으로 유지하는 Zone diet 등이 대표적인 예이다. 염증을 일으키는 조절인자(eicosanoid)와 염증을 억제하는 조절인자 사이의 균형을 맞추는 비율이라고 주장되고 있으며 몇몇 임상연구에서 심장병 위험을 낮추는 것으로 밝혀졌으나 오랜 기간 순응도 유지가 힘든 점 등이 단점으로 지적된다.

③ 고탄수화물 식이

탄수화물 섭취량 80%, 지방 섭취량 10% 미만을 골자로 하는 Ornish와 Pritikin의 고탄수화물 식이가 대표적이다. 전통적으로 고탄수화물 식이는 체중감량보다는 심장병 예방을 위해 권장되었지만, 체중감량에도 효과가 있음이 알려지면서 임상에서 활용되었다. 이 식이에서는 채소, 통곡식, 과일, 콩 등을 비롯한 복합탄수화물, 고섬유소 식이를 허기를 느끼지 않을 때까지 하루 6-7회 식사하도록 하는 내용을 담고 있다. LDL 콜레스테롤뿐만 아니라 HDL 콜레스테롤도 줄인다는 점에서 저지방식사 또한 단점을 가지고 있다.

④ 저당지수 식이

당지수는 같은 양의 당질을 함유한 기준 식품(흰 빵이나 포도당) 섭취 후 혈당 반응에 대한 특정 식품 섭취 후의 혈당 반응 정도를 비교하여 보여주는 수치로, 잡곡이나 섬유질이 많은 통곡식 등 당지수가 낮은 음식이 체중조절과 혈당 관리에 유리하다는 점이 알려지면서 임상에서 널리 응용되고 있다. 저당지수 음식이 포만감이 더 크고 탄수화물 대신 지방을 기질로서 더 이용하여 산화시킨다는 점이 장점으로 언급된다. 일반적으로 당지수가 55 이하이면 낮은 것으로, 70 이상이면 높은 것으로 본다.

2) 운동요법

비만 환자의 체중감량을 위한 운동 프로그램의 3대 요소는 운동의 강도, 시간, 빈도이다. 따라서 체지방을 줄이기 위한 적정 운동 프로그램을 작성할 때에도 이 3가지 요소를 명확하게 제시해야 한다.

(1) 운동의 강도

운동 프로그램을 작성할 때 가장 중요한 것은 운동 강도의 설정이다. 가장 널리 이용되는 방법은 운동 시 개인이 소비하는 최대의 산소량을 나타내는 최대산소 섭취량(VO_2max)을 측정하는 것이다. 하지만 이러한 실험실 테스트를 위해서는 충분한 경험과 시설이 필요하기 때문에 일반적으로는 최대산소 섭취량에 기준을 둔 간접적인 방법들을 활용하고 있다. 편리함과 실용성으로 볼 때 가장 적당한 것이 심박수를 이용한 방법이다.

일반적으로는 안정 시 심박수와 최대심박수의 차이인 최대여유 심박수(HRmax reserve)에 기초하여 운동의 강도를 결정하는 방법을 사용한다. 우선 아침에 일어나자마자 누운 채로 손목 안쪽(요골동맥)에 손가락을 올려놓고 10초 동안 측정하여 6을 곱하여 1분간의 안정 시 심박수를 구할 수 있다. 그 다음 최대 심박수를 계산하는데 일반적으로는 220에서 나이를 뺀다. 하지만 평소 운동으로 단련이 된 사람이라면 205에서 자신의 나이/2를 빼는 공식이 적합하고, 비만한 사람이라면 200-나이/2의 공식을 사용하는 것이 좋다. 예를 들어, 40세 일반 성인의 예측 최대심박수는 220-40=180이지만 평소 운동량이 많은 사람은 205-40/2=185가 된다.

운동효과를 높이기 위한 목표 심박수는 최대여유 심박수에 설정한 운동강도를 곱하고 여기에 안정 시 심박수를 더한다(목표심박수 = 운동강도(%) × (최대 심박수-안정 시 심박수) + 안정 시 심박수). 예를 들어, 40세 남성이 50% 강도에서 운동할 때의 목표심박수는 0.5(180-70)+70=55+70=125가 된다.

정상 상태에서 탄수화물과 지방 이용 비율에 차이가 발생하게 하는 것은 운동 강도이다. 최대산소섭취량을 기준으로 50% 수준에 해당하는 가벼운 운동강도에서는 탄수화물보다 지방의 이용비율이 높아진다. 스피드 혹은 운동강도를 증가시켜 50%를 초과하는 운동강도로 운동을 하면 탄수화물에 의존하는 에너지원 이용 비율이 더욱 증가한다.

(2) 운동 지속시간

일반적인 운동 프로그램을 작성할 때 가장 중요한 것이 운동 강도의 설정이라면 체지방 감소를 위한 운동 프로그램의 가장 중요한 요소는 운동 지속시간이다.

특히 낮은 운동 강도에서 지방을 소모하는 에너지 비율이 더 크기 때문에, 보다 많은 열량을 연소시키기 위해서는 낮은 강도로 오랜 시간 운동해야 한다. 즉 운동의 목적이 체중 감량이라면 운동을 길게 자주 할수록 총 에너지소비량이 더욱 증가하게 된다.

지속시간의 개념 중 핵심적인 것은 운동 시간보다는 이동한 거리의 개념이다. 예를 들어 테니스와 달리기는 모두 좋은 운동이지만 계속된 활동을 하는 달리기 선수는 쉬는 시간이 많은 테니스 선수보다 시간당 더 많은 에너지를 소비한다. 실제로 1시간 운동 시 달리기가 테니스보다 2-3배의 에너지를 소비하게 한다.

다른 예로, 평균 체격을 가진 사람이 1.6 km를 달리면 약 100kcal를 소비하며, 5배인 9 km를 달리면 약 500kcal를 소비한다. 만약 하루에 1.6 km씩 달리기를 지속하면 1개월 동안 약 450 g의 체지방을 감량할 수 있으며, 하루에 9 km씩 달리기를 지속하면 1주일 만에 같은 무게를 감량할 수 있다.

많은 성인이 체중감량 시 처음부터 고강도 운동을 적용하지 못하는 주원인은 낮은 체력 수준과 훈련 부족으로 인해 중등도 이상의 운동 강도로 장시간 운동을 지속할 수 없기 때문이다. 하지만 꾸준한 운동에 신체가 적응하게 되면 운동 강도를 높이고 지속 시간을 늘릴 수 있다.

운동 지속시간에서 중요한 점은 운동 시간이 길어질수록 강도가 낮아지면서, 에너지 생성을 위한 유산소성 시스템의 지방 의존 비율이 높아진다는 것이다.

(3) 운동의 빈도

운동 빈도는 운동 강도와 지속시간을 보완한다. 운동 빈도란 1주일 동안 운동하는 횟수로, 더 자주 운동할수록 주당 총 에너지 소비량이 증가한다. 운동 강도와 지속시간이 적절하면 일반적으로는 주당 3-4회 운동하는 것이 바람직하다. 그러나 주당 6-7회의 운동은 kcal 소비를 두 배로 증가시키므로, 운동의 주요 목표가 체중조절이라면 매일 시행하는 운동프로그램을 권장한다.

3) 행동수정요법

(1) 올바른 목표 제시

치료자는 비만인에게 비만은 단지 미용문제가 아니라 이차적으로 또 다른 질병을 유발하는 질병이라는 것을 분명히 인식시키고 반드시 정상 체중 및 정상 체지방율을 회복해야 한다고 주지시켜야 한다. 그러나 임상에서 비만 치료를 위해 내원하는 사람 중에는 치료의 대상에 포함되지 않는 경우가 있으며, 적정 체중 이하로의 감량을 원하는 경우도 있다. 이럴 경우 의학적인 체중조절의 의미를 잘 설명하고, 부적절한 체중 감량으로 건강을 해치지 않도록 올바른 목표를 제시하는 것이 중요하다.

(2) 동기유지 및 생활 점검

비만 치료의 성공을 위해서는 치료자가 비만인의 체질과 유형을 얼마나 정확하게 판단하고 치료했는가도 중요하지만, 비만인 스스로가 비만 치료에 대한 확고한 의지와 동기를 갖고 있는지가 중요하다. 따라서 치료자는 비만인이 비만을 치료해야 하는 이유와 치료의 의미를 교육함과 동시에 비만인 스스로가 동기를 잘 유지할 수 있도록 도와야 한다. 비만인으로 하여금 체중을 감량해야 하는 이유를 글로 적게 하고, 그것을 항상 상기하고 실천할 수 있도록 점검해야 한다.

(3) 영양교육 및 식이처방

흔히 체중감량을 위해 식사를 제한하다 보면 기본적인 신진대사를 위한 영양소가 결핍되는 경우가 많다. 특히 섭취 칼로리를 제한하기 위해 탄수화물, 단백질, 지방질 같은 대량영양소를 제한하면서 비타민, 무기질과 같은 미량영양소와 섬유질의 공급마저 부족해지는 상황을 겪을 수 있다. 특히 초저열량 식이요법(VLCD)을 시행하면서 한약을 투약하는 경우, 한약만으로 각종 영양소를 공급할 수 있는 것은 아니므로 주의해야 한다. 비만 치료를 위한 저열량 식이는 일반적으로 1일 섭취 열량을 1,200-1,500kcal 정도로 하는 것이 바람직하며, 무기질, 비타민과 같은 미량영양소와 섬유질이 부족해지지 않도록 식단을 구성해야 한다.

(4) 인지행동치료

신진대사 저하, 습담과 어혈, 기허, 양기 부족과 같은 신체 내적인 원인으로 인해 비만이 되기도 하지만 생활습관 및 환경 문제로 인해 비만이 유발되는 경우가 더 흔하다. 그 대표적인 경우가 습관적인 폭식, 운동 및 활동 부족, 그리고 스트레스이다. 습관적인 폭식 증세를 보이는 비만인들은 왜곡된 신체상을 갖고 식사 행동에 대한 조절력을 상실한 경우가 많고, 이를 교정하기 위해서는 인지행동치료가 필수적이다. 인지행동치료에는 자기 감시, 자극 조절, 인지 재구조화, 스트레스 관리, 그리고 사회적 지지 등이 포함된다.

(5) 비만 진료 시 주의사항

금욕적이고 강박적으로 체중을 감량하거나 적정 체중 이하를 목표로 체중 감량을 시행하면 폭식증과 같은 식이장애의 위험성이 높아진다. 특히 자존감이 낮은 사람, 우울 성향이 있는 사람, 어릴 때부터 살찐 것 때문에 피해 의식에 시달렸던 사람, 완벽주의 성향이 있거나 이분법적인 사고방식을 가진 사람, 직업상 마른 몸매를 유지해야 하는 사람 등이 그러하다. 따라서 비만 치료의 동기가 자기혐오와 불안에서 비롯되지 않도록 지도하는 것이 필요하며, 충고와 훈련 그리고 격려와 지지가 적절히 조화돼야 한다.

비만 치료를 위해 내원한 사람 중에는 이미 폭식증(bulimia nervosa) 혹은 폭식장애(binge eating disorder)와 같은 식이장애를 갖고 있는 경우가 있으므로 이런 환자들을 screening 하기 위하여 식이태도검사(The Eating Attitudes Test, EAT)와 같은 설문지를 사용하여 식이장애 성향을 파악한 뒤, 적절한 교육 및 인지행동치료 기법을 응용해야 한다.

4) 한의학적인 치료

(1) 한의 비만 치료의 개요

비만 치료에 있어서 체중 감량을 위한 식이요법, 운동과 더불어 한약 치료를 고려할 수 있다. 한약 치료의 목적은 체중 감량 시 발생할 수 있는 기력저하를 예방하기 위한 처방, 자율신경계 조절을 통해 대사량 증가, 식욕 억제를 도울 수 있는 처방 등으로 나눌 수 있다. 성인 비만치료의 대표적인 처방으로 太陰調胃湯, 防風通聖散, 防己黃芪湯 등이 있다. 태음조위탕은 太陰人 胃脘受寒表寒病論의 대표적인 처방으로 단순성 비만 환자 중 소화기능 부진으로 인해 濕痰이 정체되어 나타나는 다양한 증상이 동반된 경우 사용을 고려할 수 있으며, 방풍통성산은 배변의 이상이 있거나 熱症을 가진 경우 처방할 수 있다. 일반적으로 비만치료를 위한 한약 처방에서 단미로서는 麻黃의 사용빈도가 가장 높다. 麻黃의 주요 성분은 에페드린(ephedrine alkaloid)으로 의약품에서 에페드린의 용량은 FDA기준 1일 150 mg을 넘지 않도록 하고 있으나, 마황의 산지나 사용 방법에 따라 에페드린 농도가 다를 수 있으므로 약물 처방에 신중해야 한다. 특히 麻黃에 대한 개개인의 민감성이 다르고 장기간 사용에 의한 용량 의존성이 있으므로 유의하여 처방해야 하며, 다른 교감신경 자극 물질과의 병용 시에는 더욱 주의가 필요하다. 한약 치료 이외에도 국소적 체형교정을 위해 지방 분해를 도울 수 있는 전침을 활용할 수 있으며, 복부나 요배부 위주의 뜸치료, 경혈 추나, 부항 치료 역시 고려할 수 있다.

(2) 臟腑의 不調和와 肥滿

비만, 즉 肌肉의 過多는 소화와 흡수, 저장의 역할을 하는 肝系와 脾系의 기능이 자체적으로 유난히 강하거나 아니면 心系, 腎系, 肺系와 서로 영향을 주고 받음으로써 肝·脾系統의 기능이 지나치게 항진되는 현상을 말한다. 반대로 호흡, 혈액순환, 에너지 소모, 배설의 역할을 관장하는 心·肺·腎의 기능은 저하되어 脾濕, 즉 비만이 발생한다고 보는 것이다. 그러므로 비만 치료는 이들 오장육부 간의 기능을 적절히 조절하는 것을 뜻한다.

(3) 유형별 접근

脾虛型 비만, 痰飮型 비만, 陽虛型 비만, 食積型 비만, 肝鬱型 비만, 瘀血型 비만 등 유형에 따라 치료방향을 설정한다.

(4) 시기별 접근

선천성 비만, 스트레스성 비만, 성장기 비만, 부종형 비만, 산후 비만, 노인성 비만 등 유형별로 분류하고 각각의 특성에 따라 요구되는 기능의 강화와 치료방법을 선택하여 치료한다.

(5) 변증별 처방운용

① 脾虛型

가. 治法 : 健脾利濕

나. 治方 : 防己黃芪湯 合 苓桂朮甘湯 기본

: 黃芪 10-20 g, 蒼朮 10-12 g, 白朮 10-15 g, 防己 10-15 g, 茯苓 10 g, 澤瀉 10-15 g, 車前草 15-20 g, 桂枝 10 g, 甘草 3-6 g

② 食積型

가. 治法 : 消導

나. 治方 : 平胃散 加減

: 蒼朮 8 g, 陳皮 5 g, 厚朴 4 g, 甘草 2 g,

③ 肝鬱型

가. 治法 : 疏肝理氣

나. 治方 : 大柴胡湯 加減

: 柴胡 10-12 g, 黃芩 10-15 g, 半夏 10 g, 白芍藥 10-12 g, 枳實 6-10 g, 川芎 6-12 g, 香附子 6-12 g

加味逍遙散 加減 : 牧丹皮, 白朮 各 6 g, 當歸, 赤芍藥, 桃仁, 貝母 各 4 g, 山梔子, 黃芩 各 3.2 g, 桔梗 2.8 g, 靑皮 2 g, 甘草 1.2 g

④ 瘀血型

가. 治法 : 理氣活血

나. 治方 : 桃紅四物湯 加減

: 桃仁 10-12 g, 紅花 10-15 g, 川芎 10-12 g, 當歸 10-12 g, 白芍藥 10-15 g, 熟地黃 10- 12 g, 降眞香 10-12 g

⑤ 痰飮型

가. 治法 : 健脾化痰

나. 治方 : 溫膽湯 加減

: 陳皮 10 g, 半夏 6-10 g, 茯苓 10-15 g, 甘草 3-6 g, 竹茹 6-12 g, 枳實 10-12 g, 牛膽南星 10-12 g, 枇杷葉

10-12 g

二陳湯 加減 : 半夏 8 g, 陳皮, 赤茯苓 各 4 g, 炙甘草 2 g, 生薑 3片

⑥ 陽虛型

가. 治法 : 溫腎健脾

나. 治方 : 眞武湯 合 防己黃芪湯 加減

: 白茯苓 12 g, 白芍藥 12 g, 附子 8-12 g, 白朮 8 g, 生薑 5 g

5) 鍼刺法

(1) 이침

① 혈위 : 神門, 內分泌点, 胃点, 脾点, 飢点, 口点, 肺点 등 每回 4-5 穴位 選用하여 1주 마다 바꾸어 取穴

② 효능 : 귀에 5-7개의 작은 耳鍼을 시술하는 耳鍼療法은 최근 들어 임상에 많이 활용되고 있다. 耳鍼을 한 쪽 귀에 꽂고 있다가 며칠 후 다시 다른 쪽 귀에 새 耳鍼으로 교환하는데 별다른 주의사항이 없고, 활동에도 불편을 주지 않아 간편하다. 耳鍼은 식욕억제, 식욕항진 조절, 진정, 이뇨작용 등이 있어 kcal 섭취의 감소, 수분 나트륨대사 개선, 위장관 활동을 약화시켜 식후 소화 속도를 지연시키는 효과가 있다. 耳鍼은 1주일에 2회 정도 시술을 받게 된다.

③ 근거 : 임상연구 결과 8주간 주 1회 耳針 치료를 한 과체중 환자에서 이침 치료군의 유의한 체중감소가 보고되었다(神門, 胃点, 脾点, 飢点, 內分泌点 치료군과 飢点 단독 치료군 모두 유의한 체중감소 관찰됨).

④ 혈위별 효능

神門 : 대뇌 피질의 흥분과 억제를 조절, 식욕의 지나친 항진을 억제

內分泌 : 호흡, 배설, 에너지 대사 촉진

腦點 : 대뇌 피질의 흥분과 억제를 조절, 식욕의 지나친 항진을 억제, 내분비 호르몬 활성화로 에너지 소모 증가

腦幹 : 뇌혈액순환 촉진으로 빈혈, 기억력 감소를 저지

飢点 : 식욕 억제 및 신경을 자극하여 지방을 분해

大腸 : 大腸의 원활한 운동을 촉진시켜 변비를 막아줌

膀胱 : 원활한 소변배출을 도와줌

胃點, 脾點 : 소화기계 및 수분대사 조절

(2) 체침

최근 발표된 연구에서 침을 이용한 임상 연구논문 31개를 메타분석한 결과 침치료군에서 생활습관 교정 대조군에 비해 평균 1.72 kg, 가짜 치료군에 비해 평균 1.56 kg의 유의한 체중감량이 관찰되었다.

肥滿症治療에 體鍼만을 이용하는 경우는 적으나 足陽明胃經과 足太陰 脾經을 주로 取穴하며, 주로 章門, 中脘, 三陰交 등의 經穴이 쓰인다.

(3) 장침 전기자극술 - 체형교정과 비만 참조

6) 기타 한방치료

(1) 부항

局所部位의 血行循環 촉진을 위하여 사용할 수도 있고, 전신적인 祛瘀生新을 위하여 背兪穴에 시행할 수도 있다.

(2) 기공요법

중국 고대 養生長壽術 十勢功法 중 道家 華山派에 전해 내려오는 공법으로 몸을 굽히면서 꿈틀거리는 모양이 용의 헤엄치는 몸놀림과 비슷하다고 하여 붙여진 龍遊功(합장한 양손이 공중에서 그리는 선이 세 개의 원을 그린다고 하여 三環功이라고 하기도 함)은 군살을 빼고 척추를 유연하게 하는데 효과가 있다. 그외 按腹行法, 正坐深呼吸法, 香陵六合氣功 등이 비만 치료에 효과적이라고 인정되고 있다.

(3) 기타

온열요법, 저(중)주파 치료, 초음파 치료 등을 병행할 수 있다.

7) 사상의학적 접근에 의한 치료

한의학에서 말하는 장부는 유사한 기능과 관련 장기의 기능을 총칭한다. 이러한 장기의 大小는 체질에 따라 다른 양상을 띠고 있다고 보는데, 어떤 체질은 체질적으로 에너지 소모, 배설의 장기인 心臟, 肺臟, 腎臟의 기능이 상대적으로 강

해 지방으로 축적되기 전에 대부분의 양을 에너지로 소모함으로서 체중의 증가가 쉽지 않은 반면, 어떤 체질은 소화 흡수의 장기인 비장이나 간장의 기능이 에너지 소모 기능보다 상대적으로 강해서 체중의 증가가 쉬운 경우가 있다. 肺의 기능은 강하고 肝의 기능이 약한 太陽人과 腎의 기능은 강하고 脾의 기능은 약한 少陰人은 비만자가 되기 어렵고 肝의 기능은 강하고 肺의 기능이 약한 太陰人과 脾의 기능은 강하고 腎의 기능이 약한 少陽人은 비만자가 되기 쉽다.

(1) 太陰人

태음인은 비만한 경우가 대부분으로 음식에 대한 탐욕(섭취에너지 과다)과 보수적이고 게으른 성품(소비에너지 부족)에 기인한다. 따라서, 음식을 섭취함에 있어 에너지를 최대한 발산할 수 있는 음식을 먹고, 활동량을 증가시킬 수 있는 운동이나 취미생활을 통해 에너지 소모를 증진시킴으로써 비만에 대처하도록 한다.

① 이로운 음식 : 율무, 고구마, 밀가루, 수수, 밤, 콩, 두부, 쇠고기, 잉어, 오징어, 소라, 연어, 호박, 미역, 무, 김, 토란, 도라지, 마, 버섯, 더덕, 잣, 호두, 들기름 땅콩, 들깨, 은행, 두유, 감

② 적합한 운동요법 : 체력적인 면에서 우월하고 승부욕이 강하여 다른 체질보다 유리하지만 민첩성, 순발력, 판단력 등은 조금 부족한 편이다. 따라서 체력을 요구하는 장거리 종목인 장거리 육상, 수영, 사이클, 등산 등의 종목과 마라톤과 같이 끈기와 체력이 필요한 운동에 유리하며, 단체 종목에서는 체력이 요구되는 역할과 계속해서 뛰어야 하는 위치가 좋고 야구에서는 포수, 외야수, 힘을 바탕으로 한 투수 등의 역할이 좋다.

③ 약물요법 : 熱이 많은 경우는 淸肺瀉肝湯이나 葛根解肌湯을 사용하며, 寒이 많은 경우는 太陰調胃湯을 사용하는 것이 좋다. 鹿茸을 쓰는 것이 지방 감소에 효과적이다.

(2) 少陽人

소양인은 두 번째로 비만이 많은데, 매사에 성격이 급하여 식사를 빨리 먹게 되어 과식하는 경우가 많으며 성격이 까다로워 쉽게 열을 받고, 이를 해소하려 스트레스성 과식을 한다. 또한, 소화기가 튼튼하므로 먹는대로 소화 흡수되어 살이 찌게 된다. 따라서 식사를 보다 천천히 하는 습관을 기르고 스트레스를 받았을 때 음식물의 섭취 외에 운동이나 취미생활로 푸는 것이 중요하다.

① 이로운 음식 : 보리, 팥, 좁쌀, 녹두, 메밀, 돼지고기, 해삼, 굴, 전복, 복어, 오리, 우렁이, 정어리, 청어, 오이, 배추, 가지, 우엉, 상추, 구기자, 참기름, 깨, 참외, 토마토, 딸기, 파인애플

② 적합한 운동요법 : 순발력이 뛰어나고 판단력은 빠르나 쉽게 지치고 지구력이 떨어지므로 오랫동안 지속적으로 하는 종목보다는 짧은 시간에 끝내는 종목이 유리하다. 단거리가 좋으며, 스키, 테니스, 태권도 등이 좋고, 구기 등의 단체 종목에서는 최전방이 좋다.

③ 약물요법 : 獨活地黃湯, 六味地黃湯이 효과적이며, 浮腫이 있을 때는 木通大安湯이나 木通無憂湯도 사용할 수 있으며, 胃熱이 심한 사람은 凉膈散火湯을 쓰는 것이 효과적이다. 근육이 잘 굳어지는 사람은 荊防地黃湯이 효율적이다. 대변의 양상을 살펴 石膏를 적당량 가한다.

(3) 少陰人

소음인은 소화기능이 약하여 섭취에너지가 적으므로 비만한 경우는 드물지만 잘못된 식사습관(불규칙한 식사, 고열량의 간식) 및 소극적 성품으로 인한 운동부족으로 비만한 경우가 간혹 있다. 그러므로 규칙적인 식사와 군것질을 삼가고 규칙적인 운동이 필요하다.

① 이로운 음식: 찹쌀, 옥수수, 개고기, 닭고기, 토끼고기, 염소고기, 꿩, 장어 가자미, 조기, 미꾸라지, 멸치, 꽁치, 명태, 민어, 고등어, 홍합, 쑥갓, 마늘, 당근, 아욱, 파, 양배추, 부추, 갓, 고추, 맹이, 다시마, 생강, 쑥, 대추, 귤, 석류

② 적합한 운동요법: 소음인은 정확한 판단력, 기교적인 면, 책임감이 강하고 생각을 많이 하는 치밀함이 있으나 체력적인 면이 조금 부족하다. 따라서 체력보다는 정확성을 요구하는 탁구, 배드민턴, 육상에서의 단거

리, 승마, 사격, 체조 등의 종목이 적당하며, 단체 종목의 축구, 배구, 농구, 핸드볼, 수영, 산책 등에서는 체력 소모가 적으며 정확한 판단으로 책임감 있게 방어할 수 있는 수비 역할이 좋다.

③ 약물요법: 寬中湯은 대사기능을 좋게하는 효능이 있으며 養胃湯도 胃腸障碍가 있거나, 아침 기상시의 부종이 있는 환자에게 탁월한 효과를 발휘한다. 表熱이 심한 사람은 藿香正氣散이 효과적이다. 八物湯이나 補中益氣湯은 의외로 사용빈도가 적다.

(4) 太陽人

태양인의 본래의 체형은 마른 것으로 비만한 경우는 드물다. 세상의 일을 혼자만의 일인 양 짊어지고 자기감정, 특히 분노로 인해 자기만의 삶에 묻혀버리면 술(酒)에 의지하는 경향이 있다. 그리하여 비만한 경우가 혹은 있다. 그러므로 먼저 음주를 멀리하고 자신의 마음을 정화시킨 다음 적절한 운동요법을 시행한다.

(1) 이로운 음식: 메밀, 뱅어, 생굴, 각종 채소류, 포도, 다래, 앵두, 모과, 오렌지

(2) 적합한 운동요법: 태양인은 추진력, 결단력, 판단력은 매우 뛰어나나 다른 체질에 비하여 하체, 다리의 힘이 약하기 때문에 운동을 하는 데는 제한이 있다. 개인종목보다는 단체종목에서의 작전을 지휘하거나 팀의 사기에 따라 좌우되는 운동이 유리하다.

8) 서양의학에서의 비만 치료

(1) 약물치료

식이요법과 운동요법으로 3개월 이상 치료를 했으나 체중감량이 없고 다른 심혈관 위험인자가 1개 이상이면 약물치료를 고려한다. 현재 비만의 약물치료에 이용되는 약제는 크게 두 종류로 나눌 수 있으며 지방축적을 억제하는 것(식욕억제제, 음식의 흡수나 지방산생성을 억제하는 제제)과 지방이용을 자극하는 것(열생성 혹은 지방분해제)이다. 최근 임상에서 많이 활용되고 있는 제제는 fluoxetine(상품명-프로작), orlistat(상품명-제니칼), liraglutide(상품명 -삭센다) 등인데 fluoxetine은 항우울제로 사용되고 있는 선택적인 세로토닌 재흡수 억제제로 체중감소 효과가 있었지만 감소된 체중의 대부분이 회복되는 결과가 있고 무기력, 발한, 기면 등의 부작용이 있다. Orlistat는 소장의 지방분해효소의 작용을 억제하여 지방흡수를 30% 정도 감소시키지만 지방변을 유발하고 장기간 투여 시 지용성 비타민의 보충이 필요하다. Liraglutide은 주사제로 활용된다. 뇌에서 포만감을 느끼게 하고, 췌장의 인슐린 분비를 증가시키고 위장관 운동을 억제함으로써 소화를 지연시키는 효과가 있다. 부작용에는 오심, 구토, 설사, 변비와 같은 소화기 증상이 있다.

(2) 수술치료

비만증의 수술요법은 심각한 병적 비만 환자에게 적용되며 우리나라에서는 위 조절 밴드술이 가장 많이 활용되고 있다. 위 조절 밴드술은 위 상부에 압력조절이 가능한 밴드를 감아 위의 용적을 줄이는 수술로 수술 후 개개인에게 적합한 압력으로 조절한다. 위를 절제하지 않아 수술이 비교적 빠르고 합병증은 적으나 시간이 지남에 따라 밴드가 미끄러져 빠지는 등의 합병증이 있을 수 있다. 기타 위의 종축을 따라 위를 절제하여 위 용적을 줄이는 위 소매모양 절개술, 위를 식도 부근에서 작게 남기고 잘라서 소장과 연결시켜주는 루와이 위우회술 등이 있으나 우리나라에서는 많이 활용되고 있지 않다. 비만대사 수술은 2019년부터 체질량지수 30 kg/m^2 이상인 환자들에게 전면 건강보험적용이 되고 있다.

참고문헌

<제1절>

1. 대한비만학회 편역. 비만의 진단과 치료. 서울:대한비만학회. 2003:93-100.
2. 강재헌 외 역. 최신 비만 치료가이드. 서울: 한우리. 2004:352- 68.
3. Frederic Delavier. Women's Strength Training Anatomy. Paris. Humen Kinetics. 2003:8-10.
4. 대한가정의학회 비만연구회. 2005 비만치료의 최신지견. 서울: 한미의학. 2005:12, 21-22.
5. Gallagher D, Visser M, Sepúlveda D, et al. How useful is body mass index for comparison of body fatness across age, sex, and ethnic groups?. Am J Epidemiol. 1996;143(3):228-239.
6. National Institute of Health, National Heart, Lung, and Blood Institute. North American Association for the Study of Obesity. The practical guide: identification, evaluation, and treatment of overweight and obesity in adults. NIH Publication. 00-4084. 2000.
7. 강지현, 유병연, 서희선, 심경원. 단순 비만 지표로서의 목둘레의 분별점. 대한비만학회지. 2002;11(2):142-143.
8. 조근종. 체육측정평가. 대한미디어. 1998.
9. 조근종. 체육측정법. 대한미디어. 2003.
10. 김도연. 운동인체측정학. 대경북스. 2004.
11. 나재철. 운동처방학. 대경북스. 2004.
12. 위승두 외 역. Fox's 운동생리학. 대한미디어.2002.
13. www.pilates-studio.com
14. www.pilates.com
15. Florence Peterson Kendall 외. 근육평가를 통한 자세교정 및 통증치료. 서울: 푸른솔. 2001.
16. 여에스더. 개원가에서 비만클리닉 운영의 실제. 대한임상건강증진학회 춘계학술대회 자료집.2003.
17. 박용우. 체형관리 클리닉. 대한임상건강증진학회 춘계학술대회 자료집. 2003.
18. IDA P. ROLF. Rolfing. Vermont. Healing Art Press. 1989.
19. 송윤경, 이종수, 임형호, 조남경 역. 근막경선해부학. 서울: 현문 사. 2005.
20. 송윤경, 임형호. 기능적인 움직임 치료를 위한 經筋의 임상활용 에 대한 연구(I). 대한추나의학회지. 2002;3(1):65-83
21. 유진숙, 송윤경, 임형호. 비만 성인에서 복부 내장지방과 단순 비만 지표와의 연관성 연구. 한방재활의학과학회지. 2010;20(2):129-143.
22. 송미영, 김호준, 이명종. 비수술적 부분비만 치료 효과에 관한 근거 중심적 연구. 한방비만학회지. 2006;6(1):1-10.
23. 송윤경, 임형호. 체형교정을 통한 비만치료에 대한 소고. 한방비만학회지. 2005;5(1):133-140.
24. 은영준, 최승범, 소문기, 송윤경, 임형호. 인천지역 대학생의 식이태도 및 체형만족도와 비만도와의 비교연구. 한방비만학회지. 2006;6(1):93-105.
25. 진성순, 송윤경, 임형호. 지방분해를 위한 침전기자극 시술의 안정성 및 안전성 연구. 한방재활의학과학회지. 2009;19(1):169-186.
26. 송성민, 송윤경, 임형호. 장침 전기자극 시술이 복부지방과 비만지표에 미치는 효과. 한방재활의학과학회지. 2010;20(2):113-127.
27. 김정환, 고연석, 이정한, 원재균, 신병철, 권영달, 송용선. 비만환자의 전기지방분해침 시술 후 허리둘레 감소에 대한 임상적 고찰. 한방재활의학과학회지. 2005;15(3):1-11.
28. 황덕상, 안수정, 김정신, 신현택, 김용석, 이경섭. 저주파 전침자극이 허벅지 둘레에 미치는 영향에 대한 연구. 한방비만학회지. 2005;5(1):1-8.
29. 최형석, 최승, 이영진. 저주파 전침 자극이 허벅지 둘레 감소에 미치는 영향에 대한 단기 연구. 한방비만학회지. 2003;3(1):61-67.
30. 박영업 저. 약실자입요법. 서울: 행림서원. 2003:23,27-8.
31. 김재수, 이상훈. 성형침구학. 서울: 군자출판사. 2011:62- 71,242-59.
32. 이은미, 박동수, 김도호, 김현욱, 조은희, 안민섭, 이건목. 한방성형과 매선침법의 문헌적 고찰 및 최근 동향. 대한침구학회지. 2008;25(3):229-36.
33. 신화영, 권효정, 이윤규, 임성철, 정태영, 이봉효, 김재수. 매선요법을 이용한 부분비만치료 9 례 보고. 대한침구학회지. 2011;28(6):27-34.
34. 송미영, 김호준. 비만치료에 응용되는 매선요법의 최근 연구 동향 고찰. 한방비만학회지. 2012;12(2):1-7.
35. 신미숙. 산삼비만약침과 매선요법을 병행한 복부비만 치료의 임상효과 증례보고. 2013;13(1):46-50.
36. 송미영, 박지훈, 이정호, 김호준, 이명종. 피하지방 감량에 있어 경피

침주요법의 유효성 및 안전성 평가. 한 방비만학회지. 2007;7(1):71-85.

37. 김형구, 송윤경, 정철, 김학주, 최일환, 김호준. 산삼비만약침의 약동학 연구. 대한면역약침학회지. 2012;1(1):63-79

38. 김민우, 송윤경, 임형호. 산삼, 우황, 웅담, 사향의 연구 동향 분석 및 비만치료제로써의 응용 가능성 탐색 연구. 한방비만학회지. 2011;11(2):41-68.

39. 김민우, 송윤경, 임형호. 산삼복합약침이 비만세포 및 고지방식이로 비만이 유도된 C57BL/6J Mice에 미치는 항비만 효과. 한방재활의학과학회지. 2012;11(2):67-90.

40. 임제연. Efficacy and safety of wild ginseng complex pharmacopuncture on the abdominal fat : Randomized, double blinded, placebo-controlled trial. 가천대학교 박사학위논문. 2013.

41. 신승우, 최영민, 심우진, 이형철, 김길수. 고주파요법이 부분비만 치료에 미치는 영향. 한방비만학회지. 2006;6(2):75-83.

42. LEE, Arang, et al. Cut-Off Values for Visceral Fat Area Identifying Korean Adults at Risk for Metabolic Syndrome. Korean journal of family medicine, 2018, 39.4: 239.

43. FUJIOKA, Shigenori, et al. Contribution of intra-abdominal fat accumulation to the impairment of glucose and lipid metabolism in human obesity. Metabolism, 1987, 36.1: 54-59.

<제2절>

1. Zhou BF; Cooperative Meta-Analysis Group of the Working Group on Obesity in China. Predictive values of body mass index and waist circumference for risk factors of certain related diseases in Chinese adults—study on optimal cut-off points of body mass index and waist circumference in Chinese adults. Biomed Environ Sci 2002; 15(1): 83–96

2. FONTAINE, Kevin R., et al. Years of life lost due to obesity. Jama, 2003, 289.2: 187-193.

3. 심수정, 박혜순. 한국인에서 심혈관 질환의 위험을 증가시키는 체지방률 기준치. 대한비만학회지, 2004, 13.1: 14-21.

4. 조인정, et al. 심혈관 질환 위험요인과 관련된 비만의 체지방률 기준치: 국민건강영양조사 2009? 2010 년 자료 이용. 가정의학, 2016, 6.3: 155-159.

5. Guyton AC. Textbook of medical physiology. eight edition ed. United States of America: W.B. Saunders Company, Harcourt Brace Jovanovich, Inc., 1991

6. World Health Organization. Regional Office for the Western Pacific. The Asia-Pacific perspective : redefining obesity and its treatment. Sydney : Health Communications Australia. 2000. p.17-20.

7. Lee SY, Park HS, Kim DJ, et al. Appropriate waist circumference cutoff points for central obesity in Korean adults. Diabetes Res Clin Pract 2007;75:72–80.

8. JEBB, Susan A., et al. Effects of weight cycling caused by intermittent dieting on metabolic rate and body composition in obese women. International journal of obesity, 1991, 15.5: 367-374.

9. S. K. Das, S. B. Roberts, M. A. McCrory et al., "Long-term changes in energy expenditure and body composition after massive weight loss induced by gastric bypass surgery," American Journal of ClinicalNutrition, vol. 78, no. 1, pp. 22.30, 2003.

10. M. Coupaye, J. L. Bouillot, C. Coussieu, B. Guy-Grand, A. Basdevant, and J. M. Oppert, "One-year changes in energy expenditure and serum leptin following adjustable gastric banding in obese women," Obesity Surgery, vol. 15, no. 6, pp. 827.833, 2005.

11. GRATTAN, Bruce J.; CONNOLLY-SCHOONEN, Josephine. Addressing weight loss recidivism: a clinical focus on metabolic rate and the psychological aspects of obesity. ISRN obesity, 2012,

12. LAGERROS, Ylva Trolle. Physical activity from the epidemiological perspective: Measurement issues and health effects. Institutionen för medicinsk epidemiologi och biostatistik/Department of Medical Epidemiology and Biostatistics, 2006. 참조

13. Moon J-S, et al. A Study of Syndrome Index Differentiation in Obesity. Journal of Society of Korean Medicine for Obesity Research, 2007, 7.1: 55-70.

14. Park WH et al. The review on the study of oriental obesity pattern identification: focused on Korean research papers. Journal of Korean Medicine Rehabilitation, 2014, 24(2), 83-93.

15. Korea Institute of Oriental Medicine. Obesity Korean medicine clinical practice guideline. Seoul: Elsevier Korea. 2016

:57-170.

16. Yeo S1, Kim KS, Lim S. Acupuncture in Med. 2014 Apr;32(2):132-8. Randomised clinical trial of five ear acupuncture points for the treatment of overweight people

17. JAMA. 2016;315(22):2424-2434

CHAPTER

08 추나요법

고연석(우석대학교)
이정한(원광대학교)
송윤경(가천대학교)
신병철(부산대한의전)
임형호(가천대학교)
김형석(경희대학교)
조동찬(우석대학교)

CHAPTER

08 추나요법

제1절 추나요법의 개요

1. 추나요법의 정의

추나요법(推拿療法, Chuna manual therapy, CMT)은 한의사가 손 또는 신체의 일부분이나 추나 테이블 등 기타 보조기구를 이용하여 환자의 신체 구조에 유효한 자극을 가하여 구조나 기능상의 문제를 치료하는 한방 수기요법을 말한다. 인류가 손을 치료의 수단으로 사용한 것은 역사 이전의 일로서, 이러한 형태의 치료는 가장 오래된 전통 의술 가운데 하나로 추정된다. 한의학 경전인『黃帝內經』의 치료법 가운데 도인(導引), 안교(按蹻)에서 유래된 추나(推拿)는 중국 명대의 소아과 전문서적인『小兒推拿方脈活嬰秘旨全書』,『小兒推拿秘訣』등에 "추나"라는 용어가 최초 등장한 이래로 안마 또는 추나라고 혼용해 오다가, 중국 근대에 이르러서 추나를 안마와 구별하여 보다 전문적인 용어로 사용되어졌다. 한국 한의학사에서 "추나"라는 용어를 최초로 사용한 것은 척추신경추나의학회 창립 당시 회원들이 세계 수기의학과 전통적인 추나와 수기의학적인 유사성을 통찰하고 고전에서 추나라는 용어를 되살려 오늘에 이르게 된 것이다.

추나요법(CMT)은 크게 신체 관절 구조물에 시행하는 정골추나기법(Bonesetting Chuna Therapy)과 연부조직 성분에 시행하는 근막추나기법(Fascia Chuna Therapy)으로 대별할 수 있다.

정골기법은 관절의 해부학적 한계 내에서 생리적 운동범위(ROM)를 넘어서도록 시술자의 손을 통해 고속 저진폭 스러스트(thrust)를 가함으로서 대상 관절을 이동, 재정렬 및 변경시키는 직접기법으로서 특정 해부학적 접촉점에 대하여 길거나 짧은 지렛대 효과를 이용하여 스러스트의 속도, 진폭, 방향을 조절하는 것이 특징이며, 교정 시 관절에서 염발음이 발생할 수 있다.

근막기법은 근육, 건, 인대, 근막 등 신체 연부조직에 치료 목적으로 시행하는 수기요법으로 통증 완화 및 염증, 울혈, 근경련의 감소, 국소 순환과 연부조직의 신장성을 향상시키기 위하여 사용하는 기법이다. 근막기법은 관절기능부전과 관련된 근육, 건, 인대, 근막 등의 문제를 해결하는 것 외에도 내장 기능부전(visceral dysfunction)에 의한 근긴장(내장-체성반사), 혹은 체성조직의 문제로 인한 내장기관의 증상을 조절하는 목적(체성-내장반사) 등에도 내장기법(visceral manipulation) 혹은 체성 반사점의 비활성화(deactivation) 등으로 적용될 수 있다.

이러한 기법들은 한의의료행위로는 관절가동추나, 관절신연추나, 관절교정추나, 근막(경근)추나, 내장기추나, 두개천골추나, 탈구추나로 구분하여 정의하고 있다. 또한, 기법의 안전성과 난이도에 따라 단순추나요법, 복잡추나요법, 특수추나요법으로 구분하였는데 관절가동추나, 관절신연추나, 근막추나는 단순추나요법으로, 관절교정추나는 복잡추나요법으로 분류하였고, 탈구추나를 비롯한 내장기추나와 두개천골추나는 특수추나요법으로 분류하였다. 이러한 여러 가지 기법들은 한의학적 이론에 기반한 전통적인 추나를 토대로 중국, 일본, 인도, 미국을 비롯한 각 나라의 수기치료 기법 중에서 우수한 치료방법을 흡수, 발전시킨 통합적인 수기요법이다.

2. 추나요법의 역사

1) 추나요법의 원류

추나요법은 3,000여년 전의 신석기 시대부터 이미 의료행위로 활용되었다고 전해지지만, 문헌적으로는 춘추전국시대의 저서인 <黃帝內經 靈樞 · 病傳篇>에 治療法으로, 導引·行氣·喬摩·炙·熨·刺·焫(爇·燒)과 飮藥을 열거하고 있는데서 그 근원을 찾아볼 수 있으며, 현대에 와서는 이론적 토대나 임상활용에 있어서 導引과 蹻摩를 복합적으로 응용하여 새로운 치료방법으로 발전시켰다. 또한, <黃帝內經 素問·異法方宜論篇>에 "中央者, 其地平以濕, 天地所以生萬物也衆, 其民食雜而不勞, 故其病多痿厥寒熱, 其治宜導引按蹻, 故導引按蹻者, 亦從中央出也"라고 기록한 것이나 王氷의 주에 "導引, 謂搖筋骨, 動肢節; 按, 謂抑按皮肉; 蹻, 謂捷擧手足"이라고 정의한 기록에서도 찾아볼 수 있다. 즉, 추나의학체계의 형성은 先秦兩漢시대부터 喬摩·按摩·按蹻·按扤·嬌引 등으로 명명되어졌는데, 이 방법이 동양문화권에서의 수기의학의 기원이라고 할 수 있으며, 推拿라는 명칭은 중국 명대의 龔雲林이 지은 <小兒推拿方脈活嬰秘旨全書>나 <小兒推拿秘訣>에 처음 등장하여 오늘날 이 명칭의 기원이 되었고, 많은 변화를 통하여 발전되면서 모든 수기요법에도 영향을 미쳤을 것으로 추정하고 있다.

2) 한국 추나요법의 역사

한국의 추나요법 역사는 대략 중국과 유사한 흐름이 있었을 것으로 생각되지만 우리민족은 긴 세월동안 끊임없는 외세침략으로 많은 사적을 소실하여, 기록이 거의 남아 있지 않다. 따라서 시대적인 변천에 따른 용어의 변화를 중심으로 설명하고자 한다.

(1) 上世時代(고대-통일신라)

양무제(公元 541년) 때 의사와 공장이 백제에 파견되었다는 기록으로 보아 삼국시대에는 중국의 남북조 및 수당의학이 수입되었을 것으로 생각되며, 당대의『諸病源候論』,『千金要方』,『外臺秘要』와 도가의 導引, 按蹻, 辟穀, 納氣, 練丹 등의 의료기술에 힘입어 불로장생을 위한 양생의학이 발달하였다. 백제의 처방서인『百濟新集方』에 도가의 양생서인 진대 葛洪의『肘後方』이 인용되어 있다. 삼국에 왕래한 도사나 선도가들의 영향이 있었을 것으로 추정되나 당의 按摩博士, 呪禁博士 제도는 통일신라에서는 채택되지 않았다. 이는 신라가 풍습과 전통을 소중하게 생각하였던 까닭이라 여겨지며, 당의 안마과에 소속된 골절, 타박상 같은 것은 상과에 포함되었으리라고 믿어진다.

(2) 고려시대

고려의 의료제도는 초기 당의 제도에 의하여 정비되었던 것을 중기의 문종 때에 송의 제도를, 말기 충렬왕 때에 원의 제도를 참작하여 개선하였다. 또한 중후반기부터 인도 및 아라비아의 의학지식을 받아들여 그것을 융합한 자주적 의학을 창설하는 데에 힘써 왔다. 鄕藥에 대한 연구가 진행되어『鄕藥救急方』과 같은 의서를 발간하였다.

(3) 조선시대

조선시대에는 修養, 養老에 관하여 의학의 한 분과로서 각종 의서에 채록하였고, 관련 전문서적들도 출간하였다. 주로 養性, 養心, 養精, 導引, 食療, 調攝, 調息, 寄居, 房中秘術에 이르는 補養의 방법을 논한 것인데 이러한 양생서들은 주로 중국의 고금 수양가들의 책을 인용 집성한 것이므로 종래의 지식을 벗어나기는 어려웠다.

- 『鄕藥集成方』(세종). 인용서목에『導引方』,『抱朴子』등이 보임.
- 『醫方類聚』(세종 27년). <折傷門>과 <養性門>에서 按摩, 導引의 관련 내용을 수록, "養性導引"편에『千金方』의 天竺國按摩法과 老子按摩法 수록.
- 『頤生錄』(중종 18년. 鄭惟仁이 편찬). 본서에 保養 및 導引法에 관한 기록이 있음.

- 『活人心方』(李滉 著). 명나라 臞僊의 『活人心法』을 인용하여 導引에 관한 내용을 기술. 그 내용 중 오장도인법과 실내체조법은 현재도 많이 활용되고 있는 양생법임.
- 『東醫寶鑑』(선조 29년-광해군 2년 완성). 『東醫寶鑑』의 편찬에 참여한 鄭碏은 수련을 신봉한 도가였기 때문에 『東醫寶鑑』에 도교적인 의학관이 반영될 수 있었다. 추나와 연관이 있는 도인, 안마 부분을 발췌해 보면 『內景篇 身形門』의 <按摩導引>, 精門의 <導引法>, 肝臟門의 <肝臟導引法>, 心臟門의 <心臟導引法>, 脾臟門의 <脾臟導引法>, 肺臟門의 <肺臟導引法>, 腎臟門의 <腎臟導引法>, 膽腑門의 <膽腑導引法>, 外形篇 腰門의 <導引法>, 足門의 <脚氣按摩法>, 前陰門의 <導引法>, 雜病篇 內傷門의 <導引法>, 邪祟門의 <導引法> 등이 있다. 內景篇 身形條에도 仙道術과 관련이 깊은 調身, 服食, 按摩導引, 養性, 補養, 節慾補精의 방중술이 있는데, 대부분 不老長生의 도가사상에서 기인한 것이다. 그 중 <按摩導引>의 "叩齒三三六", "搓手熱背摩後精門" 등의 구절에서 치료보다는 수양 및 건강증진, 선도의 목적이 강했음을 알 수 있음.
- 『二養篇』(광해군 10년. 曺倬 著). 양생, 운기, 섭생의 항목이 있음.
- 『壽養叢書類輯』(광해군 12년. 李昌庭 著). 중국의 『壽養叢書』를 유집하였고, 하권에 <導引編>을 따로 둠.
- 『山林經濟』(숙종 말경. 洪萬選 著). 제1권 <卜居, 攝生, 治農, 治圃>의 사대강 중 <攝生>에 병을 물리치고 수명을 연장하기 위한 심신 단련법을 설명하며, 그 소목 중에 도인법이 있음.
- 『增補山林經濟』(영조 42년. 柳重臨 著). 『山林經濟』을 증보.
- 『林園經濟志』(徐有榘 著). 『葆養志』는 道家的 養生論을 기본으로 식이요법과 精神修道, 육아법, 계절에 따른 攝生法을 다루고 『仁濟志』는 정통의학서로 병인(內因, 外因, 內外兼因)에 따라 形證, 治法, 湯液을 설명함.

위와 같이 도인양생 관련 서적에서는 직접적으로 추나요법을 언급한 전문서적은 찾아 볼 수 없고, 다만 추나관련 내용이 양생 관련서에 도인으로써 조금씩 기록되어 있을 뿐이다. 우리나라에서의 도인법은 일반 민간인에게는 별로 알려지지 않았고, 다만 도학을 연구하고 따르는 일부의 사람들에게만 전하여 내려왔다고 하겠다.

(4) 조선시대이후

1914년 일제가 발표한 接骨術鍼術灸術에 대한 營業取締規則은 안마, 침구술 영업의 면허 발부와 관련된 규정으로 본 규칙은 장차 침구사, 안마사 탄생의 시발점이 되었다. 이는 추나요법이 일제시대를 거치면서 제도권 안으로 흡수되지 못하고 민간요법으로 전락하는 상황을 유발하였다.

(5) 현대 추나의학의 발전

이러한 상황에서 1992년에 대한한의학회 내에 정식으로 대한추나의학회가 설립되어 한국 추나의학 발전의 구심점이 되었다. 추나학회가 설립됨으로써 오랜 동안 개인적으로 전수하거나 그룹별로 연구하던 추나의학이 통합·발전되었고, 정형화되지 않았던 추나기법이 모아지고 정리되어 학문적 재정립을 이루게 되었다. 현재는 전국의 한의과대학 및 한의학전문대학원에서 추나의학을 정식교과목으로 교육하고 있는데, 이러한 배경 속에는 국민의 상당수가 한의학적 이론에 근거한 추나요법의 시술을 원하고 있으며 추나요법은 안전성, 효과성 및 경제적 효율성 등에서 상당 부분 국민의 욕구를 만족시켜 줄 수 있었기 때문으로 여겨진다.

최근에는 중국, 미국 등 국제적 교류를 통하여 각 국가의 우수한 수기요법을 전통적 추나요법과 함께 흡수하여 보다 한국의 여건에 맞는 실용적 학문으로 발전하고 있으며, 더불어 한의학적인 원리를 바탕으로 전통 추나요법에서 얻어진 이론과 기법을 생물학, 해부학, 생리학, 생체역학 등의 기초과학의 토대위에서 임상병리, 영상의학 등의 현대 의료기술과 융합하여 발전해 나가고 있다.

추나요법의 국민건강보험체계 진입 과정은 1994년 '추나요법은 한방요법이며, 카이로프랙틱과 시술방법이 유사하거나 동일하며, 추나요법을 목적으로 카이로프랙틱 침대를 사용해도 무방하다'는 당시 보건사회부의 유권해석을 받았고 2002년부터 추나요법이 비급여 의료행위에 포함된다는 유권해석을 받은데 이어 2011년부터 구체적으로 '허-2 한방물리요법'

에 포함되는 의료행위로 고시되었다. 2015년 건강보험정책심의위원회에서 '국민들의 요구도가 높은 근골격질환의 한방 치료 분야에 대하여 건강보험의 보장범위 확대, 특히 근골격질환의 추나요법에 대하여 효과성 검토, 시범사업 등을 수행하며 타당성 검증을 통하여 단계적으로 건강보험을 적용'이란 중기보장성 강화방안이 발표되었다. 이에 따라 2017년부터 전국 65개 한의의료기관에서 추나요법 시범사업이 실시되었으며, 2019년 4월 8일 전국적으로 추나요법의 건강보험 급여화가 시행되고 있다.

추나요법의 건강보험 급여화 진입은 한의기술 최초로 보편적 의료기술의 보장성강화 진입모형에 따라 체계적으로 안전성, 유효성, 경제성의 검토를 거치고 시범사업을 통한 실제 적용성을 검토한 최초의 한의의료기술이라는데 의미가 크다고 할 수 있다.

3. 추나요법의 기초이론

추나요법은 오랜 역사와 탁월한 치료 효과를 지닌 한방치료방법 중의 하나이다. 질병의 치료뿐만 아니라 질병을 예방하고 건강을 유지시키는 임상의학으로 오랜 세월 속에 발전을 거듭하면서 매우 풍부한 임상적 지식을 축적하였고 독특한 이론체계를 갖추게 되었다.

이러한 이론은 인체의 현상이 기능과 구조 양면성으로 이루어지며 변화 또한 양면성으로 나타나 體와 用, 形과 神, 陰과 陽의 부조화가 병변을 일으키며, 그 부조화를 개선하고 바로잡기 위한 방법으로 인체를 계통성의 유기체로 관찰, 평가하여 질병 자체뿐만 아니라 인체 전체를 대상으로 한 전인론적(holistic) 치료방법을 형성하게 되었다. 또한, 한의학의 기본 이론체계인 四診理論, 經絡理論, 臟象理論 등을 토대로 인체를 진단하고 더불어 구조해부학, 기능해부학, 운동역학, 생리학, 병리학, 신경학 및 영상의학 등의 생물학적 기초이론을 응용하여 질병을 진단하고 평가할 뿐만 아니라 치료기술을 적용하는 데에도 많이 활용하고 있다.

4. 추나요법의 치료원리

1) 추나치료의 전통적 원리

(1) 음양조절(陰陽調節)

질병의 발생, 변화와 체질강약과 병인의 성질과는 서로 밀접한 관련이 있다. 그리고 신체 내부의 일체의 변화는 陰陽으로 개괄할 수 있다. 따라서, 장부, 경락뿐만 아니라 氣血, 榮衛, 表裏, 升降등도 모두 陰陽에 배속되어 臟腑經絡의 關係失常과 氣血不和, 營衛失調 등의 병리적 변화를 모두 陰陽失調의 범주에서 분석할 수 있다. 이러한 陰陽失調는 질병과정 중 臟腑經絡, 氣血, 營衛 등의 상호관계실조로 인한 表裏出入, 上下升降의 기기운동실상의 개괄을 의미하기도 한다.

추나요법은 臟腑, 經絡, 氣血, 營衛등을 통하여 음양평형 조절작용을 한다. 경락은 전신에 퍼져 있고, 장부에 연결되어 있고, 밖으로는 肢節에 絡하여 있어 臟腑, 氣管, 孔竅, 皮毛, 筋肉, 骨格, 腦 등의 조직과 통하여 있으며, 또한 氣血이 經絡을 통하여 운행되는 전일적 관계를 형성하므로, 추나요법은 체표국부의 經絡을 통하여 行氣血, 維筋骨하며, 經絡의 영향은 내장과 기타 부위에까지 미치게 된다. 한편, 골격구조에 있어서 음양평형은 변위에 대하여 방향에 따라 보다 음적인 변위현상과 양적인 변위현상이 나타나게 되는데, 이것을 교정하여 구조적인 균형을 유지시키는 것을 말한다.

(2) 경락소통(經絡統通) 행기활혈(行氣活血)

經絡은 인체 기혈 운행의 통로로서 체내의 장부와 연결이 되어있고 체표의 피부 및 근육과도 서로 연결되어 있다. 이로 인해서 장부의 질병 및 기혈의 질병 모두 체표에 반영되어 올라온다. 따라서 경락이 막혀서 통하지 못하는 것은 "不通則痛"의 의미로서 기가 막히고 혈이 뭉치거나 氣血이 조화롭지 못하게 되는 결과로서 百病이 발생할 수 있는 원인이 되는 것이다. 추나치료는 "기혈을 운행시켜 음양 평형을 유지하고, 근골을 자양하며, 관절을 부드럽게 한다.(行血氣而營陰陽, 濡筋骨, 利關節-『靈樞·本臟』"는 작용원리를 통해 직접적인 수기 자극을 통해 經絡을 疏通시켜 기혈 순환 계통의 기능을 개선하고, 촉진하는 작용을 갖는다. 또한, 五臟六腑의 기능에 따른 補瀉방법과 수기법의 횟수, 방향,

정확도 등은 추나요법의 치료효과를 보다 다양하게 구현할 수 있도록 해준다. 그리고 經皮, 經筋이나 골관절 구조의 이상 정도에 따라 추나요법의 효과도 영향을 받기 때문에 적절한 치료 시간과 치료방법은 經皮, 經筋이나 골관절 구조의 이상 정도에 따라 다르다.

(3) 이근정복(理筋整復) 활리관절(滑利關節)

『靈樞·本臟』에서 "혈이 조화로우면 경맥이 잘 소통하고 음양이 평형을 유지하며 근골이 굳세어지고 관절이 부드러워진다.(是故血和則經脈流利, 營陰陽, 筋骨勁强, 關節淸利也)"라고 하였다.

근골관절이 손상을 입으면 반드시 기혈에 영향이 미치게 되고 맥락이 손상되어 기체혈어로 인해 붓고 아프며 지체와 관절에 영향을 주게 된다.『醫宗金鑑·正骨心法要旨』에서는 "넘어지고 삐끗하면 골봉이 열려 착위가 발생하고 기혈이 울체되어 붓고 아프게 되니 안마법을 사용하기에 적합하다. 경락을 눌러주어 닫혀 있는 기를 소통시켜 주고, 막히고 뭉친 것을 쓰다듬어서 어혈과 뭉친 것을 풀어주면 그 병은 나을 수 있다(因跌閃失, 以致骨縫開錯, 气血郁滯, 爲腫爲痛, 宜用按摩法. 按其經絡, 以通郁閉之, 摩其塞聚, 以散痕結之腫, 其患可愈)."하였다. 이는 추나치료에 이근정복, 활리관절 작용을 설명하고 있다. 이는 세 가지로 표현할 수 있다. 첫째, 수기법이 손상된 국부에 작용하여 기혈운행을 촉진하고 붓고 뭉친 것을 풀어서 기를 다스려 통증을 그치게 한다. 둘째, 추나정복수기(整復手技)를 통해서 역학적으로 "筋出槽"와 "骨錯縫"을 교정해 줌으로써 이근정복의 목적을 이룰 수 있다. 셋째로 적당한 피동적인 운동을 통해서 유착을 풀어주고 관절 움직임을 부드럽게 해준다.

한의학의 "筋出槽"와 "骨錯縫"의 개념은 해부학적 위치 변화로 관절의 미세한 변위가 발생하여 신체의 기능장애를 초래한다는 점에서 카이로프랙틱 아탈구(subluxation), 정골의학(osteopathic) 체성기능장애(somatic dysfunction)와 비슷한 개념이다.

(4) 장부조절(臟腑調節) 부정거사(扶正祛邪)

한의학에서는 무릇 어떤 질병이든 발생, 발전 및 경과의 모든 과정을 정기(正氣)와 사기(邪氣)의 상호 투쟁의 과정이자 소장성쇠(消長盛衰)의 결과로 본다. "정기가 속에 있으면 사기가 어찌 해볼 수 없다(正氣存內, 邪不可干)"는 말은 인체에 충분한 질병 저항력만 있으면 발병요인이 들어와도 작용을 일으키지 못한다는 의미이며, "사기가 모이는 곳은 반드시 정기가 허약한 곳이다(邪之所內, 其氣必干)"는 말은 질병의 발생과 발전은 인체의 저항력이 상대적인 열세에 처해 있을 때 허술한 곳을 틈타 침입한다는 의미이다. 인체의 후천지본(後天之本)의 관점으로 보면 장부의 기능과 인체의 정기는 직접 관련이 있다. 장부는 음식물을 받아들이고 노폐물을 배설하는 기능으로 기혈을 만들어 내는 기관이다. 장부 기능이 실조되거나 감퇴하면 수납에 제한이 생기고 기혈을 만들 자원이 부족해지고 배설도 곤란해지며 정기가 약해지고 사기가 왕성해진다. 추나치료는 인체의 체표에 상응하는 경락과 혈위에 작용하여 장부기능을 개선하고 질병 저항력을 증강시켜 준다. 수기치료로 장부 질환을 치료하는 세 가지 경로는 첫째, 체표의 상응하는 혈위에 수기치료를 하여 경락의 전도작용을 통해서 작용을 일으키거나, 둘째, 장부의 기질적 병변을 이용하여 기능조절을 통해서 작용을 일으키거나, 셋째, 수기로 직접 장부기능을 조정하여 인체 내의 저항력을 불러일으키는 방법이 있다.

2) 추나치료의 현대적 원리

(1) 아탈구복합체(Subluxation complex)와 척추운동의 기능장애(Vertebral motion dysfunction)

카이로프랙틱 창시자인 D.D. Palmer는 인체에서 일어나는 모든 질환 중 일차적인 원인을 아탈구(subluxation)와 더불어 신경계가 정상적인 긴장도를 잃어버린 것과 관련된다고 보았으며 이러한 척추 아탈구(vertebral subluxation complex)의 개념은 신경생리학적으로 매개된 척수후각세포감각(dosal horn sensitization)과 점탄성 경직(viscoelastic stiffness)과 같은 생체역학적인 변화와 관련되며 척추 관절 주위의 근육이나 인대, 혈관 및 신경과 결합조직의 병리적인 변화의 상호 복합적인 운동분절 기능장애로 정의된다.

이러한 개념과 더불어 체성 기능장애(somatic dysfunction)라는 용어도 사용되는데 체성 기능장애란 체성체계(신체를 구성하는 골격)를 구성하는 요소 즉, 골격계, 관절 그리고 근막구조, 이들과 관련된 혈관계, 림프계 그리고 신경조직 등의 기능장애 및 손상을 의미한다.

이 두 개념은 한국표준질병사인 분류체계에서 아탈구 복합(Subluxation complex; M9910-9919)과 분절 또는 신체의 기능장애(Segmental and somatic dysfunction; M9900-9909)로 부위별로 나뉘어서 코드화되어 있으며 '정골의학적 병소(osteopathic lesion)', '아탈구(subluxation)', '관절차단(joint blockage)', '관절 잠김(joint lock)', '관절놀이 소실(loss of joint play)' 등의 용어를 대체하는 개념이다. 이러한 병변의 원인은 급성 손상, 반복사용으로 인한 손상, 잘못된 자세, 노화, 부동화, 정적상태의 스트레스 과다에 의해 발생할 수 있다.

추나치료를 시행하기 위해서는 정적, 동적촉진과 가동성검사와 여러 진단기기를 통해 이러한 척추복합체의 움직임이 정상적인지 증가되어 있는지 아니면 감소되어 있는지를 진단하고 평가하는데 숙련되어야 한다. 이러한 움직임에는 과소운동성(hypo-mobility), 정상적인 운동, 과대운동성(hyper-mobility) 그리고 불안정성(instability)이 있으며 특히 수기치료는 과소운동성을 가진 분절들 즉 고착이 병행되어 진행된 분절이 원래의 정상적인 운동 범위까지 움직일 수 있게 해주는데 가장 적절한 방법이라고 할 수 있다.

(2) 재활치료로서의 추나요법

조혈기관이나 피부 상피, 위장관 등 증식력이 높은 일부 조직에서는 해당 조직의 줄기세포가 사멸되지 않는 한 손상 후에도 재생이 가능하지만, 대부분의 경우 재생과 함께 콜라겐 축적에 의한 반흔 형성이 복합된 수복과정을 거치게 된다. 이 과정에서 재생과 반흔 형성의 상대적 비중은 해당 조직의 재생능력과 손상의 정도에 따라 달라진다. 일례로 가벼운 표피의 상처는 피부 표층의 상피세포의 재생에 의해 치유될 수 있지만, 보다 심한 손상에 의해 세포외기질의 구조가 손상된 경우나 만성염증으로 진행하여 지속적인 손상을 동반하는 경우에는 섬유모세포의 증식과 섬유조직 합성을 자극하는 성장인자 및 사이토카인의 국소적 생산을 통해 콜라겐, 탄력소, 피브릴린, 탄력섬유, 글리코사미노글리칸 및 프로테오글리칸, 세포부착단백질 등 세포외기질 성분의 침착에 의해 반흔 형성이 촉진된다.

결국 '재생'이 조직 구성성분의 보상을 포함하는 과정이라면, '수복'은 조직의 회복이 아닌 일종의 '덧대는' 방식의 섬유증식반응이라고 볼 수 있다. 수복 과정은 기본적으로 염증반응, 혈관신생, 섬유모세포의 이동과 증식, 반흔 형성, 결합조직 재구성의 특징을 나타내며, 만약 손상이 지속되어 염증반응이 만성화되고 결합조직의 과도한 축적이 이루어지는 등 수복과정 상의 기본요소들에 이상이 생기면 부적절한 반흔 형성(deficient scar formation), 섬유화(fibrosis), 구축(contracture) 등의 치유 합병증이 초래될 수 있다.

추나요법은 손상된 조직 세포를 스스로 재생되어 조직을 회복시켜 최대한 손상되기 이전의 상태로 되돌려 줄 수 있는 재활치료의 기능을 내포하고 있다. 이는 손상된 신체조직이나 세포에 있어서 부적절한 반흔 형성, 섬유화, 구축과 같은 부정적 요소를 최대한 배제시키고, 추나치료를 통해 최대한 손상된 조직이나 세포 또는 손상된 조직 주변조직이나 세포에 자극을 가해줌으로써 인체내 조직이 자가 치유될 수 있도록 도와준다. 즉, 추나치료는 손상된 조직이나 세포가 재생과 수복할 수 있도록 해주며, 일부 구조적인 이상을 가져오게된 조직이나 세포는 최대한 이전의 기능을 회복할 수 있도록 해주는 것이다. 이는 추나치료가 인체에 대해 가지는 재활치료의 의미를 내포하고 있다.

(3) 예방치료로서의 추나요법

관절의 생체역학적 기능장애는 관련된 다양한 통증의 주요 원인이 되며, 척추의 퇴행 변화를 일으키는 잠재적 원인이 된다.

근본적으로 척추는 인체 내의 타 운동계와 밀접한 관계를 맺고 있는 상호의존적 체계로 볼 수 있기 때문에 척추의 특정 분절에 역학적 변화가 발생하면, 반드시 다른 분절을 비롯한 척추의 기능적 측면에도 역학적 변화가 초래된다. 척추의 기능장애에 수반되어 나타날 수 있는 2차적인 기능부전과 퇴행화 과정을 개괄적으로 나타내는 모델들로 Gillet's model과 Kirkaldy-Willis model이 있다.

Gillet은 근육·인대·관절의 세 가지 범주에서의 고착을 통해 역학적인 관절기능부전이 발생한다고 보았다. 근육성 고착은 해당 분절 내 근육의 과긴장 및 수축에 의해, 인대성 고착은 관절낭을 비롯한 관절 주위 인대의 구축 및 단축에 의해, 관절성 고착은 관절면 사이의 섬유성 관절 유착(fibrous interarticular adhesion)에 의해 나타난다. 만성적인 관절 유착의 경우 총체적인 골 강직증과 비가역적인 고착으로 진행될 수 있다.

Kirkaldy-Willis는 구조적 변화를 동반하지 않고 국소적으로 발생하는 역학적 장애로부터 척추의 퇴행성 변화가 시작될 수 있다는 척추 퇴행성 변화 패턴을 제안하였다.

이러한 역학적 장애들이 지속될 경우, 비정상적인 부하가 반복적으로 가해지면서 결국 관절 연부조직이 약화되고 조직 내 피로가 축적된다. 관절낭이 이완되고 추간판이 붕괴되면서 관절이 국소적으로 불안정성을 띠게 되는 상황을 예로 들 수 있다. 나아가 이러한 장애가 심각한 수준에 이르면 결과적으로 골성 구조에 변화가 나타나고 이러한 퇴행성 관절 질환의 상태는 단순방사선 검사 상에서 관찰할 수 있다.

이러한 퇴행성 악순환은 관절 주위 연부조직의 섬유화와 골 외골증(exostosis) 등의 기전을 통해 관절이 다시 안정화됨으로써 종료된다. 결국 이러한 안정화 단계의 후반부에 들어서야 척추 통증의 발생이 감소하게 된다. 그러나 신경근의 골성 포착(bony entrapment)이나 척추관 협착증에 이환되기 쉽게 되고, 하지의 방사통과 신경학적 결손의 빈도 또한 증가하게 된다.

척추의 퇴행과정에 있어 이러한 모델들은 반드시 문제가 발생한 이환 관절에만 국한되어 적용되는 것이 아니고, 관련된 운동계 안의 다른 관절이나 다른 레벨의 척추에서 보상적 기능 부전과 퇴행성 변화가 일어날 수도 있으며, 동일 분절 내에서 관절의 저운동성과 불안정성, 퇴행성 변화 등이 모두 혼재하는 경우 또한 관찰될 수 있다.

추나요법은 임상에서 적절한 진단과 평가에 의해 환자의 역학적 기능부전을 비교적 초기단계에 찾아내고 이것이 비가역적인 만성 단계로 진행하기 이전에 치료할 수 있도록 하는 것에 그 치료의 의의가 있다고 할 수 있다. 이것은 예방치료로서 추나요법의 가장 중요한 부분이라 할 수 있는 것이다.

(4) 올바른 체형과 자세 회복

인체의 이상적인 정렬과 관련하여 바른 자세란 시진 상 정면이나 후방에서 보았을 때 중심선을 기준으로 신체 좌우 대칭이 맞는 상태, 즉 중력선(gravity line) 또는 추선(plumb line)이 두개골의 중심선, 척추의 극돌기, 양 무릎 사이, 양 발목 사이를 지나며 귓불, 흉곽, 견봉쇄골관절(Arcromioclavicular joint), 견갑골 하각, 엉덩 주름(gluteal fold), 장골능 및 전·후상장골극 등의 지표들이 대칭을 이루고 있는 상태라고 할 수 있다. 또한 측면에서 보았을 때에는 귓불, 견관절의 약간 전방, 흉곽 중심선, 제 3 요추의 중앙, 고관절 대전자, 슬관절의 약간 전방, 족외과 전방을 지나는 일직선이 중력선과 일치하는 상태를 말하며, 이를 이탈했을 경우 잘못된 자세나 이상적인 정렬을 벗어난 상태라고 볼 수 있다. 이러한 비정상적인 자세의 원인들은 후천적인 생활습관으로 인하여 여러 가지 해부학적인 구성요소들에 영향을 미쳐 발생하거나, 병리적이거나 선천적인 문제들이 복합적으로 작용하여 발생할 수도 있는데 개괄적으로 기능적 자세 인자와 구조적 자세 인자로 나눌 수 있다.

기능적 인자로서 가장 일반적으로 인체의 자세에 문제를 일으키는 원인은 나쁜 습관이다. 다양한 이유로 인하여 환자는 바른 자세를 유지하지 못하는 경우가 있는데, 주로 오래 앉거나 서 있는 작업의 사람에게서 많이 나타난다. 올바른 자세를 유지하기 위해서는 근육간의 상호관계에 의한 균형이 필요한데, 근육의 불균형이나 근육 구축은 자세에 영향을 끼치기 쉽기 때문이다. 즉, 척추의 만곡을 유지하는 근육들의 문제는 만곡에 이상을 초래해서 자세에 영향을 주게 되고, 특히 소아들의 경우에는 근육의 구축이나 불균형이 자세에 많은 영향을 주게 된다. 그 외에도 질병 등으로 인한 통증으로 자세에 변화가 있거나, 전신 약화, 뇌성마비 등으로 발생하는 근육의 경축 등도 정렬의 이상이나 잘못된 자세를 유발할 수 있다.

그리고 구조적 인자로서 인체 조직의 구조적 변형이 잘못된 자세를 일으킬 수 있는데, 이는 선천적 기형, 발달 상의 이상, 외상, 질병 등의 결과로 나타날 수 있다. 구조적인 변형은 주로 골격에 관계되어 나타나기 때문에 수술적인 요법이 필요한 경우가 많지만 적당한 자세 치료에 의해 증상을 경감시킬 수도 있다.

추나요법은 기능적 자세 인자와 구조적 자세 인자를 적절히 진단 평가하여 부정렬을 일으키는 잘못된 자세인자를 적절히 제거할 수 있도록 하는데 그 치료의 목적이 있다고 할 수 있다.

제2절 추나요법의 진단

1. 진단개요

추나요법을 정확하고 안전하게 시술하기 위해서는 전체적인 불균형 상태와 구조적 질병에 대한 정확한 진단과 평가가 필수적인 요소이다.

따라서, 1차적으로 경락, 장부, 맥진과 각종 변증 이론 등에 따른 사진(四診) 내용을 세밀하게 검토하여 변증 진찰을 하고, 2차적으로 해부학적 구조와 기능장애에 따른 진단과 평가를 실시하여, 치료에 상호 연계성과 체계성이 있어야 한다. 특히, 사진(四診) 중에서도 망진과 촉진을 중심으로 세밀하게 검사하는 것이 기본이므로 해부학을 기초로 한 근육의 기능검사, 관절의 변위검사를 시행하고 실험실검사, 방사선검사 등을 병행하여 종합적으로 판단한다. 그리고 각각 질환의 특성에 따른 선별적인 검사 등을 통하여 최종적인 치료원칙과 정확한 치료방법을 설정하여야 한다.

일반적으로 추나 진단편에서는 척추 및 사지관절의 기능검사와 구조적 변위 검사를 중심으로 하여 그에 따른 치료원칙을 구체화시키는 것이 필요하므로, 전일적이고 유기체적 특징을 갖는 종합적인 평가를 다음의 원칙에 따라 실시한다.

(1) 전일적이고 유기체적인 진찰관에서 출발하여 전면적인 관찰을 한다.

인체는 하나의 유기적인 정체로서 장부, 조직, 기관은 상호 연관되며, 또한 외부환경과도 통일성을 지닌다는 "天人相應" 사상에서 출발하므로 전체성에 입각한 진찰이 필요하다.

(2) 정확한 검사를 통해서 질병의 본질을 파악해야 한다.

인체는 구성요소가 매우 복잡하며 질병발생 기전 또한 매우 다양해서 정확한 질병인식을 하려면 체질, 병위, 병력, 병인 등에 대한 자세한 관찰과 추적조사를 통해서 질병의 본질을 정확하게 찾아야 한다.

(3) 사진(四診)을 배합해서 정확한 진단을 해야 한다.

망진(望診) 시에는 형태, 색, 전체적인 구조적 변위를, 문진(聞診) 시에는 골찰음, 入臼聲, 건의 염발음, 반월연골의 마찰음 등을, 문진(問診) 시에는 질병의 발생동기, 발생시기, 물리적 자극인자, 습관적 자세와의 상관성, 손상 시 자세, 일상생활습관 등을, 절진에서는 진맥을, 촉진(觸診) 시에는 변위와 기능 이상 상태를 확인한다. 『醫宗金鑑 · 手法總論』에 "以手摸之 自審其情"이라고 한 것처럼 세밀하게 관찰한다.

(4) 특이한 증상 혹은 증후군에 주의한다.

특이한 증상 및 진단 가치가 있는 증후군의 발현에 주의해서 정확히 감별 진단해야 된다.

(5) 추나요법의 적응증과 금기증, 합병증의 유무를 면밀히 감별 진단해야 한다.

시술자는 추나요법의 시술전에 추나기법의 적용이 환자의 치료에 도움을 줄 수 있는 적응증인지 아니면 도움이 되지 않거나 심지어는 해가 될 수 있는 금기증인지, 또한 시술 후에는 부적절한 시술에 의한 합병증이 동반되지 않았는지 면밀하게 감별 진단해야 한다.

2. 추나진단 및 치료에 대한 기준점

1) 추나진단의 기준점

(1) 전면

① 제3경추 높이 : 설골(hyoid bone)
② 제4, 5경추 간 : 갑상연골(thyroid cartilage)
③ 제10흉추 높이 : 검상돌기(xiphoid process)
④ 제3요추 높이 : 배꼽(Umbilicus)

(2) 후면

① 외후두골융기(EOP) : 후두발제 중앙부
② 제1경추(환추) : 유양돌기의 inferior tip에서 전하방의 돌출물 촉지부
③ 제2경추(축추) 극돌기 : 후두골 바로 밑부분에서 느껴지는 spinous process
④ 제6경추 극돌기 : 경추를 신전시킬 때 극돌기가 P-A의 모습으로 사라지는 극돌기
⑤ 제7경추 극돌기 : 경추 굴곡 시 가장 돌출되는 부분(60-70%)
⑥ 제1흉추 극돌기 : 경추 굴곡 시 가장 돌출되는 부분(30-40%)
⑦ 제6흉추 : 복와위에서 견갑골 하각
⑧ 제7흉추 : 좌위에서의 견갑골 하각
⑨ 제1요추 극돌기 : 요추에서 가장 크게 느껴지는 극돌기
⑩ 제4요추 : 장골능 최상단 수평면 연결선상(남자, 여자는 대개 제5요추)
⑪ 제2천골결절 : PSIS선상 또는 조금 아래쪽에서 감지되는 결절
⑫ 흉추 횡돌기 : 1-4 흉추는 극돌기보다 2.5-3 cm 상외측, 5-9흉추는 극돌기보다 3.5 cm 상외측, 10-12흉추는 극돌기보다 1-1.5 cm 상외측에 위치함.
⑬ 요추의 유두돌기는 한마디 위 추체의 극돌기선상에서 촉진될 수 있다.
⑭ 좌골절흔 : 후상장골극하 5 cm, 측방 2.5 cm의 지점
⑮ 제4, 5요추 간 : 장골능 최상단 수평 연결선상으로, 여자는 골반이 편평하여 제5요추의 극돌기에 이 선이 걸리기도 하고, 남자는 골반이 길쭉하므로 제4요추의 극돌기에 이 선이 걸리기도 한다.
⑯ 인체 중심선 : 외후두융기와 제2천골 결절을 이은 선

2) 추나 치료의 기준점

(1) 극돌기와 각 접촉점의 상하관계

① 제1-3경추의 관절돌기 : 극돌기와 같은 높이
② 제4-7경추의 관절돌기 : 극돌기보다 1/2 마디 높은 위치
③ 제6-8흉추의 횡돌기 : 극돌기보다 1과 1/2 마디 높은 위치
④ 제6-8흉추 이외의 흉추 : 극돌기보다 1 마디 높은 위치
⑤ 요추의 유두돌기 : 극돌기보다 1/2 마디 높은 위치

(2) 극돌기와 각 접촉점의 좌우관계

관절돌기, 횡돌기, 유두돌기는 모두 극돌기로 부터 측방으로 2-3 cm 안에 위치한다.

3. 척추변위명명체계

1) 변위와 제한

인체의 모든 움직임은 전두면(frontal plane), 시상면(sagittal plane), 수평면(horizontal plane)등 3개의 면과 x, y, z축을 따라 움직이는 6도의 자유도(전방굴곡, 후방신전, 좌측굴, 우측굴, 좌회전, 우회전) 운동으로 설명된다. 척추관절의 변위와 기능부전에 대한 관찰 방법으로는 정역학적(靜力學的) 관점과 동역학적(動力學的) 관점이 있는데, 전자는 추체와 관절의 위치이상(dislocation, 移位)에 대하여 변위(malposition)라는 용어를 정의하고 있으며, 후자는 운동의 제한(ROM의 제한)에 대하여 제한(restriction)이란 용어로 설명하고 있다.

과거에는 무엇을 교정하고 치료할 것인가에 대한 질문에 대해서 "변위"라고 답하였으나 충분한 설명은 아니었다. 그러나 척추관절의 장애를 설명하는 생체역학 이론이 대두되면서 척추관절의 병변(病變) 부위를 정태적 관점과 동태적 관점을 종합하여 수기치료를 시행하는 개념으로 구체화 되고 있다. 임상에서 동작촉진(motion palpation) 검사법이 널리 사용되면서 교정치료와 교정벡터에 관한 치료결정에 있어서 과거에는 절대적으로 변위의 방향을 토대로 하였으나, 현재는 관절가동성과 가능성 있는 관절의 고착방향에 대한 평가를 필요로 한다. 요즘은 부하, 관절 유발검사 등을 통한 관절통의 유무에 따라 척추의 기능부전의 정태적, 동태적 요소를 모두 고려하고 있다. 동작촉진의 중요성이 강조되는 이유는 바로 이런 점 때문이다.

2) 척추관절의 변위명명(命名)

척추 변위에 대한 명명(spinal listing)은 일반적으로

Medicare 방식, Palmar-Gonstead 방식, National-Diversified 방식이 사용된다. Medicare는 미국의 보편적인 의료보험 제도로 여기서 채택한 의료용어가 국가 표준으로 인정되고 있다. 본서에서는 추체(vertebral body)의 위치 이상 및 관절 운동범위(joint ROM)의 제한을 기준으로 하는 표준 운동학적관점(standard kinesiologic system)과 Medicare 방식에 따른 척추변위명명을 표기방법을 표준으로 따르고 있다. 척추의 변위 이외에도 흉쇄관절, 견쇄관절, 견늑관절 복합체에 대한 평가는 변위의 형태와 기능제한을 동시에 표기한다. 예컨대 과거에 쇄골 근위골두 상방변위는 새 표기법으로는 쇄골 근위골두 상방변위 및 쇄골거상제한으로 표기하게 된다.

표준운동학적 관점에서 추체의 측방굴곡(lateral flexion)과 회전운동(rotation)은 짝운동(coupling motion)으로 동시에 일어난다. 먼저 복합변위의 유형이 유형1(type I)인지 유형2(typeII)인지 구별하기 위해 굴곡(flexion, F)/신전(extension, E) 또는 중립위(neutral, N)를 검사하고, 그런 다음 회전(rotation, R), 측굴(side bending, S)을 검사하여 변위를 순서대로로 표기한 후에 변위방향이 우측인지, 좌측인지를 표기한다.

측방굴곡(측굴)의 영문표기는 lateral flexion이 원칙이지만, 영문 약어로 표기할 때는 글자 수를 고려하여 side bending의 [S]자를 사용하기로 한다. 우/좌(right/left) 변위 방향에 대한 표기는 [R] / [L] 대문자 "아래첨자" 표기를 권고하고, Rt. / Lt. 등의 방법도 가능하다. 영문 약어 표기는 본서에서는 구별이 쉽도록 [ ] 괄호 속에 넣고 "띄어쓰기"를 한 것이며, 실제에서는 [ ] 괄호를 굳이 쓸 필요는 없다.

4. 자세평가 및 정렬분석

관절을 정확하게 검사하는 능력은 근골격계 문제를 진단하는데 있어 매우 중요하다. 임상의는 해부학, 생체역학, 운동학을 기초로 하여 시진과 촉진을 통해 얻은 정보들을 종합하여 환자의 병리를 해석할 수 있어야 한다.

자세관찰을 하기 위해서는 환자가 긴장감을 없애고 일상적인 자세를 취할 수 있도록 해야 한다. 자세 관찰에서 일반적으로 살펴야 할 것은 자세의 균형상태 뿐만 아니라 자세에 간접적인 영향을 줄 수 있는 등의 피부이상, 낭성종괴(예; 척추 이분증)이나 반점(예; 신경 섬유증), 피하 종양, 상흔 등의 비정상적인 요소를 함께 관찰하는 것이 필요하다.

1) 우세눈(Dominant Eye)의 결정

평가의 정확성을 높이려면 시각적 식별 능력이 있어야 하며, 일반적으로 우세눈을 이용하여 측정하는 방법을 사용한다.

(1) 방법

① 엄지와 검지를 이용하여 작은 삼각형을 만들어 멀리있는 물체 하나를 정한 다음 삼각형의 중앙에 놓는다.
② 그 다음 왼쪽 눈을 감고 물체가 같은 위치에 그대로 있는지 또는 이동하였는지 알아본다.
③ 만약 그대로 있다면 오른쪽이 우세 눈이다.
④ 평가 시 우세눈은 모든 구조물의 중앙에 위치하도록 한다.

2) 구조 관찰요령과 관찰 부위

(1) 관찰요령

① 정적인 상태에서 관찰한다.
② 양 발을 약 15 cm 정도 떨어뜨리고 선 자세에서 환자의 앞과 뒤, 옆에서 관찰한다.
③ 맨발상태에서 관찰하는 것이 좋음. 단, 하지 길이 차이가 있을 때는 길이를 보정하는 깔창이나 신발 등을 신은 상태에서 관찰한다.
④ 머리에서 아래 방향 또는 발에서 머리방향으로 진행하며 관찰한다.

(2) 전면관찰

① 머리의 기울기와 회전 여부를 비교한다.
② 턱의 기울기와 상악과 하악의 좌우, 전후관계를 비교한다.
③ 코 끝과 흉골병-검상돌기-배꼽의 일직선 여부를 비교한다.

이 때 전면의 기준선에서 배꼽의 위치는 거의 항상 중앙에서 약간 벗어난다는 것을 감안하여 평가한다.

④ 쇄골과 견봉쇄골관절의 수평여부와 양쪽의 대칭 여부를 비교한다.
대칭을 이루고 있지 않는 견봉쇄골관절은 흉쇄관절의 변위나 쇄골의 회전, 탈구 등을 의심할 수 있다.

⑤ 흉골, 늑골, 늑연골의 돌출이나 하강여부 및 좌우 대칭여부를 확인한다.

⑥ 복부의 대칭여부 및 양측 상지가 체간과 같은 거리에 있는지 비교한다.
일반적으로 측만증이 있는 경우 한쪽 팔은 다른 팔보다 몸에서 더 가까운 거리에 있다.

⑦ 양쪽 주관절의 운동각도를 비교한다.

⑧ 양 손바닥이 편안히 서 있는 자세에서 몸 쪽을 향하고 있는지, 양측의 회전 각도가 동일한지 비교한다. 이를 통해 상지를 회전시키는 원인이 어디에 있는지 관찰한다.

⑨ 양쪽 장골능의 최고점이 같은 위치에 있는지 비교한다.
측만증이 있는 경우 양쪽 장골능의 최고점은 서로 다른 높이에 위치하게 된다. 혹은, 양측 하지 길이의 불일치는 장골능의 최고점이 서로 다른 높이에 위치하게 된다.

⑩ 양쪽 전상장골극(ASIS)의 높이를 비교한다.
서로 높이가 다르다면 골반의 회전 변위나 양쪽 하지 길이의 불일치를 의심할 수 있다.

⑪ 치골의 기울어짐이 있는지 관찰한다.

⑫ 슬개골이 정면을 향하고 있는지 관찰한다.
슬개골이 안쪽이나 바깥쪽을 향하고 있다면 대퇴골이나 경골의 비틀림을 확인해야 한다.

⑬ 슬관절의 내반, 외반이 있는지 관찰한다.
양쪽 족관절을 서로 붙이고 있을 때, 슬관절 사이로 손가락 2개 이상이 들어간다면 이것은 내반슬이라고 할 수 있다. 슬관절이 붙고 족관절이 벌어질 경우, 외반슬을 가지고 있다고 할 수 있다. 다만, 소아의 경우 자세의 발달에서 나타난 것처럼 생후 18개월까지는 내반슬의 경향이 있고, 18개월 이후에는 외반슬로 발전해가며 6세 정도가 되어야 정상적인 슬관절을 가지게 된다는 것을 염두에 두고 관찰해야 한다.

⑭ 양쪽 비골두의 높이가 동일한지 비교한다.

⑮ 족관절의 내, 외측과가 같은 높이에 있는지 비교한다.

⑯ 양측 족궁의 모양이 대칭적인지 관찰하고 평족(pes planus), 요족(pes cavus)의 여부를 확인한다.

⑰ 발끝이 중심선에 대해 같은 각도로 벌어져 있는지 비교한다. 정상적인 경우 발은 5-18° 정도 외측을 향하고 있다.

⑱ 뼈의 구부러짐이 있는지 확인한다. 뼈의 구부러짐은 골연화증이나 골다공증과 같은 질병을 나타낸다.

⑲ 외형상 양측이 서로 대칭을 이루고 있는지 비교한다.
한쪽의 근육 비대, 근육 위축, 뼈의 비대칭 등은 근육이나 신경의 병리적인 문제를 나타낼 수 있다. 외형상의 대칭을 관찰할 때 주의할 것은 환자의 생활환경과 직업 등으로 인하여 몸의 한쪽이 더 많은 활동을 함으로 인해서 나타나는 비대칭을 고려하는 것이다.

(3) 측면관찰

측면관찰 시 중심선은 족내과 약간 앞쪽, 대전자, 견관절, 외이도 약간 앞쪽(귓불)을 통과해야 정상이다. 그러나 임상에서는 협골, 흉골, 치골이 일직선상에 있으면 정상으로 보기도 한다.

① 귓불, 견봉돌기, 장골능의 최상단점이 일직선상에 있는지 관찰한다.
이 선은 측면에서 몸을 앞뒤로 나누는 기준선이 된다. Upper crossed syndrome, Lower crossed syndrome, Forward head posture의 여부도 관찰한다.

② 각 척추분절이 정상적인 만곡을 이루고 있는지 관찰한다.

③ 어깨가 적절한 정렬을 이루고 있는지 여부와 round shoulder의 증후가 있는지 관찰한다.

④ 근육의 긴장도 여부를 관찰한다.
흉부의 근육과 복부의 근육, 허리의 근육들은 서로 적절한 긴장도를 유지함으로써 자세를 유지하기 때문이다.

⑤ 흉봉(pectus carinatum-흉골의 두드러진 돌출부위)이나 강와(pectus excavatum-흉골의 두드러진 함와부위)와 같은 흉부 기형이 없는지 확인한다.

⑥ 골반 각도의 정상 여부를 확인한다.

⑦ 슬관절의 굴곡 혹은 과신전 여부를 확인한다.

정상적인 선 자세에서 슬관절은 0-5° 정도 굴곡되어 있으며, 슬관절의 과신전은 요추전만을 증가시키고, 슬괵근이나 가자미근의 긴장은 슬관절을 굴곡시킬 수 있다.

(4) 후면관찰

① 어깨가 수평을 이루고 머리가 어깨의 중심에 있는지 여부를 전면의 모습과 비교하여 관찰한다.

② 양측 유양돌기가 같은 높이에 있는지, 머리가 한쪽으로 회전되어 있는지 관찰한다.

양측 유양돌기의 높이가 다르다면 이것은 후두골의 변위가 있음을 의미할 수 있다.

③ 양측의 견갑극과 견갑하각이 같은 높이에 있는지 비교한다.

양측 견갑골 내연이 척추에서 같은 거리에 있는지 관찰한다.

④ 양측 승모근의 대칭 여부를 관찰한다.

일반적으로 우세한 손(오른손잡이의 오른손)은 약간 아래쪽에 위치하는 경우가 많으며, 이로 인해 우세한 쪽의 경사가 약간 크게 나타날 수 있다.

⑤ 어깨의 수평여부를 관찰한다.

우세한 쪽 손이 약간 아래에 있으므로, 우세한 쪽 어깨가 약간 아래에 있는 경향이 있다.

⑥ 척추의 측만 여부를 관찰한다.

외후두융기에서 제 2 천골결절까지를 이은 선은 후면에서 관찰할 때의 중심선이 되는데, 척추가 이 선을 따라서 배열되어 있는지, 아니면 측만을 이루고 있는지 관찰한다.

⑦ 양쪽 늑골의 대칭 여부를 비교한다.

⑧ 양측 팔이 신체에서 같은 거리에 있는지, 회전각도가 같은지 비교한다.

⑨ 양측의 후상장골극이 같은 높이에 있는지 관찰한다.

높이가 다른 경우 하지길이 불일치나 골반의 변위가 있을 수 있는데, 전면에서 관찰한 전상장골극과의 비교를 통해 골반의 변위를 알아볼 수 있다. 양측의 후상장골극의 높이가 차이가 난다면 양손의 엄지손가락 지복부(指腹部)를 후상장골극에 대고 다리를 번갈아 굽혀 보게 한다.

⑩ 양측 둔부 횡문의 대칭 여부를 확인한다.

근육 약화, 신경근 약화, 신경마비 등으로 비대칭을 초래할 수 있다.

⑪ 양측 슬관절이 같은 높이에 있는지 관찰한다.

다른 경우 하지길이의 불일치가 있을 수 있다.

⑫ 양측 아킬레스건이 종골 쪽으로 곧게 내려가는지 확인한다.

아킬레스건이 바깥쪽을 향해 내려간다면 평발을 의미할 수 있다.

⑬ 발꿈치가 이루고 있는 각을 비교한다.

족과관절의 내반과 외반을 확인한다.

⑭ 대퇴골이나 경골의 구부러짐이 있는지 관찰한다.

5. 촉진에 의한 진단

촉진은 손가락으로 눌러서 근골격계 조직의 생리병리상태를 검사하는 방법으로, 환자를 고정시킨 상태에서 시행하는 정적 촉진과 환자에게 특정한 움직임을 행하게 하여 이 움직임을 행하는 동안 신체 구조물의 정상적인 움직임 여부를 검사하는 동작 촉진이 있다. 의사학적으로도 청대의 『醫宗金鑑 · 手法總論』에서 “以手摸之 自審其情”이라고 하여 세밀한 주의를 갖고 진단하여야 한다고 표현하였으며, 『正骨心法』에서는 “摸者 用手細細 摸其所傷之處 或骨折 骨碎 骨歪 骨整 骨軟 骨硬......筋歪 筋整 筋斷 筋走”라고 하였으며, 理傷續斷方』에서는 “凡認損處 只須摸骨頭平正不平正便可見”이라고 하였고, “凡左右損傷 只相度骨縫 仔細拈捺打度便見大概”라고 설명하였다.

일반적으로 촉진법의 주요내용은 감각의 이상 여부, 압통의 부위, 범위 및 정도, 변형유형에 의하여 골절과 탈구 여부, 관절가동범위나 압통점의 좌우 비교에 의하여 운동이상,

탄성감각에 의하여 탄성고정 여부 등을 추정 검사하는 것이다. 일반적으로 촉진을 위한 적용 수법은 다음과 같다.

① 촉모법(觸摸法) : 손가락으로 손상부위를 더듬어 촉진하는 것으로 "手摸心會"의 요령으로 촉진 시에 마음속으로 헤아려 골절, 관절탈구 여부 등을 구별한다.

② 제압법(擠壓法) : 손으로 관련부위를 상하, 좌우, 전후로 눌러 힘의 전달작용에 의해 골격에 미치는 영향 등을 진단한다.

③ 고격법(叩擊法) : 사지 원위단을 여러 방향으로 두드렸을 때, 충격력이 전달되어 오는 것을 이용하여 골절과 다른 근골격계 질환의 감별진단 등에 활용한다.

④ 선전법(旋轉法) : 손상된 사지의 하단을 붙잡고 가볍게 돌리는 동작을 하면서 손상 부위에 통증유무 혹은 운동제한 등의 반응, 특별한 소리를 관찰한다.

⑤ 굴신법(屈伸法) : 손상부위의 관절을 붙잡고 굴신시켜 각도를 계측하여 관절운동 기능 이상 여부를 평가한다. 선전법과 함께 시행하여 굴신과 회전운동 등도 비교한다.

즉, 촉진을 통하여 경결상태나 변위상태를 평가한다. 또한 인체는 하나의 정체로서 골격, 관절, 근육의 작용에 의해 각종 활동을 하는데, 골격의 변화는 외부적으로 잘 나타나지만 근육의 변형은 잘 나타나지 않으므로 탈위의 상태에서 압통 유무에 의하여 주로 평가한다.

1) 정적촉진

환자가 정지자세를 취한 후 시행하는 촉진 방법으로 골성촉진 및 연부조직촉진으로 분류된다.

(1) 골성촉진(Bony palpation)

① 목적 : 골성 지표(bony landmark)를 확인하고, 윤곽선을 따라 관절의 위치이상(joint malposition), 기형, 압통점 등의 검사 통하여, 기능부전을 확정하고 척추의 치료부위를 결정하는데 목적이 있다.

② 방법 : 일반적으로 골반, 요추, 흉추 부위는 복와위 상태에서 시행한다. 단, 경추의 경우 좌위나 앙와위 상태에서 시행하며, 경추의 관절주, 흉추의 횡돌기, 요추의 유두돌기 등은 대부분 직접적으로 촉진되지 않고, 그 위를 덮은 근육층을 통해서 촉진되므로 연부조직의 압통과 감별이 필요하다.

(2) 연부조직촉진(Soft tissue palpation)

① 목적 : 손가락 끝(탄력성), 손등(온도), 피부집기(운동성 및 민감성) 등을 이용하여, 분절성 연부조직 피부톤과 감촉의 변화를 촉진하여 진피, 피하 및 심부의 기능성 조직층의 통증 유무, 비대칭적인 긴장도(결절, 띠, 끈 같은 질감) 및 비정상적인 신경근 협응으로 발생하는 문제들을 확인하는데 목적이 있다.

② 방법

가. 진피층의 촉진 : 피부의 온도, 습도, 운동성, 경도, 조직의 민감성(과발한성, 압통) 등을 평가한다.

나. 피하층 및 심부 기능층 촉진 : 피하지방, 근막, 신경 혈관 포함한 피하층과 근육, 건, 건막, 점액낭, 인대, 근막, 혈관, 신경을 포함한 기능층 내부의 정렬 상태, 윤곽, 경도, 유연성, 압력에 대한 반응 등을 평가한다.

2) 동작촉진

관절의 움직임을 파악하기 위해 검사하고자 하는 부위를 움직여 가며 평가 방법으로 수의적으로 환자가 해당 근육을 수축시킨 상태에서 관절면의 형태, 고유 장력, 구조물의 탄성 등을 평가하는 능동 운동 평가, 불수의적으로 근육의 장력을 감소시킨 상태에서 관절면의 형태와 관련된 관절 연부조직의 유연성을 평가하는 수동 운동 평가 그리고 부가적 관절 운동 평가로 구성된다.

(1) 동작 촉진의 평가 목표

① 양 : 얼마나 관절이 많이 움직이는가?

② 질 : 관절의 가동범위 내에서 관절이 어떻게 움직이는가?

③ 끝느낌 : 끝느낌을 만나는 지점은 어디이며, 저항의 양상은 어떠하고, 운동이 멈추는 지점은 어디인가?

④ 관절놀이 : 저항의 양상은 어떠한가? 너무 많거나 적지 않은가?

⑤ 증상 : 평가와 운동 도중에 증상의 양이나 장소에 변화

가 생기는가?

(2) 동작 촉진의 원칙

① 관절 운동은 관절 내에 마주한 두 골격과 연부조직이 어떻게 서로 관계를 이루어 움직이는지 평가하여 시험한다.

② 분절성 운동 평가 시 가능한 중립 위치로 두고 한쪽에서 한 면에 있는 한 축을 따라 한 관절의 한 운동만을 시험한다.

③ 평가 시 각 운동 분절마다 패턴과 테스트를 차례로 진행시킨다.

④ 가능한 운동범위(ROM)의 전 영역에 걸쳐 움직이고, 중립 위치에서 시작하고 끝낸다(단, 말단을 촉진하는 단독 검사의 경우는 이 원칙에서 예외).

⑤ 운동은 가능한 한 최소의 힘으로 천천히 부드럽게 이루어져야 한다.

⑥ 대측 편이나 인접 분절과 운동성을 비교한다.

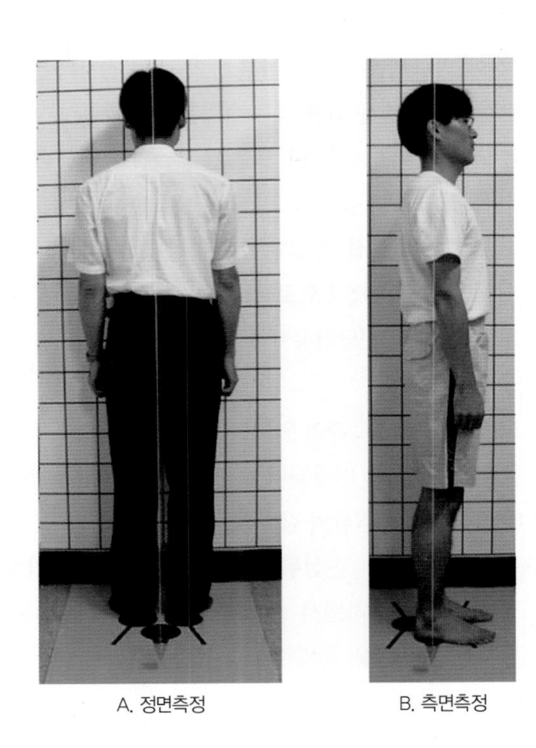

그림 8-1. 추선을 통한 자세 관찰

6. 진단기기에 의한 진단평가

추나진단을 시행함에 있어 보다 정확한 변위의 상황과 병리적 상태의 감별진단, 추나 부적응 상태의 확인을 위하여 진

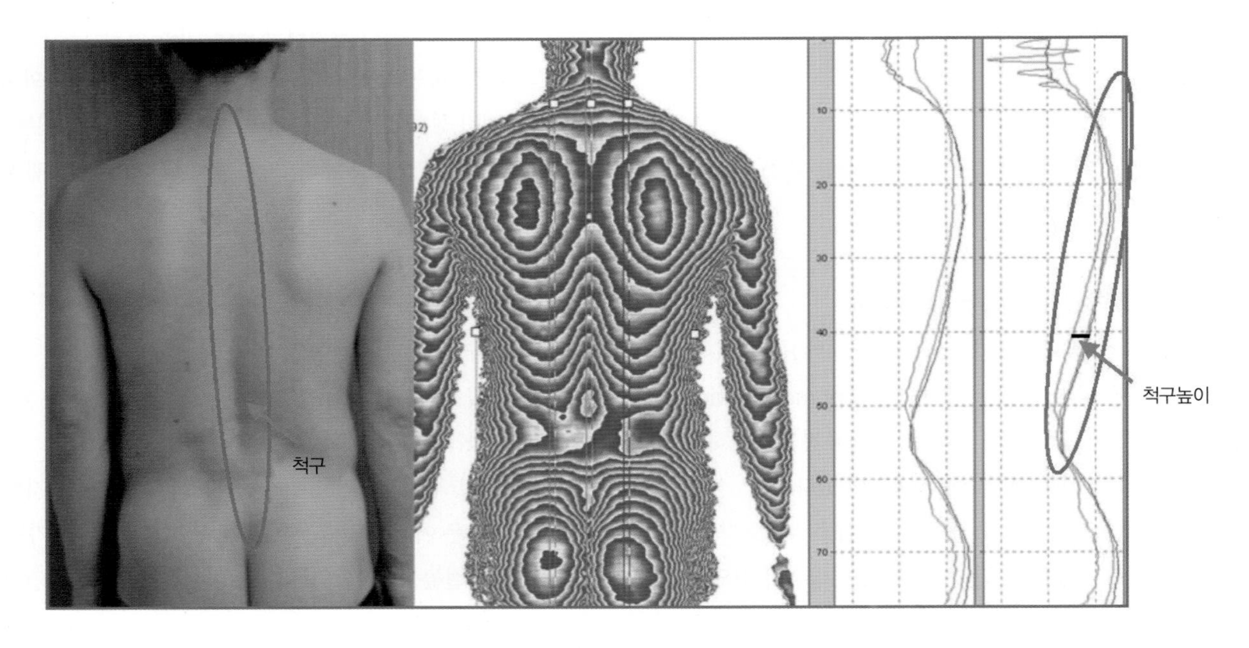

그림 8-2. 영사식 모아레

단기기에 의한 진단이 요구된다. 환자의 외상에 의한 손상은 중추신경계 손상과 말초신경계 손상과의 감별이 필요할 수 있고, 골절이나 탈구의 여부를 확인해야 할 필요성이 있다. 이러한 진단평가와 관련된 진단기기로는 추선(plumb line) 검사, 모아레(Moire) 검사 등의 체형 및 균형 측정기기, 단순 방사선 검사(X-ray)를 비롯한 컴퓨터 단층 촬영(CT), 자기 공명 영상(MRI) 등의 영상진단기기, 정확한 확진이나 감별진단을 위한 임상병리 검사 등이 있다.

1) 추선(Plumb line) 검사

추선이란 완전한 수직선을 만들기 위해 추를 매달아 만든 선으로, 편차를 측정하는 기준이 된다. 기준점은 유동적이면 안되므로 전면의 코, 측면의 귀 등이 되어서는 안 되며, 기립 자세에서는 발이 땅에 닿는 바닥에만 고정점이 위치하므로 발을 기준으로 고정점을 설정해야 한다(보통 정면 측정인 경우 양족내과 정중앙을, 측면 측정인 경우 족외과를 기준으로 한다). 망진을 통한 자세관찰의 기준으로 이용할 수 있으며, 전신의 정렬 상태를 단시간에 파악할 수 있는 장점이 있다(그림 8-1).

2) 모아레(Moire) 검사

모아레란 '물결무늬'라는 뜻을 가진 프랑스어에서 유래된 것으로 무늬가 주기적으로 겹쳐져 나타나는 현상을 일컫는 말이다. 이러한 모아레 무늬는 빛의 파동성에 의하여 발생하는 간섭과는 다른 현상으로, 빛이 투과되는 영역에서 교차되어 나타나는 것이며 이를 기계적 간섭이라고도 한다.

이 물결무늬에는 3차원에 대한 정보가 포함되어 있으므로, Moire 영상은 인체 표면의 높낮이를 등고선(contour)으로 나타내 준다. 이 등고선은 스크린에서 체표면까지 거리가 동일하다는 것을 의미한다(그림 8-2). 특히, Moire를 이용하면 척추의 변위 여부를 파악할 수 있으므로 X-ray 검사의 사전 검사로 활용하든지, 치료 전후의 평가를 위해 X-ray를 반복 촬영해서 발생할 수 있는 방사선 과조사 위험의 경감과 척추의 변위 외에 피부의 작은 돌출을 확인할 때 유용하게 이용될 수 있다.

3) 단순 방사선 촬영 진단

(1) 개요

단순 방사선사진(X-ray)은 근골격계 문제의 영상적 진단에 우선적으로 사용된다. 이것은 즉시 유용하게 사용될 수 있고, 상대적으로 저렴하며 좋은 해부학적 정보를 제공하는 장점이 있으나, 환자에게 방사선 노출이 있으며, 연부조직 구조의 구별이 잘 안 되는 단점이 있다. X-ray 결과는 밀도가 낮은 경우 검게 나오고 높으면 밝게 나오는데 그 순서는 금속, 뼈, 연부조직, 물, 지방, 공기 순이며, X-ray 검사는 필름에서 먼 쪽이 흐리게 나온다. 즉, A-P view를 찍으면 anterior 쪽이 posterior 쪽보다 흐리게 나오게 되므로, 척추(vertebra)를 선명하게 보고 싶다면 A-P view를 찍는 것이 P-A view를 찍는 것보다 좋다. X-ray 검사는 일반적으로 연부조직 손상에는 진단적 가치가 크지 않지만 때로는 인대나 연골손상에 참고가 되는 경우도 있으며, 주로 골절이나 탈구, 뼈의 병변(paget병, 무혈성 괴사, 골대리석병, 골다공증, 또는 암의 골전이에 의한 골괴사 등) 등의 감별진단과 감염증, 외상, 종양, 대사이상, 변성질환이 존재하는지를 파악하는데 보조적 정보를 제공한다.

(2) X-ray 촬영의 기초

① X-ray 판독의 ABC & S

- A : Alignment(정렬) - 만곡과 치수(measurements)를 읽는다.
- B : Bone(골) - size, shape, density 및 형태상의 이상유무를 관찰한다.
- C : Cartilage(연골) - joint space, disc space의 이상유무를 살핀다.
- S : Soft tissue(연부조직) - 활액낭, 근육, 연부조직 등의 이상유무를 살핀다.

② 촬영 자세

입위(erect pose)와 앙와위(recumbent)가 있는데, 치료를 위해서는 체중 부하가 걸리는 입위로 촬영하는 것이 좋다.

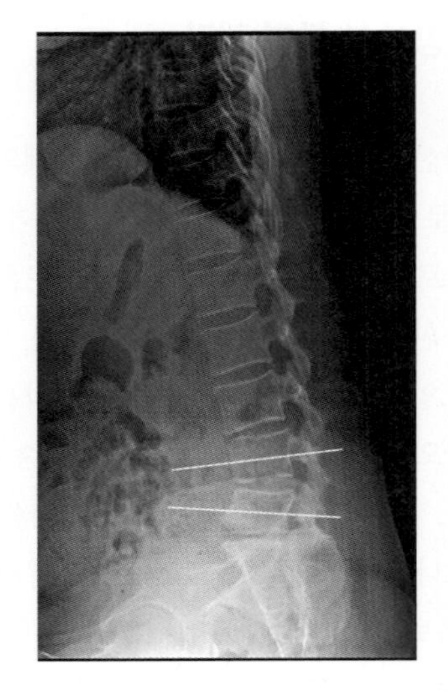

그림 8-3. 굴곡변위(Flexion malposition)

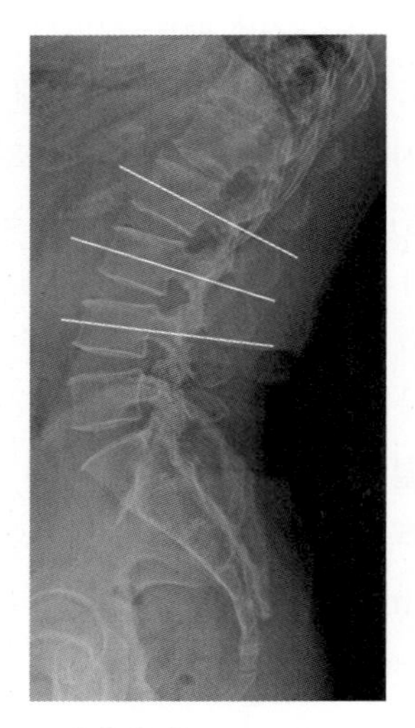

그림 8-4. 신전변위(Extension malposition)

(3) 척추변위의 단순 방사선 영상 진단법

척추변위 명명체계는 척추의 삼차원적인 정렬 및 추체의 위치 이상과 관절 운동 범위의 제한을 바탕으로 확립되었다. 척추운동은 보통 하위 추체를 기준으로 상위 추체 전면의 움직임을 서술하게 된다. 각각의 변위는 전두면(frontal plane), 시상면(sagittal plane), 수평면(horizontal plane)의 세 개 면과 수직 축(vertical axis), 앞-뒤 축(anterior-posterior axis), 안-가쪽 축(medial-lateral axis)의 세 개 축에 따라 굴곡변위(flexion malposition), 신전변위(extension

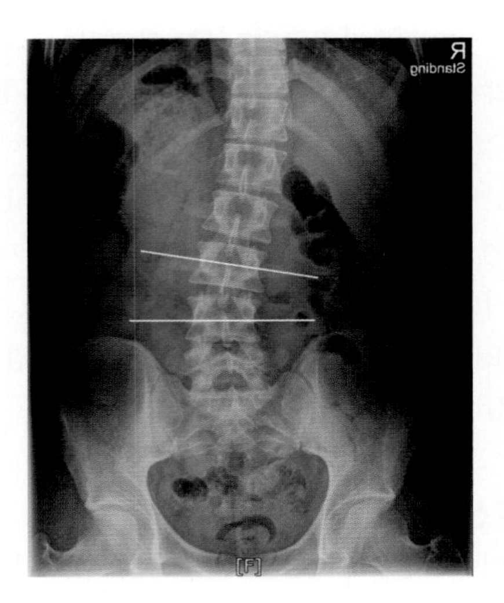

그림 8-5. 측굴변위(Lateral flexion malposition)

malposition), 측굴변위(lateral flexion malposition), 회전변위(rotation malposition), 전방전위(anterolisthesis), 후방전위(retrolisthesis), 측방전위(laterolisthesis), 복합변위(typeⅠ, typeⅡ)로 분류할 수 있다. 각 변위의 단순 방사선 영상에서의 진단은 다음과 같은 방법을 활용한다.

① 굴곡 변위(Flexion malposition, Lateral view)

굴곡변위에서는 상, 하 추체의 앞부분이 서로 가까워짐에 따라 추간판 공간이 쐐기 모양으로 보인다. 극돌기는 서로 멀어지고, 상부 추체의 하관절돌기가 하부 추체의 상관절돌기 위쪽 방향으로 미끄러진다. 또한 추간공(IVF)은 넓어져서 시상면에서 커보이게 된다(그림 8-3).

② 신전 변위(Extension malposition, Lateral view)

신전변위에서는 상, 하 추체의 뒷부분이 서로 가까워지고 추간판의 공간도 뒤쪽으로 가면서 얇아지게 되고 상하 추체의 극돌기는 가까워지게 된다. 또한 상위 추체의 하관절돌기(inferior articular process)가 하위추체의 상관절돌기(superior articular process)를 향해 아래쪽으로 미끄러짐에 따라 후관절은 방사선 상에서 겹쳐있는 모습으로 보이게 되고, 추간공은 시상면에서 작아보이게 된다. 이러한 신전변위는 특히 요추 부위에서 흔하게 볼 수 있다(그림 8-4).

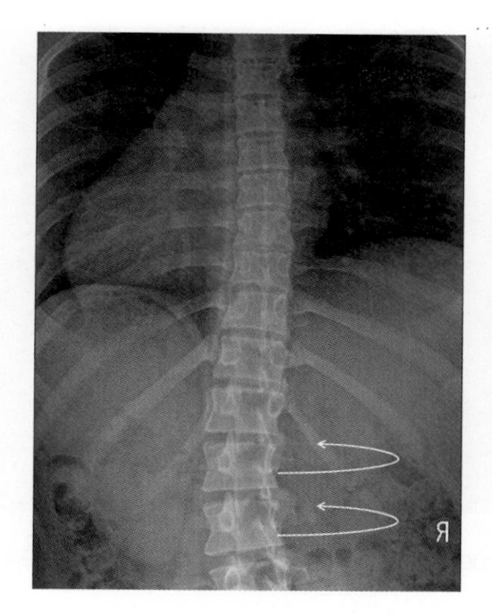

그림 8-6. 회전변위(Rotation malposition)

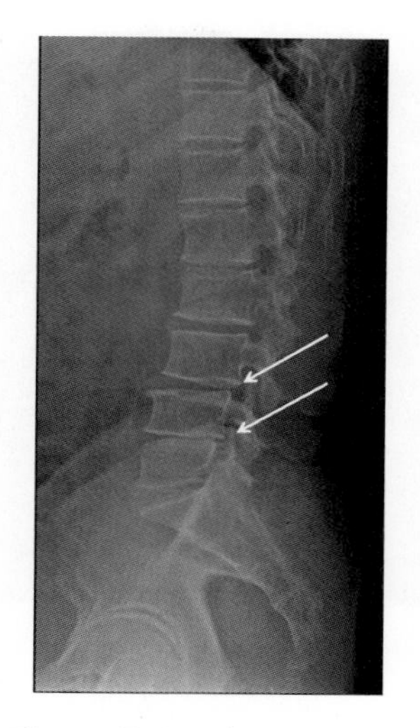

그림 8-8. 후방전위(Retrolisthesis)

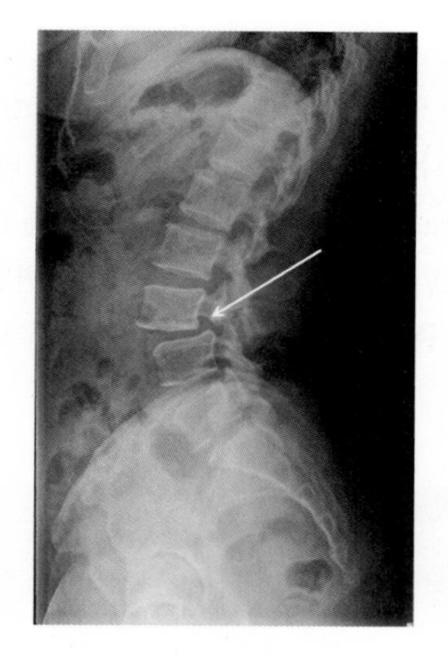

그림 8-7. 전방전위(Anterolisthesis)

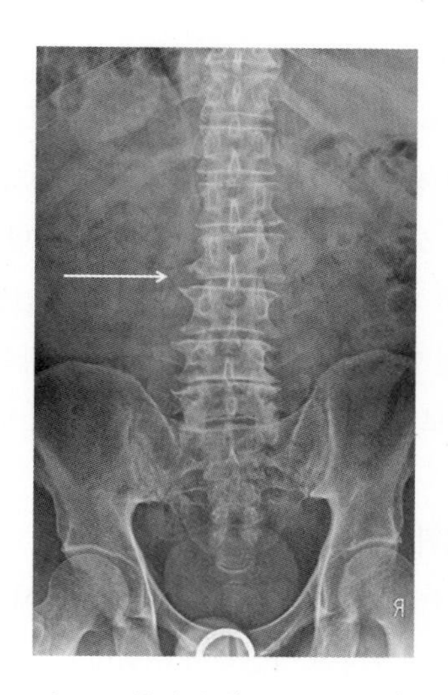

그림 8-9. 측방전위(Laterolisthesis)

③ 측굴 변위(Lateral flexion malposition, A-P view)

측굴변위는 상, 하 추체가 측굴한 쪽에서 서로 가까워짐에 따라 추간판 공간이 가쪽으로 쐐기 모양(lateral wedging)을 띠게 된다. 또한 추간판 공간이 얇아진 쪽(측굴한 쪽)에서 후관절이 서로 겹쳐보이게 되며, 반대쪽에서는 상부 추체의 하관절돌기가 하부 추체의 상관절돌기 위쪽 방향으로 미끄러짐에 따라 관절돌기 간 분리(열림)되는 모습을 보이게 된다(그림 8-5).

④ 회전 변위(Rotation malposition, A-P view)

척추의 변위유형에서 척추간 회전은 상부 경추를 제외하고는 매우 제한적으로, 대개 여러 분절을 침범하는 형태가 관찰된다. 척추의 회전변위가 있는 분절의 경우 추체가 회전된 방향의 척추뿌리가 더 크게 보이며, 회전된 반대방향으로 극돌기(spinous process)가 회전되어 있다. 또한 추체가 뒤쪽으로 회전한 방향에서 극돌기에 대한 추체 중량의 우세(preponderance)가 특징적으로 확인된다(그림 8-6).

⑤ 전방전위(Anterolisthesis, Lateral view)

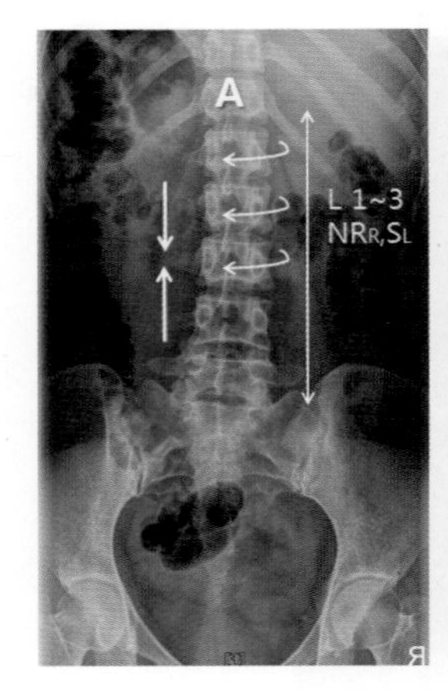

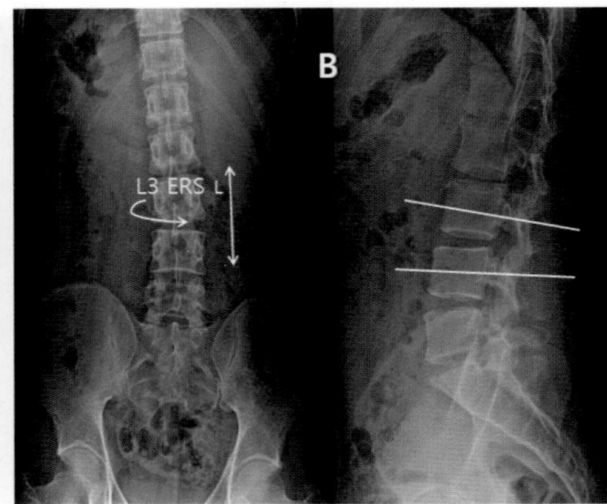

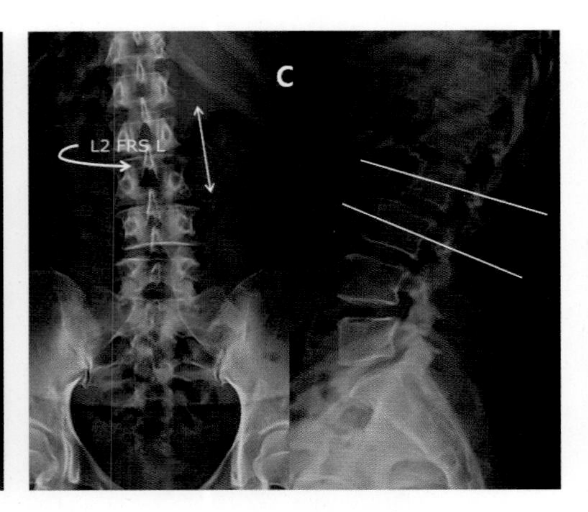

그림 8-10. 복합변위(TypeⅠ, TypeⅡ)
A : Type Ⅰ (L1~3-Right rotation, Left lateral flexion malposition; NR_RS_L)
B : Type Ⅱ (L3-Extension, Left rotation/Left lateral flexion malposition; ERS_L)
C : Type Ⅱ (L2-Flexion, Left rotation/Left lateral flexion malposition; FRS_L)

전방전위는 일반적으로 척추의 관절간부(pars interarticularis)인 협부(isthmus)가 침범되어 발생한다. 방사선 사진 상에서는 상위 추체가 하위 추체에 비해 앞으로 미끄러지게 된다. 심한 추간판 퇴행이나 후관절의 관절증으로 인해 척추 분절이 현저하게 불안정하게 되는 경우에는 협부의 분리 없이 전방으로 미끄러지기도 한다(그림 8-7).

⑥ 후방전위(Retrolisthesis, Lateral view)

후방전위는 상위 추체가 하위 추체에 비해 후방으로 변위된 것으로 대개 방사선 사진에서 분명히 나타난다. 종종 신전 혹은 추간판이 얇아져서 추체가 서로 가까워져 있는 소견과 함께 나타나기도 하며, 주로 경추나 요추에서 잘 발생하고, 흉추에서는 비교적 드물다. 추간공 쪽으로의 전위 정도에 따라 Grade 1에서 Grade 4까지 나눌 수 있다(그림 8-8).

⑦ 측방전위(Laterolisthesis, A-P view)

측방으로 미끄러지는 형태의 전위는 흔치 않은 형태로, 보통은 상당한 분절 회전과 함께 나타난다. 측방변위가 있을 경우 하위 추체에 비해 상위 추체의 측면부가 명백하게 돌출되어 있는 형태가 관찰된다(그림 8-9).

⑧ 척추의 복합변위(TypeⅠ, TypeⅡ)의 진단방법

척추변위 명명체계에서 중립위 역학(neutral mechanics)을 보이는 변위 유형을 TypeⅠ으로, 비중립위 역학(non-neutral mechanics)을 보이는 경우를 TypeⅡ로 정의하고 있다. TypeⅠ변위의 경우 회전과 측굴 변위가 동시에 반대방향으로 존재하며, 보통 세 개 이상의 척추 그룹에서의 움

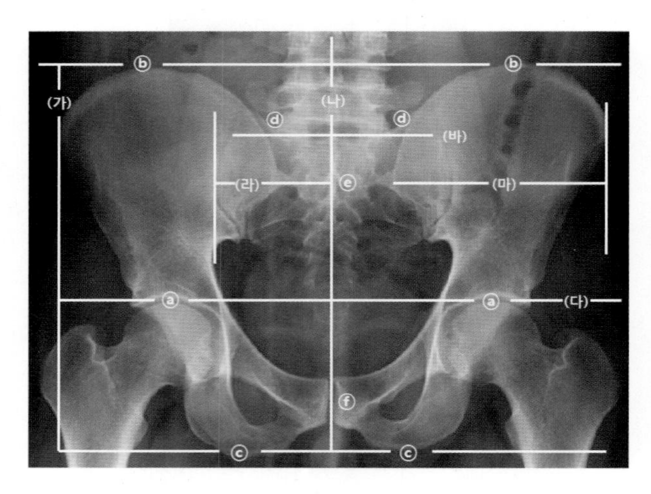

그림 8-11. 골반 및 천골변위 진단의 X-ray 기준점
(가) Innominate measurement, (나) Off centering measurement, (다) Femur head line, (라) Sacral ala measurement, (마) Ilium shadow measurement, (바) Sacral base line, ⓐ 대퇴골두의 최상단점, ⓑ 장골능의 최상단점, ⓒ 좌골결절의 최하단점, ⓓ sacral groove, ⓔ 제2천골결절(S2 tubercle), ⓕ 치골결합의 중심점

직임 제한이 관찰된다. TypeII 변위의 경우 회전과 측굴이 동일 방향으로 일어나는 양상으로, 주된 굴곡 및 신전 변위가 발생한 방향과 같은 쪽으로 측굴과 회전변위가 동반된다(그림 8-10).

(4) 골반 및 천골변위의 단순 방사선 영상 진단법

골반 및 천골변위 명명체계는 전두면, 시상면, 수평면과 수직축(vertical axis), 시상축(sagittal axis), 관상축(coronal axis)에 대한 움직임을 기준으로 구분된다. 장골변위의 경우 인플레어(inflare), 아웃플레어(outflare), 전방회전변위(anterior rotation malposition ilium), 후방회전변위(posterior rotation malposition ilium), 업슬립(upslip), 다운슬립(downslip)이 있으며, 기본적인 변위의 기준은 해당 뼈의 체부(body)이지만, 일반적으로는 대표적인 골성 지표인 전상장골극(anterior superior iliac spine)과 후상장골극(posterior superior iliac spine)의 위치를 기준으로 판단한다. 천골변위의 경우 천골의 굴곡변위(flexion malposition), 신전변위(extension malposition), 측굴변위(lateral flexion malposition), 회전변위(rotation malposition)로 구분할 수 있으며, 천골변위의 경우 Ferguson angle, Sacral ala measurement, Sacral groove line, Femur head line과 같은 측정선을 활용하여 진단할 수 있다.

① 골반 및 천골변위 진단을 위한 X-ray 기준점

골반 및 천골변위의 변위를 확인하기 위한 기준점 및 측정선, 측정방법은 다음과 같다(그림 8-11).

가. Innominate measurement : 좌우 각각의 점 ⓑ와 ⓒ에서 femur base line과 수평으로 그은 선간의 거리

나. Off centering measurement : femur base line과 직각을 이루도록 제2 천골결절에서 내려그은 선

다. Femur head line : 점 ⓐ를 이은 선으로 골반 측정의 기준선이 된다.

라. Sacral ala measurement : 제2 천골결절에서 천추익의 가장 바깥 부분에 대퇴기저부(femur base line)와 수직으로 그은 선간의 거리

마. Ilium shadow measurement : 후상장골극(PSIS)에서 장골의 가장 바깥부분에 femur base line과 수직으로 그은 선간의 거리

바. Sacral base line: 천추의 양쪽 구(ⓓ)를 이은 선

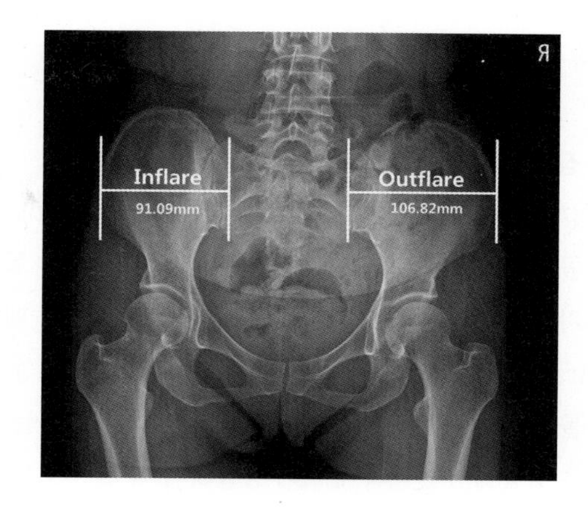

그림 8-12. 인플레어(Inflare)와 아웃플레어(Outflare)

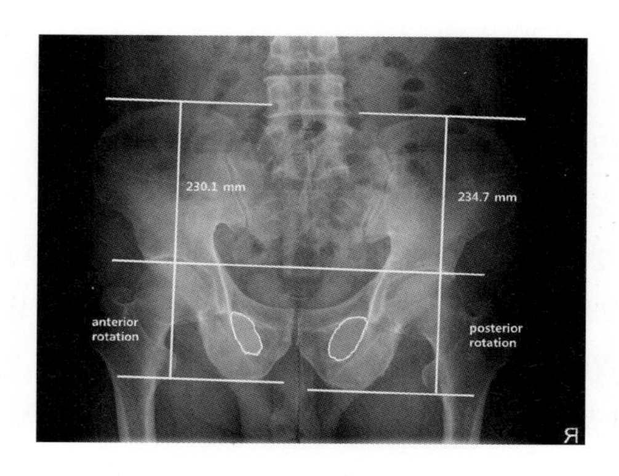

그림 8-13. 전방회전변위와 후방회전변위 (Anterior rotation & posterior rotation of ilium).

② 인플레어(Inflare)와 아웃플레어(Outflare)

인플레어와 아웃플레어는 장골의 상대적인 벌어짐의 정도를 기준으로 벌어짐이 좁은 곳을 인플레어, 넓은 곳을 아웃플레어로 판단할 수 있다. 인플레어의 경우 제2 천골결절에서 후상장골극까지의 거리가 대측에 비해 멀며, 치골결합이 Off centering measurement를 침범하게 된다. 또한 Ilium shadow measurement가 좁고 폐쇄공(obturator foramen)의 수평방향으로 길게 보이는 특징이 있다. 아웃플레어

의 경우 이와는 반대의 양상을 보이게 된다(그림 8-12).

③ 장골의 전방회전변위와 후방회전변위
(Anterior rotation & posterior rotation of ilium).

장골의 전방회전변위 및 후방회전변위는 장골의 회전방향을 기준으로 하며, Innominate measurement, 폐쇄공(obturator foramen), 대퇴골두(femur head) 높이 등의 좌우 차를 활용하여 판정할 수 있다. 전방회전변위가 있는 장골의 경우 영상에서 반대측에 비해 장골의 수직 길이가 짧아 보이고, 폐쇄공의 대각선의 길이가 짧게 보이며, 치골의 상하 폭이 얇게 보이게 된다. 후방회전 변위의 경우 이와 반대의 양상을 갖는다(그림 8-13).

④ 업슬립(Upslip)과 다운슬립(Downslip)

정상적인 운동범위에 비하여 천골에 대해 장골이 수직축의 상방으로 과도하게 전단 이동하게 되어 고착된 상태를 업슬립으로 정의하며, 다운슬립의 경우 이와 반대의 양상을 갖는다. 업슬립이 이루어진 곳의 경우 대측에 비해 치골, 대퇴골두, 좌골결절, 전상장골극, 후상장골극 등의 지표가 되는 골성 구조물의 높이가 상승되어 있는 소견을 관찰할 수 있으며, 다운슬립의 경우 이와 반대의 양상을 갖는다(그림 8-14).

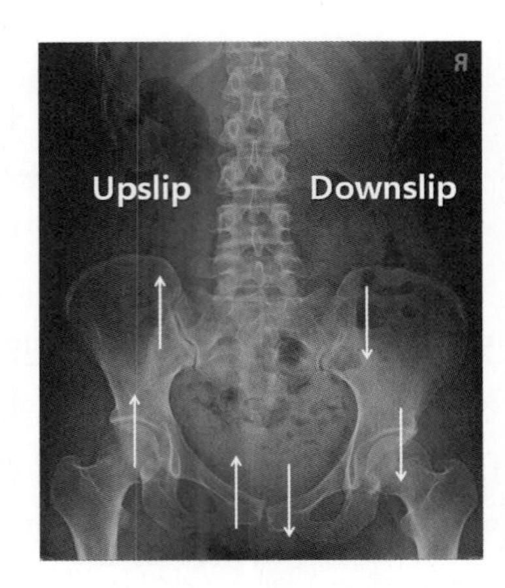

그림 8-14. 업슬립(Upslip)과 다운슬립(Downslip)

⑤ 천골의 굴곡변위(Flexion malposition)와 신전변위
(Extension malposition)

천골의 굴곡변위 및 신전변위는 수평축 또는 요천관절의 각도(ferguson angle)를 바탕으로 진단한다. 정상적인 ferguson angle은 연구마다 차이가 있으나 보통 30°-57°를 정상범위로 간주하며, 이보다 각도가 클 경우 천골의 굴곡변위, 작을 경우 천골의 신전변위로 진단한다(그림 8-15).

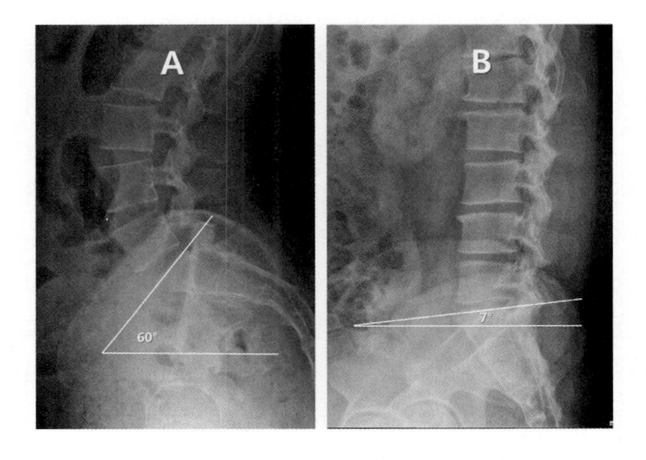

그림 8-15. 굴곡변위(Flexion malposition)와 신전변위(Extension malposition) A : Flexion malposition, B : Extension malposition

⑥ 천골의 측굴변위(Lateral flexion malposition)

정상적인 경우 기립 위 단순 방사선 영상에서 Femur head line과 천골수평면이 평형상태를 유지해야 한다. 천골의 측굴변위가 있을 경우 변위가 있는 곳의 천골기저부가 Femur head line과 가깝게 된다(그림 8-16).

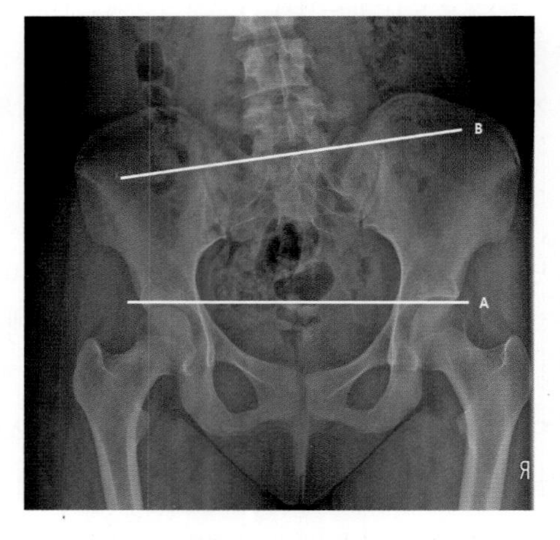

그림 8-16. 측굴변위(Lateral flexion malposition)
A : Femur head line, B : Sacral groove line

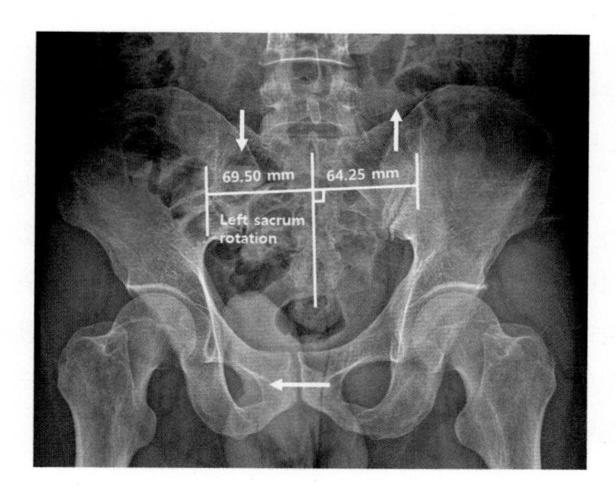

그림 8-17. 회전변위(Rotation malposition)

⑦ 천골의 회전변위(Rotation malposition)

천골의 회전변위는 제 2천골결절(S2 tubercle)에서 천골의 외방면(ala of sacrum)까지의 거리를 측정하여 진단하며(sacral ala measurement), 길이가 긴 쪽의 천골이 후방회전되어 있다고 판단한다. 경우에 따라서는 sacral ala measurement가 7 mm 이상의 차이가 나는 경우, 혹은 4-6 mm 정도의 차이가 나면서 다른 pelvis의 변위 요소가 없는 경우에 한정하여 천골의 회전변위를 규정하기도 한다. 또한 천골의 회전방향이 보통 천장관절의 경사축(oblique line)을 따라 이루어지므로, 천골이 회전된 쪽으로 치골지가 중심선을 침범하며, 미골은 회전이 발생한 천골의 반대쪽을 가리킨다(그림 8-17).

4) 컴퓨터 단층 촬영(CT) 진단

컴퓨터 단층 촬영법(Computerized Tomography, CT)은 X-ray와는 다르게 횡단면 영상을 얻을 수 있으며, 뼈의 구조를 아주 세밀하게 촬영할 수 있고, 연부조직에 대한 해상도도 좋다. CT촬영은 디스크 탈출이나 척추 소관절 질환, 척추협착증의 평가에 사용되고, 복합골절이나 탈구, 특히 관절질환이나 슬개대퇴골의 정렬과 흔적, 골괴사, 종양, 골수염의 평가에 사용되기도 한다. 뇌 병변에도 많이 사용되는데 bone, CSF, gray mater, white mater의 밀도차를 영상으로 재현하여 출혈, 경색, 연화된 조직, 부종, 농양, 종양 등을 정확하게 진단할 수 있으며, 뇌실 및 정중선 구조의 정확한 크기와 위치를 파악할 수 있다. 최근에는 3-Dimensional CT의 개발로 골절과 탈구질환에서 정확한 삼차원 영상을 얻음으로 인하여 그 사용영역이 확대되고 있다.

5) 자기 공명 영상(MRI) 진단

자기 공명 영상(Magnetic Resonance Imaging; MRI)은 비침습적인 검사법으로 우수한 조직의 대비를 제공하며, 다면상도 제공되고 부작용도 없지만, 고가의 비용과 폐쇄공포가 있는 환자의 경우는 문제가 된다. MRI는 척수종양, 두개골내의 질환, 중추신경 질환, 각종 척추 및 추간판 질환, 반월판 및 인대의 단열, 병리적인 견관절, 골 괴사, 골연골의 병변 진단에 사용된다.

CT에 비해 탈수초성 병변은 월등히 선명하게 보여주고, 경색도 초기에 관찰할 수 있으며, 척수의 자기공명영상은 척추체, 척수, 마미총의 뚜렷한 영상을 얻을 수 있으며, 척수 공동증 및 추간판 질환, 경막외 및 경막하 출혈, 농양을 뚜렷하게 보여줘 조영제를 이용한 척수 조영술을 대치하였다. 심박동기나 몸속에 금속물질이 삽입되어 있는 환자는 강한 자기장의 사용으로 인하여 금기이다.

6) 초음파 진단

초음파 진단은 동적인 실시간 영상을 보여주는 이점이 있어 각 조직의 움직임을 보여주며, 특히 근골격계 초음파의 경우 건이나 인대, 근 병리, 연부조직 덩어리(예; 종양, 신경절, 낭종, 염증화된 점액낭), 삼출액과 같은 연부조직 손상평가에 유용하다. 초음파 진단의 단점은 대조해상도의 제한, 침투깊이의 제한, 음파의 뼈 침투 제한과 배우기 어렵고 영상의 질이나 영상의 해석이 시술자에 의해 좌우된다는 점이다.

7) 골밀도 검사

골밀도 측정 방법 중 가장 정확한 방법인 pDEXA(peripheral Dual Energy X-ray Absorptiometry)방식을 취하고 있으며 DEXA방식이란 T값을 해석하는 것으로 T값은 젊은 여성의 평균적인 최대 골밀도와 비교한 값이다. T값이 음의 값일수록 골밀도는 더 감소한 것이며 압박 골절 등의 위험성은 증가하게 된다.

8) 골스캔

골의 병태 생리적인 변화를 영상기법으로 이용하므로 민감도가 상당히 높아, 골 무기질의 30-50% 변화가 있어야 병변이 나타나는 일반 방사선 사진보다 예민하고, 조기에 병변을 발견할 수 있다. 골 질환 뿐만 아니라 관절 및 연부조직 질환의 평가에도 유용하며 침범된 부위의 골 재형성 또는 주위 조직의 염증정도에 따라 이상소견을 나타낸다.

9) 임상 병리 검사

근골격계통의 질환을 위주로 시행되는 혈액검사는 정확한 확진이나 감별진단을 위하여 사용되거나 또는 환자의 상태가 추나치료의 대상으로 적합한가를 알아보기 위해 보조적으로 시행될 수 있다.

먼저, Rheumatoid disease(류마토이드 관절염, 강직성 척추염, DISH 등)로 의심되는 환자는 RF (rheumatoid factor), CRP, ESR 등의 검사를 시행하며, 통풍(Gout)이 의심되면 Uric acid, CRP, CBC & ESR, LFT, RFT의 검사를, 강직성 척추염에서는 HLA B27을, 염증성 척추관절질환이 의심될 경우 CRP, ESR을, 골질환의 경우 ALP를, 근육질환이 의심될 때는 Creatine, CK 등의 검사를 고려하여야 한다.

7. 추나요법의 금기증 및 합병증

추나치료는 관절의 가동 저항점을 넘어서는 강한 수동적 운동을 포함하므로 부적절한 수기 및 동작에 의한 위험요소를 갖고 있음을 숙지해야 한다. 부적절한 추나치료는 손상을 유발하거나, 관련된 질병을 악화시키거나, 심지어는 효과적이거나 생명을 구하는 적절한 다른 치료를 지연시킬 수도 있다. 따라서 항상 전체적이고 정밀한 진단평가를 시행하고, 추나치료의 합병증과 금기사항을 잘 인지하고 있어야 한다.

상대적 금기증은 합병증을 유발시킬 가능성이 높기 때문에 주의가 필요하거나 혹은 적절한 추나수기법으로 교체해야 하는 상황을 의미한다. 절대적 금기증이 있는 경우 문제 부위의 추나치료를 금해야 한다. 그러나 해당부위에 대한 국소적인 추나치료의 금기사항이 될 수 있지만, 다른 형태의 추나치료 혹은 다른 부위에 대한 추나치료를 모두 금하는 것은 아니다. 예를 들면, 상대적이거나 절대적인 금기증이라 하더라도 추나기법별로 정골추나가 아닌 경근추나 기법이 사용될 수 있다(표 8-1, 8-2, 8-3).

또한, 추나치료 후 국소적 불쾌감, 전신통, 두통, 피로, 방산통 등의 경미하고 일시적인 불편감을 호소하는 경우가 있다. 그러나 이러한 반응은 추나치료 후 관절 주변 연부 조직의 가동이나 자극으로 인한 수기 치료의 정상적 결과로 해석할 수 있다. 따라서 치료 전 환자에게 예상되는 치료 후의 반응을 설명할 필요가 있다.

표 8-1. 척추부 수기치료의 절대금기

1. 치돌기 형성 저하증, os odontoideum과 같은 기형
2. 급성골절
3. 척수 종양
4. 골수염, 패혈성 추간판염 및 척추결핵 등의 급성 간염
5. 수막의 종양
6. 척수 및 추공내의 혈종
7. 척추의 악성종양
8. 신경 결손을 동반한 디스크 탈출
9. 상부 경추의 뇌저 함입
10. 상부 경추의 Arnold-Chiari 기형
11. 척추탈구
12. 동맥류성 골낭종, 거대세포 종양, 골모세포종, 유골골종과 같은 공격형 양성종양
13. 내부 고정 및 안정 장치
14. 근육 또는 연부조직의 신생물
15. Kernig's sign, Lhermitte's signs 양성
16. 선천적인 전신 과가동성
17. 불안정성의 징후 또는 양상
18. 척수구멍증
19. 원인불명의 수두증
20. 척수이분증
21. 마미증후군

표 8-2. 관절 수기치료의 금기사항

	절대적 금기	상대적 금기	주의
관절 질환	- 염증상태(RA) - 혈청음성의 척추관절병증 - 아탈구나 탈구를 동반한 골격 탈회 및 인대이완 - 골절, 탈구, 인대파열이나 불안정이 보이는 치유골절 - C1-C2의 불안정	- 과가동성 관절, 관절의 안정성이 확인되지 않은 관절 - 수술 후 관절	- 퇴행성 관절질환, 골관절염, 퇴행성 관절병증, facet 관절증의 염증기 - 척추염, 척추전방전위증(진행속도에 따름) - 급성 관절 및 연조직 손상 - 외상
골약화 질환	- 체중 부하 관절의 활동성 연소성 무혈성 괴사 - 양성 골 종양 - 악성 척추 종양, 척추와 관절의 감염 - 뼈와 관절의 감염	- 대사성 질환에 의한 골 약화질환 - 양성 골 종양 - 심한, 통증성 추간판염, 추간판 탈출	- 장기간의 스테로이드 요법자, 골조송증, 폐경한 여성
순환기 및 혈액학적 질환	- 척추뇌저혈관 기능부전 - 뇌졸중 기왕력의 환자 - 뇌동맥류	- 항응고제 복용자 - 출혈을 일으키는 혈액질환	
신경학적 장애	- 급성 척수병증 - 두개내압상승 - 뇌수막염 - 급성 마미증후군		
심리적 요인		꾀병, 히스테리, 건강염려증	

표 8-3. 척추부 수기치료의 합병증

경추부	경동맥해리, 뇌경색, 경막파열, 부종, 혈종, 횡경막 신경 손상, 경추추간판탈출, 경추 골절, Os odontoideum, Wallenburg syndrome, 망막 동맥의 색전
흉추부	흉추 추간판탈출, 경막의 혈종, 척수 손상, 흉추부 압박골절, 늑골골절
요추부	마미증후군, 요추 추간판탈출, 요추 pedicle 골절, 마미의 허혈, 경막의 혈종, 복부대동맥 파열

제3절 추나기법

1. 추나시술과 용어의 정의

1) 방향

인체 중심선을 기준으로 하며, 이는 상대적인 개념이다. 가령 기립위에서 상방과 두방은 같은 방향을 의미하지만, 복와위 자세에서는 상방은 후방과 같은 방향을 의미하고 두방과는 직각을 이룬다(그림 8-18, 8-19).

(1) 두방(cephalic) - 머리쪽 방향
(2) 족방(caudal) - 다리쪽 방향
(3) 상방(superior) - 위쪽 방향
(4) 하방(inferior) - 아래쪽 방향
(5) 전방(anterior) - 앞쪽 방향
(6) 후방(posterior) - 뒤쪽 방향
(7) 내방(medial) - 내측 방향
(8) 외방(lateral) - 외측 방향
(9) 동측면(환측면: ipsilateral) - 환자의 변위가 일어난 측면
(10) 대측면(contralateral) - 환자의 변위가 일어난 반대측면

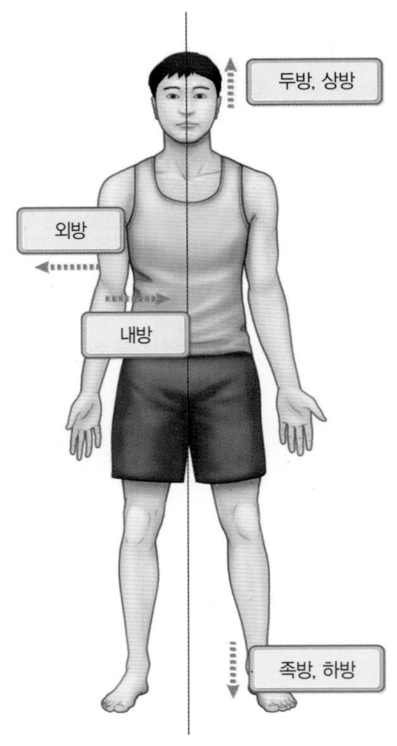

그림 8-18. 기립위(정면)

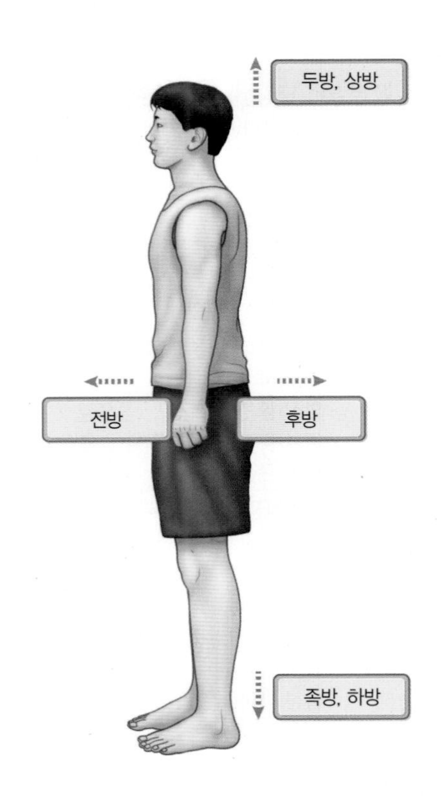

그림 8-19. 기립위(측면)

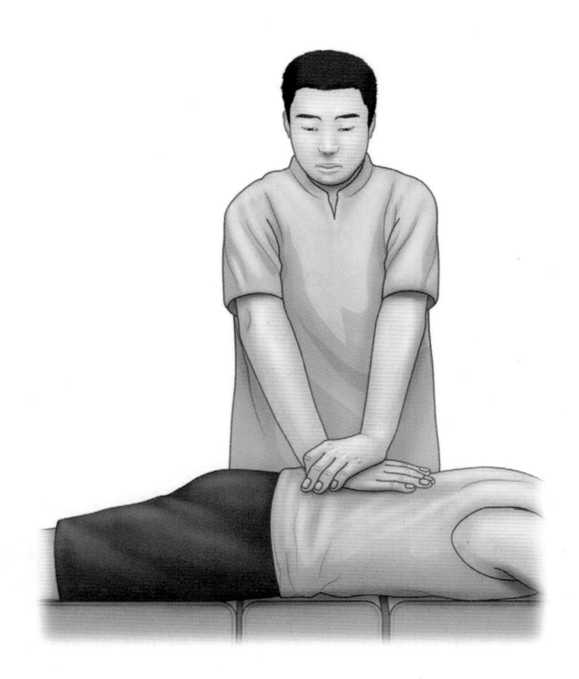

그림 8-20. 빗장 자세

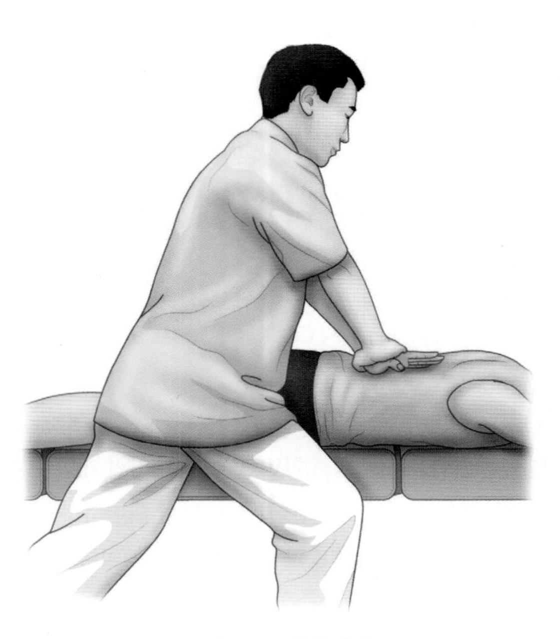

그림 8-21. 펜싱 자세

2) 환자의 자세

(1) 기립위(입위; standing position) - 선 자세
(2) 좌위(sitting position) - 앉은 자세
(3) 앙와위(supine position) - 똑바로 누운 자세
(4) 복와위(prone position) - 엎드린 자세
(5) 측와위(side lying position) - 옆으로 누운 자세

3) 의사의 자세

(1) 빗장자세

빗장자세는 의사의 발을 어깨너비로 벌리고 무릎과 골반은 약간 구부리고 척주는 곧게 세운 자세이다(그림 8-20).

(2) 펜싱자세

펜싱자세는 의사의 한 다리(외방의 발)를 앞으로 내밀고 발끝은 곧게 앞으로 향해 선 채로 다른 다리(내방의 발)는 의사의 몸통 뒤로 빼고 발끝이 옆을 향하도록 바깥으로 돌린 자세이다(그림 8-21).

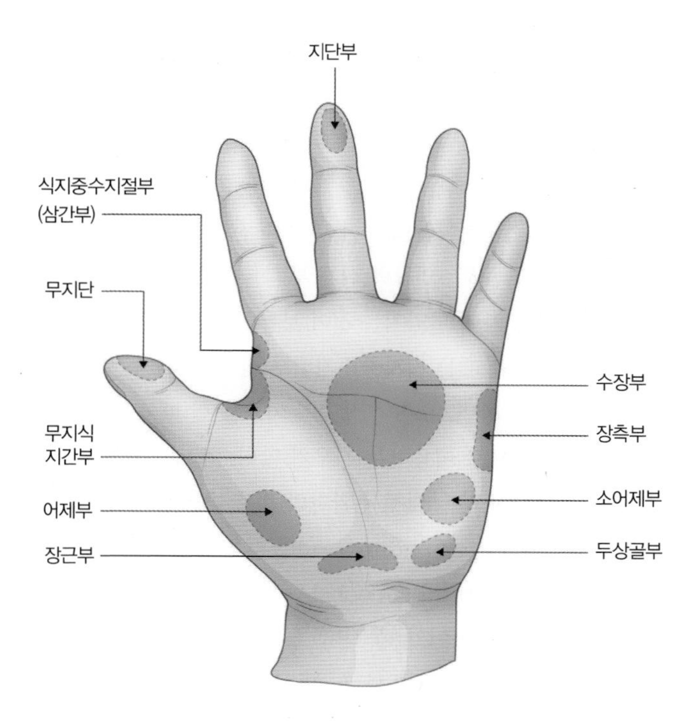

그림 8-22. 의사의 접촉점

4) 의사의 손

환자의 인체 중심선을 기준으로 하며, 역시 상대적 개념이다.

(1) 두방수(cephalic hand) - 의사가 교정 자세를 잡고 섰을 때, 의사의 손 중에서 환자의 두방에 위치한 손
(2) 족방수(caudal hand) - 의사가 교정 자세를 잡고 섰을 때, 의사의 손 중에서 환자의 족방에 위치한 손
(3) 내방수(medial hand) - 의사가 교정 자세를 잡고 섰을 때, 의사의 손 중에서 환자의 내측면에 상대적으로 가깝게 위치한 손
(4) 외방수(lateral hand) - 의사가 교정 자세를 잡고 섰을 때, 의사의 손 중에서 환자의 내측면에서 상대적으로 멀게 위치한 손
(5) 전방수(anterior hand) - 의사가 교정 자세를 잡고 섰을 때, 의사의 손 중에서 환자의 전방에 위치한 손
(6) 후방수(posterior hand) - 의사가 교정 자세를 잡고 섰을 때, 의사의 손 중에서 환자의 후방에 위치한 손

5) 치료에 관한 용어

(1) 환자의 접촉점

환자의 접촉점이란 의사가 환자의 상태를 평가하거나, 치료하기 위하여 접촉하는 환자의 신체부위를 말한다. 사지의 경우는 각각의 상황에 따라 다양한 접촉점이 있지만 척추의 경우는 일반적으로 신체의 외부에서 찾기 쉬운 돌기(process)들이 접촉점이 되는 경우가 많다. 예를 들어, 경추의 경우는 일반적으로 관절돌기(articular pillar)를 접촉점으로 이용하는 경우가 많다. 흉추의 경우는 횡돌기(transverse process)를 접촉점으로 사용하는 경우가 많으며, 요추의 경우는 유두돌기(mamillary process)를 접촉점으로 사용하는 경우가 많다. 그 외에 경추, 흉추, 요추 모두 극돌기(spinous process)를 접촉점으로 이용하는 경우가 있다. 이 들 접촉점을 찾기 위해서는 먼저 극돌기를 찾아서 각각의 접촉점을 찾아야 하는데 관절돌기, 횡돌기, 유두돌기가 모두 극돌기와 같은 높이에 있는 것은 아니다. 가령, 흉추의 경우는 극돌기가 길기 때문에 극돌기의 끝은 아래쪽 흉추의 추체와 동일한 높이에 있는 경우가 있다. 그러므로 극돌기와 각 접촉점

들의 상하 좌우의 관계가 어떻게 이루어져 있는지 알아둘 필요가 있다.

(2) 의사의 접촉점

의사의 접촉점이란 의사가 환자를 진찰하거나 치료할 때 환자에게 접촉하는 의사의 신체 부위를 뜻한다. 접촉점은 환부의 상황에 따라 달라지는 것이 보통인데 가령 환자의 경추부위를 치료할 때는 식지중수지절부(삼간부)나 지단부를 많이 사용하는 반면, 요추나 장골의 치료를 할 때에는 두상골부를 접촉점으로 이용하는 경우가 많다. 이 때, 의사는 대부분 연조직 견인의 상태에서 환자의 접촉점을 접촉해야 한다(그림 8-22).

① 두상골부(pisiform bone)
② 장측부(knife edge)
③ 무지단(thumb)
④ 어제부(thenar)
⑤ 장근부(scaphoid bone)
⑥ 수장부(palm)
⑦ 소어제부(hypothenar)
⑧ 식지중수지절부(삼간부;index)
⑨ 무지식지간부(web)
⑩ 지단부(finger end)

(3) 연조직 견인

연조직 견인(tissue pull)이란 진찰이나 치료를 할 때에 접촉점에서 힘을 가하게 되면 연부조직이 밀려 실제적인 치료부위와 차이가 나게 되므로 연부조직을 견인하여 의사의 접촉점이 환자의 실제 치료부위가 되도록 하는 것을 말하는 것으로, 환자의 피부에 의해 의사의 손이 미끄러지는 것을 막는 방법이다. 가령 환자의 장골을 치료하기 위해 환자의 후상장골극(PSIS)에 의사가 두상골부를 접촉하고 아래에서 위로 힘을 가해서 치료한다면 처음에는 환자의 후상장골극에 접촉을 했더라도 점차적으로 치료하는 동안 손이 피부 위에서 치료방향인 아래에서 위로 미끄러져서 나중에는 환자의 후상장골극보다 위쪽을 접촉하고 치료하는 경우가 있다. 이런 경우 올바른 진찰이나 치료를 기대하기는 어려울 것이다. 이런 현상을 막기 위해서 처음 접촉할 때 환자의 후상장골극보다 아래쪽에서 엉덩이의 피부를 당겨 두상골부를 접촉하여 피부와 기타 연조직을 밀고 위로 올라가서 후상장골극을 접촉한다면 피부 위로 손이 미끄러지는 경우를 막을 수 있다. 이것을 "연조직 견인"이라고 하며 보통의 경우 압력방향에 따라 연조직 견인을 하는 것이 보통이다.

(4) 저항가동점

관절을 수동적으로 최대 가동시켰을 때 더 이상 그 관절가동범위가 늘어나지 않는 수동적 관절가동의 한계점을 말한

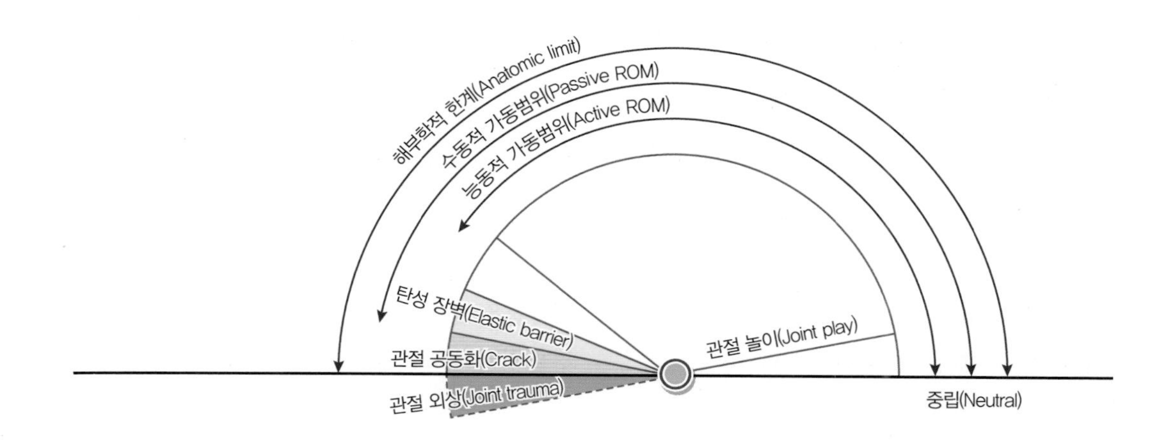

그림 8-23. 관절가동범위와 저항가동점

다. 이 저항가동점에서 순간적인 힘을 가하게 되면 교정이 이루어지게 된다(그림 8-23).

(5) 관절놀이(Joint play)

관절의 움직임은 동시에 몇 개의 축들을 중심으로 일어나며 한 종류의 움직임만 순수하게 일어나는 경우는 없다. 마주보는 어떠한 관절면도 완벽하게 꼭 들어맞지는 않고, 또한 완벽하게 기하학적이지도 않다. 관절면사이의 불일치 때문에 자유로운 움직임이 가능하기 위해서는 약간의 관절 공간과 함께 관절놀이(joint play)가 반드시 존재하게 된다. 이러한 관절놀이는 관절의 정상기능에 필수적인 부가적인 움직임이다.

관절낭이 가장 많이 이완되고 관절놀이가 최대한으로 이루어지는 상태를 이완위치(loose-packed position)이라고도 불리며 관절 간 간격이 넓어지고 견인력에 의해 관절면이 쉽게 분리되며 관절 내에 여러 운동이 가능한 상태이다. 만약 관절에 손상이 일어난다면 추가손상을 유발할 수 있는 관절 간의 충격을 방지하기 위해 관절은 종종 부종과 함께 최대이완위치(maximum loose-packed position)를 취하려 한다.

반대로 관절면에서의 움직임이 거의 일어나지 않은 상태를 잠김위치(closed-packed position)이라고 하며 관절주위의 인대들의 긴장도가 높아지고 관절 간 간격이 최소화되어 있으며 견인력에 의해 관절면이 쉽게 분리되지 않는 특징을 보인다. 이러한 제한은 수동운동범위치료(passive range-of-motion procedure)나 스러스트 기법 등을 통해 해결할 수 있다.

(6) 회전(Spin), 구르기(Roll)와 활주(Slide)

회전(spin)은 어떤 뼈가 고정된 역학적인 축을 중심으로 돌아갈 때 일어나는 운동으로 고관절, 견관절, 근위요골에서만 순수한 회전운동이 가능하다. 구르기(roll)는 한쪽 골의 표면위의 지점들이 다른 골의 지점들과 같은 간격으로 맞닿을 때 일어나고 활주(slide)는 움직이는 측 관절면의 한 지점이 반대쪽 관절면의 여러 지점들과 접촉할 때 일어난다.

인체의 대부분의 정상 관절들에서는 순수한 구르기나 활주가 단독으로 일어나는 경우는 거의 없으며 구르기와 함께 활주나 회전이 함께 일어난다. 요철법칙(concave-convex rule)은 회전과 활주가 짝을 지어 함께 일어나는 동작과 관련된 것인데 오목한(concave) 표면이 볼록한(convex) 표면 위에서 움직일 때는 구르기와 활주가 같은 방향으로 일어나야 한다. 그러나 볼록한 표면이 오목한 표면 위에서 움직일 때는 구르기와 활주가 서로 반대방향으로 움직여야 한다. 구르기와 활주의 조합은 해부학적으로도 관절의 움직임에 있어 관절 연골의 부담을 줄여주고 관절의 마모를 감소시키므로 중요하다.

2. 행위별 추나기법

1) 한방물리요법 행위분류

추나요법은 한방물리요법 행위분류의 의료기기 미사용 행위에 해당되며, 크게 단순추나, 복잡추나, 특수추나 3개로 분류될 수 있다. 단순추나는 관절가동추나, 근막추나, 관절신연추나로 나뉠 수 있으며, 복잡추나에는 관절교정추나가 해당되고, 특수추나에는 탈구추나, 내장기추나, 두개천골추나가 해당된다.

2) 추나요법 행위분류

가. 단순추나요법[관절가동추나, 관절신연추나, 근막추나]

(1) 정의

해당 관절의 정상적인 생리학적 운동범위 내에서 관절을 가동 또는 신연시키거나 경근조직(근육, 인대, 근막, 건)을 이완 또는 강화시켜 치료하는 행위를 말한다(관절가동추나, 관절신연추나, 근막추나 해당).

(2) 적응증

관절의 가동장애, 관절좁힘 및 근막(근육, 인대, 근막, 건) 문제로 야기되는 제반 근골격계 및 외상질환과 관절의 가동장애 및 근막문제를 동반한 근육 및 관절질환, 부정렬 등이다.

(3) 관절가동추나

① 정의 : 관절가동추나는 기혈순환장애로 해당 관절 부위의 관절부정렬(joint malalignment)과 가동범위의 기능적 감소(ROM abnormality)가 발생하였을 때, 관

절부정렬과 관절가동범위제한을 회복시키기 위하여 관절가동화기법(mobilization)을 적용하여 치료하는 행위를 말한다.

② 적응증 : 관절가동화 기법을 실시하는 주된 적응증은 급만성 두경부, 흉추늑골부, 요추부, 골반부, 상지부, 하지부 중 2부위 이상 관절 부위의 통증, 민감도, 조직의 질감 변화, 비대칭성, 관절가동 제한 등을 동반한 해당 관절의 변위 및 관절기능 장애이다.

(4) 관절신연추나

① 정의 : 관절신연추나는 기혈순환장애로 경추부, 요추부 등의 추간판 및 관절 기능장애(disc & joint dysfunction)가 발생하였을 때, 해당 관절의 추간판 및 관절의 압박력을 해소하기 위하여 관절신연기법을 적용하여 치료하는 행위를 말한다.

② 적응증 : 관절신연추나를 실시하는 주된 적응증은 급만성 경추부, 요추부, 척추와 연관된 상지부, 하지부 등의 관절장애와 통증, 민감도, 조직의 질감 변화, 비대칭성, 관절가동성 제한 등이다.

(5) 근막추나요법

① 정의 : 근막추나는 해당부위의 단축 및 긴장되거나 혹은 신장 및 약화된 경근조직(근육, 근막, 건, 인대)에 대하여 최적의 자세를 찾아서 시술자의 손으로 점진적인 압박 또는 환자의 등척성 수축, 등장성 수축에 대한 시술자의 저항 등의 방법으로 경근의 길이와 장력의 균형을 회복하여 통증, 호흡과 순환기능 부전, 관절과 근육의 운동기능 제한, 신체 부정렬 등을 치료하는 행위를 말한다.

② 적응증 : 근막추나를 실시하는 주된 적응증은 두경부, 체간부, 견갑/상지부, 골반/하지부, 복부/내장기의 근막의 경결, 긴장 및 단축으로 인한 기혈순환부전, 급만성 통증 및 기능장애이다.

나. 복잡추나요법[관절교정추나]

(1) 정의

해당 관절 또는 근육(경근)조직에 단순추나기법(관절가동추나, 관절신연추나, 근막추나)을 사용하여 적절히 이완시킨 후, 해당 관절의 변위와 기능부전의 회복을 목적으로 관절의 생리학적 범위를 넘는 고속저진폭기법(순간교정기법)을 사용하여 치료하는 행위를 말한다.

(2) 적응증

관절 및 근육의 급만성 통증, 해당 관절의 변위 및 관절기능 장애, 비대칭성이 있는 제반 근골격계 질환 및 외상질환 등이다.

다. 특수추나요법[탈구추나, 두개천골추나, 내장기추나]

(1) 탈구추나

① 정의 : 정상적인 해부학적 위치에서 이탈(dislocation)이 된 탈구상태의 관절을 원 위치로 복원시키는 정골(正骨)교정기법을 적용하여 치료하는 행위를 말한다.

② 적응증 : 관절의 탈구 상태(견관절, 주관절, 악관절, 고관절 등)

(2) 두개천골추나

① 정의 : 두개천골추나는 두개천골계 고유의 리듬을 촉지하여 비정상적인 리듬을 진단하고, 두개골과 두개골봉합 및 경막계의 뇌척수액의 정상 리듬의 균형을 조정해주는 치료행위를 말한다.

② 적응증 : 뇌기능장애, 두통, 편두통, 항강증, 운동-협응장애, 학습장애, 만성피로, 스트레스, 우울증, 시각장애, 만성통증, 정신신체화 장애, 화병(火病) 등이다.

(3) 내장기추나

① 정의 : 내장기추나는 치료자의 신체나 기기를 이용하여 부드러운 힘으로 환자의 내장기관의 가동성(mobility, 호흡시 횡격막의 수의적 움직임에 따른 내장의 움직임), 운동성(motility, 내장 고유의 움직임), 체액의 순환, 장기와 연관된 근육의 경련, 체내분비 등을 회복시키는 치료 행위를 말한다.

② 적응증 : 소화불량, 만성피로, 만성변비, 만성설사, 복통, 요실금, 발기부전, 불임, 식체 등과 같은 장기의 가동성 및 운동성 저하에 기인되는 각종 내장기, 근골격계, 신경계 등의 질환이다. 장기의 급성염증, 체내 구조적 이물질, 혈전질환 등은 금기증에 해당된다.

3. 부위별 추나기법

1) 두경부 추나기법

(1) 턱관절 추나기법

① 좌위 턱관절 단무지 신연기법

한 쪽 턱관절의 변위 및 구축에 적합하다. 환자는 좌위를 취하고 시술자는 환자의 대측면 어깨를 바라보고 서서, 보조수(후방수)로 후두부를 거쳐 손의 어제부로 환측면 귀의 전방에 고정하여 머리가 움직이지 않도록 지지한다. 주동수(전방수)로 변위된 측 하악부 대구치에 무지로 접촉하고 다른 손가락으로 하악의 아래를 고정한 다음, 무지를 이용하여 하방 및 전방으로 천천히 당겼다 풀어주는 방법으로 6회 되풀이한다. 시술 시 양측 무지에 가벼운 하방의 힘만 가해야 한다(그림 8-24).

(2) 경추부 추나기법

① 앙와위 경추 신연기법

<적응증>

- 경추에 대한 일반적인 신연기법
- 과전만(Hyperlordosis)
- 과소전만(Hypolordosis)
- 경추증(Hervical spondylosis)
- 경추추간판 탈출증 - 탈출된 Level 이상의 척추를 견인한다.

<치료절차>

i. 환자의 자세 : 앙와위

ii. 의사의 자세 : 환자의 두부 위쪽 면에 빗장자세

iii. 주동수와 보조수의 구분 없이 양손을 균등하게 사용한다.

iv. 접촉점

- 과소전만인 경우 : 경추 4번의 후면
- 과전만인 경우 : 후두골 기저부

v. 교정의 방향

- 과소전만인 경우: 먼저 후방에서 전방으로 경추의 만곡을 확보하고 나서 약 45° 정도로 족방에서 두방으로, 신

전방향으로 신연한다.

- 과전만인 경우: 약 15˚정도로 족방에서 두방으로, 굴곡 방향으로 신연한다.

vi. 시술방법 : 먼저 환자의 상태가 과소전만인지 과전만인지 또는 과소전만일지라도 전형적인 경추에서만 과소전만이고 상부경추는 과전만되어 있는 경우가 많으므로 진단 후 경우에 맞게 시행한다.

- 과소전만인 경우 : 양손을 균등하게 사용하는데 양손의 식지를 이용하여 제 4경추의 후면에 접촉한 후 나머지 손가락은 붙여서 식지에 힘을 모아준다. 먼저 손목을 이용하여 후방에서 전방으로 들어올려 경추의 만곡을 확보한 다음 족방에서 두방으로 약 45˚정도로 신전방향으로 신연한다. 의사는 팔꿈치를 몸에 밀착하여 팔의 힘이 아닌 체중을 이용하여 부드럽게 신연한다(그림 8-25).
- 과전만인 경우 : 양손을 균등하게 사용하는데 의사는 손바닥으로 측두와 관골부의 후면을 잡고 식지는 후두골의 기저부에 접촉한 후 나머지 손가락을 이용하여 후두골을 지탱한다. 식지의 힘을 이용하여 머리를 족방에서 두방으로 15˚정도로 약하게 신연을 한다. 이 상태에서 환자에게 턱을 당기게 하고 의사는 후두부를 견인하는 힘을 유지한 채로 환자에게 머리를 전방에서 후방으로 병진시키듯 약 5초간 가볍게 의사의 손에 힘을 주어 등척성 수축을 유도한다. 3-5회 반복한다(그림 8-26).

② 앙와위 경추 JS 신연 교정기법

<적응증>

• 경추 가동성 제한 및 가벼운 회전변위

<치료절차>

i. 환자의 자세 : 앙와위

ii. 의사의 자세 : 환자의 머리위에서 족방을 향하여 앉는다.

iii. 주동수와 보조수의 구분 없이 1단계는 양측 장근부로 측두골을 받쳐주고 양측 중지단으로 각 경추의 관절돌기에 접촉한다. 2, 3단계는 양측 장근부로 측두골에 접촉하고 양측 식지로 관절돌기에 접촉한다.

iv. 교정의 방향 : 1단계는 좌우로 교대로 밀어주고, 2단계는 좌우 교대로 한분절씩 거상하고, 3단계는 관절돌기 후면을 들면서 양측을 두방으로 동시에 신연한다.

v. 시술방법 : 1단계는 장근부로 환자 측두부를 받쳐주고, 의사의 양측 중지단으로 환자의 관절돌기면을 좌우로 열어준다는 느낌으로 교대로 밀어준다. 2단계는 장근부를 측두부에 접촉하고 의사의 식지를 이용하여 환자의 관절돌기면을 좌우 교대로 돌려준다는 느낌으로 한분절씩 거상한다. 3단계는 의사의 식지를 이용하여 제 6경추부터 제 2경추까지 환자의 관절돌기 후면을 들어서 관절돌기까지 가볍게 양측을 동시에 당겨주는 느낌

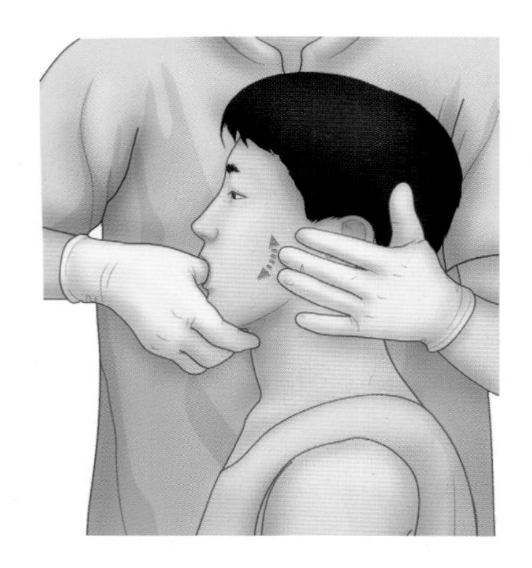

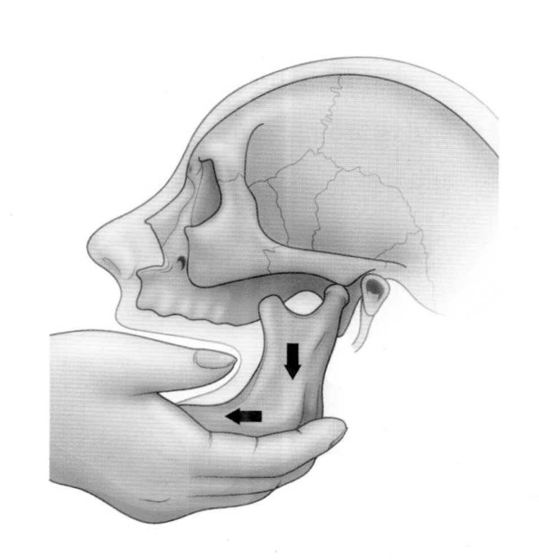

그림 8-24. 좌위 턱관절 단무지 신연기법

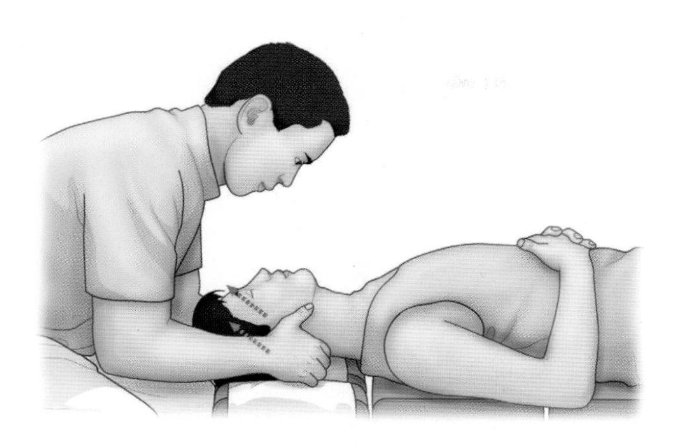

그림 8-25. 과소전만의 치료

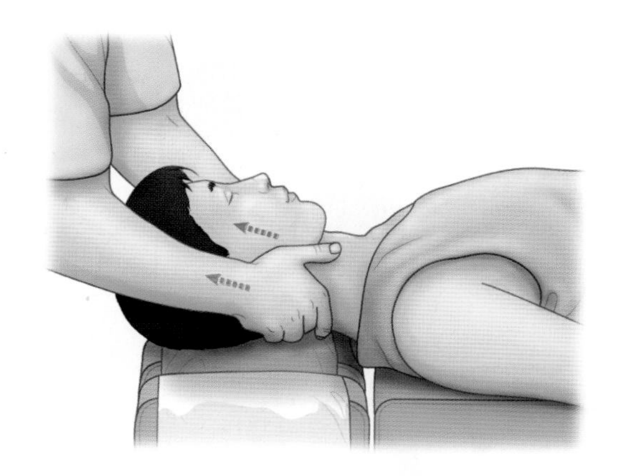

그림 8-26. 과전만의 치료

으로 신연한다. 위 세가지 동작을 제 6경추에서 제 2경추까지 차례대로 실시하고 2-3회 반복한다(그림 8-27).

2) 체간부 추나기법

(1) 흉추부 추나기법

① 좌위 상부 흉추 신전변위 근육이완/강화기법

<적응증>

· 신전, 회전동측측굴변위

<치료절차>

ⅰ. 환자의 자세 : 환자는 테이블에 양다리를 벌리고 앉는다. 이때 꼭 추나테이블에 앉을 필요는 없다.

ⅱ. 의사의 자세 : 환자의 건측 후면 부위에 의사의 체간을 기대어 선다.

ⅲ. 주동수 : 검지를 기능부전된 분절의 극돌기 간에, 중지를 횡돌기에 접촉한다.

ⅳ. 보조수 : 환자의 두정부를 잡아서 고정시킨다.

ⅴ. 교정의 방향 : 변위의 반대방향으로 힘을 준다.

ⅵ. 시술방법 : 환자는 좌위를 취한다. 이때 꼭 추나테이블에 앉을 필요는 없다. 환자의 건측 후면 부위에 의사의 체간을 기대어 선다. 주동수는 환자의 두정부를 잡아 고정하고, 주동수의 검지는 기능부전된 분절의 극돌기 간에 대고, 중지는 환측 횡돌기에 접촉하여 분절의 움직임을 확인한다. 환자의 체간을 전방에서 후방으로 병진 운동시켜 기능부전된 분절의 굴곡을 유도한다.

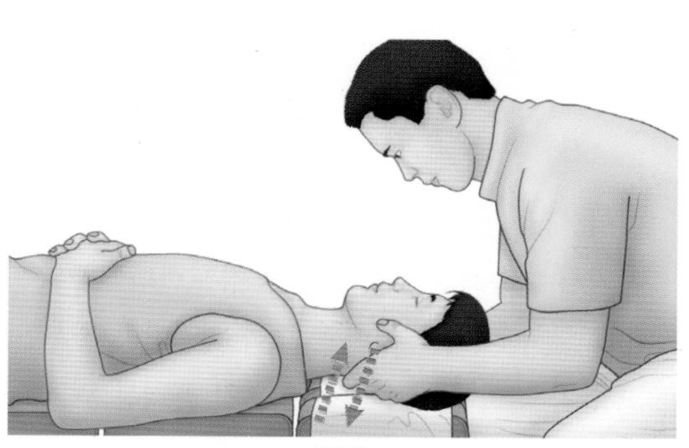

1단계

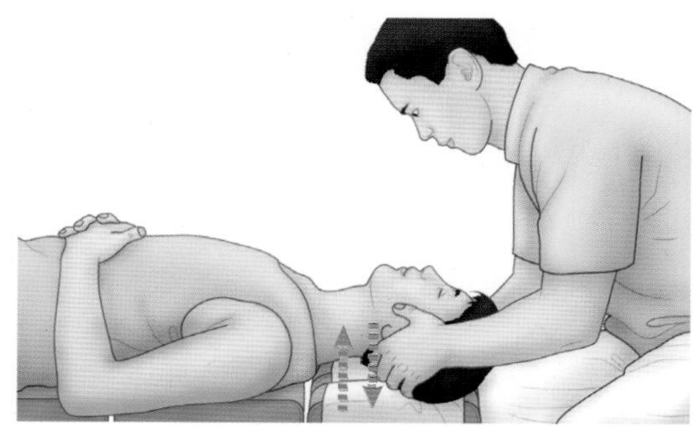

2단계

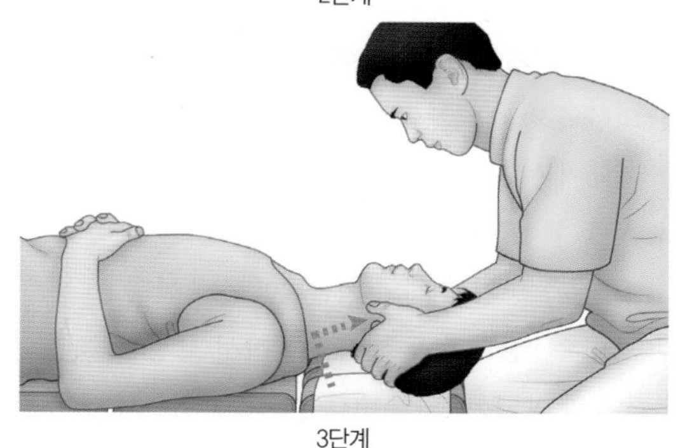

3단계

그림 8-27. 앙와위 경추 JS 신연 교정기법

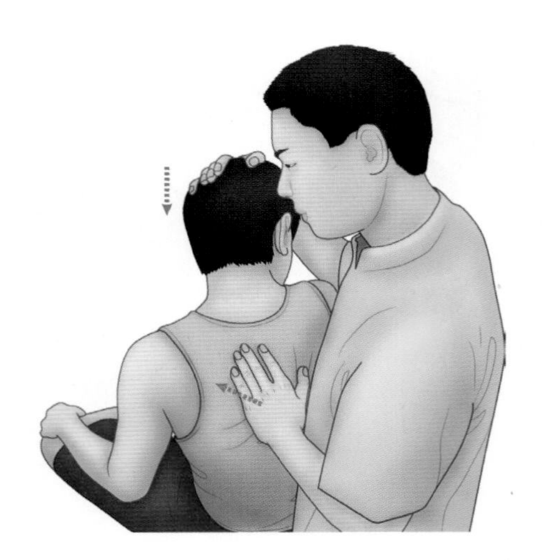

그림 8-28. 좌위 상부 흉추 신전변위 근육이완/강화기법
신전, 좌회전, 좌측굴 변위

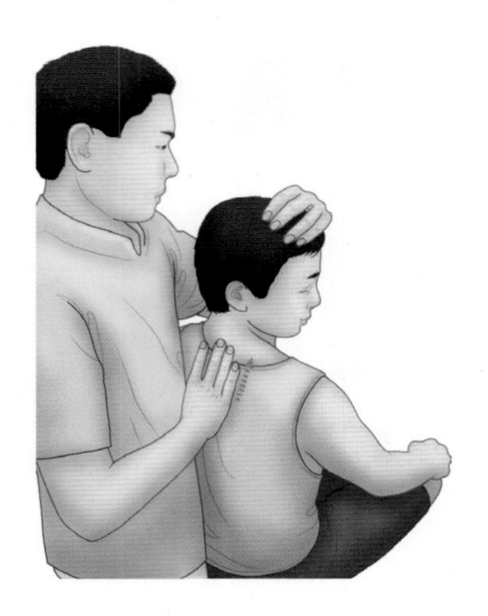

그림 8-29. 좌위 상부 흉추 굴곡변위 근육이완/강화기법
굴곡, 좌회전, 좌측굴 변위

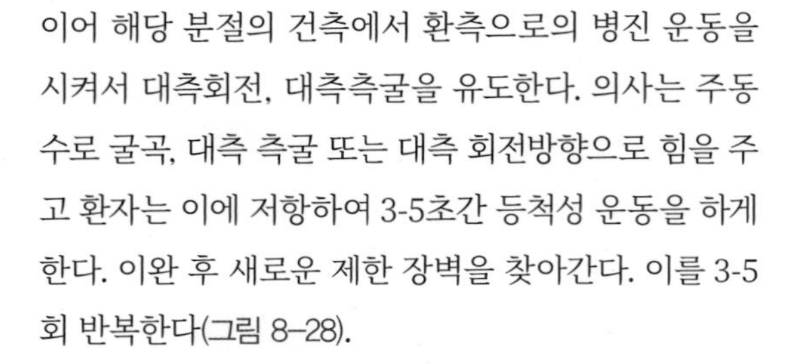

이어 해당 분절의 건측에서 환측으로의 병진 운동을 시켜서 대측회전, 대측측굴을 유도한다. 의사는 주동수로 굴곡, 대측 측굴 또는 대측 회전방향으로 힘을 주고 환자는 이에 저항하여 3-5초간 등척성 운동을 하게 한다. 이완 후 새로운 제한 장벽을 찾아간다. 이를 3-5회 반복한다(그림 8-28).

② 좌위 상부 흉추 굴곡변위 근육이완/강화기법

<적응증>

· 굴곡, 회전동측축굴변위

<치료절차>

i. 환자의 자세 : 환자는 테이블에 양다리를 벌리고 앉는다. 이때 꼭 추나테이블에 앉을 필요는 없다.

ii. 의사의 자세 : 환자의 환측 후면 부위에 의사의 체간을 기대어 선다.

iii. 주동수 : 검지를 기능부전된 분절의 극돌기간, 중지를 건측 상위 추체의 횡돌기에 접촉한다.

iv. 보조수 : 환자의 두정부를 잡아서 고정시킨다.

v. 교정의 방향 : 변위의 반대방향으로 힘을 준다.

vi. 시술방법 : 환자는 좌위를 취한다. 이때 꼭 추나테이블에 앉을 필요는 없다. 환자의 환측 후면 부위에 의사의 체간을 기대어 선다. 보조수는 환자의 두정부를 잡아 고정하고, 주동수의 검지는 기능부전된 분절의 극돌기간에 대고, 중지는 건측 횡돌기에 접촉하여 분절의 움직임을 확인한다. 주동수로 건측 후관절이 벌어지도록 작은 양의 건측 회전을 시킨다. 보조수의 엄지를 견갑골 아래에서 위로 집중하면서 체간을 앞으로 병진 운동시킨다. 환자에게 턱을 잡아당기게 하여 해당 분절에 신전이 집중되도록 환자의 머리를 후방으로 병진시킨다. 의사는 주동수로 신전, 대측 측굴 또는 대측 회전방향으로 힘을 주고 환자는 이에 저항하여 3-5초간 등척성 운동을 하게 한다. 이완 후 새로운 제한 장벽을 찾아간다. 이를 3-5회 반복한다(그림 8-29).

③ 앙와위 흉추 신전변위 교정기법

<적응증>

- 양측성 굴곡제한, 식적, 급만성위염, 늑간신경통, 측만증, 흉추의 양측성 신전변위, 신전 회전동측측굴변위

<금기증>

- 늑골이 약한 골다공증 환자는 주의한다.

<치료절차>

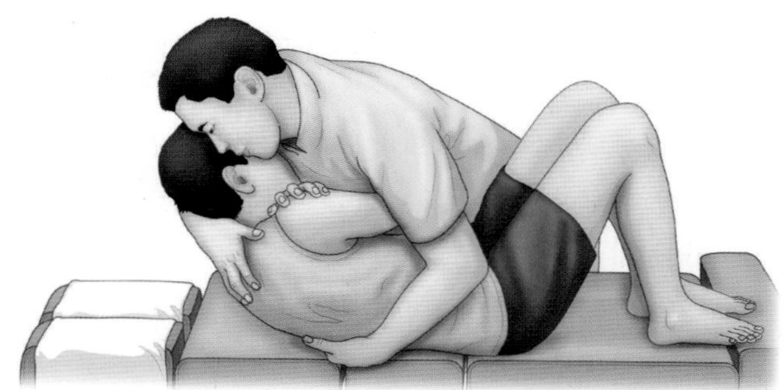

그림 8-30. 앙와위 흉추 신전변위 교정법

ⅰ. 환자의 자세 : 환자는 앙와위로 머리부분은 올린다. 양손으로 반대편 어깨를 잡고 무릎을 구부린 상태를 취한다. 하부 흉추 부분을 치료 시에는 두 손으로 경추 뒤를 감싸쥐는 것이 좋다.

ⅱ. 의사의 자세

- 양측성 신전변위: 환자의 측면에서 펜싱자세로 두방을 향해 선다.
- 신전 회전 동측 측굴변위: 환자의 건측 측면에서 펜싱자세로 두방을 향해 선다.

ⅲ. 주동수

- 양측성 신전변위: 족방수의 2-5지의 지골간 관절의 말단과 기저부를 완전히 구부린다. 극돌기는 장근부와 구부린 손가락 사이에 위치하게 한다.
- 신전 회전 동측 측굴변위: 족방수의 2지 근위와 말단 지절관절을 굴곡하고, 엄지의 중수지절 관절을 굴곡하여 기능부전이 있는 분절의 하위 추체 양 횡돌기에 접촉한다.

ⅳ. 보조수 : 두방수의 손과 전박으로 환자의 머리를 지지한다.

ⅴ. 교정의 방향

- 양측성 신전변위: 전방에서 후방으로, 약간의 족방에서 두방으로
- 신전 회전 동측 측굴변위: 전방에서 후방으로

ⅵ. 시술방법

- 양측성 신전변위: 환자에게 숨을 들이쉰 후 내쉴 때 위와 같은 접촉상태에서 내쉬는 숨을 쭉 따라가 의사는 흉추를 구부리면서 환자가 완전히 내쉬었을 때 전방에서 후방으로, 약간의 족방에서 두방으로 빠르게 몸을 떨어뜨려 교정한다(그림 8-30).
- 신전 회전 동측 측굴변위: 위의 상태에서 보조수로 기능부전의 분절의 상위추체가 굴곡과 변위 반대방향의 측굴과 회전이 일어나도록 유도한다. 환자에게 숨을 들이쉰 후 내쉴 때 내쉬는 숨을 쭉 따라가 의사는 흉추를 구부리면서 환자가 완전히 내쉬었을 때 전방에서 후방으로, 약간의 족방에서 두방으로 빠르게 몸을 떨어뜨려 교정한다.

ⅶ. 주의사항 : T3~T12의 변위를 치료한다.

④ 복와위 양손두상골 하부흉추 굴곡변위 교정기법

<적응증>

- 하부흉추의 굴곡 측굴동측회전 변위, 배부통증, 급만성 위염, 식적

<금기증>

-늑골이 약한 골다공증 환자는 주의한다.

<치료절차>

ⅰ. 환자의 자세 : 복와위(교정효과를 높이기 위해 회전변위 반대방향으로 머리를 돌리게 하면 더 좋다)

ii. 의사의 자세 : 환자의 대측면에서 환측면을 향하여 빗장자세로 선다.

iii. 주동수 : 족방수를 환측의 추골 횡돌기에 두상골부를 접촉

iv. 보조수 : 두방수를 대측의 추골 횡돌기에 두상골부를 접촉(주동수와 보조수를 반대로 교차하여 치료하여도 무방하다)

v. 교정의 방향 : 주동수는 후방에서 전방으로, 보조수는 두방에서 족방으로

vi. 시술방법 : 환자가 숨을 들이쉰 후 내쉴 때 위와 같은 접촉상태에서 내쉬는 숨을 쭉 따라가 환자가 완전히 내쉬었을 때 주동수는 후방에서 전방으로, 보조수는 두방에서 족방으로 순간 교정한다(그림 8-31).

vii. 주의사항 : 오직 T4에서 T10사이에서 굴곡 측굴동측회전 변위에만 유용하다. 늑골을 전방 변위시키는 결과를 초래할 수 있기 때문에 올바르고 정확하게 시행해야 한다.

(2) 요추부 추나기법

① 측와위 요추 신전변위 교정기법

<적응증>

- 요추의 신전 회전 동측측굴변위

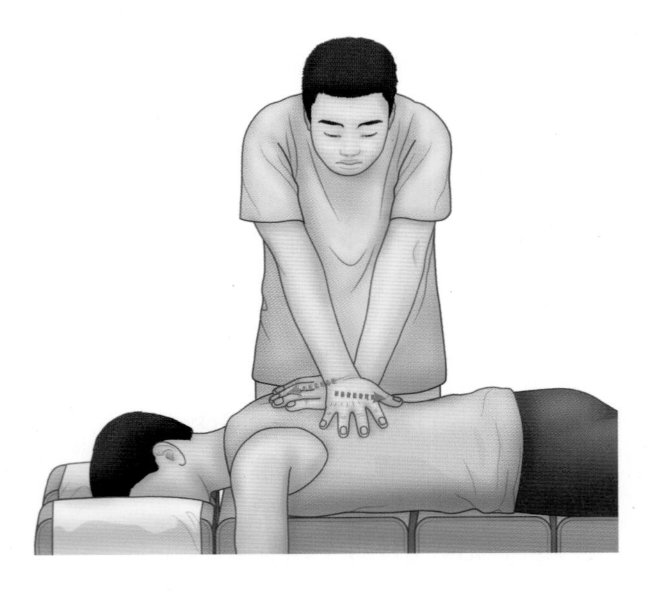

그림 8-31. 복와위 양손두상골 하부흉추 굴곡 교정기법

<금기증>

- 급성 요부염좌
- 압박골절
- 척추종양

<치료절차>

i. 환자의 자세 : 측와위
추체의 회전된 쪽이 아래로 가게 눕는다.

ii. 의사의 자세 : 환자의 정면에서 펜싱자세로 선다.

iii. 주동수 : 족방수의 전완부로 장골에 접촉한다.

iv. 보조수 : 두방수의 전완부로 액와부에 접촉한다.

v. 교정의 방향 : 보조수로 환자 체간을 후방으로 회전하고, 주동수로 장골을 전상방으로 당겨서 추체의 측굴과 회전을 유도한다.

vi. 시술방법 : 환자는 추체의 회전된 쪽이 아래로 가게 눕는다. 의사는 변위된 분절이 굴곡되도록 환자의 상체를 구부리게 한 다음, 의사의 두방수로 변위된 분절을 촉진한 상태에서 족방수로 환자의 아래다리의 발목을 잡고 변위된 분절이 굴곡이 될 때까지 하지를 최대한 구부려서 자세를 만든다. 환자의 위쪽 다리는 구부려 발목을 아래다리의 오금에 건다. 주동수의 전완부로 장골에 접촉하고, 보조수의 전완부로 액와부에 접촉한 다음 보조수로는 체간을 후방회전시키면서 주동수로는 전상방으로 당기면서 의사의 체중을 이용하여 순간 교정한다(그림 8-32).

② 측와위 요추 굴곡변위 교정기법

<적응증>

- 요추의 굴곡 회전 동측측굴변위

<금기증>

- 급성요부염좌
- 압박골절
- 척추종양

<치료절차>

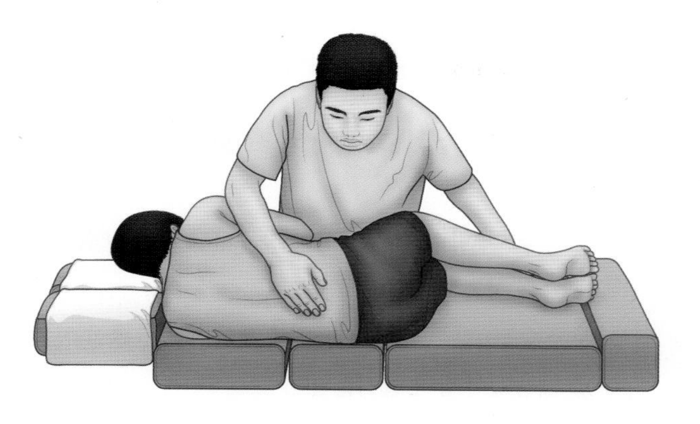
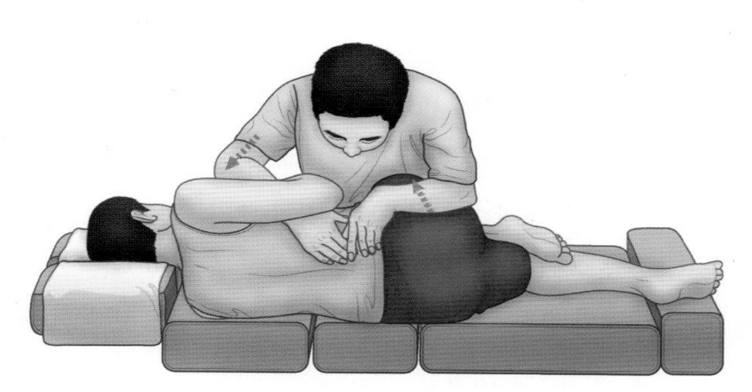

그림 8-32. 측와위 요추 신전변위 교정기법

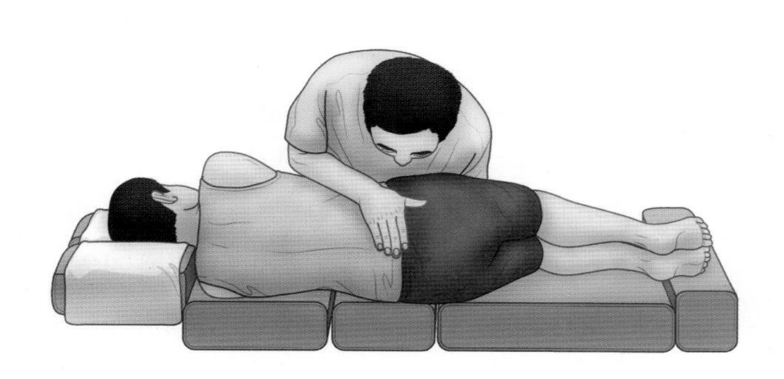
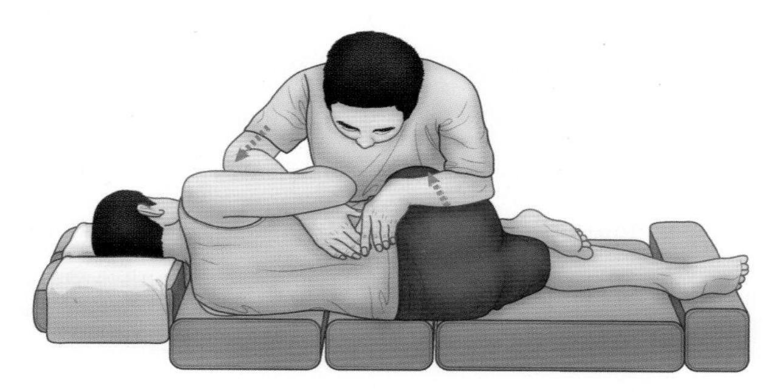

그림 8-33. 측와위 요추 굴곡변위 교정기법

i. 환자의 자세 : 측와위
추체의 회전된 쪽이 아래로 가게 눕는다.
ii. 의사의 자세 : 환자의 정면에서 펜싱자세
iii. 주동수 : 족방수의 전완부로 장골에 접촉한다.
iv. 보조수 : 두방수의 전완부로 액와부에 접촉한다.
v. 교정의 방향 : 보조수로 환자 체간을 후방으로 회전하고, 주동수로 장골을 전상방으로 당겨서 추체의 측굴과 회전을 유도한다.
vi. 시술방법 : 환자는 추체의 회전된 쪽이 아래로 가게 눕는다. 의사는 양손으로 변위된 분절을 후방에서 전방으로 움직여 신전제한지점을 우선 찾는다. 의사의 족방수로 변위된 분절의 움직임을 촉진하면서 두방수로 환자의 상체를 뒤로 약간 밀면서 미세한 신전제한지점까지 찾는다. 두방수로 변위된 분절을 촉진한 상태에서 족방수로 변위된 분절의 미세한 신전제한지점까지 환자 다리를 신전시킨다. 환자의 위쪽 다리는 구부려 발목을 아래다리의 오금에 건다. 주동수의 전완부로 장골에 접촉하고, 보조수의 전완부로 액와부에 접촉한 다음 보조수로는 체간을 후방회전시키면서 주동수로는 전상방으로 당기면서 의사의 체중을 이용하여 순간 교정한다(그림 8-33).

③ 측와위 요추 중립성기능부전 교정기법

<적응증>
- 중립성 기능부전
- 요추의 회전 대측측굴변위
- 요추의 측만

<금기증>
- 급성요부염좌
- 압박골절
- 척추종양

<치료절차>

ⅰ. 환자의 자세 : 측와위.
추체의 회전된 쪽이 아래로 가게 눕는다.

ⅱ. 의사의 자세 : 환자의 정면에서 펜싱자세

ⅲ. 주동수 : 족방수의 전완부로 장골에 접촉한다.

ⅳ. 보조수 : 두방수의 전완부로 액와부에 접촉한다.

ⅴ. 교정의 방향 : 보조수로 환자 체간을 후방으로 회전하고, 주동수로 장골을 전방으로 당긴다.

ⅵ. 시술방법 : 환자는 추체의 회전된 쪽이 아래로 가게 눕는다. 이 상태에서 중립성 기능부전과 반대방향의 체간의 회전과 측굴을 유도하기 위해 환자의 아래쪽 팔꿈치를 전방으로 잡아당겨 위쪽 어깨를 후방으로 위치시키고 환자의 팔은 서로 깍지 낀 상태로 체간의 측면에 위치시킨다. 환자의 위쪽 다리는 구부려 발목을 아래 다리의 오금에 건다. 이 상태에서 위 교정방향에 따라 의사의 체중을 이용하여 순간교정한다(그림 8-34).

(3) 골반부 추나기법

① 복와위 하지거상 장골 교정기법

<적응증>

- 장골 후방회전변위

<금기증>

- 급성 요부 염좌, 퇴행성 척추 질환에는 신중을 가한다.

<치료절차>

ⅰ. 환자의 자세 : 복와위

ⅱ. 의사의 자세 : 의사는 후방회전변위된 장골의 환측면에 선다.

ⅲ. 주동수 : 두방수. 주동수의 두상골부로 변위된 후상장골극에 접촉한다.

ⅳ. 보조수 : 족방수. 보조수는 환측면 하지의 슬관절 상부를 내측에서 잡아 들어올린다.

ⅴ. 교정의 방향 : 환자의 후방에서 전방으로 중심선에서 15° 정도의 외측 방향으로(천장관절면의 각도에 따라) 힘을 가한다.

ⅵ. 시술방법 : 환자는 복와위를 취하고 의사는 환자의 후방회전변위된 환측면에 서서 족방수로 환자의 후방회전변위된 쪽(환측면) 슬관절 상부를 잡아 들어올리며 주동수의 두상골부를 환자의 후상장골극에 접촉시켜 저항가동점까지 이동 후 천장관절면을 따라 후방에서 전방으로 짧게 누른다. 이때 추나 테이블의 낙차를 이용하여 순간교정해도 좋다(그림 8-35 A). 다른 하나의 방법은 의사가 환자의 후방회전변위된 대측면에 서서 족방수로 동일한 부위를 잡고 주동수로 환측면 후상장골극에 접촉한 후 추나 테이블의 낙차를 이용하여 순간교정하는 방법이 있다. 이 방법은 주동수의 힘이 자연스럽게 후방에서 전방으로, 약간 내방에서 외방으로 작용하기 때문에 좀 더 쉬운 교정을 얻을 수 있는 장점이 있다(그림 8-35 B).

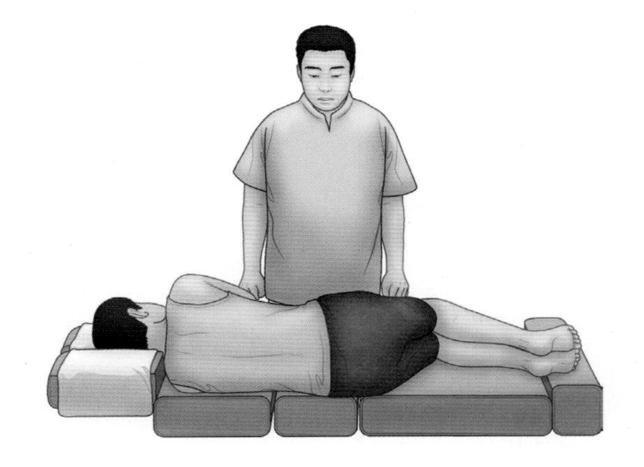

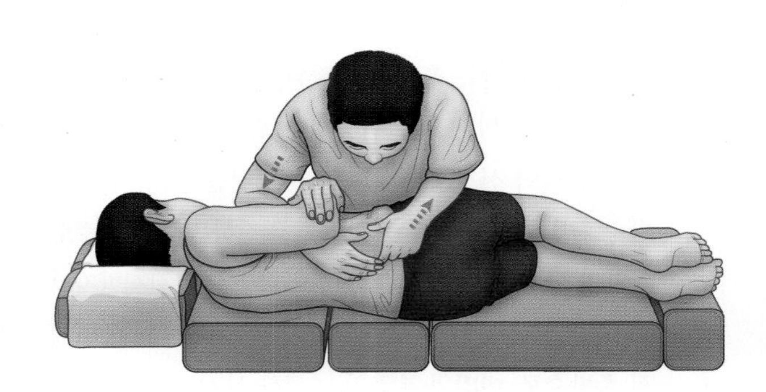

그림 8-34. 측와위 요추 중립성기능부전 교정기법

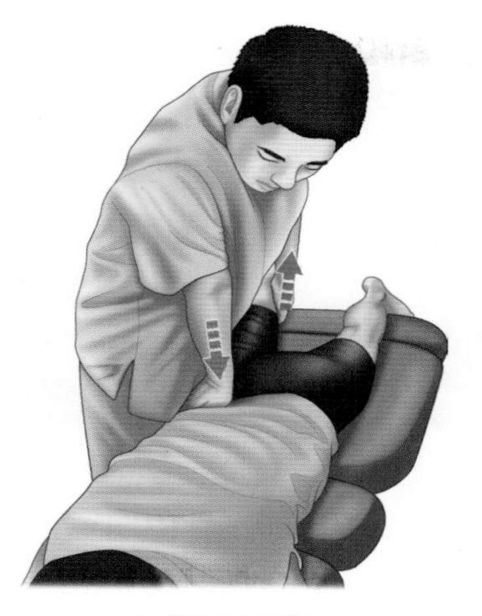

A. 환측면 교정

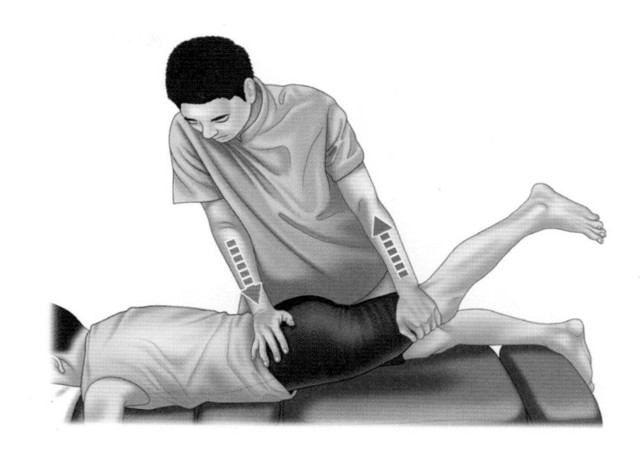

B. 대측면 교정

그림 8-35. 복와위 하지거상 장골 교정기법

② 복와위 장골 전방회전변위 교정기법

<적응증>

- 장골의 전방회전변위

<금기증>

- 급성 요부 염좌, 퇴행성 척추 질환에는 신중을 가한다.

<치료절차>

i. 환자의 자세 : 복와위

ii. 의사의 자세 : 의사는 전방회전변위된 장골의 환측면에 펜싱자세로 선다.

iii. 주동수 : 두방수, 주동수의 두상골부로 변위된 장골의 좌골결절에 접촉한다.

iv. 보조수 : 족방수, 주동수의 손목을 잡아 지지한다.

v. 교정의 방향 : 후방에서 전방으로, 약간 족방에서 두방으로 교정한다.

vi. 시술방법 : 환자는 복와위를 취하고 의사는 환자의 전방회전변위된 환측면에 서서 주동수의 두상골부를 환자의 좌골결절에 접촉시키고 보조수로는 주동수의 손목을 잡아 지지한다. 저항가동점까지 이동 후 후방에서 전방으로 짧게 누른다. 이때 추나 테이블의 낙차를 이용하여 순간교정해도 좋다(그림 8-36).

③ 복와위 천골 측굴회전변위 교정기법

<적응증>

- 천골의 좌측굴 우회전/우측굴 좌회전 변위

<금기증>

- 급성 염좌는 상대적 금기이고 골절은 절대적 금기이다.

<치료절차>

i. 환자의 자세 : 복와위

ii. 의사의 자세 : 의사는 변위된 천골기저부의 환측면에

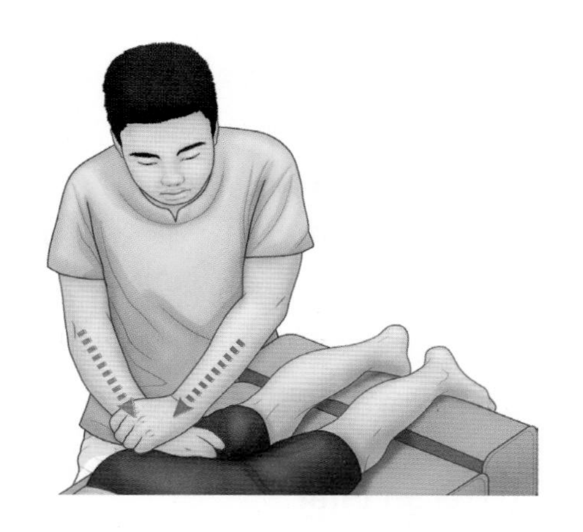

그림 8-36. 복와위 장골 전방회전변위 교정기법

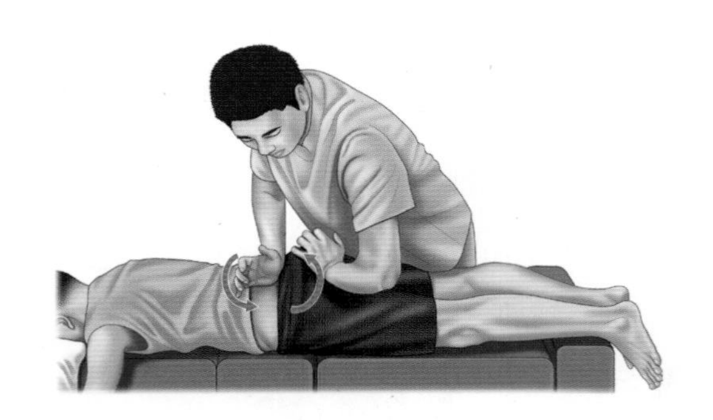

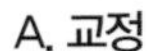

A. 교정

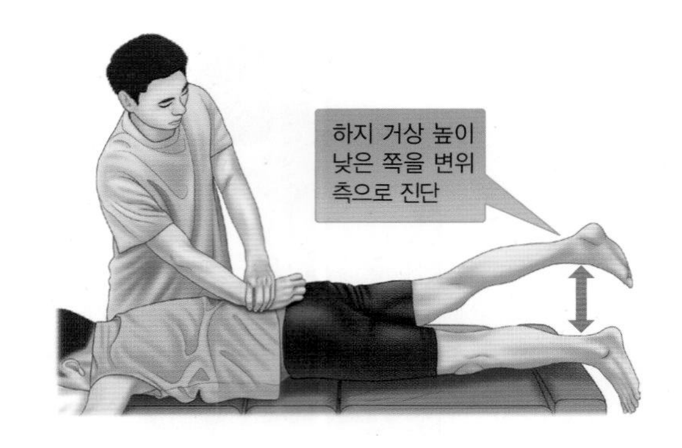

B. 천골변위 검사법

그림 8-37. 복와위 천골 측굴회전변위 교정기법

펜싱자세로 선다.

iii. 주동수 : 두방수. 주동수의 두상골부로 천골이 하방된 쪽의 반대측 후상장골극의 내측에 접촉한다.

iv. 보조수 : 족방수. 보조수의 두상골부로 천골이 하방된 반대측의 천골절흔에 접촉한다.

v. 교정의 방향 : 주동수는 내측에서 외측으로, 보조수는 외측에서 내측으로 교정한다.

vi. 시술방법 : 환자는 복와위 상태에서 의사는 변위된 천골기저부의 환측면에 서서 주동수의 두상골부로 천골이 하방된 쪽의 반대측 후상장골극의 내측에 접촉하고, 보조수의 두상골부로 천골이 하방된 반대측의 천골절흔에 접촉 후 교차시키듯 주동수는 내측에서 외측으로, 보조수는 외측에서 내측으로 저항가동점까지 이동 후 순간교정하거나 추나치료 테이블의 낙차를 이용해서 치료한다(그림 8-37 A).

vii. 검사법 : 이 치료를 행하기 전에 천골의 변위를 검사하는 방법은 환자를 복와위로 눕히고 천골에 손바닥을 대고 누른 상태에서 환자에게 양쪽 다리를 차례로 무릎을 편 상태로 들어보게 하는 것이다. 이때 적게 올라가는 쪽의 천골과 장골이 맞물린 것이므로 해당 천골이 측굴변위된 것으로 볼 수 있다(그림 8-37 B).

3) 사지부 추나기법

(1) 상지부 추나기법

① 측와위 견갑흉부관절 관절가동기법

<적응증>

- 견갑골의 운동제한 및 변위(견갑골이 흉부에 유착되어 있어 전체적인 동작의 제한이 있는 경우에 해당하며, 견갑골 전체에 무딘 통증이 있다)
- 오십견

<치료절차>

i. 환자의 자세 : 측와위. 환측을 위로 향하게 하고 테이블에 측와위로 눕는다.

ii. 의사의 자세 : 환자의 전방에서 환자를 향해 선다.

iii. 주동수 : 족방수. 족방수의 손가락으로 환자의 환측 견갑골 하각의 내측면에 접촉한다.

iv. 보조수 : 두방수. 두방수의 수장부로 견완관절의 전면부에 접촉하여 주동수의 교정을 보조한다.

v. 교정의 방향 : 시계방향 혹은 반시계방향으로 회전력을 주어 견갑골을 가동시킨다.

vi. 시술방법 : 환자는 환측이 위로 향하도록 측와위를 취하고 환측 팔을 등 뒤로 한다. 의사는 환자의 전방에서 마주보고 서서 주동수로 환측 견갑골 하각의 내측면을 감싸쥐고, 보조수로 견완관절의 전면부에 접촉한다. 환측 견갑골에 대하여 시계방향 혹은 반시계방향으로 회전력을 주어 견갑골을 가동시킨다(그림 8-38).

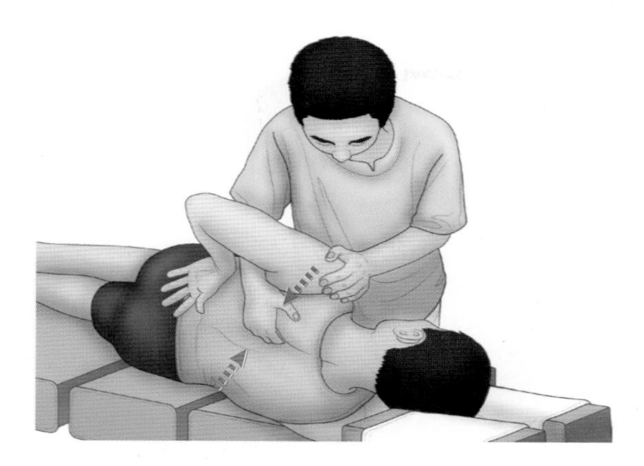
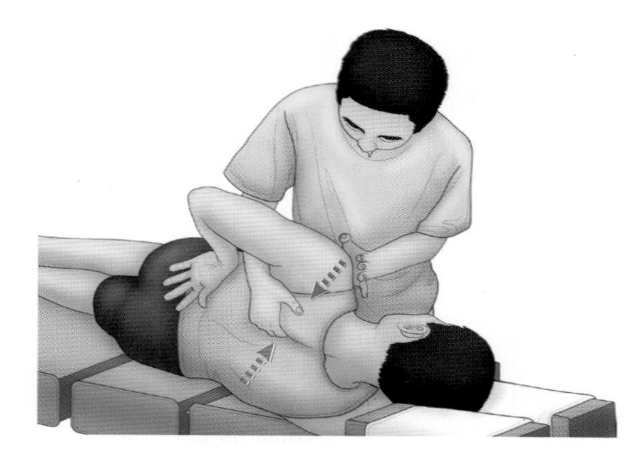

그림 8-38. 측와위 견갑흉부관절 관절가동기법

(2) 하지부 추나기법

① 앙와위 고관절 관절가동기법 - 관절놀이기법, 관절순기법

<적응증>

- Hibb's Test나 Faber-Patrick Test를 시행하여 고관절의 운동장애가 있는 경우
- 고관절의 유착이나 운동장애, 동통
- 고관절의 관절낭 패턴의 개선

<금기증>

- 골절

<치료절차> - 관절놀이기법

i. 환자의 자세 : 굴슬상태의 앙와위

ii. 의사의 자세 : 환자의 환측면에 선다.

iii. 주동수, 보조수 : 환자의 족관절과 슬관절을 90도 굴곡시키고 환측 슬부를 의사의 내측 어깨 위에 걸치고 의사의 양손으로 환자 대퇴의 전측에서 깍지를 끼어 잡는다. 그 다음엔 환자의 슬부를 의사 목 위에 걸치고, 의사는 환자의 대퇴 내측을 두 손으로 깍지 끼어 잡는다.

iv. 교정의 방향 : 하방, 다음엔 외방.

v. 시술방법 : 환자는 앙와위, 의사는 환측에 선다. 환자의 족관절과 슬관절을 90도 굴곡시키고 환측 슬부를 의사의 내측 어깨 위에 걸치고 의사의 양손으로 환자 대퇴의 전측에서 깍지를 끼어 잡는다. 하방으로 견인을 하면서 가동법을 시행한다(혹은 순간 교정법을 시행한

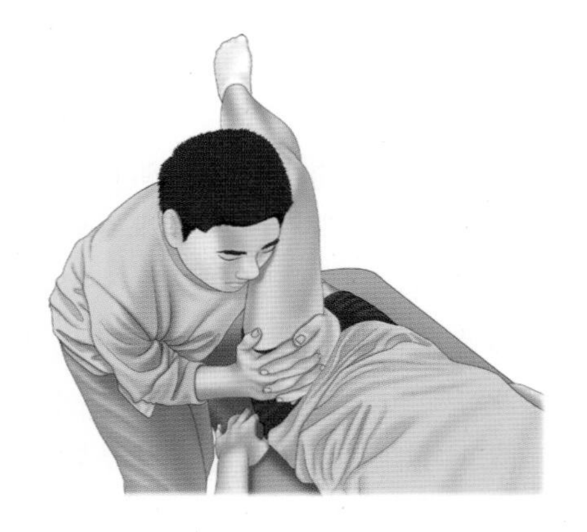
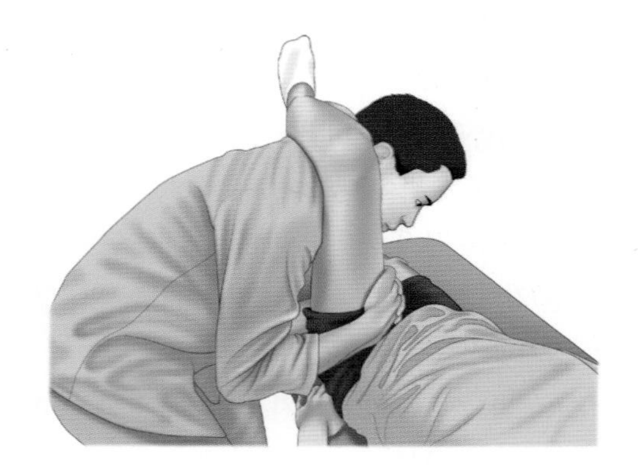

그림 8-39. 앙와위 고관절 관절가동기법 – 관절놀이기법

다). 환자의 슬부를 의사 목 위에 걸치고, 의사는 환자의 대퇴 내측을 두 손으로 깍지 끼어 잡는다. 외방으로 견인을 하면서 가동법을 시행한다(느슨하게 이완 시 내측에서 외측으로의 순간 교정법이 시행될 수 있다)(그림 8-39).

<치료절차> - 관절순기법

i. 환자의 자세 : 굴슬상태의 앙와위

ii. 의사의 자세 : 환자의 환측면에 선다.

iii. 주동수 : 의사는 환자의 슬관절과 고관절을 굴곡하고 내측의 상지와 체간으로 환자의 하지를 장악하고 조절한다.

iv. 보조수 : 의사는 외방수의 장근부로 대전자 측면에 접촉한 다음 대퇴골두를 고관절의 축으로 지그시 압박한다.

v. 교정의 방향 : 전후, 상하로 가동. 이후 내전/외전, 내/외회전시키며 가동.

vi. 시술방법 : 환자는 앙와위로 눕고, 의사는 환측에 선다. 의사는 환자의 슬관절과 고관절을 굴곡하고 내측의 상지와 체간으로 환자의 하지를 장악하고 조절한다. 외방수의 장근부로 대전자 측면에 접촉한 다음 대퇴골두를 고관절의 축으로 압박하면서 내측 상지를 이용하여 전후, 상하로 가동시킨다. 이후 내전/외전, 내/외회전을 시키며 제한장벽에서 가동기법을 실시한다(그림 8-40).

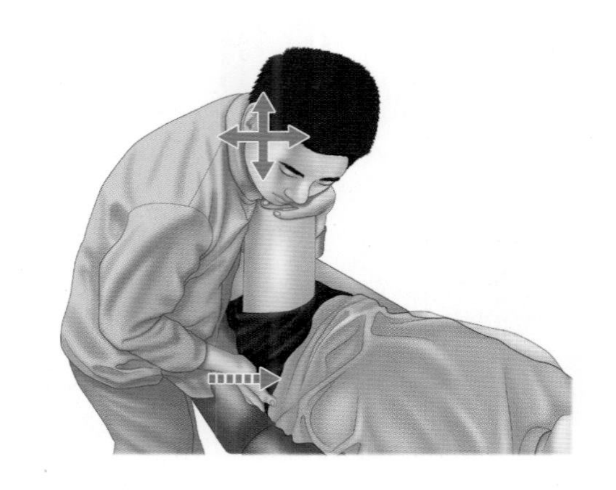

그림 8-40. 앙와위 고관절 관절가동기법 – 관절순기법

4) 근막부 추나기법

(1) 근막추나의 개요

근막추나는 정골추나와 대비되어 연부조직 추나라고도 하며, 근육과 건, 인대, 근막에 대하여 치료적 목적으로 시행하는 기법을 의미하고, 근육/근막 압박기법, 근육/근막 이완기법, 근육 이완/강화기법, 인대-관절성 이완기법, 근막-격막 기법, 근육 신장기법 등으로 구분된다.

근막(fascia)은 신체 각 조직, 기관계의 원활한 안정성과 운동성에 관여하는 조직으로서, 협의의 근막(myofascia)은 근육을 싸고 있는 막을 의미하며, 광의의 근막(fascia)은 진피(dermis) 바로 아래 천층(superficial layer)에서부터 근육, 골, 신경, 혈관과 내장을 세포수준에 이르기까지 둘러싸고 관주하는 심층(deep layer), 뇌와 중추신경계를 싸고 있는 두개천골계(craniosacral system)의 경막(dura)까지 이르는 최심층(the deepest layer)까지 중단됨이 없이 전신에 3차원의 거미줄망(web)으로 펼쳐져 있는 강인한 결합조직을 의미한다.

이러한 근막 중 종적으로 연결된 근막경선(myofascial meridian)은 경근과의 분포가 유사한 것으로 밝혀지며, 경근에 대한 치료는 근막치료로서의 임상적 의의를 가지는 것으로 볼 수 있다.

근막추나는 春秋戰國時代 이전의 醫書에서 언급되기 시작한 '按摩'의 개념과 유사한 것으로 볼 수 있다.

十二經筋은 經絡系統의 肢體外周에 존재하는 연속부분으로, 經絡과 體表와의 연계로서 중요한 의미를 가지며, 十二經脈과 絡脈속의 氣血이 滋養하는 肌肉, 筋腱, 筋膜, 韌帶등으로서, 十二經脈의 순행부위 상에 분포된 體表筋肉系統의 총칭이다. 十二經筋과 十二經脈은 三陰、三陽의 氣를 함께 稟受하여 全身을 운행하며 十二皮膚, 十五絡脈, 十二經別, 奇經八脈등과 함께 인체 經絡을 구성한다. 經絡은 血氣로서 주관되어 身體의 內外, 表裏, 上下, 左右 각 부분이 안으로는 五臟六腑, 밖으로는 五官七竅, 皮毛筋肉, 四肢百骸가 마치 거미줄과도 같이 연관되어 있다. 그 중 十二經筋은 안으로 胸腹

부위 둘레 속으로 순행하기는 하나 五臟六腑로는 들어가지 않고, 四肢·軀幹·胸廓·腹腔에 분포하는 순수하게 人體의 運動機能만을 담당하는 체계로 알려진다.

經筋은 경락학설의 성립과정 중 고대인의 해부학적 관찰로부터 얻어진 지식을 기초로 형성되었다고 보는 견해가 우세하며, 최근의 연구도 경근과 구체적인 근육과의 관련성 등 해부학적 내용과 결부시키는 경향이 강하다.

경근병은 관절, 근육이 외부로부터의 타박, 염좌, 견인, 압박 등과 같은 강한 힘을 받거나 혹은 외감성 혹은 전신적인 虛한 상태에서 피로가 누적된 것이 소인이 되어 발생하는 손상 또는 스트레스, 긴장, 공포 등 七情傷에 의한 손상 등으로 그 원인을 파악해 볼 수 있으며, 급성, 만성으로 나뉘며 통증 등이 주요 증상이다. 손상 후 경맥의 기혈순환이 장애를 받게되어 "不通則痛"하므로 경근에 부종이나 통증이 발생한다.

이에 대한 치료는 "通則不痛", " 不通則痛"의 원칙에 따라 舒筋通絡, 活血散瘀, 疎肝理氣시키는 것이 기본원리이며, 근막추나는 고유수용성 지각의 정상화 및 생체역학적 완전성의 회복을 통하여 근육/근막 긴장 이완, 관절의 저가동성 회복, 혈액 및 임파액 순환 개선, 통증 완화 등을 도모하게 된다.

(2) 근막추나 기법

① 근육/근막 압박기법

통증유발점의 비활성화, 압통점의 제거, 민감한 결절의 제거 및 과긴장된 근막의 이완을 목적으로 하며, 손가락 압박(finger compression), 손가락관절 압박(knuckle compression), 집게 압박(pincer compression), 기구압박(press bar) 등이 있다.

② 근육/근막 이완기법

관절주위 비정상적인 조직 긴장을 완화시키고, 관절의 가동성 제한과 관련된 연부조직(근육 및 근막)의 단축 및 긴장을 치료하는 것으로 목적으로 한다. 근육, 근막 내 존재하는 압통점(tender point)을 찾아 압박하고, 근육 및 근막의 압통점이 소실되는 자세를 최적의 편안한 자세를 찾아 유지하는 방법과 단축된 근육을 치료하기 위하여 환자의 등척성 운동과 시술자의 저항을 이용하여 치료하는 방법이 있다.

③ 근육 이완/강화기법

근육의 단축 및 신장 등으로 인하여 근육의 정상적인 수축활동이 이루어지지 못하여 근력이 저하된 근육에 대하여 환자의 등척성 운동과 시술자의 저항을 이용하여 치료하는 방법으로 등척성 수축을 하고 있는 근육에 나타나는 수축 후 이완 효과(postisometric relaxation)와 수축하고 있는 근육의 길항근에 나타나는 상호억제반응(reciprocal inhibition)을 이용한다.

④ 근육 신장기법

정적 스트레칭(static stretching), 동적 스트레칭(dynamic stretching), 탄성적 스트레칭(ballistic stretching), 고유수용성 신경근촉진 스트레칭 등이 있다.

참고문헌

<제1절>

1. 신준식 주편. 한국추나학. 서울:대한추나학회출판사. 1995.
2. 신준식. 한국추나학임상표준지침서(제2판 제3쇄). 서울:대한추나학회출판사. 2003.
3. 張恩勤 主編. 中國推拿. 上海市:上海中醫學院出版社. 1990.
4. 上海中醫學院 編. 中醫推拿學. 서울:醫聖堂. 1993.
5. 上海中醫學院 編. 推拿學. 香港:商務印書館. 1983.
6. 추진석, 임형호. 正骨推拿의 한의학 문헌적 고찰. 대한추나의학회지. 2001;2(1):5-12.
7. 윤종태, 임형호. 經筋推拿의 한의학 문헌적 고찰. 대한추나의학회지. 2001;2(1):13-26.
8. 홍서영, 임형호. 導引推拿의 한의학 문헌적 고찰. 대한추나의학회지. 2001;2(1):27-42.
9. 류지윤. 手技正體醫學의 古今 개괄. 대한한의학회지. 1993;14(2):327-331.
10. Park TY, Moon TW, Cho DC, Lee JH, Ko YS, Hwang EH, Heo KH, Choi TY, Shin BC. An Introduction to Chuna Manual Medicine in Korea: History, Insurance Coverage, Education, and Clinical Research in Korean Literature. Integrative Medicine Research 2013 Epub ahead of print.
11. 楊維傑 編. 黃帝內經 素問釋解. 台北市:台聯國風出版社印行. 1965.
12. 楊維傑 編. 黃帝內經 靈樞釋解. 台北市:台聯國風出版社印行. 1965.
13. 김광중, 김완희. 동의생리학체계에 관한 고찰. 동서의학. 1983:8(1):24-47.
14. 안영기 편. 경혈학 총서. 서울:성보사. 2002.
15. THOMAS W.MYERS. 근막경선해부학. 서울:현문사. 2005
16. 척추신경추나의학회 역. 카이로프랙틱테크닉 2판. 서울:엘스비어코리아. 2007:17-8, 21-3, 30-3.
17. Evans EB, Eggars GWN, Butler JK. Experimental remobilization of rat knee joint. J Bone Joint Surg Am. 1960;42:737.
18. Woo SLY, Matthews JP, Akeson WH. Connective tissue response to immobility: Correlative study of biomechanical and biochemical measurements of normal and immobilized rabbits knee. Arthritis Rheum. 1975;18:257.
19. Dahners LE. Ligament contractions : A correlation with cellularity and actin staining. Trans Orthop Res Soc. 1986;11:56.
20. Donald A. Neumann. 채윤원 외 역. 뉴만 Kinesiology 근육뼈대계통의 기능해부학 및 운동학. 2nd Ed. 서울:범문에듀케이션(주). 2011:37-41.
21. John E. Hall. 의학계열 교수 32인 공역. Guyton and Hall 의학생리학. 12th Ed. 서울:범문에듀케이션(주). 2012:169-71, 198-202, 253-6, 798-9.
22. 엄재원, 임형호. 편마비의 추나요법에 관한 문헌적 고찰. 한방물리요법과 학회지. 1994;4(1):191-206.
23. 金宇鎬. 養生導引法에 關한 硏究. 慶熙大學校大學院. 1986.
24. 범문에듀케이션 편집부 역. Robbins & Cotran 병리학 8판. 서울:범문에듀케이션. 2011:44, 65, 77, 100, 104.
25. 대한정형도수물리치료학회 역, 그린만의 정형도수물리치료학 4판. 서울:영문출판사. 2011;79-80
26. Medzhitov R. Origin and physiological roles of inflammation. Nature. 2008;454:428.
27. Goss RJ. Regeneration versus repair. In Cohen IK, Diegelman RF, Lindblad WJ (eds) : Wound Healing : Biochemical and clinical Aspects. 1992:20. Philadelphia. WB Saunders.
28. Broughton G et al. The basic science of wound healing. Plast Reconstr Surg. 2006;117:12.
29. 척추신경추나의학회. 추나요법의 건강보험 급여화 백서. 2020.

<제2절>

1. 신준식 주편. 한국추나학. 서울:대한추나학회출판사. 1995.
2. 신준식. 한국추나학임상표준지침서(제2판 제3쇄). 서울:대한추나학회출판사. 2003.
3. 上海中醫學院 編. 中醫推拿學. 서울:醫聖堂. 1993.
4. 이봉교 편저. 한방 진단학. 서울:성보사. 1997.
5. 박영배, 김태희 편저. 한방 진단학. 서울:성보사. 1986.
6. RC Scafer, LJ Faye. 동작촉진과 수기법. 서울:대한추나학회출판사. 1998.
7. TF Bergmann, DH Peterson, DJ Lawrence. [한국어판]카이로프랙틱 테크닉. 서울:대한추나학회출판사. 2000.

8. 문상은. 전신조정술. 서울:정담미디어. 2004.
9. Stanley Hoppenfeld. Physical examination of the spine & extremities. East Northwalk:Appleton-Century-Crofts. 1976.
10. 이명종, 김성수. 하지길이부전에 관한 문헌적 고찰. 동의물리요법과학회지. 1995;5(1):205-212.
11. 전민정, 이인선. 하지길이 부전에 대한 고찰. 한방재활의학과학회지. 1998;8(1):116-128.
12. 박태균, 이연경, 이병렬. 추나치료와 족지분석을 통한 요각통 환자 30예에 대한 임상적 고찰. 대한침구학회지. 1999;16(1):17-40.
13. Cox JM. Low back pain, 5th ed. Baltimore:Williams & Wilkins. 1990:204-210.
14. DeBoer KF, Harmon RO, Savoie S, Tuttle CD. Inter- and intra-examiner reliability of leg length differential measurement: a preliminary study. J manipulative Physiol Therapeutics. 1983;6(2):61-66.
15. Lawrence DJ. Chiropractic concepts of the short leg: a critical review. J manipulative Physiol Therapeutics. 1985;8(3):157-161.
16. 한정석,금동호. 척추만곡이상에 대한 문헌고찰. 한방재활의학과학회지 2003;13(4):173-186
17. David Byfield, Stuart Kinsinger. A manual therapist's guide to surface anatomy & palpatory skills. Oxford:Butterworth Heinemann. 2002.
18. John S.P. Lumley. Surface anatomy 3rd edition. London:Churchill Livingstone. 2002.
19. 淸・吳謙 外 79名 編著. 醫宗金鑑(下). 서울:大成出版社. 1983.
20. Travell JG, Simons DG. Myofascial pain and dysfunction: the trigger point manual. Baltimore:Williams & Wilkins. 1983:103-114.
21. 유태성, 김용석, 김정곤, 오재근, 조진영 편역. 근막통증증후군. 서울:대신출판사. 1996.
22. 한무규, 허수영, 김성진. 근막통증후군과 경근이론의 연관성에 대한 고찰. 동서의학. 2000;25(2):39-48.
23. 조수미, 이인선. 근막통증후군의 한의학적 고찰. 한방재활의학과학회지. 1996;6(1):113-151.
24. David J. Magee. Orthopedic physical assessment 4th edition. Philadelphia:Saunders. 2002.
25. Jeffrey Gross, Joseph Fetto, Elaine Rosen. Musculoskeletal examination 2nd edition. Williston:Blackwell. 2002.
26. William H.M. Castro, Jörg Jerosch. 근골격질환의 진단과 검사의 핵심 Ⅰ, Ⅱ. 서울:한미의학. 2002.
27. Stephen I. Esses. Textbook of spinal disorders. 서울:군자출판사. 2002.
28. FP Kendall, EK McCreary, PG Provance. 근육평가를 통한 자세교정 및 통증치료. 서울:푸른솔. 2001.
29. 이삼열 외. 임상병리검사법(제7판). 연세대학교출판부. 2000.
30. 이진현, 김창곤, 조동찬, 문수정, 박태용, 고연석, 남항우, 이정한. 단순 방사선 영상 검사를 통한 추나의학적 진단 방법. 척추·골반 변위 명명체계를 중심으로. 척추신경추나의학회지. 2014;9(1):1-14.
31. 박영회, 윤상협. 경근무늬를 통한 변위진단 연구. 대한추나의학회지. 2000;1(1):119-24.
32. 신병철, 한명금. 모아레 체형측정법이 청소년기 척추측만증의 조기 집단검진 활용 가능성에 대한 평가. 대한추나학회지. 2003;4(1):1-16.
33. 신병철, 유한길, 김혜정. 척추측만증 검진을 위한 모아레 체형측정법과 설문조사의 상관성 연구. 대한추나학회지. 2003;4(1):141-56.
34. 이세연, 정태영, 서정철, 한상원. 요각통환자치험 1례 보고-모아레 측정에 의한 변화를 중심으로. 동서의학. 2003;28(2):31-7.
35. 유한길, 신병철, 민병일. 중학생의 척추비틀림과 통증과의 관계고찰 - 경근무늬(모아레) 측정법과 설문지 조사를 통해 -. 대한추나학회지. 2001;2(1):133-42.
36. 이은경, 유승현, 이수경, 강성호, 한종민, 정명수, 천은주, 송용선, 이기남. Moire 영상을 이용한 근골격계 질환의 한의학적 진단에 관한 연구. 대한예방한의학회지. 2000;4(2):72-92.
37. S Foreman, A Croft. [한국어판]교통사고후유증. 서울:대한추나학회출판사. 2000.
38. 척추신경추나의학회 편집위원회. 교통사고상해증후군 추나요법 진료 지침서(제1판). 서울:척추신경추나의학회. 2005.
39. Smith WS, Johnston SC, Skalabrin EJ, Weaver M, Azari P, Albers GW, Gress DR. Spinal manipulative therapy is an independent risk factor for vertebral artery dissection. Neurology. 2003:13;60(9):1424-1428.
40. Yokota J, Amakusa Y, Tomita Y, Takahashi S. The medullary infartion(Dejerine syndrome) following chiropractic neck manipulation. No To Shinei. 2003;55:121-5.

41. Nadgir RN, Loevner LA, Ahmed T, Chalela J, Slawek K, Imbesi S. Simultaneous bilateral internal carotid and vertebral artery dissection following chiropractic manipulation: case report and review of the literature. Neuroradiol. 2003;45:311-4.

42. 공재철, 박태용, 고연석, 원재균, 박단서, 신병철. 경추추나치료 후 발생한 경막파열 환자 1례 보고. 척추신경추나의학회지. 2006;1(1):45-50.

43. 고연석, 박태용, 공재철, 오원교, 송용선, 신병철. 경추 추나치료의 안전성에 대한 임상보고. 한방재활의학과학회지. 2006;16(4):83-95.

44. Schmitz A, Lutterbey G, von Engelhardt L, von Falkenhausen M, Stoffel M. Pathological cervical fracture after spinal manipulation in a pregnant patient. J Manip Physiol Ther. 2005:28:633-6.

45. 문태웅, 엄태웅, 강명진, 공덕현, 정영훈, 조태영, 김기주, 이광한. 추나치료의 절대적 금기증에 대한 보고 1례-Os Odontoideum을 진단받은 환자를 대상으로. 척추신경추나의학회지. 2008;3(1):1-8.;858-866.

46. 윤유석, 조재흥, 류한진, 이종수. 추나요법 후 악화된 요추 추간판 탈출증 1례. 대한추나의학회지. 2004;5(1):163-168.

47. 박태용, 공재철, 이유진, 송용성, 신병철. 요추 수기치료의 안전성에 대한 임상보고; 부작용, 기전, 증례보고. 한방재활의학과학회지. 2007;17:(3):191-206.

48. 이병이, 장건, 이길재, 송윤경, 임형호. 추나 시술 부작용에 대한 국내 현황 보고. 척추신경추나의학회지. 2007;2(2):161-170.

49. 김기병, 박태용, 이정한, 공재철, 이수경, 신병철, 권영달, 송용선. 추나요법을 포함한 수기-치료의 효과 및 안정성에 관한 문헌 고찰. 한방재활의학과학회지. 2008;18(4):103-120.

<제3절>

1. 신준식. 한국추나학임상표준지침서(제2판 제3쇄). 서울:대한추나학회출판사. 2003.

2. TF Bergmann, DH Peterson, DJ Lawrence. [한국어판]카이로프랙틱 테크닉. 서울:대한추나학회출판사. 2000.

3. RC Scafer, LJ Faye. 동작촉진과 수기법. 서울:대한추나학회출판사. 1998.

4. Gregory Plaugher. Textbook of Clinical Chiropractic. 서울:푸른솔. 1998.

5. Werner Schneider, Jiri Dvorak, Thomas Tritschler. 관절기능이상 도수치료법. 서울:대학서림. 1996.

6. 박윤희, 정석희, 이종수, 김성수, 신현대. 頸椎病의 手技療法에 관한 문헌적 고찰. 대한한의학회지. 1991;12(1):237-250.

7. 上海中醫學院 編. 中醫推拿學. 서울:醫聖堂. 1993.

8. 김기옥, 이종수. 추나요법이 경항부 통증질환에 미치는 임상적 효과. 대한추나의학회지. 2000;1(1):67-82.

9. 이승민, 최유석, 박영회, 금동호. 비정상 경추 만곡을 가진 경항통 환자의 추나치료 임상례. 한방재활의학과학회지. 2002;12(4):161-169.

10. 한무규, 허수영, 최진만. 요추간판탈출증에 상용되는 중국추나 기법에 관한 연구. 대한추나의학회지. 2000;1(1):103-118.

11. 신준식. 추나치료로 완치된 HIVD 및 만성요통환자의 재발율에 대한 연구. 한의학연구원논문집. 1997;3(1):321-333.

12. 김상돈, 김미영, 임양의, 이수영, 신병철, 권영달, 송용선, 김형균. 경추추간판 탈출증 환자의 견인요법과 추나요법의 치료 효과에 대한 임상적 연구. 한방재활의학과학회지. 2001;11(4):39-48.

13. Philip E. Greenman. 정형물리치료학. 서울:영문출판사. 2007.

14. 고연석, 박태용, 공재철, 오원교, 송용선, 신병철. 경추 추나치료의 안전성에 대한 임상보고. 한방재활의학과학회지. 2006;16(4):83-95.

15. F.H. Barge. 특발성 척추측만증. 서울:대한추나학회출판사. 1999.

16. 劉飛飛. 推拿配合功能鍛鍊治療頸背痛的臨床觀察. 대한추나의학회지. 2000;1(1):145-146.

17. 허수영. 추나요법을 시행한 척추전방전위증의 증례보고. 한방재활의학과학회지. 2000;10(2):9-16.

18. 김수장, 장형석, 김성용, 신준식. 腰椎間板脫出症 환자의 추나치료 효과에 대한 임상적 고찰. 대한추나의학회지. 2001;2(1):93-110.

19. 김재홍, 조명래, 채우석. 요추 추간판 탈출증 환자 30예의 요추신연법 병용에 대한 임상적 고찰. 대한침구학회지. 2003;20(3):229-237.

20. 박석우, 금동호. 경근의 재활의학 분야에서 활용을 위한 문헌적 고찰. 한방재활의학과학회지. 1999;9(2):93-119.

21. 윤종태, 임형호. 경근추나의 한의학 문헌적 고찰. 대한추나의학회지. 2001;2(1):13-25.

22. 이동규, 서형주, 나창수. 근육의 동통 및 근 탄력상태에 대한 허실의 동서의학적 고찰. 대한경락경혈학회지. 2000;17(1):141-156.

23. 송윤경, 임형호. 기능적인 움직임 치료를 위한 경근의 임상활용에

대한 연구(Ⅰ). 2002;3(1):65-83.

24. 심원보, 김용득, 안영남. 김경식, 손인철. 십이경근과 근육과의 관계에 대한 연구. 대한경락경혈학회지. 2003;20(2):137-153.
25. 황민섭, 윤종화. 경근이론에 대한 연구. 대한침구학회지. 2005;22(1):29-39.
26. 이중근, 송윤경, 임형호. 경근 치료방법에 대한 문헌적 고찰. 척추신경추나의학회지. 2006;1(2):31-40.
27. 이상민, 이종수. 국내의 경근 연구동향에 대한 고찰. 척추신경추나의학회지. 2009;4(2):211-223.
28. 권정주, 송윤경, 임형호. 경근에 대한 온열·한랭요법의 적용에 대한 고찰-황제내경을 중심으로-. 한방재활의학과학회지. 2010;20(4):83-89.
29. 송윤경, 이종수, 임형호, 조남경 역. 근막경선해부학. 현문사. 2003.
30. 최도영 역. 도해 경근학. 신흥메드사이언스. 2009.
31. Carol J. Manheim. 도해 근막이완술. 영문출판사. 2006
32. Kerry J. D'Ambrogio, George B. Roth. 자세이완치료. 영문출판사. 1999.
33. Leon Chaitow. 최신근에너지기법. 군자출판사. 2008.
34. 박근영 역. 메디컬스트레칭. 신흥메드사이언스. 2009.
35. 함용운 외 역. PNF를 적용한 촉진 스트레칭. 한미의학. 2007.

CHAPTER

09 물리요법과 기공·도인 운동 치료

황의형(부산대한의전)
우창훈(대구한의대학교)
송미연(경희대학교)
조성우(동의대학교)

CHAPTER

09 물리요법과 기공·도인 운동 치료

제1절 한방물리요법의 개요 및 특징

1. 한방물리요법의 정의

1) 한방물리요법은 한방재활의학에서 다루는 질환들을 보다 효율적으로 치료하기 위해 적용하는 비침습적 치료법들을 포괄하여 이르는 용어

2) 수기요법, 전기자극요법, 심부온열요법, 광선요법, 부항요법, 수치료법(hydrotherapy) 등이 여기에 포함

- 수기요법은 도인·안교(導引·按蹻)에서 비롯된 것으로, 치료 목적에 따라 환자 스스로의 운동을 통한 방법, 시술자의 손을 이용하여 관절의 움직임을 원활하게 하는 방법, 체표에 압력을 가하여 근육이나 건을 이완하는 방법, 왜곡된 골격구조를 교정하는 방법이 있으며 이들을 각각 도인운동법, 도인운동요법, 근건이완수기요법, 추나요법이라고 함. 이 장에서는 수기요법 중 도인운동요법과 근건이완수기요법을, 유사한 행위로 기공공법지도를 다루고자 함
- 자연과학적 원리를 한방 치료에 활용한 것으로서 전기에너지를 이용한 전기자극요법, 음파나 전자기파 등 파동에너지를 이용하여 조직을 가열하는 온열요법, 빛에너지를 이용한 광선요법 등이 있음.
- 수치료법은 냉온욕과 약물욕 등 신체 전부 또는 일부를 담그어 치료하는 방식과 함께 수중에서의 운동치료를 포함함
- 통전약물요법, 부항요법, 찜질요법과 같이 전통적인 방법 등도 현재까지 사용되고 있음

3) 임상에서는 한방물리요법을 시행하기 전에 반드시 올바른 진단이 선행되어야 하며, 그에 따라 적절한 자극 방법을 결정한 후 개인의 특성을 고려하여 적절한 자극의 질과 양을 결정해야 함

2. 한방물리요법의 응용 원리

1) 음양과 오행원리를 근간으로 하여 자극방법과 목적으로 치료기를 분류하여 임상 활용 방법을 모색하고 질환의 허실에 따라 이학적 기기의 강도를 설정하며 개체의 특성을 고려한 적절한 방법을 그 치료 원칙으로 삼아야 함

2) 경락(經絡)의 한(寒), 열(熱), 허(虛), 실(實)을 구분하여 이학적 치료기의 치료원칙을 설정

- 한증(寒證)과 병행되어 국소 및 전신에 나타나는 질환에는 온경산한(溫經散寒)시켜야 하므로 온열자극을 가하는 치료를 활용
- 기체혈어(氣滯血瘀)하여 발생되는 국소적 통증 질환의

경우에는 "통즉불통(通卽不痛)"의 이론에 따라 우선 경락체계를 소통시켜 국소의 울체(鬱滯)를 소통케 하는데 그 주안점을 두고 부수적인 염증현상은 약물을 겸용하여 증상을 감소시킴.

- 기혈허(氣血虛)나 또는 전신적인 경락의 균형이 맞지 않았을 경우에는 전신경락을 동시에 자극하여 경락체계를 조정하는 치료에 주안점을 주어야 함.

3) 경락체계를 자극하는 방법에 따른 분류는 다음과 같음.

(1) 경락체계의 소통(疏通) 치료

- 『내경(內經)』에서 밝힌 "통즉불통 불통즉통(通卽不痛 不通卽痛)"이라는 통증 발생의 기전과 치료원칙에서 출발한 치료 방법.
- 기체(氣滯), 기울(氣鬱), 기역(氣逆), 기기불리(氣機不利) 등과 같은 기(氣)의 소통이상과 관련되어 나타나는 국소 및 전신의 통증과 종창에 전기나 음압을 이용하여 치료하는 일반적인 방법으로 경락체계의 소통을 주목적으로 함.
  - 한방물리요법의 가장 대표적 방법임.
- 제반 통증질환을 포함하여 교통사고 후유증, 산업재해 후유증, 급만성 염좌 및 운동부족으로 인한 기체(氣滯) 증상에 응용될 수 있는 치료법.
- 전기 자극을 이용한 치료에는 저주파요법(EST), 경피전기자극요법(TENS), 경근간섭저주파요법(ICT), 기능적 전기자극(FES) 등이 있음.
- 음압을 이용한 치료에는 부항(국소)치료, 자석(국소)치료 등.
- 물리적인 자극을 가해줄 수 있는 방법으로는 견인치료, 혈위초음파, 체외충격파 등이 있음

(2) 경락체계의 온냉자극(溫冷刺戟) 치료

- 경락체계의 온냉자극 치료는 질화의 한열변증과 발병 시기 및 병정에 따라 온자극과 냉자극을 선택하여 시술.
- 온자극 치료
  - 한의학에서 통증 치료에 대표적인 방법 중의 하나이며 이것은 통증의 발생 기전에 대한 인식에서 확인해 볼 수 있음.
  - 『소문·비론편(素問·痺論篇)』에서 "痛者, 寒氣多也, 有寒故痛也"라 하여 통증의 원인을 한기라 하였고, 소문·조경락편(素問· 調經論篇)』에서 "血氣者, 喜溫而惡寒, 寒則泣不能流, 溫則消而去之"라 하여 한하면 기혈이 잘 흐르지 못하여 통증이 생기고 온하면 증상이 없어진다고 하여 통증 치료에 대한 온열요법의 필요성을 언급.
  - 기체(氣滯)하여 발생되는 초기의 질환이 치료 시기를 놓치거나 오치(誤治) 등으로 인하여 리증(裏證)으로 이행되면 대부분 혈허(血虛)나 담음(痰飮) 등으로 기인된 증상을 발현하게 됨. 따라서 이런 경우 경락을 소통시켜주는 통기(通氣) 위주의 치료로는 충분한 효과를 발휘하기 어렵기 때문에 온경산한(溫經散寒)하여 부정거사(扶正祛邪)하는 온자극 치료를 이용하는 것이 보다 효과적임. 이에 온자극 치료는 경락(經絡)과 경혈(經穴)을 온(溫)하게 하여 이와 관련된 내부 장기 및 각종 기관에 일반적인 온열효과는 물론 통경락 할 수 있는 조건을 얻을 수 있는 점이 있음.
  - 물을 이용한 온자극 치료로는 경피경근온열요법(hot pack), 파라핀 요법(paraffin bath), 온천욕, 증기욕 등.
  - 전환열을 이용한 온자극 치료는 초음파(ultra sound), 단파(short wave), 극초단파(micro wave) 등.
  - 광선을 이용한 온자극 치료는 경피적외선조사요법(infrared on meridians) 등.

- 냉자극 치료
  - 얼음이나 냉수를 단독 혹은 약물과 함께 이용하여 한랭자극을 경피, 경근에 주어 치료하였던 냉부(冷敷), 냉첩(冷貼), 냉석위(冷石熨), 냉수(冷水) 등의 방법에서 기원.
  - 열성병에서 열사(熱邪)를 "熱則寒之". "寒因寒用 逆者正治, 從者攤治"와 같이 직접적으로 열을 내리거나 "瀉則有餘"의 법에 따라 열을 내리는 방법.
  - 경근(經筋) 병후(病候)에 한랭자극을 적용하는 경우는

이완된 경근을 수축시키는데 행수(行水)를 이용하는 것으로, 이 역시 한의학적 변증을 통하여 사용된 것으로서 단순히 근육의 수축과 이완을 위해서만 행해지는 치료법이 아님. 냉기는 국소적으로 강한 사기(邪氣)로 작용하고 이를 치료하기 위한 정기(正氣)의 강한 반발로 인해 병변조직의 치유를 돕고, 진통 시켜줄 수 있음.

- 임상적인 활용은 주로 각종질환의 부수적인 통증 등에 광범위하게 활용되며 리근(利筋)하여 경락(經絡)을 소통시키기 위한 전처치로 활용되며 온자극 치료 후에 경락체계를 소통시키는 치료를 사용하는 것이 보다 더 효과적임.
- 대표적 효능인 진통작용은 반드시 호소증상의 허실을 감별하여야 하며 이에 따른 온자극 치료와 냉자극 치료를 분별하여 응용하여야 함. 이는 급성 염증으로 발생되는 통증과 기혈부족(氣血不足)으로 혈액순환이 되지 않아 발생되는 기능실조성 통증을 반드시 구별하여 사용하는 것이 임상기법이라 할 수 있음.
- 얼음을 직접 적용하는 경피경근한랭요법(cryotherapy, ice pack)과 급냉공기 또는 냉매 스프레이를 사용하는 경피급냉요법(quick freezing therapy)이 있음

(3) 경락체계의 조정(調整) 치료

- 동시에 여러 경락에 자극을 주어 체내의 음양균형을 맞추는데 그 목적이 있으며 이는 동양의학의 정체관념(整體觀念)과 표본동치(標本同治) 및 부정거사(扶正祛邪)의 한 방법에 해당됨.

- 『소문(素問)』에서 밝히고 있는 "치미병(治未病)"의 예방적 측면이 강한 요법이며 실제 임상에서도 직접적 질환 치료보다는 각종 질환으로 야기되는 부수적인 증상에 초점을 두어 병행 활용할 수 있는 방법.
- 특히 만성적이고 허한 병증에 기혈순환을 촉진시키고 체내장부의 기능을 원활하게 할 수 있도록 간접적으로 도와줄 수 있으며 이로 인한 부수적인 통증완화에 도움을 줄 수 있음.
- 물을 이용한 음양조절법인 온냉욕(冷溫浴)과 각탕법(脚湯法) 등.
- 광선을 이용한 전신기혈 순환조정법인 종합가시광선, 원적외선 등.
- 전기를 이용한 체내 ion활성법.
- 자기를 활용한 경락자극 방법으로 health-ion, magnetic-field 등.
- 신체를 직접 자극하는 체외충격파, 근건이완수기요법 및 운동을 통한 정체법(整體法)인 도인운동요법, 기공공법 지도 등이 있음.

제2절 전기치료(Electrotherapy)

1. 개요

1) 전기 치료 역사

- 최초의 전기치료에 대한 기록은 기원전 420년경 히포크라테스가 전기가오리를 이용한 두통 및 관절 통증 치료 기록[1)]
  - 기원전부터 전기물고기들은 어부들에게 치료의 한 방법으로 알려짐[2)]
- 16세기에 Girolamo Cardano와 Gilbert가 인공적인 정전기를 만들게 되면서 전기 현상에 대한 본격적인 연구가 시작됨[3)]
- 18세기 중반 유럽 의사들이 인공 전기에 대해 관심을 가짐[4)]
  - 1743년 의과대학의 교수 Johann Gottlob Krueger는 "Thoughts About Electricity"라는 전기 강의 시작
  - 1745년 Kratzenstein은 "medical electricity(의료용 전류)" 라는 용어를 최초로 사용하여 책을 출판
- 1967년 Wall과 Sweet의 Transcutaneous Electrical Nerve Stimulation (TENS)가 관문조절설을 중심으로 이론이 설명됨[5)]. 이후 여러 전기치료기기가 발달하게 됨

2) 동양의학 방식을 접목한 전기치료

- 현대적인 전기적 통증 치료 기기인 TENS가 만들어진 것 보다 아주 오래 전에 동양의학의 방법으로 전기 치료가 유럽에서 시행됨[6, 7].
  - 프랑스에서 1774년에 선교활동 후 귀국한 선교사들에 의해 침 치료가 최초로 서양에 소개됨.
  - Sarlandière
    ▶ 1823년 : 자침 후 침에 직류 전류를 부가하여 치료하는 방법 소개
    ▶ 1825년 : 통증 완화, 움직임과 관련한 손상, 혈액순환을 위해 직류 전기를 침과 함께 사용해야 함을 주장. 이후 전침이 통증완화에 가장 효과가 있음을 밝혀냄.
  - 이와 같이 통증에 대한 전기치료는 침 치료와 동반한 전기치료가 TENS 등 현대적 전기 치료 기기보다 먼저 발생하였으나 19세기 후반부터 여러 원인에 의해 전기치료는 명맥만 유지하는 상황이 됨.
- 20세기 기술의 진보와 함께 1930년대에 중국에서 침과 전기를 결합한 치료 시작[8, 9]
  - 전침이 19세기에 유럽에서 시작되었지만 1950년대 들어 중국에서 다시 시작하여 세계 각국으로 전파됨.
  - 1958년 수술에 침술 마취를 사용하기 시작함.
  - 이후 전침요법은 세계 각국에서 임상활용 및 연구되고 있음.

3) 한의학에서 전기치료의 의미

- 경락과 경혈의 전기적 특성은 피부저항이 낮고 통전성이 높음[10]
  - 경락과 경혈에서는 외부적으로 전하를 쉽게 받을 수 있고 내부적으로 전하가 쉽게 통하게 됨
    ▶ 경락과 경혈이라는 생체 내 특정부위는 전기적인 자극을 받기 좋은 피부상의 특정 부위
- 경혈과 경락을 통한 치료 과정에서의 전기적 변화[11]
  - 침 : 기를 전달하는 매개체로서 피시술자와 시술자의 신뢰를 이어주는 치병의 도구
  - 침 치료 자극 : 생체 내 다른 부위보다 통전성이 강하다고 알려진 경혈과 경락을 따라 관련 조직 장기를 이차적으로 자극하여 치료작용이 나타날 수 있을 것으로 생각됨
    ▶ 전기학적인 관점만으로 바라본다면 침 치료 자극은 전하의 이동을 연결해주는 하나의 전도체. 즉, 시술자와 피시술자간의 전기적 연결을 공유할 수 있는 전도체로서의 역할을 해 줌
- 經絡은 氣血의 통로인 동시에 체내 생물적 전기 전도로, 經穴은 내외로 통하는 전도로의 분기점[12]
  ▶ 이들 부위에 전기적 자극을 가하여 經氣의 흐름을 조절함으로써 질병을 치료하는 것은, 현대 과학 발전과 더불어 발전한 의료 도구를 "通則不痛, 不通則痛"이란 한의학 이론에 입각한 질병을 치료하는 방법이 되므로 通經絡療法이라 함

4) 전기 치료의 한의학적 응용

- 한의학적 원리로 경혈을 자극하기 위한 전기 치료 응용은 지속적으로 시도되고 있음
- 통전 한약물 삼투요법(이온도입법, 이온삼투요법 ; iontophoresis)과 같은 경우는 한약재를 사용하여 경피적으로 주입할 수 있으므로 한의학적으로 충분히 사용 할 수 있는 기법임
- 혈위 도전요법(electrical stimulation therapy, EST)과 같은 경우, 자극 지점을 경혈, 압통점(아시혈) 등을 이용하는 것이 가능하기에 한의학적 이용이 고려될 수 있음
- 경근 중주파요법(interferential current therapy, ICT)의 경우 과거 항강증에 대해 일반적인 4극 배치법과, 항강증 치료 혈위를 사용하여 4극 배치를 한 경우를 비교한 연구가 있음.
  - 전기치료를 한의학적 원리로 충분히 이용 가능함[13]
    ▶ 대부분의 현대 물리요법 장비들이 의학적 이론 정립 후 완성된 것이 아닌, 자연과학의 발전과 공학의 발전에 힘입어 의료공학의 발달과 함께 이루어진 것으로, 과학 기술의 진보에 따라 인접 학문인 의학도 더욱 발전할 수 있으며 전통의학도 마찬가지로 다양한 전기치

표 9-1. 직류 전기의 종류

종류	특징
연속형 직류 continuous direct current	·전류의 방향이나 크기가 일정하게 유지되는 전류 ·이온을 피부 안쪽으로 운반하는 경우 효과적이라 이온도입법(iontophoresis)에 주로 사용됨
단속 직류 interrupted direct current	·연속형 직류를 일정 간격으로 단속시켜 전류의 흐름이 중단되도록 변형시킨 직류 ·근육의 연축 등 역학적 효과를 나타냄

표 9-2. 교류 전기의 종류

종류	특징
대칭 교류전류 symmetrical alternating current	·시간의 흐름에 따라 방향과 크기가 대칭적으로 변하는 전류 ·정현 교류전류(sinusoidal alternating current)가 대표적 ·저주파의 경우에는 역학적 효과, 고주파의 경우에는 열발생 효과 ·최근에 와서는 정현파를 신경자극에 이용하는 빈도가 차츰 줄어들고 있음. 꼭 사용해야 할 필요성이 있을 경우에는 주로 정현파를 변조한 변조파를 많이 사용
비대칭 교류전류 asymmetrical alternating current	·양의 부분과 음의 부분이 형태가 다른 교류 전류 ·감응전류(faradic current)가 대표적 ·주로 신경 지배가 정상인 신경근육계의 자극이나 전기진단에 많이 이용
변조 교류전류 modulated alternating current	·시간이나 진폭의 변조되어 여러 가지 교류전류를 발생 ·간섭파에 많이 사용 ·통증관리나 마사지효과 등의 목적을 위해 많이 사용

표 9-3. 주파수에 따른 분류

종류	주파수	특징
저주파 low frequency current	1,000 Hz 이하	·전압이나 전류가 모두 저압에 속하며 단속직류, 감응전류, 정현교류전류(주파수 1,000 Hz 이하), 펄스파 등이 속함 ·신경이나 근육의 전신적 자극 즉 역학적 효과에 이용
중주파 middle frequency current	1,000 Hz~100,000 Hz ·1,000 Hz 이상의 교류 전류는 신경 활동 전위를 만들지 못하고, 100,000 Hz 이상은 열효과 발생 ·1,000 Hz~100,000 Hz 사이를 중주파 전류로 보는 것이 타당	·주파수 4,000-4,500 Hz 범위의 전류를 서로 간섭시켜 치료적으로 이용하는 것(보통은 2,000-2,500 Hz) ·중주파는 주로 간섭파치료로 사용 ▶ 경피를 거의 자극하지 않고 감각이 부드러우며 3차원으로 간섭을 시키면 마시지 효과 등이 효율적으로 나타남 ▶ 실제 치료에는 진폭변조주파수(반송주파수와 신호주파수의 차)가 1 bps-500 bps (beat per second)의 범위에서 사용됨. 현재 시판되고 있는 간섭전류치료기는 대부분 1 bps-100 bps의 범위에서 사용할 수 있도록 제작됨 ·효과면에서는 저주파와 유사함
고주파 high frequency current	1,000,000 Hz 이상	·인체의 심부에 열을 투여할 목적으로 이용 ·장파(long wave) : 3-30 MHz. 파장이 너무 길어 사용상의 불편으로 잘 사용하지 않음 ·단파(short wave) : 10-100 MHz ·초단파(ultra wave) : 30-300 MHz ·극초단파(microwave) : 300-3,000 MHz. 고주파심부투열기중 주파수가 가장 높음

료를 한의학적으로 응용하고 개발하여 사용해야 한다고 생각됨.

5) 전류의 분류

- 흐르는 모양과 크기, 직류와 교류, 주파수, 전류의 강도 등의 기준으로 분류

(1) 흐르는 모양과 크기에 의한 분류

① 직류(Direct current)[14, 15, 16]

- 흐르는 방향과 크기가 시간의 흐름에 대하여 변하지 않는 전류
- 건전지나 완전 정류된 교류전원으로부터 흐르는 전류
- 치료목적에 따라 연속형 직류와 단속직류로 분류됨(표 9-1)

② 교류(Alternating current)[17, 18, 19]

- 방향과 크기가 일정한 주기에 따라 연속적으로 바뀌는 전류(표 9-2)

(2) 주파수에 의한 분류 [20, 21, 22]

- 매 초당의 사이클 수
  - 시간의 변화에 대한 사이클 수를 기준으로 하여 전류를 저주파, 중주파 고주파로 분류

6) 전류의 물리적 특성과 효과

- 열 효과, 전자기 효과, 화학적 효과[23, 24, 25]
  - 열 효과와 전자기 효과는 모든 형태의 전류에서 발생
  - 화학적 효과는 직류에서만 발생

(1) 열 효과 [26, 27, 28]

- 전류가 인체를 통과할 때 전자가 에너지 사용 → 열 에너지로 변환 → 온도 상승
  - 줄의 법칙에 따라 발생되는 열은 전류강도의 제곱에 비례하고, 저항에 비례하고, 통전시간에 비례함
  - 열 효과는 직류, 맥동전류, 교류전류 모두 나타나지만, 실효값전류가 큰 전류는 열이 많이 발생하고, 실효값이 낮은 맥동전류는 열 효과가 적게 발생
  - 수분함량에 따라 열 발생 정도가 달라지므로, 근육처럼 혈관분포가 많은 조직은 저항이 낮고 전류의 전도도가 높아서 상대적으로 열 발생이 많아짐
- 단파 및 극초단파 심부투열치료는 조직심부를 치료하기 위해 고전압 고주파 교류전류를 사용하여 열 효과를 발생. 국소에서의 열 효과는 다음과 같음[29]
  - 열로 인해 대사가 증진되어, 산화율 증가하고 에너지소비가 증가
  - 혈관효과로 동맥 및 모세혈관의 확장을 통해, 산소, 영양분, 혈구 등의 공급이 증가하고, 이로 인해 염증이나 부종의 완화가 유발됨
  - 신경근육에 작용하여 진통작용, 근육연축, 신경전도속도의 변화, 근력 및 지구력의 변화가 나타남
  - 결합조직의 신장력의 증가
  - 심박출 증가 및 맥박수 증가, 혈압저하
  - 호흡수의 증가
  - 땀과 소변을 통한 배출작용의 증가
  - PH 농도의 변화
  - 막 투과성의 증가

(2) 전자기 효과[30, 31, 32]

- 전류가 흐르게 되면, 자기장을 형성하게 됨
  - 자기현상은 운동하는 전하들 사이에서 작용하는 힘에 의해 발생
  - 전류에 의해 발생된 자기장의 세기는 전류에 비례하고, 도체까지의 수직거리에 반비례함
  - ▶ 전극의 배치 등을 결정하는 이론적 근거 제시

(3) 화학적 효과[33, 34, 35]

- 이온의 음극과 양극으로 이동하는 성질을 이용하는 방식이므로 방향과 크기가 일정한 직류에서만 일어남
- 액체나 기체에서 이온화가 일어나며, 전해질은 물에 녹아서 이온화가 된 물질이며, 이 수용액을 전해액이라 함
  - 양극 : 산성반응, 금속 및 알칼로이드 반발, 지혈효과, 국소빈혈, 혈관수축, 미열효과, 조직의 경화, 흥분성 감소, 역치 증가, 진정효과
  - 음극 : 알칼리 반응, 산 및 산기 반발, 미열 효과, 출혈 효과, 국소 충혈, 혈관확장, 조직의 연화, 흥분성 증가, 통증 유발, 자극효과, 역치 감소
- 전해질 용액에 전류가 흐르면, 이온의 재배열이 발생하게 되고, 이 재배열된 이온이 양극과 음극으로 이동하여 새로운 물질이 생성된다.

- 인체의 체액도 전해질이므로 직류, 특히 연속형 직류가 흐를 경우 화학적 반응을 일으키게 됨.

2. 전기치료(Electrotherapy)의 종류

1) 한방통전약물요법(Iontophoresis therapy of herbal medicine)

(1) 역사[36,37,38,39]

- Pivatti : 1748년 전기로 물질을 몸에 넣는 것이 가능하리라 발표
- Munck : 1879년 토끼 피부에 전류로 물질 전달 실험 성공
- Morton : 1898년 미세 흑연 입자 이온도입 실험
- Leduc : 1908년 이론 정립하여 책으로 발표

(2) 의미

- 직류전류를 치료적 목적으로 사용
- 같은 극은 반발하고 반대극은 당기는 직류 전기를 이용하여, 이온화된 약품(Iontonic drugs)을 피부를 통해 체내에 주입[40]

(3) 치료 원리[41]

- 전기이동(electromigration)
  - ▶ 반대 전하는 끌어당기고 같은 전하는 밀어내는 원리
  - ▶ 약물이 이온화되어 전기 에너지에 의하여 이동함
- 투과성 증가
  - ▶ 피부에 전류가 흐르게 되면 피부에 전기적 저항이 감소하여 피부 투과성 증가
- 전기삼투(electro-osmosis)
  - ▶ 전류에 의해 만들어지는 용매의 이동에 의해 용매에 녹아있는 용질이 이동

(4) 한의학적 의미

- 피부, 점막 등을 통해서 같은 극은 반발하고 반대극은 당기는 직류 전기를 이용하여, 이온화된 한약물(Iontonic herbal medicine)을 피부를 통해 체내로 이동시키는 치료법이어서 한방통전약물요법이라 부름
- 2001년부터 한방의료행위로 인정되고 있는 한방 약물 외치법

(5) 임상 활용

- 관절염, 신경염, 신경통, 만성적이고 고질적인 염증성 질환
  - ▶ 주의점 : 음극이나 양극에서 서로 차이가 있으며 그 생성물도 다르기 때문에 음극과 양극에서 나타나는 물리화학적 혹은 생리적 효과를 잘 숙지해야 하며, 전극을 피부에 직접 부착하므로 화상 등에 주의
- 괴사성 피부궤양, 다한증, 곰팡이 감염, 통풍성 관절염, 석회 침착성 건염, 근막동통증후군, 근골격계의 제반 통증, 염증 질환 등, 전류화장품의 응용기술

• 한의학 연구
- 소염, 진통, 파어혈(破瘀血) 효과가 있는 현호색, 우슬, 홍화, 천궁, 유향, 몰약, 수질 등과 같은 한약물에 대한 연구가 진행 중이며 부분적으로 시술[42]

2) 혈위 도전요법(electrical stimulation therapy, EST)

(1) 역사[43,44]

- Hugo von Ziemssen : 1857년 피부 표면 운동점 표시
- Wilhelm Heinrich Erb : 1857년 변성반응 검사, 운동점 지도(motor point topograph)
- Louis Lapicque : 1909년 기전류(rheobase)와 시치(chronaxie) 용어 제정
- Engelmann : 1870년 동물실험에서 강시곡선(strength duration curve)을 구함
- Aclrian : 1916년 사람의 강시곡선을 구해 통전시간과 전류강도의 관계 설명

(2) 치료 원리

- 저주파를 이용한 역학적 효과를 내는 자극치료법
  - ▶ 혈위 도전 요법에는 직사각형파(rectangular

wave)의 파형을 사용하는 것이 이상적
- 사용 전류 : 단속직류(단속평류전류), 비대칭 교류전류(감응 전류), 대칭 교류전류(정현파 전류) 등. 치료목적에 따라 변조 교류전류. 단속직류는 불편감이 있고 화상의 위험도 있음[45]
- 저주파치료의 대상 : 정상 신경근(빠른 정현파 전류 : 30-50 Hz), 변형 신경근(느린 정현파 전류 : 5-10 Hz)
- 저주파 자극의 3대 조건 : 자극강도, 자극시간, 전류의 변화속도[46]
  ▶ 음극에 의한 자극이 신경지배근에 발생하면 축삭의 반응성이 증가하며, 역치를 향한 막의 안정전위가 발생
  ▶ 양극에 의한 자극이 신경지배근에 발생하면 축삭에서의 반응성이 줄어들며, 역치보다 줄어드는 안정막 전위로 바뀜

(3) 혈위도전요법의 치료 목적

① 역치(Threshold)

• 신경지배가 정상일 때[47,48]

가. 정상적인 근육의 활동과 관계있는 물리적, 화학적 현상의 재현
나. 근육의 생리적 활동 회복의 촉진
다. 혈액과 림프액의 순환유지 및 증진
라. 유착형성의 예방
마. 비정상적인 근경련의 감소
바. 부종의 감소 및 림프액의 정체현상 방지
사. 근재교육 혹은 급성기질환의 마사지

• 변성근일 때[49,50]

가. 근위축 발생의 예방이나 진행속도를 낮추기 위함
나. 근수축과 이완에 의한 혈액순환의 증진
다. 신경재생이 진행되는 오랜 시간동안 환자에게는 주는 정신적 안정
라. 근육을 구성하고 있는 단백질 성분의 감소방지
마. 신장성(extensibility) 감소의 방지
바. 근육이 마비되어 있는 기간 동안 근육의 수축감각 유지

(4) 치료점의 선택

•• 경락과 경혈
- 특정 부위에 자극을 가하면 특정 증상에 효과가 있는 경험에 의해 정해진 부위
- 경혈의 선택적 치료 시 해당 경락, 연관된 장부의 기능을 이해하여 선별
  ▶ 구안와사 : 地倉, 頰車, 迎香, 承漿, 陽白 등
  ▶ 좌골신경통 : 腎兪, 志室, 委中, 承筋 등

• 반응양도점(反應良導點) : 양도점 또는 반응양도점이라 함
- 특히 통증국소요법을 시행하는 경우 등에서는 신경검사계(neurometer)의 탐색도자가 반응양도점을 찾아내어 여기에 전극을 붙여 통전하면 효과가 양호
  ▶ 양도점이 나타나는 이유는 그 부위가 주위보다 교감신경의 흥분성이 높기 때문
  ▶ 내장 또는 신체의 심부에 이상이 있는 경우에는 반사에 의하여 그것에 관련된 피부표면부의 교감신경 흥분성이 반사적으로 높아지며 그 결과 양도점이 특히 강조됨
- 교감신경의 흥분성이 높아지면 탈분극을 일으키며, 탈분극이 되면 전기가 통하기가 용이함

• 압통점(tender point)
- 신경의 주행 경로상에 있어서 신경의 분지부 또는 심부로부터 표층에 나타난 굴곡부를 손으로 누르면 압통을 강하게 느끼는 곳[51]
  ▶ 병적 상태에서 특히 두드러진 통증이 발생
  ▶ 현저한 압통점은 그대로 유효한 치료점이 됨
  ▶ 내장 관련 압통점도 유효 : 보아스 압통점(Boas tenderness point) - 위, 십이지장궤양 / Mcburney's point : 충수염

• 발통점(trigger point)
- 시발점(始發點) 또는 발통점(發痛點)- 통증을 일으키는 시작점에 해당하는 부위[52]
- 근막동통증후군(myofascial pain syndrome)일 때 흔히 관찰됨

▶ 그 곳을 압박하면 표적(target), 즉 연관부위(reference zone)에 통증이나 근의 강직 및 혈관장애 등이 유발되는 장소

- Dr. Travell이 많은 증례에 관하여 발통점과 연관부위(reference zone)를 조립하여, 통증 질환의 근본적인 원인은 현재 나타난 통증 부위보다도 통증이 시작되는 발통점에 있다고 발표
  ▶ 한의학의 경혈, 경락의 진단, 치료체계와 유사한 내용이 많이 포함됨

- 전기운동점(motor point)[53,54]
  - 운동점, 전기운동 자극점 또는 운동자극점
    ▶ 운동신경이나 근육에 있어서 효과적인 자극부위
  - 신경에서는 부위적으로 피부표면에 가까운 점이며 근육에서는 근과 신경의 접합부에 가장 가까운 곳
  - 운동신경종판이 집중되어 있는 부위
    ▶ 근의 운동점을 직접 자극하여 변성근의 건이행부에서 근 수축을 직접 일으킴
    ▶ 정상근의 경우 근복에서 근 수축을 일어남

- 신경학적 치료점
  - 신경의 주행을 따라서 치료점을 선별하는 방법
  - 전극을 어디에 배치시키는 것이 가장 효과적일 것인가 하는 것이 중점임
    ▶ 통증부위 바로 위 : 한 전극은 통증이 있는 부위 바로 위에 그리고 또 다른 하나의 전극은 같은 척추분절위에 위치 / 혹은 좌우로 반대측 척추분절 위에 위치
    ▶ 통증부위 주위 : 외상이나 화상, 모든 수술 후의 상처부위 근처에 위치
    ▶ 통증부위 좌우 혹은 상하 : 관절부위에 시행 / 통증부위 좌우 또는 상하로 전극을 위치
    ▶ 통증부위를 지배하는 신경 위 : 가능한 한 신경이 표재성으로 뻗어 있는 곳에 전극을 위치

- 신경차단의 자입점(刺入點)
  - 신경차단술에 선택되는 자입 부위

- 건측 치료점
  - 건측통전법(健側通電法)이란 환측이 아니라 대칭이 되는 건강한 측에서 치료점을 찾는 방법
    ▶ 골절 직후, 탈구의 정복에 건측 치료점을 응용
    ▶ 마취 효과는 물론 타박, 염좌성 통증의 경감효과
  - 환측에 팽륜이나 현저한 염증이 있더라도 치료가 가능

(5) 임상 활용

- 통증질환[55], 마비질환[56], 근력증강[57]
- 교감신경의 흥분성이 높아지면 탈분극을 일으키며, 탈분극이 되면 전기가 통하기가 용이함

(6) 한의학계의 활용

- 혈위 도전요법(EST)은 각급 한방병원에서 물리요법으로 활용되고 있으나, 한의학연구 특성상 혈위 도전요법만을 가지고 시행한 임상연구는 발견하지 못함. 차후 임상연구가 필요한 실정임

3) 경피 전기 자극 치료(transcutaneous electrical nerve stimulation, TENS)

- 통증을 제어하는 치료법 중의 하나인 경피전기자극치료는 관문조절설의 원리를 이용한 것[58] 으로서, 저주파 전기 자극기를 이용하여 치료 부위의 경피에 저주파 전기적 자극 치료 시행하는 치료법

(1) 역사

- 1960년대에 들어서 전기 치료가 통증 관리에 응용되기 시작[59]
  - Melzack과 Wall : 1965년 – 관문조절설(gate control theory) 발표
  - CN Shealy : 1967년 – 척수후궁자극기(dorsal column stimulator) 개발
    ▶ 척수후궁자극기 임상 적용에 앞서 선발 시험 기구로 경피 전기 자극 치료(TENS) 개발 및 활용[60]

(2) 혈위도전요법(EST)과 경피전기자극치료(TENS)의 차이점

• 혈위도전요법(EST)과 경피전기자극치료(TENS)를 엄격히 구별하기는 어려움
- 경피전기자극치료 역시 넓게 보면 혈위도전요법의 일종
▶ 현재 우리가 사용하고 있는 일반적인 개념으로의 혈위도전요법과 경피전기자극치료는 구별이 가능

• 중요한 차이점[61,62]
– 혈위도전요법에서는 운동신경이 자극 대상, 경피전기자극치료에서는 감각신경이 조절대상
– 혈위도전요법에서는 운동신경을, 그리고 경피전기자극치료에서는 감각신경만을 효율적으로 자극할 수 있는 전류를 선택
▶ 따라서 혈위도전요법에서는 주로 마비 혹은 약화된 근육의 운동이나 운동감각유지효과가 있는데 반해 경피전기자극치료에서는 급·만성 통증의 감소효과가 있음
– 혈위도전요법은 운동신경을 흥분시키기 위해 조절, 경피전기자극치료는 오히려 운동신경이 흥분을 하지 못하도록 하면서 자극의 크기를 역치 이하로 조절하고 Aδ섬유만을 효과적으로 자극할 수 있도록 설계된 기구

(3) 적응증

• 급성 통증[63]
- 급성통증에는 일반적으로 통상적인 경피전기자극치료(고빈도 자극)가 매우 뛰어난 효과를 보임
▶ 경련을 유발할 수 있는 상태라면 금기증에 해당

① 수술 후 통증
② 근육통
③ 월경곤란증
④ 협심증
⑤ 치통을 포함한 구강 안면 통증
⑥ 늑골타박이나 골절등의 물리적 충격으로 인한 통증

• 만성 통증 [64,65,66]
- 경피전기자극치료는 부작용이 거의 없기 때문에 만성 통증환자에게 있어 다양한 측면에서 효과적인 치료법 [67]

① 만성요통
② 만성류마티스 관절염
③ 만성퇴행성 관절염
④ 건이나 근막 등으로 인한 통증
⑤ 말초신경병이나 손상으로 인한 만성통증
⑥ 암으로 인한 통증
⑦ 만성환상지통
⑧ 복합동통증후군
⑨ 기타 금기증이 아닌 만성통증

• 수술 후 통증
- 복부, 흉부 수술은 물론 거의 대부분의 정형외과적 수술에서 나타나는 통증이 포함[68,69]
▶ 수술 후 처음 24-48시간 동안은 지속적으로 적용하는 것이 좋음
▶ 만일 환자가 더욱 통증을 호소하면(통증의 지속적 증가로 인해) 즉시 치료를 중단하고 담당의사와 상의

(4) 금기증[70,71,72]

① 심장 페이스메이커 사용 환자
② 간질을 앓고 있는 환자
③ 임신중인 자궁 위의 전극 배치
④ 악성종양
⑤ 경피신경전기자극법을 싫어하는 환자
⑥ 피부를 자극할 우려가 있는 환자
⑦ 심혈관계 질환자

(5) 한의학계에서의 응용

• 다양한 통증질환에 경피 전기 자극 치료 연구가 발표되었고, 근육통에 대한 경피 전기 자극 치료의 주파수별 효과에 대한 연구도 발표되어 있음[73]

4) 기능적 전기 자극 요법(FES; functional electrical stimulation)

(1) 역사[74)]

• 기원
- Alessandro Volta, Luigi Galvani : 1700 년대 후반 – 전기적 자극으로 동물의 근육과 신경에 흥분을 일으킬 수 있음을 보고
- Christian Gottlieb Kratzenstein : 1744년 전기자극을 15 분 정도 시행하여 여성의 손가락 마비가 회복되었다고 보고

• 본격적인 기능적 전기 자극 치료
- Waldmier Liberson : 1961년 편마비환자 족하수(foot drop) 교정 위해 특수한 전기자극기를 만듦[75)]
  ▶ 이를 효시로 FES라는 명칭이 생겨남

(2) 치료 원리[76)]

• 원심성 기능적 전기 자극(efferent functional electrical stimulration)
- 운동신경섬유 자극 → 전기적 흥분 → 신경전달물질 유리 → 근육 수축

• 구심성 기능적 전기자극(afferent functional electrical stimulration)
- 구심성 신경섬유 자극 → 척수 반사기전에 대한 간접 영향 → 근육 수축

(3) 적용[77)]

• 하위운동신경원이 정상인데 상위운동신경원의 조절기능은 상실된 환자 즉 척수손상이나 편마비환자, 뇌성마비 등의 환자에게 적용가능

• 최근에 들어서는 기능적 전기자극의 적용범위가 넓어짐
- 마비된 근육의 재교육, 비뇨방광기능의 조절, 횡경막 신경의 자극 조절, 심장 자극의 조절, 관절의 가동범위 증진 등[78)]

(4) 적응증과 금기증[79,80)]

• 적응증
- 상위운동신경원 손상으로 인한 폐용성 위축, 뇌손상 환자의 보행 증진, 마비된 근육의 재교육, 근력의 촉진, 관절가동범위의 증진

• 금기증과 주의점
- Pace maker 및 심장전도장애의 환자, 상처나 수술자국, 반흔 조직 등 피부의 손상이 있을 경우(전도율이 올라가서 hot spot이 생성되어 열 자극 발생), 임신중인 여자, 피부 감각 상실, 일차성 근육 질병, 정형외과적 수술 후, 등

(5) 한의학계에서의 이용

• 환자의 근육에 양극식으로 전극을 배치하여 근수축을 최대한 유발해서 치료하는 방법으로, 연하곤란 환자에게서의 기능적 전기자극 치료 이용 연구[81)], Guillain-Barre Syndrome 환자에 대한 한의학 복합 치료예에 기능적 전기차극 치료를 병행한 경우[82)]가 보고되어 있음

5) 경근간섭저주파요법(interferential current therapy, ICT)

(1) 역사[83)]

• 1944년 Gildemeister : 중주파전류의 개념 발표
• 1950년초 Nemec : 간섭전류 치료를 발표(저주파치료로 야기되는 불쾌감을 극복하기위해 개발)
• 1970년대 Melzak/Wall : 구심성 신경 세포에 대한 자극으로 인해 통증의 감소됨
• 1987년 Nikolova : 간섭전류치료에 대한 단행본을 발간[84)]

(2) 치료 원리

• 진폭변조교류전류(amplitude modulation AC)[85,86)]
- 두 개 이상의 서로 다른 교류 중주파 전류를 교차 통전 → 간섭 현상으로 새로운 저주파전류가 발생
- 진폭변조교류전류를 간섭 전류(interferential cur-

rent, IC, IFC)라고 함

▶ 이러한 간섭전류를 사용하는 전기치료를 한방재활의학에서는 경근간섭저주파요법(interferential current therapy, 간섭전류 치료, ICT) 라고 함

(3) 중주파를 이용한 간섭저주파치료법

• 4,000 Hz와 4,100 Hz의 두 가지 전류를 0 ~ 100 bps의 파동으로 교차 통전[87]

▶ 간섭현상을 일으키도록 하여 신경근육계를 자극하는 치료방법

- 저주파치료기는 1,000 Hz 이하의 주파수를 사용

▶ 자극시간이 상대적으로 길고,

▶ 피부저항을 극복하는데 효과적이지 못하고,

▶ 감각신경을 지나치게 자극하여 전기통증을 유발

- 이에 피부저항을 최소화하면서 심부조직을 효과적으로 전기자극하기 위한 목적으로 개발

▶ 치료 부위를 중심으로 2개~8개의 중주파 전극을 통해 짝수로 교차 통전시켜 발생되는 간섭저주파를 이용하여 통증 치료

(4) 적응증[88,89]

① 근골격계 문제
② 무릎 관절염
③ 턱관절 통증
④ 골절로 인한 통증
⑤ 요통
⑥ 어깨질환
⑦ 손바닥 건선
⑧ 섬유근육통
⑨ 부종
⑩ 근육 자극과 실금의 치료
⑪ 골절의 지연 유합[90]

(5) 금기증 및 유의사항[91,92]

• 금기증

① 동맥질환
② 출혈 위험이 있는 경우
③ 피부의 손상부위
④ 악성 종양
⑤ pacemaker 사용 환자

• 유의사항

① 전기적 쇼크 : 도자(pad)의 금속판이 직접 피부에 접하지 않도록 함
② 전해질 화상 : 전극에 습기를 고르게 하고 전류밀도를 고르게 함
③ 심장과 폐장 부위에 사용금지
④ 흡인 전극 장시간 사용 시 혈종 발생 주의
⑤ 회로가 불균형할 경우 좋은 효과를 내기 어려움

(6) 한의학계에서의 이용

• 경근중주파요법(ICT)은 각급 한방병원에서 물리요법으로 활용되고 있으나, 한의학적 연구 특성상 타 치료법과 병행하여 본 연구는 있지만 경근중주파요법만을 가지고 시행한 임상연구는 발견하지 못함. 차후에 경근중주파를 경혈 치료 등 한의학적 치료점을 바탕으로 하여 진행한 임상연구가 필요한 실정임

6) 경피 경혈 자극요법(Silver Spike Point, SSP)

(1) 역사[93]

• 1971년 미국 닉슨 대통령과 일본 다나까 수상의 중국 방문 → 침 마취 수술을 보게 됨

• 1972년 오사카 의대 통증 센터에서 침 마취 수술 성공. 이후 일본에서 전침을 통한 마취 및 통증 치료 연구 시행

- 1976년 일본의 마사요시 효도(兵頭正議) 교수에 의해 SSP (silver spike point) 전기 치료법이 개발됨

(2) 치료법

• 경피 경혈 자극요법이란 SSP전극(silver spike point electrode)을 이용한 치료로써 통전성을 좋게 하기 위하여 은도금한 원뿔 모양의 삼각원추형전극을 치료점에 배

표 9-4. 경락별 경혈 깊이

經絡	1寸 이상 경혈 수	1寸 미만 경혈 수	합계
手太陰肺經	11	0	11
手陽明大腸經	17	3	20
足陽明胃經	42	3	45
足太陰脾經	19	2	21
手少陰心經	9	0	9
手太陽小腸經	19	0	19
足太陽膀胱經	59	8	67
足少陰腎經	27	0	27
手厥陰心包經	9	0	9
手少陽三焦經	22	1	23
足少陽膽經	41	3	44
足厥陰肝經	14	0	14
督脈	28	0	28
任脈	24	0	24
합계	341(94.5%)	20(5.5%)	361

치하여 저주파 통전을 실시하는 표면침점 자극요법을 말함[94)]

• 표면전극을 사용한다는 관점에서 경피전기침점 자극요법이라고도 부름
• 침술 마취의 개념에서 탄생하여 같은 통증 치료 기기라도 관문조절설을 이론으로 가진 TENS와는 치료 이론이 다름
  - TENS는 중간 내지 고빈도 저주파 사용, SSP는 저빈도 저주파 사용
  - 파형에 있어서 SSP는 쌍극성 대칭파를 사용하나, TENS의 경우 반드시 그렇지는 않음

(3) 경피 경혈 자극요법의 금기증

① 피부염 등으로 전극을 설치할 수 없는 경우
② 심장 pacemaker 장착 시
③ 심근경색 등 중증인 심장질환
④ 뇌혈관장애 직후
⑤ 열이 있을 때
⑥ 임신 초기

(4) 전침과 경피 경혈 자극요법과의 차이점

• 가설
  - 경피 경혈 자극요법(silver spike point, SSP)은 전침의 침술 마취 효과를 연구하면서 발생한 치료 기법으로서, 치료 기법과 원리를 전기 침술과 비슷하게 하려고 한 것에서 서로 공통점이 있음
  - 비록 전침과 비슷한 원리를 배경으로 탄생한 기법이지만 공통점만큼이나 다른 점도 분명히 존재함
    ▶ 이는 바로 자극의 깊이임
• TENS를 변화시킨 침형 경피신경 자극 치료와, SSP 치료 간에 효과가 다르다는 연구가 1995년에 국내에 발표되었음[95)]
  - 전기침치료와 SSP에 대하여 자극 효과가 다르다는 연구는 아직 발견하지 못했으나, 표면 전기치료끼리도 서로 다른 효과를 가진다는 것은 전침과 SSP 사이에 효과가 다를 수 있다는 점을 시사한다고 보임
• 경혈의 깊이
  - 침구의학 교과서를 보면 각 경혈마다 자극해야 하는 깊이가 있으며, 우리 몸에 자리하는 경혈은 대부분 1촌 이상의 깊이를 가지고 있음. 1촌은 시대에 따라 그 길이가 다르게 표현되나, 대부분 현대의 도량형으로 바꾼다면 약 2.3-3.2 cm 가 됨

- 상기 표 9-4에서 보는 바와 같이 경혈의 깊이는 94.5%가 1촌(2.3-3.2 cm) 이상이나, SSP 치료법은 경혈 표면 자극에만 그침
  - 아직까지 경혈 표면 전극과 전기침 치료가 서로 치료 효과나 기전이 다르다는 연구는 없으나, 경혈에 대하여 TENS를 이용한 침형전기자극과 SSP도 통증 역치가 서로 다르다는 연구를 보아 전침 치료와 SSP 또한 서로 다른 치료 효과나 치료 기전을 가지고 있을 가능성이 있음
- 임상 활용면에서의 차이점[96)]
  - 경피 경혈 자극요법(silver spike point, SSP)의 활용
  ① 두통(근 긴장성 두통)
  ② 안면통(부정형 안면통이나 증후성 3차 신경통)
  ③ 안면신경마비
  ④ 하악관절증
  ⑤ 경부통(충돌로 인한 손상이나 경추연골증)
  ⑥ 어깨결림
  ⑦ 요통(변형성 요추증)
  ⑧ 무릎통증(변형성 무릎관절증)
  ⑨ 류마티스성 관절염
  ⑩ 근막성 통증
  ⑪ 외상 후 창부통
- 상기 기술과 같이 SSP는 주로 통증 질환에 대하여 사용하는 것으로 알려져 있음. 그러나 전침의 경우 통증 질환 이외에도 중풍 마비 환자, 고혈압 등의 상병에서도 활용 가능하며 현재 건강보험 급여가 이루어지고 있다는 것에 차이가 있음

(5) 결론

이상과 같은 점을 미루어 볼 때 전침과 경피 경혈 자극요법(silver spike point, SSP)은 그 역사와 치료 기술 개발 원리에 있어서 유사한 점이 분명 존재하나, 치료 기계가 다르고, 전기 자극 깊이가 달라 치료 효과가 다를 가능성이 있음. 또한 치료 활용 범위에 있어서도 유사성이 있지만 전침은 통증 질환 이외에도 활용되고 건강보험 급여가 이루어진다는 차이가 있음. 이에 비슷하지만 완전히 같은 치료로 보기는 어렵다고 생각되는 바임

7) 경근미세전류자극요법(Micro-current electrical therapy, MET)

1) 개요

- 미세전류치료는 일반적인 저주파 및 간섭저주파 전기치료기들이 mA 단위의 전류를 사용하는데 반해 μA 단위의 전류를 사용하여 근수축을 일으키지 않고 불쾌감 없이 손상 부위를 자극할 수 있는 치료법[97)]

(2) 치료 원리

- 전류를 극히 미세한 강도로 체내에 통전시키면 체세포의 세포막에 전위차가 유발되어 세포막의 이온채널을 통해 Ca^{++}이온이 세포내로 이동되고 이로 인한 아데노신삼인산(Adénosine triphosphate, ATP)과 단백질의 합성증가로 신경, 근육 및 조직 세포의 복원과 치유를 촉진[98)]
- 세포막 전위차를 만들 수 있는 세포 수준의 전기 에너지 공급은 동통 완화 및 상처 치유의 효과를 얻을 수 있음[99, 100, 101)]

(3) 적응증

① 상처 치유 촉진[102)]
② 지연성 근육통[103)]
③ 골 재생 촉진[104)]
④ 수술 후 조직 재생 [105)]

(4) 금기증

- 기존 논문 상 특별한 금기증 보고는 없으나, 일반적인 전기치료기의 금기사항을 참조해야 할 것으로 생각됨

(5) 한의학계에서의 이용

- 지연성 근육통에 대하여 미세전류치료기를 전침을 사용하여 체내에 삽입하는 삽입전극과 일반 표면 전극을 사용하는 방법을 비교한 연구가 보고되어 있음

8) 혈위 단파 요법(Short-wave)

(1) 개요 [106, 107]

- 단파는 3-30 MHz의 범위를 갖는 전자기파의 일종
- 단파투열기기는 27.12 MHz의 주파수 대역을 일반적으로 많이 사용
- 단파의 생화학적 작용은 신진대사의 증대, 세포질과 기관의 조절기능, 혈액공급량의 증가, 운동신경의 전도속도 증가, 진정작용, 반사가열작용, 근육조직의 통증완화작용 등이 있음

(2) 효능 [108]

① 통증과 근경축의 진정
② 탐식작용
③ 염증성 삼출물의 흡수증가
④ 삼출물의 재용해 방지
⑤ 순환부전의 혈액공급 촉진

(3) 치료 시간 및 방법 [109, 110]

- 치료 시간은 20분 정도로 환자가 기분 좋은 정도의 따뜻한 강도가 좋음

(4) 적응증 및 금기증 [111, 112]

- 적응증

① 외상 : 근좌상, 혈종, 염좌, 좌상, 건초염, 활막염, 점액낭염의 아급성 및 만성증상
② 관절염 : 류마티스성 및 골관절염, 경부 · 요부 척추증, 강직성 척추염, 견관절염
③ 골반부의 염증성 질환
④ 혈종 및 동맥경화, 레이노드 증후군(raynaud's syndrome)
⑤ 습관성유산 및 태반부전

- 주의사항 및 금기증

① 불량 전극배치, 발한, 젖은 옷, 연고재 및 X-선의 사용과다로 인한 전장(電場) 집중현상, 심부투열의 과잉 등에 주의
② 악성종양, 출혈 및 혈전증, 임신부, 감각마비, 심장질환, 체내 금속물 삽입부 등에 시술을 금기

(5) 한의학계에서의 이용

- 한의학 연구 특성상 혈위 단파 요법(short-wave)만을 독립적인 중재로 이용한 연구는 검색되지 않음. 그러나 임상 현장에서는 활용되는 기법임

9) 혈위 극초단파요법(micro-wave)

(1) 개요

- 의료용 극초단파로 주파수 434 MHz, 915 MHz, 2,450 MHz 등의 전자기파 에너지를 이용하는 심부 투열 치료 [113, 114, 115]
- 단파는 일종의 전류이지만, 극초단파는 전자기 복사, 즉 파(wave)의 형태[116]
  - 파이기 때문에 일반적으로 다른 전자파와 마찬가지로 광속도로 진행하고 광학적인 성질로 가시광선과 마찬가지로 반사, 굴절, 산란, 흡수의 성질을 지님. 이러한 고주파의 물리적 특성인 발열효과를 경락체계에 적용시키는 치료법임

(2) 생리학적 원리

- 조직의 주된 반응은 극초단파에 의한 온열작용[117]

① 에너지 흡수 [118]

- 조직의 성질에 따라서 좌우됨
- 고함수 조직에 선택적으로 흡수됨
  - 특정 조직을 선택적으로 가열

② 반사

- 지방과 근육의 경계면에서 에너지가 반사됨 - 지방보다는 근육에서 에너지 흡수가 많이 됨[119]
- 금속 : 금속은 표면에서 극초단파를 강하게 반사시킴. 또한 왜곡시키거나 집중시켜 국소적 과다 가열로 심부 조직 손상 가능 [120]

③ 골 성장에 대한 작용

- 높은 강도의 극초단파를 연속적으로 조사할 경우 뼈의

성장에 영향을 주게 되어, 강도가 크면 뼈의 성장은 감소

(3) 효능 및 적응증[121, 122]

① 근골격 계통의 질환 : 염좌, 근 및 건의 열상 등의 아급성, 만성인 경우
② 표층부 염증질환 : 종기(瘇), 농양(膿瘍), 조갑주위염, 건초염, 골막염, 근육혈종
③ 관절의 질환 : 급·만성 관절염, 류마티스성 관절염, 변형성 관절질환, 강직성 척추염, 경부·요부척추염

(4) 치료 시간 및 방법[123]

- 5-30분의 범위 안에서 전유효 투여량에 준하여『에너지 밀도 × 치료 시간 × 유효치료면적』에 맞도록 조절
- 시술위치는 2.5-20 cm 거리를 둠.

(5) 주의사항과 금기증[124, 125]

- 주의사항
  - 금속체의 위에 조사, 조혈상태에 있는 조직, 뼈가 돌기한 부분, 부종조직이나 젖은 물건위에 조사, 반창고 위에 조사, 성장기에 있는 환자의 골단면, 남성생식선의 주위, 두꺼운 피하지방, 발한부위, 눈과 그 부속기관
- 금기증
  - 악성종양의 조직, 조혈조직, 중등도 이상의 부종, 출혈성 부위 또는 혈우병 환자, 결핵환자, 무통각의 신경마비환자, 노령자, 6세 미만의 유아

(6) 한의학계에서의 이용

- 한의학 연구 특성상 혈위 극초단파요법(micro-wave)만을 독립적인 중재로 이용한 연구는 검색되지 않음. 그러나 임상 현장에서는 활용되는 기법임.

10) 혈위 초음파요법(Ultra-sound)

(1) 역사[126]

- Langevin : 1910년 - 초음파 발생 방법 고안(석영 결정에 고주파를 주입)
  - Wood와 Loomis : 1927년 - Langevin의 이론 바탕으로 초음파의 효과에 관한 연구결과 출판
- 1930년대 : 독일에서 초음파를 의학적으로 이용
  - 1940년대 미국에 소개됨
    - ▶ 미국 물리의학협의회 : 1952년 초음파를 공식 치료요소로 선정

(2) 개요[127, 128]

- 음파는 전자파와는 다르며 매질 속을 종방향으로 신축하는 파동으로 입자의 운동과 에너지의 진행이 똑같은 방향에 종파전파를 하고 또한 진공 중에는 전파되지 않고 진동원도 흡수매질과의 사이에 액성의 전파매질이 필요
  - 일반적으로 의료를 목적으로 하는 초음파의 주파수는 0.8-5 MHz의 범위. 열 효과를 나타내기 위해 사용하는 초음파 주파수는 1-3 MHz의 범위 안에 있으며, 한방물리요법에서는 0.8-4 MHz의 주파수를 주로 사용함

(3) 원리

- 초음파의 일반적인 특성
  - 진동원에서 나오는 초음파는 원통형의 파형을 그리며 투과하고, 초음파의 강도는 각 입자의 위상이 엇갈려 합쳐지면 에너지가 적게 되고, 일치되는 곳에서는 상승되어 높은 에너지를 내게 됨
  - 주파수가 높을수록 에너지가 집중되어 높은 에너지를 내게 되고, 초음파의 파장의 방사 각도가 파장/도자 직

표 9-5. 초음파 시술 부위 조건에 따른 치료 시간

조건 / 방법	급성, 아급성		만성	
	두꺼운 조직	얇은 조직	두꺼운 조직	얇은 조직
이동치료법	1.0-1.5	0.5-1.0	1.5-2.0	1.0-1.5
수중치료법	1.5-2.0	1.0-1.5	2.0-2.5	1.5-2.0

경에 비례하므로 송파직경을 적게 할수록 효율을 높일 수 있음[129]

▶ 초음파의 파동은 음도자로부터 멀어질수록 감쇠되어 가는데, 에너지 효율이 절반이 되는 부위를 반가층(半價層)이라고 하며, 반가층은 주파수와 투과심도에 반비례함

• 인체 내에서의 흡수계수
 - 혈액 0.12, 물 0.0022, 공기 12, 지방 0.63, 근 1.3-3.3, 골 13

(4) 생리적 작용

• 기계적 진동 작용[130]
• 열 작용[131, 132]
• 각 조직에 미치는 영향 : 국소 혈관 확장, 혈류 확대, 신진대사 촉진[133, 134]
 – 내장 : 혈류 확대에 따른 소화촉진
 – 관절 : 열작용에 의한 진통
 – 골 : 골에서는 에너지의 흡수속도가 빠르므로 효과적으로 축적된 열의 발산을 방지
 – 근육 : 근이나 피하지방에서 혈관 확장 작용
 – 혈관 : 모세혈관압이 증대되어 림프액, 혈류가 증가함으로써 부종을 흡수

(5) 효과

• 조직의 세포사이에 있는 유동물의 흡수
• 관절과 주위의 구축 또는 근섬유증의 개선[135]
 - 일정한 주파수를 일정한 강도로 조사시키면 근육내의 ATP, 인 creatine이 감소, 산소활동이 지속됨
• 진통작용[136]
 - 다량의 초음파를 국소부위나 말초신경 등에 지속하여 조사시키면 시술이 종료된 뒤 10분간은 통증유기역치가 상승되고 심부감각은 약간 둔마(鈍麻)한 상태가 됨

▶ 진통효과는 신경이나 조직에 대한 초음파의 기계적 작용, 혹은 가온작용, 화학작용에 의한 것이며, 염좌, 혈종, 근경축, 신경섬유증, 관절염 등에 사용

(6) 치료방법

• 초음파의 전달에는 매질이 필요[137]
 - 액체 paraffin, vaseline, 피마자유, 합성광유, 물 등이 사용

▶ 기포가 제거된 물과 sonic-gel은 100%의 전달효과가 있어 많이 사용

 - 음도자의 접촉 이동속도는 2.5 cm/sec 정도이고, 이동거리는 5 cm, 압박은 120 Psi (8.4 kgf/cm^2)로 50%씩 중첩시킴

▶ 수중치료법은 끓인 물을 사용하여 기포를 완전히 제거시켜 물 속에서 사용하며, 주로 요철부위(凹凸部位), 신경종이나 급성외상이 있는 경우, 감각이 예민한 부위 등에 이용

• 음도자의 이동방법은 고정법과 이동법이 있으며 이동법은 수평이동, 원형이동, 지그재그 이동이 있고, 고정법은 0.1-1 W/cm^{2}의 범위에서 사용
• 치료 서적마다 다른 견해를 가지나, 치료강도는 강 2-4 W/cm^2, 중 1-2 W/cm^2, 약 0.5-1 W/cm^{2}이며, 치료 시간은 급성, 아급성 질환은 치료면적에 따라 3-5분 정도이며 만성 질환인 경우는 치료면적에 따라 5-10분 정도 시술(표 9–5)[138]
• 치료 빈도[139]
 - 처음 6일간 매일 실시
 - 병증의 호전이 보이면 연장하여 10–15회의 치료를 하거나 주 3회 3주간 치료
 - 초기과정을 마치고, 다시 치료가 필요하면 2–3주간 휴식 후 다시 시작
 - 증상의 호전이 보이지 않으면 금함

(7) 적응증

① 관절주위염, 관절주위조직의 구축
② 가벼운 외상
③ 폐용성 위축
④ 관절염의 2차 변성, 류마티스성 관절염
⑤ 초기 연부조직의 병변, 뒤프트랑 구축, 오십견
⑥ 근육의 병변[140]

⑦ 혈종과 건·골막 병변
⑧ 신경의 병변
⑨ 포진 후의 신경통
⑩ 연부조직의 병변에 의한 신경근 또는 신경의 압박, 자극
⑪ 골절, 손상 후의 조직재생[141]

(8) 금기증

- 초음파 조사는 강력하고 효과적인 방법[142]
  - 동시에 음장(音場; sound field) 내에서 파동의 흐름이 만드는 속도의 격차와 기계적 작용은 생체분자를 파괴하고 안정성의 공동을 파괴시켜 특정부위에 대하여 열적, 비열적 작용을 불문하고 조직의 파괴를 발생함. 이러한 원인으로 인하여 금기증이 있음
- 금기증[143]

① 악성종양
② 심부의 방사선치료, 라듐, 방사선 동위원소 등을 미리 조사한 부분
③ 혈우병, 조혈로 인한 순환계통의 질환
④ 피부·폐·골·결핵환자, 감염증이 있는 골연부
⑤ 유아, 임부
⑥ 척추궁 절제를 한 척수 부근

(9) 사용상의 주의

- 장치가 접지되어 있는가를 확인
- 환자가 통증이나 따가움을 느낄 때에는 일단 중지
- 초음파 head는 공기 중에서 조작하지 않아야 하며 head가 조직면과 평행으로 대면되도록 접촉각을 확인

(10) 한의학계에서의 이용

- 통증 치료 및 비만 관련하여 비만침과 병용하여 사용한 연구가 보고되어 있음

11) 체외충격파요법

(1) 역사[144]

- 체외충격파 치료술의 충격파 발생 및 접속장치는 1900년 중후반에 개발된 체외충격파 쇄석술(Extracorporeal shock wave Lithotripsy, ESWL)을 바탕으로 여러 가지로 수정 보완하면서 발전한 것
- 초기에 개발된 ESWT는 충격파 조사의 대상이 인체 내의 결석이 아니라 인체 자체인 뼈와 인대 등이라는 점에서 충격파의 강도가 현재 쇄석술에 사용하는 체외충격파에 비해 현저히 약함

(2) 충격파의 정의 및 특징[145]

- 충격파는 매체를 통해 빠르게 전파되는 압력 파동이며 두 개의 매체 경계에서 부분적으로 반사, 전송되며 충격파의 감쇠는 충격파가 움직이는 매체에 따라 다름
- 공중에서는 충격파가 빨리 약해지지만 물에서는 감쇠가 공기 중에서 발생하는 것보다 1000배 더 적게 발생
- 충격파는 3차원으로 전파되는 압력 진동으로 정의되며 일반적으로 매우 짧은 시간 내에 압력이 명확하게 증가
  - 충격파 발생 원리를 보면 초음파의 한 종류로 볼 수 있음

(3) 치료 원리

- 체외 충격파 요법의 효과에 대한 정확한 생체 내 기전은 알려져 있지 않으며, 대부분 가설 수준임
  - 신생 혈관 생성, 조직의 재분화, 과잉자극에 따른 마비효과가 조직 회복에 중요한 역할을 한다고 알려져 있음[146, 147]
    ▶ 체외 충격파는 직접적으로 조직 자극을 통해 분자 수준에서 이러한 반응을 유도한다는 가설도 제기됨[148]
  - 체외 충격파는 인접 점액낭으로의 석회 침착물의 흡수를 촉진시키며 국소 염증 반응을 통해 침착물의 파괴를 돕는다고 알려짐[149, 150]

(4) 체외충격파 장비의 종류[151, 152]

- 크게 전기 충격 펄스를 사용하는 방식과, 초음파를 이용한 방식이 있음
  - 전기수압식(Electrohydraulic method) : 양 전극에서 발생한 충격파를 이용
  - 전자기식전자기방식(Electromagnetic method) : 전

자기의 발생으로 충격파를 형성
- 압전소자형방식(Piezoelectric method) : 세라믹판의 진동을 이용

(5) 방사형 체외충격파 치료기(Radial ESWT)[153]

- 탄도 원리를 사용하고 발사체가 있는 핸드 피스로 구성되며 어플리케이터 쪽으로 가속하며, 충돌 시 어플리케이터 표면에서 반경 방향으로 전파되는 가장 높은 에너지와 압력 파동이 생성됨.
- 초점형 충격파 발생기와 다르게 방사형 충격파 발생기는 최대 30 MPa의 압력과 약 3 μs의 훨씬 더 높은 상승 시간을 가지는 일반적인 음파를 생성
  - 퍼져 나가는 특성으로 인하여 근골격계 질환에 많이 사용되는 것으로 알려짐

(6) 적응증

- 초음파 쇄석술, 근골격계 통증 질환, 비만
- 1980년부터 요석 제거 목적으로 임상에서 사용해오다가 1990년대 초반부터 골절의 불유합, 족저근막염, 주관절 외측상과염 등의 만성 건염에 대한 치료에 이용[154, 155, 156]
- 최근 미용계에서 체외충격파 치료기를 복부에 수기적인 마사지 방법으로 사용하여 복부 비만 관리를 시행하여 효과가 있었다는 임상연구가 보고됨[157]

(7) 주의사항

- 체외충격파의 강도가 높을 경우 통증, 어지러움, 국소 출혈 발생 가능
- 너무 강하거나, 혈관이나 신경에 직접적으로 충격파 전달 시 혈관이나 신경 손상 가능하므로 주의할 것
  - 출혈성 질환자 / 항혈전약물 복용자의 경우 금기
  - 머리 부위 조사 / 소아 성장판 조사 / 폐에 직접적인 충격파 조사는 조직 손상으로 인한 부작용 발생 가능하므로 금기

(8) 한의학적 응용

- 현재 체외충격파에 대한 한의학계의 임상연구는 검색되지 않음. 그러나, 미용 목적으로 복부에 시술하는 것과, 근골격계질환, 특히 족저근막염, 주관절 외측상과염 등에 이용하는 것으로 보아 근건이완수기요법 시술 중의 도구로 이용 가능하다고 생각됨
- 충격파는 결국 사람의 몸을 기계적으로 발생한 음파를 통해 두드려서 치료하는 것으로, 과거 한의 서적에 다음과 같이 두드려서 병을 치료한 내용이 존재함
  - 人身上結筋, 打之三下, 自散.(사람의 몸 표면에서 힘줄이 뭉쳤을 때 세 번 정도 두드리면 저절로 흩어진다.)
    ▶『本草綱目』, 卷三十八 > 服器之二 器物類五十四種. > 杓音妁
  - 字自然, 唐之抗州鹽官縣人. 世爲縣吏, 湘獨好經史, 攻文學, 善詩, 有神術, 治病以竹杖打之, 應手便愈. (자는 자연(自然)이고, 당(唐)나라 항주(抗州) 염관현(鹽官縣) 사람이다. 대대로 현의 관리를 지냈는데 마상이 홀로 경전과 사서를 좋아하였고 문학을 전공하여 시를 잘하였다. 신선도술이 있어 병을 치료할 때 대나무 지팡이로 때리면 손가는 대로 나았다.)
    ▶『歷代醫學姓氏』> 仙禪道術 > 馬湘
- 중의 연구에서 체외충격파를 경혈 및 경락에 적용하여 요통[158], 족저근막염[159], 슬관절염[160]을 치료하였다는 보고가 있음

제3절 광선치료(Phototherapy)

1. 광선치료의 개요

1) 광선치료의 정의

- 광선치료는 일광 또는 백색광, 레이저, 발광다이오드(light-emitting diodes), 형광등, 다이크로빔 등의 특정한 파장 또는 매우 밝은 자연광(full-spectrum light)에 노출되는 치료법으로 정해진 시간동안이나 하루의 특정한 때에 적용하며 피부의 변색과 연관된 건선, 여드름,

습진과 신생아 황달을 치료함[161]

2) 광선치료의 한의학적 의미

• 광선(빛)을 五色으로 구분하여 오장육부에 배속, 장부의 허실에 따라 해당 장부에 배속된 특정 파장의 광선을 조사함으로 질병을 치료하고 건강을 증진시킴.
• 색깔별로 응용은 다음과 같음[162]
  - 적색(火) : 심장에 배속되어 흥분, 자극 및 열작용
  - 황색(土) : 영양을 지배하는 비위에 배속, 태양광선의 황등색은 생물의 성장을 촉진
  - 녹·자색(金) : 진정작용
  - 청색(木) : 간에 배속되어 대사를 조절함.

3) 광선치료의 역사[163]

(1) 고대의 광선치료

• 인도, 이집트, 그리스, 로마, 중국 등에서 고대로부터 광선치료가 있었으며 인도의 아유르베다(BC 6세기)에서는 우울증 등 각종 질병의 치료에 햇빛을 추천했으며 히포크라테스(BC 460-377)도 질병 치료에 햇빛을 이용했다는 기록이 있음

(2) 근대의 광선치료

• Niels Finsen의 carbon arc 등을 이용한 피부결핵치료를 위시한 19세기 후반부터 20세기 초반의 광선치료

(3) 자외선을 이용한 건선치료

• Goeckerman과 Ingram 등의 건선 치료법 등

(4) 현대

• 자연광 뿐 아니라 레이저와 같은 인공 빛, Intense pulse light (IPL)과 같이 필터를 사용하여 선택적인 파장의 빛을 통해 치료하는 등 현대 과학 발전과 함께 광선치료법도 같이 발전함

(5) 동양의학에서의 광선치료

• 양수구(陽燧灸, 오목거울뜸)[164]
  - 서주시대(西周時代. BC 11세기 ~ BC 771)에 양수구(陽燧灸)로 풍한비통(風寒痺痛)을 치료했다는 기록이 있음.
  - 한의학 고전인『黃帝內經·四氣調神大論』(BC 4세기~3세기)에서 "夏三月 ......無厭於日......冬三月......必待日光"이라 하여 계절마다 햇빛을 쬐어야 한다고 하는 기록이 있음.
• 일종의 灸法으로서 동의보감에서도 그 기록을 찾을 수 있음.
• 현대 과학이 발전함에 따라 여러 가지 기계를 한의학적 원리에 의해 사용하며, 치료레이저(저단계 레이저)를 사용한 레이저침 치료, CO_2 레이저, IPL 등을 사용한 레이저 뜸 치료 및 현대적인 광선구 등도 이와 같음. 과학 기술의 진보에 따라 인접 학문인 의학도 더욱 발전할 수 있으며 전통의학도 마찬가지로 다양한 광원의 광선치료를 응용하고 개발하여 사용해야 한다고 생각됨

4) 빛과 복사에너지

(1) 빛의 특징[165]

• 빛과 복사에너지의 공통적인 특징
  - 전기나 다른 힘에 의해 생성시킬 수 있음.
  - 가시 매개체(visible medium)없이 전파됨.
  - 진공 내에서의 진행속도는 같으나, 매개체에 따라 속도가 다름.
  - 전파방향은 정상적으로 직진함.
  - 매개체에 의해 반사(reflection), 굴절(refraction), 산란(deflection) 및 흡수(absorption)

(2) 복사에너지의 분류[166] (그림 9-1)

• 가시광선 : 백색광 중 프리즘을 통과한 일곱 가지 색깔의 광선.
• 적외선 : 백색광 중 적색 띠 밖으로 넓은 영역에 있는 광선.
• 라디오파 또는 헤르츠파(Hertz wave) : 적외선의 바깥쪽에 있는 광선.
• 자외선 : 백색광 중 자색 띠 밖으로 있는 광선.

- X선과 감마선 : 자외선의 바깥쪽에 있는 광선

(3) 피부 [167)]

- 광선치료는 광열에너지가 인체 피부를 통과하여 효과를 나타내므로 피부의 구조와 기능을 알아보면 다음과 같음

- 표피(epidermis)
  - 표피는 중층 편평상피이며, 그 외부층은 각질화(hornify)되어 있음. 표피는 신체의 대부분 부위에서 0.07-0.12 mm이며 몇 개의 세포층으로 구분됨.
    - ▶ 각질층 : 피부의 가장 표면에 있으며 세포는 각질화되고 핵이 없음.
    - ▶ 투명층 : 각질층 바로 밑에 있는 얇고 투명한 층으로 균질한 호산성의 지대가 있음.
    - ▶ 과립층 : 투명층 아래에 3-10층의 방추상의 세포층으로 구성되고 있고, 이 세포 속에는 과립이 들어 있으며 각질화 기전에 관여함.
    - ▶ 유극층 : 5-10층의 다각형 세포로 구성되어 있으며 세포 사이에 데스모좀이라는 구조가 있어서 세포들을 밀접하게 결합시키고 있음. 각화의 시작과 진행이 일어남.
    - ▶ 기저층 : 가장 아래에 있는 층으로 각질형성 세포인 기저세포와 색소형성 세포인 멜라닌 색소가 10:1의 비율로 섞여 있음. 세포 분열이 일어나며 새롭게 늘어난 세포가 상부로 밀려나감.

- 피부 부속기(appendage)
  - 모발, 피지선, 손 · 발톱, 에크린 한선, 아포크린 한선.

- 진피(dermis)
  - 유두진피 : 표피의 바로 밑에 존재하며 얇은 교원질 섬유가 성기고 불규칙하게 배열되어 있고, 많은 수분을 함유하여 피부의 팽창도와 탄력도에 영향을 줌.
  - 망상진피 : 피부의 표재성 혈관층 이하에서 피하지방층 표면까지 위치하며 그물 모양으로 교원질과 탄력섬유가 치밀하게 얽혀 있음. 혈관, 림프관, 신경, 땀샘 등이 조밀하게 분포함.

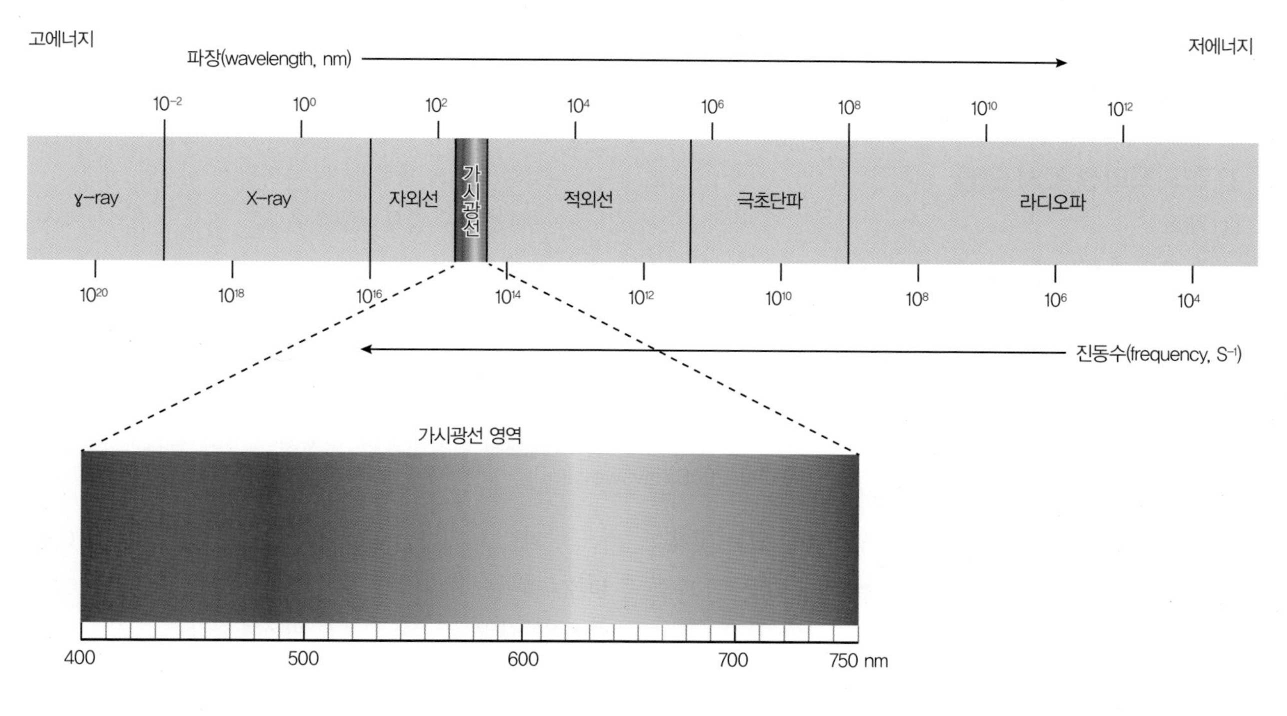

그림 9-1. 복사에너지의 분류

표 9-6. 적외선의 분류

과거 분류	파장	현재의 분류	파장
근위(단파) 적외선	760-1,500 nm	적외선 A	760-1,400 nm
		적외선 B	1,400-3,000 nm
원위(장파) 적외선	1,500-15,000 nm	적외선 C	3,000 nm~1 mm

• 피하조직(subcutis)
  - 진피와 뼈, 근육 사이에 있는 소성결합조직.

• 피부의 기능
  – 장벽의 역할 : 수분과 전해질이 들어오는 것과 손실되는 것을 방지하고 세균, 유해한 물질, 자외선으로부터 신체를 보호함.
  – 체온조절 : 땀 분비를 통해 일정 체온을 유지함.
  – 배설 및 분비 : 액체화된 노폐물을 땀과 함께 배출함.
  - 기계적 작용 : 외부 물질이 들어오는 것을 방지함.
  - 영양소 합성 및 저장 : 자외선 복사를 통한 비타민 D 합성 및 인체 필수 에너지인 지방을 피하에 보관함.
  - 면역학적 기능
  - 지각 작용 : 온각, 촉각, 통각 등의 감각 수용기 분포.

2. 광선 치료의 종류

1) 경피적외선 조사 요법

(1) 개요

• 적외선은 가시 스펙트럼 적색광의 끝인 700 nm에서 1 mm까지 걸쳐 있으며 가시광선보다 파장이 긴 전자기파[168)]
• 1,800년 영국의 천문학자 윌리엄 허셀[169)]
  - 프리즘으로 태양광선을 연구하다가 적색광의 바깥쪽에 우연히 온도계를 놓음
    ▶ 적색광보다 온도가 높다는 것을 발견
    ▶ 적색광 바깥에 보이지 않으나 열작용이 있는 빛이 있다고 생각하여 적외선(infrared)이라 명명
• 적외선의 특성[170)]
  - 빛과 유사한 성질을 가지며 반사, 굴절, 간섭, 직진 등의 현상이 발현됨.
  - 적외선은 물질을 따뜻하게 하는 성질이 강하게 나타나므로 열선이라고도 함.

(2) 적외선의 분류(표 9-6)

• 과거에는 근위(near) 적외선, 원위(far) 적외선으로 분류[171)]
• 현재는 의학적 이용 영역에 따라 적외선 A, B, C로 구분[172)]
  - 적외선 A는 근위 적외선 혹은 단파 적외선에 속함
  - 적외선 B는 원위 적외선 혹은 장파 적외선의 일부
  - 적외선 C는 일반적으로 의료에는 많이 이용되지 않음

(3) 적외선의 적응증 : 통증완화가 필요한 질환[173)]

• 외부열이 적응될 수 있는 위치에 있는 아급성과 만성의 외상과 염증.
  - 타박상, 근육좌상, 외상성 활막염과 건초염, 염좌, 탈구, 골절.
• 다양한 형태의 관절염이나 류마티스, 신경염, 신경통
  - 급성일 경우 약을 복용하지 않고 경도의 적외선 복사만으로 통증을 완화시킴.
• 점막의 급성, 아급성 또는 만성 염증
  - 결막염, 코감기, 부비동염
• 사지의 순환장애 :
  - 폐쇄성 혈전혈관염, 혈전성 정맥염, 폐쇄성 동맥 내막염, 레이노병, 지단홍통증 등
  – 치료 시 과다한 열을 주지 않도록 함(온도를 35℃ 정도에서 유지).
• 피부감염, 모낭염, 절창증, 피부의 농양
  - 욕창 치료 시 빛을 내는 등으로 10-15분 정도 복사시키면 국소에서 배출되는 노폐물을 건조시킬 수 있음.

- 신체검사, 마사지, 자의적이고 수동적인 운동, 수동적인 근육운동을 하기 전에 열을 조사하면 피부의 전도성이 증가하여 검사나 치료에 도움을 주게 됨.

(4) 위험 및 주의사항[174]

- 화상 : 가장 중요한 위험요인. 피부와 등 사이의 거리를 적당하게 유지해야 하며, 환자에게 가열 정도에 대해 충분히 숙지시키고, 적용하는 동안 피부상태를 관찰해야 함.
- 말초 혈류 변경 또는 감소 : 동맥경화, 동맥손상, 피부 이식 후, 방사선 치료를 받은 후 2개월 이내의 경우.
- 감염 : 감염이 퍼지거나 종양이 성장할 우려가 있음.
- 피부염증 여부 : 급성 염증성 피부질환
- 눈의 손상 : 장시간 광범위하게 노출되면 백내장의 위험이 증가함.
- 금기증
  - 피부순환 결함(피부염, 습진)
  - 방사선 치료 후
  - 표면감염이나 종양

2) 경피 자외선 조사 요법

(1) 개요[175]

- 자외선은 전자기파 스펙트럼에서 자색광에 인접한, 비가시적인 영역으로 10에서 400 nm의 파장 영역을 가지며 가시광선과 X-선의 사이에 있음.
- 1801년 독일의 물리학자 Johann Wilhelm Ritter
  - 자색광 끝의 인접한 곳에서 자외선을 발견하고 열선인 적외선과 구별하기 위해 화학선이라고 함.

(2) 자외선의 분류[176]

- 영국 "국립 방사선 보호국"에 의해 자외선 스펙트럼은 A, B, C 3가지로 분류(표 9-7)
- 생물학적 측면에서 자외선의 효과[177](표 9-8)
  - 피부에서 나타나는 광화학적 효과
  - 혈액과 신진대사에서 나타나는 생물학적 효과

(3) 자외선의 임상 적응증[178]

- 일반적 강장효과
  - 정신질환, 만성질환에 효과가 있음.
- 만성 궤양
  - 만성적인 욕창

표 9-7. 자외선의 분류

이름	파장	과거 명칭	작용 영역
자외선 A	400-315nm	장파 자외선, 흑색선	생물적 작용
자외선 B	315-280nm	중파 자외선, 홍반 자외선	
자외선 C	280-100nm	단파 자외선, 살균성 자외선	무생물적 작용

표 9-8. 각 복사광선의 생리적 효과와 침투 깊이

광선과 파장	침투 깊이	생리적 효과	광원
원위 자외선 180-290 nm	0.01-0.1 mm	광화학적 효과	탄소방전 금속방전(수은)
근위 자외선 290-390 nm	0.1-1 mm	광화학적 효과	태양, 금속, 탄소방전
가시광선 390-760 nm	1-10 mm	열 : 신경자극	태양, 탄소방전
근위(단파) 적외선 760-1,500 nm	1-10 mm	열 : 신경자극	태양, 탄소방전, 빛을 내는 등
원위(장파) 적외선 1,500-15,000 nm	1-0.05 mm	열 : 신경자극	적외선등 빛을 내지 않는 등

- 결핵
- 피부질환
  - 건선(psoriasis), 여드름(acne)
- 피부병
  - 좌창, 건선, 종기, 부스럼(boils)과 옹(carbuncles), 만성 궤양, 동상, 대상포진, 심상성 낭창, 피부 상처
- 류마티스성 질병
  - 류마티스성 관절염, 골관절염, 통증이 있는 류마티스성 질병

(4) 위험 및 주의사항[179]

- 결막염
  - 특수 안경을 사용하여 자외선으로부터 눈을 보호하여 결막염을 예방함.
- 과다 용량
  - 과다한 용량에 의해 심한 발적, 뜨거운 느낌, 궤양 등이 발생되고 심하면 물집이 생기는 경우도 있음.
- 전기쇼크
  - 노출된 피부나 전기가 흐르는 기계의 부속 등에 환자가 닿지 않게 함.
- 화상
  - 환자의 피부가 열형 석영수은등의 연소기나 등의 뜨거운 부분에 닿지 않게 함.
- 오한
  - 치료실의 온도가 너무 차가울 경우 치료 중 오한이 나타나므로 적절한 대책을 세움.
- 광감각
  - 피부질환에 자외선 복사 시 어떤 약물이나 물질이 부가되면 반응이 증가되는 것을 말하며 때로 심한 가려움이나 피부염을 유발시키므로 주의를 요함.
- 금기증
  - 활동성 폐결핵과 기관 기관지선염
  - 갑상선 기능 항진증, 당뇨병
  - 급성 및 심한 만성 신장염
  - 병을 악화시키거나 다른 부작용을 일으킬 염려가 있는 피부병.
  - 피부병의 급성기나 심한 가려움이 있고, 태양광선에 과민한 경우

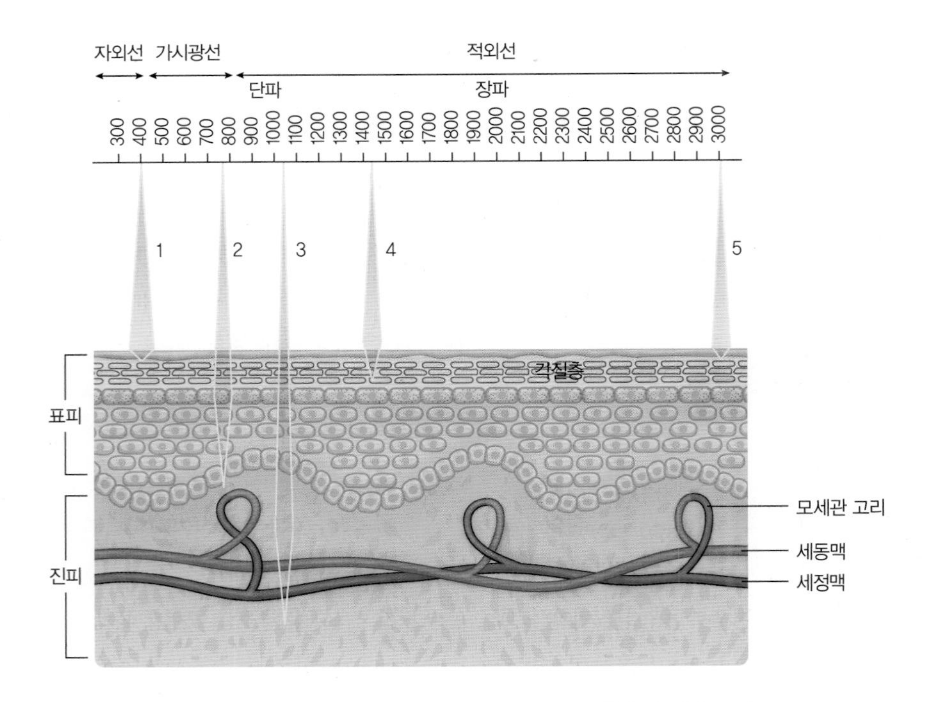

그림 9-2. 피부에서 적외선, 가시광선, 자외선 복사의 투과와 흡수에 대한 묘사

- 심근염 등의 심장병, 동맥경화증, 과혈당증
- 허약체질과 영양부족, 고열이 있을 때
- 심부 방사선 치료 후 3개월 이내

3) 종합 가시광선 조사 요법

(1) 개요

- 가시광선과 근적외선으로 이루어진 종합가시광선을 이학적 자극인자로 이용하여 광선에서 나오는 광선에너지를 인체에 투입
  - 체력을 보강
  - 원활한 신진대사
    - ▶ 자연치유력을 보다 효과적으로 높여 주는 요법
    - ▶ 조사되는 부위는 경락의 전도작용(傳導作用)으로 광열 에너지가 소속장부에 영향을 주어 병변을 회복시킴

(2) 치료방법

- 두 개의 탄소봉을 아크(arc) 방전시켜 빛과 열을 발생시킴.
- 탄소봉의 종류에 따라 방사되는 파장이 다름
  - 질병에 따라 탄소봉의 종류를 바꿔서 사용
  - 카본의 파장 영역은 380-810 nm

(3) 생리적 효과

- 진통 작용
  - 종합가시광선에 포함된 광열 에너지가 항병력(抗病力)을 높여주어 통각의 원인을 제거함.
- 소양 억제 작용
  - 만성적인 피부질환으로 인한 소양증(搔痒症)에 대해 억제효과가 있음.
- 육아 발생 작용
  - 육아조직 발생을 강력히 촉진하므로 욕창의 치료에 사용함.
- 혈압 강하 작용
  - 피부 및 사지의 경혈에 조사하면 혈관을 확장시키고, 혈액순환을 촉진하므로 혈압이 강하됨.
  - 조사 부위는 腰部(腎兪, 志室), 膝部, 足心部(湧泉) 등을 활용.
- 최면 작용
  - 심신의 긴장을 풀어주어 불면증에 적용함.
- 대사 촉진 작용
  - 조직대사를 높이고 피부 표층부의 혈관과 림프관을 확장하여 순환을 원활하게 하며 병독소나 노폐물의 배설을 촉진하여 병의 회복과 식욕을 촉진시킴.
- 종창 흡수 작용
  - 종창의 초기단계에서는 염증의 흡수작용을 촉진함.
  - 화농단계에서는 진통 작용을 하면서 병소의 확산을 방지
    - ▶ 국소적으로 화농이 촉진되어 자궤배농(自潰排膿)이 되며 동시에 육아조직의 발생을 촉진함.

(4) 종합가시광선의 임상 활용

- 종합가시광선을 경혈부에 조사하는 것은 국소적인 진통과 소염작용보다 내부 장기의 기능조절에 주안점을 둠.
- 종합가시광선을 조사할 때 열감을 기준으로 치료해서는 안 됨.
  - 조사 시간 15-20분 정도, 조사 거리 20-30 cm, 조사부 온도 40℃ 정도가 적당함.
- 탄소봉 조성 성분에 따라 광원의 파장에 차이가 있으며 이로 인해 치료의 용도가 다양함(표 9-9). 종합가시광선 치료 시 보통 2개의 탄소봉을 같이 사용하는데, 적응질환은 다음과 같음[180]
  - 3001 + 4008 : 일반적인 질환, 관절염
  - 3000 + 3002 : 피부질환
  - 3000 + 5000 : 심장, 호흡기, 소아과, 허약체질개선
  - 3001 + 5000 : 부인과, 안과, 단식환자, 관절질환
  - 3002 + 5000 : 중풍, 마비, 비뇨기, 정신과, 단식환자
  - 3001 + 3001, 3002 + 3002 : 화상, 삼차신경통

(5) 주의사항

- 극도로 쇠약하고 위궤양, 십이지장궤양 그리고 결핵병소가 있는 환자에게 그 병소에 직접적인 조사는 피함.

표 9-9. 탄소봉의 종류와 용도

탄소봉 번호	함유 원소	號色	효과
3000	철	淡青色	피부병, 심장병, 호흡기병
3001	lithium	赤色	농양(안과, 마비성 질환)
3002	철, Ce	白色	피부병, 비뇨기질환
3003	Cd	綠色	피부병, 골질환, 심장병
3004	제 2 철	赤色	진통, 반흔흡수(瘢痕吸收)
3005	Sr	淡赤色	진통(심부), 소염
3006	Al	淡赤色	진통
3007	아연	濃赤色	진통, 종창 흡수
3009	은	濃赤色	완고한 피부병
4003	철	紫色	심상성백반, 육종진통(肉腫鎭痛)
4008	K	薄赤色	방사선 화상
5000	탄소	橙色	일상 건강용
5002	철	綠色	심장병, 호흡기병
5003	Sr	赤色	진통, 안과질환
6002	K	赤色	종양
6003	K	赤色	종양
6005	은	綠色	피부병, 진통
1000	K	赤色	종양

- 안면 조사 시 눈을 가리고 실시함.
- 조사 각도는 수직상하로 향하게 할 경우 탄소봉의 연소로 재가 떨어져 화상의 우려가 있으므로 수평을 유지함.
- 조사 부위에 따라 알맞은 집광기를 선별하는데, 넓은 부위는 집광기를 부착하지 않고 국소부위에는 집광기를 부착함[181].
- 조사 시 불쾌감을 호소하면 그 부위는 조사를 중지함.
- 탄소봉의 종류와 적응증이 맞는 것을 선택함.

4) 레이저 치료

(1) 레이저(Laser)의 정의

- 유도방출에 의한 광증폭(光增幅)이라는 의미이며 가시광선 범위에서는 빛의 증폭기이고 적외선이나 자외선 범위에서는 복사 증폭기에 해당함[182].

(2) 레이저의 역사

- Theodore Maiman(1927-2007) : 1960년에 루비레이저를 처음으로 개발
- Ali Javan(1926-2016) : 1961년에 HeNe 레이저를 개발함.
- Kumar Patel(1938 ~) : 1964년에 이산화탄소(carbon dioxide: CO_2)레이저를 개발함[183].
- 1990년대 : 레이저와는 다른 기기이지만 비슷한 활용을 보이고 있는 Intense pulse light (IPL)가 개발됨[184, 185, 186]

(3) 레이저의 특성

- 단일 파장의 매우 좁은 스펙트럼 띠폭(bandwidth)을 가짐.
- 매우 높은 간섭성(coherence)을 가지고 있음.
- 평행성이 좋고, 에너지 강도를 높게 만들 수 있음.

(4) 레이저의 분류[187](표 9-10)

- 파장에 따른 분류
  - 자외선레이저 : 열을 거의 발생하지 않고 광절제(photoablation)의 목적으로 안과 등에서 각막절제 등에

표 9-10. 의료용 레이저의 종류

레이저 매질		파장(nm)	파형	용도
Crystalline	KTP/532	532	Pw, Cw	하지 정맥 치료
	Ruby	694	Pw	문신 및 털 제거
	Alexandrite	755	Pw	bone cut, 털 제거
	Nd:YAG	1,064	Pw	coagulation of tumor
	Ho:YAG	2,130	Pw	수술, 치과 근관 치료, 쇄석술
	Er:YAG	2,940	Pw	치과용 드릴, laser peeling
	Ti:Sapphire	Tuneable	Pw	Two-photon PDT(광역학치료)
반도체	InGaAlP	640-685	Cw	생체 자극
	GaAlAs	780-890	Cw	생체 자극, 수술
	GaAs	904, 905	Pw	생체 자극
액체	Dye laser	Tuneable	Pw, Cw	신장 쇄석술
	Rhodamine	560-650	Pw, Cw	PDT, 피부과 치료
기체	Eximer	193, 248, 308	Pw	눈 및 혈관 수술
	Argon	350-514	Cw	피부과용, 눈 수술
	Copper Vapour	578	Pw, Cw	피부과용
	HeNe	633	Cw	생체 자극
	CO_2	10,600	Pw, Cw	피부과용, 수술

Pw : pulse wave, Cw : continuous wave

활용하는 엑시머(excimer) 레이저가 있음.

- 가시광선레이저 : 열을 발생시키지 않고 생체자극(biostimulation)의 효과를 가지고 있으며 치료 레이저(therapeutic laser) 또는 저단계 레이저(low level laser)라고도 부름.
- 적외선레이저 : 열을 발생하여 태우는 광증발(photo-vaporization)의 효과가 있는 CO_2 레이저가 있음.

• 매질의 종류에 따른 분류 : 고체레이저, 기체레이저, 액체레이저, 반도체레이저
• 의료용 분류 : 외과레이저, 치료레이저(저단계 레이저)

(5) 레이저의 임상 활용 적응증[188)]

• 감염부 치료
• 상처의 회복촉진
• 통증감소
• 피부질환
• 미용 효과
• 운동상해와 류마티스 질환
• 만성관절질환

(6) 주의사항 및 금기증[189)]

• 안구조사를 피하기 위해 치료자와 환자 모두 보안경을 착용함.
• 임산부의 복부조사
• 악성종양
• 바이러스 조사
• 고환, 난소, 갑상선, 췌장, 부신선 등에 직접 조사
• 월경기간
• 간질성 환자
• Pacemaker 사용 환자
• 종양 주위
• 소아 성장골단 부위
• 심부전증, 갑상선장애, 중증 정맥성질환

(7) 한의학의 레이저 활용

• 한의학계의 레이저 도입

- 1995년 이후에 중국에서 치료레이저(therapeutic laser ; low level laser therapy, LLLT)를 도입하여 국내 한의과대학의 임상실험을 거쳐 의료기기로 허가

되어 사용 중.

- 레이저의 한의학적 효능
  - 경락(經絡)에 대한 작용
    - ▶ 한의학에서는 경락(經絡)의 한열허실(寒熱虛實)을 구분하여 치료원칙을 정함.
    - ▶ 한증(寒證)과 병행되어 국소 및 전신에 나타나는 질환에는 온경산한(溫經散寒)의 치료법을 적용함.
    - ▶ 레이저 치료는 일종의 온경락요법(溫經絡療法)에 해당됨.
  - 생체자극 효과
    - ▶ 생체자극 효과란 유기체의 생명활동을 자극하여 질병을 치료하는 것.
    - ▶ 정기(正氣)를 중시하고 외부 자극에 대한 반응을 통한 자율조절을 강조하는『素問·六微至大論』의 "亢則害 承乃制 制則生化"의 원리와『素問·刺法論』"正氣存內 邪不可干"의 한의학적 치료 정신과 상통함.

(8) 한의학의 레이저 분류

- 레이저 치료의 한의학적인 치료기전은 온열작용 보다는 생체자극효과가 주요하게 작용.
  - 레이저의 자극 효과가 경혈, 경락, 경근 및 경맥에 영향을 미칠 때 조기치신(調氣治神)의 한의학적 정신에 부합됨.
    - ▶ 레이저 치료는 임상 활용에 따라 아래와 같이 분류
- 레이저침[190, 191] (표 9-11)
  - 경혈에 레이저를 조사 및 자극하여 경락의 허실을 조절하는 것.
  - 생체자극 효과를 지닌 레이저를 자극 수단으로 사용하여 한의학의 중요한 이론 체계인 경락을 치료하는 의미가 있음.
  - 레이저침은 시술시 통증이 없으므로 침을 두려워하는 사람과 어린이에게 안전하게 사용할 수 있으며, 소독과 위생 및 감염의 우려도 없는 것이 장점임[192].
  - CO_2 레이저는 물리적인 자극과 함께 온열자극을 강하게 줄 수 있으므로 직접구(直接灸)와 동일한 원리로 적용되므로 어떤 문헌에서는 '레이저침(laser acupuncture)'과 '레이저뜸(laser moxibustion)'이라는 용어가 같이 사용됨[193].

- 경맥레이저
  - 혈맥레이저 치료법으로 불리기도 함.
  - 레이저를 정맥혈관내로 조사하거나 정맥혈관이 위치하는 피부 위에 레이저를 조사하는 경피적 조사 방법.
  - HeNe 레이저와 InGaAlP 레이저가 많이 사용되고 있음.
  - 질환에 따라 0.5-5 mW 정도의 조사량을 많이 사용.
    - ▶ 익기보신(益氣補腎), 온후명문지화(溫煦命門之火), 항노화(抗老化) 작용이 있으며, 기허(氣虛)와 양허(陽虛)에 효과적임.
    - ▶ 대사증후군 환자의 혈전질환 합병증의 예방과 치료에 효과가 있다는 임상연구가 있음[194].
- 경근레이저
  - 경근과 근육에 레이저를 넓게 조사하여 경근의 순환을 돕고, 체내 대사작용의 노폐물인 痰飮과 瘀血을 풀어주는 치료법.
  - 경근레이저 치료법은 레이저의 자극 효과를 경혈에 국한시키지 않고 넓은 범위에 사용함으로써 타박이나 瘀血, 痰飮으로 인한 근육, 관절의 동통을 치료할 목적으로 사용함.
- 경피레이저
  - 레이저를 피부에 조사하여 국소적 치료에 활용하거나 경피 자극을 통하여 痰飮과 瘀血을 제거하고 피부 활력과 재생을 촉진하는 치료법.
- 오관레이저
  - 정명지관(精明之官)인 눈을 제외한 귀, 입, 비강 등 혈관이 풍부한 점막에 레이저를 조사함으로써, 기혈순환을 돕고, 痰飮과 瘀血을 제거하는 치료법.

(9) 한의학의 레이저 활용

- 중국
  - 허혈성 뇌질환, 두부손상, 척수손상, 치매, 전간, 정신분열증과 같은 신경계 질환과 부정맥, 심근경색, 협심증

표 9-11. 레이저침에 응용 가능한 레이저 종류

종류	파장(nm)	레이저 매질	인체 침투 깊이(mm)	출력 범위(mW)
HeNe	633	Gas	8-10	0-60
InGaALP	630-685	반도체	20	0-100
GaAlAs	780-890	반도체	35	100-1,000
GaAs	904, 905	반도체	20-30	0-100
CO_2	10,600	Gas	0.5	0-100

같은 심혈관계 질환에 대해 저단계 레이저의 혈관 내 조사요법을 많이 사용함

- 국내
  - 고지혈증, 고중성지방혈증, 고콜레스테롤혈증, 고피브리노겐혈증, 고리포프로테인혈증, 두통, 현훈, 중풍, 통증과 비증(痺症), 욕창과 피부질환 환자에 대해 많이 활용함[196-202]

▶ 최근 학문의 영역 간 경계가 점차 불분명하고 확대되고 있는 추세로 볼 때, 레이저의 초기 개발과 활용은 서양의학에서 주도되었지만, 한의학적 관점에서 보아 기(氣)를 직접적으로 조사하여 치료한다고 볼 수 있는 광선요법 중의 하나인 레이저 치료를 한의학적 관점에서 연구하고 임상에서 적극 활용하는 것이 필요함.

5) 특정 전자파 치료(Tending Diancibo Pu, TDP)

(1) 개요[203]

- 1974년 중국 중경시규산염연구소(重庆市硅酸盐研究所)의 苟文彬(Gǒu Wén bīn), 谷荣华(Gǔ Róng huá)、李山宝(Lǐ Shān bǎo) 등과 중경의학원부속제일의원(重庆医学院附属第一医院) 吴绍尧(Wú Shào yáo), 谭宏(Tán Hóng), 卫廷发(Wèi Tíng fā) 등에 의해 처음으로 연구 제작됨
  - 만물의 성장은 태양을 떠날 수 없다는 생각에서부터 태양광에 속하는 광선 중 2,000-2,500 nm 영역에 해당하는 파장을 생물체에 조사하면 조직 재생 능력이 촉진된다는 것을 발견함.

  ▶ 이를 명명하여 특정전자파스팩트럼이라 하고 중국어로 "特定(tèdìng)電磁波(diàncíbō)谱(pǔ)" 표기 후 발음에서 약어를 선정하여 TDP라 명명함.
- TDP는 에나멜질 금속 원판으로 된 방사판에 규소, 망간, 코발트, 티타늄, 주석, 셀레늄 및 철 등의 30여 가지 원소를 도포하고 검은색의 방사판에 전류를 보내서 250-280℃의 온도로 가열하여 2,000-2,500 nm 의 중원 적외선을 방출시켜 경피를 자극함.

(2) 생리적 효능

- 진통, 소염
- 활혈화어(活血化瘀), 혈액순환촉진
- 세포 재생 능력 증진
- 면역력 증진

(3) 치료방법

- 시술방법 : 시술 부위의 피부(경피)에 온열자극과 자침을 병용할 수 있음.
- 조사거리 : 적용 부위와 약 30 cm 정도 간격을 둠.
- 적용시간 : 15-30분 정도
- 조사온도 : 피부의 온도가 48℃를 넘지 않도록 함.

(4) TDP의 임상 활용

- 신경통과 관절염
  - TDP를 활용한 관절염 연구가 발표되어 있음[204]
- 피부염증과 화상, 욕창, 창상 등 피부손상
  - TDP를 활용한 화상 치료, 탈모 치료 연구가 발표되어 있음[205, 206]
- 알러지성 비염
- 자궁부속기내 염증 질환

(5) 주의사항[207)]

- 피부를 노출시킨 채 조사해야 함.
- 안면 조사시 눈을 가려야 함.
- 피부감각이 둔한 사람은 주의함.
- 고혈압 환자에게 시행하지 않음.
- 치료 중 방사판이 움직이지 않게 함.
- 30분 이상 예열시킨 후 작동시킴.

제4절 수치료(Hydrotherapy)

1. 개요

1) 수치료의 정의[208)]

- 치료적 목적을 위하여 온도와 압력 같은 물의 물리적 특성을 적용하여 혈액순환을 촉진시키고 질병을 치료하는 물리치료, 자연요법, 작업치료로서 의학의 한 분야.
- 여러 가지 형태의 물을 신체의 내적 또는 외적으로 적용하여 인체의 순환활동을 도와주어 노폐물과 독소를 제거하는 방법.

2) 역사

- 고대 이집트, 페르시아, 그리스, 로마인은 다양한 형태의 수치료를 했으며 이집트 왕족은 정유, 꽃으로 목욕을 했으며 로마에서는 공중목욕탕이 있었음[209, 210)]
- 히포크라테스는 목욕을 해서 질병을 치료한다고 서술함[211)]. 근경련이나 관절질환 등의 질병을 치료하는 온,냉의 침수욕 방법을 사용하였고, 각종 질병에 수치료의 사용을 권장함[212)].
- 중국, 일본, 한국 같은 동양권에서도 수치료의 역사가 있었음.
- John Floyer는 냉·온욕의 치료효과를 역설함[213)]
- Dr James Currie는 수치료의 과학적 근거를 마련함[214)]
- Vincenz Priessnitz는 다양한 수치료법을 개발함[215)]
- James Wilson은 1842년에 멜버른에 수치료센터를 설립함.
- 1840년대에 영국, 독일, 프랑스, 미국 등 세계 각지에 수치료가 전파됨.

3) 수치료의 분류

(1) 온도에 의한 수치료 분류

- 수치료는 열을 이용한 온열치료와 얼음이나 냉수를 이용한 냉치료로 구분[216)]
  - 한랭(cold) : 18.3°C
  - 냉(cool) : 18.3-23.9°C
  - 미온(tepid) : 23.9-33.3°C
  - 중온(neutral) : 33.3-36.1°C
  - 상온~고온(warm to hot) : 36.7-40°C
  - 고온~서온(hot to very hot) : 40°C 이상

(2) 동양의 수치료 분류[217)]

- 동양의학적 수치료는 약을 달여서 짠 물에 상처를 씻거나 담그거나 찜질하거나 목욕하여 일체 질병을 회복하게 하는 방법, 약물을 가열한 증기를 이용하는 방법, 약물을 가열하여 환부에 붙여 찜질을 하는 방법 등 다양함.
- 크게 분류하여, 세법(洗法), 훈법(熏法 ; 증기요법), 위법(熨法 ; 습포요법)
  - 세법(洗法) : 물의 자극, 진정, 신진대사 촉진, 정화작용을 이용
    - ▶ 세척법(洗滌法)은 약물을 끓인 탕액이나 혹은 염수(鹽水) 등으로 외상 상처 부위를 닦는 외치법으로 『素問·至眞要大論』의 "薄之却之, 浴之發之"에 근거함.
  - 훈법(熏法) : 약물을 연소하여 생기는 연기 또는 약물을 끓일 때의 증기를 이용하여 인체의 기부(肌膚)를 훈증하거나 인후부로 흡입하는 치료법.
    - ▶ 약력(藥力)과 열력(熱力)을 동시에 작용케 하여 주리(腠理)를 소통(疏通)시키고 기혈(氣血)을 유창(流暢)하게 함. 『素問·陰陽應象大論』의 "其有邪者, 漬形以爲汗"에서 기원함.
  - 위법(熨法) : 약물에 술 또는 초를 넣은 후 가열하여 면포

표 9-12. 물이 각 조직에 미치는 영향

물의 온도 / 물의 작용	한랭수 or 차가운 물 목욕	고온수 or 더운물 목욕
혈액순환	·골격근에 많은 혈액이 공급	·심부조직의 혈액이 유입
심장	·많은 양의 혈액이 심장으로 유입	·심박동률 증가
혈압	·혈압 상승	·초기에 혈압 상승 /이후 혈압 저하
호흡	·숨이 차고 호흡의 빈도가 증가	·숨이 참(한랭욕 보다 덜함)
피부	·피부의 창백, 수축, 소름을 일으킴 ·곧이어 피부의 조홍 ·오래 되면 피부가 푸른색을 띔 ·촉각 감수성과 반사활동 감소	·피부의 조홍이 일어나며 촉각 감수성은 증가
신진대사	·기초대사율 증가 ·산소 흡입량 증가	·체온이 상승할 만큼 길게 적용하면 기초대사율 증가
근육	·단시간의 한랭욕은 근육의 기능적 용량과 긴장력을 증가 ·장시간 적용은 경직과 경련	·단시간의 서열욕은 단시간의 한랭욕과 비슷한 효과 ·온욕은 피로회복과 함께 흥분을 가라앉힘
신경계	·한랭수를 짧고 급격하게 적용시키면 감각신경의 감수성을 증가 ·장시간 사용하였을 경우에는 감수성이 감소되어 통증이완 효과	·장시간 사용하였을 경우에는 감수성이 감소되어 통증이완 효과
혈액	·전신적인 한랭욕이나 고온욕 후에 백혈구와 적혈구가 증가	

표 9-13. 수치료 시 한랭, 온열의 선택기준

환자의 증상	원하는 치료 반응	한랭	온열
통증	과다자극에 의한 무통각 반응	예	예
	마취	예	예
근경련	대사물질 제거로 인한 통증감소	아니요	아니요
경직	운동신경에 영향	예(90분이상)	예(90분이상)
출혈	혈관수축	예(15-30분)	예(15-30분)
부종	원인이 명확하지 않은 급성 부종	예	예
	만성부종	아니요*	아니요*
창상치유	혈액순환/대사활동 증가	아니요	아니요
동상	치유촉진		
기립성 저혈압	혈관반응	예	예
관절의 뻣뻣함, 관절염	가동성 증가	아니요	아니요
연부조직의 단축	비탄성조직의 신장성 증가	아니요	아니요
전신자극이나 이완	가변운 중간정도 감각자극	예	예

* : 한랭이나 온열작용의 정확한 효능이 아직 입증되지 않은 경우

로 약을 싸서 환부에 부착하여 이것을 누르는 것.

▶『史記』의 "上古之時 醫有兪府 治病不以湯液 酒醴 砭石 按蹻 毒熨"에서 기원됨.

4) 수치료의 임상 활용

(1) 물이 각 조직에 미치는 영향

• 물이 우리 신체의 각 조직에 미치는 영향은 다음과 같음(표 9-12).

(2) 수치료 시 한랭이나 온열의 선택기준[218)]

• 수치료 시 한랭수와 온열수의 선택을 하는 기준은 다음과 같음(표 9-13).

(3) 수치료 시 주의점

• 한기(Chilling)
 - 부적절한 한랭욕을 시행하여 한기를 느끼게 되면 인후부 감염을 일으킬 수 있음
 - 족욕을 할 때는 담요 등으로 덮어주거나 욕실온도를 최소한 24°C 이상을 유지함.
  ▶ 바람이 들지 않도록 함.
• 한랭에 대한 과민
 - 한랭에 대한 과민반응으로 발적, 부종, 담마진, 국소 온도증가 등.
 - 심하면 실신
  ▶ 한랭을 적용할 때는 손이나 목 등과 같은 부위부터 서서히 적용함.
 - 보통 5-10분 정도 지나면 회복
• 조직세포의 손상
 - 과도한 한랭 적용으로 조직과 신경세포에 무산소혈증과 허혈이 발생하면 생명활동 억제.
 – 혈액순환 장애(정맥류, 동맥경화증, 폐쇄성 혈전혈관염 등)가 있는 부위에 국소 온열치료는 조직손상을 초래하기 쉬움. 따라서 말초현관장애가 있는 부위에 열을 직접 적용하지 않아야 함.
 – 차고 습한데 노출된 사지는 심한 손상을 일으켜 침수족(참호족)이 생길 수 있음. 한랭 노출을 중단하더라도 발은 차고 부은 상태로 감각둔마, 흰 초와 같은 모양을 나타내며, 발적, 충혈, 발열 및 부종을 일으킬 수 있음.
• 열상 혹은 화상
 - 치료를 실시하기 전에 온도계로 물의 온도를 측정.
 - 시계를 이용하여 치료 시간을 준수.
• 열쇠약 혹은 열허탈증
 - 열허탈증 : 37°C 이상으로 수치료를 지속했을 경우에 발한과다로 인한 체액의 손실로 나타남.
  ▶ 전신 권태감, 현기증, 두통, 구토, 이명 등. 심하면 실신이 되는 경우도 있음.
 - 열쇠약증 : 고열을 적용하여 vitamin B1이 결핍되어 일어남.
  ▶ 현기증, 실신, 오심, 구토증, 헐떡거림, 또는 피부가 차고 축축해지거나 땀이 나며 얼굴이 창백해짐.
• 열사병
 - 고온 다습한 환경이나 고열치료를 장시간 실시하였을 경우에 두통이나 현기증, 이명, 복시현상 등.
 - 심하면 혼수를 초래함.
• 열에 대한 과민
 - 열에 대하여 과민반응을 보이는 환자는 주의를 요함.
• 욕 피진(bath rash)
 - 물속에 장시간 들어가 있을 경우에 나타남.
• 피부의 박리와 주름 및 침연
 - 장시간 습기가 있는 상태에 노출되었을 경우에 나타남.

2. 찜질, 열위요법(熱熨療法)

• 약물 또는 가루 등을 베로 싸서 병소의 외부에서 따뜻하게 찜질하는 전통적인 한방이학요법

•『靈樞 · 壽夭剛要篇』에서 "以熨寒痺所刺之處, 令熱入至於病所"이라 한 것에서 기원됨.

1) 경피경근온열요법(Hot pack)

• 규산겔이나 벤토나이트를 팩에 넣고 가열하여 환부에 전도열에 의한 습열이나 건열을 적용하는 방법.
 - 효능 : 통증 경감, 경축된 근육을 이완. 혈액순환 증진
 - 적응증 : 비염증성 급만성 근육통과 관절통, 전기치료나 도수치료의 전 처치.
• 치료방법
 - 핫팩통 속의 물을 가열하여 팩의 가열 온도를 80°C 정도 되게 함.
 - 환자에게 적용하기 전에 6-7겹의 타월로 감싸 팩이 환자에 접촉되는 온도를 40°C 정도가 되게 함.
  ▶ 건열을 적용하기 위해서는 비닐시트로 팩을 감싸고

다시 타월로 싸서 적용.
- 팩의 열을 보존하기 위하여 타월이나 플라스틱 덮개를 이용하여 덮어주고 30분간 시행.
- 주의사항 : 팩 표면의 물이 피부에 직접 닿으면 화상을 일으킴.

2) 파라핀욕

- 환부를 파라핀과 미네랄 오일을 혼합하여 녹인 파라핀에 담궈서 전도열에 의해 열을 적용시키는 방법.
  - 효능 : 국소에 효과적으로 열을 적용.
  - 적응증 : 류마티스성 관절염, 골관절염, 건초염, 수부나 족부의 타박상이나 염좌, 동상
- 치료방법
  - 초와 미네랄 오일의 비율을 7:1이 되게 혼합하고 파라핀 통 속의 파라핀의 온도는 52-54℃ 정도가 되게 함.
  - 녹은 파라핀 속에 치료부위를 넣었다가 빼내게 하여 피막을 형성시킴. 피막의 두께가 1/4-1/2 인치가 될 때까지 담갔다 빼기를 6-10회 정도 반복.
  - 파라핀이 대기 중에 노출되면 약간 굳어지는데 이때 열을 보존하기 위하여 수건이나 비닐 등으로 15-20분간 감싸줌.

3) 고온습포(찜질)

- 50% 모와 50% 면으로 만든 담요재질, 오랜시간 국소에 습열이 지속됨
  - 진통, 말초 혈액순환 증가, 진정작용(중온)

4) Kenny packs

- 소아마비 환자의 운동치료 전에 근 경련을 감소시키고 진통 효과를 위해 사용되는 찜질 방법.

5) 진흙욕(Mud bath)

- 진흙은 높은 비열과 낮은 전도율로 수천 년 전부터 사용됨.
- 광물 진흙, 광물 바다 진흙, 유기토탄 등이 쓰이며, 진흙욕에 쓰이는 것을 광니(鑛泥)라고 함.
  - 피부의 삼투성 변화를 유도 → 병적 산물의 용해나 연화 또는 흡수에 의한 제거효과를 증가시킴.

6) 열위법(熱慰法)

- 熱慰法은 외치법의 일종
  - 벽돌, 굵은 소금, 병 등의 전열물체나 잘게 부순 약재에 열을 가한 후에 천으로 싸서 인체의 일정한 부위에 놓고 왕복이나 선전 이동하여 치료하는 방법.

7) 기타

- 젖은 천 찜질 : 젖은 시트로 환자를 둘러싸고 증발을 막기 위하여 담요로 덮음.
- 온담요찜질 : 온습포로 온 몸에 습열을 적용하고 마른 담요로 덮음.

3. 경피냉각요법

1) 개요

- 국소 혹은 전신에 차가운 것을 적용시켜 치료하는 방법.
- 적용방법
  - 얼음팩 : 얼음을 팩에 담아서 사용.
  - 한랭 침수욕 : 물과 얼음을 혼합한 15℃의 용기에 상지나 하지 부분을 냉각시킴.
  - 얼음 마사지 : 종이컵 같은 용기에 손잡이를 끼워 넣고 물을 얼려 환부를 마사지함.
  - 크리오 에어 요법 : 공기를 흡입 냉각시켜 환부에 분사시킴.
  - 화학적 냉각제는 0℃ 이하이기 때문에 동상 유발 가능, 건강인의 경우 30-40분 사용 가능

2) 경피냉각요법의 생리적 효과

- 혈관수축으로 인한 혈류 감소
- 근육의 긴장도와 연축의 감소
- 통증의 감소
- 부종 감소
- 신진대사 감소
- 장의 연동운동 증가와 위산분비 증가

3) 경피냉각요법의 임상 활용

- 적응증
  - 급성 외상성 상해(스포츠 손상)의 응급처치나 재활
  - 근관절의 염증과 좌상
  - 재활치료에 있어 근경련 감소를 위해 능동운동과 병행
- 금기증 및 주의사항
  - 한랭 알레르기 및 레이노 현상
  - 감각소실 부위
  - 의식 장애 환자
  - 개방성 창상 및 말단 청색증
  - 얼음을 직접 피부에 적용시에는 동상에 주의해서 위치를 자주 바꾸어주어야 함.
  - 통증 역치 상승으로 운동치료에 따른 추가 손상이 발생하지 않게 함.

4. 침수욕

1) 완전 침수욕

(1) 개요

- 완전 침수욕은 머리를 제외한 신체의 모든 부분이 물속에 잠기게 하는 방법으로 가정이나 대중목욕탕에서 쉽게 실시할 수 있음.

(2) 완전 침수욕의 종류

- 고온욕
  - 물의 온도 : 36.7-42.2℃
    - ▶ 욕조에서 마사지와 함께 수동, 능동, 저항 운동 등을 실시.
- 한랭욕
  - 물의 온도 : 10-26.7℃
    - ▶ 욕조에서 몸을 마찰하거나 운동을 실시하고 한기를 느끼게 되면 치료를 끝냄.
- 중온욕(Neutral Bath, 불감욕)
  - 물의 온도 : 34.4-36.7℃
    - ▶ 열적 불감점에 해당되며 안정과 진정작용 있음.
    - ▶ 15-60분 정도 시행. 불면증의 경우 3-4시간.
- 냉온욕(전신교대욕)
  - 찬물(14-16℃)과 더운물(39-43℃)에 전신을 교대로 침수하는 것.
  - 먼저 온수에 3-4분 담근 후 냉탕에서 시작하여 냉탕으로 마침.
    - ▶ 일반적으로 6-8회, 전체 치료 시간은 20-30분.

2) 부분 침수욕

(1) 개요

- 주로 사지 일부분만을 물속에 침수시키는 방법
  - 국소에 물을 직접 적용할 필요성이 있거나, 전신침수욕을 할 수 없는 경우 사용

(2) 종류

- 상지욕
  - 상지만을 욕조에 침수시키는 방법.
  - 시작 온도는 33.9-36.1℃이며 43.3℃까지 온도를 상승시킴.
  - 치료 시간은 20분 내외로 하며 치료 후에는 휴식을 취하며 상지를 냉각시킴.
    - ▶ 적응증 : 관절염, 심혈관계질환
- 각탕법(脚湯法)
  - 각탕기에 더운 물을 준비하고 앙와하여 다리를 장딴지 부위까지 담그고, 무릎부터 몸통까지 모포나 이불로 덮음.
  - 물의 온도는 40℃에서 시작하여 5분 간격으로 1℃씩 올려 43℃에서 멈춤.
  - 일반적으로 20분 후에 다리를 온수에서 꺼내어 잘 닦고 준비한 냉수에 2분 내외로 담근 다음 발을 꺼낸 후 잘 닦고 편안히 누워서 쉼.
    - ▶ 오후 3시 이후에 실시. 발한 후 2시간 반 이내에 소금, 생수와 비타민C를 보급.
    - ▶ 적응증 : 고온이나 미열, 신장병, 수종, 당뇨병, 해수
  - 생강, 비파엽, 총백 등 한약제나 입욕제를 첨가하면 보온효과가 상승.
- 상하지 교대욕법

- 적당한 크기의 용기 두 개에 더운물(37.7-46.1℃)과 찬물(10-17.7℃)을 준비.
- 온수에서 3-4분 후 냉수에서 1분을 반복 시행, 온수에서 마침. 3-6회 시행하여 전체시간은 12-30분 소요.
- 발을 옮기기 전에 발의 물을 가볍게 닦는다.
  ▶ 적응증 : 혈관경련질환, 동상, 발의 다한증, 두통, 관절염, 골절
- 발목까지만 침수시키는 발목교대욕의 경우 각각 1분씩 하여 3회 반복하여 냉수에서 마침. 요독증, 복막염, 자궁내막염, 장염, 무종, 동상, 감기 등에 활용.

• 좌욕
- 골반부위를 침수시키는데 37-40℃에서 15-20분간 시행.
  ▶ 적응증 : 전립선염, 뇨실금, 치질, 방광염, 월경불순, 산후조리.

• 반신욕
- 골반 이하를 침수시키는데 물의 온도를 39-43℃에서 10-15분간 시행.
  ▶ 치료하는 동안 이마에 냉찜질을 해주고 치료가 끝났을 때에는 찬물로 씻은 후 마침.
  ▶ 적응증 : 말초혈액순환 증진, 부종 제거, 피로 회복, 신경통.

• 후두부 냉각법
- 앙와위에서 베개 대신 후두부가 들어갈 정도의 깊이 2-3寸쯤 되는 그릇 속에 후두부를 위치시키고 냉수(10-20℃)를 서서히 부어 1-1.5寸 정도의 깊이가 되도록 함.
- 취침 전에 1-3분간 시행하며 끝난 후 마른 헝겊으로 잘 닦아줌.
  ▶ 적응증 : 두통, 비염 등 경부 이상 제질환

5. 기구를 이용한 수치료[219)]

• 물 이외에 다른 물질이나 기구를 사용하여 물의 치료 효과를 증가시키는 치료법.

1) 와류욕(Whirlpool bath)

• 신체의 일부 또는 전신을 치료에 알맞은 온도의 물이 담긴 수조에 넣은 후 교반기를 작동시켜 물 마사지를 해 줌.
- 적응증 : 절단 단(amputation stump), 염좌와 타박상, 정형외과 수술후, 말초혈관 질환, 말초신경 손상, 관절염, 화상, 동상

2) 하버드 탱크(Hubbard tank)

• 교반기가 부착된 완전침수 욕조에서 물마사지와 부력을 이용한 수중운동을 실시함.
- 경한 열을 동반 적용하여 치료.
  ▶ 적응증 : 편마비, 소아마비, 뇌성마비, 다발성 경화증, 류마토이드 관절염, 화상, 욕창

3) 압주욕(Douche)

• 물기둥을 환자 몸에 대응해서 직접 분사함.
- 비키식 압주 · 에이스식 압주 : 도수 마사지와 물의 분무를 병행하여 자극을 주는 방법.
- 스코치식 압주 : 온수와 냉수를 교대로 신체에 적용하는 방법.
- 수중 압주 : 물속에 있는 상태에서 신체 표면에 물줄기를 적용하는 방법.
  ▶ 적응증 : 순환 증진, 국소 비후의 연화

4) 분무욕(Spray)

• 물줄기를 여러 갈래로 분산시켜 인체에 수평으로 적용하는 것으로 발과 머리는 제외함.
- 진정과 강장의 효과.

5) 기타

• 소금마찰(Salt glow) : 젖은 소금으로 피부를 마사지하여 피부에 홍조을 유발시킴.
• 수건욕 : 단시간에 한랭을 적용하는 방법으로 찬물에 젖은 수건을 치료부위에 마찰시켜 혈관확장을 유도함.
• 솔욕과 스펀지욕 : 솔(brush)이나 스펀지를 물에 적시어 피부를 자극함으로써 피부순환을 증가시키고 근육을 이완함.

6. 증기를 이용한 수치료 - 훈세요법(熏洗療法)[220, 221]

1) 러시안욕

- 증기실이나 캐비넷 모양의 욕조 밖으로 목이나 머리 부분을 나오게 하여 실시하는 습기욕의 일종.
- 발한, 체온 및 신진대사의 상승, 말초혈관 확장

2) 증기욕

- 머리를 포함하여 온몸에 적용하는 습기욕. 러시안욕을 좀 더 현대화시킨 방법.

3) 터키욕

- 건열기욕의 일종으로 3개의 온도가 다른 열기실로 구성되어 있음.
- 46.1℃의 증기실로 먼저 들어가 땀을 흘린 후에 건기실로 들어가기도 함.
- 발한증가, 내장 울혈 경감

4) 핀란드욕(사우나)

- 건열기욕으로 땀을 흘림으로써 몸의 청결 유지와 노폐물을 제거함.

5) 훈세요법(熏洗療法)

- 약물 전탕을 이용하여 피부에 열자극을 가하거나 환부에 훈증(薰蒸)하여 치료하는 방법.
  - 약력과 열력을 빌어 인체의 피부와 점막을 투과하여 주리소통(腠理疎通), 맥락조화(脈絡調和), 기혈유창(氣血流暢)함으로 질병을 예방하고 치료하는 효과가 있음.

7. 약물욕, 가스욕

1) 약물욕[222)]

- 약재를 욕탕물에 섞어서 약재를 끓인 후 발생된 그 증기를 쐬고 가열된 약액으로 전신이나 국소의 환처를 씻어 약물작용과 열작용으로 직접 환처에 작용하는 치료법.
  - 혈액순환 촉진, 해독, 살균, 소양감 억제 작용, 부종감소, 통증감소, 질병예방.
- 약물욕의 종류
  - 자단향 : 방향, 신경통, 관절염.
  - 육두구 : 방향, 혈액순환개선, 수족 및 하복냉증 치료, 식욕증진 및 소화기능 개선.
  - 박하 : 방향, 혈액순환개선, 소화기능 강화, 감기 예방, 불면증 해소.
  - 소금 : 체내 노폐물제거, 냉증 해소, 혈액순환 촉진, 소염 및 살균작용, 류마티스성 관절염, 변비, 비만, 스트레스 해소.
  - 어성초 : 독소 제거, 견통 및 요통에 사용, 숙면 유도, 피부질환.
  - 쑥 : 냉증을 없애고 각종 부인병에 사용함.
  - 솔잎 : 혈액순환 개선, 피부 윤택, 스트레스 해소, 피로회복.
  - 청주목욕 : 혈액순환 촉진, 근육의 피로 제거, 피부에 영양 공급, 항피부염 효과.
  - 표고버섯 : 피부미용
  - 자소엽 : 감기 예방, 신경 안정 효과, 피부 탄력 증가.

2) 가스욕[223)]

- 물에 염화나트륨, 염화 칼슘, 이산화탄소, 탄산가스와 염분이 들어 있는 가스를 발생시켜 질병을 치료하는 방법.
  - 가스욕의 종류 : 나우하임욕, 이산화탄소욕, 산소욕, 거품욕
  - 가스욕의 적응증 : 무월경, 월경곤란증, 비만증, 고혈압, 레이노병, 불면증 등.

제5절
도인, 기공, 태극권 및 운동치료

1. 역사 및 의료행위로서의 기공/도인운동

1) 도인(導引) 및 기공(氣功)의 역사

(1) 도인의 역사

• 도인법이 언급된 최초의 서적은『장자(莊子)』·『각의(刻意)』, "吹呴呼吸 吐故納申 熊經鳥申 爲壽而已矣 此導引之士 養形之人 彭祖壽考者之所好也". 역사 상 그림으로 그 방법이 설명된 최초의 도인법은 1973년에 호남성 장사시 마왕퇴(馬王堆) 3호 한묘(漢墓)에서 출토된 마왕퇴 도인법[224]

• 현재까지 계승되고 발전된 최초의 도인법은 동한(東漢) 말기의 신의(神醫) 화타(華陀)가 만든 오금희(五禽戱)로서, 이는 서진(西晉)시대 진수(陳壽)의『삼국지(三國志)』에서 처음 언급되었고[225], 현 시대까지 수련이 되고 있음

• 현재까지 수련되는 또 다른 도인법으로서 팔단금(八段錦)이 있으며, 이는 팔단금은 남조(南朝)시대 양(梁)나라 때에 만들어진 도인법으로서 송(宋)나라 때 완성되고, 청(淸)나라 말에 현대에도 시행되고 있는 팔단금이 서적으로 발표가 됨[226]
 - 명(明) 태조 주원장의 열일곱 번째 아들 주권(朱權)
  ▶『구선활인심법(九仙活人心法)』을 저술. 여기에 현재까지 행하는 팔단금이 실려 있음.
  ▶ 후에 퇴계선생이 우리나라로 들여와서『활인심방(活人心方)』이라는 이름의 건강법으로 전하게 됨.

(2) 기공의 역사

• "기공(氣功)" 이란 용어가 발견되는 최초 문헌은 진(晉)의 허손(許遜)이 쓴『영검자(靈劍子)』로 알려짐[227]
 - 수(隨)·당(唐) 시대의『태청조기경(太淸調氣經)』에서 "기공(氣功)"이라는 용어가 쓰임

• 청(淸) 말에 무술 수련서적인『소림권술비결(少林拳術秘訣)』에서 기공에 대한 설명이 있었으나 그때까지도 널리 사용되는 용어는 아님[228]

• 이후 여러 무술가들이 기공(氣功), 참장공(站樁功)을 만들어 냈으나 널리 알려지지는 않음
 - 가장 많이 알려진 기공인 참장공(站椿功)은 형의권(形意拳)이라는 무술을 배운 뒤 의권(意拳, 大成拳)을 만든 왕향제(王薌齊)에 의해서 1920년대 후반에 정립되어 널리 알려짐
 - 1957년에 유귀진(劉貴珍)의『기공요법실천(氣功療法實踐)』이 발표되고 중국 정부에서 기공 치료에 대해 적극적인 홍보를 하면서 기공이 널리 알려지게 됨

(3) 도인과 기공의 역사적 구분

• 기공이라는 용어가 정립되기 훨씬 전에 도인법은 이미 정립되어 있었음

• 기공은 1950년대에 이르러서야 널리 알려지게 됨
 - 과거에는 기공과 일부 비슷한 점이 있는 도인, 토납, 안마를 이용하여 개인의 건강과 장수를 도모하고 개인적인 수양과 고도의 정신활동을 위한 수련법으로 활용
 - 1950년대에 이르러서야 기공이 정립되고 널리 알려져 활용. 이와 같이 역사적으로 도인과 기공은 분명하게 구분이 되는 수련법임

2) 도인법(導引法)

(1) 개요

•『도인법(導引法)』은 한의학에서의 전통적인 치료적 운동으로서, 질병 치료 및 양생 건강법으로 사용됨

• 그러나 유파와 수련 목적에 따라 동작, 수련 방식, 목적이 다른 경우가 있음. 수련 체계에 따라 기공, 도인 및 명백한 무술인 태극권까지 모두 기공으로 분류하거나, 혹은 도인으로 분류하는 경우도 있음
 - 명확한 의미 정립과 구분이 반드시 필요함

(2) 전통적인 의미에서 도인(導引)이란 단어의 의미[229]

• 도(導) : 도기영화(導氣令和) - 기를 이끌어서 조화롭게 하는 것

• 인(引) : 인체영유(引體令柔) - 몸을 이끌어서 부드럽게 하는 것

• 전통 도인법에는 다음 일곱가지 중 하나 이상의 행위가 복합되어 이루어짐[230]
 - 인체(引體) : 일정한 방법에 따라 신체를 굽히고, 펴고, 늘리는 등의 움직임
 - 도기(導氣) : 지체운동에 따라 호흡 토납을 진행하여 체

내의 기혈 운행 조절
- 안마(按摩) : 스스로 몸을 주무르고 누르거나 두드리는 것
- 고치(叩齒) : 위 아래 치아를 가볍게 서로 부딪침
- 수연(漱咽) : 혀로 구강내에 침이 생기게 한 다음 삼킴
- 존상(存想) : 存이란 나의 정신을 보존, 想이란 나의 몸을 생각하는 것. 內視
- 의념(意念) : 깊은 생각으로 잡념을 제거하고 정신을 가다듬고 기혈을 조화시킴
  - ▶ 이러한 의미에 비추어 보아 도인은 호흡과 함께 몸을 굽히고 펴는 방법, 팔과 다리를 구부렸다 폈다하는 동작, 신체를 두드리는 동작을 통해서 혈과 기를 유창하게 소통시켜서 건강을 촉진하는 방법을 가리킴
  - ▶ 단순한 기의 유통 뿐 아니라 사지의 움직임을 통해 척추와 내장의 움직임을 이끌어낸다는 의미에서 정밀한 운동 방법을 요구함

(3) 도인법(導引法)의 현대 한의학적 의료행위의 의미

- 환자 스스로 능동적 운동을 호흡과 함께 수행하여 기혈순행을 도모하고 영위를 조화롭게 하여 증상을 개선시키는 일종의 예방 보건체조
- 현대의 치료 행위로서는 기기도인법이 이에 해당함
  - 한의학적으로는 과거 전통 도인 운동 중 인체(引體), 도기(導氣), 안마(按摩)에 해당하는 행위를 도구와 기계를 이용하여 도인요법을 시행하는 것
  - 요추 및 경추에 대한 견인요법(traction), 3호형 만능기, 롤링베드(rolling bed) 및 각종 재활 기기를 사용한 도인법
    - ▶『의종금감(醫宗金鑑)』·『정골심법요지(正骨心法要旨)』에서 반색첩전법(攀索疊磚法)으로 척추 변위를 정복하였다는 기록에서도 그 근원을 찾을 수 있음

3) 도인운동요법(導引運動療法)

(1) 개요

- 도인운동요법(導引運動療法)이라는 것은 과거의 도인법이라는 신체를 굽히고, 펴고, 두드리고, 호흡과 동작을 맞추는 운동법에서 발전하여 "척추 및 사지 관절의 통증, 신체의 불균형, 여러 가지 원인으로 발생한 중추성 또는 말초성 마비질환으로 인한 기능장애가 발생 했을 때, 환자의 호흡을 조절하면서 피동적, 능동적 운동을 적용하여 치료하는 행위"로 발전함
- 도인법 중 스스로의 신채를 두드리고 주무르는 동작에서 근건이완수기법으로 발전

(2) 전통적 도인의 의미에서 유추된 현대 한의학 의료행위로서의 도인운동요법

- 도인운동요법
  - 단순도인운동요법
    - ▶ 주로 척추 및 사지 관절의 통증성 질환에 대하여 환자의 호흡을 조절하면서 피동적 / 능동적인 운동을 통해 관절의 통증과 그로 인한 기능장애를 치료하는 것을 목적으로 하는 한방물리요법
  - 전문도인운동요법
    - ▶ 주로 신체의 불균형이나 중추 및 말초신경의 이상으로 인한 마비 질환으로 인한 기능장애에 대하여 환자의 호흡을 조절하면서 피동적 / 능동적인 운동을 통해 통증이나 기능장애를 치료하는 것을 목적으로 하는 한방물리요법
    - ▶ 관절 가동 범위 평가, 도수 근력 평가, 일상생활동작 평가 등을 통해 가동 범위, 신경, 근육의 문제를 평가한 후 그에 따른 운동 요법 시행
    - ▶ 종류 구분 : 근육 강화 운동, 수동적 관절운동, 자세 감각 훈련, 등척성 또는 등장성 운동 뿐만 아니라 치료매트, sling, 경사침대, 평행봉, 고정계단, 에르고미터, pully 등의 기구를 사용하여 환자의 움직임을 이끌어내는 운동 시행 가능
- 근건이완수기요법
  - 단순근건이완수기요법
    - ▶ 시술자의 손이나 기구를 이용하여 근육과 건 등의 기능장애 부위에 시행하는 비침습적 행위로서 근섬유의 심부 마찰과 움직임을 통하여 주로 근육과 건에서 기원하는 통증 질환을 치료하는 것을 목적으

로 하는 한방물리요법

- 전문근건이완수기요법
  ▶ 시술자의 손이나 기구를 이용하여 근육과 건 등의 기능장애 부위에 시행하는 비침습적 행위로서 근섬유의 심부 마찰과 움직임을 통하여 주로 근육과 건에서 기원하는 기능 장애를 치료하는 것을 목적으로 하는 한방물리요법
- 근건이완수기요법은 행위정의 상 도구를 사용할 수 있으므로, 다양한 근건 자극 의료기기, 체외충격파 등을 사용하면 보다 나은 치료를 할 수 있음

(3) 과거 문헌에서의 도인운동요법

- 의학입문
  - 治腰痛. 屈伸導法, 正東坐, 收手抱心, 一人前躡其兩膝, 一人後捧其頭, 徐牽令偃臥, 三倒三起, 久久效(몸을 굽혔다가 펴는 방식의 도인법이다, 동쪽을 보고 앉아 팔을 거두어 가슴을 감싸 안는다. 한 사람은 무릎을 밟고, 한 사람은 뒤에서 머리를 받들고서, 천천히 당기면서 풀어주고, 위를 보고 눕는다. 이렇게 3번 굽히고 세번 펴는데 오래 하면 효과가 있다.)
  - 이상의 내용과 같이 과거에도 시술자가 환자의 몸을 통해 수동적이거나 능동적 움직임을 이끌어 내는 도인운동요법이 존재하였음

4) 기공(氣功)

(1) 기공의 의미

- 일반적인 의미는 축기(縮氣)를 중심으로 참장공(站樁功)과 같이 거의 움직임이 없는 동작을 통해 기운을 축적하는 행위
- 태극기공(太極氣功) 등과 같이 참장공의 자세를 바탕으로 하여 축기하는 자세를 깨지 않는 범위에서 천천히 움직이며 의념과 호흡을 통해 기를 운행하는 운동도 기공에 포함됨

(2) 기공의 종류

- 외기 방사 기공(外氣 放射 氣功, External Qigong)
  - 자신의 기를 외부에 방사하여 치료하는 방법
  - 임상 연구는 관절염, 생리통 등에 대한 논문들이 있으며, 암에 대한 세포 및 동물실험 연구들이 주로 출간되어 있음
  - 소림내경일지선(少林內經一指禪), 한국의 무의문(武醫門) 기공이 알려져 있음
- 기공(氣功, Internal Qigong)
  - 참장공 등 스스로의 기운을 단련하는 방법
  - 정공(靜功)
    ▶ 움직이지 않으면서 시행함
    ▶ 좌공(坐功), 와공(臥功), 참장공(站樁功)으로 나뉘나, 일반적으로는 참장공(站樁功)을 정공(靜功)이라 함
  - 동공(動功)
    ▶ 움직이면서 시행함
    ▶ 유명한 것은 암환자에게 적용하는 곽림신기공(郭林新氣功), 태극기공(太極氣功) 18식 / 유명하지 않은 것은 각종 무술 기본공이 있음

(3) 기공의 원리[231]

- 기공이라는 것은, 기를 배양하고 몸에 좋은 기운을 축적하여, 연공(練功)을 통하여 내공을 연마, 인간의 정신과 신체기능을 가장 조화된 상태로 환원, 자신의 질병을 예방 혹은 치료하는 방법
- 그러나, 아쉽게도 기라는 것은 눈에 보이지 않고 그 에너지를 측정하는 방법도 정해져 있지 않음
- 기공에 대해 과학적으로 설명하려고 하는 시도는 엄청나게 많으나, 명확한 설명은 없음
  - 가장 유명한 것으로 기공 수련자의 인체 자기장이 일반인과 다르다는 보고가 있음
- 기공 수련자의 인체 자기장 변화에 따라 기공에서의 기(기)가 인체 전기라는 가설이 있음
  - 인체의 뼈는 압력에 의해 전기를 발생시키는 압전체로 인체 전기 발생 가능
  - 인체의 뼈 속 모세혈관에서 흐르는 혈액은 유동전위를 만들어서 인체 전기 발생 가능

- 인체의 압전과 유동전위에 의해 발생한 전기는 우리 몸의 근육/신경계통의 전기적 작용보다 느끼기 어려움
  ▶ 이를 느끼고 활용하기 위해 명상에 가까운 상태로 움직이지 않거나, 느리게 움직이면서 신체 내부의 반응을 쫓아가는 기공의 특별한 자세와 움직임이 있어야 함

(4) 기 축적을 위한 인체의 자세[232)]

- 기(氣)가 인체 전기이고, 이에 따라 압전 효과를 극대화하기 위하여 척추가 한 덩어리가 된 듯한 자세를 취해야 함(그림 9–3)
  - 엉덩이, 꼬리뼈를 말아 올리듯 골반을 움직여야 하고 [렴둔(斂臀)], 턱을 살짝 당겨 넣어 머리를 백회혈을 중심으로 들어올리는[두항정(頭項正)] 자세 필요
- 압전 현상의 극대화를 위해, 전신의 체중이 발의 한 지점(일반적으로 뒤꿈치)에 실리는 자세 필요(그림 9–4)
  - 엉덩이를 말아 올리는 것이나 척추를 바르게 한다는 것을 잘못 인식하면 그림 9–4의 ①이나 ③의 형태가 될 수 있으므로 주의해야 함

(5) 기공(氣功)의 현대 한의학적 의료행위의 의미

- 기공은 현재 한의사 의료 행위 중 기공공법지도(Coaching Qigong for individual)에 속함
  - 기공공법지도
    ▶ 참장공(站椿功) 등의 정공(靜功) 또는 태극기공(太極氣功) 등의 동공(動功), 기공을 바탕으로 한 태극권(太極拳), 형의권(形意拳)등의 기(氣) 운동을 바탕으로 한 내가권(內家拳) 운동을 교육하여 환자의 신체를 단련하고 질환의 치료나 예방을 목적으로 하는 한방물리요법으로 목적 및 행위 시간에 따라 단순/전문/특수로 분류됨
- 기공은 비록 공법 지도라는 교육 행위에 속하지만, 오랜 시간 동안 교육이 필요하고, 반드시 호흡과 동작을 일치시키는 과정이 필요하며, 그 경우 교육자의 손이나 몸의 일부로 자세의 교정과 바른 동작으로 이끄는 행위가 필요하므로 의료행위로서의 동작은 도인운동요법에 가까

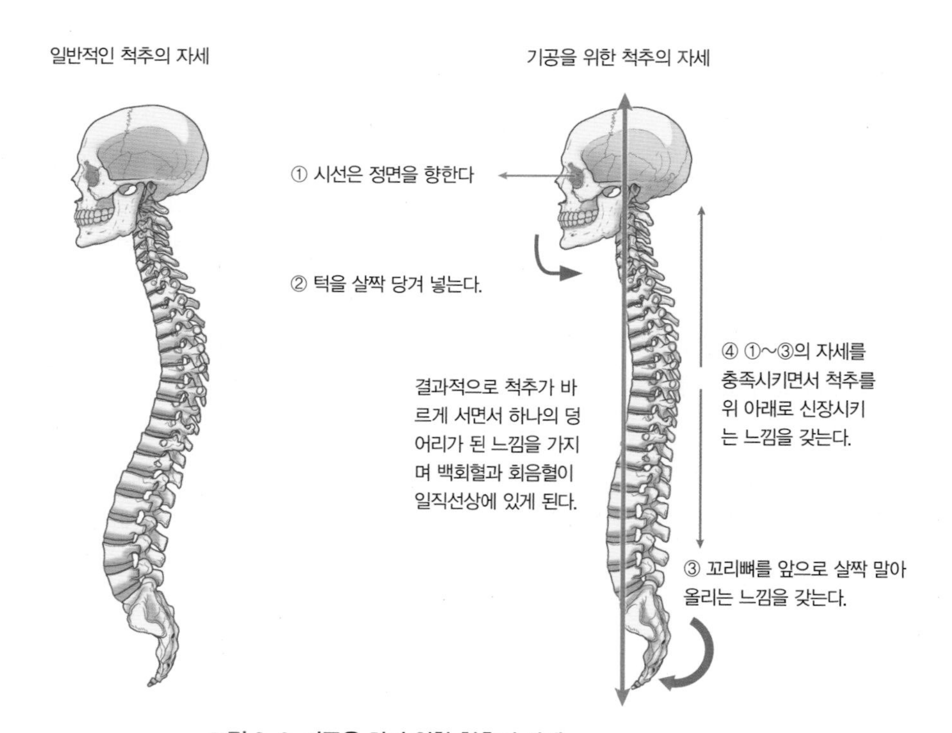

그림 9–3. 기공을 하기 위한 척추의 자세

울 수 있음

2. 기공 실기

1) 개요

- 역사적으로 현대 참장(站樁) 기공(氣功)은 형의권(形意拳)을 거쳐 나온 대성권(大成拳)이라는 무술의 기본공(基本功)으로 시작됨
- 현대에 이르러 의학계에서는 파킨슨병 등 난치질환과 제반 통증 질환에 대한 운동 치료 방법으로 "관절염 태극권" 및 기타 여러 유파의 태극권을 주로 사용하여 환자 교육을 하고 있음
  - "관절염 태극권"이라는 것 또한 형의권에서부터 발전하여 나온 것
    - ▶ 기공을 하는 방법을 알기 위해서는 형의권의 기본공에 대해 알고 있는 것이 좋을 것으로 생각됨
    - ▶ 그러므로, 본 파트에서는 현대 기공을 이해하기 위해 형의권에서 파생된, 제자리에 서서 연공(練功)하는 무극참장공(無極站樁功), 삼체식(三體式) 참장공 및 움직이면서 하는 동공(動功)으로서 오행권(五行拳)에 대해 설명하고, 태극권 운동 방법에 대해 설명하고자 함
  - 바른 자세와 바른 움직임은 "기(氣)를 생각하지 않는다고 해도 건강법으로 활용이 가능하므로 운동치료법이자 양생법으로서 기공 운동을 제시하는 바임

2) 무극참장공(無極站樁功)[233]

- 바르게 선 자세에서, 골반을 앞으로 말아올리고 무릎을 가볍게 구부린 후, 왼발을 어깨 넓이로 벌림
- 체중이 두 발의 뒤꿈치에 실리도록 하고, 발가락으로 가볍게 땅을 움켜쥐듯 하며, 두 손을 안아 올리는 자세로 서서 단련함

3) 삼체식 참장공(三體式 站樁功)[234]

- 몸을 바로 세우고, 골반을 말아올리고 서서, 몸과 발을 45° 방향으로 돌림
- 무릎을 구부리고, 왼쪽 발은 지면과 평행하게 1-2 cm 정도 들어올리고, 오른손은 코 높이로, 왼손은 오른손 발

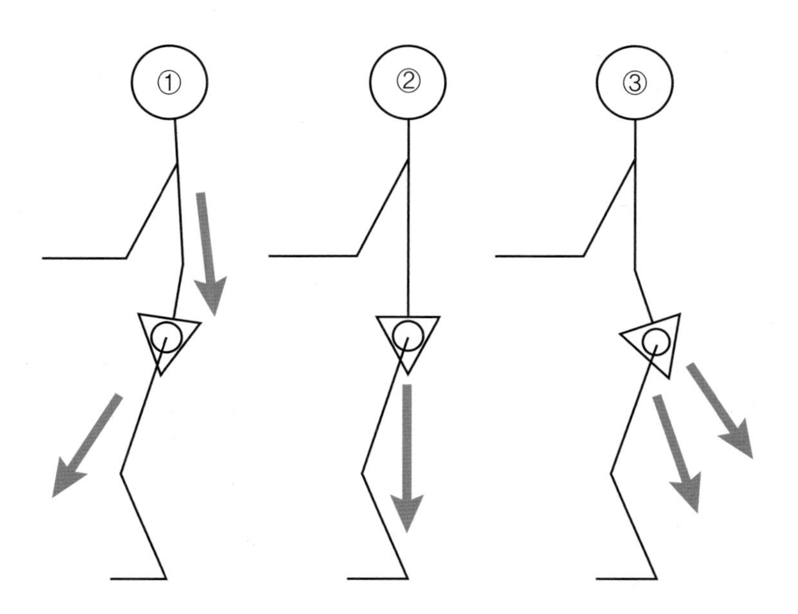

그림 9-4. 기공을 위한 신체의 자세(모식도)

꿈치 근처로 주먹을 쥔 채 들어올림
- 몸을 앞으로 움직이면서, 왼손이 오른손을 지나가며 두 손을 앞으로 뻗어 회전시키며 내리면서 두 손을 펴면서 내리치고, 그 자세에서 멈추어 서서 참장공을 단련함

4) 형의오행권(形意五行拳)[235]

- 형의오행권은 음양(좌우 단련) 오행(다섯가지 기술 단련)의 원리에 따른 움직임을 하는 간단한 동작으로 구성됨
- 동작에 따라 근골 뿐 아니라 오행 배속에 따른 장부 단련 효과가 있어 의학적 활용에 의의가 있음
  - 벽권(劈拳) : 도끼질과 같은 동작으로, 금(金)에 속하고 폐(肺)를 단련함
  - 찬권(鑽拳) : 물이 품어져 올라오는듯한 동작으로 수(水)에 속하고 신(腎)을 단련함
  - 붕권(崩拳) : 활을 쏘는 듯한 동작으로, 목(木)에 속하고 간(肝)을 단련함
  - 포권(炮拳) : 포탄과 같은 동작으로 화(火)에 속하고 심(心)을 단련함
  - 횡권(橫拳) : 토(土)에 속하나 오행을 모두 품고 주로 비(脾)를 단련함

(1) 벽권(劈拳)

- 2-3에서 설명한 삼체식의 마지막 동작에서 시작함
- 두 손을 주먹을 쥐면서 내리고, 몸의 중심을 앞쪽으로 가져옴
- 왼발을 45° 방향으로 돌리면서 오른발을 왼발 옆으로 가져와 지면에 평행한 상태로 1-2 cm 정도 들어올린 상태로 서서, 왼손은 코 높이로, 오른손은 왼손 발꿈치 근처로 주먹을 쥔 채 들어올림
- II-3에서 설명한 삼체식 동작이 반대가 되게 하고, 이어서 좌우를 바꾸어가며 단련함
- 몸을 반대 방향으로 돌릴 경우, 왼손과 왼발이 앞인 삼체식 자세에서, 두 손을 주먹을 쥐고, 배 앞으로 모으면서 왼발을 돌리고 회전시켜서 진행 방향의 반대쪽으로 삼체식 동작을 시작할 준비를 하고, 다시 연속하여 동작을 시행함

(2) 찬권(鑽拳)

- 2-3에서 설명한 삼체식의 마지막 동작에서 이어 시작함
- 두 손을 주먹을 쥐고 왼발을 45° 방향으로 돌리면서 나아가며 오른발을 왼발 옆으로 가져와 지면에 평행한 상태로 1-2 cm 정도 들어올린 상태로 서서, 왼손은 코 높이로, 오른손은 배꼽 근처로 주먹을 쥔 채 두 팔을 서로 반대 방향으로 비트는 힘을 유지함
- 몸을 앞으로 움직이며 오른 주먹을 왼주먹 쪽으로 올려, 두 손을 비틀어 오른손 주먹과 왼손 주먹이 서로 비틀리며 치면서 나가서 오른손은 코 높이, 왼손은 배꼽 앞으로 가져옴
- 좌우 동작을 동일하게 바꿔가며 단련함
- 몸을 반대 방향으로 돌릴 경우, 왼손과 왼발이 앞인 찬권 자세에서, 두 손을 배 앞으로 모으면서 왼발을 돌리고 회전시켜서 진행 방향의 반대쪽으로 찬권 동작을 시작할 준비를 하고, 다시 연속하여 동작을 시행함

(3) 붕권(崩拳)

- 2-3에서 설명한 삼체식의 마지막 동작에서 시작함
- 순간적으로 주먹을 쥐며 손과 발을 살짝 끌어당김
- 몸이 앞으로 가면서 오른발이 왼발 옆으로 오면서 오른 주먹을 왼주먹과 교차하여 앞으로 나가게 함
- 몸이 앞으로 가면서 왼발을 한 발 나가게 하면서 왼주먹이 오른주먹과 교차하여 앞으로 나가게 함. 좌우 동작을 동일하게 바꿔가며 단련함
- 몸을 반대 방향으로 돌릴 경우, 왼손과 왼발이 앞인 붕권 자세에서, 두 손을 배 앞으로 모으면서 왼발을 돌리고 회전시켜서 진행 방향의 반대쪽으로 돌면서 왼발과 양 손을 올려 앞을 치고 손과 발을 벽권과 같이 내린 후 다시 붕권 동작을 연속하여 시행함

(4) 포권(炮拳)

- 2-3에서 설명한 삼체식의 마지막 동작에서 시작함
- 두 손을 주먹을 쥐고 단전으로 내리면서 앞으로 나아감
- 두 손을 비틀어 왼손은 머리 방향으로, 오른손은 몸의 앞쪽으로 올릴 준비를 함

- 몸을 왼쪽 사선 방향 앞으로 나아가며 두 손을 준비된 방향으로 몸을 따라 움직여 나가게 함
- 처음 시작한 방향으로 사선 방향 앞으로 움직이면서 두 주먹을 단전으로 내림
- 반대방향 포권을 시행. 왼쪽과 오른쪽을 반복하여 나가며 단련함
- 몸을 반대 방향으로 돌릴 경우, 왼발과 오른손이 앞인 포권 자세에서, 두 손을 배 앞으로 모으면서 왼발을 돌리고 회전시켜서 진행 방향의 반대쪽으로 돌면서 다시 포권 동작을 연속하여 시행함

(5) 횡권(橫拳)

- 2-3에서 설명한 삼체식의 마지막 동작에서 시작함
- 두 손을 주먹을 쥐고, 손 모양은 그림 왼손이 위로, 오른손은 배꼽 앞에 있는 상태로 앞으로 나아감
- 몸을 왼쪽 사선 방향으로 나가게 하며 두 주먹을 교차하여 비틀어 치면서 오른손이 나아가게 함
- 몸을 약간 오른쪽 안쪽 사선 방향으로 이동하며 두 발을 모음
- 몸을 오른쪽 사선 방향으로 나가게 하며 두 주먹을 교차하여 비틀어 치면서 왼손이 나아가게 함. 왼쪽과 오른쪽을 반복하여 나가면서 단련함
- 몸을 반대 방향으로 돌릴 경우, 왼발과 오른손이 앞인 횡권 자세에서, 두 손을 배 앞으로 모으면서 왼발을 돌리고 회전시켜서 진행 방향의 반대쪽으로 돌면서 다시 횡권 동작을 연속하여 시행함

5) 태극권(太極拳) / 관절염 태극권(關節炎 太極拳, Taichi for Arthritis)[236]

- 음양오행학설과 경락이론, 도가의 양생이론을 바탕으로 창시된 무술로서, 무술 창시부터 중의학 이론을 배경으로 만들어졌음을 천명함[237]
- 정(精), 기(氣), 신(神)의 내면적인 수행을 중요시하며 기공 및 양생 도인 운동법과 기격법(技擊法) 조화되어 집대성
- 많은 종류의 중국무술 중 가장 많은 사람들에게 보급되어 있는 무술
  - 동작이 그다지 과격하지 않으면서도 건강에 미치는 효과가 탁월하기 때문
- 부드러운 움직임으로 상대의 강한 힘을 피하며 중심을 잡아 합리적인 힘을 사용하여 상대를 물리치는 기법을 가짐
  - 현재는 일종의 의료 체조와 같이 알려진 무술
  - 공격과 방어의 기술이 있어 타 운동법에 비해 교육에 재미를 느낌
  - 넓은 공간이나 특별한 기구나 특정 장소가 필요하지 않아 경제적인 운동법임.
- 의료용 태극권은 호주의 의사인 Paul Lam이 1997년도에 만든 관절염 태극권(Tai chi for Arthritis)이 가장 유명하며, 본 편에서는 태극권 실기로 관절염 태극권을 소개함

(1) 기세(起勢)

- 차려 자세와 유사하게 서서 두 손을 올렸다 내린 후, 왼발부터 앞으로 나가 두 발을 어깨 넓이로 벌린 자세에서 두 손을 앞으로 내밈

(2) 개합수(開合手)

- 두 손을 살짝 당긴 후 가볍게 어깨 넓이로 벌렸다가 다시 제자리로 오므림

(3) 우단편(右單鞭)

- 오른발을 사선 방향으로 나가게 하고, 두 손을 양쪽으로 벌림

(4) 우운수(右運手)

- 오른발이 왼발 옆으로 오게 하고, 두 손을 몸 앞으로 모은 후 두 손을 교차하며 몸을 좌우로 돌리면서 오른쪽 옆으로 3걸음 걸어나감

(5) 개합수(開合手)

- 『2) 개합수(開合手)』와 동일한 움직임을 함

(6) 좌단편(右單鞭)

- 『3) 우단편(右單鞭)』과 방향이 반대인 동일한 움직임을 함

(7) 좌운수(左運手)

- 『4) 우운수(右運手)』와 방향은 반대인 동일한 움직임을 함

(8) 개합수(開合手)

- 『2), 5) 개합수(開合手)』와 동일

(9) 좌루슬요보(左摟膝拗步)

- 개합수의 마지막 동작에서, 오른손은 머리 옆으로, 왼손은 가슴 앞으로 오게 한 후, 몸을 왼쪽으로 돌려 왼발을 한 걸음 나가게 하면서 왼손은 내려 무릎 앞을 지나가게 하고, 오른손은 앞으로 밀면서 오른발이 왼발 뒤 옆에 따라붙게 함

(10) 수휘비파(手揮琵琶)

- 오른발을 뒤로 물러나게 하고, 왼발을 가볍게 따라 붙이면서 오른손과 왼손이 서로 교차하여 움직이게 함

(11) 진보반란추(進步搬攔捶)

- 두 손을 교차하며 앞으로 나아가다가 두 손을 주먹을 쥐고, 왼 손은 눌러 막고 오른손은 앞을 찌르는 자세를 하며 오른발을 왼발 뒤 옆으로 따라 붙게 움직임

(12) 여봉사폐(如封似閉)

- 오른발을 뒤로 물러나게 하고, 왼발을 가볍게 따라 붙이면서 두 손을 가슴 앞으로 당김

(13) 포호귀산(抱虎歸山)

- 왼발부터 한 걸음 나아가고 오른발이 왼발 뒤 옆에 따라 붙으며 동시에 두 손을 앞으로 밈

(14) 개합수(開合手)

- 몸을 오른쪽 방향으로 돌려『2), 5), 8) 개합수(開合手)』와 동일하게 움직임

(15) 우루슬요보(右摟膝拗步)

- 『9) 좌루슬요보(左摟膝拗步)』와 방향이 반대인 동일한 움직임을 함

(16) 수휘비파(手揮琵琶)- 우(右)[제수(提手)라고도 함]

- 『10) 수휘비파(手揮琵琶)』와 방향이 반대인 동일한 움직임을 함

(17) 진보반란추(進步搬攔捶)- 우(右)

- 『11) 진보반란추(進步搬攔捶)』와 방향이 반대인 동일한 움직임을 함

(18) 여봉사폐(如封似閉) - 우(右)

- 『12) 여봉사폐(如封似閉)』와 방향이 반대인 동일한 움직임을 함

(19) 포호귀산(抱虎歸山) - 우(右)

- 『13) 포호귀산(抱虎歸山)』과 방향이 반대인 동일한 움직임을 함

(20) 개합수(開合手)

- 몸을 왼쪽 방향으로 돌리되 두 발의 뒤꿈치가 맞닿도록 서서『2), 5), 8), 14) 개합수(開合手)』와 동일하게 움직임

(21) 수세(收勢)

- 『20) 개합수(開合手)』의 마지막 동작에서 두 팔을 앞으로 내밀었다가 서서히 아래로 떨어뜨린 후 두 무릎을 펴고 일어나 동작을 마침

3. 도인, 기공, 태극권의 임상 활용

1) 도인의 임상 활용

- 팔단금, 오금희 및 기타 여러 도인법은 그 임상 연구가 주

로 최근에 이루어지고 있으며 체계적 고찰 연구는 아직 거의 없는 실정임. 이에 따라 임상 연구를 중심으로 하여 그 활용을 살펴보면 다음과 같음.

(1) 팔단금의 임상 활용

- 국내의 팔단금 관련 연구를 살펴보면 대부분이 문헌 고찰 연구에 그치고 있음[238-243]
- 근골격계 질환 임상연구
  - 補腎强督蠲痺湯 처방과 팔단금 도인 운동 치료를 겸하여서 강직성 척추염에 효과가 있었다는 보고[244]
  - 1년간 팔단금 도인 운동 치료를 통해 무릎의 퇴행성 관절염의 통증과 강직, 그리고 기능의 회복에 도움이 되었다는 연구 보고[245]
- 순환기계 질환 임상 연구
  - 노인들을 대상을 팔단금을 연습시켜 혈압을 낮추고, 폐활량과 악력을 증가시키며, 하지 균형감각의 상승[246]
  - 노인들에게 매일 오전 오후 30분간 2회식 3개월간 팔단금을 수련하게 한 후 폐활량이 증가[247]
  - 관상동맥질환 환자들을 대상으로 3-6개월간 팔단금을 수련하게 하여 혈압의 감소와 심전도상의 개선[248]
- 내장 기능 개선 및 당뇨 관련 연구
  - 노인들에게 팔단금을 매주 6회 40분씩 6개월간 시행하여 장내 세균 생태 균형을 개선하고, 외인성 병원체와 내인성 병원체의 과도한 성장을 억제하며, 장내 정상 세균총의 번식과 성장에 유익한 영향을 끼친다는 연구 보고[249]
  - 2형 당뇨 환자들을 대상으로 매일 1시간씩 4개월간 팔단금을 수련하게 한 후 공복시 혈당과 당화혈색소의 감소가 있었음을 보고[250]

2) 오금희의 임상 활용

- 국내의 오금희 관련 연구를 살펴보면 대부분이 문헌 고찰 연구에 그치고 있음[251,252]
- 근골격계 질환 임상연구
  - 100례의 요추 추간판 탈출증 환자를 대상으로 50인에게 오금희를 50인에게는 요천추부의 근육 운동을 시켜 오금희가 기존 운동 치료법에 비해 더 나은 효과가 있었음을 보고[253]
  - 다열근(Multifidus m.)에 표면근전도를 적용하여 오금희가 근육의 움직임에 끼치는 영향 보고[254]
- 기타 임상연구
  - 좌귀환 처방을 매주 4회 이상, 1회 30분 이상 3개월간 오금희를 수련하는 것과 결합하여 치료해서 심인성 발기부전에 효과가 있다고 보고[255]
  - 매주 6회 45분씩 4개월간 노인들에게 오금희를 시행하여 노인들의 항산화 능력이 향상되고 장내 유산균이 증가하였다고 보고[256]

2) 기공 및 태극권 임상 활용

- 여러 가지 기공과 태극권은 임상 연구가 국내·외에서 활발하게 이루어지고 있으며 체계적 고찰 연구도 활발하게 진행되고 있음. 체계적 고찰 연구 및 여러 임상 연구를 통해 그 임상 활용을 살펴보면 다음과 같음.
  - 통증 질환 연구
  - 암 관련 연구
  - 면역 기능 관련 연구
  - 당뇨 관련 연구
  - 고혈압 관련 연구
  - 만성 심장 질환 관련 연구
  - 파킨슨 병 연구

3) 도인운동요법 / 근건이완수기요법 임상 활용

- 현 시기 상 정확한 한의사 의료행위정의에 맞는 도인운동요법과 근건이완수기요법에 대한 효과 관찰을 위한 임상 연구는 아직 없음
  - 도인운동요법의 경우 현대 운동치료 개념과 유사한 적용이 가능하므로 운동 치료가 필요한 근골격계 통증 질환, 마비환자 운동 치료, 체형 불균형자의 교정운동 치료로 활용될 수 있음
  - 근건이완수기요법의 경우 현재 명확한 임상 연구는 적으나 임상 현장에서 다양한 통증 질환에 사용되고 있음

제6절 부항요법

1. 개요

1) 정의

- 부항요법은 발관법(拔罐法), 흡통요법(吸筒療法), 흡각요법(吸角療法)이라 하며 관내(罐內)의 공기를 제거하여 음압을 발생시켜 체표에 흡착함으로 질병의 진단, 예방과 치료의 작용을 가지고 있는 자극요법

2) 역사

(1) 부항요법의 기원[257,258]

- 마왕퇴(馬王堆) 한묘(漢墓)에서 출토된『오십이병방(五十二病方)』에서 치질을 동물 뿔[角]로 치료

- 『주후비급방(肘後備急方)』에서 소뿔로 관(罐)을 만들어 창양(瘡瘍)과 농종(膿腫)에 배농(排膿)시키기 위해 사용

- 『본초강목습유(本草綱目拾遺)』에서 도자기로 만든 관에 화관법(火罐法)으로 배기(排氣)시켜 풍한두통(風寒頭痛), 현훈(眩暈), 풍비(風痹), 복통(腹痛) 등을 치료

- 『단계심법(丹溪心法)』과『외대비요(外臺秘要)』에서 죽통(竹筒)을 이용하여 수관법(水罐法)으로 배기(排氣)시킨 후에 옹저(癰疽), 정창(丁瘡), 종독(腫毒)이나 일반 악창(惡瘡)에 농혈과(膿血)과 오수(惡水)를 배출시켜 치료

(2) 서양에서의 사용[259]

- 고대 그리스시대 이전부터 의사들이 부항을 사용한 근거를 찾아 볼 수 있음
- 중세를 거쳐 영국에서는 커핑세라피(Cupping therapy), 독일에서는 슈레프코프(Schropfkopf), 프랑스에서는 방뚜즈(Vetouse), 러시아에서는 반카 등으로 발전

2. 부항요법의 치료원리

1) 일반적인 부항의 원리

- 부항요법은 관(罐)을 병변부위나 경혈에 흡착시켜 기혈(氣血)의 통창(通暢), 경락(經絡)의 소도(疎導), 병사(病邪)의 제거, 음양 평형의 조정, 항병(抗病) 능력의 증가 등으로 부정거사에 이르러 질병을 치료함[260]
  - 피부는 호흡과 배설작용이 있으므로 부항요법으로 병변부위나 심층의 조직기관의 순환이 원활하게 됨.

2) 현대의학 관점에서의 원리[261]

- 음압 형성
  - 국부 모세혈관의 충혈과 심하면 혈관 파열과 적혈구의 파괴로 표피에 자가 용혈 현상 → 조직에 대사산물을 만들어 낼 수 있음 → 체액의 전신순환을 통해 각 기관을 자극하여 그 기능을 증가시키고 인체의 저항력을 높일 수 있음
- 부항요법의 물리적 자극
  - 피부 및 혈관 수용기의 반사 경로를 통해 중추신경계에도 전달하여 흥분과 억제를 평형 되게 조절 → 신체 각 부위의 조절 및 통제 기능을 증가시키고 환부 피부에 상응되는 조직의 대사와 탐식작용을 증강 → 인체의 기능회복을 촉진시켜 질병을 빨리 치유

3. 관(罐)의 조작형식에 의한 분류(표 9-14)[262]

표 9-14. 관(罐)의 조작형식에 의한 분류

4. 시술상의 각종반응 및 임상의의

- 부항요법은 음압을 이용하여 피부에 붙임으로써 색소반응, 응고반응, 자반반응, 수포반응, 압통반응 및 기타 자각반응 등 여러 반응을 일으키며 그에 대한 임상적 의미는 다음과 같음[263-267]

1) 색소반응

- 부항을 부착한 피부표면에 남는 색을 말하는 것
- 질환의 경중과 예후를 판별하는 기준
  - 대개 옅은 홍색에서 자색 및 흑색까지 다양한데 색이 짙을수록 소속장기의 기능이 저하되어 있으며, 비 생리적인 체액이 많고 질환이 중하다고 판단함.

2) 응고반응

- 부착 시에 건강반응을 나타내고 발관 후에 부항자국이 응고되며 부착표면에 모공이 커져서 딸기와 같은 형상을 나타내는 반응
  - 국소에 비 생리적인 체액이 응집하고 있음을 나타내는 것

▶ 국소적인 조직 내에 비 생리적인 체액이 존재하여 신경세포를 자극하여 통증을 야기하게 되는데 반복된 시술로 국소의 비 생리적인 체액을 제거하면 통증이 완화 내지는 소실. 대개 응고반응이 잘 나타나는 부위는 견배부나 요부.

3) 자반반응

- 발관 후 부착표면에 속립상(粟粒狀)의 작은 것부터 손가락 크기 만한 것이 자색으로 나타나는 반응
  - 색소반응이나 응고반응과는 다름
  - 어혈이 많은 곳이나 통증이 심한 곳에 국소적으로 강자극을 가했을 때 주로 나타남

표 9-14. 관(罐)의 조작형식에 의한 분류

조작명	조작 형식	주요 적용 부위	임상적 사용
단관법 單罐法	·부항을 하나만 시술하는 것	·병변부위가 작거나 압통점이 좁은 부위 시술에 이용	·胃疾患 : 中脘穴 ·肩部疾患 : 肩井穴, 肩髃穴, 天宗穴 ·腰痛 : 腰陽關 등
다관법 多罐法	·부항을 두 개 이상 시술하는 것	·병변부위가 비교적 넓거나 압통점이 큰 경우에 이용	·좌골신경통에 신경의 분포범위
유관법 留罐法 (坐罐法)	·시술 부위에 일정 시간(약 3-15분간)을 留置하는 방법 ·여러 개의 부항을 留置시킬 때 간격을 密排法 (3.5 cm 이내의 간격)과 疏排法(7 cm 이상의 간격)으로도 나눔	·전신 부위에 이용 가능	·임상에서 활용 빈도가 가장 높음
섬관법 閃罐法	·부항을 흡착시킨 후 즉시 손목의 힘을 이용해서 拔罐시키는 것 ·피부가 潮紅色이 되도록 반복	·전신 부위에 이용 가능	·사지위약, 피부의 국소성 마목 등에 사용
주관법 走罐法 (推罐法)	·부항을 흡착시키기 전에 먼저 시술 부위에 윤활제를 바르고 흡착시킨 후 부항의 밑을 잡고 후반부에 힘을 주면서 전반부를 약간 들어 올리는 방향으로 힘을 주면서 완만한 속도로 상하좌우로 이동	·주로 견배부, 척추부, 대퇴부 등 면적이 비교적 넓고 근육이 풍부한 부위에 쓰임	·마비, 근육통, 불면증 등에 이용 ·과다한 힘을 사용하면 통증 및 피부 손상을 일으킬 수 있어 적절한 윤활제 보충과 시간 조절 필요
자락관법 刺絡罐法	·三棱鍼(무통사혈침)으로 刺絡한 후에 부항을 흡착시켜 사혈시키는 방법	·전신에 이용 가능	·감염성 열병, 내장급성질환, 간양상항에 의한 고혈압, 신경성 피부염, 옹저, 단독, 급성연조직손상 등
기타 조작법			
자선관법 自旋罐法	·부항을 흡착시킨 후 한 곳에서 이동하지 않고 부항 컵을 한 방향으로 돌리는 방법		
향관법 響罐法	·부항을 흡착시킨 후 살짝 밀고 당기는 수기를 하고 나서 힘 있게 당겨서 떼어내는 것을 반복하는 시술 방법		
제안관법 提按罐法	·부항을 흡착시킨 후 힘 있게 수직으로 부항을 누르고 당기는 동작을 번갈아 시행하는 방법		
요관법 搖罐法	·부항을 흡착시킨 후 부항과 피부가 수평을 유지한 상태에서 흔드는 방법		
진전관법 震顫罐法	·부항을 흡착시킨 후 균등한 힘으로 부항과 피부가 수직방향으로 되게 상하로 움직이는 방법		

▶ 자반반응은 부항요법에 있어서 가장 특징적인 반응이며 치료효과가 양호함으로 반응이 소실될 때까지 지속적인 시술을 할 필요가 있음

4) 수포반응

- 발관 후 치료부위에 수포가 생기는 반응으로 부항요법의 독특한 반응
  - 체표상의 분압차에 의하여 수포액이 투명층까지 나타나는 반응
  - 수포반응은 부항기의 압력이 60 cm/Hg 정도로 5분 이상 흡착하였을 때 나타남
    ▶ 수포반응이 나타났을 때는 수포반응부의 반복시술은 삼가고 이 반응이 소실된 후에 시술하는 것이 바람직함
- 단순 드레싱 및 감염방지 조치로 자연 치유 되나 일시적으로 환자에게 불편함을 줄 수 있으므로 사전에 충분히 고지하고 사후 감염 등의 후유증 방지를 위한 조치가 수반되어야 함

5) 압통반응

- 시술 시 치료부위에 통증을 느끼는 것
- 비생리적인 체액이 많을수록 강하게 느껴짐
  - 정상인은 부항시술에 따르는 압통반응은 거의 느끼지 못하며 병의 회복 과정에 따라 통증도 경감됨

6) 기타 자각반응

- 상기한 각종반응 이외에 다음과 같은 자각반응이 나타날 수 있음
  - 피로감: 대개 2-5회 시술로 발현. 피로감이 심하면 2-3일의 휴식기를 두었다가 재개
  - 급성, 단기적 근육 통증 및 불인: 계속 시술하면 자연 회복
  - 간혹 소양감과 번열

5. 부항요법의 시술 전 준비사항[268]

- 시술에 가장 적절한 체위를 취함
  - 흡착 부위에 주름이 잡히거나 환자가 체위를 변동하면서 생길 수 있는 흡착력의 저하로 부항컵이 떨어지는 것을 방지
- 소독
  - 교차 감염을 방지하기 위해 멸균 소독된 부항을 사용, 특히 자락관법 시술 시에는 1회용 부항과 삼릉침을 사용하고 폐기
- 부항 컵의 크기
  - 시술할 부위가 비교적 편평하고 연조직이 풍부한 흉배부, 요부, 둔부, 대퇴부 등은 대관(大罐)을 선택하고, 요철부위나 연조직이 적은 관절부, 두면부 등은 소관(小罐)을 사용.

6. 시술 시 금기증 및 주의사항[269,270,271]

- 금기증
  - 중등도 및 중증의 심장병
  - 전신성 부종
  - 출혈경향이 있는 환자
  - 백혈병, 빈혈
  - 고열, 전신의 극열한 경련(痙攣)
  - 예민도가 높은 자
  - 활동성 폐결핵
  - 부녀의 월경기
  - 피부의 탄력이 결여된 자
  - 극도로 쇠약자
  - 음주, 과도한 피로, 過飢, 過飽, 過渴
  - 전신성 피부병와 시술 부위의 정맥 돌출, 골절부위
  - 임산부의 요천부, 복부 및 민감한 穴位(合谷, 三陰交)

- 주의사항
  - 처음에는 약자극부터 시작
  - 피로감이 심할 경우는 2-3일 휴식을 취함
  - 자락관법 시술 시 10 mL를 넘지 않도록 주의

제7절
한방재활의학과 진료실을 많이 찾는 대표적 증상별 물리요법

1. 중풍 재활 및 말초신경손상재활

1) 경피경근온열요법, 경피경근적외선조사요법
- 관절구축에 사용, 감각이 없는 경우 주의

2) 전기치료
- 혈위도전요법(EST), 기능적 전기자극요법(FES)
  - 근육 및 신경 재교육
- 경피전기자극치료(TENS), 경근간섭저주파(ICT)
  - 마비 환자의 관절 구축 등으로 인한 통증 조절에 활용

3) 광선치료
- 종합 가시광선 조사요법
- 치료레이저 / 레이저침
  - 통증 조절 또는 욕창환자의 종창 흡수 및 치료

4) 수치료
- 하버드 탱크
  - 수중운동치료, 수중에서의 전문도인운동요법에 활용하나, 현재는 치료용 수영장을 이용하는 경우가 많음

5) 도인운동치료
- 전문도인운동요법
  - 관절가동범위, 도수근력, 일상생활동작 등을 평가한 후 운동요법 시행
    - ▶ 근육강화운동, 수동적관절운동, 자세감각훈련, 등척성 또는 등장성운동 치료매트, sling, 경사침대, 평행봉, 고정계단, 에르고미터, pulley 등

2. 척추질환 및 근골격계 통증 질환

1) 척추 질환 / 관절질환 일반

(1) 온열치료
- 표재열 : 경피경근온열요법, 경피경근적외선조사요법
- 심부열 : 혈위초음파요법, 혈위극초단파요법

(2) 전기치료
- 경근간섭저주파요법(ICT), 경피전기자극치료(TENS)

(3) 부항요법
- 건식부항(유관법, 주관법, 섬관법) 또는 자락관법

(4) 추나치료
- 단순추나(관절가동, 근막, 관절신연), 전문추나(관절교정)

(5) 도인운동치료
- 단순도인운동요법
  - 근골격계질환을 대상으로 하고, 환자에 대한 도인운동 교육과 시술자의 운동요법 뿐만 아니라 기기를 사용한 도인요법 이용 가능
- 기기도인요법
  - 도구와 기계를 이용하여 도인요법을 시행하는 것으로 견인요법, 3호형 만능기, 롤링베드 및 각종 재활운동기구 사용 가능
- 등속성도인운동요법
  - 근육과 관절의 기능장애 개선과 자세교정 목적으로 등속성 도인운동기구 사용

(6) 광선치료
- 치료레이저 / 레이저침
  - 통증 조절, 생체 자극 효과를 통한 세포 재생

2)퇴행성 관절염

(1) 만성화된 관절염
- 온열치료
  - 표재열 : 경피경근온열요법, 경피경근적외선조사요법

- 심부열 : 혈위초음파요법, 혈위단파요법, 혈위극초단파요법
- 경피경근한랭요법
  - 급성기 통증 및 염증, 붓거나 열이날 때 활용
- 수치료
  - 수중걷기 등의 수중운동
- 전기치료
  - 경근간섭저주파요법(ICT), 경피전기자극치료(TENS), 경피경혈자극요법(SSP), 경근미세전류자극요법(MET)
- 광선치료
  - 특정 전자파치료(TDP), 치료레이저, 레이저침

3) 발목염좌 등 급성상해질환

(1) 급성기

- PRICE (Protection, Resting, Icing, Compression, Elevation)

(2) 부항요법

- 주로 자락관법 활용

(3) 전기치료

- 경근간섭저주파요법(ICT), 경피전기자극치료(TENS), 경피경혈자극요법(SSP), 경근미세전류자극요법(MET)

(4) 경피경근한랭요법

- 급성기 통증 및 염증, 붓거나 열이날 때

(4) 온열치료

- 만성화 된 경우
  - 혈위초음파요법, 혈위단파요법, 혈위극초단파요법

4)류마티스관절염, 골관절염, 수근관 증후군

(1) 온열치료

- 경피경근온열요법, 혈위초음파요법, 혈위극초단파요법

(2) 수치료

- 파라핀욕

5) 비만

(1) 온열치료

- 경피경근온열요법

(2) 부항요법

- 건식부항(유관법, 주관법, 섬관법)

(3) 광선치료

- 종합 가시광선 조사요법

(4) 수치료

- 냉온교대욕

3. 흔히 사용하는 치료 기기 사용 실기

1) 경근간섭저주파

① 먼저 환자가 경근간섭저주파 치료기의 금기증에 해당되는지 확인
② 환자를 베드에 바로 눕히고, 환부에 상처가 없는지 확인
③ 환부의 경피 부위를 알콜솜으로 소독
④ 치료기의 스위치를 켜고 치료 시간, 주파수 등의 조작버튼을 셋팅
⑤ 환자에게 경근간섭저주파 치료기를 부착하겠다고 설명
⑥ 4극 도자의 패드에 물 스프레이를 뿌려 통전이 잘 되도록 한 뒤, 통증이 있는 경근을 중심으로 상하좌우에 배치
⑦ 자극 강도를 점차적으로 높이며 환자의 허리에 적절한 자극이 오는지 불편한 부분이 없는지 반드시 물어볼 것
⑧ 경근간섭저주파 치료기의 종료 타이머가 울리면 치료

기의 도자를 탈락시키고 마무리 함

⑨ 환자에게 치료가 끝났다고 설명하고, 불편함은 없었는지 물어보고 살펴봄

2) 혈위 초음파

① 먼저 환자가 혈위초음파 치료기의 금기증에 해당되는지 확인

② 환자를 베드에 바로 눕히고, 환부에 상처가 없는지 확인하고 환부의 혈위를 알콜솜으로 소독

③ 환자에게 혈위초음파 치료를 하겠다고 설명함

④ 혈위초음파 치료기의 스위치를 켜고 조작부가 영점으로 되어 있는지 확인

⑤ 환부의 혈위에 초음파 치료용 겔을 넓게 바르고 치료용 도자의 헤드를 겔 위에 미끄러지듯 문질러 혈위에 밀착시킴

- 도자의 head가 조직면과 평행으로 대면되도록 접촉각을 확인하고, 경혈 위에서 이동할 때는 일정한 속도로 천천히 움직이며, 공기 중에서는 조작하지 않아야 함
- 치료 시 도자 head의 접촉 이동속도는 2.5 cm/sec) 정도이고, 이동거리는 5 cm, 압박은 120 Psi (8.4 kgf/cm^2)
- 도자 head의 이동법은 고정을 시키는 고정법과 수평이동, 원형이동, 지그재그 이동을 시키는 이동법이 있음

⑥ 치료강도를 약(弱)부터 중(中)으로 올리며 환자의 허리에 적절한 자극이 오는지 불편한 부분이 없는지 물어봄

- 치료 강도는 약(弱)이 0.5-1 W/㎠이며, 중(中)이 1-2 W/㎠으로 통증이나 따가움이 없는 정도에서 결정

⑦ 치료 시간이 종료되면, 도자의 head를 혈위에서 떼어내고 혈위에 묻은 겔을 타올로 닦아냄

- 치료 시간은 급성, 아급성인 경우 3-5분 정도이며, 만성인 경우 5-10분 정도 시술

⑧ 환자에게 치료가 끝났다고 설명하고, 불편함은 없었는지 물어보고 확인

참고문헌

1. Kellaway D. The William Osler medal essay. The part played by electric fish in the early history of bioelectricity and electrotherapy. Bull Hist Med. 1946;20;112-37.
2. Stillings D. ARTIFACT: The piscean origin of medical electricity. Med Inst. 1973;7(2):163-4.
3. Schechter DS. Origins of electrotherapy. New York State J Med. 1971;997-1008.
4. Licht S. Therapeutic Electricity and Ultraviolet Irradiation: History of Electrotherapy. Physical Medicine Library 4.1. 1959.
5. Wall PD, Sweet WH. Temporary abolition of pain in man. Science. 1967:155:108-9.
6. Licht S. Therapeutic Electricity and Ultraviolet Irradiation: History of Electrotherapy. Physical Medicine Library 4.1. 1959.
7. Stillings D. A survey of the history of electrical stimulation for pain to 1900. Med Inst. 1975;9(6):255-9.
8. Lu S. Acupuncture and Moxibustion in the treatment of dermatoses. J TCM. 1993;13(1):69-75.
9. Fulder S. The Handbook of Complementary Medicine. Kent. Coronet. 1989:129-30.
10. Ahn SH. A new opinion about the electrical peculiarity of meridian and acupoint. J Meridian & Acupoint. 2008;25(2):33-41.
11. Ahn SH. A new opinion about the electrical peculiarity of meridian and acupoint. J Meridian & Acupoint. 2008;25(2):33-41.
12. 이명종. 저주파자극치료기의 한의학적 이용 방법 연구. 대한한방소아과학회지. 1996;10(1):151-8.
13. 유원근, 이명종. 항강증에 대한 간섭파 치료기의 한의학적 임상연구에 관한 연구. 한방재활의학과학회지. 1998:8(1):64-71.
14. 이재형 외. 최신 전기치료학. 서울:대학서림. 2011:63-67.
15. 민경옥. 전기치료학. 서울:현문사. 2001:52-55.
16. 이인학 외. 물리적 인자 치료 Ⅰ - 전기치료학. 서울:현문사. 2012:42-46.
17. 이재형 외. 최신 전기치료학. 서울:대학서림. 2011:63-67.

18. 민경옥. 전기치료학. 서울:현문사. 2001:52-55.

19. 이인학 외. 물리적 인자 치료 Ⅰ - 전기치료학. 서울:현문사. 2012:42-46.

20. 이재형 외. 최신 전기치료학. 서울:대학서림. 2011:90-93.

21. 민경옥. 전기치료학. 서울:현문사. 2001:75-85.

22. 이인학 외. 물리적 인자 치료 Ⅰ - 전기치료학. 서울:현문사. 2012:46-56.

23. 이재형 외. 최신 전기치료학. 서울:대학서림. 2011:124-126.

24. 민경옥. 전기치료학. 서울:현문사. 2001:42-49.

25. 이인학 외. 물리적 인자 치료 Ⅰ - 전기치료학. 서울:현문사. 2012:31-32.

26. 이재형 외. 최신 전기치료학. 서울:대학서림. 2011:124-126.

27. 민경옥. 전기치료학. 서울:현문사. 2001:42-49.

28. 이인학 외. 물리적 인자 치료 Ⅰ - 전기치료학. 서울:현문사. 2012:31-32.

29. 이재형 외. 최신 전기치료학. 서울:대학서림. 2011:129-130.

30. 이재형 외. 최신 전기치료학. 서울:대학서림. 2011:124-126.

31. 민경옥. 전기치료학. 서울:현문사. 2001:42-49.

32. 이인학 외. 물리적 인자 치료 Ⅰ - 전기치료학. 서울:현문사. 2012:31-32.

33. 이재형 외. 최신 전기치료학. 서울:대학서림. 2011:124-126.

34. 민경옥. 전기치료학. 서울:현문사. 2001:42-49.

35. 이인학 외. 물리적 인자 치료 Ⅰ - 전기치료학. 서울:현문사. 2012:31-32.

36. 이재형 외. 최신 전기치료학. 서울:대학서림. 2011:276.

37. 이인학 외. 물리적 인자 치료 Ⅰ - 전기치료학. 서울:현문사. 2012:198.

38. 홍서영, 조현철, 김융기, 임형호. 한방통전약물요법의 근골격계 질환에 대한 임상 보고. 한방재활의학과학회지. 2003;13(3):113-20.

39. 이승호, 최천필, 김지훈. 피부과학에서의 이온이동법. 대한피부과학회지. 2013;51(6):409-14.

40. Hadgraft J, Walters KA, Guy RH. Epidermal lipids and topical delivery. Semicars in Dermatology. 1992;11:139-44.

41. 이승호, 최천필, 김지훈. 피부과학에서의 이온이동법. 대한피부과학회지 2013;51(6):409-14.

42. 오재근, 신현택, 배정환, 송동석, 신현대. 이온삼투요법의 한방임상응용을 위한 한약제재의 농도별 전기영동분석 및 피부 투과성에 관한 연구. 한방재활의학과학회지. 1999;9(1):129-47.

43. 이재형 외. 최신 전기치료학. 서울:대학서림. 2011:23.

44. 이인학 외. 물리적 인자 치료 Ⅰ - 전기치료학. 서울:현문사. 2012:5.

45. 이재형 외. 최신 전기치료학. 서울:대학서림. 2011:311.

46. 2008 Electrotherapy 203p Stimulation of a nerve using electrical currents "For this reason~"

47. 민경옥. 전기치료학. 서울:현문사. 2001:254.

48. 이재형 외. 최신 전기치료학. 서울:대학서림. 2011:335-39, 347.

49. 민경옥. 전기치료학. 서울:현문사. 2001:287.

50. 이재형 외. 최신 전기치료학. 서울:대학서림. 2011:307-11.

51. Wong CK. Strain counterstrain: current concepts and clinical evidence. Manual Therapy. 2012;17(1):2–8.

52. Travell, Janet; Simons David; Simons Lois (1999). Myofascial Pain and Dysfunction: The Trigger Point Manual (2 vol. set, 2nd Ed.). USA: Lippincott Williams &Williams.

53. 민경옥. 전기치료학. 서울:현문사. 2001:267

54. 이인학 외. 물리적 인자 치료 Ⅰ - 전기치료학. 서울:현문사. 2012:241.

55. Sok SH, Kim KB. Effects of Muscle Electric Stimulation on Chronic Knee Pain, Activities of Daily Living, and Living Satisfaction for Korean Elderly Women. J Korean Acad Nurs. 2007;37(3):305-12.

56. Beom JW, Han TR. Treatment of dysphagia in patients with brain disorders. J Korean Med Assoc. 2013;51(1):7-15.

57. 김택연, 원상희, 박현식. 대퇴사두근의 등척성 운동과 전기자극에 의한 근력 증가 비교. 대한정형도수치료학회지. 2008;14(1):31-8.

58. Kandel, Eric R.; James H. Schwartz; Thomas M. Jessell (2000). Principles of Neural Science (4th edition ed.). New York: McGraw-Hill. pp. 482–486. ISBN 0-8385-7701-6.

59. 민경옥. 전기치료학. 서울:현문사. 2001:5.

60. 이재형 외. 최신 전기치료학. 서울:대학서림. 2011:26.

61. Banerjee, P.; Caulfield, B; Crowe, L; Clark, A (2005). "Prolonged electrical muscle stimulation exercise improves strength and aerobic capacity in healthy sedentary adults". Journal of Applied Physiology 99 (6): 2307–

11. doi:10.1152/japplphysiol.00891.2004. PMID 16081619.

62. Robinson, Andrew J; Lynn Snyder-Mackler (2007-09-01). Clinical Electrophysiology: Electrotherapy and Electrophysiologic Testing (Third ed.). Lippincott Williams &Wilkins. ISBN 0781744849.

63. 2008 Electrotherapy - 254p Box 16.1

64. 2008 Electrotherapy - 254p Box 16.1

65. 이재형 외. 최신 전기치료학. 서울:대학서림. 2011:451.

66. 이인학 외. 물리적 인자 치료 I - 전기치료학. 서울:현문사. 2012:323-4.

67. Johnson, M, Martinson M. Efficacy of electrical nerve stimulation for chronic musculoskeletal pain: A meta-analysis of randomized controlled trials. Pain. 2007;130(1–2):157–65.

68. Bjordal JM, Johnson MI, Ljunggreen AE. Transcutaneous electrical nerve stimulation (TENS) can reduce postoperative analgesic consumption. A meta-analysis with assessment of optimal treatment parameters for postoperative pain. European Journal of Pain. 2003;7(2):181–88.

69. 2008 Electrotherapy - 280p TENS and postoperative pain에서는 다른 견해(inconclusive)

70. 2008 Electrotherapy - 264-265p Contraindications

71. 이재형 외. 최신 전기치료학. 서울:대학서림. 2011:452.

72. 이인학 외. 물리적 인자 치료 I - 전기치료학. 서울:현문사. 2012:324.

73. Park HG, Lee JS. The Comparative Study on the Frequency of Transcutaneous Electrical Nerve Stimulation for Delayed-Onset Muscle Soreness. J Oriental Rehab Med. 2013;23(2):63-72.

74. 민경옥. 전기치료학. 서울:현문사. 2001:524.

75. Liberson WT, Holmquest HJ, Scot D, Dow M. Functional electrotherapy: Stimulation of the peroneal nerve synchronized with the swing phase of the gait of hemiplegic patients. Archives of physical medicine and rehabilitation. 1961;42:101–05.

76. 민경옥. 전기치료학. 서울:현문사. 2001:527.

77. 이인학 외. 물리적 인자 치료 I - 전기치료학. 서울:현문사. 2012:274-75.

78. Functional Electrical Stimulation(FES) : Transforming Clinical Trials to Neuro-Rehabilitation Clinical Practice - A Forward Perspective. Gad Alon. J Nov Physiother 2013 3:5

79. 민경옥. 전기치료학. 서울:현문사. 2001:541-5.

80. 이인학 외. 물리적 인자 치료 I - 전기치료학. 서울:현문사. 2012:274.

81. Yang CY, Shin BC, Chong BH. The Effect of Double Application of Functional Electrical Stimulation in Patients with Dysphgia after Stroke. J Oriental Rehab Med. 2008;18(1):111-23.

82. Heo I, Heo KH, Hwang EH, Shin BC, Hwang MS. A Case Report on Patient with Guillain-Barre Syndrome Improved by Korean Medical Combined Treatment. JKMR. 2015;25(1):95-101.

83. 이재형 외. 최신 전기치료학. 서울:대학서림. 2011:25, 383.

84. 2008 Electrotherapy - 298p Introduction 마지막 문단 "Reports of the effectiveness~"

85. 2008 Electrotherapy - 298p Physical principles of Interferential Current

86. 2007 Practical Electrotherapy 137p 2번째 줄 "the basic principles ~ beat frequency"

87. 2008 Electrotherapy - 298p Fig. 17.1, 299p Table 17.1

88. 민경옥. 전기치료학. 서울:현문사. 2001:328.

89. 이재형 외. 최신 전기치료학. 서울:대학서림. 2011:408-9.

90. 2008 Electrotherapy p.318-311.

91. 민경옥. 전기치료학. 서울:현문사. 2001:328.

92. 이재형 외. 최신 전기치료학. 서울:대학서림. 2011:409-10.

93. 박중서. 은침전기자극치료기. 영동대학교. http://ydpt.youngdong.ac.kr/community/wp-content/blogs.dir/2/files/group-documents/148/1370918137-16SSP.pdf

94. 박중서. 은침전기자극치료기. 영동대학교. http://ydpt.youngdong.ac.kr/community/wp-content/blogs.dir/2/files/group-documents/148/1370918137-16SSP.pdf

95. 김유진, 이은주, 조지숙, 이충휘. 침형 경피신경 전기자극과 은침 전기자극 치료가 압통 역치에 미치는 효과. 한국전문물리치료학회지. 1995;2(2):66-71.

96. 박중서. 은침전기자극치료기. 영동대학교. http://ydpt.youngdong.ac.kr/community/wp-content/blogs.dir/2/files/

group-documents/148/1370918137-16SSP.pdf

97. Carley HI, Wanapel SF. Electrotherapy for acceleration of wound healing: low intensity direct current. Arch Phys Med Rehabil. 1985;66:443-6.

98. Cheng N. The effect of electric current on ATP generation protein synthesis and membrane trasport in skin. Clin Orthop. 1982;171:264-72.

99. 류지미, 김성수, 김경석, 정석희. 미세전류치료의 최근 임상연구논문 고찰. 한방재활의학과학회지. 2008;18(4):121-33.

100. Gault W, Gatens P. Use of low intensity direct current in management of ischemic skin ulcers. Phys Ther. 1976;56:265-9.

101. Nessler JP, Mass DP. Direct current electrical stimulation of tendon healing in vitro. Clin Orthop. 1985;217:303.

102. Lee HA, Kim SH, Hwang DH, Yoo L, Yu JH, Kim MJ, Cho SK, Kim HS. The Effect of Micro-current Electrical Therapy on Muscle Atrophy and Delayed Wound Healing Process Induced Rat Caused by Traumatic Peripheral Nerve Injury. Journal of Biomedical Engineering Research. 2018;39:1-9.

103. Choi HJ, Kim SS. Efficacy of Microcurrent Electrical Neuromuscular Stimulation with Different Types of Stimulating Electrodes. Journal of Korean Medicine Rehabilitation. 2013;23(3):107-16.

104. 윤기철. 골 재생 치료를 위한 중간엽 줄기세포 전기적 미세전류자극 및 조직 촉진에 관한 연구. 고려대학교. 석사학위논문. 2019.

105. Cho WS, Kim YN, Kim YS, Hwang TY, Jin HK. The Effects of Microcurrent Treatment and Ultrasound Treatment on the Pain Relief and Functional Recovery after Total Knee Replacement. J Kor Soc Phys Ther. 2102;24(2):118-26.

106. 민경옥. 전기치료학. 서울:현문사. 2001:564.

107. 이인학 외. 물리적 인자 치료 I - 전기치료학. 서울:현문사. 2012:416-7.

108. 민경옥. 전기치료학. 서울:현문사. 2001:597-602.

109. 민경옥. 전기치료학. 서울:현문사. 2001:605.

110. 이인학 외. 물리적 인자 치료 I - 전기치료학. 서울:현문사. 2012:430-3.

111. 민경옥. 전기치료학. 서울:현문사. 2001:602-4.

112. 이인학 외. 물리적 인자 치료 I - 전기치료학. 서울:현문사. 2012:434-9.

113. 민경옥. 전기치료학. 서울:현문사. 2001:628.

114. 이재형 외. 최신 전기치료학. 서울:대학서림. 2011:577.

115. 이인학 외. 물리적 인자 치료 I - 전기치료학. 서울:현문사. 2012:449.

116. 민경옥. 전기치료학. 서울:현문사. 2001:628.

117. 민경옥. 전기치료학. 서울:현문사. 2001:633.

118. 이인학 외. 물리적 인자 치료 I - 전기치료학. 서울:현문사. 2012:449.

119. 이재형 외. 최신 전기치료학. 서울:대학서림. 2011:577.

120. 박래준 역. 전기치료의 이론과 실습. 4판. 서울:이퍼블릭. 2009:452.

121. 민경옥. 전기치료학. 서울:현문사. 2001:641-2.

122. 이인학 외. 물리적 인자 치료 I - 전기치료학. 서울:현문사. 2012:461-2.

123. 민경옥. 전기치료학. 서울:현문사. 2001:639.

124. 민경옥. 전기치료학. 서울:현문사. 2001:642-3.

125. 이인학 외. 물리적 인자 치료 I - 전기치료학. 서울:현문사. 2012:462-3.

126. 이재형 외. 최신 전기치료학. 서울:대학서림. 2011:603.

127. Watson T. Therapeutic Ultrasound. 2006.

128. 2008 Electrotherapy - 27p Mechanical Waves 32p Coupling Agents "it is essential~commonly used"

129. 2008 Electrotherapy - 181p ultrasound transmission "the critical angle for~ (마지막 단락)

130. 1991 Electrotherapy - 53p Chemical Reactions "Ultrasound vibrations~recombination"

131. 2008 Electrotherapy - 182p Thermal effects "When ultrasound travels~within that tissue"

132. 2007 Practical Electrotherapy - 189p Thermal effects

133. Steven Mo, Constantin-C Coussios, Len Seymour, Robert Carlisle. Ultrasound-Enhanced Drug Delivery for Cancer. Expert Opinion on Drug Delivery. 2012;9(12):1525.

134. 2008 Electrotherapy - 182p Thermal effects "Controlled

heating can produce~blood flow"

135. 1991 Principles and - 53p Tendon extensibility
136. 2008 Electrotherapy - 192p Ultrasound and pain relief "A number of~by what mechanism"
137. 2008 Electritherapy - 194p Choice of coupling medium 2 번째 문단
138. 1991 Principles and - 51p Treatment Duration, 2008 Electrotherapy 196p Duration of 참조
139. 2008 Electrotherapy - 195p Treatment Intervals "As a general rule~environment"
140. Rigby, J., R. Taggart, K. Stratton, G.K. Lewis Jr, and D.O. Draper, Multi-Hour Low Intensity Therapeutic Ultrasound (LITUS) Produced Intramuscular Heating by Sustained Acoustic Medicine. J Athl Train, 2015.
141. Toothsome research may hold key to repairing dental disasters – ExpressNews – University of Alberta. Expressnews.ualberta.ca. Retrieved on 2011-11-13.
142. 1991 Electrotherapy - 53p Mechanical Responses 中 Cavitation "The high frequency~substances"
143. 2007 Practical Electrotherapy - 191p Contraindications
144. Heinz Lohrer, Tanja Nauck, Vasileios Korakakis, Nikos Malliaropoulos. Historical ESWT Paradigms are Overcome: A Narrative Review. Hindawi Publishing Corporation BioMed Research International. vol. 2016, Article ID 3850461, 7p, 2016.
145. Bryan Chung, J. Preston Wiley. Extracorporeal Shockwave Therapy A Review. Sports Medicine. 2002;32(13):851-65.
146. Moseley HF. The natural history and clinical syndromes produced by calcified deposits in the rotator cuff. Surg Clin North Am 1963;43:1489-93.
147. Gartner J, Simons B. Analysis of calcific deposits in calcifying tendinitis. Clin Orthop Relat Res 1990;(254):111-20.
148. Wang CJ. An overview of shock wave therapy in musculoskeletal disorders. Chang Gung Med J 2003;26:220-32.
149. Wang CJ, Wang FS, Yang KD. Biological effects of extracorporeal shockwave in bone healing: a study in rabbits. Arch Orthop Trauma Surg 2008;128:879-84.
150. Delius M, Draenert K, Al Diek Y, Draenert Y. Biological effects of shock waves: in vivo effect of high energy pulses on rabbit bone. Ultrasound Med Biol 1995;21:1219-25.
151. Ludger Gerdesmeyer, Mark Henne, Michael Göbel, Peter Diehl, "Physical Principles and Generation of Shock Waves," Chapter 2.fm, pp. 11-20, Tuesday November 21 2006 6:33 PM.
152. 이정주 김재영, 송길수, 최성혜, 박창원. 체외충격파쇄석기의 안전성 및 성능평가 가이드라인 개발 연구. FDC 법제연구. 2017;12(2):117-27.
153. ISMST - International Society for Medical Shockwave Therapy Available at https://www.shockwavetherapy.org/home/.
154. Birnbaum K, Wirtz DC, Siebert CH, Heller KD. Use of extracorporeal shock-wave therapy (ESWT) in the treatment of nonunions: a review of the literature. Arch Orthop Trauma Surg. 2002;122:324-30.
155. Rompe JD, Schoellner C, Nafe B. Evaluation of low-energy extracorporeal shock-wave application for treatment of chronic plantar fasciitis. J Bone Joint Surg Am 2002;84:335-41.
156. Wang CJ, Chen HS. Shock wave therapy for patients with lateral epicondylitis of the elbow: a one- to two-year follow-up study. Am J Sports Med 2002;30:422-5.
157. Lee KJ, Oh SY. The Effects of Extracorporeal Shock Wave Therapy and Hand Therapy on Abdominal Obesity in Woman. J. Kor. Soc. Cosm. 2017;23(4):838-49.
158. 王磊, 彭金林, 张恤. 体外冲击波在经络理论指导下治疗颈腰腿疼痛性疾病的应用现状. 江西中医药.
159. 张洫. 辨证取穴及经筋结点体外冲击波治疗足底筋膜炎的临床研究. 成都中医药大学. 成都中医药大学.
160. 张新国. 体外冲击波经络腧穴法治疗膝骨性关节炎的临床疗效观察. 山西省中医药研究院
161. http://en.wikipedia.org/wiki/Light_therapy
162. 김용남. 개정판 한방물리치료학. 서울:현문사. 2000:279.
163. 김상태. 광선치료의 역사. 대한피부과학회 초록집. 2006;58(1):44.
164. 장인수, 선승호, 서형식. 양수구에 대한 역사적 고찰 및 한의임상에서 광선구의 활용 전망. 경락경혈학회지. 2010;27(4):1-4.

165. 함용운 편저. 광선치료학. 서울:현문사. 1992:16.
166. 함용운 편저. 광선치료학. 서울:현문사. 1992:16.
167. 강원형. 피부질환 아틀라스. 서울:한미의학. 2002:1-8.
168. http://en.wikipedia.org/wiki/Infrared
169. Michael Rowan-Robinson. "Night Vision: Exploring the Infrared Universe". Cambridge University Press. 2013:23.
170. 박찬의. 박래준. 광선치료 제4판. 서울:대학서림. 1996:69.
171. 함용운 편저. 광선치료학. 서울:현문사. 1992:39.
172. 박래준 역. 전기치료의 이론과 실습. 4판. 서울:이퍼블릭. 2009:460-466.
173. Shriber William J. A manual of electrotherapy. London : Henry Kimpton Publishers. 1975:32-33.
174. 박래준 역. 전기치료의 이론과 실습. 4판. 서울:이퍼블릭. 2009:472-473.
175. http://en.wikipedia.org/wiki/Ultraviolet
176. 박래준 역. 전기치료의 이론과 실습. 4판. 서울:이퍼블릭. 2009:501-2.
177. 박찬의. 박래준. 광선치료 제4판. 서울:대학서림. 1996:107.
178. Shriber William J. A manual of electrotherapy. London : Henry Kimpton Publishers. 1975:65-66.
179. 박찬의. 박래준. 광선치료 제4판. 서울:대학서림. 1996:154-157.
180. 김동하, 석보경, 맹학영. 보완대체의학개론. 서울:한올출판사. 2010:312-3.
181. 김동하, 석보경, 맹학영. 보완대체의학개론. 서울:한올출판사. 2010:312-3.
182. Jan Tunér, Lars Hode. 장인수, 신금백 역. 레이저 치료학. 도서출판 정담:서울. 2006:8.
183. https://en.wikipedia.org/wiki/Carbon_dioxide_laser
184. Raulin C, Greve B, Grema H. IPL technology:a review. Lasers Surg Med. 2003:32(2):78-87.
185. 장인수, 신금백 共譯. Tuner J, Hode L. 原著. 레이저 치료학. 서울:정담. 2006:8-22, 42, 96-103.
186. 이욱. IPL의 원리와 그 이용. 서울:도서출판 엠디월드. 2008:34-7, 84-7, 94-7.
187. 황의형, 양창섭, 장인수. 레이저침 시술에 사용되는 레이저 기기의 적용 범위에 대한 고찰. 대한침구학회지. 2009;26(1): 49-57.
188. 함용운 편저. 광선치료학. 서울:현문사. 1992:160-161.
189. 박찬의. 박래준. 광선치료 제4판. 서울:대학서림. 1996:177.
190. Jan Tunér, Lars Hode. 장인수, 신금백 역. 레이저 치료학. 도서출판 정담:서울. 2006:116.
191. 황의형, 양창섭, 장인수. 레이저침 시술에 사용되는 레이저 기기의 적용 범위에 대한 고찰. 대한침구학회지. 2009;26(1): 49-57.
192. Jan Tunér, Lars Hode. 장인수, 신금백 역. 레이저 치료학. 도서출판 정담:서울. 2006:99.
193. 장인수, 양창섭, 선승호, 정민정, 한창호, 황의형, 서형식. CO2 레이저 침구치료의 역사. Korean Journal of Acupuncture. 2019;36(1):37.
194. 양창섭. 경맥레이저치료가 혈소판 응집능에 미치는 영향: 무작위배정 단일맹검 임상연구. 우석대학교 대학원 박사학위논문. 2010:69.
195. 중국미래의학연구회. He-Ne 레이저 정맥혈관내 조사(ILIB)치료에 대한 임상의학논문. 서울:거성메디칼. 1995:1-24, 148-155.
196. 장인수, 강현철, 강신화. He-Ne 레이저 혈관내 조사(ILIB)가 고지혈증에 미치는 영향에 대한 임상보고. 대한한방내과학회지. 2000:22(4):549-54.
197. 임진훈, 이동준, 선중기, 최창원. 저용량 He-Ne 레이저 정맥내 조사가 혈중 Lipoprotein(a)에 미치는 영향. 대한 한방내과학회지. 2000;21(5):839-44.
198. 박경무, 이길재, 송윤경, 임형호. 저출력레이저치료가 어깨통증에 미치는 임상적 효과. 한방재활의학과학회지. 2010;20(1):183-92.
199. 강자연, 이기향, 장인수, 김홍준, 정민정, 서형식. 프락셔널 레이저 치료와 한의치료를 병행한 욕창치료 1례. 한방안이비인후피부과학회지. 2018;31(4):126-35.
200. 황의형, 송조, 장재호, 정현숙, 양창섭, 장인수. 레이저치료와 한방치료를 이용한 욕창 치료 임상보고 2례. 한방재활의학과학회지. 2007;17(4):243-53.
201. 이득주, 김철윤, 권강, 서형식. 하니매화레이저를 이용한 여드름 흉터 치료 1례. 한방안이비인후피부과학회지. 2016;29(2):106-11.
202. 김철윤, 서형식, 이득주, 권강. 저출력 레이저 요법 및 침 치료를 이용한 반흔성 탈모 및 원형탈모증에 대한 치험 1례. 한방안이비인후피부과학회지. 2016;29(4):182-88.
203. Cheng CZ, Li KS, Cheng DL. The principles and application of TDP. Sechun Science Technology Company.

1998:7-68.

204. 어봉우, 허 혁. 퇴행성 슬관절염에 대한 TDP의 임상적 효과: 무작위 대조 임상연구. 한방재활의학과학회지. 2012:22(3):205-13.

205. 유광수, 남성우, 박윤기, 배성수. 특정전자파가 화상 치료에 미치는 영향. 대한외과학회지. 2001;60(2):123-8.

206. 한진섭, 이경록. 원적외선과 특정전자파의 탈모증 개선효과. 대한피부미용학회지. 2010;8(1):187-99

207. 김동하, 석보경, 맹학영. 보완대체의학개론. 서울:한올출판사. 2010:321.

208. http://en.wikipedia.org/wiki/Hydrotherapy

209. Metcalfe, Richard. Life of Vincent Priessnitz, Founder of Hydropathy. London::Simpkin, Marshall, Hamilton, Kent & Co. 1898.

210. Wilson, Erasmus. The Eastern or Turkish Bath; Its History, Rebirth in Britain, and Application to the Purposes of Health. London:John Churchill. 1861.

211. Jouanna Jacques, van der Eijk Philip, Allies Neil. Greek Medicine from Hippocrates to Galen: Selected Papers. Leiden ;Boston :Brill,2012:82.

212. 이승주 외 공역. 수치료학. 서울:현문사. 2002:4.

213. John Floyer & Edward Batnard. Psychrolousia. Or, the History of Cold Bathing: Both Ancient and Modern. In Two Parts. 1702.

214. Currie, James. "Medical Reports, on the Effects of Water, Cold and Warm, as a remedy in Fever and Other Diseases, Whether applied to the Surface of the Body, or used Internally". Including an Inquiry into the Circumstances that render Cold Drink, or the Cold Bath, Dangerous in Health, to which are added; Observations on the Nature of Fever; and on the effects of Opium, Alcohol, and Inanition. 1805.

215. Claridge, Capt. R.T. Hydropathy; or The Cold Water Cure, as practiced by Vincent Priessnitz, at Graefenberg, Silesia, Austria. (5th ed.). London: James Madden and Co. 1843.

216. 박종철 외 편저. 수치료의 이론과 실제 제6판. 서울:현문사. 2016:50.

217. 김선종, 임양의, 권영달, 송용선. 水治療에 대한 文獻的 考察. 한방재활의학과학회지. 2001;11(1):97-112.

218. 민경옥 외. 최신 수치료학. 경기도:하늘뜨락. 2012:122.

219. 박종철 외 편저. 수치료의 이론과 실제 제6판. 서울:현문사. 2016:110, 122, 135, 138, 140, 143, 145, 152, 154, 155

220. 박종철 외 편저. 수치료의 이론과 실제 제6판. 서울:현문사. 2016:164, 172, 173, 157, 184, 200, 202, 208, 209,

221. 민경옥 외. 최신 수치료학. 경기도:하늘뜨락. 2012:233.

222. 박종철 외 편저. 수치료의 이론과 실제 제6판. 서울:현문사. 2016:221

223. 박종철 외 편저. 수치료의 이론과 실제 제6판. 서울:현문사. 2016:216, 219, 220

224. 이화진, 박히준, 채윤병, 안창식, 백유상, 박무원, 이혜정. 馬王堆『導引圖』중 醫療氣功法에 대한 考察. 경락경혈학회지. 2009;26(1):1-25.

225. 吉布. 圖解千年導引術. 中國:陝西師範大學出版社. 2007.

226. 김용. 中國氣功學의 研究(I) : 八段錦을 中心으로. 우석대학교 논문집 8:193-205, 1986.

227. 박문현. 주역과 기공 -『주역참동계』를 중심으로-. 한국정신과학학회지. 2000;4(2):1-16.

228. 한창현, 이상남, 권영규, 안상우, 최선미. 한국 저널에 게재된 기공관련 임상 연구 동향 분석. 대한한의학원전학회지 21(3):291-306, 2008.

229. 김용재. 오행사상과 오금희 동작의 상관관계 연구. 고려대학교 의용과학대학원, 2011.

230. 吉布. 圖解千年導引術. 中國:陝西師範大學出版社. 2007

231. 유승우. 인체 전기 발전공 입문. 2006.

232. 황의형, 양창섭 저, 류승권 감수. 의료기공학. 부산:부산대학교출판부. 2013.

233. 황의형, 양창섭 저, 류승권 감수. 의료기공학. 부산:부산대학교출판부. 2013.

234. 王 禮. 形意拳精義. 中國:國營晉西機器廠工會委員會. 1983.

235. 王 禮. 形意拳精義. 中國:國營晉西機器廠工會委員會. 1983.

236. 황의형, 양창섭 저, 류승권 감수. 의료기공학. 부산:부산대학교출판부. 2013.

237. 황의형, 허광호, 이금산. 운동요법으로서 태극권이 혈압에 미치는 영향 : 신속 체계적 고찰. 2013;23(1):101-13.

238. 장재훈, 김준한, 송성애, 손인철. 팔단금의 문헌적 연구. 대한의료기공학회지. 2000;4(2):98-133.

239. 이상재, 백진웅, 김광호.《修眞十書》에 기재된 鐘離八段錦의 수련방법에 대한 연구. 대한예방한의학회지. 2001;5(1):1-9.

240. 김재호. 동의보감의 양생사상에 나타난 도인법에 관한 연구. 동아대학교. 1997.

241. 이용태, 김경철. 팔단금의 원리와 수련에 대한 연구. 동의한의연구. 1997;1:65-82.

242. 이상엽. 八段錦 및 陳希夷坐功法과 經絡經筋學說과의 聯關性에 대한 硏究. 우석대학교. 2001.

243. 신현정, 허일웅, 전태원. 老人運動療法으로서의 Health Qigong(健身氣功) 硏究. 한국정신과학회 학술대회 논문집. 2007;27:177-92.

244. 刘江, 韦锐斌. 八段锦联合补肾强督蠲痹汤治疗强直性脊柱炎临床研究. 长春中医药大学学报. 2012;28(6):992-3.

245. An BC, Wang Y, Jiang X, Lu HS, Fang ZY, Wang Y, Dai KR. Effects of Baduanjin Exercise on Knee Osteoarthritis : A One-Year Study. Chin J Integr Med. 2013;19(2):143-8.

246. 翟凤鸣, 陈玉娟, 黄志芳, 崔巴特尔, 李立. 八段锦运动对老年人生理功能的影响. 中国老年学杂志. 2013;33:1402-4.

247. 鲍丽颖, 汪洋, 刘俊荣. 健身气功"八段锦"对不同血脂水平中老年人肺活量的影响. 中国老年学杂志. 2013;33:1140-1.

248. 史丽英. 传统八段锦在冠心病护理中的应用. 中国社区医师. 2013;15(2):341.

249. Sun HM. Beneficial Influence on the Breeding and Growth of Intestinal Flora through Gymnastic Qigong - Baduanjin Exercise in the Aged. Chin J Sports Med. 2012;31(11):973-77.

250. Guan YX, Wang SS, Ma MN. Effect of Baduanjin-based exercise intervention on related parameters in type 2 diabetes patients. J Nur Sci. 2012;27(19):23-4.

251. 정현우. 仿生導引 五禽戲와 臟腑와의 상관성 연구. 동의생리병리학회지. 2012;26(1):1-9.

252. 유경곤. 요추 질환에 대한 오금희의 임상적 활용 연구. 원광대학교 대학원. 2013.

253. 崔屹. 五禽戏在腰椎间盘突出症保守治疗病人中的应用. 护理研究. 2012;26(7):1763-4.

254. 白玉花, 董利薇, 王军如, 曾建业, 张静. 五禽戏对改善腰骶部多裂肌功能的影响. 2012;27(4):368-70.

255. Jing T, Shen HJ, Liu YL, Huang J, Sun ZX, Tang ZA. Effect of Zuogui Pill Combined with Five Animal Exercises on the Erectile Function and Scrotum-Testicular Temperature in Patients with Psychogenic Erectile Dysfunction. J Trad Chin Med. 2012;53(23):2017-20.

256. Duan LM. Correlational Research on the Effect of Wuqinxi Exercise on Antioxidant Capacity and Intestine Lactobacillus of Old People. Chin Sport Sci Tech. 2012;48(2):112-6.

257. 소문기, 송윤경, 임형호. 수동식 부항기의 기계적 안정성과 성능의 실험적 비교연구. 한방재활의학회지. 2008;18(2):157-167.

258. 임재덕, 이철완. 부항요법의 略史 및 시술기법에 대한 연구. 대전대학교한의학연구소 논문집. 1994;4:297-318.

259. 임재덕, 이철완. 부항요법의 略史 및 시술기법에 대한 연구. 대전대학교한의학연구소 논문집. 1994;4:297-318.

260. 이병이, 송윤경, 임형호. 부항요법에 대한 문헌고찰 및 부항시술 현황 조사. 한방재활의학과학회지. 2008;18(2):169-191.

261. 이병이, 송윤경, 임형호. 부항요법에 대한 문헌고찰 및 부항시술 현황 조사. 한방재활의학과학회지. 2008;18(2):169-191.

262. 대한침구의학회 교재편찬위원회. 침구의학. 한미의학;2016:122-126.

263. 신원웅, 김성훈, 송효정. 항배견통 환자 3700례의 부항요법 시술 시 발생한 어혈반에 관한 임상관찰. 대전대학교 한의학연구소. 1998;6(2):303-11.

264. 윤혜연, 권선오, 김승태, 박히준, 함대현, 이혜정. 부항시술에 의해 형성된 수포에 관한 고찰. 대한경락경혈학회지. 2011;28(3):141-50.

265. 김수병, 이나라, 정병조, 이용흠. 부항요법에 의한 배수혈 혈색소 변화의 정량적 측정 시스템 개발 및 유의성 평가. 대한경락경혈학회지. 2011;28(3):63-71.

266. 박재덕, 이철완. 부항시술이 건강한 성인남녀의 혈액 및 DT로 측정된 배부온도변화에 미치는 영향. 동의물리요법과학회지. 1995;5(1):101-15.

267. 황은미, 왕개하, 배재익, 금동호. 흉배부에 시행한 부항요법이 자율신경계에 미치는 영향-심박연이도 측정을 통한 연구. 한방재활의학과학회지. 2013;23(1):51-64.

268. 대한침구의학회 교재편찬위원회. 침구의학. 한미의학;2016:122-126.

269. 이병이, 송윤경, 임형호. 부항요법에 대한 문헌고찰 및 부항시술 현황 조사. 한방재활의학과학회지. 2008;18(2):169-191.

270. 대한침구의학회 교재편찬위원회. 침구의학. 한미의학:2016:122-126.

271. 이철완, 이학적 원리를 이용한 한방물리요법. 일중사. 46-49, 73. 1992

CHAPTER

10 養生과 보완의학

김고운(경희대학교)
김호준(동국대학교)
박태용(가톨릭관동대학교)
송미연(경희대학교)
송용선(원광대학교)
송윤경(가천대학교)
이진현(가톨릭관동대학교)

CHAPTER

10 養生과 보완의학

제1절 개론

1. 한의학과 양생

1) 개요

韓醫學의 기본 정신은 精神과 肉體를 분리하지 않고 心身을 同時에 治療하는 心身調節醫學으로서, 心身을 함께 修鍊하여 自然에 適應하고 合一하는 데에 重點을 두고 있다.

春秋戰國時代에 이미 생활의 경험과 의료 경험을 토대로 養生學說을 形成하였으며, 黃帝內經『靈樞·本神篇』에 "故智者之養生也 必順四時而適寒暑 和喜怒而安居處 節陰陽而調剛柔 如是則僻邪不至 長生久視" 라 하여 養生의 보다 具體的인 內容과 方法을 提示하였다.

古代로부터 養生은 養性, 攝生, 道生, 衛生, 保生 등으로 불리어 왔고, 또한 老年의 保健에 대하여는 壽老, 壽親, 壽世, 養老 등으로 불리어 왔다.

그 중 養生은 生命을 保養한다는 意味이며, 攝生은 具體的인 養生方法으로서 飮食起居나 勞動, 休息 또는 精神, 情志活動을 調節하고 導引按蹻 등의 運動方法을 實行하므로서 體內外의 協調를 維持하고 氣血을 旺盛하게 하여 疾病을 豫防하고 身體를 健康하게 維持하는 실천방법을 의미한다. 道生의 道는『周易·繫辭傳』에 "一陰一陽 謂之道"라는 句節에서 由來한 것으로 道生이란 말은 바로 陰陽消長進退의 規律에 따라 生命을 調攝한다는 意味로서 東洋醫學 養生理論의 特色이다.

2) 歷史

文獻上의 最初의 養生法은 三皇五帝時代에 濕에 의하여 發生된 氣血의 鬱滯를 풀기 위한 方法에서 由來하여, 春秋戰國時期에서 秦漢時期에는 儒, 道, 醫의 교류를 通하여 多樣한 養生理論과 方法이 제시되었다.

黃帝內經에는 當時의 養生原則과 方法을 자세히 수록함으로써 養生學에 대한 기초를 提供하였다. 前漢時期 遺蹟으로 推定되는 長砂, 馬王堆遺蹟은 養生의 理論과 方法을 보다 深度있게 다룸으로써 養生의 具體的 內容을 제시하고 있고, 五禽戲는 東漢時, 華佗에서 由來되었다.

魏晋南北朝에서 隋唐五代까지는 傳來의 儒敎, 道敎外에 佛敎가 轉入되어 養生內容이 한층 豊富해 졌다. 葛洪의 抱朴子는 古代 養生法을 가장 體系的이고 深度있게 整理한 書籍이며 陶弘景의 養性延命錄은 古代 諸家의 練功方法을 集大成하였고 巢元方의 諸病源候論은 魏晋南北朝以來의 養生術을 總集結하였으며 孫思邈은 千金方에서 養生을 全般的으로 詳細히 說破하여 養生學의 發展에 큰 기여를 하였다.

兩宋金元時期는 金元四大家가 出現하여 醫學理論이 多樣해짐에 따라 養生學도 多方面으로 發展하였으며 兩宋時에는 性理學의 影響으로 儒家들이 養生에 많은 關心을 기울였고 著述 또한 豊富하다. 明淸時期는 醫學의 領域이 대단히 넓어져 多樣한 醫學理論이 出現하고 老年病의 豫防과 治療방법에 대한 內容도 豊富해졌고, 食養과 精神衛生, 運動養生이 크게 發展하였다.

질병이 이루어지기 전에 이를 未然에 방지하려는 豫防醫

學과 延年益壽하고자 하는 韓醫學의 養生醫學과 自然醫學의 관점은 일맥상통하는 점이 많으며, 自然醫學 및 각국의 전통의학에 대한 전 세계적인 관심이 고조되고 있는 만큼 관심을 가지고 연구되어야 할 것이다.

2. 한의학에서의 養生醫學의 특징

『內經』에서 養生에 대한 언급이 되어 있는 것은 대략 30여 篇에 이르며 그 中 에서도『素問』의『上古千眞論』과『四氣調神大論』이 養生을 專門的으로 다룬 篇이다.『內經』은 養生에 대한 구체적인 체계를 이룬 서적이라 할 수 있으며, 이후 養生醫學의 근간이 되고 있고, 그 특징은 다음과 같다.

① 『上古天眞論』에, "提挈天地把握陰陽", "和于陰陽 調于四時", "處天地之和 從八風之理", "虛邪賊風 避之有時"이라 하여 天人相應的 整體觀을 提示하여 養生防病, 祛老延年을 强調하였다.

② 『素問·四氣調神大論』에 "春夏養陽 秋冬養陰"이라 하였고,『素問·上古天眞論』에서는 "虛邪賊風 避之有時"이라 하였으며,『靈樞·本神篇』에는 "順四時而適寒暑"이라 하여 自然界의 變化에 適應하여 外邪의 侵襲을 免할 것을 强調하였다.또한 地理的 環境에 따라 人身의 體質과 病症도 달라진다고 생각하여 그에 따라 養生, 防病, 治療도 宜當 相異해야 한다는 것을 强調하였는데『素問·異法方宜論』에 "東方地域......中央者......其治宜導引按蹻 故導引按蹻者 亦從中央出也"라 하였다.

③ 『上古天眞論』中에 "恬淡虛無 眞氣從之 精神內守 病安從來", "志閑而少欲 心安而不懼" 이라 하여 老衰防止의 方法을 제시하고, 眞人, 至人, 聖人, 賢人의 四種養生家를 내세워 具體的인 養生法을 提示하였다.

④ 治未病의 豫防思想에 대해서는 內經의 全書를 貫通하고 있다.

⑤ 有效한 養生原則과 方法을 許多히 闡術하였는데 具體的으로 精神調攝, 食養과 食療, 陰陽調和, 房事節制, 五勞七傷, 形體鍛錬 등을 深度있게 다루어 體系를 세웠다.

3. 보완의학 개론

보완대체의학(Complementary and Alternative Medicine, CAM)란 "일정한 역사적 기간에 걸쳐 특정한 사회 및 문화 속에서 정치적으로 지배권을 행사하는 보건의료체계에 포함되어 있는 의학이론, 치료방법과 신념 등을 제외한 여타의 보건의료제도, 치료방법과 신념 등을 포괄하는 광범위한 영역의 치료자원을 의미한다."

세계보건기구(WHO)에 의하면 세계보건의료 형태의 65-80%가 자연치료의학인 전통의학으로 분류된다. 이러한 보건의료형태는 영국을 비롯한 유럽에서는 보완의학(complementary medicine)으로 통용되며, 미국에서는 대체의학(alternative medicine), 프랑스에서는 선택의학(selective medicine)이라 일컬어진다.

미국국립보완대체의학센터는 '현행 정통의학에 포함되지 못한 채 시행되고 있는 일련의 건강의료체계시술 및 그 산물'로 정의하고 있으며, 코크란 (The Cochrane collaboration)에서는 '한 나라의 정통의학이 어떤 것인지에 따라 그 내용은 다를 수 있다' 고 하고 있다. 따라서 서양의 경우 한의학의 침과 약을 비롯한 서양의학이 아닌 모든 것을 보완대체의학이라고 부르지만 우리나라에서는 서양의학과 한의학을 제외한 부분을 보완대체의학이라 명명함이 보다 합리적일 것이다. 즉, 의료체계가 서양의학과 한의학으로 이원화되어 있는 한국의 의료시스템에서 정통의학은 서양의학과 한의학이 될 것이고 그 외의 각국의 전통의학을 포함하는 다양한 치료방법들이 보완대체의학이라 정의되어야 할 것이다.

4. 서양의 보완의학의 역사

현대서양의학의 원류인 Hippocrates 의학의 핵심적인 내용은 균형상태로서의 건강, 환경의 중요성, 정신과 신체의 상호의존성, 자연치유력이라 부른 생명체내의 생명체 내의 自然本有의 치유력을 강조하였다. 그러나, René Descartes이후의 서양의학은 분자생물학을 과학적 신조로 삼고 있는 生醫學的 모델로서 환자를 인간적인 종합체로 보지 않고 병 자체로 보며 발전되어 왔다.

보완대체의학이 구체화된 것은 서양에서 '대체 치료운동' 이 나타난 18세기와 19세기부터이며 미국에서는 1930년대 중반까지 전성기를 구가하다가 그 시기에 여러 분야의 의학이 통합되어 현재의 '정통의학' 이 형성되면서 다른 자연적인 치료를 추구하는 의학들은 서서히 사라져 갔다. 그러나, 현대의학으로도 완치되지 않는 만성 질환의 치료에 있어서 식이와 생활 습관의 중요성이 부각되면서 최근 자연적 치료법에 대한 관심 속에 각국의 전통의학들이 현대의학에 대한 대안으로 등장하고 있다.

5. 보완의학과 양생

각국의 전통의학에서 시작된 보완대체의학은 매우 광범위하고 다양한 영역에 걸쳐 있지만 다음과 같은 공통적인 신념 및 특성을 가지고 있으며 이는 한의학에서의 양생의 기본 사상 및 실천방법과도 밀접한 관련이 있다.

① 인간은 자체적인 치유능력을 가지고 있다.

② 육체적, 정신적, 정서적, 사회심리적 건강, 생활 및 식이 습관 등이 서로 밀접히 관련되어 있다는 전일적인 건강관(holism)을 취하고 있으며, 이에 따른 조화와 균형을 강조한다.

③ 단순히 증상을 억제하고 없애려 노력하기 보다는 심신이완, 운동, 식이요법 등과 같은 신체에 가장 적게 위해를 미치는 방법 등을 우선적으로 이용하는 한편 건강에 대한 종교적, 영적 가치를 중시하고 있다.

제2절 다양한 보완의학

1. 전통의학적 치료

1) 아유르베다

'아유르베다(Ayurveda)'라는 말은 '생명의 과학'이라는 뜻의 산스크리트어로 아유(Ayu)는 '삶', 또는 '일상 생활'을 의미하며, 베다(Veda)는 '앎'이라는 뜻이다. 아유르베다는 진리를 깨달은 성취자들의 명상 속에서 발전되어 왔으며, 인간을 소우주로 바라보아서 모든 물질 속에 존재하는 기본 요소인 '에테르(虛空), 地, 水, 火, 風' 이 모든 개인에게도 존재한다고 본다.

이러한 다섯가지 요소가 인간의 육체 안에서 세 가지 기본적인 성분, 또는 기질로 나타나는데 이것을 바타(Vata), 피타(Pitta), 카파(Kapa)라고 하는 트리도샤(Tridosha)이다. 이 세 가지 성분이 인간의 육체와 마음과 의식의 모든 생물학적, 심리학적, 그리고 병리학적 기능을 조절하며, 세 Dosha의 동적 균형 상태에 따라 체질을 구분한다. 개인의 특성을 형성하는 Dosha는 수정시 결정되어 평생 유지되며, 수정의 순간에 부모가 갖고 있는 Tridosha의 결합에 의하여 일곱가지 유형의 체질로 나눠게 된다(바타, 피타, 카파, 바타-피타, 바타-카파, 바타-카파, 바타-피타-카파).

아유르베다에서는 건강한 상태가 유지되기 위해 충족되는 조건을 다섯 가지로 제시하고 있는데 첫째, 소화에 관여하는 불의 성분인 아그니(agni)가 균형잡힌 상태에 있어야 한다. 둘째, 육체를 구성하는 세 성분인 바타-피타-카파가 평형상태를 유지해야 한다. 셋째, 소변, 대변, 땀의 세 가지 배설물이 정상적인 상태로 배설되어야 하며 균형을 이루어야한다. 넷째, 감각기관이 정상적으로 기능해야 한다. 다섯째, 육체와 마음과 의식이 조화로운 통일체로써 작용해야 한다. 이 다섯 가지 조건 중 한 가지라도 충족되지 못하면 질병이 발생한다.

질병을 진단할 때는 맥박, 혀, 얼굴, 눈, 손톱, 입술 등을 관찰해 체내에서 부조화 증상과 질병 반응을 일찍 찾아냄으로써 미래의 신체 반응이 어떻게 나타날 것인지를 알 수 있다.

치료에 있어서는 바타-피타-카파의 균형을 유지시키는 데에 목표를 두는데 어떤 치료법이라 하더라도 우선 질병을 일으키는 근본 원인인 독소를 제거하지 않고 시작하면 결국 독소를 더 깊은 조직 속으로 밀어 넣는 결과만을 가져온다고 보고 독소의 제거와 중화를 중요하게 생각하며 이는 육체적 측면과 감정적 측면 양쪽 모두에 작용할 수 있다. 감정의 해소는 부정적인 감정이 일어났다는 사실을 완전히 의식하면서 그 감정이 일어나서 사라질 때까지의 과정을 주시하여 그 감정이 지나가 버리도록 함으로써 그것을 해소할 수 있다. '판차카르마(Panchakarma)는 산스크리트어로 5를 뜻하는 pancha와 치료를 뜻하는 karma의 합성어'로 구토, 하제 또는 완하제, 관장제, 코 안에 약품 투여, 방혈 등의 방법을 이용하여 육체와 마음을 정화시키는 방법이다.

아유르베다에서는 인간은 누구나 자신을 치료할 수 있는 능력을 가지고 있다고 가르치고 있으며, 음식 조절과 규칙적인 생활을 강조하고 나아가서 요가나 호흡 조절, 또는 삶에 조화와 행복을 가져올 수 있는 영적 수행도 긴요한 것으로 보고 있다. 이러한 생활에서의 자세에 대한 강조는 아유르베다가 간단하면서도 실질적인 생활의 과학이며 일상에서 누구나 쉽게 접근이 가능한 생활의학이고, 수십세기에 걸쳐 다듬어진 건강지침이 될 수 있도록 만드는 원동력이라 할 수 있다.

(1) 한의학과의 연관성

① 자연적 철학관을 기초로 인간은 소우주라는 관점에서 인체의 생리와 병리적 현상을 해석한다. 자연과 인간이 본질에 있어 일맥상통하는 존재라고 보고 한의학에서는 우주를 목화토금수 다섯가지 요소의 상호 관계로 보고 아유르베다에서는 에테르(虛空), 地, 水, 火, 風의 다섯가지 요소로 해석한다.

② 공통점

- 중용의 상태를 상실한 마음이 질병을 유발한다는 심신의학이다.
- 맥박, 혀, 얼굴, 눈, 손톱, 입술 등을 관찰해 질병 유무를 체크한다.
- 일상생활에서 꾸준히 음식 조절과 규칙적인 생활, 호흡 조절의 중요성을 강조한 생활 속 건강지침이다.

③ 체질의학과의 차이점

한의학에서는 태음, 소음, 태양, 소양의 네가지 체질로 구분하였으나 아유르베다에서는 바타, 피타, 카파의 세가지 체질로 분류하였다.

2) 동종요법

동종요법은『유사한』,『비슷한』을 뜻하는 고대 그리스어 'homoios' 와『고통』을 뜻하는 'pathos' 의 합성어이다. 히포크라테스가 기원전 4세기 동종의 원리를 처음으로 발견하였고 2000여년 뒤인 1790년대 독일의사 새뮤얼 하네만에 의해 치료법으로 자리잡았다. 18세기 후반 독일의 사무엘 하네만은 질병치료를 위해 피를 내는 사혈요법과 발포제를 사용하는 당시의 치료법에 회의를 느껴 자연치유를 도와주는 역할을 중시하는 새로운 치료법을 창안하게 되었다.

말라리아에 효과가 있는 것으로 잘 알려진 키니네를 함유한 기나수 껍질을 건강한 사람이 복용하면 말라리아 환자에게서 보이는 것과 같은 증상과 체열을 나타내는 것으로부터 하네만은 '건강한 사람에게 어떤 특정한 증상을 유발하는 약물은, 그 증상을 나타내는 환자를 치유할 수 있는 힘을 가지고 있다' 라고 주장하고 다음과 같은 동종요법의 원리를 제시하였다.

(1) 비슷한 것은 비슷한 것을 치료한다(유사법칙)

하네만 박사에 의하면, '각 개인의 질병은 치료제가 질병에서 나타나는 증상과 거의 비슷하고 거의 일치하는 증상을 나타낼 경우 가장 확실하고 완전히 그리고 영원히 치유된다.' 라고 말하고 있다. 이것은 다른 말로 바꾸자면 다량은 그 질병과 같은 증상을 나타내지만 매우 소량은 질병을 고친다는 의미이다.

(2) 치료제를 더 많이 희석할수록, 그 효력은 강해진다(극미량의 법칙)

많은 사람들이 생각하기에 많은 양의 약을 투여하면, 치료의 효과도 그만큼 커진다고 생각한다. 그러나 동종 요법에서는 그와 반대이다. 적게 쓰면 적게 쓸수록 효과는 커진다.

(3) 각각의 질병은 개개인마다 특징적이다(전인적 의학적 모델)

기존의 서양의학에서는 어떤 증상을 가진 사람을 모두 같은 약으로 치료하고 있지만, 동종요법에서는 각각의 사람들에게 다른 치료제가 있다고 믿고 있다. 편두통의 경우 서양의 의학에서는 모두에게 같은 치료를 하지만 두통에는 200가지 이상의 증상이 있고 이것에 따른 치료를 해야 한다.

동종요법은 거의 모든 질병과 의학적 상태에 치료적 효과가 있는 자연의학의 완전한 시스템으로 받아들여지고 있으며 동종요법의 장기적인 효과는 현존하고 있는 증상을 경감시키는 것 뿐만 아니라, 신체 내부의 질서를 재정립시키는데 있다. 동종요법의 류마티스 관절염에 대한 효과도 보고되기도 하고 최근 점점 더 많은 동종요법의 임상 시험 결과가 나오고 있다.

(4) 한의학과의 연관성

① 동종요법의 전통의학으로서의 의미

동종요법은 生氣論과 機械論이라는 대립되는 학문적 전승구조로부터 잉태된 全一醫學으로서 그 이론적 성립과 성장배경에서 직간접적으로 동양학문의 사상적 배경과 한의학 이론이 변용된 상태로 흡수된 독일 전통의학의 一種이다. 동종요법의 유사 원리는 천연약물의 유기체에서의 발현증상과 질병증상을 서로 대비하여 약제를 선택한다는 점에서, 동일 질환이라도 증상과 개체특성에 따라 치료를 달리하는 한의학의 隨證치료와 유사하다. 또한 外形과 病症과 심리상태의 상관성을 연계한 점에서 심신의학의 질병관을 갖는다. 하지만 한의학의 寒極生熱, 熱極生寒의 假熱, 假寒의 병리에서 해석될 뿐, 전반적인 변증치법으로 보기에는 무리가 있다.

② 체질의학과의 상관성

心身相關論, 선천적 체질결정론 등의 이론은 사상체질론과 비슷한 면이 있다. 하지만 동종요법의 체질유형은 약제반응에 의한 유형적 분류이므로 다양한 체질유형을 이루나 사상의학의 체질유형은 다양한 병증을 4체질 병증으로 귀납한다. 또한 동종요법은 사상의학에서의 表病證 혹은 裏病證의 부분적 개념만을 설명한다고 볼 수 있다.

③ 동종요법의 유사의 원리

'以毒除毒' 혹은 '反治法' 의 의미에 상당하는 이론이다.

④ 동종요법의 소량의 법칙

미량의 유효성분으로 인체의 자기회복력을 자극하여 自然治癒를 도모하는 점에서 한약의 목표와 일맥상통한다.

3) 자연요법

자연요법은 과학적으로 검증이 되진 않았지만(pseudoscientific), '자연적인', '비침습적인' 또는 '자가회복기능(self-healing)을 증진하는' 등으로 일컬어지는 일련의 의료행위를 사용하는 대체요법의 하나이다. 자연요법의 이론 및 방법은 근거중심의학(evidence-based medicine, EBM) 보다는 생기설(vitalism)과 민간요법(folk Medicine)에 두고 있다.

자연요법은 신체가 특별한 생명 에너지를 통해 스스로를 치유할 수 있는 능력 또는 신체내부과정을 안내할 수 있는 힘에 대한 믿음에 근거한다. 자연요법은 전체적인 접근방식에 중점을 두어 수술 및 기존 의약품의 사용을 완전히 피한다. 자연요법은 스트레스 감소와 식이요법과 생활 방식의 변화를 통해 질병을 예방하는 것을 목표로 하며 종종 증거 기반 의학적인 방법을 거부한다.

상담은 일반적인 신체검사 뿐만 아니라 생활습관, 병력, 감정적 상태, 신체적 특징 등에 중점을 둔 환자 인터뷰로 시작되며, 이를 종합하여 대체적인 치료법을 제공한다. 일부 자연요법 의사들은 식이요법, 생활습관 상담과 같은 다른 전통의학적 방법을 자연요법과 통합하기도 한다.

2004 년 미국 워싱턴 주와 코네티컷에서 시행된 조사에 따르면 일반적으로 처방되는 자연 요법 치료제가 식물성 의약품, 비타민, 미네랄, 동종 요법 및 알레르기 치료제인 것으로 나타났다. 또한 2011년 알버타와 브리티시 컬럼비아의 자연요법 클리닉에서 가장 일반적으로 광고되는 치료법은 동종 요법, 식물 의학, 영양, 생활 상담 및 해독 등이 있었다.

2. 수기의학적 치료

1) 마사지

마사지는 건강 및 웰빙을 증진시킬 목적으로 리드미컬한 압박과 타격을 가하는 연부조직 수기요법으로 정의된다. 마사지는 연부조직 수기요법의 하나로, 마사지 테그닉은 일반적으로 손, 손가락, 팔꿈치, 무릎, 전완부와 같은 신체부위와 도구를 사용하여 행해진다. 마사지는 주로 신체 스트레스 및 긴장 또는 통증을 치료하는데 그 목적이 있으며, 신체 전반의 순환을 증가시키고 근육 조직의 이완을 촉진한다.

일반적으로 많이 사용되는 마사지(traditional western massage)는 경찰법(effleurage), 안마(petrissage), 고타법(tapotement), 마찰법 (friction), 강찰법(stroking), 압박법(compression) 그리고, 타진법(percussion) 등과 같은 기술을 포함하며, 효과 기전으로는 생체역학적 효과(biomechanical effects), 생리적 효과(physiological effects), 신경학적 효과(neurological effects), 심리학적 효과(psychological effects) 등이 제시되고 있다. 이러한 마사지 요법은 일반적으로 마찰, 압박, 타격 등을 기반으로 하며, 신체에 대한 의학적 지식을 기반으로 행해지는 수기요법에 비해서 보다 덜 구체적이며, 포괄적 치료 방법으로 행해지는 이완 기법이라 할 수 있다.

마사지 치료는 고대 중국, 일본, 인도, 아랍국가, 이집트, 그리스, 로마로 몇 천년을 거슬러 올라가며, 유럽 르네상스 시대에 널리 이용되게 되었고, 현대에서는 스포츠 선수 등이 많이 사용하고 있으며, 최근에는 일반인들이 스트레스 경감, 근육이완 등을 목적으로 많이 이용하고 있다.

마사지의 종류 및 방법은 각 나라에 따라서 여러 가지가 있으며, Ashiatsu, Ayurvedic massage, Burmese massage, Reflexology, Shiatsu, Thai massage, Swedish massage, Traditional Chinese massage 등이 사용되는 마사지의 종류 중에 하나라고 할 수 있다. 미국에 기반을 둔 보완대체의학센터에서는 80가지가 넘는 마사지 기술을 인정하고 있으며, 치료법으로 마사지를 도입한 가장 많은 이유는 고객의 요구와 임상적 효과 때문이라고 한다. 그리고 각종 마사지 기술들은 호흡, 신경가동, 에너지 의학, 각종 수기요법 등과 연관되어 있다.

마사지에 대한 연구에 의하면 마사지의 이점에는 통증 완화, 불안 및 우울증 감소, 일시적으로 혈압, 심박수 및 불안 상태 감소 등이 있었으며, 추가연구에서 근육 성능에 대한 회복이 즉각적으로 증가하는 것으로 나타났다. 하지만 명확한 과학적 근거를 제공하는데에는 일부 제한점이 있다.

2) 태극권

Tai Chi는 태극권(太極拳)의 중국어 발음[Tài jí quán]의 중국어 병음 표기가 혼용되던 시절에 태극[Tài jí]의 발음이 Tài chí 로 혼용되어 생겨난 용어로, 영어권에서 태극권을 Tai Chi 라고 부르게 되어 만들어진 이름이다.

태극권은 음양오행설과 경락이론, 도가의 양생이론을 바탕으로 창시된 내가권법(內家拳法)으로서, 창시 때부터 전통의학인 중의(中醫) 이론을 기반으로 만들어졌음을 천명하고 있으며, 정(精)·기(氣)·신(神)의 내면적인 수련을 중시하고, 기공(氣功) 및 양생도인법, 호신술을 절묘하게 조화해 집대성한 것으로서, 유연하고 완만한 동작 속에 기(氣)를 단전에 모아 온몸에 원활하게 유통시키고 오장육부를 강화하는 것이 두드러진 특징이다.

태극권은 다양한 유파가 있으며, 창시자의 성씨에 따라 구분하고 있다. 가장 만저 만들어진 태극권은 진씨태극권(陳氏太極拳)으로, 현재는 무술적인 용법으로 많이 알려져 있다. 세계적으로 가장 유명한 것은 양씨태극권(楊氏太極拳)이며, 일반적으로 생각하는 태극권의 이미지가 된 것이 이것이다.

현재 의료기공으로서의 가장 많이 활용되는 유파는 손씨태극권(孫氏太極拳)으로서, 내가권(內家拳)의 하나인 형의권(形意拳)의 동작과 민첩한 보법 격식을 차용하여 다른 태극권에 비해 빠르고 자세가 높은 몸 동작이 특징이며 무술 투로(套路) 안에 기공(氣功) 동작이 포함되어 있다. 이 손씨태극권을 차용하여 환자들도 할 수 있는 동작을 위주로 호주의 가정의학과 의사인 Paul Lam이 관절염 태극권(Tai chi for Arthritis)을 만들었다. 이 관절염 태극권은 단순히 무릎 관절염 뿐 아니라 다른 여러 가지 질환에 응용되어 연구되고 환자들에게 교육되고 있다.

태극권을 의료적인 목적으로 활용 시 장점은 넓은 공간도 많은 시간도 특별한 기구도 특정한 장소도 필요치 않다는데 있으며, 격렬하게 움직임으로써 자신의 기운을 소모하는 운동이 아닌 고요하게 움직이며 정신을 가다듬고 기운을 축적하는 양생 운동이라는 것이다.

여러 가지 기공과 태극권은 임상 연구가 국내·외에서 활발하게 이루어지고 있으며 체계적 고찰 연구도 활발하게 진행되고 있다. 이러한 연구들에서는 태극권은 근골격계 통증 질환(특히 관절염이나 노인들의 요통), 암(특히 유방암과 관련된 연구가 가장 많음), 면역 기능 향상, 당뇨, 고혈압, 만성 심장 질환 등에 효과가 있으며, 난치 질환으로 파킨슨 병의 관리에 도움이 된다고 보고하고 있다.

3) 척추기능요법

(1) 턱관절균형의학(TMJ Balancing Medicine)

턱관절균형의학은 턱관절을 뇌와 경근, 경락체계, 신경계 및 전신 척주(脊柱)의 균형을 조절할 수 있는 핵심 관절로 인식하여 이루어진 치료의학을 말한다. 턱관절의 다차원적인 불균형을 척추와 신경계의 구조를 무너뜨리는 주요 원인으로 보았기 때문이다.

턱에 자극을 주어 치료하는 고전적인 한의학적 접근은 이미 12세기경부터 다른 치료와 병행하여 젓가락 또는 동전 한두 닢을 입에 물려 치료하는 방법[일립금(一粒金)]으로 시작되었다. 이런 고전적 치료의학을 침구경락 음양론 및 현대 한의학의 구조의학 관점으로 새롭게 발전시켜 일반질환은 물론 만성병, 난치병의 예방, 진단 치료가 가능하도록 새로운 검사, 진단, 평가법 등을 체계화시켜 현대에 이르러 턱관절균형의학으로 정립되었다.

이런 이유로 턱관절균형의학은 신경학적 또는 근육학적으로 턱관절의 다차원적 불균형과 유기적 관계에 있는 척추와 신경계의 구조적 불균형 상태를 균형 상태로 정상화 시키는 것을 목표로 삼고 있다. 이를 위해 '구강 내 장치'를 이용해 턱(하악 & 턱관절)의 7가지 균형요소에 해당되는 다차원적인 균형위치를 찾아주게 된다. 그리고 빠른 치료회복을 위해 필요한 전신자세 훈련과 기본스트레칭운동, 걷기 및 뛰기 운동과 여러 훈련을 시행하게 되며, 이를 통해 축추를 비롯한 전신척추(脊椎)가 정렬되고 신경계가 안정화되도록 하는 현대 한의학의 구조의학이기도 하다. 그러므로 "턱관절균형의학"은 '턱관절균형'을 통한 '전신자세훈련운동의 치료의학'이라 정의할 수 있겠다.

(2) 턱관절균형요법

턱관절균형요법은 일명 턱관절자세음양교정술(TMJ Posture Yinyang Alignment Technique)이라고도 부른다. 이는 '턱관절균형의학'을 이론적 바탕으로 둔 현대한의학의 구조적 치료법이다.

"턱관절균형요법"은 한의학적 진단 치료를 기본으로 하면서도 턱관절과 전신자세훈련 운동치료 시, 구강내 균형장치 등(표준형 구강내 균형장치, 맞춤형 경추균형장치)을 보조적으로 활용한다. 경추를 비롯한 척추가 정렬을 이루도록 턱의 위치를 정하며, 이때 턱의 위치는 수평균형, 좌우중심균형, 전후중심균형, 상하중심균형의 네 가지 균형점을 모두 만족해야하고, 턱과 전신척추의 균형을 위해 바른 척추자세를 유지한 상태에서 턱의 위치를 정해야한다. 턱의 균형위치를 찾고자 하는 진단 방법론으로는 경추촉진검사, 측경부근긴장검사, 경추회전제한검사와 접촉반응분석법 등이 있다. 턱관절균형요법은 턱의 중심균형이 잡힌 상태에서 전신스트레칭을 포함하여 다양한 재활치료를 활용함으로써 보다 나은 균형 상태를 유지하게 되고 각종 질환에 대한 치료효과를 증대시킬 수 있는 방법이다.

4) 응용근신경학

Applied Kinesiology (AK)는 응용근신경학이라고 번역할 수 있는데 여기서 KINESIOLOGY는 그리스어 "kinesis"에서 비롯되어 동작(motion)이란 일반적 의미로 "logy"(학문)과 합쳐져 기존의 인간의 동작을 생체역학적(biomechanics)으로 이해 연구하는 학문이다.

그러나 여기서 앞선 형용사인 "Applied"(응용된)이 본래의 KINESIOLOGY란 학문의 본래의 의미를 포용하면서 A.K.는 더 이상 기존의 동작만을 연구하는 학문이 아닌 모든 생명체가 Motion이란 원리로 존재한다(Life is Motion)는 철학적 차원으로 승화된 종합적 의학이 되는 것이다.

(1) 주요개념

응용 근신경학은 1964년 카이로프락틱 의사 Gorge goodheart에 의해 시작되었는데, 근육활동의 기능적인 측면을 매개로 하여 카이로프랙틱, 정골요법(osteopathy), 두개골치료법(craniopathy), 임상영양학, 기능의학(functional medicine), 침구학, 자연치료법(naturopathy), 족부의학(podiatry) 등을 수용하여 통합적인 방법으로 전인적인 치료를 할 수 있도록 만들어졌다. 근육의 과긴장은 대부분 근육의 약화를 통반하며 근육의 약화야말로 일차적인 문제라는 개념에 기초를 두었다. 이러한 초기의 관찰로부터 출발하여 응용 근신경학은 인체기능의 많은 측면들의 포괄하는 넓은 체계가 되었으며, 인체기능의 많은 측면들이란 응용 근신경학의 로고에 인체를 가운데 두고 그려져 있는 건강 삼각형과(구조적, 화학적, 정신적인 3가지 측면)이 위에 겹쳐 표시되어 있는 추간공 5요소(신경, 신경림프, 신경혈관, 뇌척수액, 경락 등 5요소)로 표현되어 있다.

(2) 치료법

Applied Kinesiology는 근육의 반응을 검사하여 신경학적 기능, 척추의 미세한 변이, 내분비선의 기능, 각 내장의 기능, 악관절을 포함한 두개골의 움직임 등의 이상을 진단하고 치료하는 방법을 제시하며 그 결과를 판정하고 예후를 알 수 있도록 만들어진 치료법이다. 근육은 척수의 전각세포에서 원심성 신경을 통해서 근육의 움직임이나 긴장도를 조절하고 근육의 근방추나 건수용체는 구심성 신경을 통해서 신경계에 영향을 주기 때문에 근육의 반응은 신경계의 기능을 알 수 있는 하나의 창문이 될 수 있다.

(3) 한의학과의 연관성

① 정체관

AK는 전체성(Wholeness)과 전인적 치료를 추구한다. 즉 세포나 장기들을 서로 분리시켜 이해하는 것이 아니라 하나의 상호 교류적 총체로써 그 생명현상들을 이해하려 하는 것이다. 이것은 한의학의 정체관과 일맥상통 하는 것으로, 한의학에서도 인체는 오장배속관계를 통해 통솔관계를 가지며(예, 간-근육-눈-손톱) 경락체계를 통해 전신에 연결되어 있는 구조를 가진다고 본다.

② 조화와 통일을 추구

응용 근신경학은 로고에 인체를 가운데 두고 그려져 있는 건강 삼각형(구조적, 화학적, 정신적인 3가지 측면)의 조화를 추구한다. 이것은 한의학이 음양오행의 조화, 중용, 균형을 추구하는 것과 일맥상통 한다.

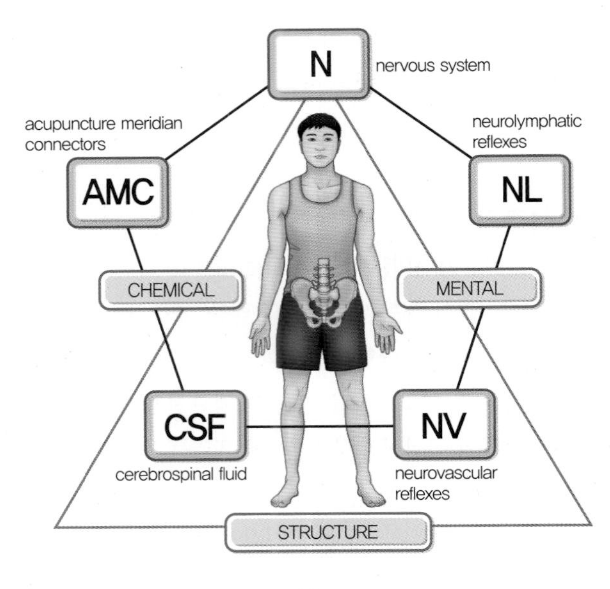

그림 10-1.

③ 근육학과 내과학의 조화

AK는 호르몬, 혈액, 신경, 임파액 등이 공동으로 근육을 내장과 연계시키며 또한 근육기능은 신체적, 정서적 건강을 반영함과 동시에 그것을 결정짓는다고 믿는다. 한의학에서도 마찬가지로 五臟(간심비폐신)을 중심으로 통솔관계를 가지며 오장에 병이나면 바깥으로 증상이 드러난다는 관점을 가지고 있다.

④ 근육과 경락의 연관관계

AK에서는 근육과 경락에 연관관계가 있는 것으로 본다. 예를 들어 폐경락은 삼각근, 전거근, 견갑거근, 오훼완근, 단모지굴근, 장모지굴근과 상관성을 가진다.

3. 외부에너지 치료

1) 기치료

(1) 개요

기치료(레이키 요법, Reiki)요법은 일본에서 발전한 보완 대체의학의 한 종류로 우스이 미카오(臼井甕男, Usui Mikao, 1865-1926)에 의해 개발되었다. 우스이 미카오는 1922년 쿠라마산(鞍馬山)에서의 21일간의 단식과 명상과정을 통해 레이키 에너지를 경험하였다고 하며, 이후 우스이 레이키 요법학회를 창설하여 환자를 치료하고 제자를 양산하기 시작하였다.

이후 우스이 마카오에게 레이키 요법을 전수 받은 하야시 추지로(林忠次郎, 1879-1940)와 그의 제자인 하와요 타카타(高田ハワヨ, 1900-1980)에 의해 미국으로 전파되어, 전 세계적으로 퍼져나가게 된다. 2007년 기준 미국내 병원의 15% 정도가 환자에게 레이키 요법을 제공하고 있다. 또한 영국의 국가 보건의료체계 트러스트(National Health Service Trust)에서도 공식적으로 레이키 요법을 추천하고 있으며, 브라질의 보건부(Ministry of Health) 에서도 레이키 요법을 보완대체의학의 한 분야로 국가 의료 체계에서 인정하고 있다.

(2) 레이키 요법의 특징

기본적으로 전체성 의학에 바탕을 둔 자연 요법이라 할 수 있다. 레이키 요법의 전수 과정은 특정한 전수과정(靈授, attunement)를 통해 이루어지는데, 이러한 과정이 전통적 레이키법에서는 3단계로, 현재 전세계적으로 통용되는 레이키법에서는 4단계로 구분되어 있으며 각각의 단계별로 시행할 수 있는 시술할 수 있는 능력의 범위가 차이가 난다고 본다.

(3) 시술방법

레이키 요법은 특정한 전수과정을 받은 시술자가 환자에게 가벼운 접촉을 통해 치료를 시행하게 되며, 이를 통해 유발되는 진동 및 미묘한 에너지를 통해 신체의 바이오필드(biofield)의 균형을 조절하고, 신체 스스로의 치유 능력을 키우게 된다고 생각한다. 어떤 질환에서든 12개 부위의 기본 치료점에 레이키를 넣어서 전신에 기(氣)가 고루 퍼지게 하는 것이 기본적인 치료 방법으로, 이후 질환 및 환자의 상태에 따라 추가적인 시술을 시행하게 되며, 집단 치료 방식이 존재하여, 한사람의 환자를 상대로 여러 명의 레이키 시술자가 함께 장시간 동안 여러 차례 치료하는 과정이 존재하기도 한다.

(4) 레이키 요법의 효과

기본적으로 레이키 요법에서는 다양한 질환에 폭 넓게 적용될 수 있으며, 특히 긴장 및 스트레스 감소에 효과적이라 생각한다. 최근에는 레이키요법을 바탕으로 통증질환, 환자의 안정, 불안감 관리, 삶의 질 향상 등과 관련한 분야와 관련한 임상연구들이 활발하게 발표되고 있다.

(5) 기공요법과의 차이점

레이키와 기공요법은 모두 氣를 강조하고 있으나, 레이키에서 말하는 氣는 일반적으로 통용되는 개념과는 다른 형태로 볼 수 있다. 또한 기공요법이 오랜 시간의 수련을 필요로 하는 경우가 많지만 레이키에서는 전수 방식이 쉽다는 특징이 있으며, 한번 레이키 요법을 전수 받은 경우 그 효과는 영구히 지속된다 생각하는 차이가 있다.

2) 기공치료

(1) 개요

기공(氣功)은 도인(導引)과 함께 한의학에서의 치료적 운동의 범위로 볼 수 있으며, 질병의 치료와 양생을 위한 건강법으로 활용되어 왔다. 역사적으로 기공(氣功)이라는 용어가 발견되는 문헌은 진(晉)의 허손(許遜)이 쓴 영검자(靈劍子)이며, 수(隨)·당(唐) 시대의 태청조기경(太淸調氣經)에서 기공(氣功)이라는 용어가 쓰인 것으로 알려져 있다. 하지만 송(宋) 때의 도교 경전인 운급칠첨(云笈七籤)』에 이르러서야 기공이 하나의 술어로 쓰였다고 할 수 있다. 또한 청(淸) 말에 무술수련서적인 소림권술비결(少林拳術秘訣)에서 기공과 관련한 내용이 있었으나 그때까지도 보편적으로 활용되는 용어는 아니었으며, 1949년부터 기공이란 이름이 확정적으로 쓰이게 되었다. 1957년에 유귀진(劉貴珍)의 기공요법실천(氣功療法實踐)의 발표 및 기공치료와 관련한 중국 정부의 홍보 이후 기공이라는 용어가 널리 쓰이게 되었으며, 중국 국가 체육 총국에서는 1998년 11개의 건강 기공에 관해 심사 결정 증서를 발급하기도 하였다.

(2) 기공요법의 특징

기공은 조신(調身), 조식(調息), 조심(調心)의 세 가지 요소가 기본적으로 중요하다고 여긴다. 축기(縮氣)를 바탕으로 고요하며 정적인 자세로 서서 수련하거나, 보조적으로 부드럽고 느린 움직임을 통해 기의 순환을 도모하는 운동방법이라 할 수 있다. 기공에서는 이러한 기의 축적을 위해 특히 척추의 자세가 가장 중요하며, 요추 만곡이 없어지는 듯한 자세와 턱을 당기고 머리를 반듯하게 해서 백회와 회음을 일직선상에 놓고 척추 자체가 아래 위로 펴졌다가 눌렸다가 하는 느낌과 같은 일정한 자세를 갖도록 한다. 참장공(站樁功), 태극기공(太極氣功), 대안기공(大雁氣功), 소림내경일지선(少林內勁一指禪) 등이 기공의 범주에 속한다고 할 수 있다.

(3) 기공요법의 효과

기공은 다양한 만성질환 및 노인성 질환 등에 응용가능하다고 알려져 있으며, 최근의 임상 연구들에서 환자의 면역 증진, 만성 심장질환, 노인의 만성질환과 고혈압 등의 질환에 효과적인 것으로 발표되고 있다.

(4) 도인과의 차이점

그동안 기공과 도인의 용어가 혼재되어 사용되는 경우가 많았으며, 기공이라는 용어에 비해 도인법이 먼저 정립되어 있던 개념이다. 하지만, 기공이 축기(縮氣)를 중심으로 감각적이고 정적인 이미지의 어감이라면, 도인은 적극적으로 몸을 움직이고 관절을 최대한 움직이며 몸을 풀면서 기를 이끌어 낸다는 어감이 강하다고 할 수 있다. 이러한 특징은 도인과 기공과 관련한 임상연구들에서도 확인할 수 있는데, 도인은 몸을 구부리고, 펴고, 두드리는 등의 동작을 통해 자세를 바르게 하고 신체의 기혈 순환을 원활하게 하여 주로 근골격계 통증 질환과 내부 장기기능 개선에 관련한 운동법으로 임상 연구 중재 방법으로 사용되고 있으며, 기공은 통증 뿐 아니라 만성 난치성 질환의 개선과 치료 임상 중재로 연구 되는 경향이 나타나고 있다.

4. 식이요법

1) 절식요법

(1) 절식요법의 개요

절식요법의 현대의학적 평가는 이제까지 극히 한정된 분야와 연구자에 의해 시행되어 왔다. 그러나 근래 일부 의학자들에 의해 의학적인 재평가가 이루어지고 있으며 새로운 치료법으로써 만성 질환에 활용되고 있다.

절식기간은 감식기, 단식기, 복식기, 식이요법기의 4단계로 나누어 시행하는데, 음식을 완전히 제한하는 단식기간 보다는 복식기 이후의 식이요법기가 더욱 중요하다. 이러한 4단계의 완전한 기간 전체를 절식기간이라 칭하며, 이 기간동안 시행하는 모든 의료적 치료를 절식요법으로 규정한다. 아직 이 절식요법은 완성된 치료법이 아니며, 충분한 의학적 관찰 하에 시시각각 변하는 경과에 따라서 시기를 놓치지 않는 적절한 판단과 처치를 하는 것이 중요하다.

(2) 절식요법의 기원

동서양을 막론하고 종교적 측면에서의 단식이 언급되는데 종교적 차원에서 단식은 금식이라 하여 의지를 시험하고 신과의 합일을 체험하는 도구로 사용되었다. 동양에서는 중국에서 도학을 숭배하는 자들 중에서 不老不死의 목적으로 일정한 기간동안 음식을 먹지 않고 修心, 修養의 목적으로 시행되었다. 이 중에서 辟穀法이라 하여 우리 몸에 기생하고 있는 해충을 구제하기 위하여 곡식을 끊고 몇 가지만으로서, 현재의 단식요법을 만들어 낸 시초적인 근원이라 할 수 있다. 그러나 옛날의 辟穀法은 오늘날의 단식요법과는 조금 다르며 세균에 의한 각종 장내의 부패를 방지하기 위하여 장내에 축적된 찌꺼기를 배출시킨다는 목적으로서는 지금의 단식요법과 비슷하다. 벽곡 기간에는 곡식류나 곡식을 원료로 하는 식품이나 동물성 단백질, 지방, 술, 담배 등을 모두 차단한다. 벽곡 기간에는 생야채나 야채즙, 과실, 과실즙, 약초 달인 물 등을 먹고 아울러 다량의 물을 마시는 것으로 되어 있으며, 이것이 단식으로 발전되었다. 한편 葛洪의『抱朴子』에는 "長生을 얻고자 하면 腸中을 청결하게 하는 것이 마땅하며, 不死를 얻으려 하거든 腸中의 찌꺼기를 없애도록 하라"고 주장하였다.

(3) 절식요법의 원리

절식중에는 생리활동의 에너지를 외부에서 섭취하지 않기 때문에 체내에 저장된 영양에서 취하지 않으면 안된다. 그래서 근육, 내장 등에 저장된 영양은 전신을 순환하는 혈액에 의하여 운반되어 활동의 원동력으로 사용되며, 또한 조직 내에 축적되었던 각종 독소까지 빠지게 되어 전신조직 내부가 청결하게 된다. 특히 위장은 음식물이 들어가지 않으므로 수축되어, 위확장, 위하수가 자연 개선되고 장관 또한 비워지게 되므로 수축하게 되며, 장벽에 오랫동안 부착하여 만병의 원인이 되었던 장내 독소가 제거된다. 게실에 차있는 노폐물로 인한 게실염이 좋아지고 소화기가 휴식을 통해 기능이 호전된다. 장내 독소를 없애는 것이 절식요법의 첫째 목표로 볼 수 있다.

① 자연치료의 집약

병이 치유되어 가는 과정은 의사의 처방이나 약의 힘에만 있지 않고 각자가 가지고 있는 생명력이 더욱 큰 비중을 차지하고 있다. 치료라 함은 자연치료를 보조해 주는 것이다. 인간이 외상을 당하든지 질병이 발생하면 먼저 입맛이 없어진다. 이것은 인간이 가진 자연치유력을 최대한으로 동원하고자하는 생체의 한 자연반응으로 여겨진다. 그러므로 식욕이 없을 때 음식을 끊는 것이 도움이 된다. 이러한 때에, 영양의 흡수와 동화를 위한 작업이 신체의 방어 및 해독, 배설기능에 과중한 부담이 되고 또한 흡수된 영양이 경우에 따라서는 대사 과정에 있어서 인체에 유해하게 작용할 수도 있다.

외부로부터 영양을 끊으면 2-3일간은 과도기적인 현상이 있으나 자기 몸이 가지고 있는 지방이나 단백질을 이용하게 되므로, 혈액내의 혈색소치나 혈청단백은 오히려 평소보다 높은 수치를 유지한다. 많은 연구에서 1주간의 절식으로 혈색소나 적혈구의 증가와 혈청단백의 증가를 확인하였다. 요약하면, 신체적인 면에서의 절식은 적당한 스트레스로 정신적인 반응을 쉽게 일으켜 저항력을 증대시키고 정신적으로는 절식에 의하여 본능적인 욕구불만이 해소되며, 따라서 정신적인 불안, 긴장의 악순환이 사라지고 자연통합력의 강화와 의지의 단련으로 치료력이 개선된다고 할 수 있다.

② 분해 및 해독작용

폭음, 폭식과 인스턴트 식품 및 기호물의 남용과 날로 늘어만 가는 방부제 식품의 섭취, 대기오염, 수질오염 등에서 받는 공해의 피해와 도시인의 안일한 생활은 운동부족까지 겹치게 되어 노폐물과 독소의 축적은 한층 더 증가하게 된다. 이로 인하여 체내에 축적된 독소나 노폐물은 생명활동을 저해하고 노화를 촉진하는 동시에 모든 만성 질병의 원인이 된다. 병의 증상으로 구토와 설사와 발한은 몸에 쌓인 독을 생리적 기능으로써는 처리하지 못할 때 독을 밖으로 몰아내는 비상수단이라 볼 수 있다. 하지만 장시간에 거쳐서 서서히 몸에 축적된 노폐물이나 독소는 자연적인 생체반응으로서는 단시일내에 배설할 수 없으므로 날이 갈수록 점차 노폐물과 독소는 쌓여지게 된다. 이를 한의학적인 측면에서는 痰이라는 비생리적 체액을 말한다고 볼 수 있다. 절식요법은 이와 같은 몸 안의 노폐물을 배제하는 유일한 방법으로 이용될 수 있다. 사람이 음식을 끊으면 먼저 이화작용과 배설작용이 항진하여 체내의 노폐물이나 독소의 배설이 잘되고 또한 체내에 저장되어 있는 지방이나 단백질이 소모되어 노폐물이 배설되는데, 이때 한의학의 汗, 吐, 下 三法으로 나타나는 것이 임상적으로는 확실히 증명된다.

(4) 절식요법의 실제

절식은 크게 3단계로 시행되었다. 즉 ① 減食期(단식전예비기간) ② 斷食期(순수한 단식기간) ③ 復食期(단식후회복기간)을 치료과정으로 하였다. 그러나 여기에 첨부하여 식이요법기(後療法期)를 계속 시행해야만 한다. 단식기간은 단식기일 수에 의하여 감식기 회복식기의 일수가 결정된다. 일반적으로 감식일수는 단식일의 1-1/2 일수, 회복식기는 2배 일수, 식이요법기는 단식일수의 6배 일수로 한다.

① 감식기

唐대 孫思邈의 《千金翼方》에 보면 '辟谷'이란 말이 나오는데 이 뜻은 '辟穀' 즉, 오곡을 끊는다는 것이다. 음식을 먹지 않고 지내면 三蟲을 제거하여 장새불사에 도달할 수 있다고 하였다. 하지만 辟谷을 행하는 방법에는 일정한 절차가 있는데 이를 지키지 않거나 臟腑가 준비되지 않은 상태에서 시행하게 되면 오히려 몸을 상할 수 있다고 하였다. 이는 단식에 들어가기 전 일정한 준비기간을 거치는 것으로 이를 통해 단식 중의 痰飮과 노폐물을 감소시키고 단식 후 약물복용의 효과를 높이는 것으로 해석할 수 있다.

점진적인 감식을 통하여 체중의 급격한 감소와 이로 인한 체내의 병적인 반응을 방지하고 장내용물의 부분적인 정체를 없애기 위하여 그에 필요한 보조치료를 병행함과 더불어 환자의 병력, 기왕력 등을 상세히 청취함과 동시에 그것을 기초로 하여 의학적인 제반검사 및 전신의 중요장기에 관한 종합검진을 병행해야 한다. 또한 체력, 체질, 정신상태, 금기증과 합병증 등을 세밀히 관찰하고 가족적 사회적인 환경조건까지 고려한 후에 본 요법의 구체적 계획을 세워야 한다. 구충제는 감식기 최종일에 복용시키며 생수의 음용도 권장한다.

② 단식기

단식의 기간은 일반적으로 단기(3-5일), 중기(7-9일), 장기(10일 이상)의 세 가지로 분류한다. 단식기간의 결정은 일반치료법과 같이 병의 상태를 기준으로 판단하는 것이 아니고, 전신의 건강한 상태를 기준으로 결정하여야 한다. 장기치료를 요하는 질병이라 하여 단식도 장기간 시행할 수는 없다. 따라서 장기단식을 요하는 질병일지라도 전신상태가 허락치 않을 경우에는 단식도 장기간 시행할 수 없고, 따라서 단기단식을 시행하고 일정한 회복기후 다시 반복하는 형식을 취하지 않으면 안 된다.

단식중 정신과 육체가 공히 완전히 건강체가 되도록 노력하여야 하며 특히 오관이 극히 예민해지므로 자극적 감정적인 것과 과격한 운동은 피하여야 한다. 충분한 수분의 보충, 차나 소량의 약재를 활용하여 비타민의 보충과 함께 보조치료를 병용하기도(手技, 導引, 按蹻, 附缸, 종합가시광선조사 등) 한다. 이외에도 풍요법, 효소온욕, 냉온욕, 장세척 등의 자연요법을 시행하면 해독 효과를 증진시킬 수 있으며 가벼운 보행운동을 함으로써 탈력을 막아야 한다. 절식중에는 체중의 감량이 평균 600 g/day인데 단식 초기에는 지방의 감소보다는 체수분의 감소로 보아야 한다. 초기에 뇌하수체후엽에서 항이뇨 호르몬의 증가로 소변량의 감소를 나타낸 후 중기 이후에는 정상으로 회복된다. 혈당치는 단식 3일째 저혈당치를 나타내나 저혈당증은 일어나지 않는다. 초기에 뇨산의 증가, 아세톤뇨의 배설, 저Na혈증에 의한 오심증, 중성지방의 저하, 부신피질호르몬의 증가, 자율신경의 불안정 GOT· GPT의 증가, 혈압, 체온의 저하, 적혈구의 상승과 백혈구의 감소 등 단식중에 여러 생리 변화가 있어도 이것은 영양공급 중단으로 인한 생체예방기전의 결과이므로 단식기간 이후에는 이러한 제 증상이 소실 및 완화된다.

③ 복식기

생리적으로 단식중에는 체내열원의 소모에만 의존하던 신진대사의 기능이 회복시에는 소화, 흡수, 동화, 배설을 치루어야 하는 정상과정으로 복귀하므로 열량 및 무기질의 공급에 무리가 있으면 체액의 균형이 무너져 심장, 신장 등 장기기능저하가 생기고 소화기계통에 과중한 부담을 주어 위장운동이 실조에 빠지고 말초순환장애가 일어나 수족 및 전신의 허탈과 기타 위험한 증상이 일어난다. 간혹 감식기, 단식기를 시행한 후 회복기에 들어가서는 증상의 감소와 안도감에 마무리가 소홀해지는 수가 많다. 단식 그 자체가 건강 및 치병수단의 전부가 아니며 회복식과 식이요법이 단식치료의 성패를 결정하는 중대요소이며, 최소한 단식일수의 2배일 수 이상 점증식을 수행하고 단식일수 6배의 기간은 섭생과 절제의 생활과 식염의 제한, 감미류, 지방, 자극성 식품 등에 유의하며, 그 병증에 따라서 균형있는 식생활이 되어야 한다.

④ 식이요법기

절식요법의 마지막 단계인 이 기간에는 식이요법을 중심으로 한 약물 및 재활요법을 병용함으로써 질병을 치료하는 단계라 할 수 있다. 『黃帝內經』에 “空腹을 채울 때는 食이라 하고 病을 치료할 때에는 藥食이라 한다.” 라는 말과 같이 古來로 음식은 “衣食同源”, “藥食一如”라고 표현되어 왔다. 周나라 때에는 醫師, 食醫, 疾醫, 瘍醫, 獸醫로 나누어 의사는 의료행정관으로 食醫 이하 獸醫를 관리하고, 疾醫는 현재의 내과의에 해당하고, 瘍醫는 외과의에 해당하는 것이며, 환자 치료의로서는 食醫를 가장 상위에 두어 식이를 치료면에서 가장 중요하게 간주하였다. 食餌의 기본적인 사상은 개체 전체의 건강 향상을 위한 식생활을 정하고, 다음 단계에서 제반 질환 이상에 대한 소위 치료법으로서의 식사요법을 실시해야 한다는 것을 우선 지적해 놓았다. 즉, 이러한 생태학적 영양학의 식생활을 기본으로 하여 개체, 즉 질환에 따른 치료식을 병행해야 된다.

(5) 절식의 적응증과 효과

임상적으로 다른 치료방법보다는 절식요법이 특히 효과 있는 질환으로서는 Allergy로 인한 제 질환, 비만증, 피부병, 소화기계질환, 자율신경의 부조화로 인한 제 증상, 류마토이드 관절염, 만성 변비, 원인불명의 제증상(두통, 권태, 신경통), 비만성 당뇨, 만성 신장염, 고혈압, 동맥경화증 등을 대표적으로 예거할 수 있다. 금기증으로는 정신분열증, 결핵, 중증의 위십이지장 궤양, 인슐린주사를 6개월 이상 시행한 환자, 관절염 등으로 steroid제제를 3개월 이상 복용한자, 임산부, 고정적인 병이나 수술이 필요한 증상 또한 연소자나 고령자는 신중을 기해야 한다.

(6) 한의학과의 연관성

단식요법은 식이를 치료 면에 활용한 것으로, 몸 안의 노폐물을 배제하는 방법으로 이용될 수 있다. 이 노폐물이란 한의학적인 측면에서는 痰이라는 비생리적 체액을 말한다. 사람이 음식을 끊으면 먼저 이화작용과 배설작용이 항진하여 체내의 노폐물이나 독소의 배설이 잘되고 또한 체내에 저장되어 있는 지방이나 단백질이 소모되어 생리적인 열원으로 전환되기 때문에 이때에 조직 속에 있는 노폐물이 배설되는데, 이때 한의학의 汗, 吐, 下 三法으로 나타나는 것이 임상적으로 확인되어지고 있다.

인간이 가진 자연치유력을 최대한으로 동원하고자하는 생체의 자연반응을 이용한 단식요법은 자연의학의 일종으로, 이를 통하여 정서적인 안정을 함께 도모하는 심신의학적 측면에서도 한의학과 일맥상통한다고 하겠다.

2) 식이영양요법

(1) 개요

식이영양 요법은 식사의 조절을 통해 소화나 영양 흡수를 돕도록 하는 것을 말한다. 좋은 식이란 적절하고 균형 잡힌 식단을 기본으로, 적당한 신체적 활동을 시행하는 것을 포괄하는 의미로, 불균형한 식이는 면역체계를 감소시키고 질병에 대한 감수성을 증가시키는 것으로 알려져 있다. 전통적인 식이영양요법이 체중감량 및 당뇨환자를 위한 지방, 탄수화물과 같은 에너지 영양소와 관련한 것에 집중되어 있었다면, 최근에는 비타민, 미네랄과 같은 미세 영양소과 관련한 식이영양요법에까지 관심이 증대하고 있다.

(2) 식이요법의 분류

식이영양 요법에 관한 내용은 국가별, 문화적으로 매우 다양하게 나타나고 있다. 기본적으로는 조절하는 영양소에 따라 칼로리 변형 식이요법, 섬유질 변형 식이요법, 단백질 변형 식이요법, 저 콜레스테롤 변형 식이요법, 저지방 변형 식이요법, 글루텐 프리 식이요법, 저퓨린 식이, 저염식, 당뇨식 등으로 구분지을 수 있다. 비타민, 미네랄과 같은 건강 보조식품도 보완대체의학의 식이영양요법의 한 종류로 분류할 수 있다.

(3) 식이요법의 효과

당뇨, 고지혈증과 같은 대사질환에 식이요법을 적용하는 것은 보편적으로 통용되고 있으나, 암, 기면, 소화기 질환 등과 같은 질환에서는 연구별 상이한 보고를 하고 있는 경우 많다. 또한 비타민, 미네랄과 같은 건강보조식이에 관해서도 충분한 근거가 마련되어 있다고 보기는 힘들다.

(4) 한의학과 식이요법

한의학에서는 음식을 인체 기본 구성 요소인 精氣神의 營養基礎로 생각하여 식이양상을 중요한 양생법 중의 하나로 생각해왔다. 또한 음식을 통해 扶正祛邪하고 保陰救陽 하여 한약의 효과를 보조하고 하는 목적으로 활용하기도 하였다. 이는 仲景이 저술한 傷寒論 및 金匱要略에서 三陰正氣損傷, 津液不足, 中氣大虛, 陰血損敗의 목적으로 한약과 식품의 배합이 이루어진 처방이 많다는 것을 통해 알 수 있다.

5. 명상 심리치료

1) 명상

(1) 개요

명상은 전통적으로 종교적인 수행방법에 많이 활용되었으나, 최근에는 종교를 초월하여 다양한 인종과 국가의 관심을 받고 있다. 명상은 다양한 전통적, 종교적, 문화적 특수성이 반영되어 있으므로 정확하게 정의하는 것은 쉽지 않지만, 특정한 방법을 통해 근육과 사고를 이완시키고, 스스로의 내면에 몰입하여 자아를 성찰하는 방법이라 할 수 있다.

(2) 명상의 분류

명상은 크게 집중 명상(concentrative meditation) 및 알아차림 명상(awareness)으로 나뉠 수 있다. 집중 명상은 통상적으로 알려져 있는 명상으로 호흡, 이미지, 소리 등과 같은 다른 것들을 제외한 단 하나의 감각 및 경험에 집중하는 것이다. 알아차림 명상은 현재의 의식 속에 일어나고 있는 상황을 자각하는 마음챙김을 강조한다. 의식에서 떠오르는 것들이 무엇이든 개인적 욕구나 생각을 개입시키지 않고 있는 그대로 바라보는 명상 방법이다.

(3) 명상의 효과

명상은 특히 뇌 활성화, 자율신경계의 조절, 뇌파의 변화, 스트레스 감소, 안정감 확보 등에 긍정적 효과가 있다고 알려져 있다. 또한 최근의 연구에 따르면 이러한 심리적, 정신적 영역 이외에도 만성 통증 및 체중감소 효과 등도 있는 것으로 알려져 다양한 질환에서 긍정적인 효과들이 보고되고 있어 의료적 영역 및 심리치료 분야에서도 활용도가 높아지고 있다.

(4) 한의학과 명상

한의학에서는 몸과 마음에 관한 본질을 탐구하는 명상 수행을 중시하고 있다. 한의학에서의 명상은 동북아시아의 전통의학과 철학적 개념 및 유교, 불교, 도교와 같이 종교적 문화도 융화되어 있는 형태로 나타나고 있으며, 이는 동의보감과 같은 서적에서도 명상과 양생(養生)을 강조하고 있는 것으로 확인할 수 있다. 최근에는 한의학적인 명상프로그램을 사상의학적으로 접근하거나, 이정변기요법과 같은 한의학적인 정신요법을 결합하여 외상 후 스트레스장애, 공황장애 등과 같은 질환에 활용한 임상 연구들도 활발히 발표되고 있다.

2) 요가

요가는 고대 인도에서 기원된 신체적, 정신적, 영적 수행 및 수양의 하나이다. 힌두교에서 "요가란 실천 생활 철학에 철저함을 추구하는 것"이라고 정의하고 있다. 힌두교의 정통 6개 철학 중 하나인 요가 학파의 중요 경전인 '요가수트라'의 첫머리에서는 요가를 "마음의 작용의 지멸(止滅, Nirodhaḥ)"이라고 정의하고 있다. 또한 요가는 인도에서 발생한 여러 종교의 믿음과 수행과도 관련이 있다. 인도 이외에서는 요가를 흔히 하타 요가의 아사나 수행(자세 취하기)이나 운동의 한 형태로 알고 있다.

요가의 주요 분류로는 하타 요가·카르마 요가·즈나나 요가·박티 요가·라자 요가·탄트라 요가·만트라 요가 등이 있다. 우선, 하타요가는 몸가짐(운동법)을 다스리고, 숨쉬기(호흡법)를 훈련하며, 식이요법과 단식법을 통해서 인간의 본질을 깨우치는 요가로서 육체의 생리적 요소를 중시하는 분류이다. 다음으로 카르마 요가란 행동의 요가이다. 행동을 통해서 자아를 완성하려하며, 즈나나 요가나 라자요가가 내적인 심적관리인 반면, 카르마 요가는 외부의 문제를 통해 행동방식을 관리함으로써 참된 자기에 도달하는 요가이다. 즈나나(JNANA)란 '읽음, 깨달음'의 뜻이며, 무지(AVIDYA)로부터 벗어나는 것이 진아(眞我 : ATMAN)에 이르는 길이다. 따라서 正知를 얻기 위해 경전을 공부하고 과학적, 철학적, 종교적 각종 지식을 연구하고 명상하는 요가이다. 박티요가는 진리에 대한 귀의(歸依)이면서, 모든 인간적인 것에 대한 애착에서 벗어나 神(진리)에게 최선의 情(사랑, 헌신)을 바치는 것이다. 박티요가 행자는 자기를 잊고 한없는 사랑과 봉사의 길을 택하며 그것을 통해 참된 자아(ATMAN)의 본성에 도달한다. 우리의 인생에 있어서 많은 괴로움은 외부의 물질에 집착된 생활 때문이며, 마음의 혼란도 외부와의 접촉관계에서 주로 생긴다고 본다.

따라서 외부와의 접촉을 끊고 자기의 내적요소에서 깨우침을 얻어 참된 자아를 구현하려는 요가가 「라자(RAJA)요가」이다. 탄트라 요가는 명상을 통해 염력(念力)을 각 챠크라에 집중하고, 진언을 외우고, 무드라 (印相)나 반다(기관수축)을 행하고, 쿰박(止息)호흡을 하고, 운동(ASANA)을 하고, 자세를 수정하며, 단식을 하는 것 등은 모두가 쿤달리니를 각성시키고 각 챠크라를 개발하려는 추구하는 것이라고 본다. 만트라 요가란 특정한 소리를 반복하여 찬송함으로써 그 소리가 갖고 있는 힘을 몸과 마음 속에 얻게하여 외부에도 힘을 발휘하는 주문 요가이다. 즉, 소리를 이용하여 심신(心身)을 성화(聖化)시키고 혼란하고 불결한 심신을 정화 (淨化)시키는 것이다.

3) 바이오피드백

(1) 개요

바이오피드백은 기기를 활용하여 환자의 심신 반응을 측정하고, 수집된 정보를 환자가 자각할수 있는 시각 또는 청각적 정보 형태로 피드백 해주는 기계이다. 이러한 피드백을 통해 환자는 자신의 신체에 일어나는 미묘한 반응을 인지하게 되고, 스스로 신체를 조절할 수 있는 능력을 갖도록 연습하게 된다.

(2) 바이오피드백의 분류

바이오피드백은 측정하는 부위 및 방법에 따라 뇌파(electroencephalograph, EEG), 호흡, 심박동(electrocardiograph, ECG), 근수축(electromyograph, EMG), 땀샘(electrodermograph, EDG), 체온 등으로 구분지어 치료 목적에 따라 다양하게 활용할 수 있다.

(3) 바이오피드백의 효과

바이오피드백 훈련은 스트레스, 천식, 주의력결핍과잉행동장애(ADHD), 항암제 부작용, 만성통증, 변비, 섬유근통, 두통, 고혈압, 과민성장증후군, 레이노병, 이명, 중풍, 턱관절장애, 요실금 등의 질환에 활용할 수 있으며, 운동 능력향상 및 재활치료 등에도 적용 가능한 것으로 알려져 있다.

(4) 한의학과 바이오피드백

바이오피드백의 작용 기전은 생리현상들에 대한 의식적인 자기조절을 시행하는 것이다. 이러한 치료적 원리는 한의학의 心身一如, 神形一體의 전인적 인체관 및 인체의 항상성을 통한 자생력 및 평정을 요구하는 마음자세, 자연과 상응하는 호흡법 등을 강조하는 전통적 수양방법 등과 상통하는 부분이 많다고 할 수 있다. 따라서 驚者平之療法, 思勝恐法, 氣功療法, 自律弛緩療法요법과 같은 한의학적 정신치료요법 등에 바이오피드백이 활용할 수 있을 것이다.

4) 최면

최면은 의도적, 인위적으로 야기되는 주의력의 집중 및 기타 주변 인식의 정지 상태로 정의할 수 있으며, 최면 상태는 (1) 몰입(absorption, 정해진 주제 또는 지점에 대한 주의 집중), (2) 통제를 통한 주의 집중력의 전환(controlled alteration), (3) 해리(dissociation, 개인의 경험 및 현실 상황으로부터의 분리), (4) 피암시성(suggestibility, 암시 및 지시에 대한 반응의 용이성)의 증가, 이상 네 가지의 주요 요소를 포함한다. 최면요법(hypnotherapy)은 최면을 치료에 응용하여 환자의 정신적, 육체적 기능을 변화시키는 것을 말한다.

최면술과 유사한 행위는 기원전 10세기경부터 행해진 기록이 있으나, 1700년대 프란츠 안톤 메스머(Franz Anton Mesmer)의 '동물 자기술' 이후 근대적 개념의 의술로 소개되었고, 이후 1800년대 제임스 브레이드(James Braid)는 최면술을 '잠의 신' 히프노스(hypnos)에서 따온 'hypnosis'로 명명하고, 최초의 최면요법 책인 「최면신경학」을 출간했다. 1955년 영국의학협회, 1958년 미국의학협회는 최면요법을 각 전문 분야에서 보조적 치료기법의 하나로 사용할 만큼 충분히 의미가 있다고 인정했다. 또한 1970년대 데이비드 스피겔(David Spiegel)은 최면 현상을 좁은 영역에 대한 집중과 몰입에 의해 외부세계 인식이 줄어든 상태로, 일상적 정신 상태에서 볼 수 있는 현상의 일시적 변형으로 보아 최면 분야에 큰 영향을 미쳤다.

최면요법은 임상적으로 금연, 출산 시의 통증 완화, 신경성 폭식증 등의 치료에 널리 활용되어 왔고, 최근에는 불면증이나 중독, 불안장애, 공포 등의 정신적 문제, 기능성 소화불량, 과민성 장 증후군 등의 기능적 문제 및 수술 과정에서의 마취 등 다양한 분야에 적용되고 있다. 또한 최면요법의 효능 평가를 위한 다각도의 메타분석 연구가 시행되고 있으며, 최면현상이 뇌에서 어떻게 구현되는지를 입증하기 위한 뇌과학 연구도 진행되었다. 단, 다양한 임상적 활용 및 긍정적 사례에도 불구하고, 최면요법에 대한 근거 기반(evidence-based) 효능에 대해서는 아직 그 과학적, 임상적 근거가 충분하지 않다는 의견이 지배적이다.

6. 감각치료

1) 예술치료

예술치료는 음악치료 (music therapy), 미술치료(art therapy), 춤/동작치료(dance/movement therapy) 등과 같이 예술적 도구와 창의적 과정을 치료 및 재활, 교육에 활용해서 신체적, 감정적, 인지 및 사회적 기능을 향상시키고 자존감을 높이며 건강을 증진시키는 치료 방법을 의미한다.

예술치료는 그림을 보거나 음악을 듣는 등의 수동적 노출(passive exposure)과 능동적인 참여와 표현을 전제로 하는 창조적 예술치료(creative arts therapy)를 포함하며, 아래과 같이 다양한 예술치료의 이론적 원리와 기전이 제시되고 있다.

- 근골격계의 움직임(musculoskeletal movement)
- 이완 반응(relaxation response)
- 감정적 정화(emotional catharsis)
- 자아 발견(self-discovery)
- 창조성(creativity)
- 즐거움과 놀이(pleasure and play)
- 낙관주의와 희망(optimism and hope)
- 영성과 초월적 상태(spirituality and transcendental states)

1-1) 음악치료

음악치료란 단어 그대로 음악을 사용하여 행해지는 치료로 음악활동을 체계적으로 사용하여 사람의 신체와 정신기능을 향상시켜 개인의 삶의 질을 추구하고 보다 나은 행동의 변화를 가져오게 하는 음악의 전문 분야이다.

음악치료는 치료적인 목적, 즉 정신과 신체건강을 복원·유지시키며 치료 대상자의 행동을 바람직한 방향으로 변화시키기 위한 목적으로 음악치료사가 음악을 단계적으로 사용하게 되며 치료방법에 따라 음악치료는 다음과 같이 구분될 수 있다.

(1) 순수 수동적 음악 치료법

안정감을 느낄 수 있는 음악이나 흥분을 고조시키거나 활동성을 자극, 또는 촉진시키는 음악을 들려주어 치료하는 방법이다.

(2) 순수 능동적 음악 치료법

환자 스스로가 직접 연주하게 하는 치료 방법으로 환자 혼자서 타악기를 이용하여 자신의 원초성을 드러내게 하는 것과 환자가 즉흥으로 연주하는 것을 옆에서 피아노로 환자의 연주를 도와주는 방식이 있다. 전자는 주로 특수 아동을 대상으로 발달하였고, 후자는 주로 종합 병원의 성인 환자를 대상으로 시행된다.

(3) 수동 능동적 음악 치료법

치료 시간 중에 환자가 직접 연주에 참가하기도 하고, 치료자와 함께 만들어진 음악에 관하여 대화하기도 하며, 연주되어지는 음악을 듣기도 하는 치료법으로 그 과정에 정신분석적 방법이 이용되기도 한다.

음악치료 시 기대되는 일반적 효과로는 ① 사회성 향상(관계개선), ② 언어구사능력 향상, ③ 책임감 향상, ④ 기분전환, ⑤ 집중력 향상, ⑥ 이완, ⑦ 자신감 향상, ⑧ 상호신뢰감 증진, ⑨ 신체기관의 기능회복, ⑩ 자기표현의 향상을 들 수 있다.

음악치료의 혜택을 입을 수 있는 대상은 대단히 다양한데, 음악치료의 태동기에는 주로 정신질환자와 정신지체 아동을 대상으로 음악치료가 시행되었지만, 음악치료의 이론이 자리잡히면서 이제는 신체 장애인의 신체 재활과 기능향상, 노인질환자의 기능의 유지 혹은 복원, 정서적 지원, 일반 병원 통증 환자의 통증완화, 비행청소년의 행동수정, 일반인의 스트레스 조절, 혹은 기업연수, 가족치료 등의 영역에서 실시되어지며 좋은 반응을 얻고 있다.

(4) 한의학과의 연관성

聲音은 五臟 중 肺의 推動을 받아 발현하고 내부의 神機, 氣機의 변화를 반영해 주므로, 한의학에서 질병의 진단과 치료에 이용해 왔다. 또한 음양오행의 이치에 따라 五音을 정립하였다. 생명체는, 角音을 들으면 木氣의 추동으로 길이 성장이 빨라지고 적극적인 성격이 강해지며, 徵音은 火氣가 추동을 받아 피부가 늘어나고 활달해지며, 宮音은 土氣가 추동을 받아 풍만하게 살이 오르고 너그러워지며, 商音은 金氣의 추동으로 피부근골이 굳건해지며, 羽音은 水氣의 추동으로 陰精이 축적, 견고해진다고 하였다. 따라서 음양오행에 따라 조율된 음악은 질병의 예방이나 치료, 정신적 안정 등을 개선할 수 있는 방법이 될 수 있다.

국악에서 五音과 더불어 음악을 구성하는 요소 중의 하나로 律呂가 있는데, 이는 陽律과 陰呂를 합하여 칭하는 것으로 보통 12律이라고 한다. 한의학에서는 三陰三陽과 律呂의 관계에 대해 모두 음양의 이치에 따라 분화되었고, 五臟과 律呂는 五音과 상호 배합하여 서로 오행-음양 관계를 이루고 있다고 보았다. 또한 각각 6개의 음양 즉, 12개로 분화하여 그 분수 또한 같다.

① 음악치료의 전통의학으로서의 의미

음악을 통한 심신이완을 통하여 육체적, 정신적, 정서적, 사회심리적 건강을 도모하는 全一的인 건강관을 취하며, 자체적인 치유능력을 복원시켜 주는 보완대체의학의 一種이다.

② 공통점

신체적, 정신적, 사회적, 감정적인 건강의 상관성을 고려한 심신의학이다.

③ 음악치료에서의 음악의 요소

소리는 음색, 음량, 음가, 음고로 구성되어 이것은 음악에서 리듬, 선율, 화성으로 나타나는데, 음악치료사들은 치료대상자가 만들어내는 다양한 음악들을 듣고 조사하여 그들의 질병을 진단하고, 치료 방향을 이끌어 낸다. 한의학에서 사람의 호흡음, 언어, 음성의 높낮이 등을 呼言歌哭呻, 角徵宮商羽의 五言, 五音에 배속하여 五臟病을 진단하고 치료한 것과 일맥상통한다.

1-2) 미술치료

미술치료는 시각적 미술의 수단 및 창조적 과정을 이용해서 내면의 표현, 소통을 증진하고 이를 심리 또는 신체적 재활치료에 활용하는 것을 말한다. 미술치료는 치료방법이면서 동시에 중요한 진단 도구로서 활용될 수 있는데, 무의식적 심리적 갈등이나 신체적 문제, 그리고 말로 표현하기 어려운 증상 등이 그림을 통해 시각적으로 표현될 수 있기 때문이다.

미술치료는 표현 미술치료와 창조적 미술치료로 나뉘며, 표현 미술치료에서는 이미지에서 시각화되어 나타나는 내면상태와 그 이해과정을 중시하는 반면, 창조적 미술치료에서는 미술활동 자체를 통한 긴장 및 불안, 갈등의 해소 등 승화와 창조성을 중시한다.

미술치료는 임상적으로 뇌손상, 치매, 뇌혈관질환 등으로 인한 인지 및 언어 기능 저하를 비롯해서 우울증, 사별, 성적 학대, 만성 통증, 만성 피로 증후군 등으로 인한 심리적, 신체적 문제와 소아심리 문제 등 다양한 분야에서 활용되고 있으며, 그 효능이 연구를 통해 보고되고 있다. 또한 AIDS 환자의 치료에 있어서도 병기의 파악과 환자의 심리상태 진단 및 치료에 미술치료가 활용되었다는 보고가 있다.

1-3) 춤/동작치료

춤/동작치료는 춤/동작의 움직임 과정을 이용해서 개개인의 감정, 인지, 사회, 신체적 통합을 증진시켜 치료에 활용하는 것을 말하며, 1940년대부터 1960년대 사이 정신역동 심리치료(psychodynamic psychotherapy)의 영향을 크게 받았고, 1966년 미국 춤치료 협회(The American Dance Therapy Association, ADTA)가 설립되면서 본격적으로 발전하기 시작했다.

춤/동작치료는 정신적 문제의 치료에 있어서 신체적 요소의 중요성을 강조하고 있으며, 개개인의 필요성에 따라 동작 및 신체적 요소뿐만 아니라 심리치료, 상담, 재활 등의 요소를 동시에 활용하기도 한다. 신체활동은 근육과 관절의 움직임을 통해 긴장을 완화시켜 신경근육계 활동성을 증진시키고, 순환계, 호흡기계, 골격계통 등 다양한 신체의 기능을 자극함으로써 치료적 역할을 수행한다.

춤/동작치료는 임상적으로 소아청소년기 심리 및 신체질환, 불안장애, 섭식장애, 기분장애, 신경증, 인격장애, 조현병, 신체화장애, 성적 학대 등으로 인한 심리적, 신체적 문제와 약물남용, 외상성 뇌손상 등 다양한 분야에서 활용되고 있으며, 연구를 통해 그 효능이 보고되고 있다. 특히 춤/동작치료가 소아청소년기의 자기표현 향상과 긍정적 신체상 형성에 효과가 있다는 연구가 있었고, 노인의 작업치료에 춤/동작치료를 활용했을 때 생활의 활동성, 생산성을 높이고 또한 관절 가동각도를 높였다는 보고가 있다.

2) 시각치료

시각치료는 안구 움직임을 이용한 다양한 치료를 포괄하는 개념이며, 대표적으로 사시 등과 같은 눈모음 장애를 교정하는 전통적 시각치료인 시각교정 시각치료(orthoptic vision therapy)와 시지각의 변화를 통해 인지행동의 변화를 촉진해서 학습 및 발달문제 등을 치료하고자 하는 행동적 시각치료(behavioral vision therapy)가 있다. 시각교정 시각치료는 비교적 충분한 임상적, 과학적 근거를 바탕으로 교정전문가 및 안과전문의 등에 의해 사용되고 있는 치료이므로, 보완의학 파트에서는 행동적 시각치료 내용을 주로 다루고자 한다.

행동적 시각치료는 시지각의 수용 과정의 약화로 인해 주의집중 및 공간 지각, 읽기 능력 등의 학습 문제에 영향을 줄 수 있다는 이론을 바탕으로 안구 운동, 프리즘, 렌즈, 입체경, 밸런스보드 등을 활용하는 시각훈련을 통해 눈에서 뇌에 이어지는 시각 시스템에 변화를 줌으로써 행동 및 인지의 변화를 촉진하는 임상적 접근법이라고 미국 검안 협회(American Optometric Association)는 설명하고 있다. 이에 따라 행동적 시각치료는 학습문제, 발달문제, 주의력문제 등에 다양하게 활용되고 있다. 특히, 주의력결핍 과잉행동 장애(attention deficit hyperactivity disorder) 및 자폐 아동의 경우 비정상적 안구 움직임을 동반하는 경우가 많으므로 행동적 시각치료가 도움이 될 수 있다고 제안하는데, 행동적 시각치료에 대한 근거 기반(evidence-based) 효능에 대해서는 아직 그 과학적, 임상적 근거가 불충분하다는 의견이 많아 의견이 대립되고 있는 실정이다.

3) 아로마테라피

향기요법은 식물에서 추출한 방향성 오일인 정유(essential oil)를 이용하여 질병을 예방하고 치료하며 건강의 유지 증진을 도모하는 자연의학의 한 형태이다. 공격적인 치료에 대한 부작용과 화학성분에 대한 중독 등으로 자연에 의한 치료나 관리를 선호하는 경향이 늘어나면서 유럽과 일본에서는 향기요법이 이미 성행하고 있다.

흡입이나 목욕, 마사지(massage) 등의 방법으로 이용되며 다분히 경험적인 측면이 강한 편이나 식물체의 특정 성분이 아닌 total extract를 사용한다는 점에서 동양의학과 일치하는 면이 많으며 인도의 의철학인 아유르베다(Ayurveda)의 이론을 결합하여 설명하고 있다.

향기요법의 역사는 기원전으로 거슬러 올라가는데 BC 4500년경에 이집트에서는 이미 많은 종류의 정유를 사용해 왔다는 것이 미이라를 통해 알려졌고 동양에서는『山海經』에 훈초를 지니고 다니면 전염병을 예방했다고 되어 있으며, 本草綱目』에 사향을 응용한 의향법, 난초의 향지법등의 향기요법을 응용했다는 기록이 있다. 현재 통용되는 현대적 의미의 '아로마테라피' 라는 용어는 1930년대 르네 모리스 가트포스(Rene.M. Gattefosse)라는 프랑스의 화학자에 의해 처음 사용되었고 제 2차 세계대전 때 외과의사 출신인 Dr. Jean Valnet에 의해 각 정유의 치료의학적 특성이 검증되었다.

치료원리는 공기를 매개체로 해서 작은 향입자들이 코로 흡입되어 뇌로 전달되면 각각의 향입자들의 모양에 따라 각기 다른 자극을 뇌에 전달하게 되며 두뇌의 변연계에 전달된 방향(芳香)입자는 분석이 이루어 진 후 진정, 긴장완화, 자극, 행복감 등의 효과를 지닌 신경화학물질을 생성하여 건강을 유지케 해준다는 원리이다.

향기요법은 크게 한방약재(꽃향기나 잎향기 이용)를 정제해서 코로 냄새를 맡거나 목욕물에 약초를 섞어 피부와 코점막을 통해 흡수케 하는 방법이 있으며 이밖에도 말린 약초를 주머니나 복대에 차고 다니거나 약초를 끓여 병에 넣어 냄새를 맡는 방법 등도 있다.

향기요법은 불면증, 우울증, 피부병, 월경통, 비염 등에 좋은 반응을 나타내고 있으며 특히 위장질환자가 감기에 걸렸을 경우 약을 복용하지 않고 흡입하는 치료법을 사용하여 비경구적으로 질환을 치료할 수 있는 장점이 있다.

(1) 한의학과의 연관성

향기요법이 소개된 가장 오래된 서적은 馬王堆에서 출토된 五十二病方으로 溫熨, 藥摩, 外洗 등의 외치방법이 기재되어 있다. 그 이후《新修本草》,《本草拾遺》등에서 수입된 香

藥이 기록되어 있으며, 특히 《海藥本草》에서는 한의학적 관점에서의 이론과 방법을 발전시켰다. 또한 《千金要方》, 《外臺秘要》에서 많은 양의 향을 이용한 치료법이 기록되어 있다. 향기요법의 전문서로는 洪芻의 《香譜》가 있으며, 향의 본초적 설명 및 처방, 제조법, 사용법 등이 기재되어 있다. 이를 통해 한의학에서도 고대부터 향기를 이용한 여러 가지 치료법을 시행했음을 알 수 있다.

① 향기요법의 전통의학으로서의 의미

생명체와 무생물 모두 자기 고유의 기운, 즉 독특한 향기를 지니고 있다는 전제 하에 질병을 예방하고, 자연치유력을 증진시키는 예방의학이자, 전통의학의 一種이다.

② 공통점

향입자들이 두뇌 변연계에 전달되어 신경화학물질을 생성하여 건강을 유지케 해준다는 원리는 심신의학의 원리와 일맥상통한다.

③ 향기요법의 치료 방법

흡입이나 목욕, 마사지 등의 방법을 이용하여 향기는 '폐와 피부' 에 가서 반응하게 되는데, 한의학에서 약물은 氣와 味를 지니고, 그 氣 또한 '폐와 피부' 에 가서 반응하며, '肺主皮毛' 라 한다.

④ 향기요법의 재료

향은 기운이고, 기운은 활동하고 살아 있게 하는 것이라 하여 고유의 기운을 사용하기 위해 식물체의 total extract를 사용하는 것은 한의학과 유사하다.

⑤ 향기요법의 치료의학적 특성

향기요법에서는 각 정유의 치료의학적 특성에 따라 다양한 질병을 치유하는데, 한의학에서는 燥焦香腥腐의 五臭를 각 五臟에 배속하여 진단의 기준으로 삼는다.

7. 기능의학

1) 정의 및 역사

기능의학은 다양한 병인이 복합적으로 작용하는 만성 질환의 치료에 있어 단순한 증상의 소멸 보다는 예방과 근본 원인의 치료를 강조하는 새로운 대안적 의료 사조로서 구미를 중심으로 자리 잡고 있는데, 자연의학, 영양의학, 정체의학 및 맞춤의학적인 특징을 가진다.

기능의학은 한의학적 체계와 유사한 점이 매우 많다. 예방의학적 성격이 강하고, 질병중심이 아닌 환자중심으로 접근하며, 병리적, 국소적인 개념보다는 기능적, 전인적인 면을 강조한다. 또한 '신체-정신-환경'을 분리하지 않고 통합하여 다루며, 치료에 있어서도 가공 약물이 아닌 천연 약물 혹은 영양치료를 사용한다는 것 등이 기존 서양의학과의 차이점이자 한의학과 기능의학과의 공통점이다.

1954년 노벨 화학상을 수상하고, 분자의학(Orthomolecular medicine)의 개념을 세운 Linus Pauling과 1956년 Biochemical Individuality이라는 저서를 남긴 Roger Williams 및 스트레스를 생리학적으로 정의하고 생활습관과 정신의 중요성을 강조한 Hans Selye 등에 의해서 기능의학의 개념이 만들어지고 발전되어왔다. 그 후 Jeffrey Bland는 1980년대 들어 '기능의학'의 모델을 구체적으로 정립하였고, 1991년 기능의학연구소(Institute for functional medicine)을 설립하였다. 현재 전 세계적으로 의사, 한의사 및 영양학자 등 의료관련 다양한 분야의 전문가들이 연구 및 임상에 기능의학을 활용하고 있다.

2) 개요

기능의학의 패러다임은 다음과 같은 기본 원리를 특징으로 한다.

① 개인별로 유전적, 환경적 고유성을 지니며, 이로 인해 생화학적 개별성이 나타난다(Biochemical Individuality).

② 질병 중심이 아닌 환자 중심의 치료적 접근이 중요하다(Patient centered).

③ 환자의 심신(몸, 마음, 영혼)에서 내적, 외적 인자의 역

동적 균형을 찾아야 한다(Dynamic Balance).

④ 내부의 생리적 요소들은 거미줄처럼 엮어서 상호 연결되어 있다(Web like Interconnection) (그림 10-2).

⑤ 건강은 단순히 질병이 없는 상태가 아닌 활력이 넘치는 생리 상태로 정의된다(Health as a positive vitality).

⑥ 신체 장기의 기능을 향상시켜 단순한 수명연장이 아닌 건강한 삶을 연장시켜야 한다(Promotion of organ reserve).

3) 기능의학에서의 병인

후천적 환경인자(environmental input)인 식이, 영양, 운동, 독성물질, 장내 미생물 불균형, 환경오염, 외상, 방사선 및 정신적 스트레스가 유전적 소인(genetic predispositions), 생화학적 개별성(biochemical individuality)의 상호작용을 통해 질병의 원인이 되는 다양한 기능적 불균형을 일으킨다.

4) 기능의학에서의 주된 관심분야

질환의 기저에 있는 이러한 불균형을 개선시키는 것이 중요하다고 하였다. 기능의학에서 바라보는 핵심적인 불균형은 다음과 같다.

(1)호르몬과 신경전달물질 불균형

호르몬과 신경전달물질은 신호전달자로서, 유전자의 발현을 조절하는데 중요한 역할을 하여 신체의 대사에 관여한다. 질병 수준에서의 호르몬 부족 혹은 과잉 뿐 아니라 기능 저하상태에서도 예방 및 삶의 질 개선 차원에서 적극적으로 대처한다. 준임상적 갑상선기능저하증, 부신 기능저하증, 성호르몬 불균형, 인슐린 저항성 등 현대인에서 자주 나타나는 기능적인 호르몬 문제 등을 다룬다. 호르몬을 직접 보충하기 보다는 분비선의 기능을 개선시키는 것을 치료 목표로 한다.

(2)산화스트레스와 미토콘드리아 병변

미토콘드리아는 생체가 사용할 수 있는 에너지원인 ATP

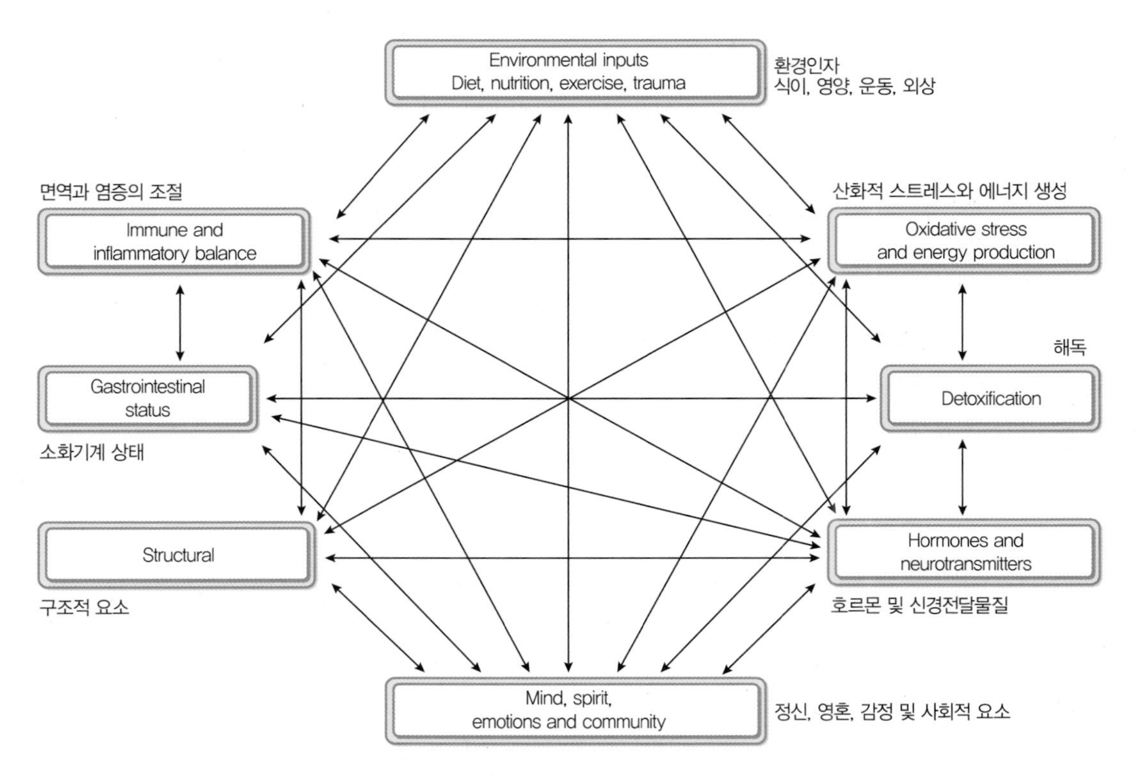

그림 10-2. Web-like inter-connection (Textbook of functional medicine에서 발췌)

를 전자전달계를 통해 생성하는 곳으로 산소를 반드시 필요로 한다. 산소가 대사되면서 생기는 부산물인 활성산소는 매우 불안정해 주변 세포의 세포막이나 DNA를 산화시키며 손상하므로 이러한 산화스트레스를 줄여줄 수 있는 물질이 필요하다. 최근 연구를 통해 산화스트레스가 암, 신경퇴행성질환, 자폐증, 대사질환 등의 만성질환 발생이 중요하다고 알려져 있다. 식이 또는 보충제를 통한 항산화제의 적절한 섭취가 강조된다.

(3)해독과 생체변환 불균형

우리 몸에서 독소는 환경 오염물질 등의 외부적인 요소 뿐 아니라 신체에서 만들어지는 각종 호르몬, 대사 부산물 등이 내적인 독소에 해당된다. 이러한 독소는 간, 장, 신장, 피부, 림프 등을 통해 몸 밖으로 배출되게 되는데 이를 해독과정이라고 한다. 기능의학에서의 주된 관심사는 간과 장에서의 해독인데 간해독 능력은 사람마다 차이가 크기 때문에 약물 혹은 음식의 효과가 개인 별로 다르게 나타날 수 있다. 간 해독은 독소를 수용성으로 바꾸는 1단계 해독, 여기다가 단백질 등을 포합시켜 최종적으로 배출시킬 수 있는 형식으로 바꾸는 2단계 해독으로 나눌 수 있다.

(4)면역과 염증의 불균형

염증은 친염증 물질과 항염증 물질의 균형이 무너져 발생하는 것으로 염증매개물질들은 대개 식이에서 비롯된다. 특히 지방산의 종류와 관계되는데 현대인들의 식단은 만성 전신 염증을 조장하는 쪽으로 치우쳐 있다. 만성 염증은 암, 대사질환, 치매, 비만 등 대부분의 만성 질환과 관련되어 있으며 기능의학에서는 식이조절 및 생약제제, 영양보충제로 염증을 조절하는 것을 목표로 한다.

(5)소화기 기능부전 및 장내 미생물의 불균형

소화기는 영양소의 소화 흡수 역할만 하는 것이 아니라 우리 몸 면역세포의 상당 부분이 장에 집중되어 있어 자가면역질환, 만성 염증질환과 관련된다. 한편, 잘못된 식이와 생활방식은 장의 투과성을 증가시키고 장내 미생물의 균형을 파괴하는데 이러한 장내환경의 변화가 비만-대사증후군을 비롯한 대사질환, 암, 아토피-류마티스 등의 면역질환의 병리에 중요한 역할을 하는 것으로 밝혀지고 있다. 위산, 담즙, 췌장의 효소 등 소화에 관련되는 인자들의 불균형 문제도 기능의학의 주된 관심사이다.

5) 기능의학에서의 진단

진단을 위한 검사로 혈액 검사 뿐만 아니라 주류의학에서 사용하지 않는 다양한 기능검사법등을 통해 기능 부전을 진단한다. 타액 호르몬 검사는 타액을 채취하여 타액 내의 코티솔, DHEA 등을 측정하여 스트레스 단계를 파악할 수 있는 검사법이며, 중금속-미네랄 검사는 주로 모발에서 측정하는데, 모발을 통한 검사는 채취가 쉽고, 혈액검사에 비해서 수개월 이상의 만성적 상태를 측정할 수 있다는 장점이 있다. 또한 내독소검사, 기초체온측정, 기초대사량 측정, 구강 pH 측정 및 유기산 검사 등 다양한 검사법을 사용하고 있다.

6) 기능의학에서의 치료법

치료 방법으로는 식이, 생활습관 교정, 스트레스 관리, 운동요법 등을 통한 전반적인 생활 방식의 교정을 중요하게 생각하며, 임상 증상과 검사 결과에 따라 생약제제, 영양 보충제를 처방한다.

참고문헌

1. Atwood, Kimball C., IV (2003). "Naturopathy: A critical appraisal". Medscape General Medicine. 5 (4): 39.
2. Jagtenberg, Tom; Evans, Sue; Grant, Airdre; Howden, Ian; et al. (April 2006). "Evidence-based medicine and naturopathy". Journal of Alternative and Complementary Medicine. 12 (3): 323–328. doi:10.1089/acm.2006.12.323. PMID 16646733.
3. Wilson, K. (1 March 2005). "Characteristics of Pediatric and Adolescent Patients Attending a Naturopathic College Clinic in Canada". Pediatrics. 115 (3): e338–e343. doi:10.1542/peds.2004-1901. PMID 15741360.
4. Russell, Jill; Rovere, Amy, eds. (2009). American Cancer Society Complete Guide to Complementary and Alternative Cancer Therapies (Second ed.). Atlanta: American Cancer Society. pp. 116–119.
5. Sarris, Jerome; Wardle, Jon (2010). Clinical Naturopathy: An evidence-based guide to practice. Sydney: Churchill Livingstone / Elsevier Health Sciences. pp. 32–36. ISBN 9780729579261. Retrieved 2013-09-01.
6. Pizzorno, Joseph E. (1999). "Naturopathy: Practice Issues". In Clark, Carolyn C.; Gordon, Rena J. (eds.). Encyclopedia of Complementary Health Practice. Springer Publishing. pp. 57–59. ISBN 9780826117229. Retrieved 2013-09-03.
7. Boon, Heather S.; Cherkin, Daniel C.; Erro, Janet; Sherman, Karen J.; et al. (2004). "Practice patterns of naturopathic physicians: Results from a random survey of licensed practitioners in two U.S. States". BMC Complementary and Alternative Medicine. 4: 14. doi:10.1186/1472-6882-4-14. PMC 529271. PMID 15496231.
8. Jump up to: a b c d Caulfield, Timothy; Rachul, Christen (1 January 2011). "Supported by science?: What Canadian naturopaths advertise to the public". Allergy, Asthma & Clinical Immunology. 7: 14. doi:10.1186/1710-1492-7-14. ISSN 1710-1492. PMC 3182944. PMID 21920039.
9. Myklebust M, Iler J (May 2007). "Policy for therapeutic massage in an academic health center: a model for standard policy development" (PDF). Journal of Alternative and Complementary Medicine. 13 (4): 471–5. doi:10.1089/acm.2007.6323. hdl:2027.42/63197. PMID 17532742.
10. Moyer CA, Rounds J, Hannum JW (January 2004). "A meta-analysis of massage therapy research". Psychological Bulletin. 130 (1): 3–18. CiteSeerX 10.1.1.509.7123. doi:10.1037/0033-2909.130.1.3. PMID 14717648.
11. Miller BF, Hamilton KL, Majeed ZR, Abshire SM, Confides AL, Hayek AM, Hunt ER, Shipman P, Peelor FF, Butterfield TA, Dupont-Versteegden EE (January 2018). "Enhanced skeletal muscle regrowth and remodelling in massaged and contralateral non-massaged hindlimb". The Journal of Physiology. 596 (1): 83–103.
12. Chen L, Michalsen A (April 2017). "Management of chronic pain using complementary and integrative medicine". BMJ. 357: j1284. doi:10.1136/bmj.j1284. PMID 28438745.
13. Accessible at :// https://www.medicinenet.com/script/main/art.asp?articlekey=11623
14. Christopher AM, James R, James WH. A Meta-analysis of massage therapy research. Psychological Bulletin. 2004;130(1):3-18.
15. Pornratshanee W, Patria AH, Gregory SK. The mechanisms of massage and effects on performance, muscle recovery and injury promotion. Sports Med. 2005;35(3):235-256.
16. 나대관, 오민석, 송태원. 태극권의 원리에 관한 연구. 한의학연구소 논문집. 2001;10(1):287-95.
17. 진소왕 저, 김완희, 박종구 역. 진소왕태극권Ⅰ. 서울:도서출판 밝은 빛. 2006.
18. Shirley Sahrmann저, 권오윤 역. 팔다리, 목뼈와 등뼈의 운동계 손상 증후군. 서울:엘스비어 코리아. 2011.
19. Jin P. Changes in heart rate, noradrenaline, cortisol and mood during the tai chi. J Psychosomat Res 1989;33:192-206.
20. Jin P. Efficacy of tai chi, brisk walking, meditation and reading in reducing mental and emotional stress. J Psychosomat Res 1992;36:361-70.
21. Wolf SL, Coogler C, Xu T. Exploring the basis for Tai Chi Chuan as a therapeutic exercise approach. Arch Phys Med Rehabil. 1997;78:886-92.
22. Lee, H. Y. Comparison of effects among Tai-Chi exercise, aquatic exercise, and a self-help program for patients with knee osteoarthritis. J Korean Acad Nurs, 2006;36(3):571-80.
23. Mackintosh S. Hydrotherapy and Tai Chi each provide clinical improvements for older people with osteoarthritis. Aust J Physiother. 2008;54(2):143.

24. Chang MY, Yeh SC, Chu MC, Wu TM, Huang TH. Associations Between Tai Chi Chung Program, Anxiety, and Cardiovascular Risk Factors. Am J Health Promot. 2013 Mar 7. [Epub ahead of print]

25. Lin CL, Lin CP, Lien SY. The effect of tai chi for blood pressure, blood sugar, blood lipid control for patients with chronic diseases: a systematic review. Hu Li Za Zhi. 2013 Feb;60(1):69-77. [Article in Chinese]

26. Tsang WW. Tai Chi training is effective in reducing balance impairments and falls in patients with Parkinson's disease. J Physiother. 2013 Mar;59(1):55.

27. 황의형, 양창섭 저, 류승권 감수. 의료기공학. 부산:부산대학교출판부. 2013.

28. Ross, A.; Thomas, S. (January 2010). "The health benefits of yoga and exercise: a review of comparison studies". Journal of Alternative and Complementary Medicine. 16 (1): 3–12. doi:10.1089/acm.2009.0044. PMID 20105062.

29. "Yoga joins Unesco world heritage list". The Guardian. 1 December 2016.

30. White, David Gordon (2011). Yoga in Practice. Princeton University Press. p. 3. ISBN 0-691-14086-3.

31. Ulrich Timme Kragh (editor), The Foundation for Yoga Practitioners: The Buddhist Yogācārabhūmi Treatise and Its Adaptation in India, East Asia, and Tibet, Volume 1 Harvard University, Department of South Asian studies, 2013, pp. 16, 25.

32. 김형준. 요가를 통한 힌두의식의 확산. 요가학연구.2019;21(1):9-37.

33. 김선미. 요가수련에서 5요소의 의미에 대한 고찰. 인도연구.2013;18(2):77-106.

34. 박영길. 중기 하타요가 문헌연구. 불교학리뷰. 2010;8(8):43-104.

35. Accessible at ://https://ko.wikipedia.org/wiki/%EC%9A%94%EA%B0%80

36. Maxime Billot, Maeva Daycard, Chantal Wood,Achille Tchalla. Reiki therapy for pain, anxiety and quality of life. BMJ Support Palliat Care. 2019 Apr 4. pii: bmjspcare-2019-001775. doi: 10.1136/bmjspcare-2019-001775.

37. Miles P, True G. Reiki--review of a biofield therapy history, theory, practice, and research. Altern Ther Health Med. 2003 Mar-Apr;9(2):62-72.

38. 박희준. 레이키(REIKI, 靈氣)법의 세계. 한국전신과학학회 학술대회 논문집. 1998:253-63.

39. Baldwin AL, Vitale A, Brownell E, et al. Effects of Reiki on pain, anxiety, and blood pressure in patients undergoing knee replacement: a pilot study. Holist Nurs Pract 2017;31:80–9.

40. Gill L. More hospitals offer alternatives for mind, body, spirit. USA Today, 2015. Available: http:// usatoday30. usatoday.com/ news/ health/ 2008 - 09- 14- alternative- therapies_ N. htm [Accessed 12 Feb]

41. National Center for Complementary and Integrative Health. Statistics on CaM use. Available: https://nccihnih-gov/research/statistics [Accessed 12 Feb 2015]

42. David E. McManus. Reiki Is Better Than Placebo and Has Broad Potential as a Complementary Health Therapy. J Evid Based Complementary Altern Med. 2017 Oct; 22(4): 1051–1057.

43. Brasil Ministerio da Saude, Secretaria de Atencao a Saude, Basica. DdA. Politica Nacional de Praticas Integrativase Complementares de Saude no US—PNPIC-SUS, 2006. Available: http://bvsmssaudegovbr/bvs/publicacoes/pnpicpdf [Accessed 20 Aug 2012]

44. 박문현. 주역과 기공 -「주역참동계를 중심으로」-. 한국정신과학학회지. 2000;4(2):1-16.

45. 김경철, 김이순, 곽이섭, 이해웅, 이경구. 기공의 한의학적 가치 개발에 대한 연구. 보건복지가족부, 2009.

46. 김태우, 윤종화. 기공수련의 기본적 분류와 침구학과의 관계. 대한의료기공학회지. 1998;2(1):153-85.

47. 김용재. 오행사상과 오금희 동작의 상관관계 연구. 고려대학교 의용과학대학원, 2011.

48. 이동현. 생활기공. 서울시, 정신세계사, pp 195-289, 1993.

49. 中國氣功學의 硏究(I) : 八段錦을 中心으로. 우석대학교논문집 8: 193-205, 1986.

50. 한창현, 이상남, 권영규, 안상우, 최선미. 한국 저널에 게재된 기공 관련 임상 연구 동향 분석. 대한한의학원전학회지. 21(3):291-306, 2008.

51. 황의형, 양창섭. 의료기공학. 부산시, 부산대학교 출판부. pp 21-99, 2013.

52. 황의형, 권영규, 허광호, 조현우, 이현엽, 성우용. 한의학적 운동치

료로서 기공과 도인의 효과에 따른 차이 고찰. 동의생리병리학회지, 27(5), 594-601

53. World Health Organization. https://www.who.int/topics/nutrition/en/. [2019.08.21.]

54. 오한진. 통합의학에서의 식이/영양 요법. Hanyang medical review. 2010;30(2):103-8.

55. "Diet Therapy." Gale Encyclopedia of Nursing and Allied Health. . Encyclopedia.com. 21 Aug. 2019 <https://www.encyclopedia.com>

56. Weitzman S. Complementary and alternative (CAM) dietary therapies for cancer. Pediatr Blood Cancer. 2008 Feb;50(2 Suppl):494-7

57. Kverneland M, Molteberg E, Haavardsholm KC, Pedersen S, Ramm-Pettersen A, Nakken KO. Dietary therapy for epilepsy. Tidsskr Nor Laegeforen. 2017 Sep 4;137(16). doi: 10.4045/tidsskr.16.0486. Print 2017 Sep 5.

58. Brandhorst S, Harputlugil E, Mitchell JR, Longo VD. Protective effects of short-term dietary restriction in surgical stress and chemotherapy. Ageing Res Rev. 2017 Oct;39:68-77. doi: 10.1016/j.arr.2017.02.001. Epub 2017 Feb 20.

59. Myung, Seung-Kwon, et al. Efficacy of vitamin and antioxidant supplements in prevention of cardiovascular disease: systematic review and meta-analysis of randomised controlled trials. Bmj. 2013:346:f10.

60. Sang Mi Kwak, MD; Seung-Kwon Myung, MD; Young Jae Lee, MD, MS; et al. Efficacy of Omega-3 Fatty Acid Supplements (Eicosapentaenoic Acid and Docosahexaenoic Acid) in the Secondary Prevention of Cardiovascular Disease: A Meta-analysis of Randomized, Double-blind, Placebo-Controlled Trials. Archives of internal medicine (2012:172(9):686-94.

61. 양선호, 정명수, 송용선, 이기남. 食餌療法에 對한 東·西醫學的 考察. 한국전통의학지. 2000;10(1):129-64.

62. 정숙이, 금경수. 對《傷寒雜病論》中的食療法硏究『상한잡병론』을 통한 식이요법 연구. 대한한의정보학회지. 2003;9(2):39-48.

63. Cardoso R, de Souza E, Camano L, Leite JR. Meditation in health: an operational definition. Brain Res Brain Res Protoc. 2004 Nov;14(1):58-60.

64. Hwang YS. Study on the Definition and Understanding of Meditation. Won-Buddhism and Religious Culture. 2008;40:173-206.

65. Jang HG. Meditation Has the Answer. Damnbooks. 2013:31.

66. Osamu Ando. Psychiatry of meditation. Min-jok Publishing. 2009:32,42-56

67. 허휴정, 한상빈, 박예나, 채정호 정신과 임상에서 명상의 활용: 마음챙김 명상을 중심으로. J Korean Neuropsychiatr Assoc. 2014;54(4):406-17.

68. Sood A, Jones DT. On mind wandering, attention, brain networks, and meditation. Explore (NY) 2013;9:136-141.

69. Kim JH. What is the mindfulness: the application of mindfulness meditation to clinical setting and everyday life. Korean J Health Psychol 2004;9:511-538.

70. Boorstein S. Don't just do something, sit there: a mindfulness retreat with sylvia boorstein. San Francisco, CA: HarperCollins;1996.

71. Hilton L, Hempel S, Ewing BA et al. Mindfulness Meditation for Chronic Pain: Systematic Review and Meta-analysis. Ann Behav Med. 2017 Apr;51(2):199-213.

72. Sampaio C, Magnavita G, Ladeia AM. Effect of Healing Meditation on Weight Loss and Waist Circumference of Overweight and Obese Women: Randomized Blinded Clinical Trial. J Altern Complement Med. 2019 Aug 2. doi: 10.1089/acm.2019.0092.

73. van Lutterveld R, van Dellen E, Pal P, et al. Meditation is associated with increased brain network integration. Neuroimage. 2017 Sep;158:18-25. doi: 10.1016/j.neuroimage.2017.06.071. Epub 2017 Jun 27.

74. 박석. 명상의 이해. 스트레스연구. 2006;14(4):247-57.

75. 이정원, 김경철, 이해웅. 동의보감의 명상 수행에 대한 고찰. 대한한의학원전학회지. 2017:25(3);149-58.

76. 김근우, 배효상, 손한범 외. 명상프로그램(α version) 시행 전후의 사상체질별 심리척도 및 HRV 변화 연구. 동의신경정신과학회지. 2014;25(1):1-12.

77. 박종민, 이고은, 서주희 외. 마음챙김 명상과 이정변기요법을 이용한 PTSD 환자 치험례. 동의신경과학회지. 2014;25(1);73-84.

78. 이성용. 유소정. 최성열 외. 마음챙김 명상과 이정변기요법을 이용한 공황장애 그룹치료 효과에 대한 임상적 고찰. 대한한방신경정신과학회지. 2014;25(4);319-32.

79. Gilbert C, Moss D. Biofeedback and biological monitoring.

In: Donald M, Angele M, Terence CD, Ian W, (eds.), Handbook of Mind-Body Medicine in Primary Care: Behavioral and Physiological Tools. Thousand Oaks, California: SAGE Publications; 2003:109–122.

80. Schwartz MS. A new improved universally accepted official definition of biofeedback: where did it come from? Why? Who did it? Who is it for? What's next? Biofeedback. 2010;38(3):88–90.

81. Schwartz NM, Schwartz MS. Definitions of biofeedback and applied psychophysiology. In: Schwartz MS, Andrasik F, eds. Biofeedback. New York, NY: Guilford Publications; 2017:3–23.

82. Katherine E Darling, Ethan R Benore, Erin E Webster, Biofeedback in pediatric populations: a systematic review and meta-analysis of treatment outcomes, Translational Behavioral Medicine, , ibz124, https://doi.org/10.1093/tbm/ibz124.

83. Yucha, Carolyn, and Doil Montgomery. Evidence-based practice in biofeedback and neurofeedback. Wheat Ridge, CO: AAPB, 2008.

84. Kondo K, Noonan KM, Freeman M, Ayers C, Morasco BJ, Kansagara D. Efficacy of Biofeedback for Medical Conditions: an Evidence Map. J Gen Intern Med. 2019 Aug 14. doi: 10.1007/s11606-019-05215-z.

85. Basnayake C, Kamm MA, Salzberg MR, Wilson-O'Brien A, Stanley A, Thompson AJ. Delivery of Care for Functional Gastrointestinal Disorders: A Systematic Review. J Gastroenterol Hepatol. 2019 Aug 14. doi: 10.1111/jgh.14830.

86. Basmajian JV. Biofeedback in rehabilitation: a review of principles and practices. Archives of physical medicine and rehabilitation. 1981;62(10):469-75.

87. Sokhadze, TM., Cannon, RL., Trudeau DL. (2008). EEG biofeedback as a treatment for substance use disorders: review, rating of efficacy and recommendations for further research. Journal of Neurotherapy, 2008;12(1);5-43.

88. 임수정, 이종수, 김나라 외. 시지각 바이오피드백 훈련이 뇌졸중 환자의 균형 및 자세조절에 미치는 영향. 한방재활의학과학회지. 2011;21(10):137-48.

89. Heymen, Steve, et al. Biofeedback treatment of constipation. Diseases of the colon & rectum.2003;46(9):1208-17.

90. Mayo Clinic hompage. https://www.mayoclinic.org/tests-procedures/biofeedback/about/pac-20384664 [2019.08.21.]

91. 강형원, 김태헌, 류영수. 바이오피드백의 이해와 한의학적 이용. 동의신경정신과학회지. 2005;16(1):143-57.

INDEX

찾아보기

INDEX

KOREAN REHABILITATION MEDICINE

영문

A

B

C

D

E

O

P

Q

R

S

T

U

V

W

X

Y

Z

한글

ㄱ

ㄴ

ㄷ

ㅇ

ㅈ

ㅊ

ㅋ

ㅌ

ㅍ

ㅎ